名作モダン
建築の
解剖図鑑　増補改訂版

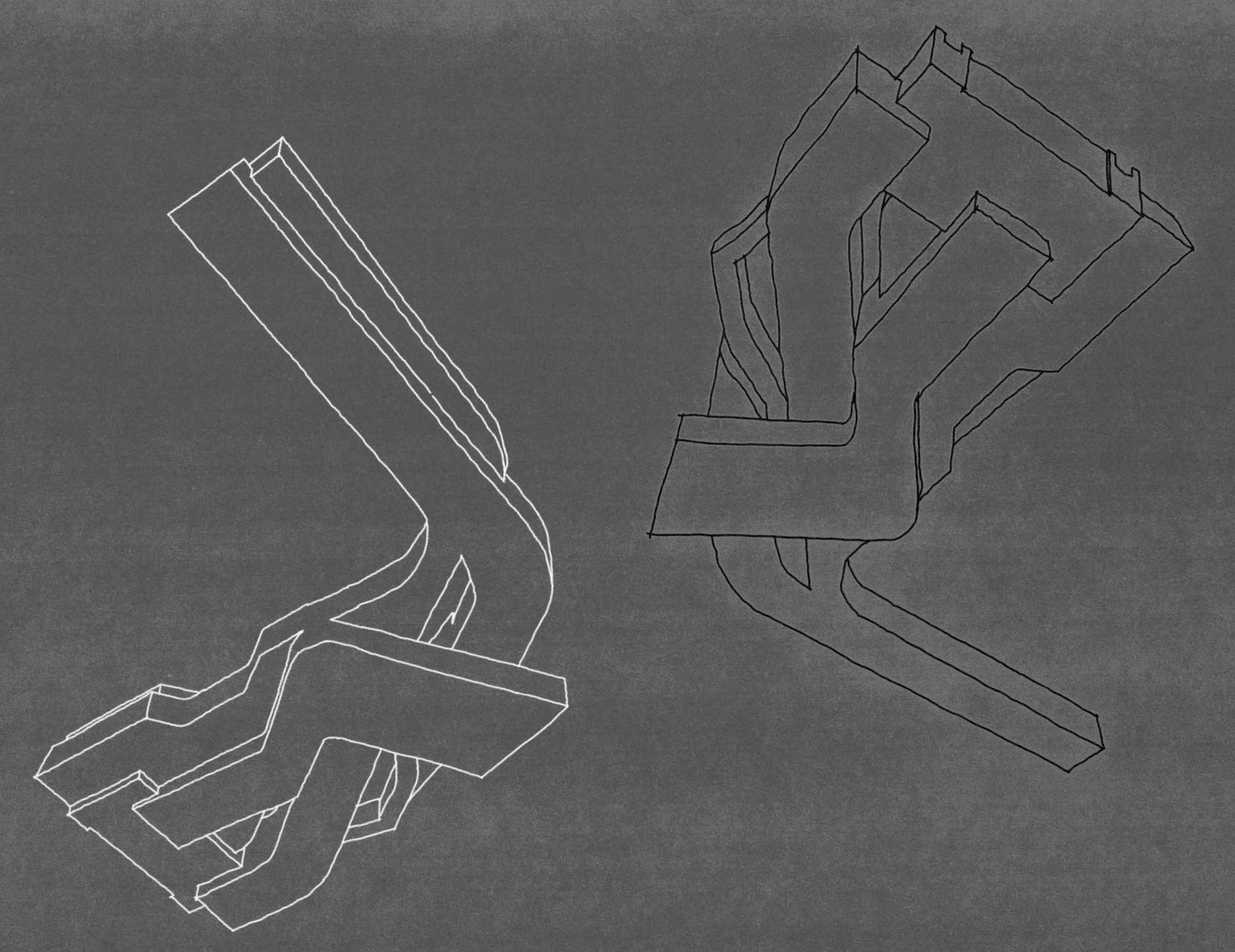

名作モダン
建築の
解剖図鑑 増補改訂版

イラストでひもとく近・現代建築

アントニー・ラッドフォード、アミット・スリヴァスタヴァ、 セレン・モーコック
長田綾佳・訳

X-Knowledge

表紙イラスト：国立代々木競技場（1961-64）
吊屋根構造による象徴的な外観をもつ。2021 年、国の重要文化財に指定された（プロジェクト 08）。

裏表紙イラスト：ルイジアナ近代美術館（1956-58）
レンガと木材で作られた増築部分では、建物、芸術作品、ランドスケープが相互に反応し、一体感が生まれている（プロジェクト 07）。

口絵イラスト：イタリア国立 21 世紀美術館　MAXXI（1998-2009）
建物の外観は、とぐろを巻いた蛇が頭を体の上に持ち上げて休み、敷地の向こう側を見渡しているような形をしている（プロジェクト 52）。

ブックデザイン　甲谷一（Happy and Happy）
翻訳協力　株式会社トランネット

Published by arrangement with Thames & Hudson Ltd, London,
The Elements of Modern Architecture: Understanding Contemporary Buildings ©2014 and 2020 Thames & Hudson Ltd, London

This edition first published in Japan in 2025 by X-Knowledge Co., Ltd., Tokyo, through Tuttle-Mori Agency, Inc., Tokyo

目次

フォートワース現代美術館｜1996-2002
建物の内部から外部の水盤を見る。水盤に日光が反射して、室内や建物の周りがより明るく感じられる（プロジェクト38）。

建築の分析

本書は、1950年以降に建てられた影響力のある建築作品の中から選りすぐりのものを取り上げ、近·現代建築の要素が物理的、社会的、文化的、環境的コンテクストへどのように対応しているかを紹介する。本書の目的は、建築の写真を見たり説明文を読んだりするとき、あるいは頭の中で建築をイメージするときや、実際に建築を訪れるときに理解を助けるような、設計に関する分析を読者へ提供することにある。

あらゆる建築作品は、複雑な文化的背景をもち、ときには建築家の野心が表れる。それらの建築の中には、建築論で必ず引用される、世界的に有名な作品もある。私たちはプロカメラマンが撮影した写真で建築作品を知ることが多い。しかし建築写真において、人物が写り込むことはほとんどない。そのため、出版物や雑誌に掲載された建築は、物理的、社会的、環境的コンテクストから切り離された、孤立したオブジェクトのようにも見える。建築写真の解説には、しばしば平面図や説明文が添えられるが、断面図が記載されていることは少なく、分析のための図はほとんど載っていない。通常、ディテールが掲載されるのは専門書に限られる。建築を専門的に難しく説明するのが最近の流れだが、これでは実際のコンテクストに沿って建つ作品と読者が建築へ抱くイメージとのギャップが広がってしまう。

建築を鑑賞するには、やはり実物を体感するのが最も良いだろう。視覚、聴覚、嗅覚、触覚のすべてを総動員して、歩き回りながら全身で建築を感じ、空間の中で心を動かされる。3Dデジタルメディアを駆使した環境でさえ、実際に体験することの代わりにはならない。象徴的な写真を見て有名な建築のことを知る人はたくさんいるが、実際に訪れて建築そのものを物理的に経験できる人はとても少ない。絵画や彫刻は世界中の美術館を巡回できるが、建築はその場所を動くことができないからだ（私用地にあることも多い）。

分析と解説

実際に建築を体験する喜びには、建築を具体的に体感して生まれる感覚的快楽と、深い考察をともなう知的快楽という2つの側面がある（Scruton 1979：P73、Pallasmaa 2011：P28より引用。本書P15参照）。後者の知的快楽は、解釈や理解が前提にあるので、建築を理解できなければ喜びを享受することはない（そのため、どんな分野でも熱心なファンは門外漢に比べてはるかに大きな喜びを得られる）。分析することで解釈の道筋が開け、そこから理解を深めることにつながっていく。喜びを感じるためだけに理解するのではない。あらゆる学問分野は、その成果に対する批評的な考察、議論、討論の中で成長する。将来の研究に役立つパターンや前例は過去から生まれ、そして過去を理解することはよりよい未来へつながる。この数年間で、設計は従来の表現手法からデジタルな手法へ移行した。本書に掲載している作品のうち、もっとも古い作品と最新の作品にはその差がはっきりと表れている。しかし、デザイン手法が大きく変わっても、過去を理解して、それを未来につなげることの重要性は変わらない。実際に、最新のデザイン手法のおかげで過去作品の優れたデザイン手法を適用することが可能になった。同時に、より斬新なフォルムの模索も進んでいる。（Bruton and Radford 2012より引用。本書P15参照）。

建物の細かい要素同士がどのように関係しているのか、都市や地方の環境に、あるいは気候や周辺の地域社会に建築がどのように関わっているのか、建築材料がどのように使われているのか。分析を通すことで、建築が「どのように」構成されているかを知ることができる。また、この建築はなぜこの形をしているのか、なぜこの材料が使われているのか、なぜデザインに過去の作品が参照されているのかなど、分析結果を理解することは、鑑賞者自身が抱いた「なぜ」という問いの答えにもつながる。

もちろん、建築家に直接疑問をぶつけ、考えを問いただすことは難しい。そこで本書は、評論家や批評家による解釈のような分析を目指した。フィンランドの建築家・思想家、ユハニ・パラスマは、信頼できる建築批評の役割とは、「商業化された建築イメージにより、フィクション化が進む」世界において、「現実感」を創造し守ることであると強調する（Pallasmaa 2011：P22-23より引用。本書P15参照）。批評家と同じように、分析者は作品を分析し、作品に関する文献を読み、作品の解釈を述べる。これらの解釈は私たちが抱いた「なぜ」という問いに対して重要な役割を果たす。設計過程でどのように建築様式が生まれたのかを建築家自身が語っている場合もあれば、建築の背後にある論理的思考の情報がごく限られている場合もある。

書籍や映画、芸術作品等のレビューのように、分析の信頼性は、実際に感じたことに対して忠実で理路整然としたストーリーをしっかりと語れるかどうかにかかっている。また、そのストーリーが読者の思考を刺激し、新たな解釈を生み出せるかも重要だ。レビューと同じように、分析の目的はあらゆる側面を網羅することではなく、厳選された価値ある洞察を提供することにある。建築作品の分析とは、ことなる分析方法を

マンチェスター民事司法センター｜2001-07

それぞれの要素が重なり合うような形をしている（プロジェクト45）。

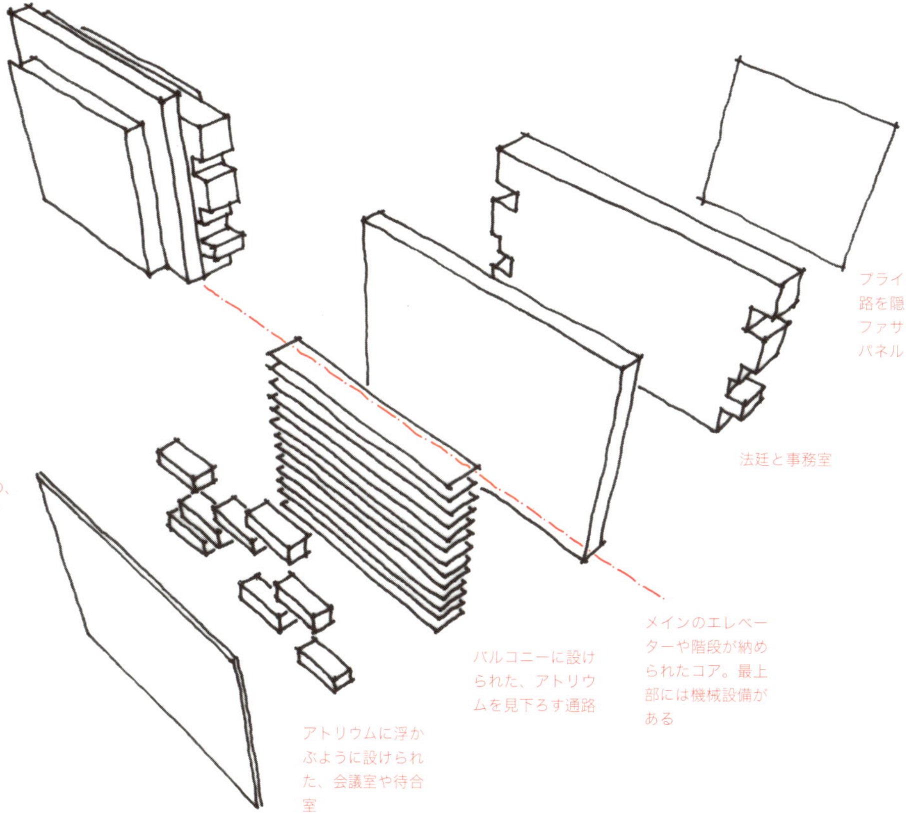

プライベートな通路を隠す、東側のファサードの金属パネル

法廷と事務室

西側のファサードの、2重構造のガラス壁

メインのエレベーターや階段が納められたコア。最上部には機械設備がある

バルコニーに設けられた、アトリウムを見下ろす通路

アトリウムに浮かぶように設けられた、会議室や待合室

ビルバオ・グッゲンハイム美術館｜1991-97

高くそびえる先端は、彫刻のように躍動的だ。太陽の光を受けてちらちらと輝く姿が、街の目印になっている（プロジェクト 28)。

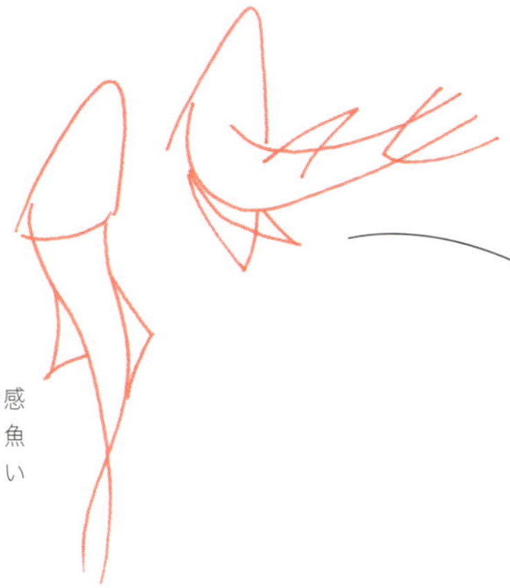

生き生きとした躍動感を表現するために、魚の形が参考にされている。

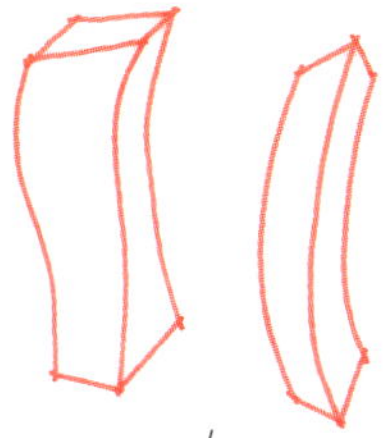

魚を抽象化したダイナミックなフォルム。

うねるようなフォルムと金属の被覆がダイナミックに組み合わされ、太陽や見る人の動きに応じて多様な表情を見せる。

読者自身が模索し、場合によっては著者の解釈への反論さえも促すものでなければならない。本書に掲載している作品は有名なプロジェクトなので、読者が先入観をもっているかもしれないし、その先入観と本書の内容が相いれない場合もあるかもしれない。本書が建築作品に対して新たな解釈をもたらし、既存の解釈を問い直すきっかけになることを期待している。

なぜ「ダイアグラム」を使うのか

本書では分析方法として、ダイアグラムを使っている。建築のアイデアを表現するには、文章よりも図の方が簡潔で正確に表現できることが多い。とはいえ、図で表現するよりも言葉で表現する方がよい場合もあるので、短い説明文で図を補った。フォーマットも読みやすく工夫した。それぞれのダイアグラムは、順番に読み進むよりも、読者が特定の作品を選んで読む場合や、ほかの文献と見比べながら分析する場合に参照することを想定している。それぞれのダイアグラムは検討や再検討の材料になる。解釈学にもとづく学習法によると、新しく豊かな背景知識を増やしつつ、何度も繰り返し同じトピックを振り返ることで、物事をより深く理解できるようになるという。すでにもっている知識に加えて、新しい知識を関連付けて身につけることで、さらに理解が進むのだ。巻末の解説では、本書の掲載作品に表れる共通テーマを紹介しているので、巻末から読み始めるのもいいだろう。

分析用のスケッチや図は、建築の分野で昔から使われてきた。多くの建築家（あるいは設計者）は、アイデアを記録し、将来の作品につながりそうなものを書き留める手帳やノートをもっていた。また、著名な建築家が遺した設計過程のスケッチを見ると、状況の分析把握やその状況に応じた提案をするときにスケッチをどのように使っていたかがわかる。説明という行為は、創造という行為の模倣であると考えられてきた。フランスの作家ポール・ヴァレリーは、説明と創造についてこう語った。「《説明する》とは、『作り』方の１つを叙述すること以外では絶対にありえない。つまりそれは、思考によって作り直すことにほかならない。『なぜ』と『どのように』とは、こうした概念が要求するものの表現にほかならないが、それらはなにかにつけて介入してきては、なんとしてでも自分たちが満足させられるのを要求する（平凡社『ヴァレリー・セレクション〈下〉』より引用）」。つまり、作品を「思考によって作り直す」ことができれば、建築家の思考をより深く理解できることにつながるだろう。

全体と部分、反応しあう関係

建築家は思うまま自由に創作ができるわけではなく、彼らは常に時代や場所など不確実な条件に対応しなければならない。批判的な分析の中で私たちが特に興味をもったのは、環境哲学者ワーウィック・フォックスが「相互反応がもたらす一体感」と呼んだ、建築同士や建築の細かな部分同士、あるいは建築とコンテクストとの関連だ（Fox 2006、Radford 2009 より引用。本書 P15 参照）。

相互反応がもたらす一体感とは、内部要素である「物」（フォックスは「組織」や「構造」という言葉も使っている）同士の関連や、「物」とコンテクスト（例えば、道路や地域、気候、社会など）との関連をいう。フォックスは著書の中で、『互いに変化を与え合う関係によって、（意図的ではないとしても、少なくとも機能的には）全体のまとまり、すなわち何らかの「結束」という秩序が生まれたり維持されたりして（物理的に、あるいは比喩的に）相互に関連しているという観点から、物の要素や際立った特性が相互関連性において特徴付けられる場合には、常に（Fox 2006：P72。本書 P15 参照）』、相互反応による一体感が存在すると述べる。さらにフォックスの「コンテクストの理論」によると、内部の要素同士の相互反応で一体感を生み出すよりも、「物」とより広いコンテクストとの相互反応で一体感を生み出す方が常に重要であるという。

また、相互反応がもたらす一体感は、あと２つの基本的な秩序のあり方とも対比をなす。すなわち、固定化された一体感（不変でゆるぎない関係）と、無秩序感（要素間に何の関係もないこと）だ。１つの建築を複数のオブジェクトの組み合わせととらえてさまざまな側面を見れば、この３つの基本的な秩序の形のうちのどれか１つはきっと見つかるだろう。フォックスによれば、あらゆる学問分野で、博識な評論家たちが相互反応による一体感の例を好んで指摘する傾向があるという。しかし学問分野だけではなく、この世界のすべての有益なシステムは、このような一体感と同じような秩序を特徴としていると彼は論じる（Fox 2011 より引用。本書 P15 を参照）。

完璧な建築であれば、建物の要素同士の関連や、地域レベル、あるいは世界レベルのコンテクストとの関連を論ずるときに、説得力のある答えをすべて提示できるかもしれない。ところが現実には、有名な建築作品でさえ完璧な回答を携えているとはとても言えない。機能や環境の面で重大な欠陥が認められるにもかかわらず、建築論の中では高く評価されている作品も多い。しかし、そのような建築の中には、要素の相互反

クォッドラッチ・パビリオン｜1994-2001
ガラス張りの横長の開口部が、グリッド越しの景色を切り取る。このグリッドによって、構造要素の繰り返しが強調されている（プロジェクト 32）。

ロイズ・オブ・ロンドン　オフィスビル｜1978-86
補助的な機能が納められたタワーは、中世の城の尖塔や銃眼付きの胸壁（城壁や城の最上部に設けられる、通路や兵士を防御するための背の低い壁面）を思わせる（プロジェクト 19）。

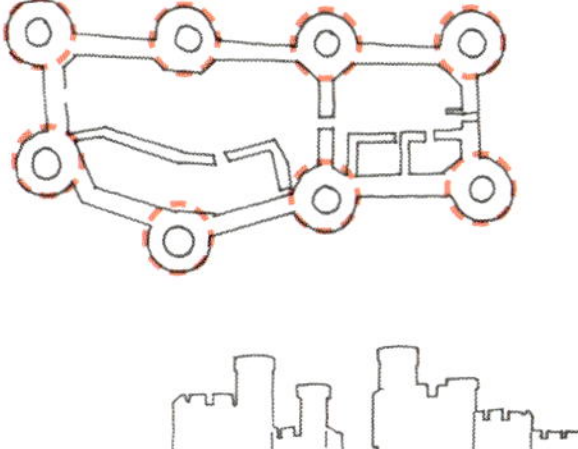

コンウィ城（13 世紀）

サービスタワーが設けられたロイズのオフィスビル（20 世紀）

応がうまく起こり非常に優れた一体感をもつものもある。本書に掲載する建築作品の多くは、そっくりそのままほかの建築のお手本になることはできないかもしれないが、模範として見習うのにはふさわしい部分がある。本書の分析では、それぞれの作品の長所に目を向け、どのように相互反応による一体感が表現され、建築のデザインがなされているかを紹介する。

建築作品の分析にあたり、まず建物から離れて広いコンテクストに注目した。周辺のエリアのコンテクスト、さらにその内部のコンテクストへとズームアップしていく。こうすれば、環境や文化の持続可能性などの地球規模の課題と、建築との関係を汲み取ることができる。全体的に見て、相互反応がもたらす一体感という観点から建築を分析すると、要素 1 つ 1 つよりも要素同士の関係性が強調される。相互反応による一体感が強い建築や建築要素は、画一性や没個性を特徴としているわけではない。なぜなら、そのような建築や建築要素は、コンテクストの価値を高めているはずであり、そのためにはただ周りに「なじむ」だけでは足りないからだ。

私たちが期待すること

多岐にわたる分析カテゴリーや、分析作業に取り組む手順をリストにしてみよう。チェックリストは、場所／環境、人／文化、技術／構造の 3 つに分類すると便利だ。縮めて「場所、人、技術」とすると覚えやすい（Williamson, Radford, Bennets 2003 より引用。本書 P15 参照）。このチェックリストを、分析者や批評家が抱く疑問に変換すると、次のようになる。

場所：その建築はどこに建っているのか。地球環境や局所環境の条件、気候や微気候（地面近くの気層の気候。地表面の状態や植物群落などの影響を受けて、細かい気象の差が生じる）、日光や騒音、動植物に、デザインはどのように対応しているか。また、隣や近くの建物の形にどう応えているか。

人：人々はどのようにアクセスし、どこから入り、どう進むか。フォルムや空間、その建築が象徴するものを、人々はどのように体験するか。その建築はどう機能するか。人間工学をどのように取り入れているか。子ども、お年寄り、視覚障害者や聴覚障害者を含む身体障害者に、どう対応しているか。地域特有の文化にどのように応えているか。現地の、あるいは世界の建築文化にどのように対応しているか。

技術：構造の鍵や原則になっているのはどのような側面か。構造と建築全体はどう関わっているか。ディテールと全体はどう関連しているか。どんな素材が使われ、なぜそれが選ばれているのか。断面と側面はどう関わっているか。

そのほか、批評によく登場する論点は次の通りだ。同じ建築家、あるいは別の建築家の他作品とどのように関わっているか。建築論ではどのような位置付けなのか、批評に値するのはなぜか。一言でいうなら、この建築の「最大の特徴」は何か。ジェフリー・ベイカーは、『Desgin Strategies in Architecture: An Approach to the Analysis of Form』（1989）で、フォルムの成り立ちや、フォルムの要素同士の関係、人々が建築にどのように近づいてどのように中に入るかに注目している。サイモン・アンウィンは、『Analysing Architecture（日本語版：『建築デザインの戦略と手法　作品分析による実例トレーニング』）』（2003）で、要素、空間、場所にスポットを当てる。ベイカーとアンウィンの主張は、どちらも相互反応による一体感という観点から解釈できる。

分析すること＝デザインすること

このような分析は、デザインをすることに似ている。実際、分析には設計がともなう。分析とはそもそもデザインと同じようにクリエイティブで、研究、提案、検査を繰り返し、理解や確信を深めるという内省的な行為なのだ。デザインするときのように調査して、何がわかっているのかを突き止めなければならない。建築を分析する場合には、どんな文献や写真、分析対象の建築の模型やドローイングが手に入るのかを調べる必要がある。情報が集まったら、先に述べた通り、場所、人、技術についての疑問、あるいは分析やその結果の説明の途中で浮かんでくる疑問に対して、分析や注釈図を使ってどう回答できるかを考える。ただ説明すること（デザインの図面や写真を書き写して、説明文を加えること）と、批評的な分析という知的な試みは別物だということを心に留めながら、何が表現されているかを鋭く見抜き、簡潔に表現するように努めなければならない。

批評的分析が成功したかどうかの基準は、実際に建築を訪ねる人、そ

ユダヤ博物館｜ 1988-99
建物の全体を形作るジグザグの平面は、ユダヤ教のシンボルであるダビデの星が文字通りバラバラに引き裂かれているようだ。リベスキンドのほかの作品にも、ジグザグのランドスケープを使った表現が見られる（プロジェクト 31）。

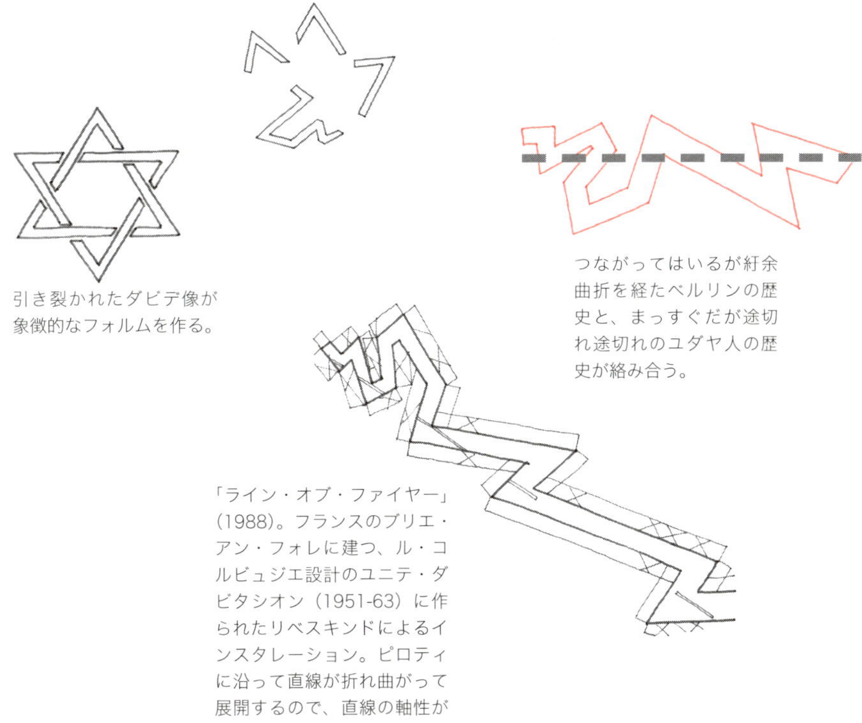

引き裂かれたダビデ像が象徴的なフォルムを作る。

つながってはいるが紆余曲折を経たベルリンの歴史と、まっすぐだが途切れ途切れのユダヤ人の歴史が絡み合う。

「ライン・オブ・ファイヤー」(1988)。フランスのブリエ・アン・フォレに建つ、ル・コルビュジエ設計のユニテ・ダビタシオン（1951-63）に作られたリベスキンドによるインスタレーション。ピロティに沿って直線が折れ曲がって展開するので、直線の軸性が弱められている。

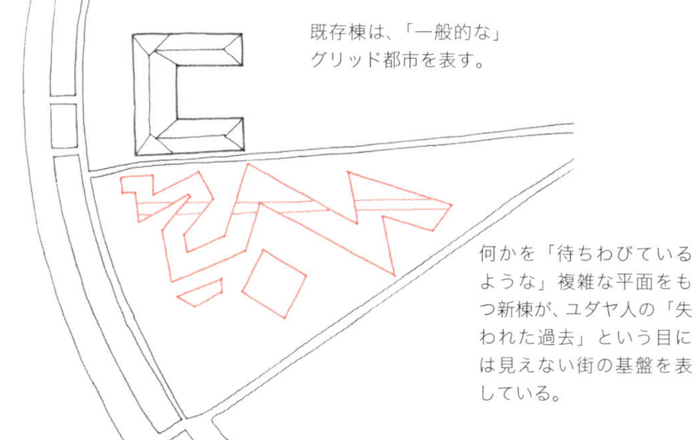

既存棟は、「一般的な」グリッド都市を表す。

何かを「待ちわびているような」複雑な平面をもつ新棟が、ユダヤ人の「失われた過去」という目には見えない街の基盤を表している。

直線的な形や斜めの切れ込みは、隣の伝統的なコレギエンハウスと明らかな対比をなす。

イーストゲート | **1991-96**
建物の形を通じて、気候、文化、機能、周辺の建物などのコンテクストに応えている（プロジェクト 26）。

の代わりに模型や写真を見たり、一般的な説明文を読んだりする人にとって、楽しみや知識などの付加価値を提供できるかだ。本書とともに建築を巡り、それぞれの作品を見比べ、建築のさまざまな表現と分析を結び付けてほしい。読者が本書のページに自分でメモを書き込み、建築作品を自分なりに読み解いてくれるなら、これほど嬉しいことはない。

参考文献

Baker, Geoffrey H., *Design Strategies in Architecture: An Approach to the Analysis of Form*, London: Van Nostrand Reinhold (1989)

Bruton, Dean, and Radford, Antony, *Digital Design: A Critical Introduction*, London: Berg (2012)

Fox, Warwick, *A Theory of General Ethics: Human Relationships, Nature, and the Built Environment*, Cambridge, MA: MIT Press (2006)

Fox, Warwick, 'Foundations of a General Ethics: Selves, Sentient Beings, and Other Responsively Cohesive Structures', in Anthony O'Hear (ed), *Philosophy and the Environment* (Royal Institute of Philosophy Supplement: 69), pp. 47–66, Cambridge: Cambridge University Press (2011)

Pallasmaa, Juhani, *The Embodied Image: Imagination and Imagery in Architecture*, AD Primer Series, West Sussex: Wiley (2011)

Radford, Antony, 'Responsive Cohesion as the Foundational Value in Architecture', *The Journal of Architecture* 14 (4), pp. 511–32 (2009)

Scruton, Roger, *The Aesthetics of Architecture*, London: Methuen (1979 (republished by Princeton: Princeton University Press, 1980)

Unwin, Simon, *Analysing Architecture*, Abingdon and New York: Routledge (2003)
（日本語版：『建築デザインの戦略と手法　作品分析による実例トレーニング』、サイモン・アンウィン著、重枝豊監訳／上利益弘訳、彰国社、2005 年）

Valéry, Paul, 'Man and the Sea Shell', in *The Collected Works of Paul Valéry*, vol. 1, selected with an introduction by J. R. Lawler, Princeton: Princeton University Press (1956)
（日本語版：『ヴァレリー・セレクション〈下〉』、ポール・ヴァレリー著、東宏治、松田浩則訳、平凡社、2005 年）

Williamson, Terence, Radford, Antony, and Bennetts, Helen, *Understanding Sustainable Architecture*, London and New York: Spon Press (2003)

01 サラバイ邸｜1951-55

ル・コルビュジエ
インド、アーメダバード

サラバイ邸は、建築家ル・コルビュジエが第2次世界大戦後にインドで設計した個人邸宅だ。彼は晩年に「ブルータリズム（冷たさや荒々しさを表現する建築思想）」という表現を用い、露出した打ち放しコンクリートやレンガの可能性を試み、建築生産活動に合わせたアプローチを構築しようとした。サラバイ邸はその初期の代表作である。たくさんの人手が頼みの綱であるインドの建設業という文脈が、粗削りな建設プロセスを際立たせ、建物の荒々しい物質性を表現している。

モデュロール理論（黄金比と人体の比率をもとにした尺度体系）や、ブリーズ・ソレイユ（窓や壁の日照調整装置）などがデザインに取り入れられ、プログラムや気候条件に適した建築となっている。モダニズム建築的なテーマと伝統的に続く普遍的テーマが見事に活用されているうえ、インド人富裕層の日々の儀式や日常生活など文化に対する細かな配慮が見られる。住人は、土着文化を含む普遍的要素とモダニズム的要素の組み合わせた住宅を通して、植民地独立後のコンテクストを反映する独特の一貫性を感じることができるのだ。

アダム・フェントン、ルマイザ・ハニ・アリ、アミット・スリヴァスタヴァ、アリックス・ダンバー

01 サラバイ邸｜1951-55

ル・コルビュジエ
インド、アーメダバード

都市コンテクストへの対応

サラバイ邸は、インド北西部のアーメダバードにある８ヘクタールの敷地に建つ個人住宅だ。敷地内は緑豊かで、街の建築物との景観的なつながりはない。居住する家族のニーズや自然の要素に応えた設計となっている。施主家族が住む母屋と使用人の住居で構成され、ランドスケープの周りに展開するように棟が連なり、ひと続きのオープンスペースを内包している。

棟の連なりと周囲の緑が、さまざまな空間のパブリックな面とプライベートな面をはっきりと区分していると同時に、建物へ向かう経路を作っている。

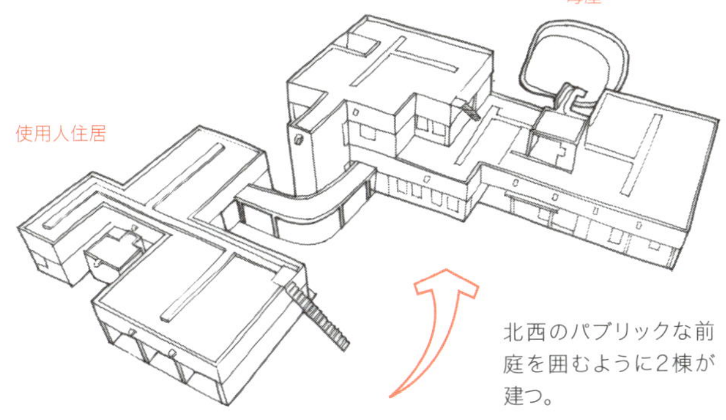

北西のパブリックな前庭を囲むように2棟が建つ。

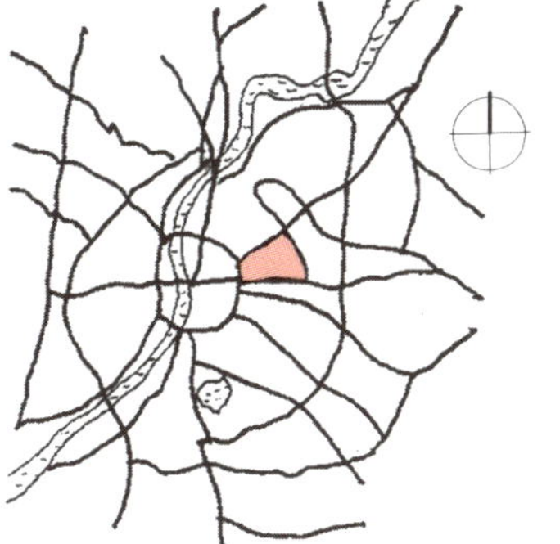

アーメダバードにあるサラバイ邸の敷地。

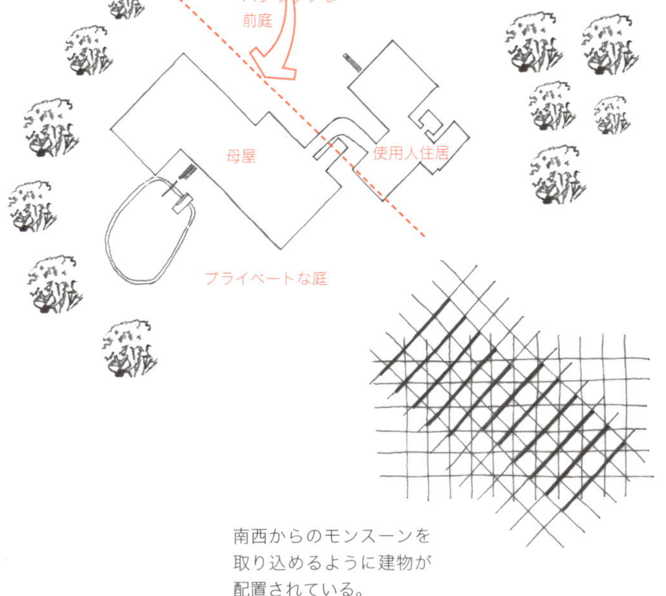

南西からのモンスーンを取り込めるように建物が配置されている。

周囲のランドスケープとのつながりが生む美しい景観は、シンプルな材料や形を使うことで立面の表現に引き継がれている。直線的な要素は周囲のランドスケープの豊かな自然をさらに強調し、建物と自然が互いに引き立て合っている。

気温の高いアーメダバードでは必要不可欠な涼しい風を最大限利用するため、南西からのモンスーンに合わせて建物を配置している。平面要素をＺ字に配し、北側に広がるパブリックなオープンエリアと、南側に広がるプライベートなオープンエリアを区分する。それによって建物がランドスケープに溶け込み、住環境としての一体感を生んでいる。

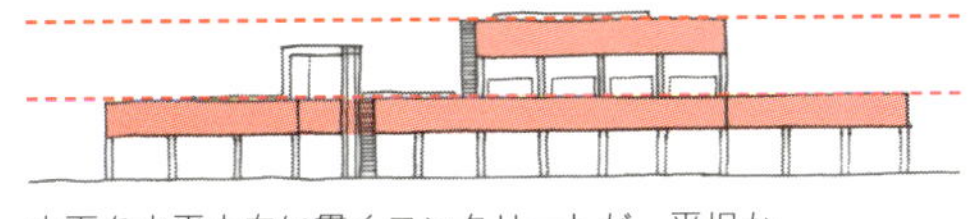

立面を水平方向に貫くコンクリートが、平坦かつ水平な敷地の特徴に呼応する。

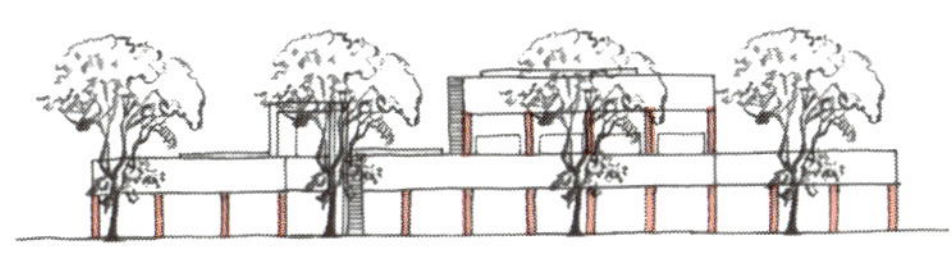

レンガ製の薄いピア（垂直方向に構造を支持する直立材）が、周囲の木々の垂直なアクセントに呼応する。

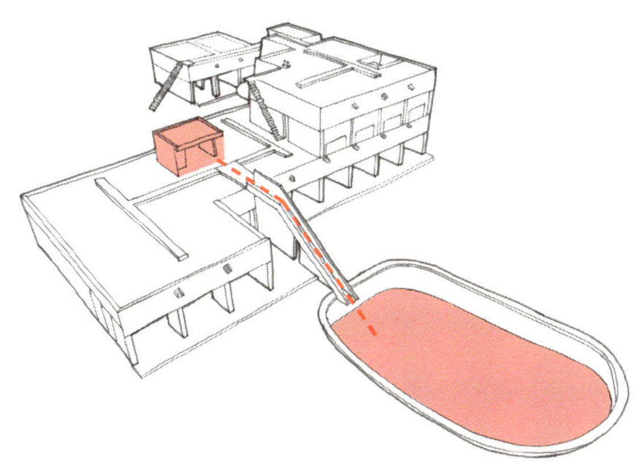

プログラムへの対応

この邸宅は、未亡人であるマノラマ・サラバイとその2人の息子のために建てられた。家族のニーズに合わせ、多様な半プライベート空間やプライベート空間が用意されている。母屋は2つのプライベートな領域をもつ。外界を完全に遮断すると、くつろぎのプライベート空間が生まれる。兄の寝室は西側、母と弟の寝室は東側に位置する。2つの棟を囲うように半プライベート空間があり、そこから南側と西側にあるプライベートな専用庭へつながる。このプライベートな領域と建物北側のパブリックなエントランスや居間をつなぐように、中心部分には共有スペースが設けられている。

連続するヴォールト（図はヴォールト構造の天井を取っ払った状態を示した鳥瞰で、アーチ部分は描かれていない）の構造が、プライバシーを守りながら南西からのモンスーンを取り込む。

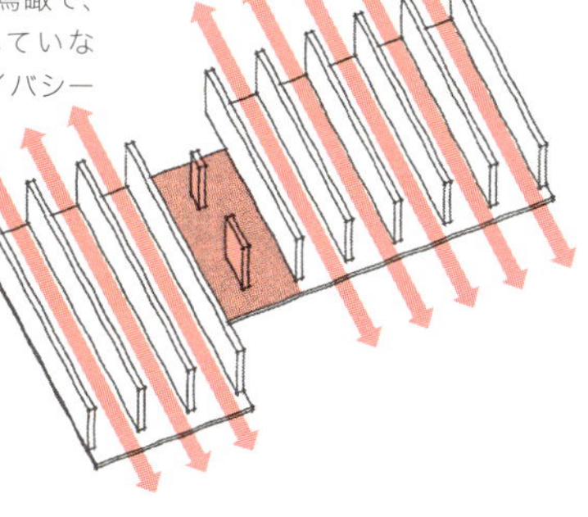

屋上の東屋と有機的な形の大きなプールをつなぐラインが、建物の南西部に沿って設けられたプライベートエリアを取り囲んでいる。これらの要素によって夏場のアクティビティにぴったりのランドスケープが生まれ、建物の人工的な形がプライベートなランドスケープになじんでいる。住人は屋上の東屋に腰を下ろし夜風にあたりながら、誘うようなプールの水面やその先の緑を眺められる。暑い夏の夜には、スライダーを滑り降りて冷たい水の中でひと泳ぎすることもできる。また、建物南側のファサードに並ぶバルコニーは、青々と緑が茂る南側のランドスケープへのつながりを保つ。

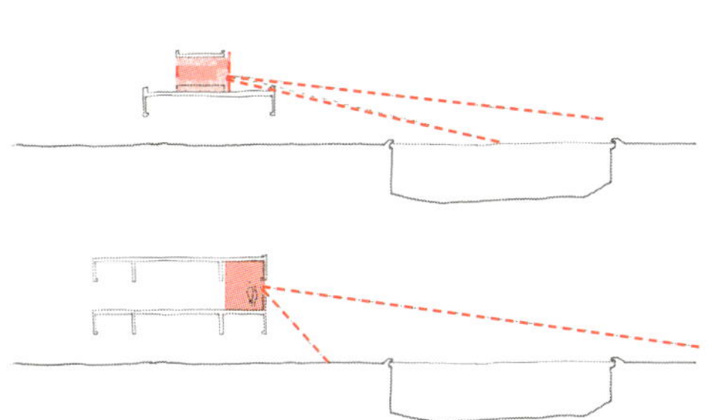

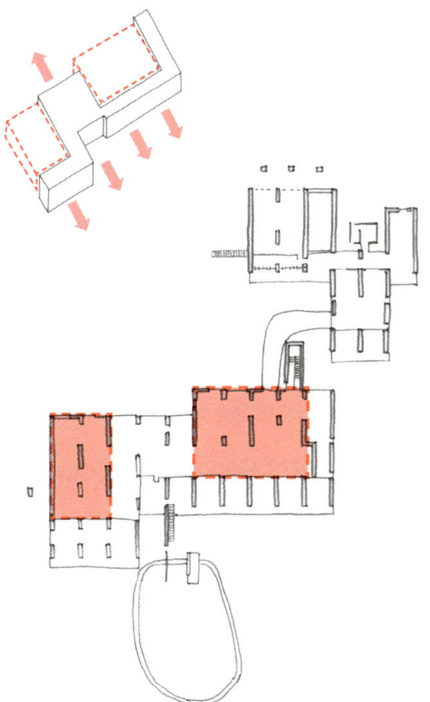

連続する南向きのヴォールトの端には、プライベートな寝室とパブリックな庭を遮るように半プライベートなベランダが設けられている。

南北に長い空間が回転軸のような役割を果たし、そこから両側の2つのプライベートな棟へつながる通路が延びている。

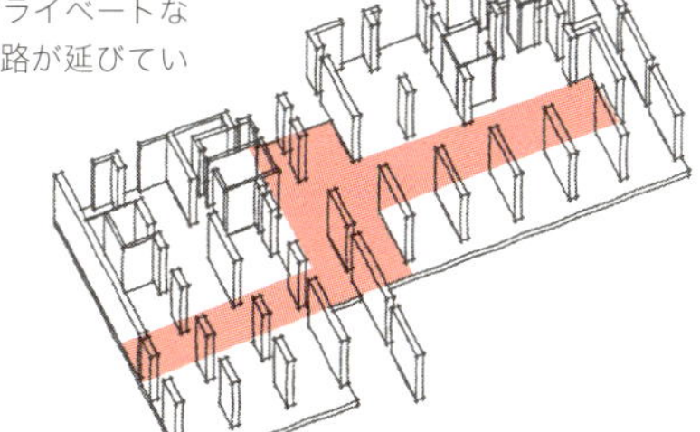

01 サラバイ邸｜1951-55

ル・コルビュジエ
インド、アーメダバード

フォルムと素材

ジャウル邸（フランス、パリ、1955）。パリ郊外にある個人住宅。サラバイ邸とよく似た素材やフォルムが用いられている。

鼻隠（軒先の先端に取り付ける板状の部材）下部のヴォールト構造

ショーダン邸（インド、アーメダバード、1956）。サラバイ邸と同じくアーメダバードにある個人住宅。現地の気候に対するコンクリート製ブリーズ・ソレイユの可能性が模索されている。

サラバイ邸の設計には、レンガとコンクリートという基本的な建築材料が組み合わされている。表面は簡素な仕上げに留められ、素材の神髄が建設方法とあいまって外観に活かされている。また、この対照的な２つの材料の組み合わせは、伝統と現代の融合への探求を表現している。

コルビュジエの同時期のプロジェクトと同様に、屋根構造には連続するコンクリート製ヴォールトが用いられ、露出したレンガの壁がそれを支えている。サラバイ邸では、ブリーズ・ソレイユとコンクリートのヴォールトが組み合わされ、インドの気候や現地の建設業に即したハイブリッド構造が生まれている。建物の奥行きに沿って並ぶヴォールト上部を覆うようにコンクリートの層が設けられ、日光を遮るもう１つのレイヤーとして機能している。さらに丸天井の柱間によって、壁を設けることなく内部空間が区切られている。

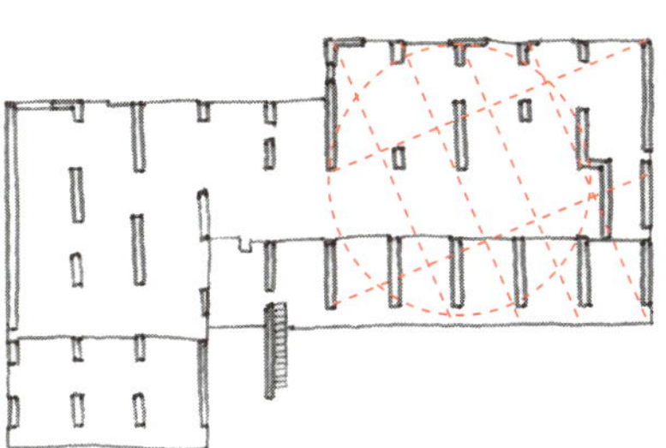

さまざまな平面要素や部分要素の秩序を作っているのは、シンプルな比率のシステムだ。室内では、空間の天井高はヴォールトの幅に合わせて定められている。さらにこれらのヴォールトで囲われた内部空間と外部空間の奥行きは比率によって決められ、全体構成に一体感が生まれている。

窓の要素から、壁面の窓およびドアの配置、さらにはインドのマドラス産の石を使用した床の模様に至るまで、建物のあらゆるところがすべてル・コルビュジエが提唱した「モデュロール」という比率システムに即している（左）。

気候への対応

建物に使われているヴォールトシステムは、室内の気候を調節する役割もある。波状に起伏したヴォールトの天井部分では、屋上庭園のために敷かれた土がサーマルマス（熱を吸収し蓄える能力の高い素材）となり、断熱効果が生まれている。また、内部空間のヴォールト構造のおかげで、涼しいモンスーンが室内を通りやすい。日よけが施されたベランダやマドラス産のひんやりとした黒い石も、空間を外側から冷やす受動冷却システムとして一役買っている。

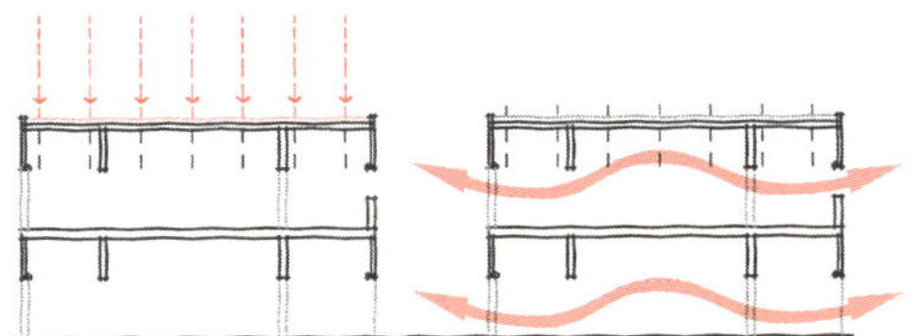

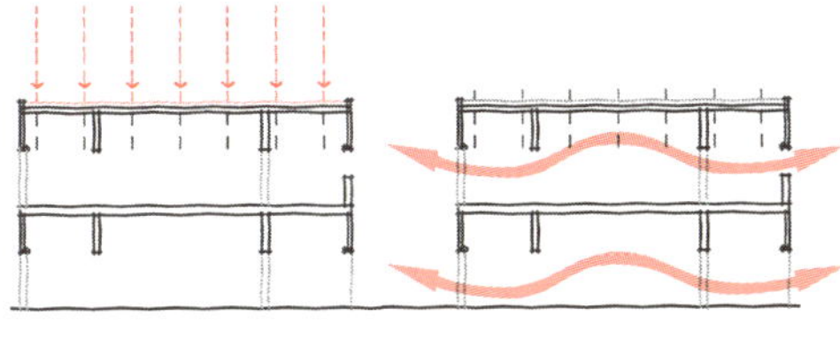

現地の文化および生活様式への対応

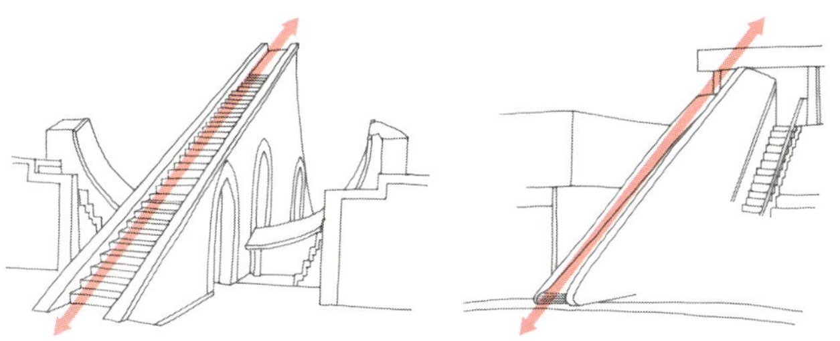

南端にある、屋上のパビリオンとプールをつなぐ大きな滑り台は、象徴的なジャンタル・マンタル（18 世紀にインド北部に建てられた大きな天文台）の形を模している。

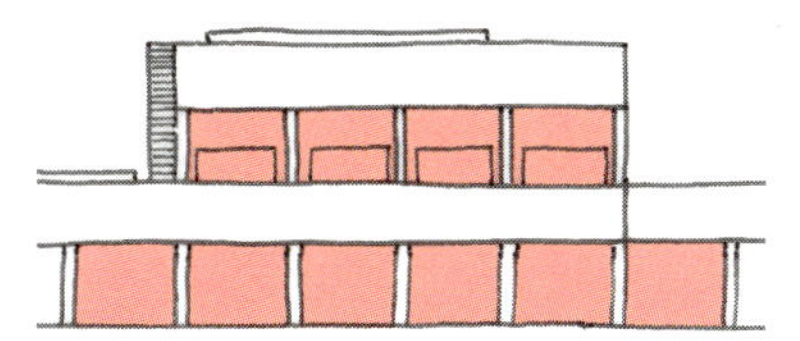

南側ファサードに用いられたブリーズ・ソレイユのスケールや特質は、ファテープル・シークリー（ムガル帝国第 3 代皇帝アクバルによって建設された都市遺跡）のアーケードなどインドの伝統的な建築様式を模している。

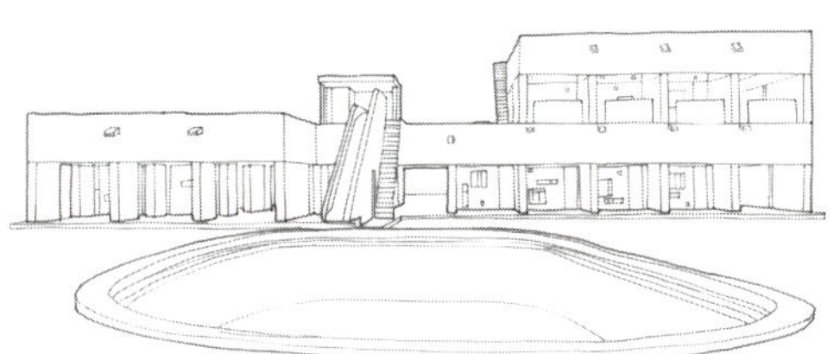

暑さから逃れ、ひと休みできるスイミングプール。

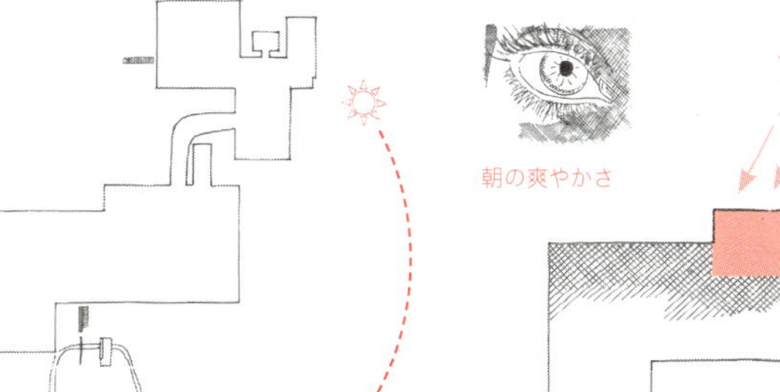

朝の爽やかさ

食堂に差し込む朝の光は、新しい一日を始める手助けをする。

さまざまなデザインの要素が相互に作用し、文化的な行動様式にもとづいた住人の生活ニーズに対応している。一日を通して空間をいろいろな用途に使えるので、あらゆる生活行動が可能になる。

夜のやすらぎ

ドアに設けられた開口部から入る涼しい夜風は、寝室エリアへ通り抜ける。

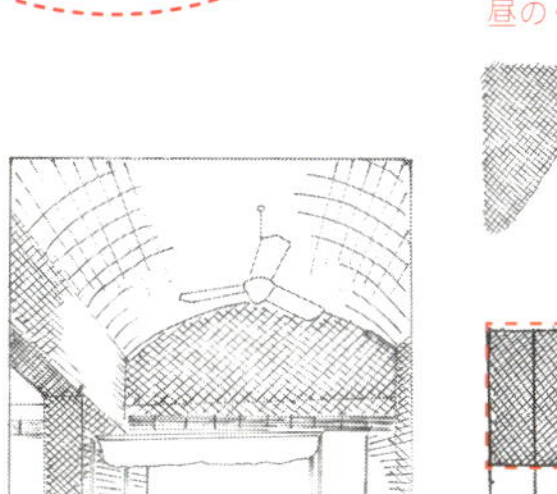

昼のくつろぎ

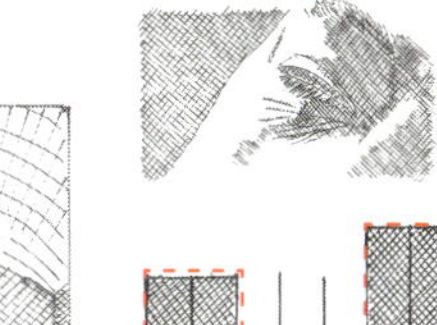

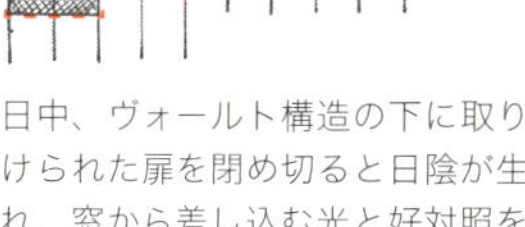

日中、ヴォールト構造の下に取り付けられた扉を閉め切ると日陰が生まれ、窓から差し込む光と好対照をなす。

02 カノーヴァ美術館 | 1955-57

カルロ・スカルパ

イタリア、トレヴィーゾ、ポッサーニョ

自然光、空間、造形がそれぞれ簡潔かつ力強い相互作用を与えあうカノーヴァ美術館。イタリア新古典主義の主導者アントニオ・カノーヴァ（1757-1822）が大理石彫刻の制作過程で遺した石こう像が展示されている。石こう像はもともと1830年代に建てられたバシリカ（西洋古代から中世にかけて発達した建築の形式の1つ。長方形の平面で長辺か短辺の中央に半円形の空間が張り出す）風のホールに収められていたが、1955年にカルロ・スカルパが依頼を受けて小さな新館を設計することになった。

バシリカ風の旧館はその大きさや対称性、優位性によって新館の緻密さや繊細さを支え、依然としてこの美術館になくてはならない要素である。荘厳な新古典主義建築とアシンメトリーでカジュアルなモダニズム建築が建ち並び、その相互反応が建物に一体感をもたらしている。

アントニー・ラッドフォード、ミシェル・メール、ムン・スー・メイ

02 カノーヴァ美術館｜1955-57

カルロ・スカルパ
イタリア、トレヴィーゾ、ポッサーニョ

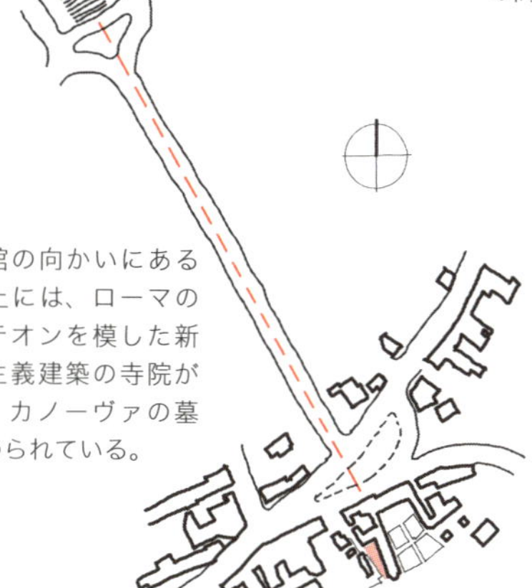

美術館の向かいにある丘の上には、ローマのパンテオンを模した新古典主義建築の寺院があり、カノーヴァの墓が納められている。

敷地への対応

新館は、既存棟の荘厳な佇まいをそこなうことなく、それらの建物の間に挟まれるように建っている。

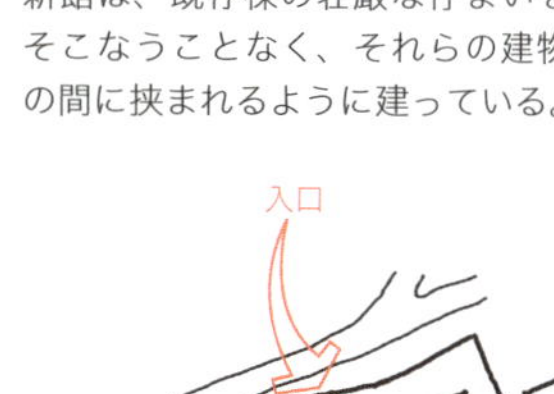

訪問体験

素朴な田舎町を進むと、荘厳で大規模な新古典主義建築、そして独特のモダニズム建築へ辿りつく。

通りに面した既存棟のアーチ道をくぐって中に入ると、ロッジア（建物に沿って作られた屋根付きの柱廊）に沿ってカーサ・カノーヴァの庭がある。ここはアントニオ・カノーヴァが生まれた場所であり、生涯を終えた場所でもある。この庭のはずれ、既存の建物群の空き地にカノーヴァ美術館が建つ。

バシリカ風のエントランスルームを抜けるとメイン展示室があり、右手にはあふれる自然光が目を引く新館がある。

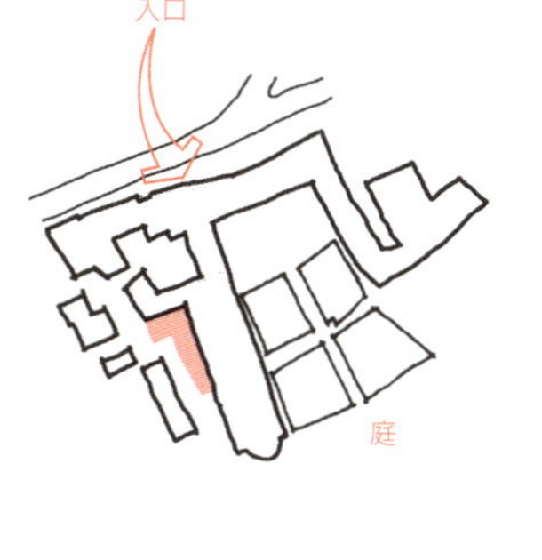

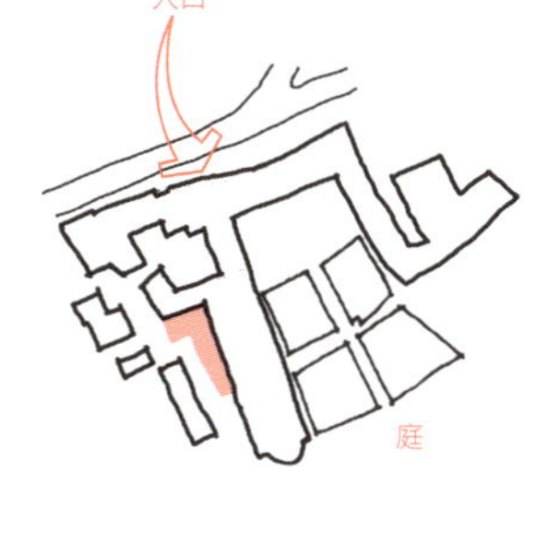

まるでカノーヴァが彫刻を制作する過程にも見える、ブロックを切ってつなげたような形をしている。

構成

新館は、高さのある直方体の空間（高い展示室）と、それに隣接する天井高の低い尖った形状の空間（2つの部分に分かれる長い展示室）から構成されている。長い展示室では細長い空間が徐々に狭くなり、錯覚により奥行きが感じられる。新館はバシリカ風の旧館の外壁から離れて建ち、その隙間は狭い通路（一部は屋外、一部は室内）になっている。

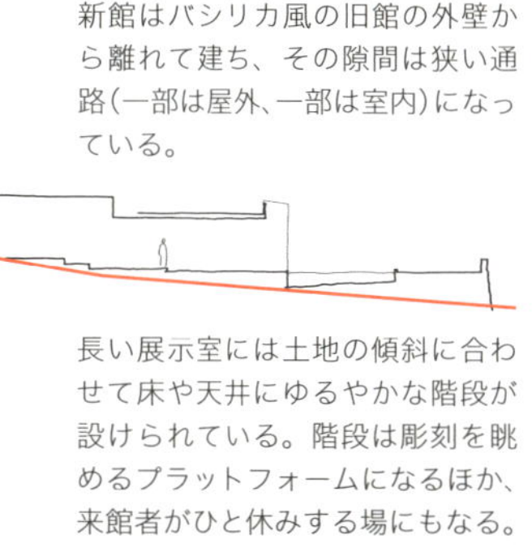

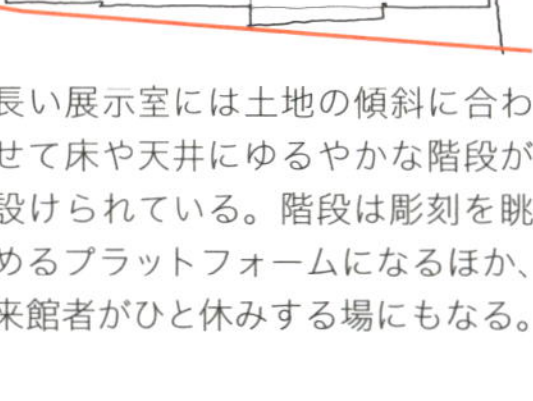

長い展示室には土地の傾斜に合わせて床や天井にゆるやかな階段が設けられている。階段は彫刻を眺めるプラットフォームになるほか、来館者がひと休みする場にもなる。

白い壁

石こうは、素材そのものは形をもたず、白色で光沢もないので、明るい場所でないと鑑賞できない。従来、美術館では石こう像が映えるように暗色の壁の前に展示することが多く、新古典主義のバシリカ風の旧館でももともと暗い色調の壁が使われていた。しかしスカルパは、石こう像を展示するには光あふれる空間が必要で、白い壁が最適であると考えた。

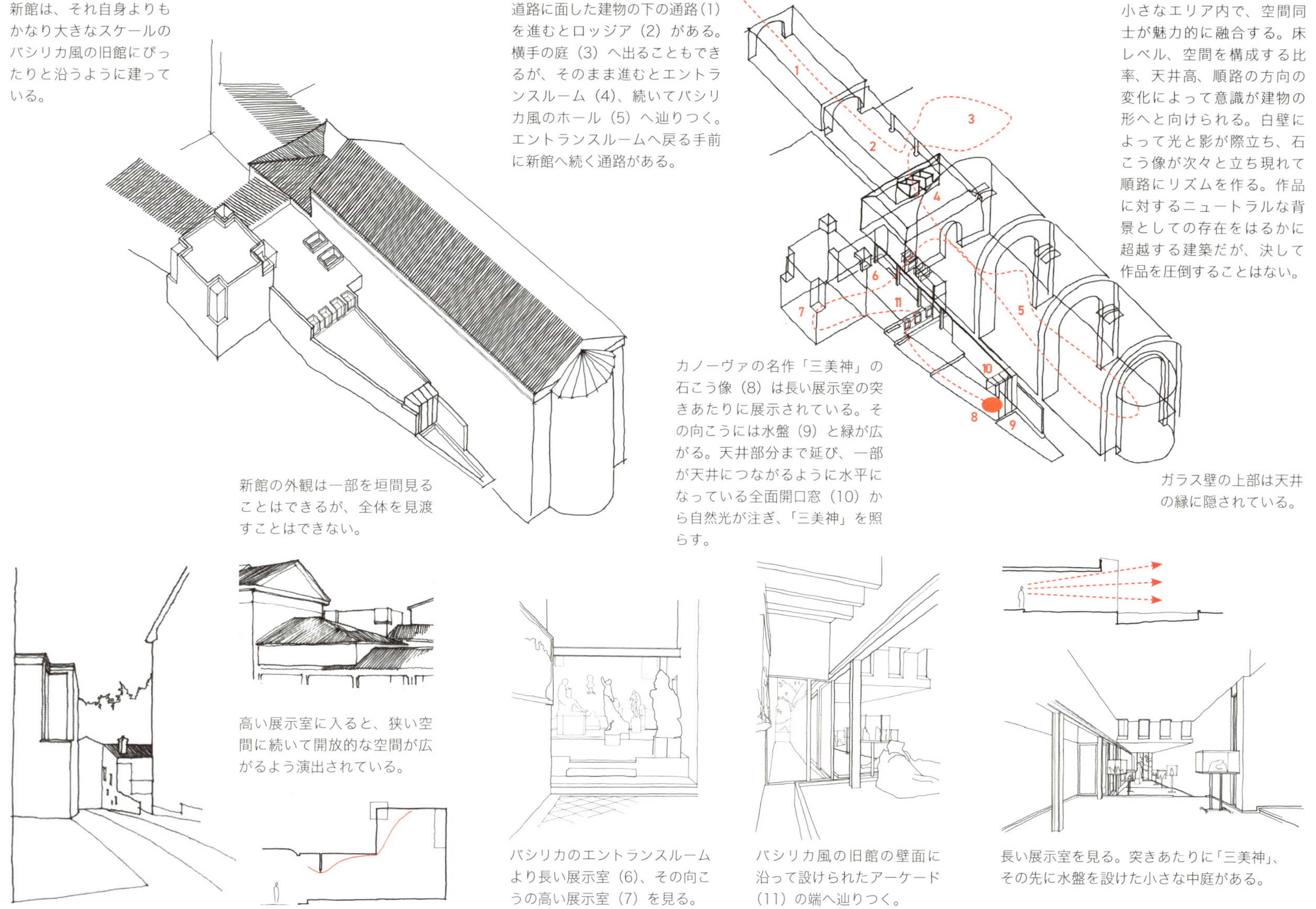

新館は、それ自身よりもかなり大きなスケールのバシリカ風の旧館にぴったりと沿うように建っている。

道路に面した建物の下の通路（1）を進むとロッジア（2）がある。横手の庭（3）へ出ることもできるが、そのまま進むとエントランスルーム（4）、続いてバシリカ風のホール（5）へ辿りつく。エントランスルームへ戻る手前に新館へ続く通路がある。

小さなエリア内で、空間同士が魅力的に融合する。床レベル、空間を構成する比率、天井高、順路の方向の変化によって意識が建物の形へと向けられる。白壁によって光と影が際立ち、石こう像が次々と立ち現れて順路にリズムを作る。作品に対するニュートラルな背景としての存在をはるかに超越する建築だが、決して作品を圧倒することはない。

カノーヴァの名作「三美神」の石こう像（8）は長い展示室の突きあたりに展示されている。その向こうには水盤（9）と緑が広がる。天井部分まで延び、一部が天井につながるように水平になっている全面開口窓（10）から自然光が注ぎ、「三美神」を照らす。

新館の外観は一部を垣間見ることはできるが、全体を見渡すことはできない。

ガラス壁の上部は天井の縁に隠されている。

高い展示室に入ると、狭い空間に続いて開放的な空間が広がるよう演出されている。

バシリカのエントランスルームより長い展示室（6）、その向こうの高い展示室（7）を見る。

バシリカ風の旧館の壁面に沿って設けられたアーケード（11）の端へ辿りつく。

長い展示室を見る。突きあたりに「三美神」、その先に水盤を設けた小さな中庭がある。

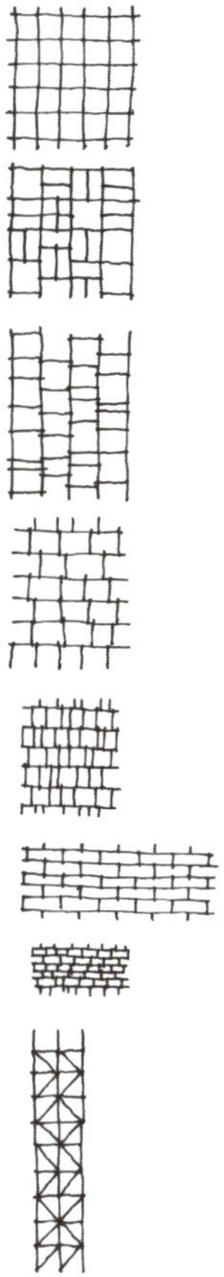

02 カノーヴァ美術館｜1955-57

カルロ・スカルパ

イタリア、トレヴィーゾ、ポッサーニョ

素材の質感

新館では、かなり限られた素材が組み合わされている。外壁はスタッコ（化粧漆喰。骨材、結合剤、水からなる建築材料）を塗った石材、窓回りや隔壁表面は既存棟と同じ帯状のコンクリートが使われている。内部では荒い漆喰塗りがそのままの状態で残され、ざらざらとした質感が石こう像のなめらかな表面と対比をなす。

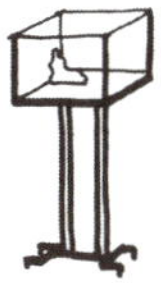

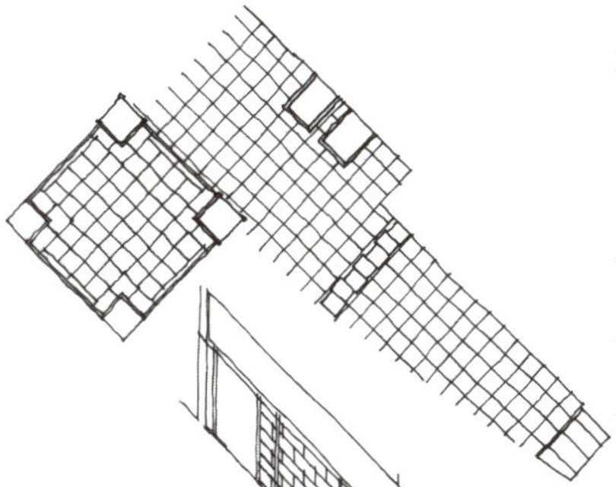

天井は正方形パネルのグリッドで構成されている。床や壁の質感と比べて、より整然としたパターンだ。天井伏図（左）は天井を下から見た様子を描いたもの。建物を上から見た平面図と同じように要素が配置されているため、まるで鏡に映っているように上下対照である。

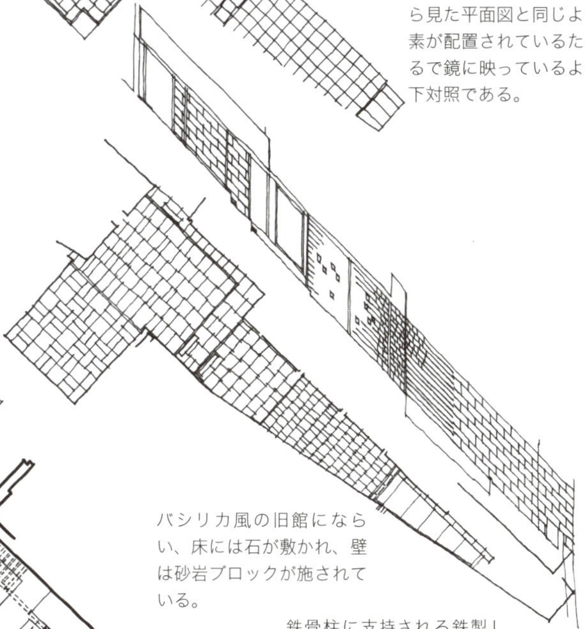

接合部

黒い金属製の細い幅木（壁と床の取り合い部に設ける部材）が壁と床の接合部をなぞり、まるで白い床表面の４辺に線を引いたように見える。

高い展示室では、壁が天井の縁からセットバックした位置にある溝にはめ込まれているため、天井が壁の上に浮かんでいるように見える。

展示ケースもスカルパのデザイン。金属、木材、ガラスのディテールが美しい。

階段の下には隙間があり、支えのない足場が床の上に浮かんでいるように見える。

バシリカ風の旧館にならい、床には石が敷かれ、壁は砂岩ブロックが施されている。

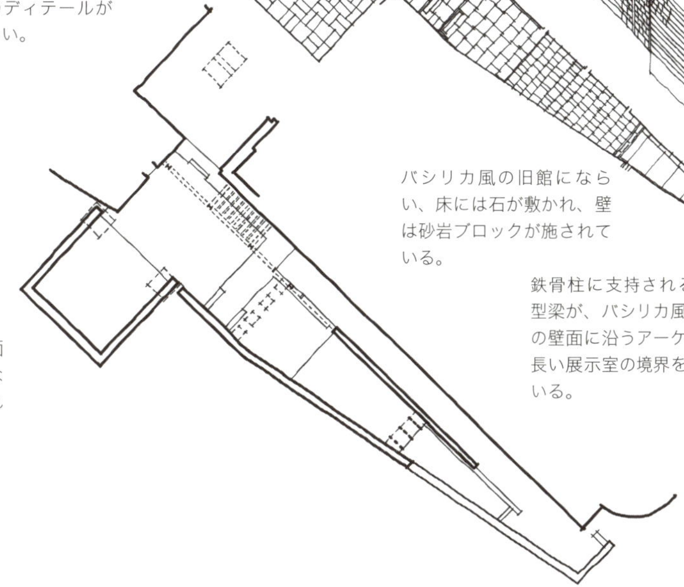

鉄骨柱に支持される鉄製I型梁が、バシリカ風の旧館の壁面に沿うアーケードと長い展示室の境界を作っている。

インテリアの表面には、さまざまなパターンが使われている。

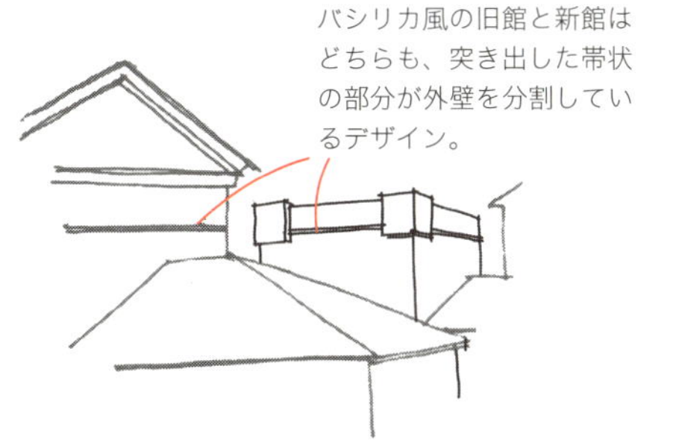

バシリカ風の旧館と新館はどちらも、突き出した帯状の部分が外壁を分割しているデザイン。

自然光

石こう像は絵画と違って強い光や日光の下でも劣化することがないので、スカルパは強い直射日光を利用して空間や作品を生き生きと演出することができた。その結果、白い内部空間に豊かな色合いのバリエーションが生まれ、作品が見やすくなるとともに、柔らかく艶やかな情景が広がる。

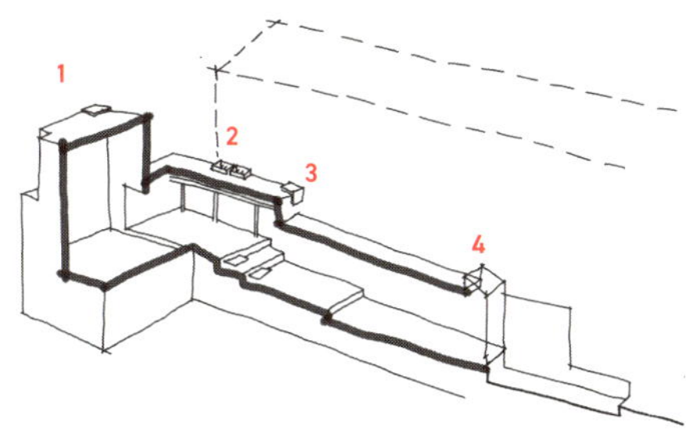

1. 上部４隅のガラス

高い展示室の天井の４隅には、窓と天窓が取り付けられている。東側では、上部が水平なガラスの立方体ユニットが屋根の外側と壁の表面に取り付けられている。西側では、底面が水平なガラスの直方体ユニットが室内側に入り込むように設けられている。これらのコーナー窓から太陽の光の筋が直接差し込む一方、壁に反射した光が拡散する。四角く切り取られた光が床や壁に映り、太陽の動きとともに移ろっていく。強い光で、部屋の角はぼやけて見える。

垂直な窓枠に細長いガラスがはめられ、室内のコーナーの境界をあいまいにしている。

2. バッフル状の天窓

バシリカ風の旧館の外壁と新館の外壁の間にあるアーケード上部には水平な天窓があるが、大きなバッフル（不要な光を遮断する遮光器）プレートが垂直に取り付けられているので、この狭い空間から天窓自体は見えない。バシリカの外壁にかかるフレスコ画を自然光が直接照らし、反射した光が隣室を包む。光沢のある白い床が光を拡散する。

3. 壁上部の複合素材採光窓

長い展示室の高い屋根と低い屋根のずれの部分には、採光窓が４つ設けられている。開口部は屋根まで延び、部屋の奥まで光を届ける。部屋の奥は南に面しているが、強い日光と、白い内壁に反射する内部の光、そして視界の先に入るガラス壁の明るさとが打ち消し合い、眩しさを抑えている。

4. ガラス張りの端壁

長い展示室の突きあたりは、天井までのガラス壁になっている。視線を遮るように木々が茂り、空から直接届く強い日差しを抑えている。窓の外には小さな水盤があるので、硬い素材の舗装よりも反射光がやわらげられ、涼しげな印象を生む。角度のついた壁には、窓の両側の壁を手前方向に延長させたような効果があり、光が左右の壁で反射を繰り返すことで明暗のグラデーションがゆるやかになる。

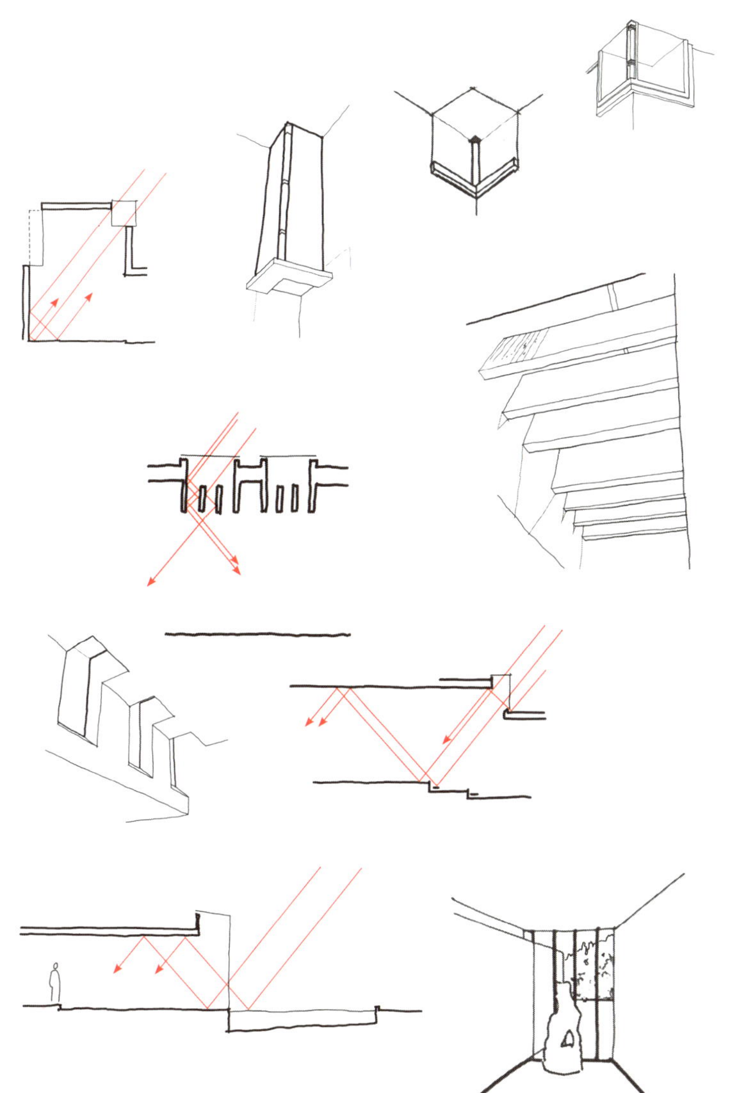

シドニー・オペラハウス | 1957-73

ヨーン・ウッツォン

オーストラリア、シドニー

03

1957 年、シドニー・オペラハウスの国際設計コンペを勝ち抜いたのは、デンマークの建築家ヨーン・ウッツォンだった。自由曲面のコンクリートのシェル構造を使ったデザインは、当時の建築としてはとても野心的である。初期案の形状は実現が難しかったので、彼は設計過程で形状を分析し実際に建設できるように、球体から断片を切り出しシェルの形を作ることにした。この現代的で複雑なモニュメントは、空想上の建物のように豊かな表情をもち、シドニー湾へ突き出した半島というこの上ないロケーションに見事に映える。

建設開始から完成までオペラハウスのデザインは物議を醸したが、今ではシドニーやオーストラリアの文化を代表する世界的に有名なシンボルとなっている。

セレン・モーコック、トゥイ・グエン、エイミー・ホランド

03 シドニー・オペラハウス | 1957-73

ヨーン・ウッツォン
オーストラリア、シドニー

コンセプト案

白い屋根のフォルムは、入り江に浮かぶヨットの帆や空に浮かぶ雲を模している。

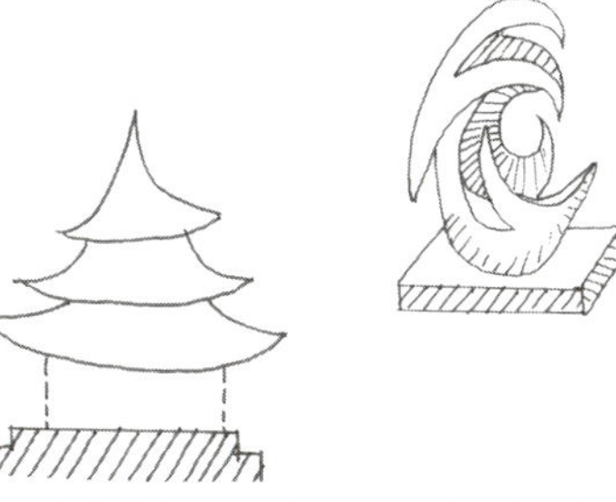
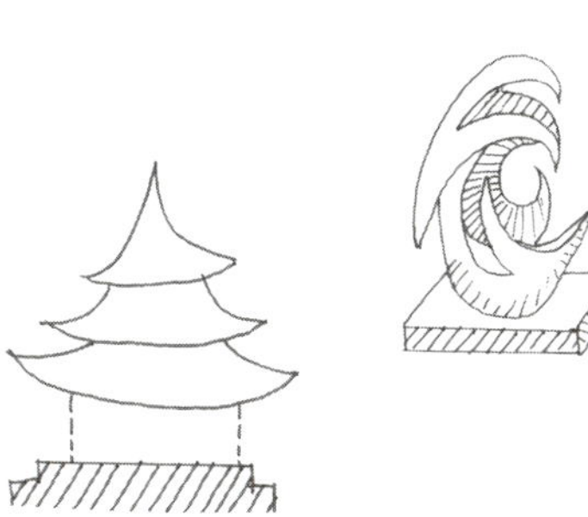

屋根と基礎部分のつながりのヒントとなったのは、アジアの寺院や、平たい台座に載せられた流れるような形の抽象彫刻だ。

階段状のプラットフォームのヒントとなったのは、人工の丘のような踊り場状の基壇（建物をその上に支える、石や土の壇）に建つ古代プレ・コロンビアン（スペイン人の征服以前のアメリカ先住民の美術）様式の寺院だった。

形状の成り立ち：屋根

1957年の設計コンペのドローイングに描かれていた自由な形の薄いシェルは、当時の技術では実現不可能であることがわかり、球形へ変更された。

屋根は球体の中心から生えているような形をしている。このアイデアは、オレンジの皮をむくように三次元構造に発展していった。

屋根の連なりの軸に沿ってシェルが配置されている。実際には貝殻ではなく、プレキャストコンクリート（現場で組み立て・設置を行うために、工場などであらかじめ製造されたコンクリート）のリブ（丸天井などの屋根の曲面を作り、両側の柱へ荷重を伝える材）で構成されている。

大ホールの球状のシェルは、メインのヴォールトAとそれを補強するペアのヴォールトBの組み合わせで構成されている。この一連の組み合わせによって3つのシェルがつなぎ合わされている。

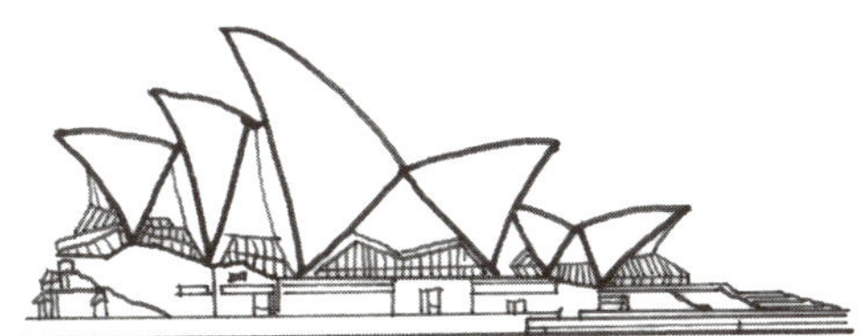

基礎部分やシェルとシェルの間は、ガラス張りの壁が設けられた。

形状の成り立ち：プラットフォーム

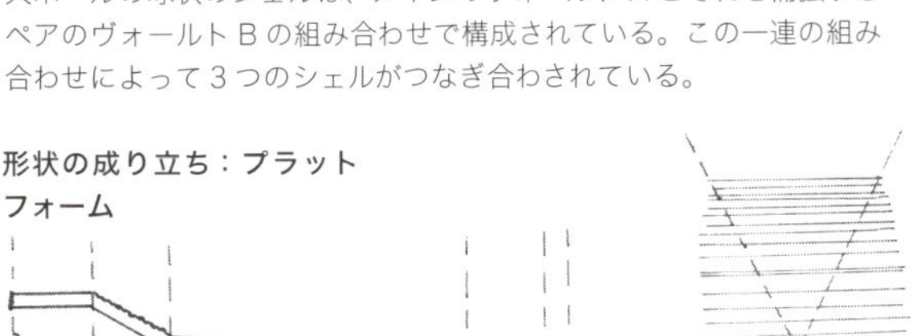

コンコースの梁が、踊り場状のプラットフォームへ続く階段を作っている。

階段を上っていくとだんだんと視界が開け、オペラハウスがゆっくりと姿を現す。

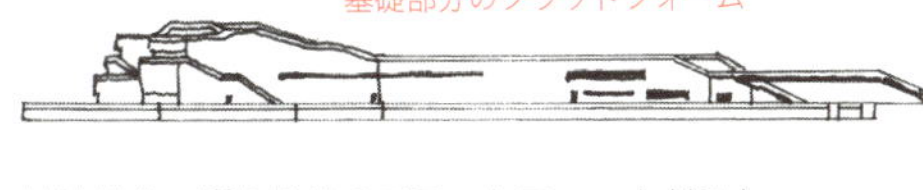
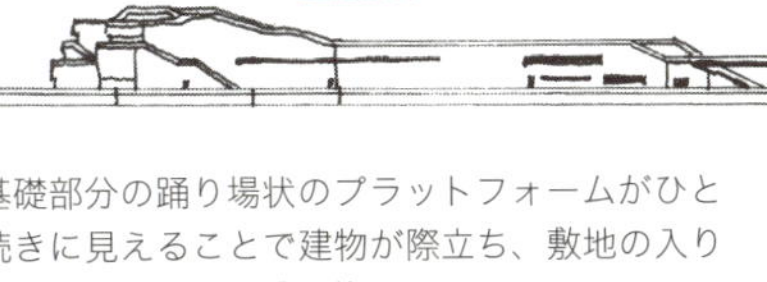

基礎部分の踊り場状のプラットフォームがひと続きに見えることで建物が際立ち、敷地の入り江で圧倒的な存在感を放っている。

コンテクスト

オペラハウスはシドニー湾のベネロン・ポイントに建つ。

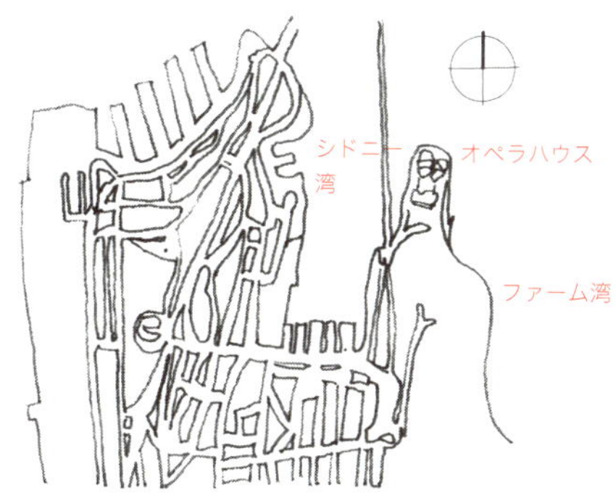

敷地は3方向を海に囲まれている。プラットフォームと立ち上がったシェル屋根がコンテクストの中で圧倒的な存在感を放つ。開口部がほとんどないしっかりとしたプラットフォームは、まるで人工半島のよう。

動線

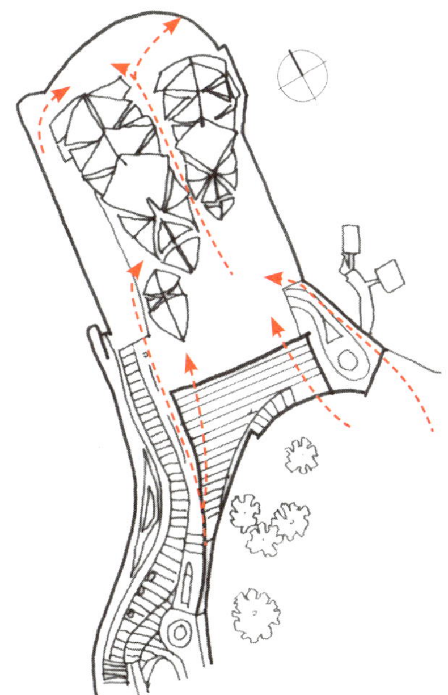

プラットフォームの上はオープンスペースとなっていて、たくさんの人々が建物の周りに集える。また、屋外のさまざまな場所から屋根を眺められる。

植物園の端にある砂岩の壁と海岸線が、オペラハウスの敷地の境界になっている。オペラハウスの完成後にエリアが再整備され、徒歩や車でのアクセスが改善された。

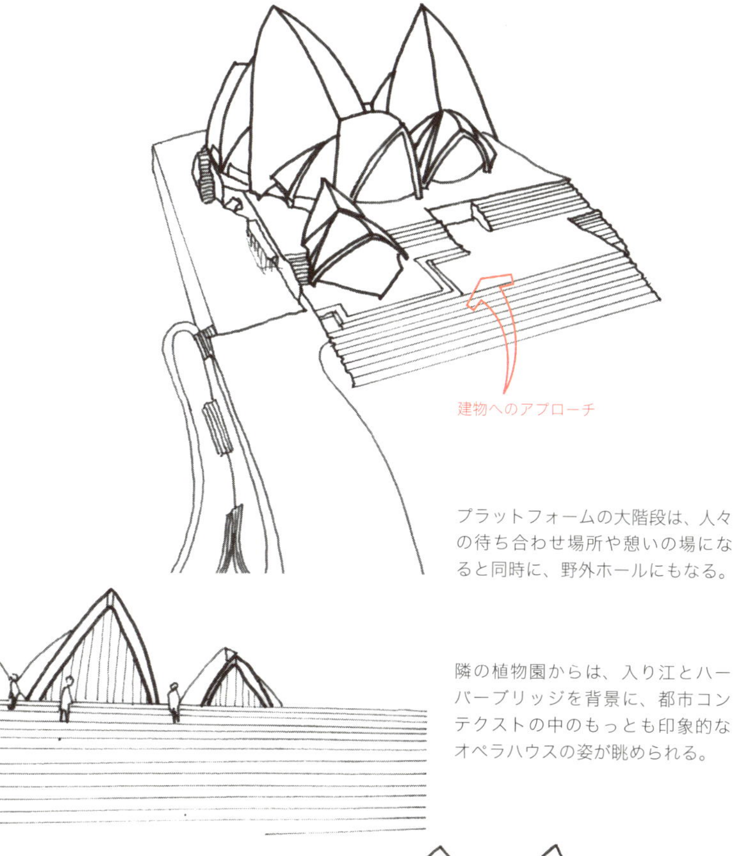

プラットフォームの大階段は、人々の待ち合わせ場所や憩いの場になると同時に、野外ホールにもなる。

隣の植物園からは、入り江とハーバーブリッジを背景に、都市コンテクストの中のもっとも印象的なオペラハウスの姿が眺められる。

03

シドニー・オペラハウス｜1957-73

ヨーン・ウッツォン

オーストラリア、シドニー

平面図

地下

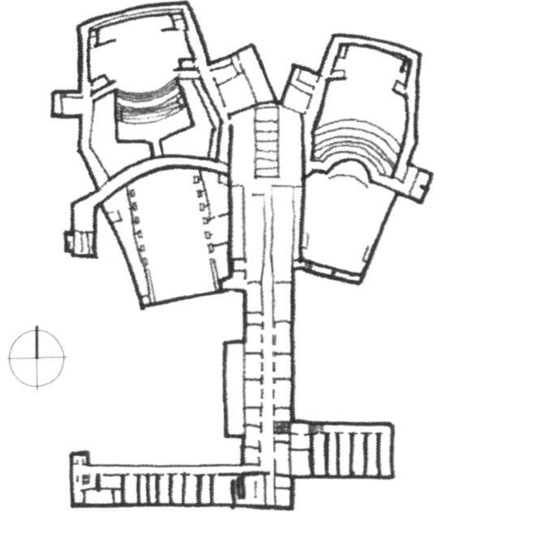

1階

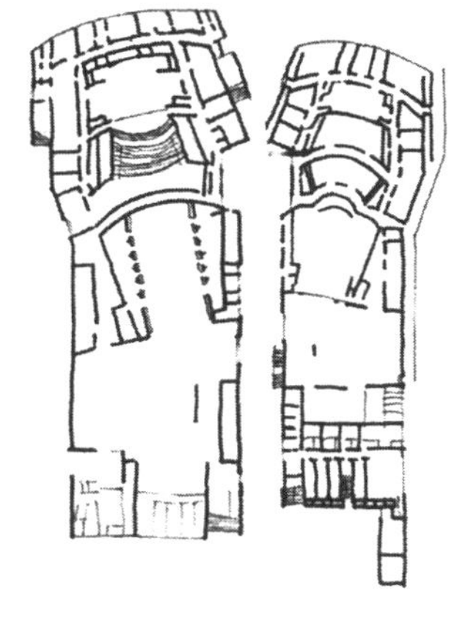

2階

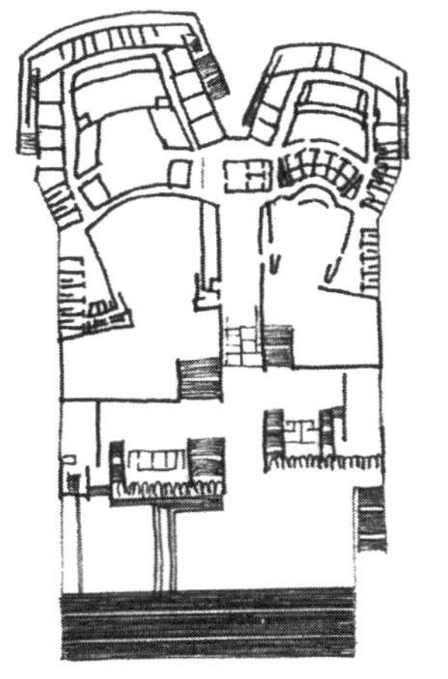

3階

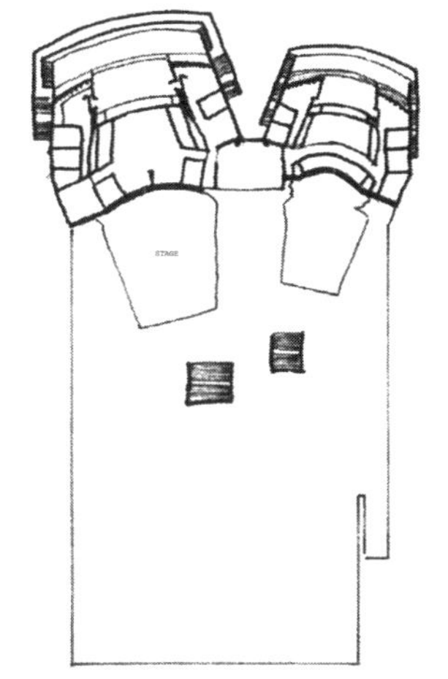

定礎板とグリッドシステム

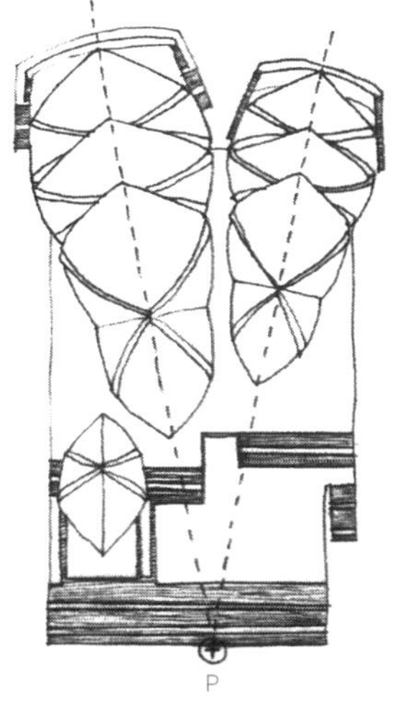

北側立面図

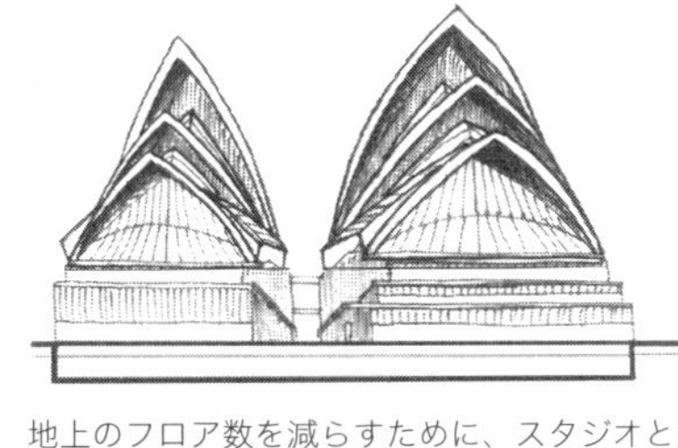

地上のフロア数を減らすために、スタジオと倉庫は地下に設けられている。

メインの建物2つが描く軸の交点に設置された定礎板（P）が、設計の基準点となっている。

西側立面図

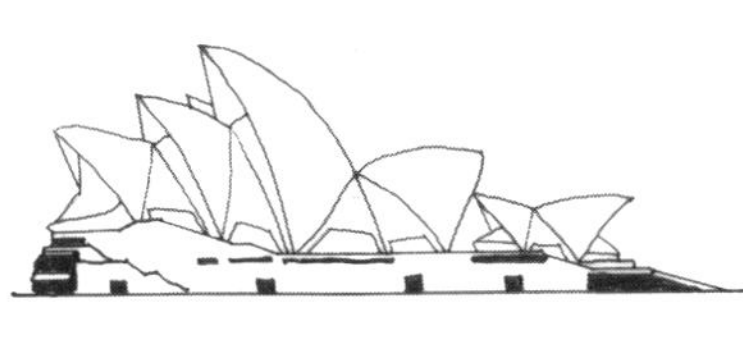

基礎部分は開口部が少ないので、人工のプラットフォームはソリッドな印象を保っている。水平なプラットフォームのマッス（空間を占める量塊の大きさ）が、白いシェル屋根と対比をなす。

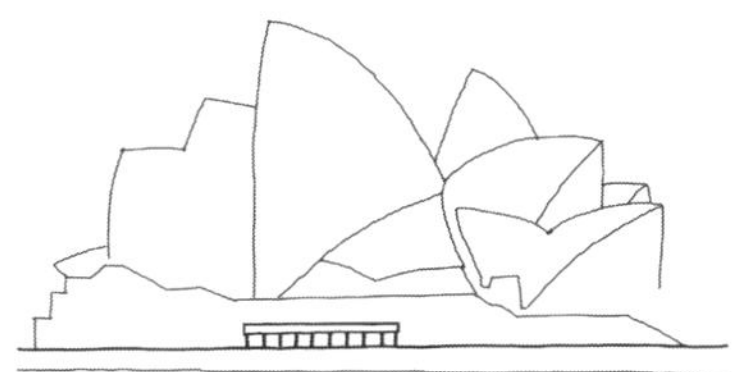

2000年代初頭、ウッツォンは息子のヤン・ウッツォン、およびシドニーを拠点とする建築家リチャード・ジョンソン（ジョンソン・ピルトン・ウォーカーの創設者の1人）とともに、「西側の列柱」を含む小さな別棟の設計とインテリアの改装を行い、基壇に設けられたドラマシアターの入口を際立たせるように改良した。

隙間の空間

2つのホールと屋根の間の空間は、階段やロビーになっている。屋根の下の構造、カーブを描くガラス、入り江の絶景が眺められるドラマチックな空間だ。

歩いていくと、内部空間の見え方がどんどん変化する。探索者が方向感覚を失いかけても、壁や天井が室内や建物の周りにダイナミックな空間を作り出しているので、建物内での位置を把握することができる。

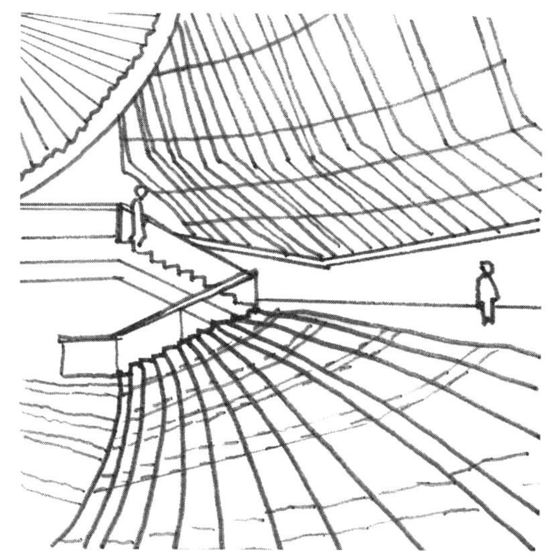

どんどん形が変わっていく建物の構造に合わせて曲がりくねる階段は、さまざまな機能エリアへ続くダイナミックな通路となっている。

光と照明

シドニーは気候が温暖で、ほぼ毎日太陽の光が降り注ぐ。日光は屋根の白いタイルを照らし、踊り場状のプラットフォームに反射する。自然光は内部空間の縁までしか届かないので、コア（建物の中央部の階段、エレベーター、パイプシャフト、トイレなど、共同部分の集まっている場所や、主要施設が集中している都市の中心部）には人工照明が使われている。

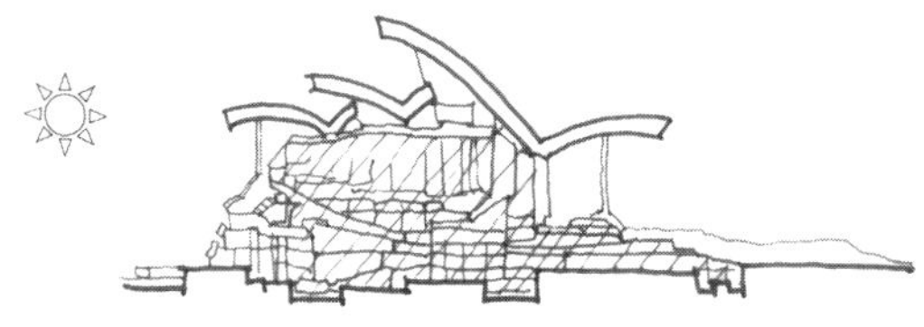

シドニーのアイコン

ハーバーブリッジを背にしたオペラハウスの眺めは、シドニーを象徴する風景だ。ブリッジの露出構造をなす垂直な鉄骨フレームと、白く輝くシェル構造の屋根の曲線や基礎部のプラットフォームの岩のようなマッスが対比をなす。

形状の成り立ち：1962 年当時の設計案

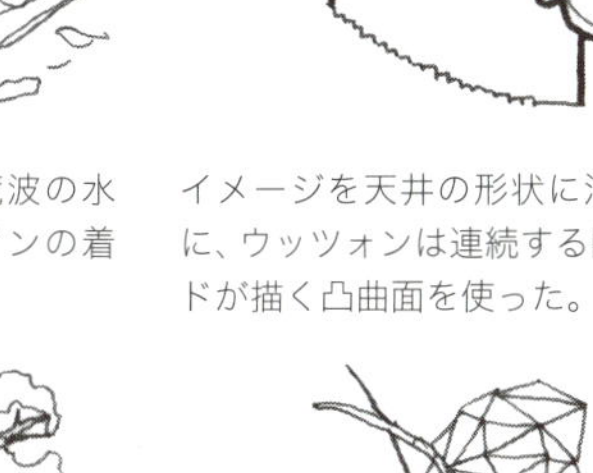

小ホール　ウッツォンは、荒波の水の流れから小ホールのデザインの着想を得た。

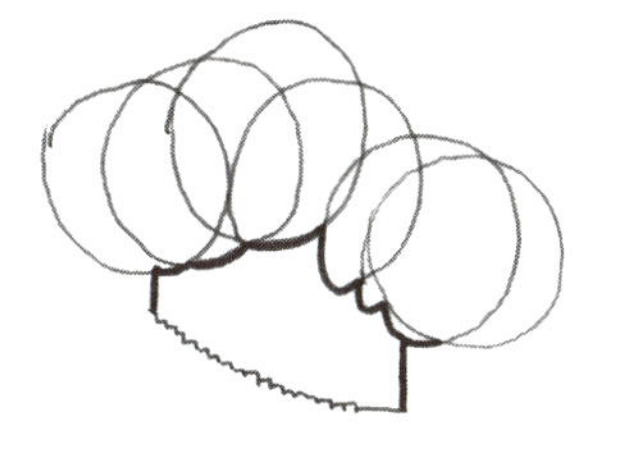

イメージを天井の形状に活かすために、ウッツォンは連続する円形グリッドが描く凸曲面を使った。

幾何学的な凸局面が重なり合って天井のパターンを作る。

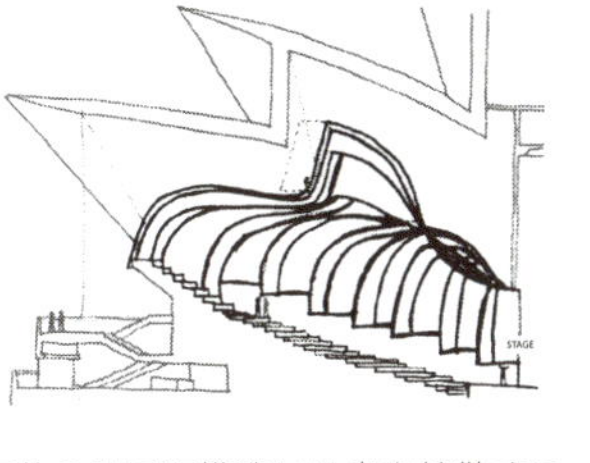

天井の凸局面構造には音を拡散する効果もある。

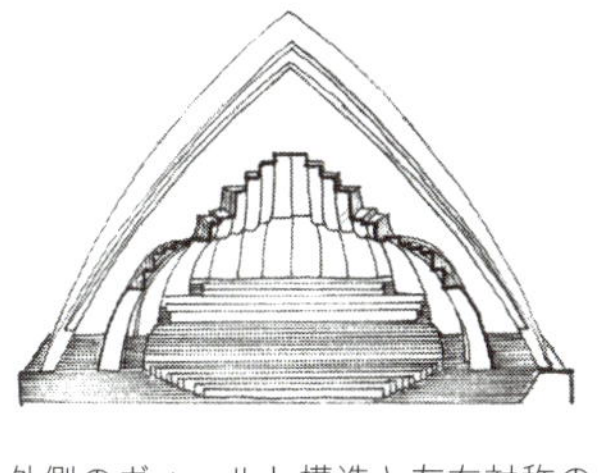

外側のヴォールト構造と左右対称の波状の天井構造が２重のシェルを作っている。

大ホール　ブナの木を下から見たときの枝葉の様子が、大ホールのデザインのヒントになった。

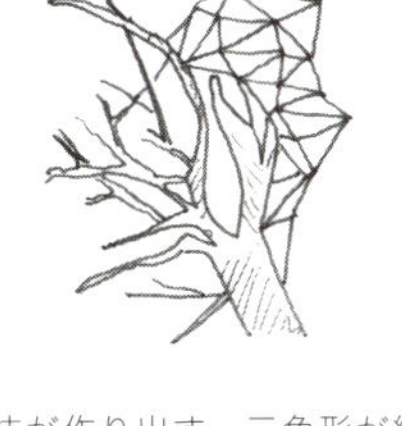

木の枝が作り出す、三角形が網目のようにつながる抽象的な形。

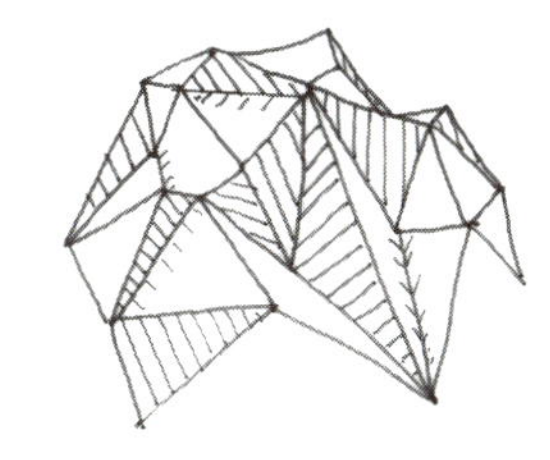

ウッツォンは三角形を基本単位とした多面構造の天井を考えた。

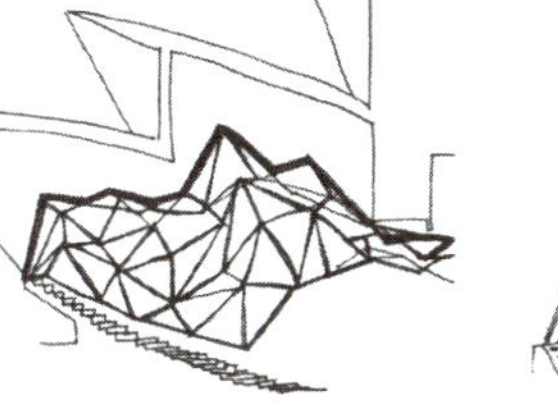

天井の形は、最大限のボリューム（建築が占める空間の大きさ）を確保して、シェル屋根の下の空間を可能な限り活用できるように設計された。

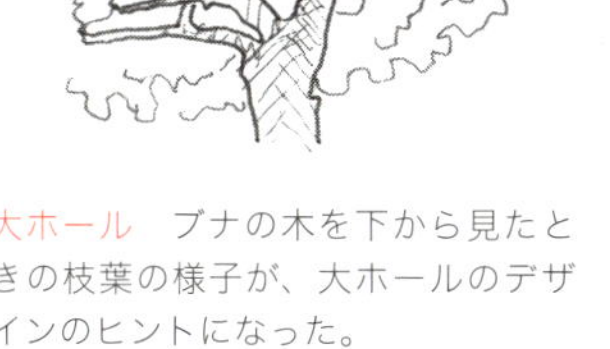

三角形を基本単位として、屋根の形に沿う天井を実現している。また、音楽の演奏に必要な長めの残響時間が確保されている。

ウッツォンの案は建設の過程で変化していった。当初、大ホールはオペラおよびコンサート用とされていたが、後にコンサートだけに絞られた。オーケストラピットが設けられた小さい方のドラマシアターは、オペラシアターに変更された。この結果、コンサートホールの収容人数は大幅に増えたが、一方でオペラシアターのステージタワーや舞台袖は狭くなった。また基壇にあるリハーサル室をドラマシアターに変更した。

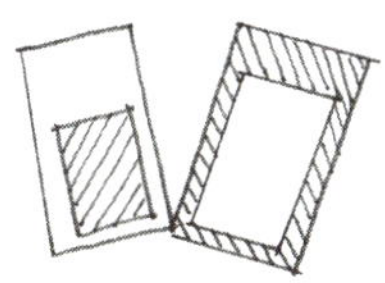

ウッツォンは完成を待たずにプロジェクトを退き、ピーター・ホールとライオネル・トッド、そしてデヴィッド・リバーモアがホールの内装デザインを担当した。その出来栄えはウッツォン案とはかけ離れていた。

素材

南側立面図

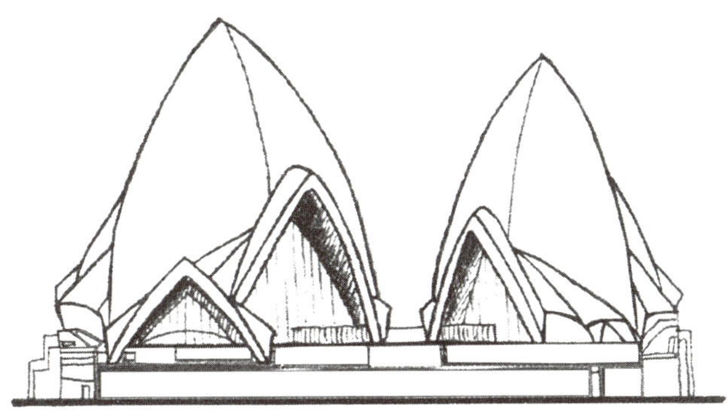

1階と2階の外側は、ひと続きの面に見えるように覆われている。建物の象徴である彫刻的な印象をそこなうことなく、必要な機能がそなわっている。

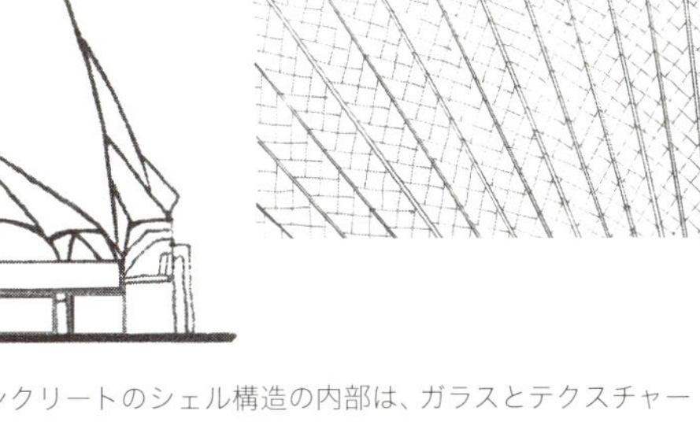

コンクリートのシェル構造の内部は、ガラスとテクスチャード加工木材（表面にデコボコ模様が施された木材）が組み合わされている。屋根のプレキャストコンクリートのリブがはっきりと見える。コンクリート荒々しさをテクスチャード加工木材と合板がやわらげている。

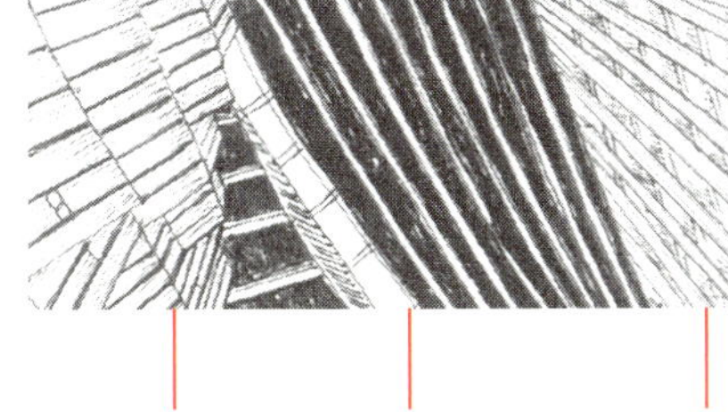

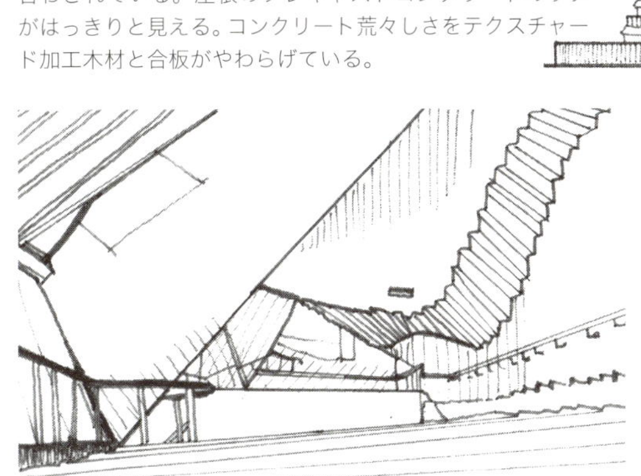

シェルには白いセラミックタイルが貼られている。プラットフォームのコンクリート構造を、プレキャストパネルと現地オーストラリア産の砂岩が覆う。入り江というコンテクストに建つこの建物の彫刻的な特徴を、白いタイルが強調する。

04 ソロモン・R・グッゲンハイム美術館 | 1943-59

フランク・ロイド・ライト
アメリカ、ニューヨーク

ニューヨークのグッゲンハイム美術館は、創設者ソロモン・R・グッゲンハイムのアートコレクションを収蔵するために、有名なアメリカ人建築家フランク・ロイド・ライトによって設計された。ライトは自然界と調和する有機的建築を提唱した人物だ。彼が手がけたグッゲンハイム美術館は、アッパー・マンハッタンの街のグリッドと、遠くに見える緑豊かなセントラル・パークをつなぐように建つ。

美術館の曲線が描く独特の輪郭は、周りの直線的なパターンの中で際立ち、硬直的な街のグリッドに生き生きとした表情を与える。同時に、文化施設の役割にふさわしく、ランドマークとしての特質もそなえている。有機的建築というテーマをふまえた巻き貝ようなデザインを使い、従来の芸術作品の展示方法からの脱却に成功した。すなわち空間を１つ１つの展示室に分けて来館者の動線を途切れさせるのではなく、室内に大きなスロープを作り、一連の動きの中ですべての作品を鑑賞できるようにしたのだ。明るく大きなアトリウムのおかげで、あらゆるデザイン要素が、一体感のある１つの建築作品としてまとまっている。

アミット・スリヴァスタヴァ、キャサリン・ホルフォード、マシュー・ブルース・マッカラム、ラナ・グリア

THE SOLOMON R GUGGENHEIM MUSEUM

04 ソロモン・R・グッゲンハイム美術館｜1943-59

フランク・ロイド・ライト
アメリカ、ニューヨーク

都市コンテクストへの対応

グッゲンハイム美術館は、ニューヨーク市マンハッタン島の、建て込んだ都市の文脈の中にある。ただし、敷地は5番街に面した角地なので、セントラル・パークを見渡すことができる。デザインには角地という立地条件が存分に活かされ、周囲の都市コンテクストに対抗することなくむしろ周囲を引き立たせているので、美術館はこのエリアを象徴する存在になっている。

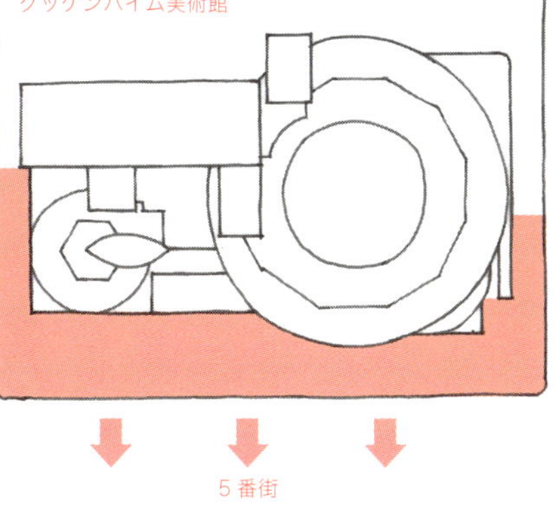

建物全体の平面は、周りのビル沿いの直線的なフォルムから、道路沿いの有機的なフォルムへだんだんと移ろっていく。公園の自然を反映する有機的なフォルムは道路からセットバックしているため、建物と道路の間にパブリックな空間が生まれている。建物が描く曲線と開放的なセントラル・パークに挟まれたこの空間は、マンハッタンの建て込んだ街中（まちなか）では貴重なオープンスペースだ。

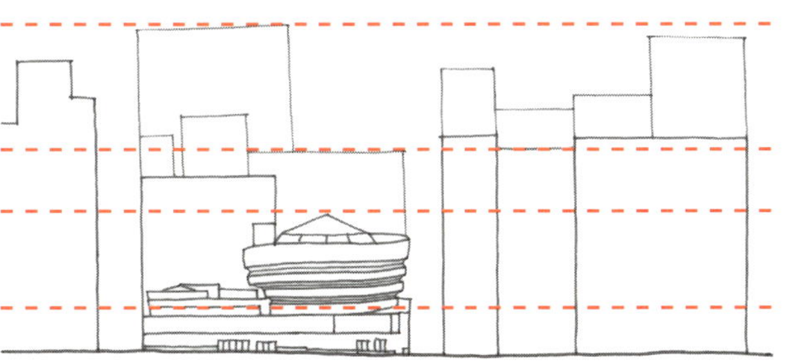

街のグリッドの中に突如現れる有機的なフォルムは、人々の足を止め、館内へ招き入れる。

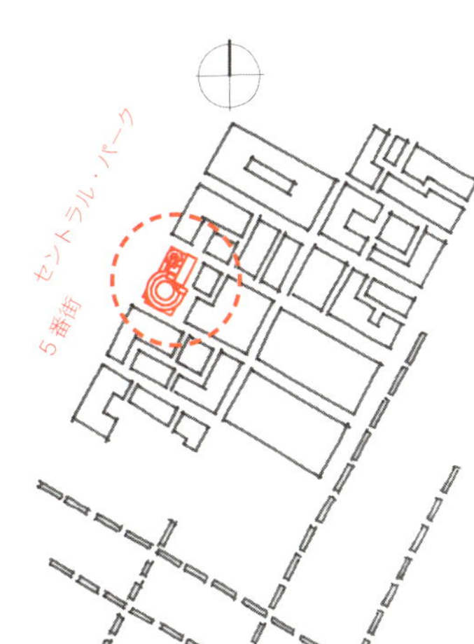

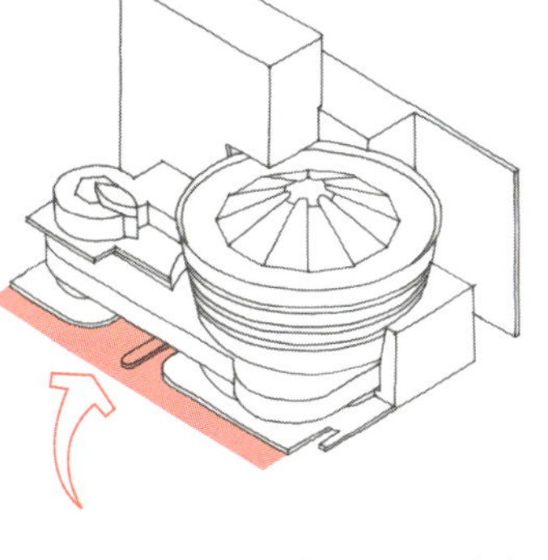

原案では車から乗客を降ろすための車寄せが施設内に設けられていた。

建物のフォルムは直線的な周囲のビルの中で際立っている。一方で、施設の建物全体を見ると、共存する曲線と直線が互いを引き立たせ、一体感が生まれている。高さを抑えた美術館の外観は、その後ろの高層ビルが建ち並ぶエリアへ続く入場門を思わせる。

周りを圧倒することなく曲線が際立つように、建物のスケールはコンテクストとの関係にもとづいて注意深く検討されている。約30メートルという高さに抑えられているので、近隣の高層ビルになじみながらも存在感を放っている。一方、建物の高さを抑えてうずまきの層を重ね、ヒューマンスケール（その物自体の大きさや人と空間との関係を、人間の身体や体の一部分の大きさを尺度にして考えること）の要素を補うことで、建物の威圧感を軽減して通りを歩く人々が建物に入りやすいようにしている。さらに、外側にせり出した形が区画の端まで届いているので、通行人にとって建物が高く感じられ、地上から建物の上端がはっきりと見える。

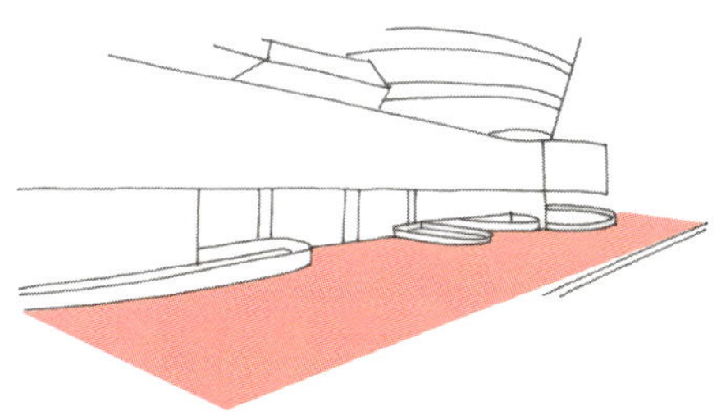

広々とした正面エントランスは公共広場として使われている。水平なうずまきの層が重なり合い、ヒューマンスケールをもつ建築へ高められている。

有機的建築の特徴的な形

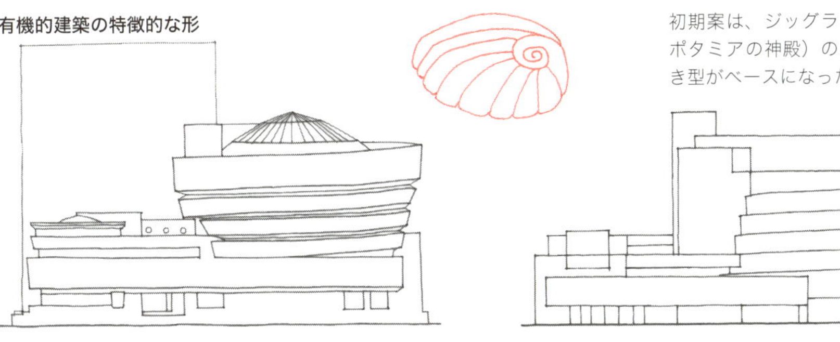

初期案は、ジッグラト（古代メソポタミアの神殿）のようなうずまき型がベースになった

美術館のニーズに応えるために、貝殻のようなひと続きのうずまき型のデザインが使われている。アイデアのヒントになったのは、フランク・ロイド・ライトがこだわり続けた、自然界でさまざまな生き物が共生する秩序を表した「有機的モダニズム」だ。そのため、うずまき型の外観からインテリアの一部まで、貝殻のモチーフがデザインのあらゆる部分に使われ、デザイン全体に有機的な一体感を生んでいる。

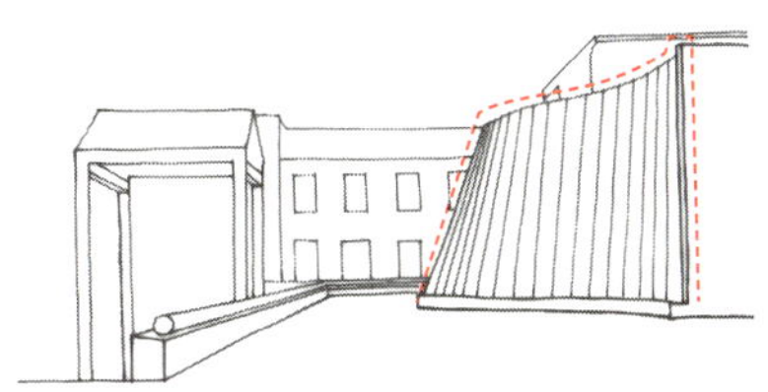

シュトゥットガルト州立美術館新館（ジェームズ・スターリング設計、1984）

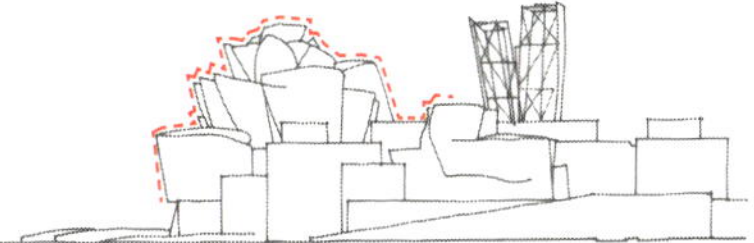

ビルバオ・グッゲンハイム美術館（フランク・O・ゲーリー設計、1997）

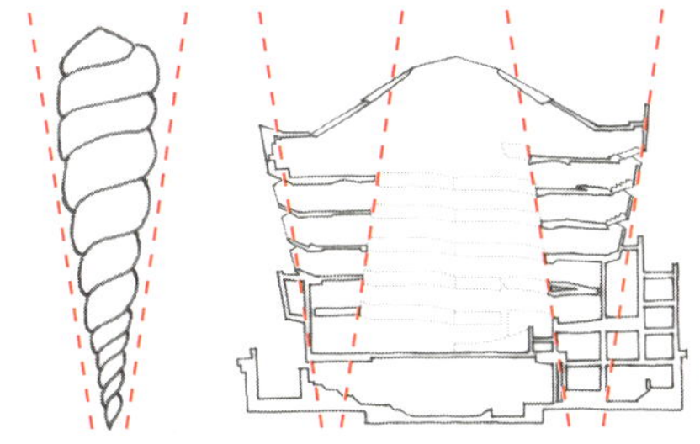

貝殻のような建物はプログラムに必要な機能に応えると同時に、「彫刻のようなフォルムの美術館」というコンセプトのさきがけとなった。彫刻のような独特の形のグッゲンハイム美術館は、街のアイコンとして芸術や文化の発展を促した。「街の景観の中で際立つ、彫刻的なフォルムの美術館を建てる」というアイデアは、これ以降の美術館のデザインで一般的な考え方となり、世界中の多くの美術館がこれにならった。周りに建つ既存のビルとのコントラストを活かして、美術館そのものが街全体に代わって批判や賞賛を受ける、１つのアート作品のような役割を果たしている。しかし、これが成功するのはクオリティの高い建築に限られる。

空間のヒエラルキー

美術館全体は、中央の吹き抜けを中心にさまざまなフォルムが組み合わされた間取りになっている。この丸いアトリウム（ガラスなど光を通す材質の屋根で覆われた大きな空間）は重要な公共スペースであり、建物の要所でもある。来館者がスロープを上り下りする途中に、トイレや管理のためのバックオフィスなどの補助的な空間へ続く通路が現れ、フロアが多用な形をしていることがわかってくる。中央にあるメインのボリュームは展示室、その脇にあるサブの空間は各種の補助空間だ。この空間のヒエラルキーが、「芸術作品の展示」という美術館の本来の役割を再認識させる。

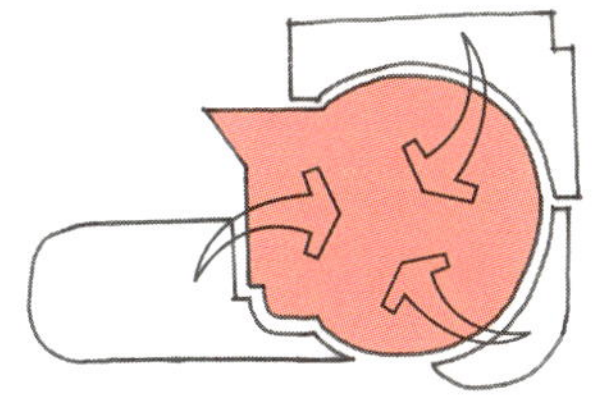

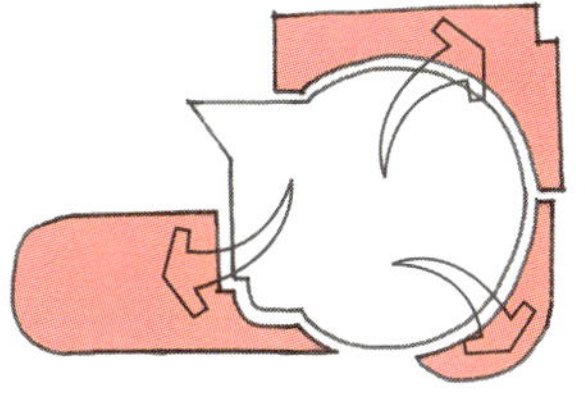

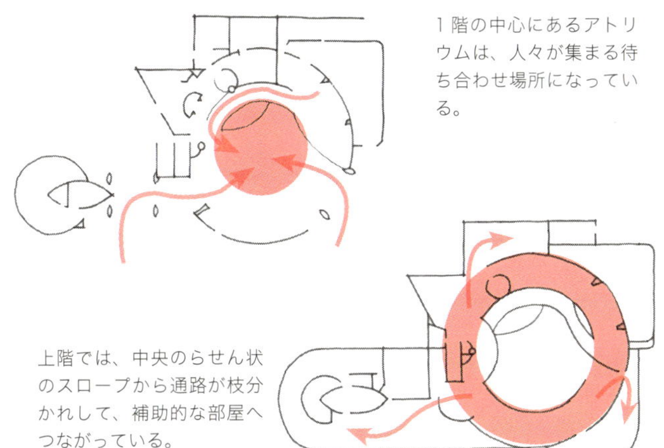

1階の中心にあるアトリウムは、人々が集まる待ち合わせ場所になっている。

上階では、中央のらせん状のスロープから通路が枝分かれして、補助的な部屋へつながっている。

プログラムへの対応

従来の美術館では作品が各部屋に分かれて展示されているので、鑑賞体験が途切れてしまうが、グッゲンハイム美術館では一筆書きの動線でプログラムのニーズに応えている。展示スペースは、1本のらせん状のスロープの周りに設けられ、来館者はひと続きの動きですべての作品を鑑賞できる。来館者はまず最上階まで上がり、大きならせん状のスロープをゆっくり下りながら、地上に辿りつくまでにすべての作品を鑑賞する。さらに、この空間の配置のおかげで、キュレーターが念入りに企画した展示を1つのまとまった体験として感じられる。

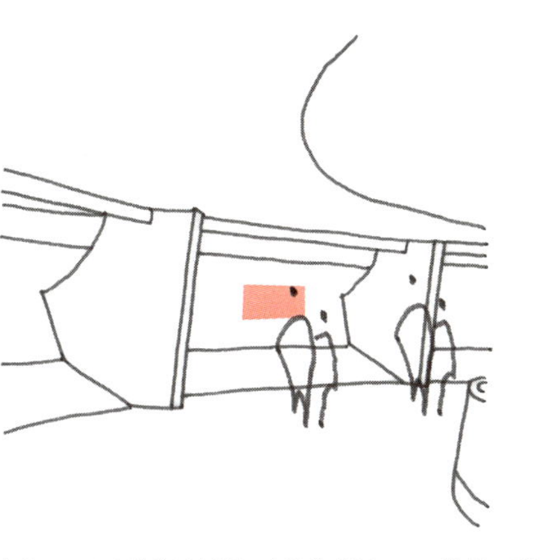

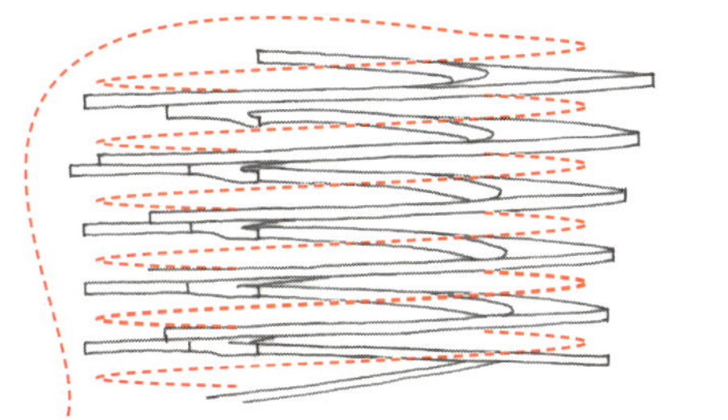

来館者は最上階から作品を鑑賞し始め、らせん状のスロープをゆっくりと下って1階へ辿りつく。

中央のらせん構造は斬新で実験的だが、この独特の形によって、作品展示のニーズに応える新しい手法が実現されている。作品の前に手すりは設けられていないが、壁際の床に傾斜が付いているので、来館者と作品の間に目に見えない心理的な境界が生まれる。また、作品同士を仕切るパーテーションが設けられているので、来館者はプライバシーを確保しながら、じゃまされることなく作品を鑑賞できる。さらに、壁の上部の採光窓から差し込む自然光が壁際の床と天井の傾斜で拡散され、作品を照らす。

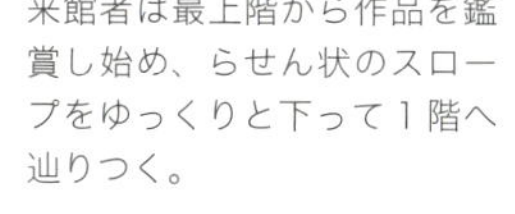

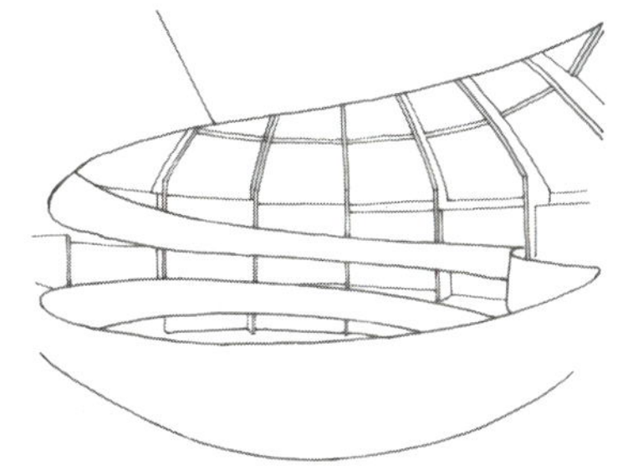

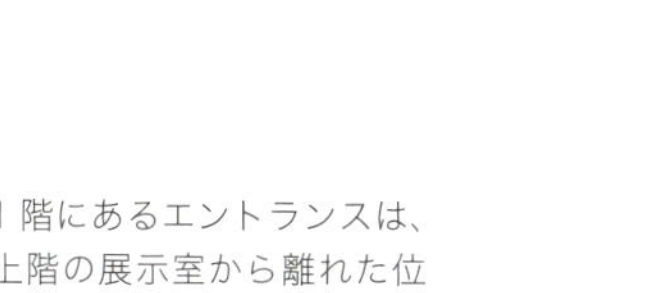

1階にあるエントランスは、上階の展示室から離れた位置にあるが、視覚的なつながりは保たれている。

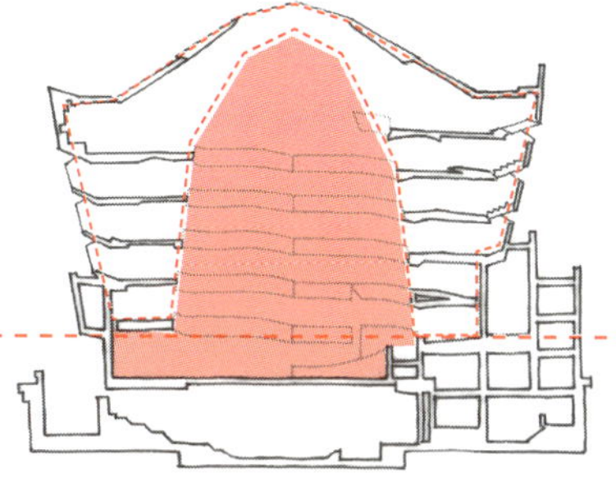

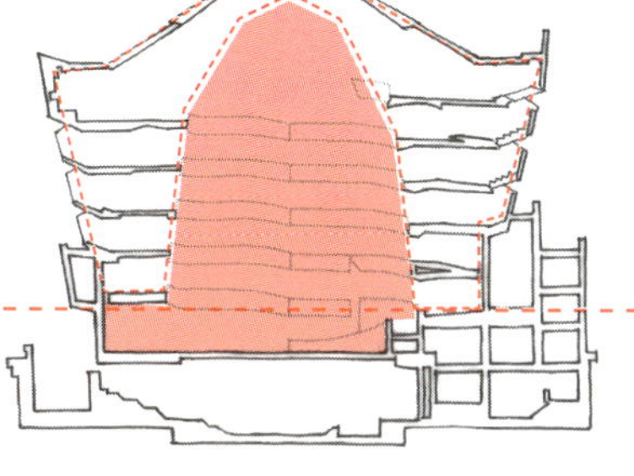

ひと続きの吹き抜けとらせん状のスロープは、2つのユニークな鑑賞体験を演出する。まず、1階のアトリウムにいる人と上階の展示スペースにいる人は互いにその姿が見えるので、来館者全員が同じ体験を共有するきっかけが生まれる。次に、アトリウムの反対側にあるほかの作品もおのずと視界に入るので、さまざまな作品を相互に関連付けて全体的な理解を深めることができる。

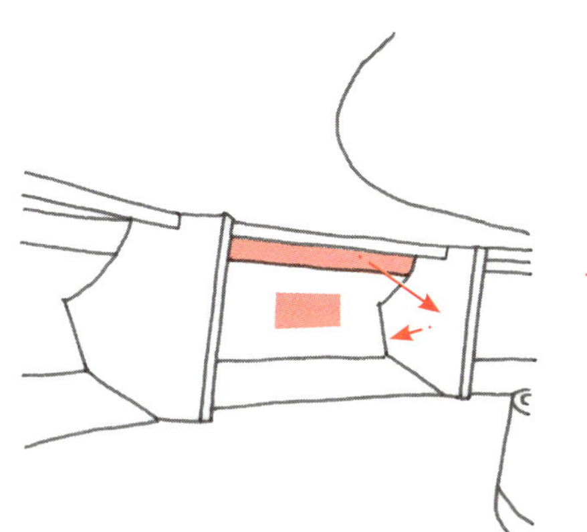

アトリウムの大きな吹き抜けがあらゆる空間をつないでいるので、鑑賞体験にまとまりが生まれる。

来館者の鑑賞体験への対応

中央のアトリウムには、来館者が狭い空間を通り抜けた後に息を飲むような大きな空間へ導かれるという、フランク・ロイド・ライトがよく使った建築手法が使われている。グッゲンハイム美術館では、建物に入った来館者はまず1階建ての空間を通り、中央にある大きなアトリウムへ辿りつく。光あふれるアトリウムを見上げた瞬間に、すべての展示室やほかの来館者の姿が目に飛び込み、来館者は空間に取り込まれる。

らせん状のスロープに沿って鑑賞を続ける間も、空間がアトリウムにつながっているので、この空間に最初に入ったときの印象の余韻が残る。作品の前で足を止めて見入った後、アトリウム内のパブリックなエリアへすぐに戻ることができる。

また、来館者がアトリウムの周りを歩いていく途中、らせん構造の曲線によって不思議な形に切り取られた光景が視界に入る。また、このカーブは外観にも活かされている。街中（まちなか）の見晴らしのよい場所からは、この外観を眺めることができる。

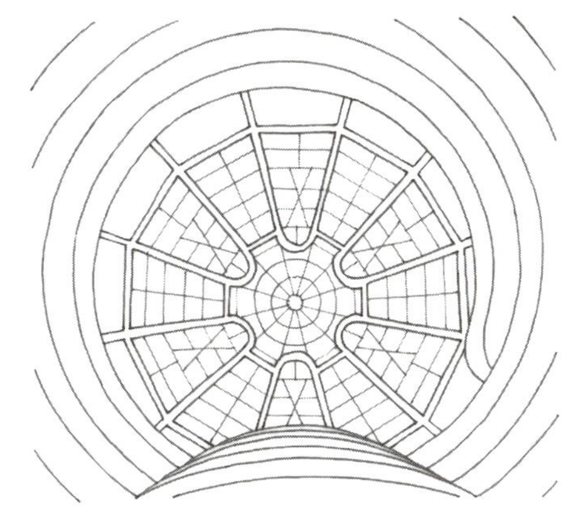

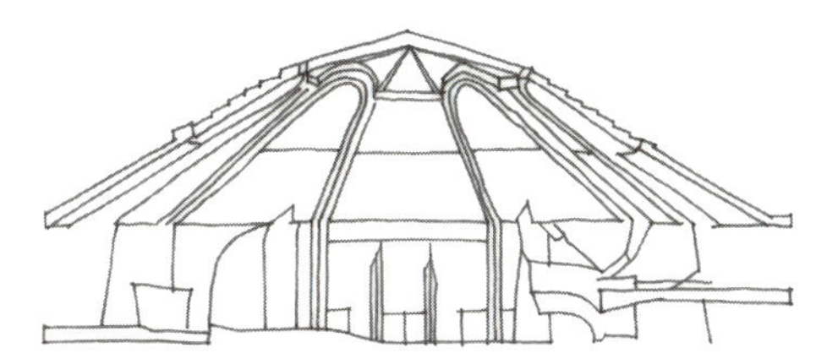

白い空間の天井にある大きな天窓からアトリウム全体に光が注ぐ。光あふれる大きな吹き抜けだけでも印象的だが、さらにうずまき型の空間の形状のおかげで、おのずと目が天窓そのものに引き寄せられる。シンプルな室内は白で統一されているので、優美なつくりの天窓の華やかさが際立つ。アトリウムに立って上を見ると、芸術作品のような美しい天窓に圧倒される。

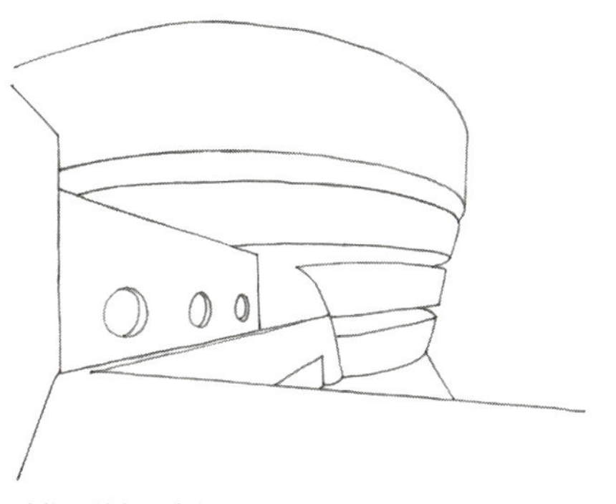

建物の外部、内部はどちらも、曲線を描く特徴的なフォルムだ。

05

レスター大学工学部棟｜1959-63

ジェームズ・スターリング、ジェームス・ゴーワン

イギリス、レスター

レスター工学部棟は、レスター大学の建物のうち、初期に建てられたものの１つだ。ジェームズ・スターリングとジェームス・ゴーワンがコンビを組み、ともに数々の作品を生み出した短い期間に設計された。

この建物は、いろいろな機能に使える同じ要素や空間を組み合わせ、その機能性を建物の外観にもはっきりと反映させる「機能主義」の建築だ。計算された美しい構成や露出した設備から、「ポストモダン建築」とも呼ばれ、合理的ながら、即興で作られた彫刻のように詩情豊かだ。室内での人のさまざまな行動に機能面で対応しているだけでなく、人の行動がデザインにも活かされている。また、棟をつなぐ通路を囲む、階段状に連なるガラスの壁などでは、いくつかの形が１つに組み合わさって生まれる新たな可能性も試みられている。

アントニー・ラッドフォード、ウィリアム・モリス

05 レスター大学工学部棟｜1959-63

ジェームズ・スターリング、ジェームス・ゴーワン
イギリス、レスター

敷地の大部分を占めるのは、境界に接して建つ大きな長方形の実験室だ。

公園側には、事務棟、研究棟、講義ホール、そして階段とエレベーターなどの補助機能を納めたタワーがある。小さい方の講義ホールの上は、それぞれのフロアにこぢんまりとした研究室が４つ並び、大きい方の講義ホールの上には７階建ての事務棟がある。さらに事務棟の上に大きな貯水タンクがある。

レスター大学のキャンパスは、街の中心部の南、ヴィクトリア･パークの隣にある。建物の大きさのわりには狭い敷地だ。公園に隣接する建物は３階建て以下にするという都市計画の規制があるが、この建物では担当当局によって規制がゆるめられた。

北半球では通常、直射日光の差し込みを抑えながら一日を通して一定の光量を得るために、作業場では北側から光を取り入れる。実験室の天窓も、長方形の建物の対角線に沿って北向きに設けられている。対角線に平行な天窓と屋根の縁との交わりなど、機能同士が交わって生まれる45度の角度は、平面のデザインのテーマになっている。

スロープの上にある正面玄関は、屋内へ続く入口とテラスが設けられた「ピアノノビレ（イタリア語で主階、メインフロアという意味）」へつながっている。よりたくさんの人が利用するのは、実験室の端にある、地上階のエントランスだ。２つの講義ホールの下に位置し、基壇へ続いている。

もともと事務棟には、実験室と同じ工業用の安価な光沢ガラスが使われ一体感が演出されていたが、より熱効率の高いアルミ製のカーテンウォール（建物の荷重を直接負担しない壁）に取り換えられた。これによって建物の印象は変わったが、建物の美しさは健在だ。

遅刻した学生はガラス張りのらせん階段を上り、大きな講義ホールの後ろからこっそりと入ることができる。

基壇には、地上階のエントランス、トイレ、実験室へ続く通路が納められている。

赤いレンガは長い辺が横、赤いタイルとガラスは長い辺が縦になるよう建物の表面に貼られている。柱や梁は、現場打ちされた打ち放しコンクリートが露出している。

基壇の三角形の基礎部分の先端に、トイレの換気をする排気装置がある。要求される機能を組み合わせることで、彫刻のような美しさが生まれている。

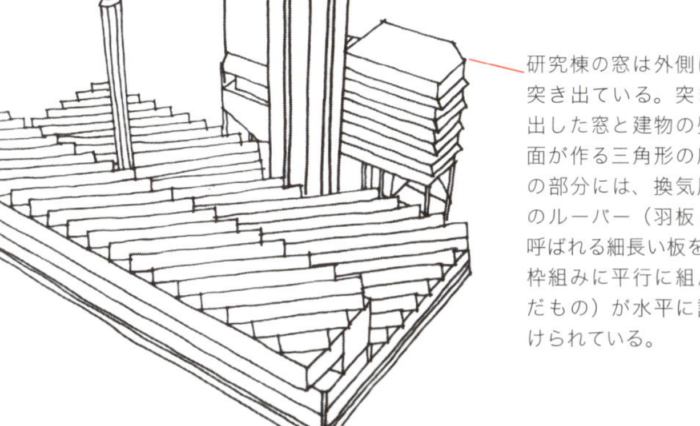

研究棟の窓は外側に突き出ている。突き出した窓と建物の壁面が作る三角形の底の部分には、換気用のルーバー（羽板と呼ばれる細長い板を、枠組みに平行に組んだもの）が水平に設けられている。

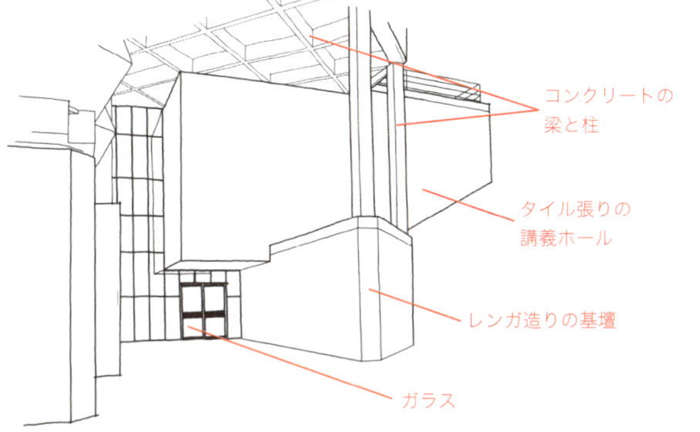

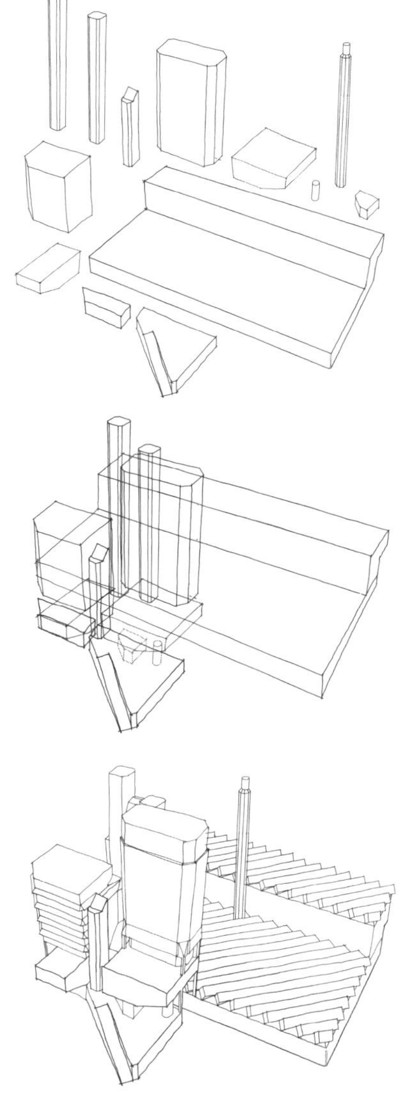

ボリュームを抑えるために

人が無駄なくスムーズに行動するのにちょうどよい広さの空間になるよう、ボリュームが抑えられている。階段とエレベーターがあるタワーは隅が削られ、階段だけがあるタワーの上部は階段の傾斜に合わせて斜めになっている。講義ホールも、座席の下の不要な部分は切り取られている。

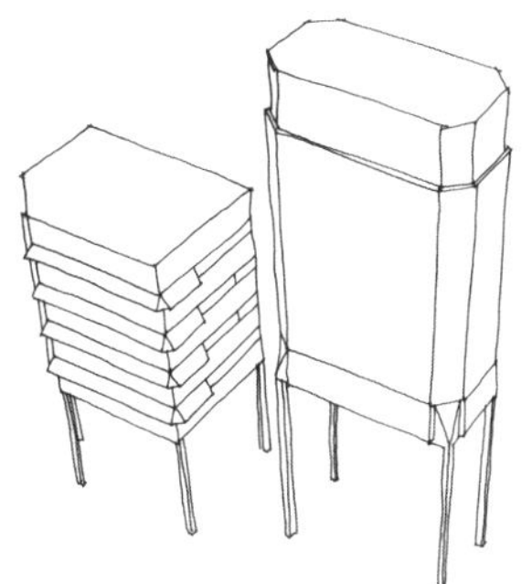

上の階はあまり使われないので、タワーの上部ほど通路が狭くなり、ガラスの壁もそれに合わせて削られるデザインになっている。この外観から、タワーは「水晶の滝」と呼ばれる。これもボリューム削減の一例だ。

オブジェクトとしてのガラス

モダニズム建築では、透明なガラスは要素間のヴォイド（建物の中に設けられた何もない空間）を埋めるものと考えられることが多く、それ自身が意味をもつオブジェクトであるとはみなされていなかった。ところがレスター大学工学部棟では、彫刻のように美しい表現ができる素材として活用され、1つの独立したボリュームを作っている。

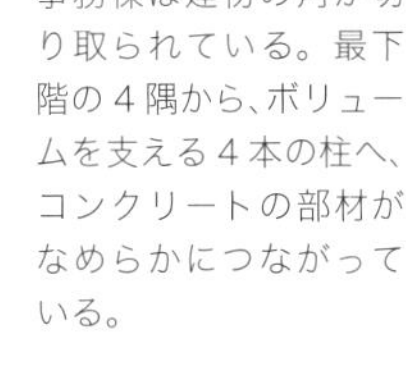

事務棟は建物の角が切り取られている。最下階の4隅から、ボリュームを支える4本の柱へ、コンクリートの部材がなめらかにつながっている。

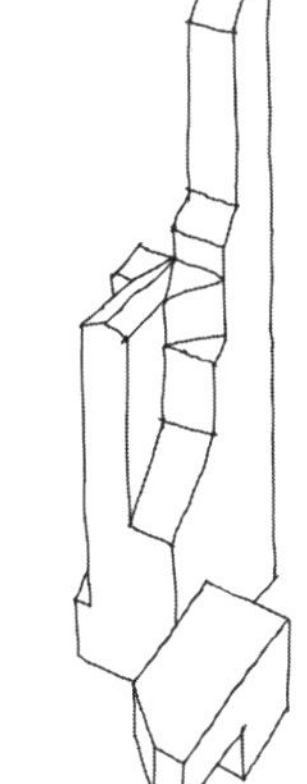

事務棟は、上部の貯水タンクを補強するように組み込まれている。タンクと同じように角が切り取られた事務棟の表面を覆うガラスがさらに印象を強めつつ、貯水タンクのマッス（建築において、全体の中で1つのまとまりとして把握される部分）と好対照をなしている。タンク内部の水は、メインの階段の脇に設けられたパイプを通る。

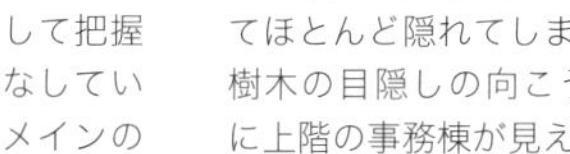

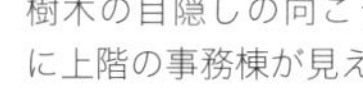

特に夏の間は、建物の低層がヴィクトリア・パークの端に茂る樹木によってほとんど隠れてしまう。樹木の目隠しの向こう側に上階の事務棟が見える。

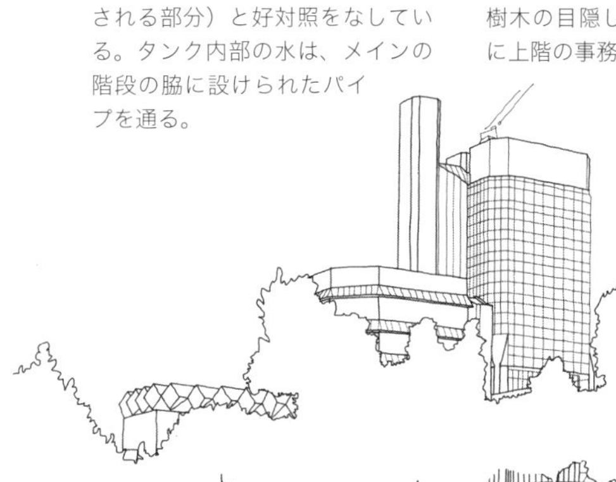

05 レスター大学工学部棟｜1959-63

ジェームズ・スターリング、ジェームス・ゴーワン
イギリス、レスター

屋内の通路の壁や手すりは屋外と同じように仕上げられているので、屋外から続くような雰囲気の空間になっている。

空気工学と電気工学の実験室は、1階のボイラールームとメンテナンスルームの上にある。天窓、引き込み管（水やガスを引き込むパイプ）、屋根の構造物が、実験室の廊下の上まで続いている。

研究室棟は使いやすく出入りもしやすい。メインのダクトはエレベータータワーに沿って垂直に設けられている。

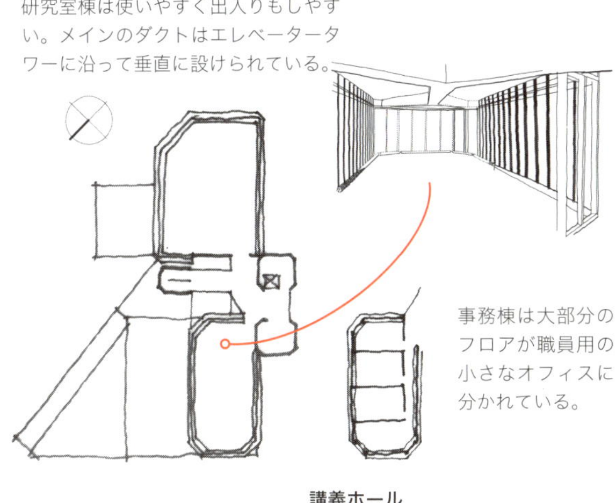

事務棟は大部分のフロアが職員用の小さなオフィスに分かれている。

実験室

実験室の1階は、研究設備を組み立てたり後で移動したりできるように、ワンルームになっている。

男子トイレ（M）と女子トイレ（F）の広さの差は、1950年代後半に予想された工学部の学生の男女比を表している。

学生が使う部屋は階段で上りやすい低い階に集められ、1つしかないエレベーターに人が集中しないようになっている。

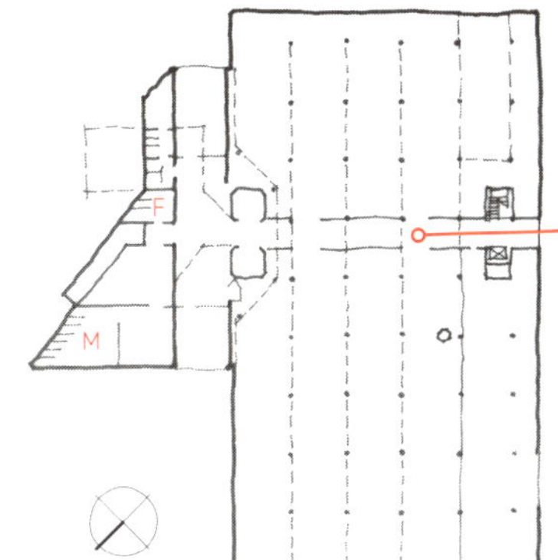

上階の実験室は、作業用通路の上、すなわち下から支えられた片持ち（水平に持ちだした跳ね出した状態のこと）のせり出し部分まで延びている。このため、大型トラックで運ばれてきた機械を床から直接実験室へ搬入できる。

講義ホール

小さい方の講義ホールは100人を収容できる。縦方向の片持ち構造で、座席の下の部分は空中にせり出している。縦方向に長い講義ホールは優れた外観を作り出しているが、後ろの席に座る学生にとっては教授との距離が遠くなってしまうので都合が悪い。

大きい方の講義ホールは200人を収容できる。タワーの柱から突き出すような横方向の片持ちになっていて、上の事務棟の荷重で片持ちのバランスを保っている。

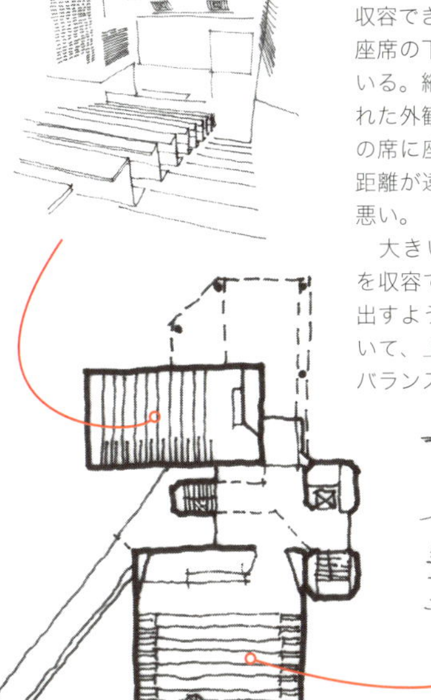

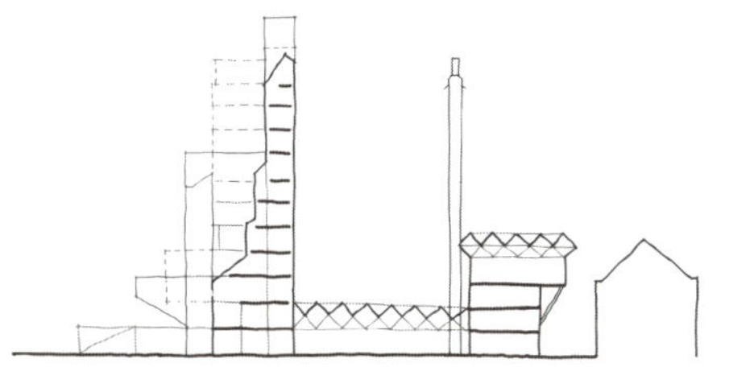

建物に見られるさまざまな形

研究棟のフロアは奥行きがあり、外周の梁の間に斜め格子状の構造がわたされている。

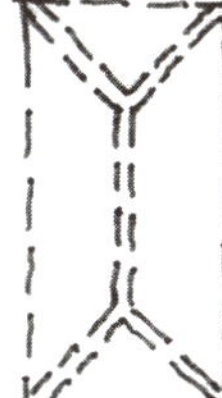

事務棟のフロアは奥行きがやや浅く、中央から枝分かれして4隅につながる1本の梁で支えられている。

工場に使われる一般的なのこぎり屋根は、同じ角度の傾斜が連なり、北側の垂直な面にガラスがはめられている。一方、実験室の屋根は南側も斜めになっている。また、屋根の端では、窓のないレンガ壁の上にひし型の部材が並んでいる。

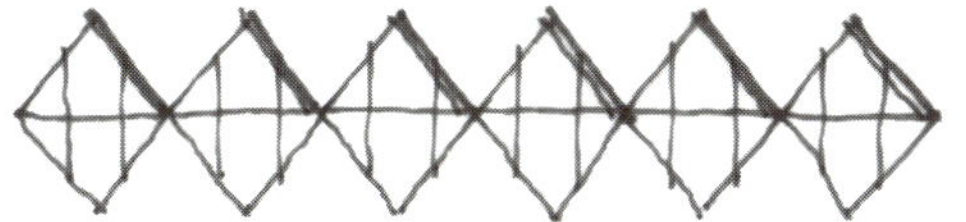

北側は、1枚の繊維ガラスを2枚の透明ガラスで挟んだ多層ガラスが使われている。南側は、日光をブロックし反射するようさらにアルミニウムの層が追加されている。

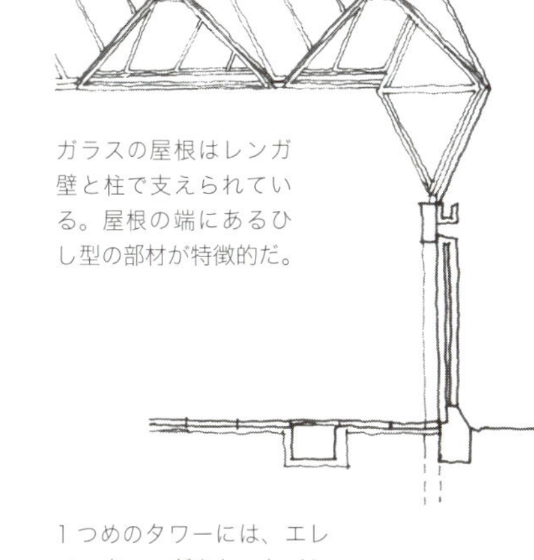

ガラスの屋根はレンガ壁と柱で支えられている。屋根の端にあるひし型の部材が特徴的だ。

ガラスの屋根の角は、三角形の面を使って、屋根のグリッドから壁のグリッドへうまく切り替えられている。

基壇の壁は赤い粘土レンガ、コンクリート屋根には赤い粘土タイルが貼られ、建物全体の統一感が強調されている。同じようにタイルが貼られた手すりは、細い鉄管のみで支えられているので、基壇の上に浮かんでいる帯のように見える。

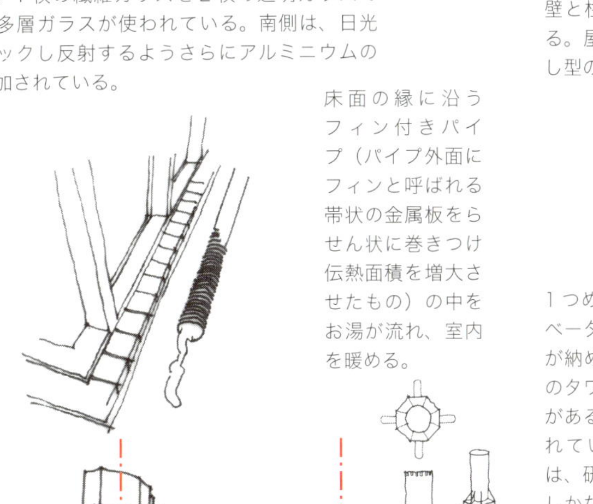

床面の縁に沿うフィン付きパイプ（パイプ外面にフィンと呼ばれる帯状の金属板をらせん状に巻きつけ伝熱面積を増大させたもの）の中をお湯が流れ、室内を暖める。

1つめのタワーには、エレベーター、ダクト、トイレが納められている。2つめのタワーには階段とダクトがある。階段だけが納められている3つめのタワーは、研究棟の上までの高さしかない。事務棟の上階はほとんど人が出入りしないので、1本の階段で十分なのだ。

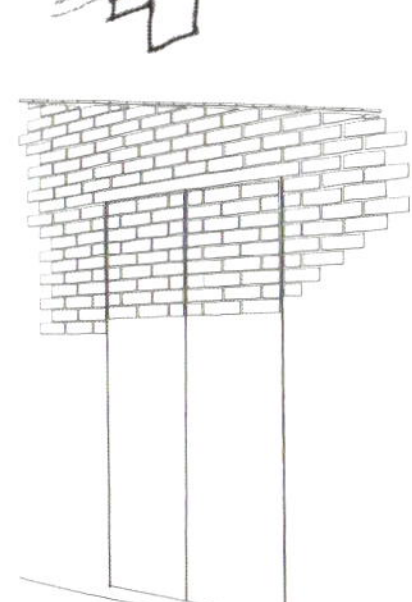

スロープの側面の下には通用口のスチール製の扉がある。薄いレンガで覆われているので、基壇の素材の統一感が保たれている。

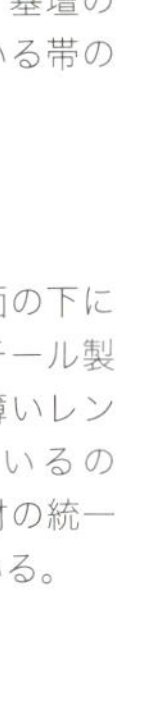

ボイラーから延びる煙突は、正面のビルと同じように細く垂直な形を特徴としている。尖った先端や換気を促す通気口が、彫刻のような外観を作る。

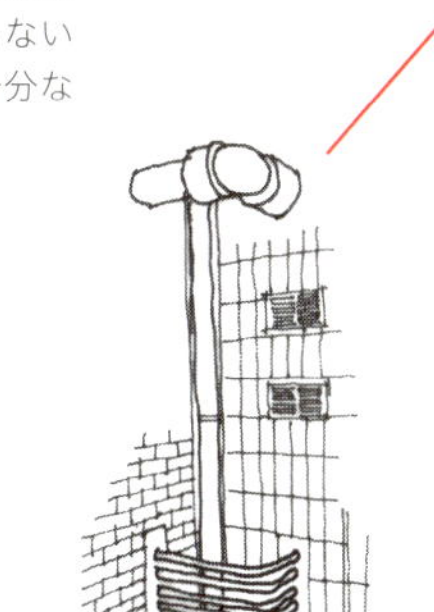

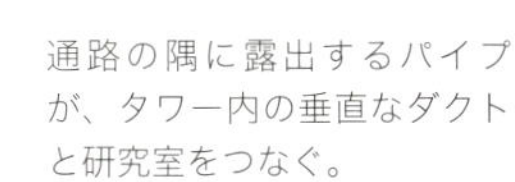

通路の隅に露出するパイプが、タワー内の垂直なダクトと研究室をつなぐ。

06

ソーク生物学研究所｜1959-66

ルイス・カーン

アメリカ、カリフォルニア、ラホヤ

アメリカの建築家ルイス・カーンが設計したソーク生物学研究所は、生物学の研究に携わる科学者のための実験室とオフィスからなる複合施設だ。研究機関に求められる技術的な要件に応えながら、機能と空間の関係をデザインによってあらためてとらえ直し、研究活動にぴったりの一体感のある環境を作り出している。

この建物は技術的な要件を満たすだけでなく、自然科学と人文科学の文化的な垣根を越える施設を建てたいという創設者ジョナス・ソーク博士の希望に応えている。建物のデザインの軸となったのは、科学の実験室という技術的な空間とゆったりとした中央広場の空間との関わり合いや、その間を取りもつ、静かに考えにふけることができる研究者のオフィスだった。カリフォルニアの強い日差しの下、堂々としたコンクリートのフォルムから生まれる相互作用を通して、実験室での実験とオフィスで生まれる深い思考のプロセスを、さまざまな移動スペースがつなぎ合わせている。

アミット・スリヴァスタヴァ、イーファン・リー、スタブロス・ザカリア、ラナ・グリア

06 ソーク生物学研究所｜1959-66

ルイス・カーン
アメリカ、カリフォルニア、ラホヤ

敷地への対応

ラホヤはサンディエゴのすぐ北にある、海沿いの傾斜地だ。ソーク生物学研究所の敷地は、西側に太平洋を見渡す丘の上にあり、新たに建てられたこの複合施設は、西側の美しい景観を眺められるように並んでいる。研究施設は、東側の一般道路に近い場所に建つ。一方、居住棟や集会棟（いずれもアンビルト）など、よりプライベートな建物は海岸線近くの岩礁に建てられる予定だった。

この建物の目的の１つは、科学と人間性が重なり合う場所を作ることだった。

ソーク生物学研究所のデザインは、創設者のジョナス・ソーク博士と話し合いながら練られていった。彼は、イギリスの科学者であり小説家であるチャールズ・パーシー・スノーが論じた、自然科学と人文科学という「２つの文化」の心理的な垣根を超える施設を求めていた。カーンは空間の隙間にある移動スペースに注目して、この２つの分野が互いに影響を与え合うアプローチを探り、３部構成の建築を生み出した。

集会棟（アンビルト）は、２つの文化の関わり合いを促す施設として提案された。

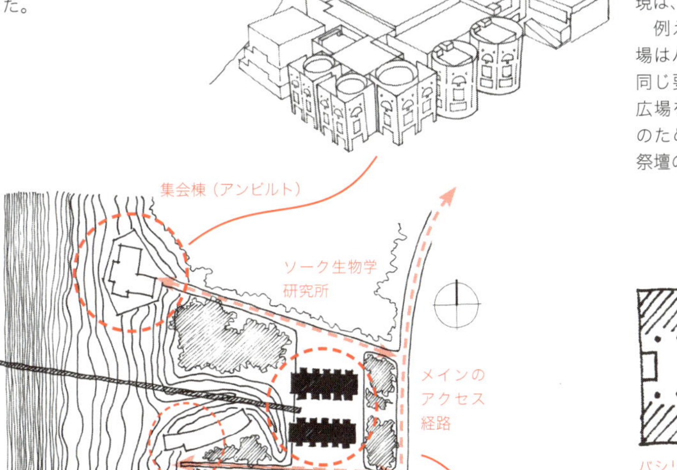

２つの研究棟と中央広場は、太平洋がもっともよく見えるように配置されている。

伝統的な形式の活用

ソーク生物学研究所は間違いなくモダニズム建築の１つだが、建物やオープンスペースの豊かな表現は、いろいろな伝統的な形式を参照している。

例えば、太平洋への軸が強く意識された中央広場はバシリカに似ている。オフィス棟に見られる同じ要素の繰り返しが列柱の役割を果たし、中央広場を「身廊（バシリカ式聖堂の祭壇手前の礼拝のための空間）」に見立てている。身廊の先には、祭壇の神聖な光のように太陽が沈みゆく。

棟（コンクリート）

地面（大理石の１種で、緻密な縞状構造をもつトラバーチン）

水路の溝（水）

象徴主義にもとづく神聖な空間

もともと中庭には、研究者たちが暑さを逃れてひと息付けるように並木が植えられる予定だったが、石敷きの広場へ変更された。人工的な広場では、日光は遮られずむしろ強められているので、中央広場が空虚な印象になっている。研究者たちは神秘的な雰囲気の中でもの思いにふけることができる。

浅い水路が庭の中心を通る。

トラバーチンで覆われた平らな中央広場。メキシコ人の建築家ルイス・バラガンは、ここを「空へのファサード」と呼んだ。

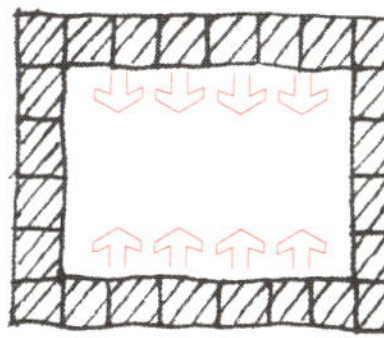

中庭

中央広場

敷地の東側には樹木が茂り、西側には岩礁が広がっているので、中央広場は四方を囲まれた中庭のような、プライベート感のあるやすらぎの場となる。修道院の独居房のような各オフィスは、メインの棟から突き出すように設けられ、考えにふけるのにぴったりな中央広場に面している。

平らな中庭の両側に長方形の建物が建つありふれた配置だが、表面に使われている素材が空間を洗練する。広場を覆うトラバーチンと広々とした平面にふわりと浮かんでいるように見える露出したコンクリートがコントラストを描く。垂直を意識した建物が、棟の並びと平行に広場を貫く水路と対比をなしている。

水路を流れる水は谷を通り、四角い吐水口から滝となって、その下の太平洋に面する水盤へ流れ落ちる。

広場の東の端にある小さな四角い水盤から、水路を流れる水が湧き出す。

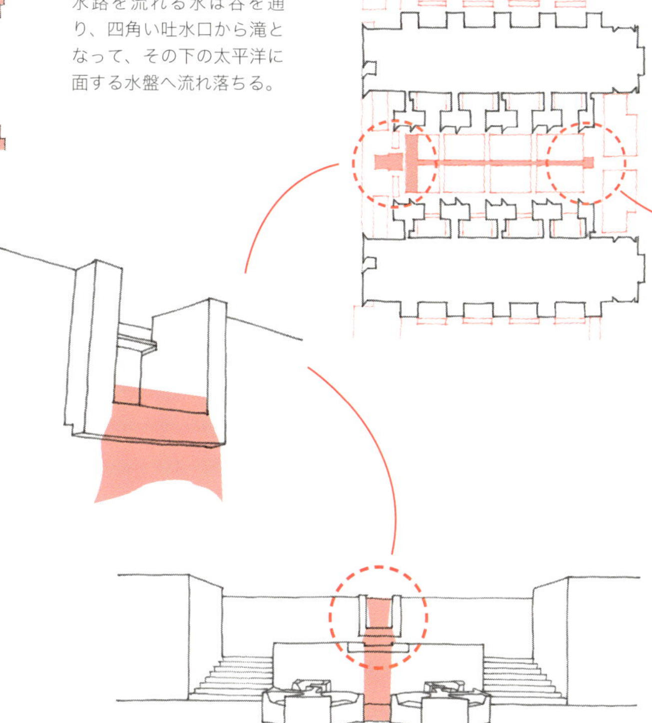

広場を貫く浅い水路を流れる涼しげな水が、強い日光と対比をなし、空っぽな広場に神秘的な雰囲気を漂わせる。水路の水は広場の西端にある水盤へ流れ落ち、広場の先にある太平洋そのものが、自然と一体化した見事な建築表現に取り入れられている。静かな中央広場に突き出すオフィスでは、研究者たちが実験室を離れ落ち着いて思考に没頭することができる。

プログラム - 実験エリア（実験室）

建物は２つのエリアに分かれ、実験室で実際に実験をするプロセスと、概念や理論を考えるプロセスという研究機関に求められるプログラムにそれぞれ対応している。「実験」のエリアは、実験室と、２棟の建物の奥にあるサービスコア（建物の中央部にある、補助機能を担う空間）からなる。

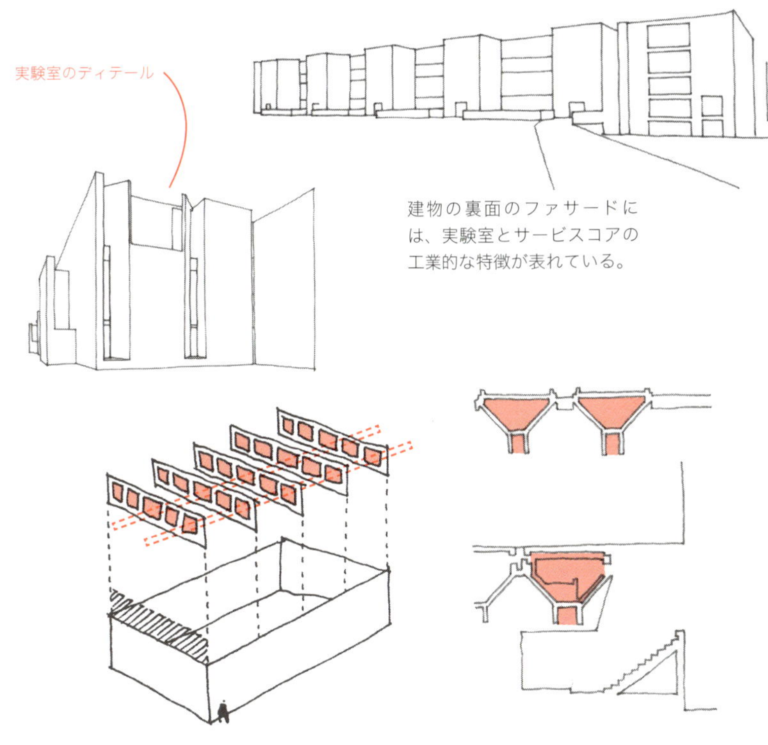

建物の裏面のファサードには、実験室とサービスコアの工業的な特徴が表れている。

実験室とサービスコア

プログラム - 思考エリア（研究者オフィス）

研究には、具体的な実験のプロセスから離れて、考えを深めるプロセスも必要だ。このプロセスに応えるのが、中央広場に面したオフィスだ。小さなオフィスは短い廊下を挟んで実験室とは離れて建ち、静かな思考のための中央広場に面している。

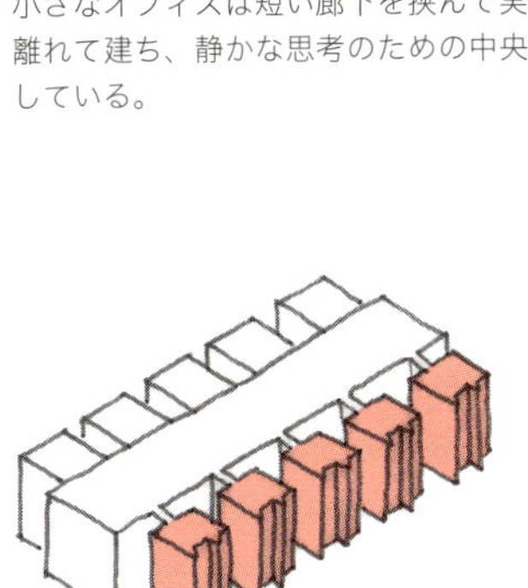

中央広場に突き出すオフィス。

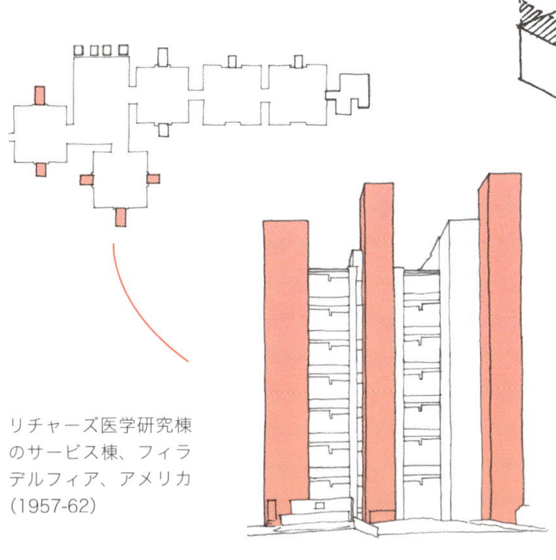

リチャーズ医学研究棟のサービス棟、フィラデルフィア、アメリカ（1957-62）

実験室にはたくさんの機械や電気設備がいるので、作業エリアはごちゃごちゃした印象になりがちだ。カーンは過去のリチャーズ医学研究棟のプロジェクトで、仕えられる空間と（サーブド・スペース）と仕える空間（サーバント・スペース）の区分を試みた。ソーク生物学研究所では、仕えられる空間と仕える空間を分けたうえで、さらにこの２つを建物の一部に取り込んでいる。

当初の案では、箱型に組まれたトラス（三角形を基本単位として構成する構造形式）でできた桁（柱間に架ける水平部材）と、折れ曲がったプレートを組み合わせて構造システムを作り、建物の長さをめいっぱい使って、人の身長ほどの高さのサービスコアをシステムの中に納める予定だった。建設の過程で、このシステムはフィーレンディールトラス（梯子を横倒しにしたようなトラス）に変更され、トラスの格子の間に必要な設備をすべて納めることができた。設備は必要に応じて天井の隙間から作業エリアへ下ろさせる。

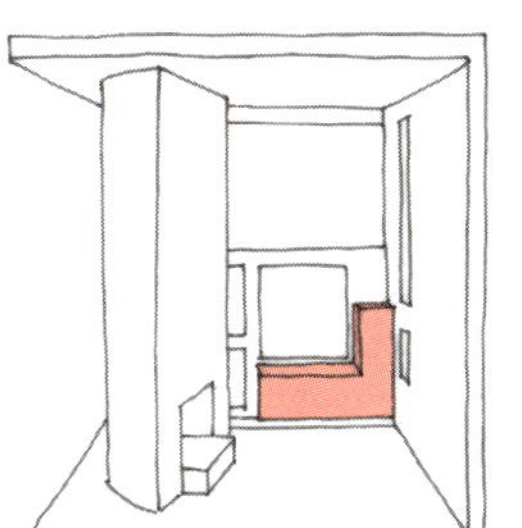

カーンが設計したフィッシャー邸（1967）は、イトスギ材のベンチが窓際に造付けられている。個人邸宅という用途に合わせて、木材で温かみが表現されている。ソーク研究所のオフィスでも、同じように木材が使われている。

温かみのある研究
オフィス

太平洋の眺め

木枠の窓

くつろいだ雰囲気のオフィスは、考え事にぴったりだ。研究者は実験室を離れて、より壮大で深い思考に適したオフィスで頭を切り替え、考えにふけることができる。

実験棟との間には物理的な距離があるので、騒音が遮られる。また、研究者が実験棟から広くて神秘的な雰囲気の中央広場へ誘われるという、研究のプロセスを象徴する意味もある。それぞれのオフィスから中央広場と海が直接見えるので、オフィスと中央広場のつながりが強められている。一方、ほかの部屋の様子が見えないように、窓は斜めに設けられている。木材が使われたオフィスは、露出した打ち放しコンクリートの部分と対比をなすとともに、考えにふけるのにぴったりな、温かみのある空間を作り出している。

通り抜ける光、切り取られる景色

アンビルトの集会棟の設計案では、光の通り道や切り取られる景色に趣が出るように、2層構造の外壁が使われていた。

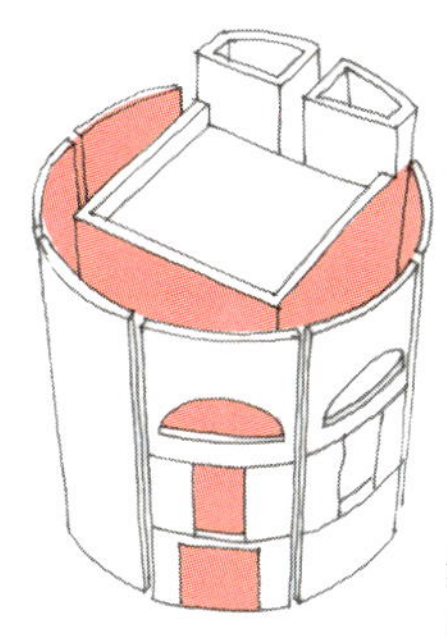

集会棟（アンビルト）の一部。

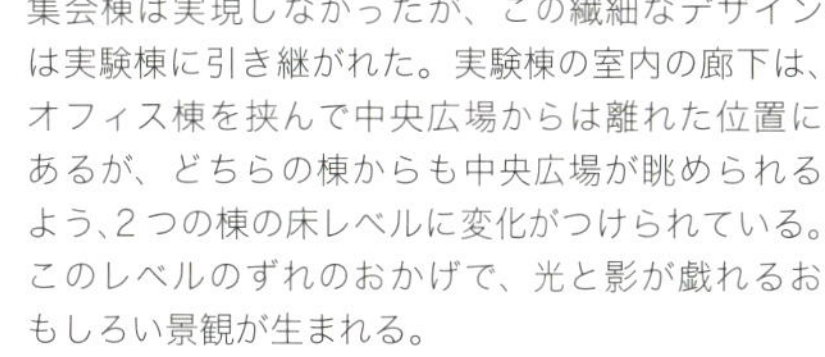

集会棟は実現しなかったが、この繊細なデザインは実験棟に引き継がれた。実験棟の室内の廊下は、オフィス棟を挟んで中央広場からは離れた位置にあるが、どちらの棟からも中央広場が眺められるよう、2つの棟の床レベルに変化がつけられている。このレベルのずれのおかげで、光と影が戯れるおもしろい景観が生まれる。

オフィスの入口は奥に引っ込み、その手前にはオフィス同士をつなぐ通路がある。実験棟を通り抜けて差し込む光が不思議な模様を写す。

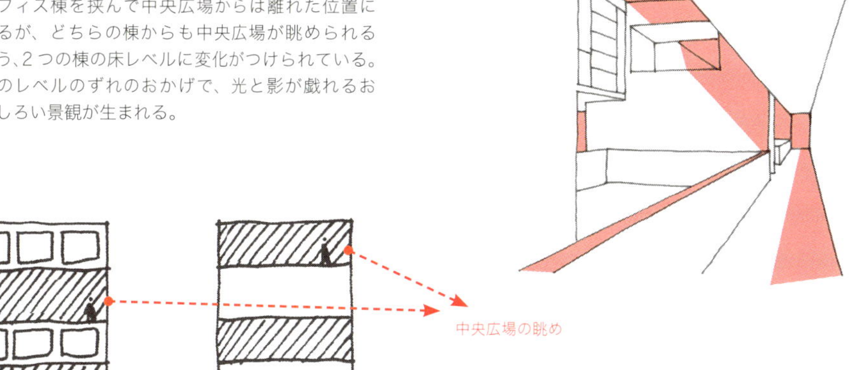

実験棟とオフィス棟の床の高さにずれがあるので、どちらからも中央広場が見える。

07

ルイジアナ近代美術館 | 1956-58

ヨルゲン・ボー、ヴィルヘルム・ヴォラート
デンマーク、フムレベック

ルイジアナ近代美術館は、コペンハーゲンの北に位置するフムレベックという小さな村に建つ。19世紀、ある男性がこの村に邸宅を建てた。彼は三度結婚したが、どの女性もルイーズという名前だった。この邸宅の敷地内に建てられた美術館は、彼女たちにちなんで「ルイジアナ」という名が付けられた。1958年から、建築家のヨルゲン・ボーとヴィルヘルム・ヴォラートが木材とレンガ造りで改修した美術館は、地元の職人技を使いつつ、アメリカ・カリフォルニアや日本など太平洋地域の建築からの影響も受けている。その後、ボー・ヴォラート建築事務所が新館を設計し、それ以降も増築を繰り返している。本書では、最初に開業した1958年の展示室を主に説明する。

ルイジアナ近代美術館では、建物、アート作品、ランドスケープ、そして併設された居心地のよいカフェの食べ物などそれぞれの要素が相互反応し、一体感をもたらしている。シンプルな構造やよくある素材、建築をとりまく制約の上にも、いかに見事な建築が生まれるかをこの美術館は体現している。

アントニー・ラッドフォード、チャールズ・ウィッティントン、ミーガン・リーン

07 ルイジアナ近代美術館｜1956-58

ヨルゲン・ボー、ヴィルヘルム・ヴォラート

デンマーク、フムレベック

彫刻作品は屋内、屋外の両方に置かれていて、来館者は展示室や庭園を自由に散策できる。ヘンリー・ムーア（20世紀のイギリスを代表する芸術家・彫刻家）の大きな彫刻が、空を背景に展示されている。

整然と並んだ水平な屋根が、庭園に青々と茂る草木の印象を強める。敷地の境界まで広がる建物の中には、壁に囲まれた通路があり、屋外の彫刻や庭を眺められる。冬にはあたり一面が雪景色になる。

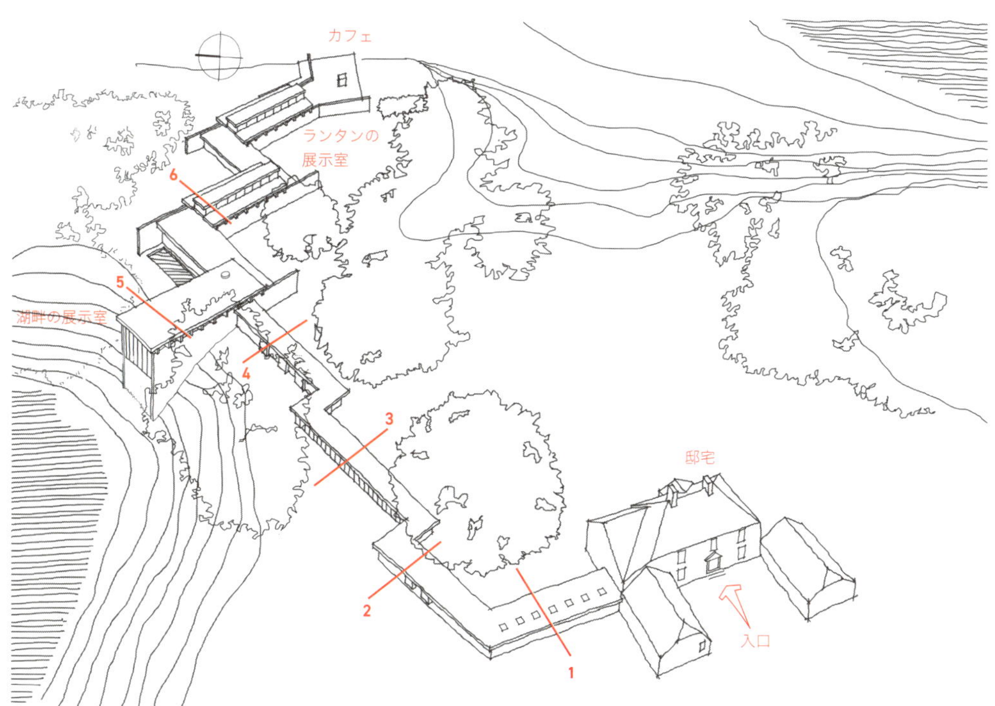

美術館の創設者であるクヌード・イェンセンは、個人の家に遊びに来るような感覚で来館者が訪れてくれるように、邸宅の玄関を美術館の入口にしようと考えた。また、邸宅の200メートル北には湖を見渡せる部屋を、さらに100メートル先の崖の上にはスウェーデンを望む海を見渡せるカフェを作ってほしいと建築家たちにリクエストした。

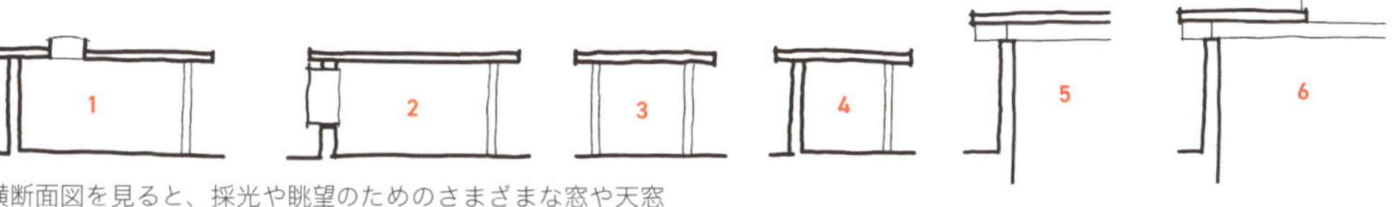

横断面図を見ると、採光や眺望のためのさまざまな窓や天窓が設けられていることがわかる。

順路

建物に面する道路からは見えるのは、もともとの邸宅部分だけだ。来館者は古い門から入り、素朴な美しさの正面玄関へ進む。エントランスホールと、縦列配置（複数の部屋の入口と出口を一列に配置すること）の3つの部屋を通り抜け、曲がり角を曲がって階段を下ると、1958年に開業した新しい美術館がある。

邸宅と新しい美術館の様式には、はっきりとした違いがある。邸宅には塗装木材のパネル、コーニス（壁面から突出する、水平方向に連続する部分）、ペディメント（切妻屋根の両側斜めの線とコーニスに囲まれた三角形の壁面）のあるドア、窓枠付きの小さな窓が設けられている。いくつかの部屋に分かれ、内壁に開口部が設けられている。一方、新しい美術館はレンガと木材で作られ、レンガやガラスのパネルが交差しながらひと続きの空間を区切っている。

長い廊下や短い廊下を歩いていると、空間の違いをはっきりと感じられ、予想できない冒険をしているかのような気分になる。邸宅に近い廊下の角では、芸術作品のように美しいブナの巨木の太い幹をじっくりと眺めることができる。1つめの大きな展示室は2フロアにまたがり、天井までのガラス張りの窓から湖を見渡せる。四方を壁に囲まれた2つめと3つめの展示室は、天井に照明があり、部屋の隅から少しだけ外の景色が見える。突きあたりには家庭的な大きさの暖炉があり、対岸のスウェーデンまで見渡せる大パノラマが広がっている。

絵画作品は、順路の片側の白い壁や廊下の突きあたりに飾られている。展示室のついたてに飾られている作品もあり、来館者はついたての間を縫うように進みながら鑑賞する。

彫刻作品の多くは、ランドスケープを背景にしてガラスの壁の前に展示されている。茂った木々や張り出した屋根が日光の眩しさをやわらげる。庭園の彫刻作品は窓からも眺められるが、庭園の順路からしか見えないものもある。

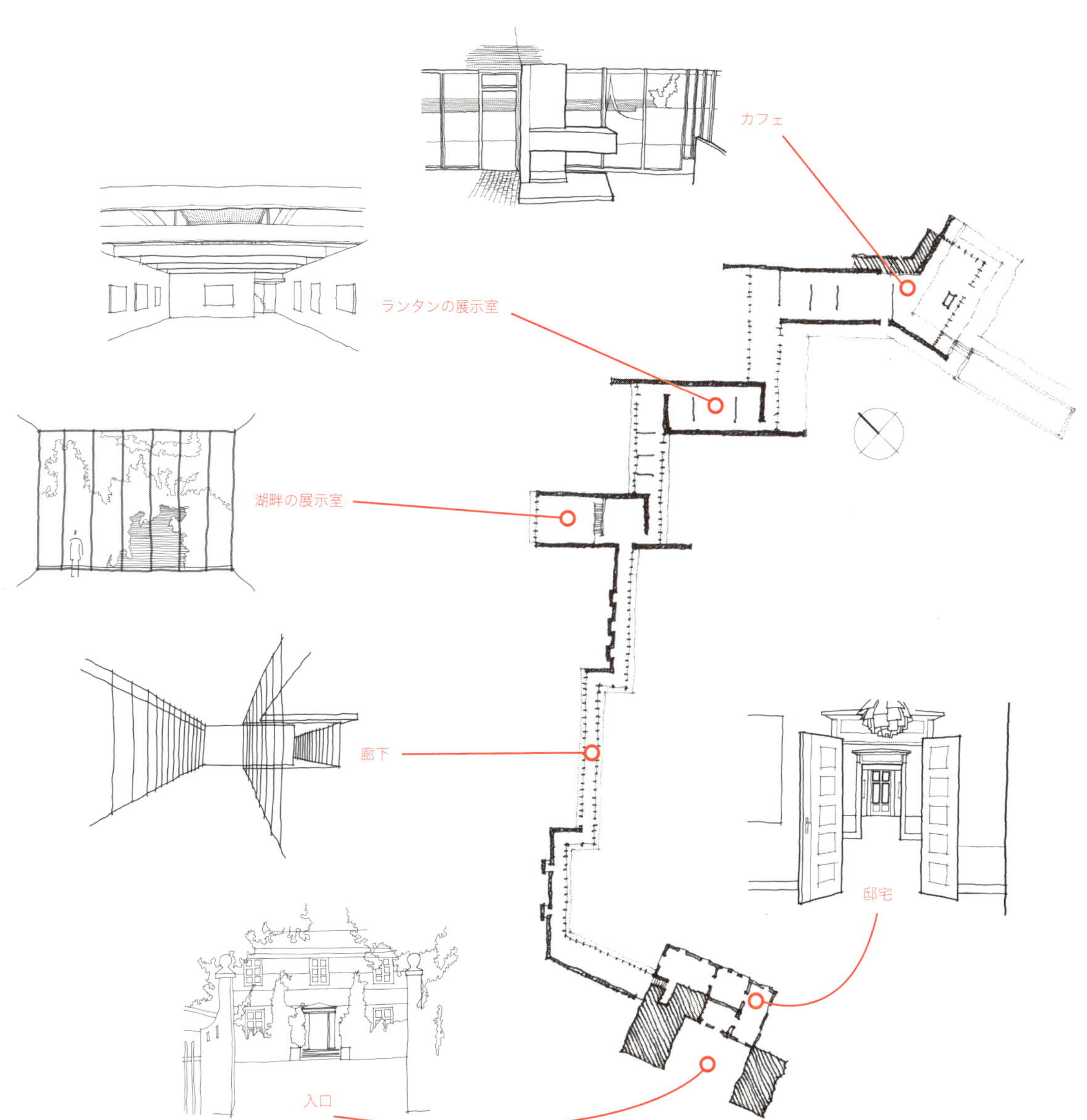

廊下

廊下の構造はとてもシンプルだ。軽い木材フレームがコンクリートの基礎の上に設けられ、濃い色で塗装された集成材（断面寸法の小さい木材を接着剤で再構成して作られる木質材料）の柱と、自然な色の板張りの天井に掘られた溝の間に、2重ガラスが直接はめられている。床にはレンガと同じ大きさの茶色いタイルが貼られている。外側には、張り出した屋根と天井、レンガで舗装された細い通路があり、廊下がランドスケープにまで続いているように見える。屋根から雨水が流れるように、軒の下から地面まで竪樋（たてどい）（垂直に取り付けた排水管）が通っている。廊下の片側のところどころは、ガラスではなく漆喰の塗られていない白いレンガ壁になっている。

湖畔の展示室

廊下を進むと、壁に囲まれた大きな展示室のバルコニーへ辿りつく。展示室にはアルベルト・ジャコメッティ（スイス出身の20世紀の彫刻家）の細長い人物彫刻がいくつも展示され、たった1つの丸い天窓から注ぐ光に照らされている。左手では、木製のついたてや窓に設けられた長いマリオン（開口部を垂直に分割する部材、方立）が、湖の景色を切り取る。ついたての後ろの階段は、メインの空間である2層吹き抜けの下階へつながっている。階段の奥には、天井の低い隠れ家のような展示室がある。

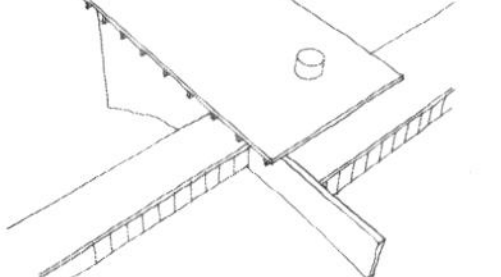

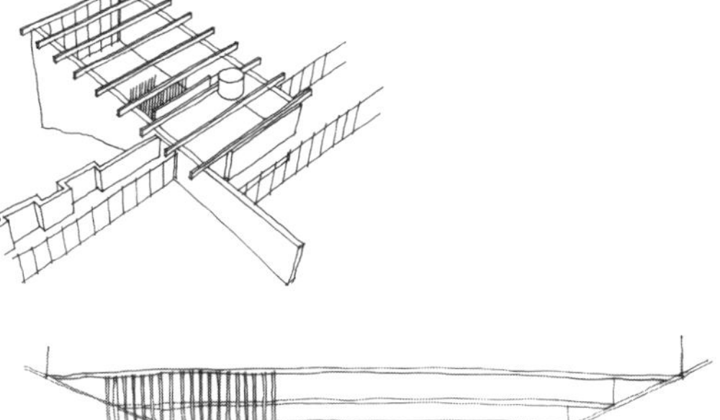

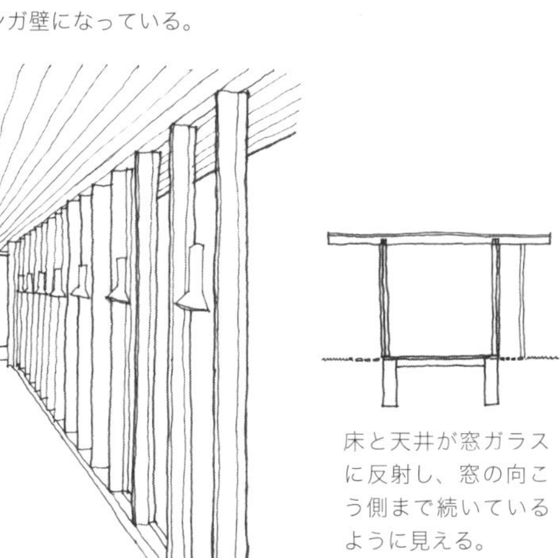

床と天井が窓ガラスに反射し、窓の向こう側まで続いているように見える。

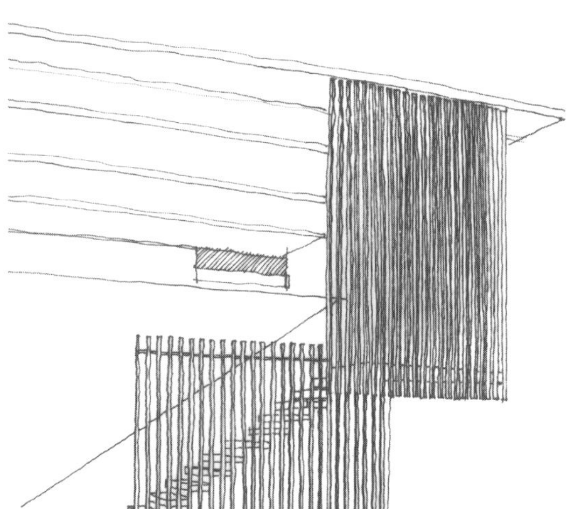

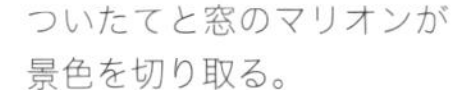

ついたてと窓のマリオンが景色を切り取る。

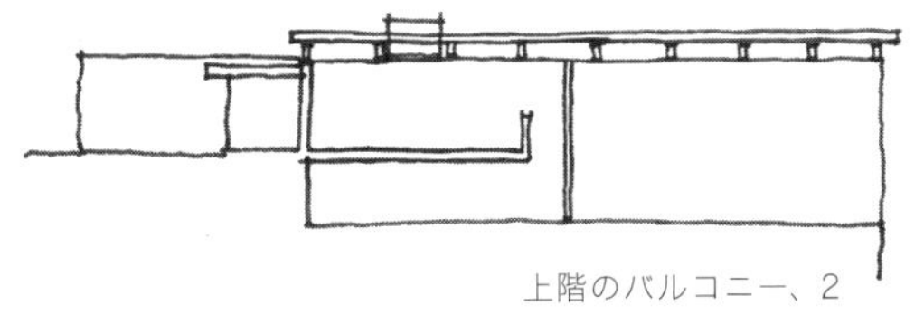

屋内の床のタイルは整然と敷き詰められているが、屋外では草むらになじんでいくようにレンガがまばらに敷かれている。

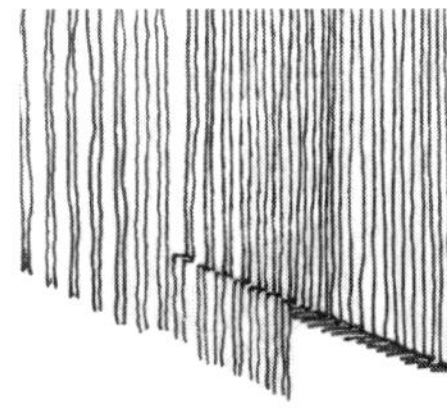

薄板が並んだ2つのついたては、上の方が下の方よりも手前にあり、2つの長方形が重なっているように見える。

上階のバルコニー、2層吹き抜けのメインの空間、下階の小さな展示室は、天井の高さや開放感などの空間の特徴がまったくことなる。

ランタンの展示室

続いて幅の広い廊下があり、天窓のある２つの展示室の１つめに辿りつく。白いレンガの壁の上に集成材の梁があり、梁の間にはフィックスガラス（開閉できない、はめころしのガラス）がはめられている。梁は壁の外側に突き出し、その上にさらに２本の梁がわたっている。梁が交差する部分に細い木材の柱が立てられ、ランタンのガラス屋根（光を取り入れ煙などを逃すためのランタンのようなドーム屋根やガラス屋根）を支える。窓枠や幅木、コーニスが設けられているが、このわかりやすくシンプルな構造をそこなうことはない。廊下と同じように、床はレンガと同じ大きさのタイルが貼られ、天井は板張りになっている。

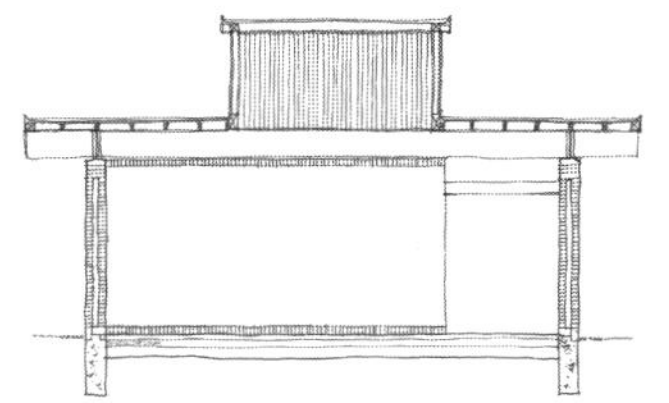

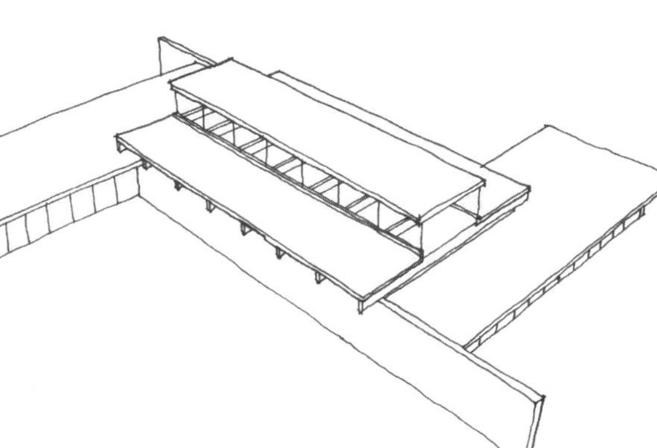

カフェ

芸術鑑賞の後にはカフェでひと休みできる。暖炉のそばや窓際、外のテラス席に座って、ヨット、船、はるか向こうのスウェーデンの岸を眺めながら、コーヒーとデニッシュ・ペストリー（デンマークで愛されるパンの１種）を味わえる。屋根の構造は木材でできた天井で隠されている。空間の大きさに合わせて天井を高くするために、床の大部分が地面から階段２段分低くなっているので、奥の壁際のテーブルでは低い視点から景色が眺められる。広々とした、それでいて居心地のよいリビングルームのような雰囲気だ。その後の改装でニーズに合わせて空間が広げられた。優れたデザインだが、やはり当初の心地よさは失われてしまった。

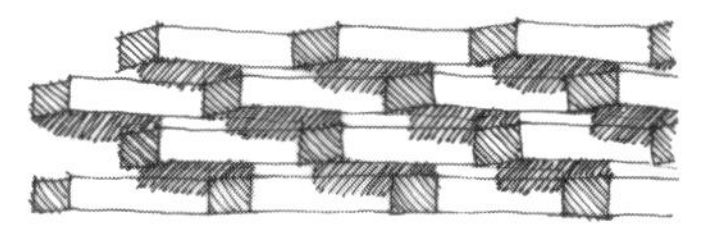

カフェの短辺の外壁に使われているレンガは、斜めに積み重ねられている。表面がデコボコなので、太陽が動くにつれてジグザグ模様の影ができる。レンガの角度は、カフェへ続く分かれ道のクランクの前までの展示室の配置と平行になっている。

07 ルイジアナ近代美術館｜1956-58

ヨルゲン・ボー、ヴィルヘルム・ヴォラート
デンマーク、フムレベック

増築計画
1958 年の開業以来、数回に及ぶ重要な拡張工事を含めて、何度も改修が行われた。

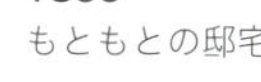

1855
もともとの邸宅。

1958
開業当初の展示室とカフェ。

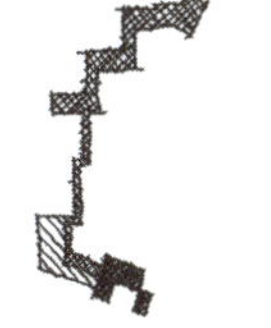
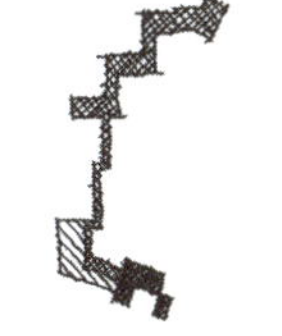

1966
邸宅のそばに、期間限定の展示をする部屋が建てられた。素材の組み合わせや様式は、既存の展示室と同じだ。

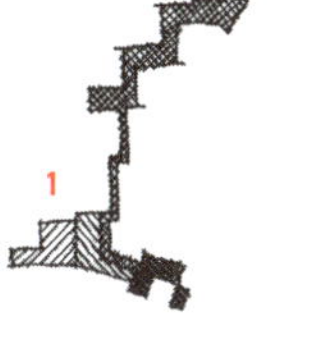

1971
1966 年に増築された空間がさらに広げられた。展示室も増え、地下には小さな映画館が作られた。

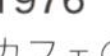

1976
カフェの隣に、400 人が着席できる音楽会や講演会のためのホールが作られた。既存の展示室と同じ様式だが、これまでとはことなる空間の特質に合わせて調整された。集成材の梁ではなく、鋼棒で補強された木製トラスが縦横にわたされ、屋根を支えている。

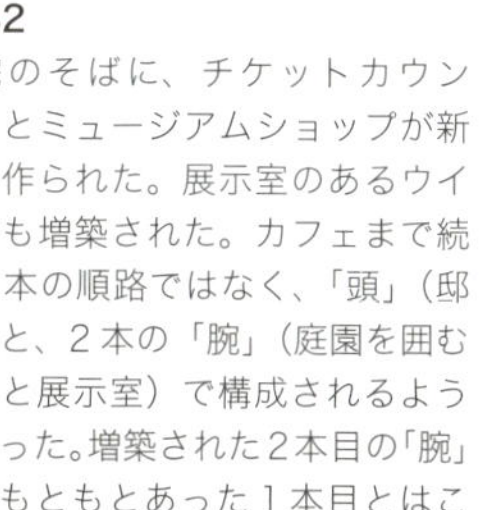

1982
邸宅のそばに、チケットカウンターとミュージアムショップが新たに作られた。展示室のあるウイングも増築された。カフェまで続く 1 本の順路ではなく、「頭」（邸宅）と、2 本の「腕」（庭園を囲む廊下と展示室）で構成されるようになった。増築された 2 本目の「腕」は、もともとあった 1 本目とはことなる様式が使われている。グレーの大理石の床や、漆喰の塗られていない白い壁は、既存の展示室よりもなめらかな印象だ。また、天井も白く塗られている。既存の展示室と違って、メインの空間は屋外とのつながりが弱い。自然光は、半透明なガラス繊維の布でできた天井から届く。新しいウイングの端には小さな展望室がある。

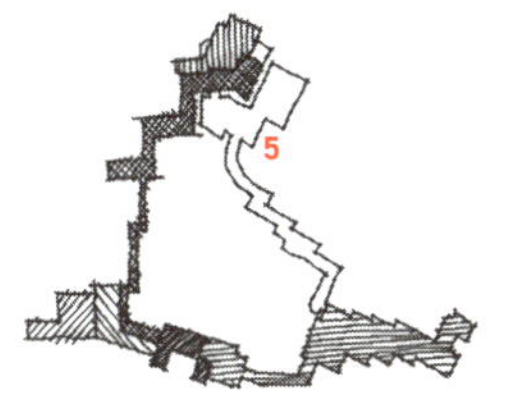
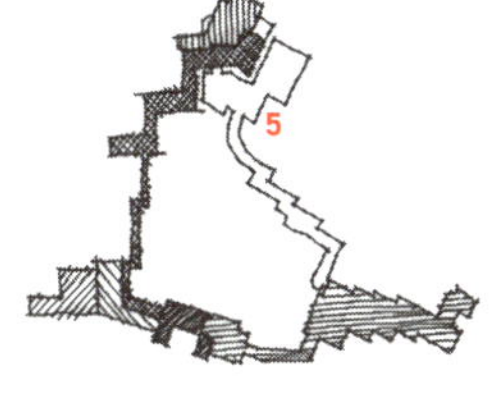

1991
地下の展示室が 2 つのウイングの両端をつなぎ、建物全体で輪を作る。日光が差さないので、絵画やテキスタイル作品など、光に弱い作品に合わせて照明をコントロールし、柔らかな光を作り出せる。鉄骨とガラスで作られた東屋（あずまや）のような展望室の下に、地下室へ続く階段がある。増築された結果、カフェは「小さな美術館の順路の終わりにある目的地」ではなく、「大きな美術館で作品を鑑賞する途中で、休憩をとる場所」になった。さまざまな企画展示ができるようになった一方で、この美術館ならではの趣は薄れてしまった。

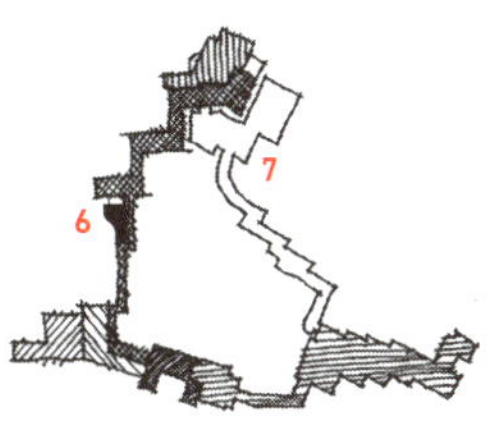

1998
湖畔の展示室の近くに、子ども向け施設がある小さなウイングが増築された（図中 6）。

2018
階段の上にある 1991 年の展望室（図中 7）が改修された。平屋根、板張り天井、レンガ敷きの床によって、1958 年のもともとの建築がさりげなく参照されている。

1：1971 年増築の展示室と 1976 年増築のホールにも、レンガと木材が使われている。

2：1976 年に建てられたホールの階段状の座席。

3：1982 年に作られた地下室は、来館者の目線が地面とほぼ同じ高さになり、新しい視点から外を眺められる。

4：1982 年に増築された展示室の天窓。

5：1991 年に増築された展望室のガラス製ヴォールト天井。

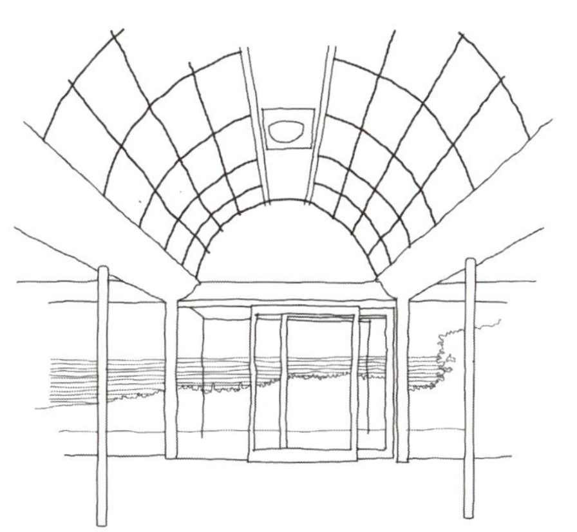

6：2018 年の改修に見られる、さりげないモダニズム。

08

国立代々木競技場｜1961-64
丹下健三
日本、東京

国立代々木競技場は、1964 年の東京オリンピックのために建設された。第 1 体育館にはスイミングプールとダイビングプール、小さい方の第 2 体育館には小さめのスポーツアリーナが設けられる。世界の注目を集めるオリンピックは、開催都市や開催国にとって、今の自分たちの国民性を表現するチャンスだ。特に第 2 次世界大戦後の日本にとって、オリンピックはアイデンティティをアピールするまたとない機会だった。

丹下健三はこの作品の中で、日本の伝統建築の形式と現代のまったく新しい構造システムを結び付けている。デザインは明治神宮——20 世紀初めに、日本の工業化や現代化を見守った明治天皇を祀る神社——に寄り添うようにして過去とのつながりを保っている。

ペイマン・ミルザイ、チュン・イン・ラウ、アミット・スリヴァスタヴァ

東京
日本

08 国立代々木競技場｜1961-64

丹下健三

日本、東京

都市コンテクストへの対応

大規模な公共施設にふさわしく、この競技場は都市コンテクストに対してオープンな姿勢をとっている。2つの体育館の平面は弧を描いているので、前後の区別はない。複合施設の中に人々の憩いの場を作るために、2つの体育館の配置が工夫されている。これにともなって、あらゆる方向から施設へ入れるよう、入口がたくさん設けられている。

明治神宮と競技場を結ぶ軸は、過去とのつながりを象徴的に表すだけでなく、東京の街が未来に向かって発展していく可能性の道筋を照らしている。

伝統的な建築表現への対応

体育館には吊屋根構造（上から吊り下げる方式）が使われている。近くの明治神宮などの神社に見られる、日本の伝統建築の丈夫な大屋根を模した表現だ。

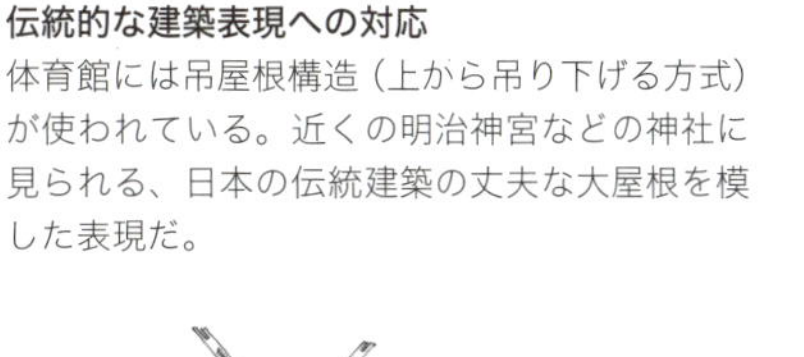

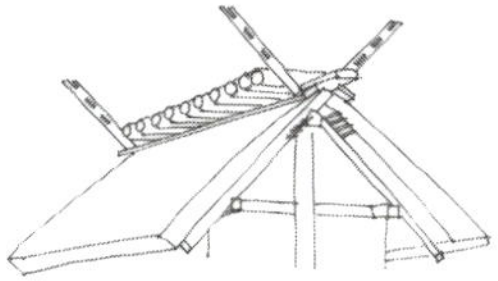

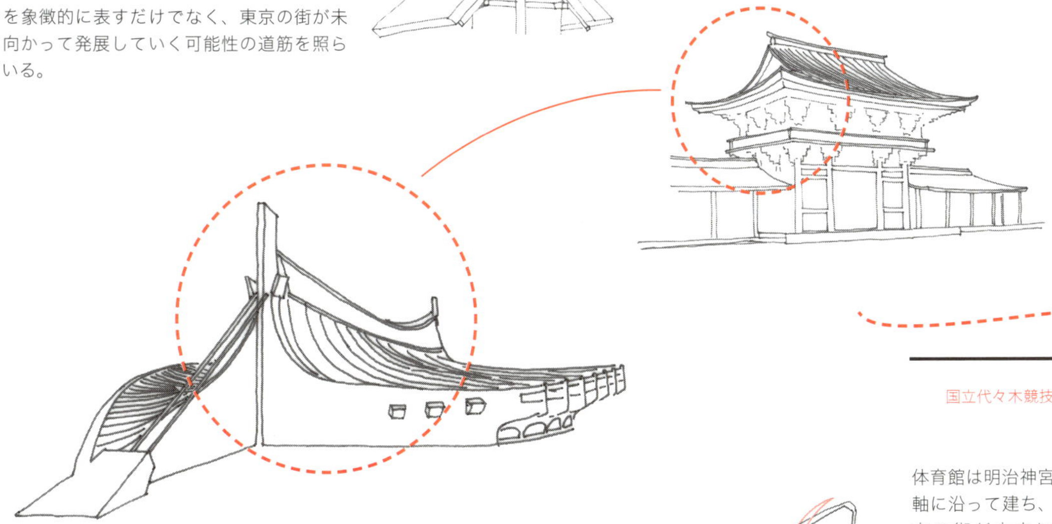

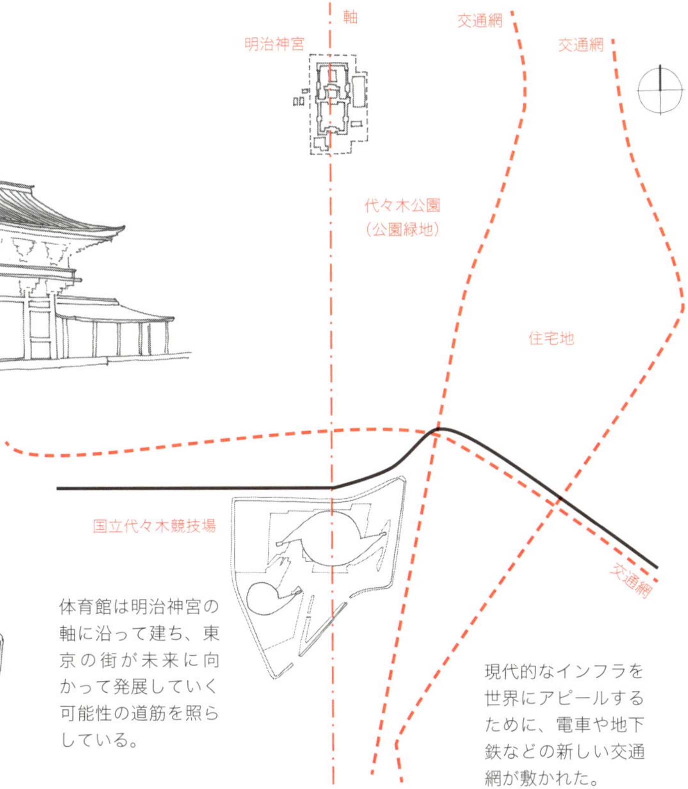

体育館は明治神宮の軸に沿って建ち、東京の街が未来に向かって発展していく可能性の道筋を照らしている。

現代的なインフラを世界にアピールするために、電車や地下鉄などの新しい交通網が敷かれた。

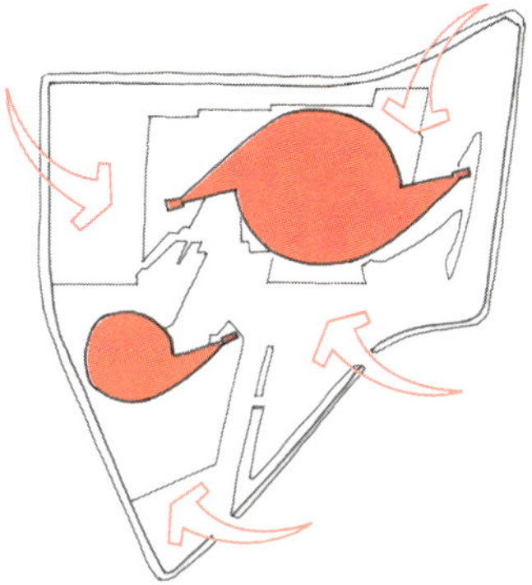

2つの体育館にはたくさんの入口がある。入口にメインとサブの区別はない。

技術の進歩への対応

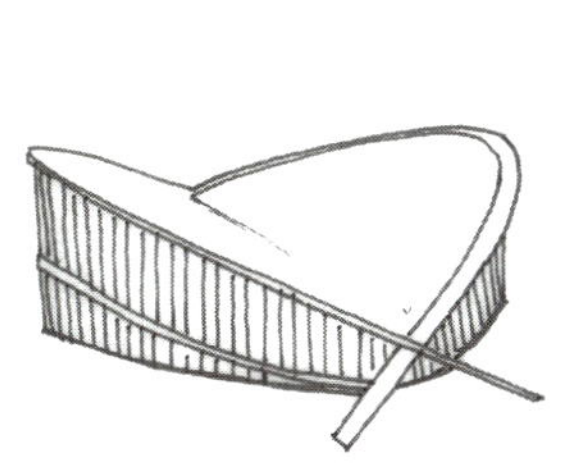

ドートン・アリーナ（アメリカ、ノースカロライナ、ローリー、マシュー・ノヴィッキー設計、1953）

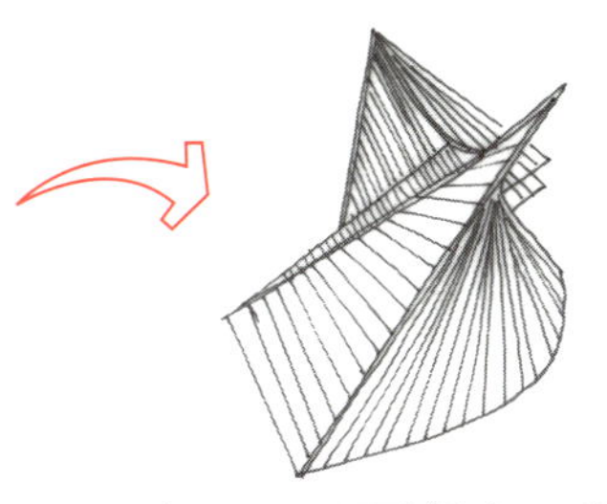

ブリュッセル万国博覧会フィリップス館（ベルギー、ブリュッセル、ル・コルビュジエ設計、1958）

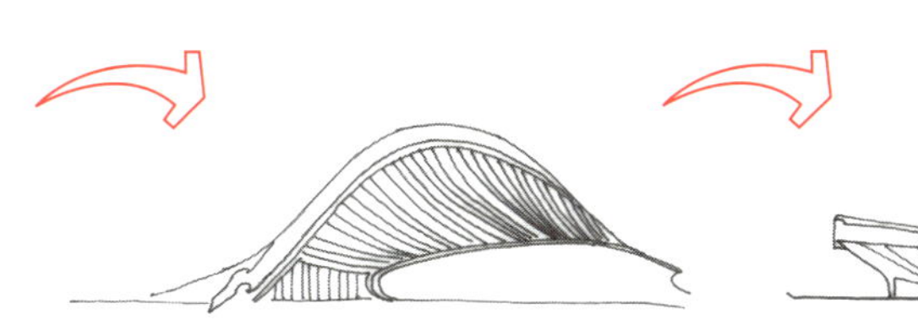

イェール大学ホッケーリンク（アメリカ、コネチカット、ニューヘブン、エーロ・サーリネン設計、1958）

国立代々木競技場（東京、丹下健三設計、1964）

丹下健三は同年代の日本人建築家と同じように、革新的な先進技術を取り入れながら、日本の伝統建築の表現を再考した。国立代々木競技場は、その10年前に初めて実用化された構造システムを使った、当時としては最大の吊屋根をもつ。大きい方の第1体育館の構造は、2本のコンクリートの柱にぶらさがる4メートルのスチールケーブル2本がカテナリー曲線（重さのあるロープなどを2点で支えたときにできる、垂れ下がる曲線）を描き、その曲線が屋根を吊っている。小さい方の第2体育館は、貝殻のようならせん構造だ。屋根を吊っているすべての梁の片端が、らせんを内側に巻き込むようにして1本の柱に架けられている。

大きなカーブ

要素の繰り返し

網の目状の表面

フォルムの構成には、建設当時の時代背景が表れている。双曲線を描く放物面や構造の要素の繰り返しなど、20世紀を特徴付ける新たな試みがフォルムや構造に取り入れられているのだ。

大きい第1体育館の構造。4メートルのケーブル2本が2本のコンクリートの柱に架かっている。

小さい第2体育館の構造。放射状のケーブルがらせん状に組み合わされている。

カーブを描く屋根の外形は、建設技術の進歩を示すとともに、風や雪の対策にもなった。日本には台風がくるが、空気力学を応用した形のおかげで風が建物の上をスムーズに流れる。屋根のカーブは大きな屋根の上に雪が積み上がってしまうのを防ぎ、雪や雨を流し落とす。

　このように構造システムは世界の期待に応えるだけでなく、現地の気候や建物のニーズにも対応している。

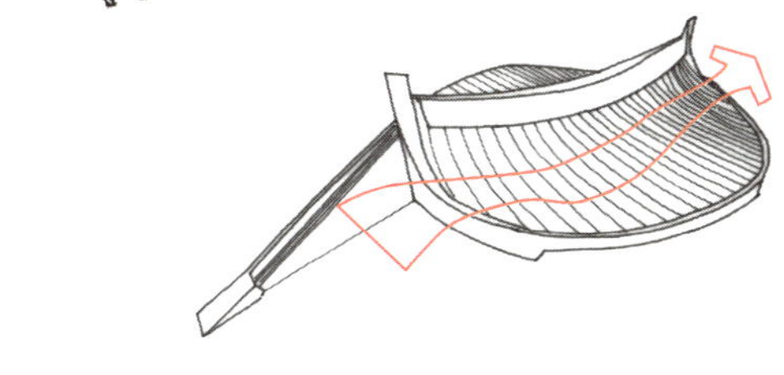

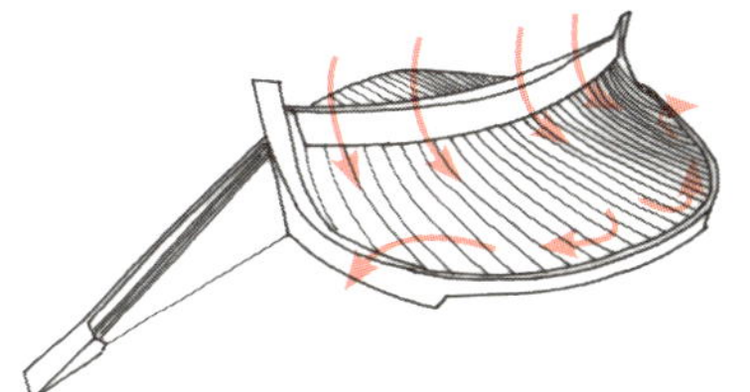

08 国立代々木競技場｜1961-64

丹下健三

日本、東京

プログラムへの対応

円などの基本図形のちょっとした工夫や、体育館同士の相互作用を取り入れながら、独創的なデザインによってオリンピック競技場のプログラムのニーズに応えている。シンプルな円形をしているのでアリーナを中心にぐるりと観客席を設けることができ、どの席からも試合がよく見えるようになっている。円を少し変形させて突出部を作り、大勢の観客がスムーズに動けるように広い入口と出口を作っている。

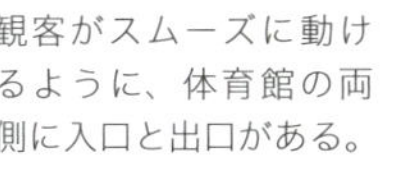

観客がスムーズに動けるように、体育館の両側に入口と出口がある。

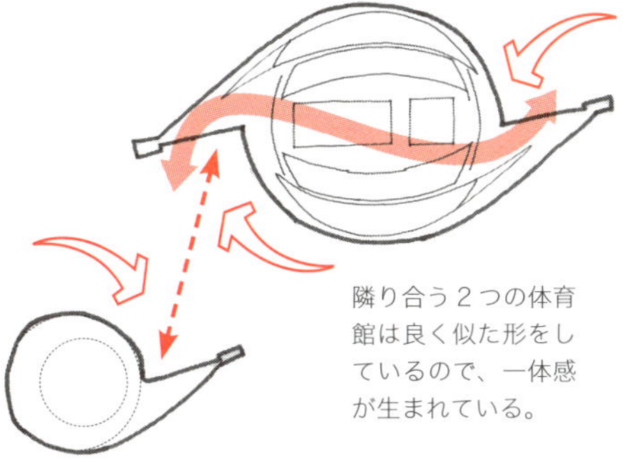

隣り合う２つの体育館は良く似た形をしているので、一体感が生まれている。

円を変形させた形の体育館同士が呼応して、間に広場のような空間を作る。体育館同士は隣り合い、形も似ているので、観客が２つの間を迷わず行き来できるうえ、施設全体に一体感を生む。体育館内部の形や大きさはわずかにことなり、観客の人数などに応じてさまざまなスポーツイベントを催せる。大きい第１体育館では長方形のプールのサイドで競泳を観戦でき、小さい第２体育館ではボクシングなどの試合を全方位から見ることができる。

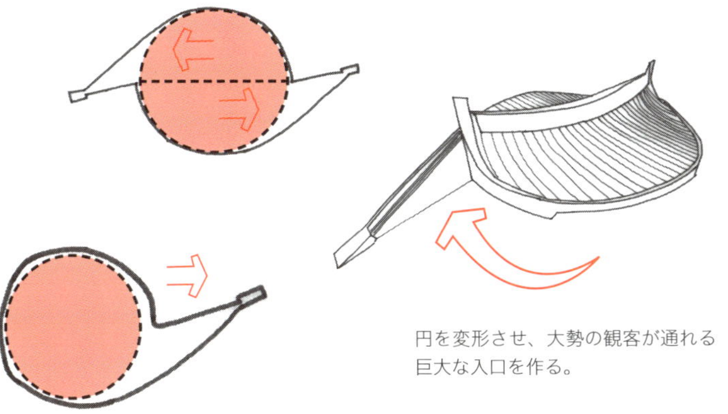

円を変形させ、大勢の観客が通れる巨大な入口を作る。

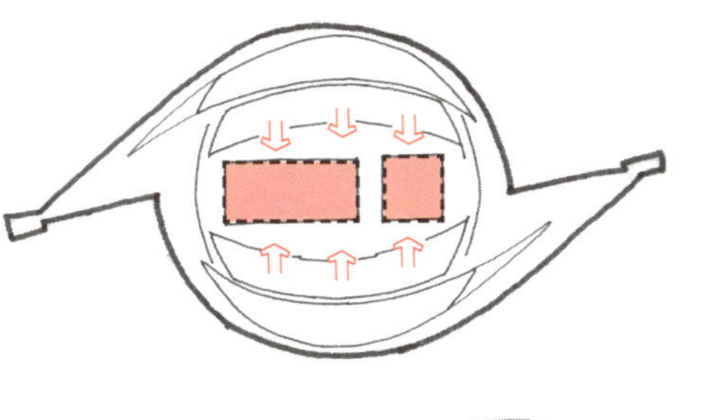

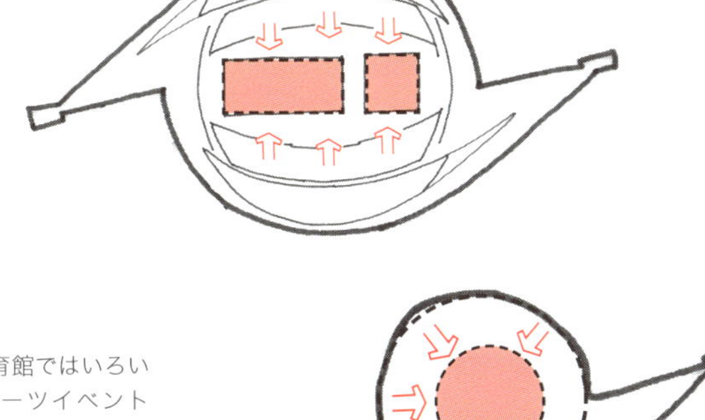

２つの体育館ではいろいろなスポーツイベントが催せる。

素材と構造

競技場の座席と観客の視界をさまたげない大きな屋根を実現するため、２つの構造システムが組み合わされた。コンクリートの基礎構造には、圧縮材（材軸方向に圧縮力を受ける部材）が使われ、地面に支えられた階段状の座席も設けられている。引張材（外側に向かって構造物を引っ張る部材）によるケーブルの吊屋根は、てっぺんから広がる傘のような形を作っている。

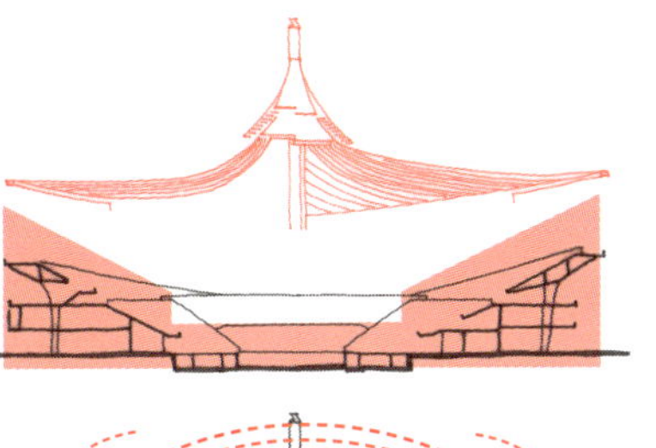

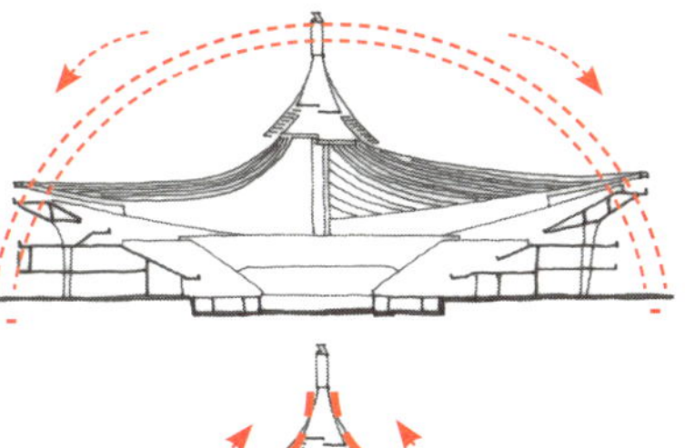

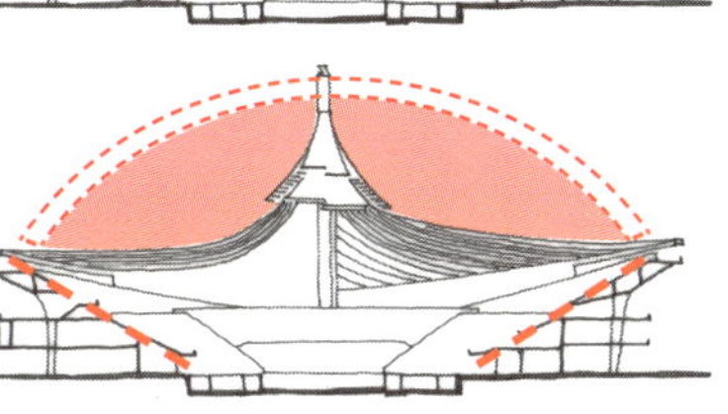

ケーブルで吊られた吊屋根が全体のボリュームを抑えているので、空間が小さくなっている分、暖房や冷房のコスト削減につながる。

観客の体験への対応

大勢の観客を迎え収容する以外にも、光の使い方や空間の構成を通して観客の印象に残るすばらしい体験を生み出し、オリンピック会場に求められるニーズを満たしている。2つの体育館はどちらも、屋根を吊っている部分が天窓になっていて、そこから届く光が拡散されて室内を満たす。光の効果によって構造の要素同士の視覚的なつながりが強まり、建物全体に一体感が生まれている。

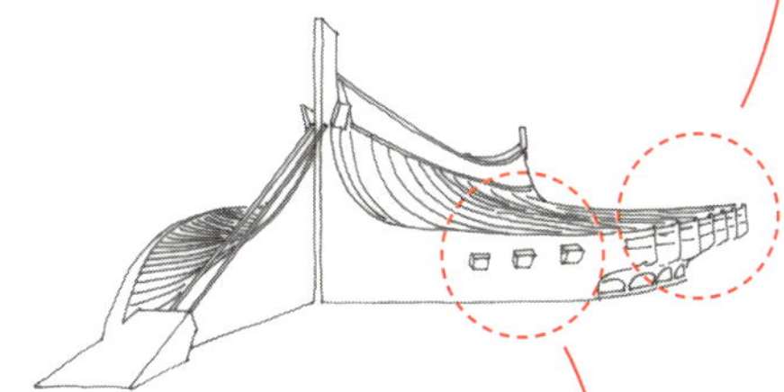

アーチが連なる入口の上にふわりと乗るような片持ちになっているので、打ち放しのコンクリートが使われている部分でさえ、建物全体の軽やかさが際立つ。

金属製の部材でアクセントが付けられた窓が、コンクリートの基礎部と対比をなす。

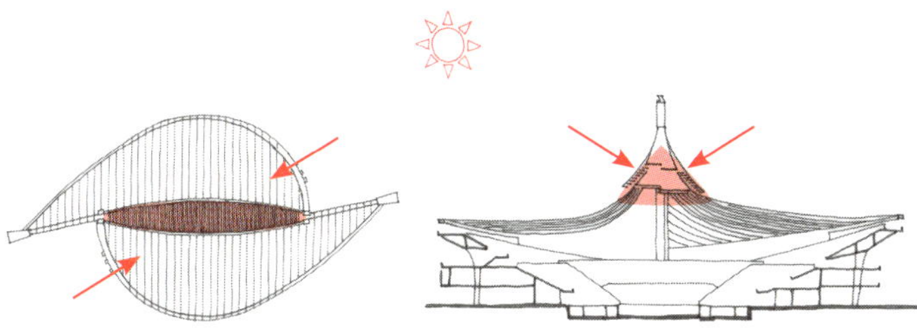

大きい第1体育館には、中央のアリーナの全長にわたって延びる細長い天窓がある。天窓から注ぐ光にアリーナが照らされると、スイミングプールでの競技に意識が向けられる。夜は中央の天窓に取り付けられた照明が室内を照らす。屋根の曲線が光を拡散し建物全体に行きわたらせるので、建物の圧倒的な広さを体感できる。

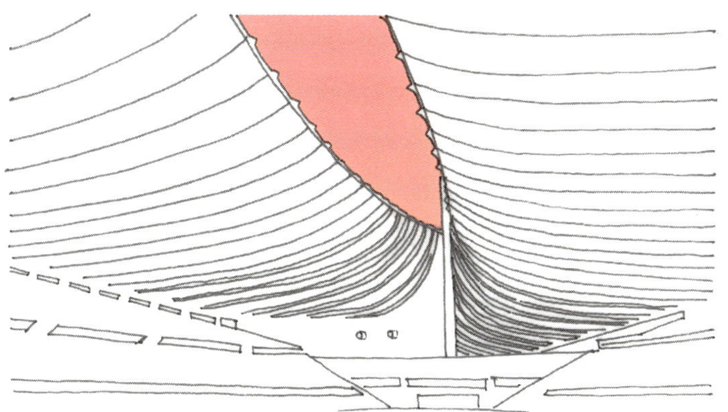

屋根の曲線と中央の天窓が目を引きつけ、建物の壮大さを感じさせる。

小さい第2体育館の天窓は、真ん中の主柱を包み込むように設けられている。

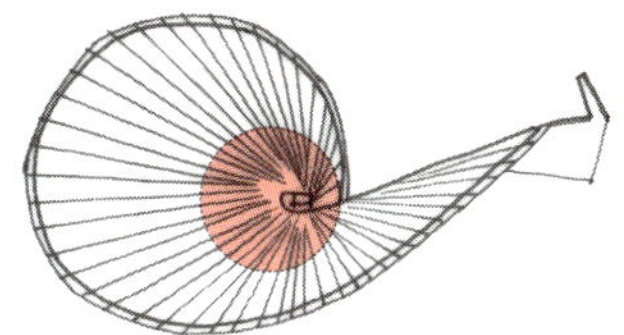

真ん中の天窓と放射状の梁ケーブルが組み合わさって、室内の壮大さを演出している。中央の主柱が吊り上げている放射状のケーブルが、文字通り観客の頭上に架かっている。さらに象徴的な意味でも観客を包み込み、観客をスポーツイベントの一部に取り込む。皆が体験を共有するという考え方は、世界平和と協調を目指すイベントであるオリンピック大会に欠かせないものだ。

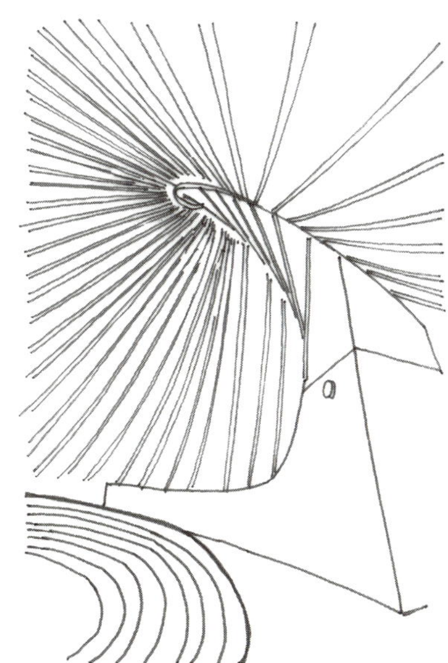

ケーブルが中央の主柱から放射状に広がる。

09

セイナヨキ市庁舎 | 1958-65

アルヴァ・アアルト

フィンランド、オストロボスニア、セイナヨキ

セイナヨキは、フィンランドのヘルシンキの北西350キロメートルに位置するセイナヨキ川のほとりにある。アルヴァ・アアルトが設計した建築群で有名な街だ。

1958年にアアルトは市庁舎の設計の依頼を受け、1963年から1965年の間に建設を行った。さらに1973年から1974年にかけて事務棟が増築された。増築部分には、既存の事務棟と同じ様式が使われている。そのほか、図書館、劇場、合同庁舎、教会、そして背の高い鐘楼が建っている。

市庁舎には、20世紀のモダニズムの合理主義とヒューマンスケールや表現方法の繊細さを結び付けたアアルトの人間主義的な表現が活かされた。堂々としつつも威圧感を与えない建物になっている。

アントニー・ラッドフォード、ニゲル・ライヘンバッハ、タルッコ・オクサラ、スーザン・マクドゥーガル

09 セイナヨキ市庁舎｜1958-65

アルヴァ・アアルト
フィンランド、オストロボスニア、セイナヨキ

頭としっぽ

建物には、「頭」のような会議場と「しっぽ」のような事務棟がある。日光を受けて輝く青いセラミックのタイルが貼られた彫刻のような形の「頭」は、街のランドマークだ。会議場の１階は通りに面したピロティ（建物の１階を柱だけ残し、吹き放しとする空間）になっていて、ロッジアが設けられている。まっすぐな「しっぽ」は、日当たりのよい南側にある人工の丘を囲うように建ち、真ん中には通路が通っている。

建物の脇には、建設のときに掘り出した土で作られた丘がある。正面玄関は会議場へ続く芝生の階段の先に設けられている。丘はオフィス棟まで延びる急勾配の下り坂になっているが、建物と丘の間に細い空間があるので、建物の１階の窓からは樹木が植えられた丘を眺められる。

変わらないものと移ろいゆくもの

棟が彫り抜かれたような形の会議場は、長方形の台座に置かれた光り輝く宝石を思わせる。アアルトの作品を見ていると、しばしば建物の一部が取り去られているような印象を受けることがある。何かが足りない未完成作品のような雰囲気や、何かが壊され失われてしまったような雰囲気を醸し出している。

セラミックのタイルは劣化が目立たず、白いセメントは塗り直せばすぐに建物を新しく見せられる。これらの素材は、銅の屋根や木製の窓格子など、人間が年をとるように変化していくほかの素材と対比をなしている。

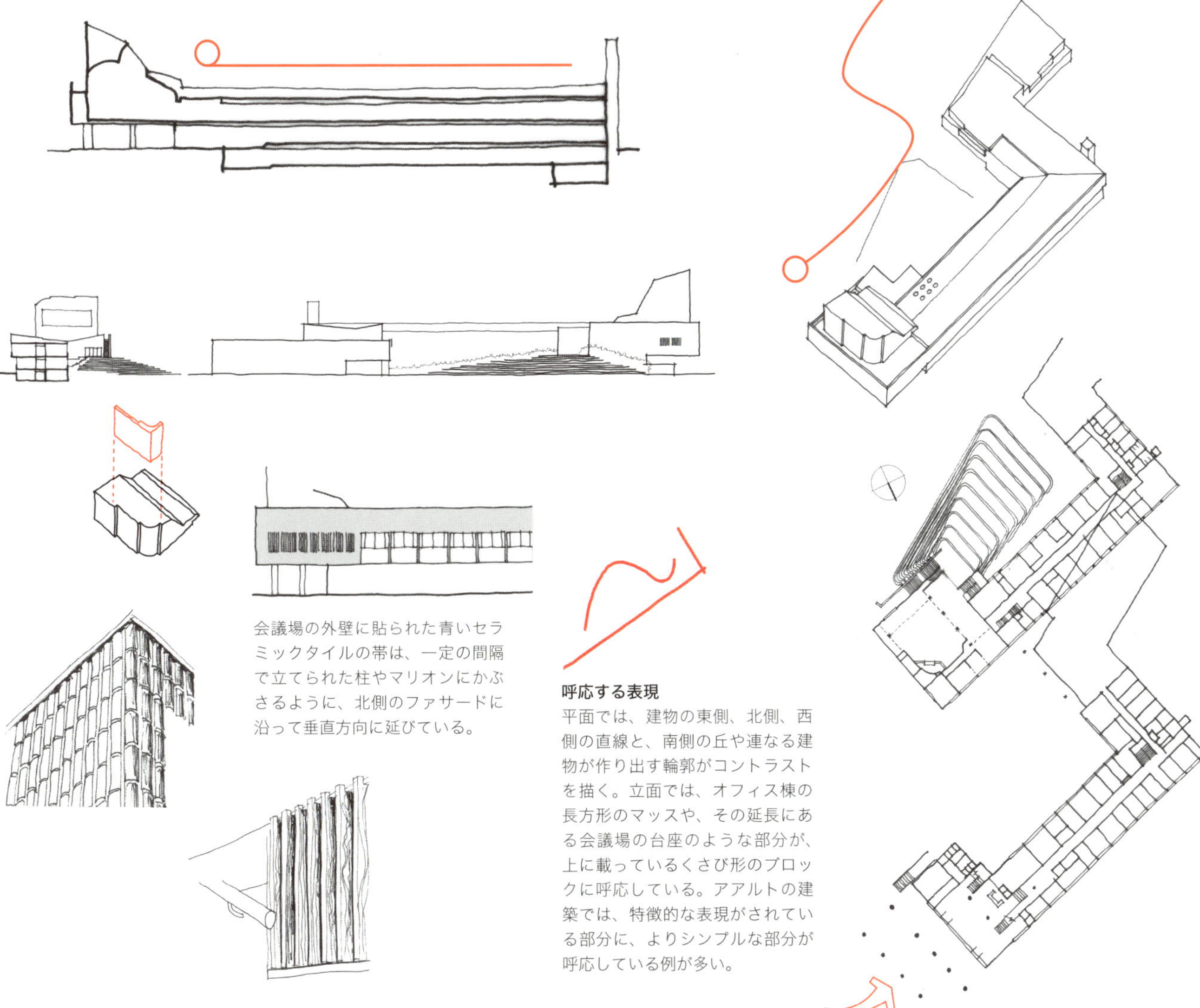

会議場の外壁に貼られた青いセラミックタイルの帯は、一定の間隔で立てられた柱やマリオンにかぶさるように、北側のファサードに沿って垂直方向に延びている。

呼応する表現

平面では、建物の東側、北側、西側の直線と、南側の丘や連なる建物が作り出す輪郭がコントラストを描く。立面では、オフィス棟の長方形のマッスや、その延長にある会議場の台座のような部分が、上に載っているくさび形のブロックに呼応している。アアルトの建築では、特徴的な表現がされている部分に、よりシンプルな部分が呼応している例が多い。

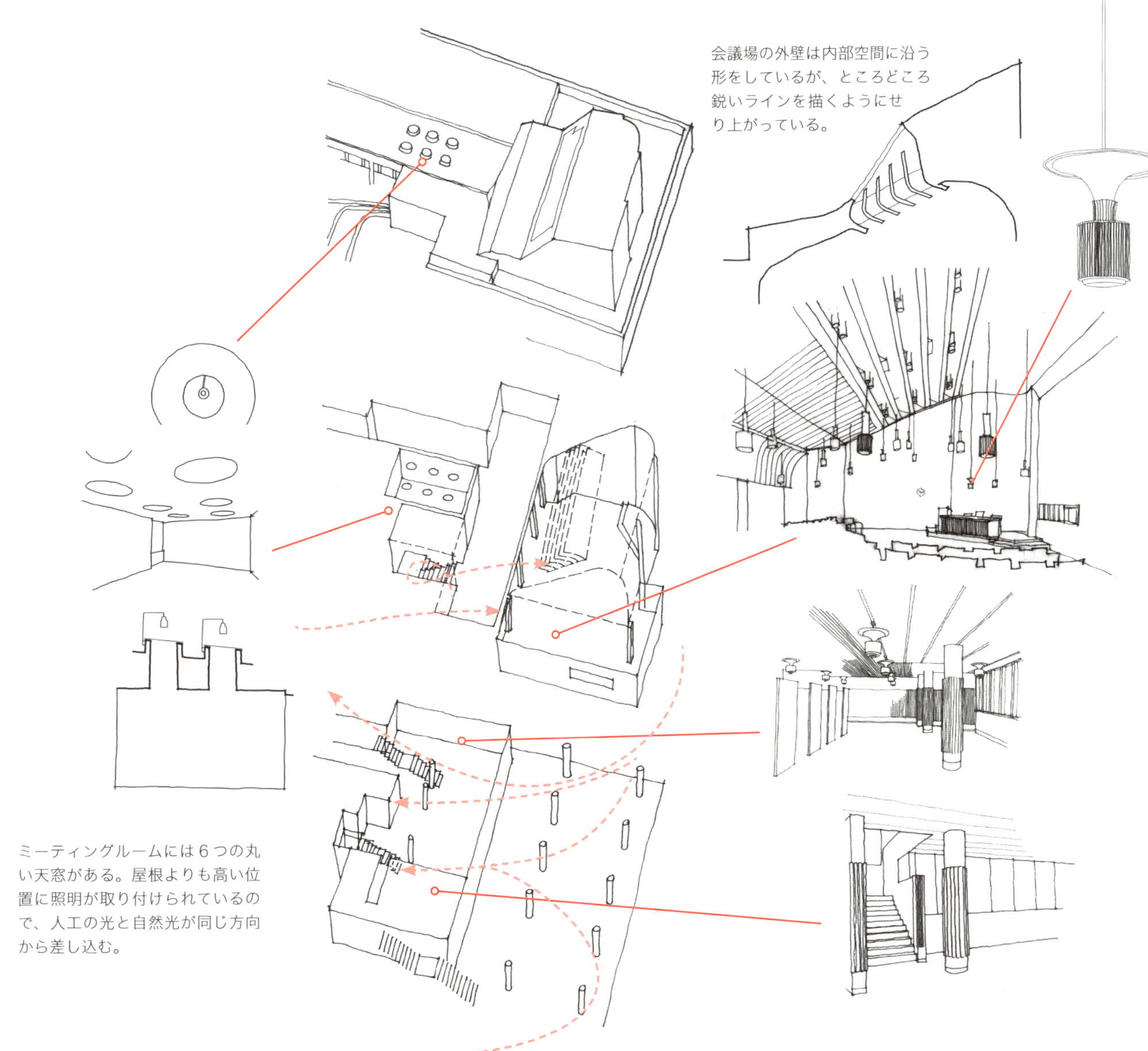

ミーティングルームには6つの丸い天窓がある。屋根よりも高い位置に照明が取り付けられているので、人工の光と自然光が同じ方向から差し込む。

会議場

市庁舎は、市の公共施設のうち教会に次いで2番目に完成した。さらにその後、アルヴァ・アアルトの建築事務所が、図書館、合同庁舎（警察署が入っている）、劇場を設計した。劇場の企画は1961年に始まったが、最終的な形はアアルトの死後に建築事務所を率いた、妻のエリッサ・アアルトが1984年から1987年にかけて設計した。

列柱に沿って進むと、市庁舎のメインエントランスが現れる。白とグレーの柱は、フィンランドの白い幹のシラカバの森を思わせる。温かみのある木材の質感が活かされたエントランスロビーの内部は、森の中の空地のようだ。室内に使われている青いタイルが、空間に彩りを添え、外観との視覚的なつながりを演出する。

入口から入るとの正面には案内窓口があり、廊下は合同庁舎へ、階段は会議場へつながっている。劇場が建設されるまでは、会議場は市議会の会議だけでなく文化イベントにも使われていた。

会議場は芝生の階段が設けられた丘の上にある。議長席の机は、ほぼ外の芝生の階段のステップにともなうように、ほぼ延長線上に置かれている。

会議場には大きな天窓があり、光が柔らかく反射する。その下には、夜空に光る星のようにペンダントライトが不規則に配置されている。議長席の真上には、地位の高さを示すように、ひときわ明るい金色のライトが光る。

09 セイナヨキ市庁舎｜1958-65

アルヴァ・アアルト

フィンランド、オストロボスニア、セイナヨキ

市庁舎はセイナヨキの行政と文化の中心地であり、商業地区から少し離れた場所にある。セイナヨキの繁華街から続く道路は市庁舎の北東の角に辿りつく。建物の特徴的なフォルムや青いタイル貼りの外壁が目印だ。

市民センターの5つの建物は、要素の相互反応による一貫性が都市デザインの中で表現されているよい例だ。建物1つ1つは特徴的な形をしているが、実は同じ表現が使われている。まるで同じ考えをもった人々が集まっているように、それぞれの建物が影響し合っている。

1. 商業地区
2. 市民センター

街中(まちなか)にある公共施設の多くは直線的な形で堅い印象だが、セイナヨキの複合施設からは堅苦しさは感じられない。歩行者広場に敷かれた長方形の石のパターンは、角度のついたいびつな建物のフォルムに呼応している。

駐車場は建物の周りにあるので、市民センターの中心を貫く歩道には車は入ってこない。教会とほかの建物を隔てるように広い道路が通っている。

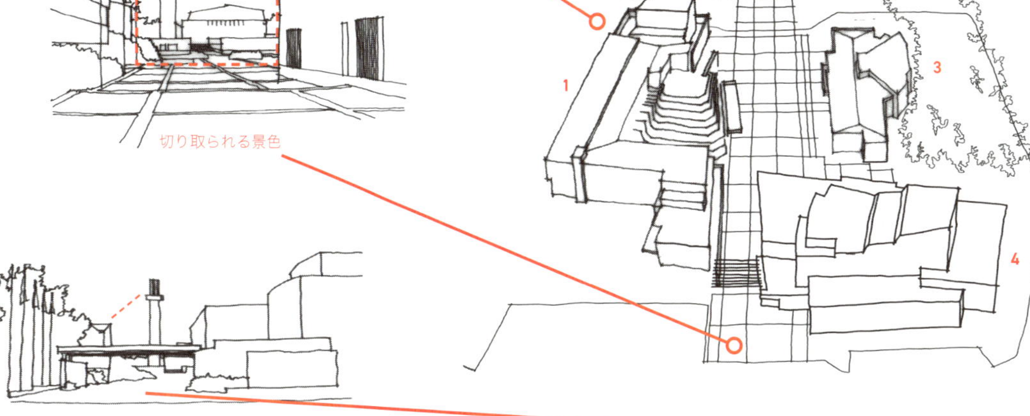

歩行者広場から見ると、会議場の屋根の角が教会の鐘楼を指し示し、公共施設の役割と宗教施設の役割のつながりを象徴している。

鍵となる要素

1. 市庁舎、設計 1958-、施工 1961-65
2. 平野の十字架教会、設計 1951、施工 1958-60
3. 図書館、1964-66
4. 劇場、設計 1961-、施工 1984-87
5. 州庁舎、1968

アアルトが使ったパターン

アアルトは生活小物から巨大な都市計画まで、あらゆるスケールの作品に一貫したデザインパターンを使った。これらのパターンはすべて、市庁舎や市民センターのほかの建物にも使われている。

カーブの組み合わせ　ことなる直径の円弧を組み合わせた規則正しいカーブが、その間に直線の部材を挟むようにしばしば使われる。会議場の天井と天窓のつながりや、ドアの取手を横から見た形が例に挙げられる。このドアの取手はアアルト作品の多くに見られる。

末広がりの線、扇形　末広がりの線と扇形が構成に生き生きとした表情を与える。建物の縁や芝生の階段は末広がりになっている。屋外照明に取り付けられた反射には、扇形とカーブの組み合わせの両方が使われている。

コラージュ、重なり　ことなる素材や仕上げのパターンが互いに平行するように、あるいは色や質感のコラージュの中で重なり合うように使われている。会議場の下の柱は白い漆喰が塗られ、その上から長方形のグレーの石板が貼られている。バルコニーは青いセラミックタイルで仕上げられ、白い漆喰とタイルでできた壁の表面から浮き上がっているように見える。壁に貼られた細いタイルが、木の窓枠の縁まで敷き詰められている。

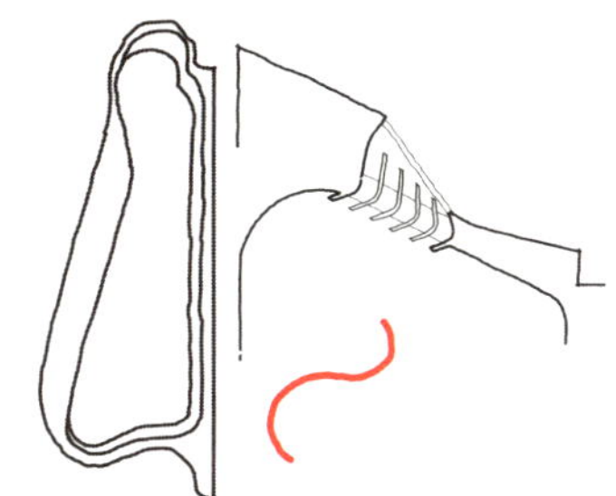

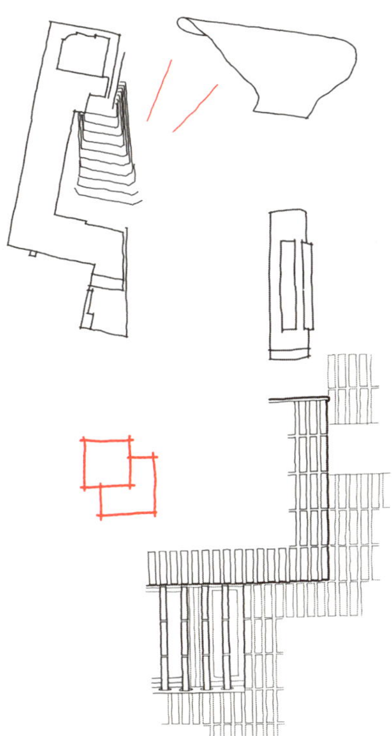

前後にずれる線や面　直線や面が前後にずれている。市庁舎の外壁の表面は階段状のスカイライン（建物が空を画する稜線）を描く。段差のついた敷居の上に、横長窓やドアが配置されている。

繰り返しと分割　特に直線的な要素は、横並びになるよう繰り返されている。細長い木板やタイルを並べることで、平面全体が小さなパーツに分割される。芝生の階段の上部にあるドアの上には、ランプが一列に並んでいる。窓の多くは、垂直に並んだ細長い薄板で覆われている。

頭としっぽ　形の構成には、建物の主要な部分である「頭」とそれにくっついている「しっぽ」が用いられる。「頭」と「しっぽ」の関係は、建物全体の構成（会議場と事務棟のつながり）や、エントランスロビーと狭い通路にはっきりと表れている。屋外照明のランプと反射体も、頭としっぽのようだ。

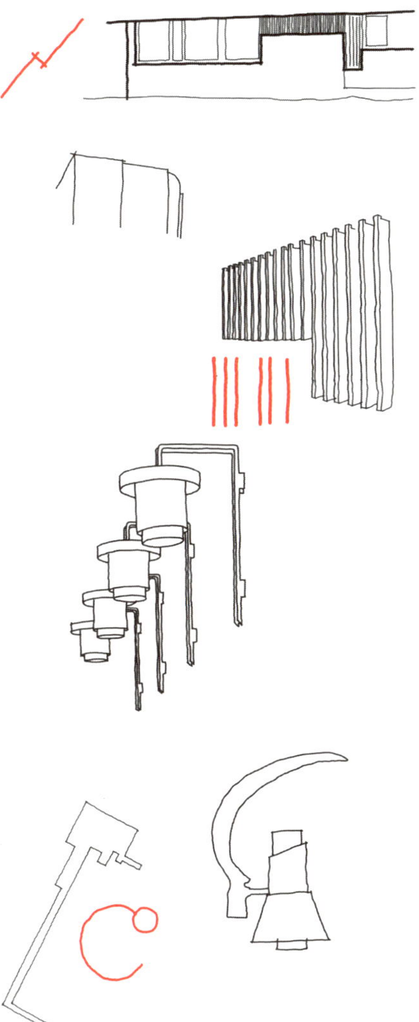

東京カテドラル聖マリア大聖堂｜1961-64

丹下健三
日本、東京

丹下健三は、第２次世界大戦後の日本で復興を支えた第１世代の建築家だ。聖マリア大聖堂には、その世代の１人として丹下健三が抱いていたデザイン哲学が表れている。この大聖堂は東京の市街地の喧噪の中で、交通量の多い道路や歩道橋に囲まれ、周りのコンクリートのビルに隠れるように建っている。

1889年に建てられたヨーロッパ式の旧カトリック大聖堂は、1945年の空襲で全焼してしまった。1961年に再建のための設計競技で丹下が優勝し、1964年に完成した。コルビュジエに憧れた丹下は、モダニズム、構造主義（人間の社会的、文化的諸事象を可能にしている基底的な構造を研究しようとする思想）、メタボリズム（社会の変化や人口の成長に合わせて有機的に成長する都市や建築を表現する思想）の流れに影響を受けた。聖マリア大聖堂では、モダニズムのシンプルな表現や、素材の神髄、現代の壮大な建築が、伝統と調和している。

セレン・モーコック、ハリナ・タム、ジャニーヌ・フォン

10 東京カテドラル聖マリア大聖堂｜1961-64

丹下健三
日本、東京

コンテクスト

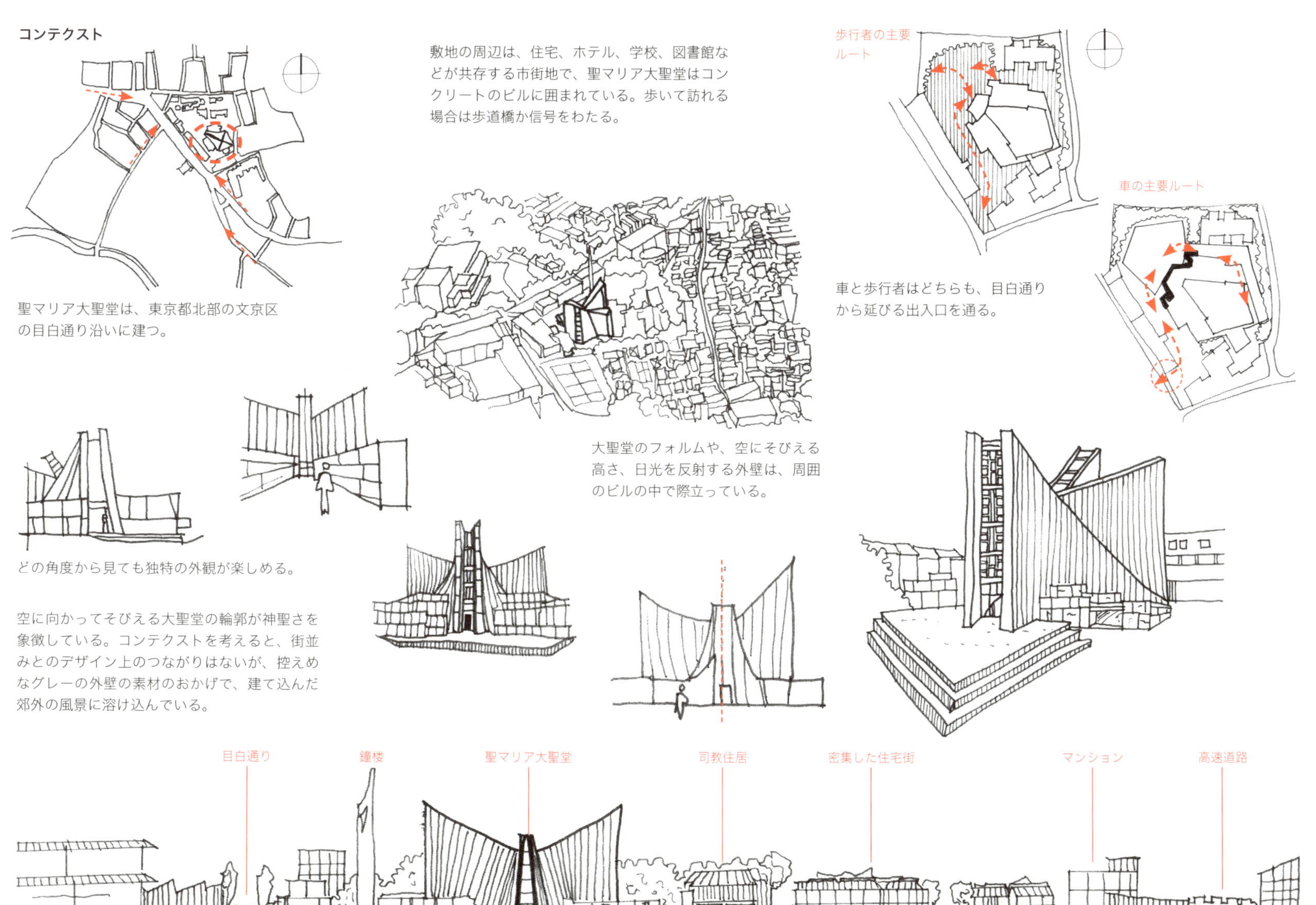

聖マリア大聖堂は、東京都北部の文京区の目白通り沿いに建つ。

敷地の周辺は、住宅、ホテル、学校、図書館などが共存する市街地で、聖マリア大聖堂はコンクリートのビルに囲まれている。歩いて訪れる場合は歩道橋か信号をわたる。

車と歩行者はどちらも、目白通りから延びる出入口を通る。

大聖堂のフォルムや、空にそびえる高さ、日光を反射する外壁は、周囲のビルの中で際立っている。

どの角度から見ても独特の外観が楽しめる。

空に向かってそびえる大聖堂の輪郭が神聖さを象徴している。コンテクストを考えると、街並みとのデザイン上のつながりはないが、控えめなグレーの外壁の素材のおかげで、建て込んだ郊外の風景に溶け込んでいる。

構造と前例

丹下はル・コルビュジエが提唱したモダニズムのデザインの原則をふんだんに取り入れている。ル・コルビュジエが設計したブリュッセル万国博覧会フィリップス館（ベルギー、ブリュッセル、1958）は9つの双曲放物面をもつが、聖マリア大聖堂にも同じように8つの双曲放物面が使われている。屋根と壁はひと続きのコンクリートで覆われている。流れるような形が建物の上にアーチを作り、たくさんの人が集まれる大きなオープンスペースを建物内に作っている。

双曲放物面とは互いにねじれた2つの直線群が作る、鞍のような形をした曲面だ。

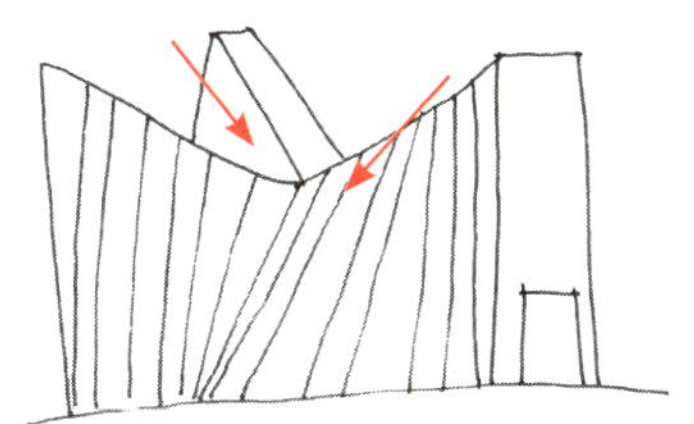

聖マリア大聖堂では、双曲放物面が構造を両側から斜めに切り取っている。

コンクリートのコア部分はステンレススチールで覆われている。

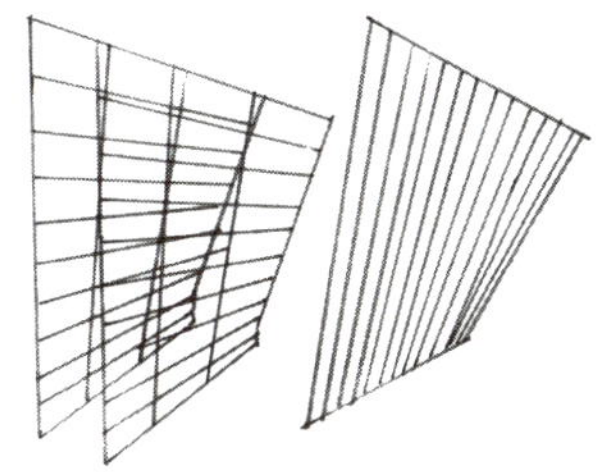

双曲放物面の断片がベースになって、大聖堂の構造や形状を作っている。

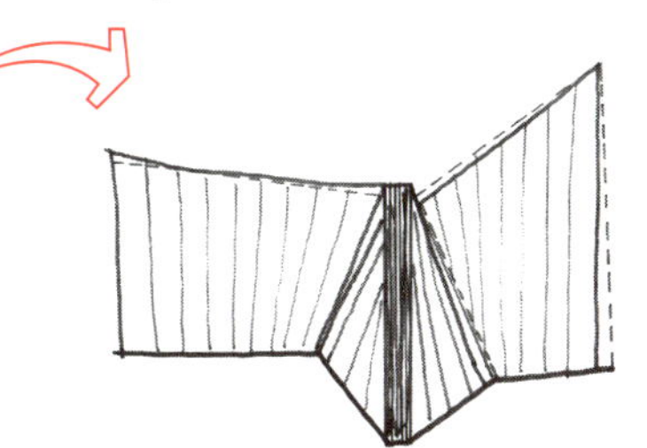

双曲放物面の隙間の天窓が内部を照らす。

キリスト教を象徴する十字架

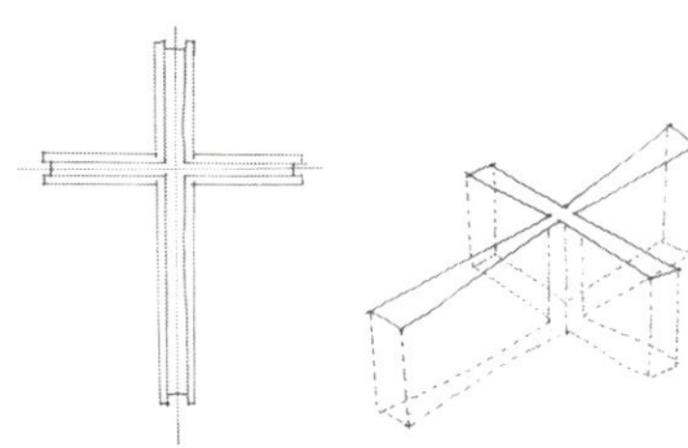

建物を上から見ると、キリストの受難のシンボルである伝統的な十字架の形になっている。建物の上部と側面の両方から自然光が差し込む。

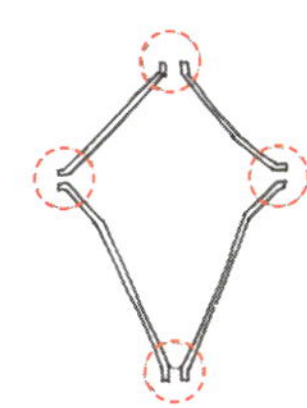

垂直方向、水平方向の隙間から、壁に囲まれた室内空間に光が差す。室内を満たす柔らかな光が、神との対話にふさわしい荘厳な雰囲気を醸し出している。

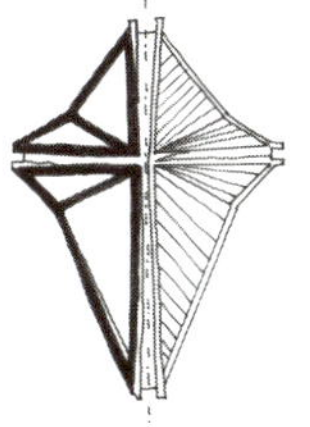

4つの左右対称の部分からなる屋根のシェルが美しい十字架を形作る。

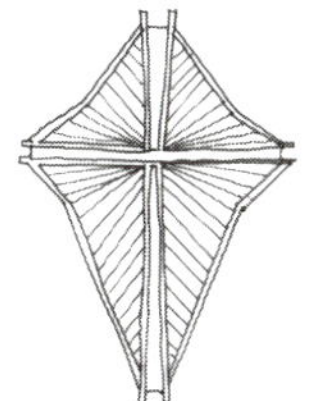

構造の一部でありながら採光の役割も担う十字架は、大聖堂のデザインに不可欠な要素だ。

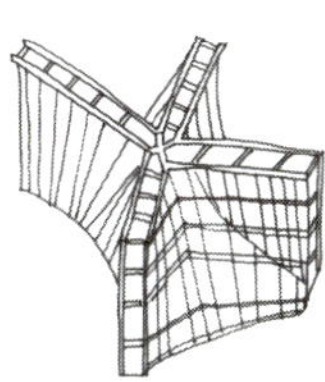

十字架型の屋根部分は、8本の双曲放物線を描きながら湾曲し、ダイヤモンド型の床平面へつながる。

10 東京カテドラル聖マリア大聖堂｜1961-64

丹下健三

日本、東京

形状の成り立ち：十字架型

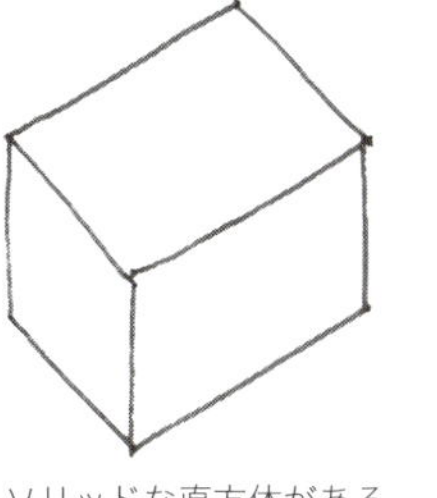
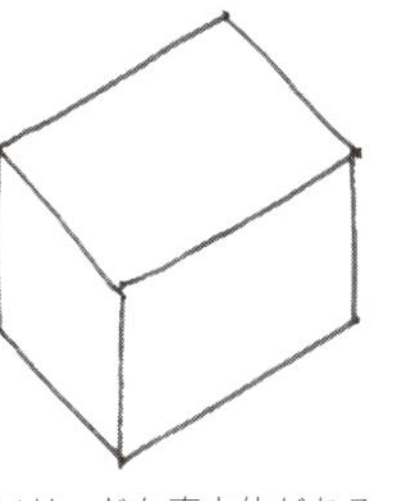
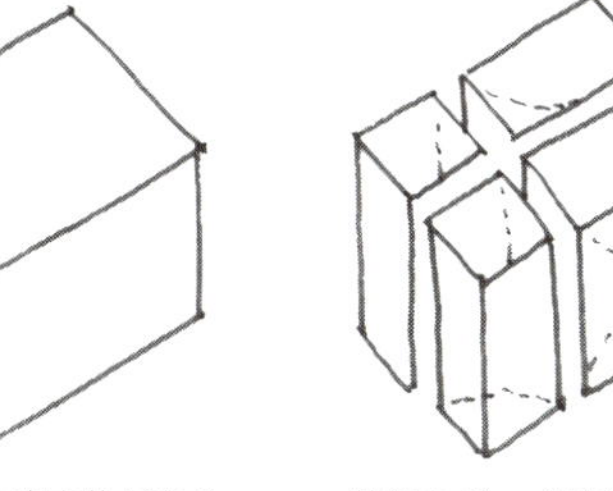

ソリッドな直方体がある。

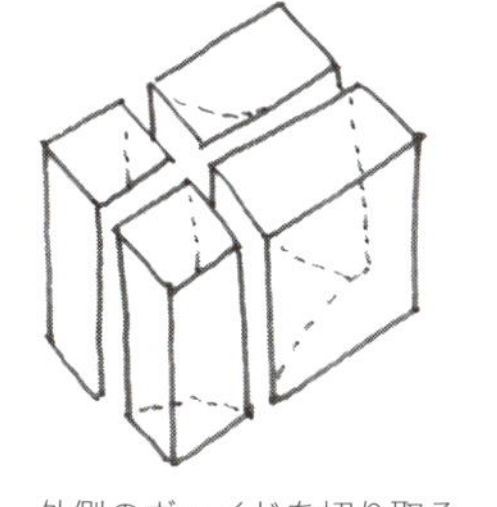

外側のヴォイドを切り取る。

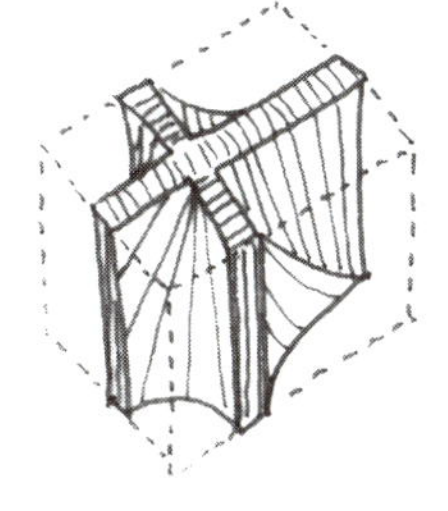

ヴォイドが切り取られることで、上から見ると十字架の形になる。

ボリュームを付け足し、十字架型の空間に対して補足的な空間を作る。

大聖堂の全体像ができる。

床平面は、補足的な長方形のボリュームが交差するダイヤモンド型に配置される。

空間の配置

チャペル裏口

祈祷室

チャペル地下入口

パイプオルガン

正面のアプローチと入口

出入口の制限：丹下はたくさんの出入口を設けたが、普段使われているのは正面アプローチの両脇にあるドアだけで、ほかのドアは非常用出口になっている。

いろいろな用途に使えるようにメインフロアの間取りは広々としているが、伝統ある大聖堂の儀式の神聖さがそこなわれることはない。

手前に上り階段があるので、建物の中心軸上にある入口へ続くアプローチは、建物の存在感をより強調する。アプローチはそのまま会衆席へ続いている。

入口の前のプラットフォームでは、大聖堂をあらゆる角度から眺められる。

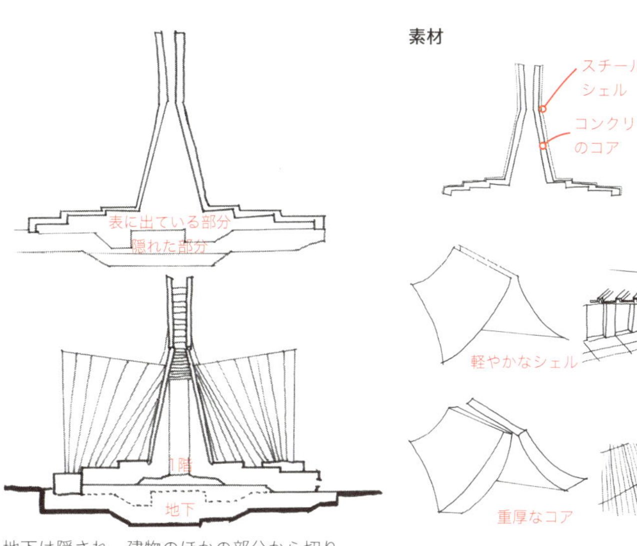

地下は隠され、建物のほかの部分から切り離されている。

素材

2重のシェルが建物の内側と外側で別の表情を見せる。シェルの隙間にはガラスが張られ、そこから光が差し込む。室内全体は薄暗いが、そのおかげで暗い場所と明るい場所のコントラストが生まれ、大聖堂の神聖な雰囲気を高めている。

外側に使われているステンレススチールは柔軟性があり、きらきらと光る。その輝きは、キリスト教の教えの中で説かれている光を象徴する。

堅い内側のコンクリートはキリスト教の永遠性を象徴する。

コンクリートの表面には木材の型枠（コンクリートを打ち込むのに用いる、木材で組んだ枠）の木目が写り、内部空間に落ち着いた雰囲気や視覚的なまとまりを演出している。

コンクリートの構造がガラスを支え、荷重を地面に伝える。

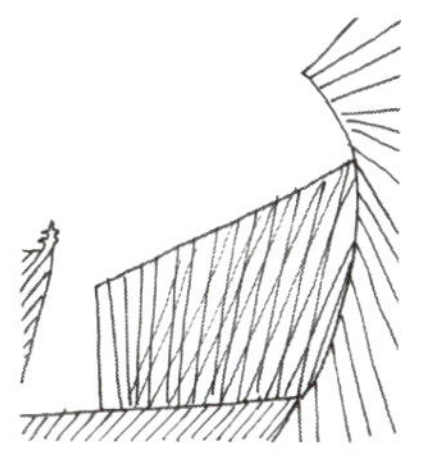
外壁を覆うステンレススチールが、大聖堂のダイナミックなフォルムを強調する。

内部のコンクリート壁が、大聖堂内にドラマチックな雰囲気を醸し出す。

光がパイプオルガンの後ろから広がるように拡散し、階下の神秘的な雰囲気を高めている。

ヒューマンスケールと壮大さ

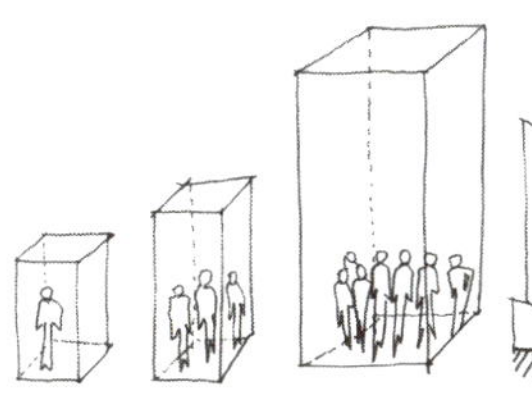
丹下は人数と空間ボリュームのバランスを基準にした寸法システムを使った。空間の中に入る人数が増えると、天井高も高くなる。

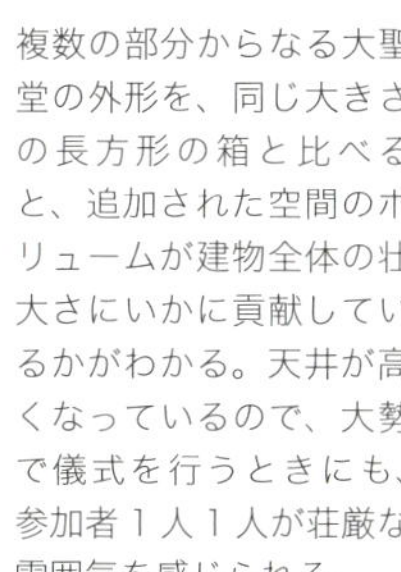
複数の部分からなる大聖堂の外形を、同じ大きさの長方形の箱と比べると、追加された空間のボリュームが建物全体の壮大さにいかに貢献しているかがわかる。天井が高くなっているので、大勢で儀式を行うときにも、参加者1人1人が荘厳な雰囲気を感じられる。

室内空間と照明

天井は見上げるような高さだが、儀式で使われる入口にはヒューマンスケールのドアが使われている。

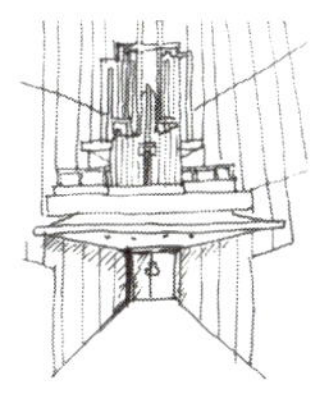

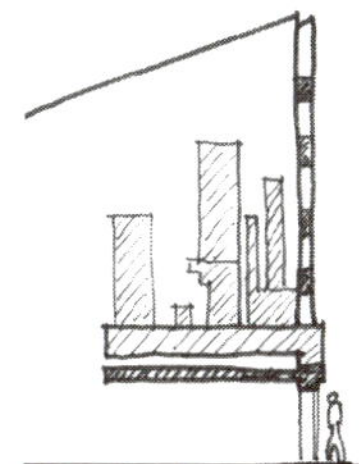
ドアは天井の低い通路に設けられているので、大聖堂に入ったときに天井の高さがよりいっそう強く感じられる。

室内から、普段使われていない入口のドアの方を振り返ると、その上に2階と3階が見える。

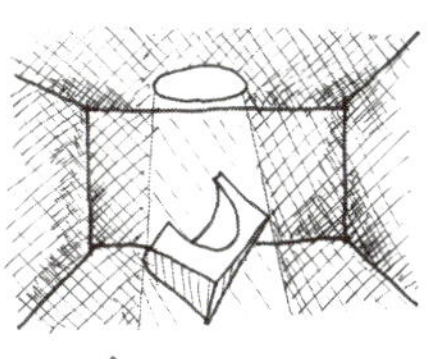

天井の照明から洗礼盤（洗礼用の聖水を入れる容器）に光が注ぐ。

祭壇の右手には自然光に照らされるピエタ像が置かれている。

11 ヘドマルク博物館 | 1967-79

スヴェレ・フェーン

ノルウェー、ハマル

オスロの130キロメートル北のハマルに建つヘドマルク博物館は、遺跡の中に建つ。設計したスヴェレ・フェーンは、もとの遺跡を復元せず、新しい建物をメイン、遺跡をサブととらえることもなかった。少し修復した遺跡と、人々の憩いの場である新しい建物との間には、対話するようなつながりと一体感が生まれている。

博物館には、中世の納屋の遺跡、出土品、地元で見つかった石器時代の遺物が展示され、フェーンがデザインを手がけた展示用具も、建物の一部のようになじんでいる。

特徴的なデザインの要素は主に次の4つが見られる。1つめは、中世司祭の大邸宅の遺跡を壁の一部に利用して1800年代と1900年代初めに建てられた石造りの納屋の遺跡。2つめは、遺跡の間に設けられたコンクリートのプラットフォーム。3つめは、遺跡を覆う木とタイルの屋根と上壁。4つめは、精巧なデザインのスチール製の展示用具だ。この博物館では、歴史の遺物、すなわち過去の記録が生き生きと物語を紡いでいる。古いものから新しい作品を生む意義が与えられ、古いもののいびつな形が、新しい秩序の中で活かされている。

アントニー・ラッドフォード

ノルウェー

ハマル

オスロ

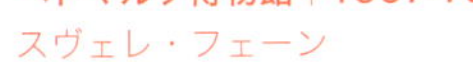

11 ヘドマルク博物館｜1967-79

スヴェレ・フェーン
ノルウェー、ハマル

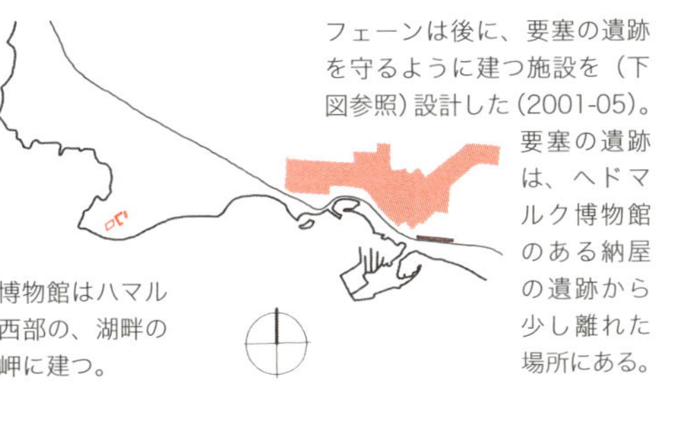

博物館はハマル西部の、湖畔の岬に建つ。

フェーンは後に、要塞の遺跡を守るように建つ施設を（下図参照）設計した（2001-05）。要塞の遺跡は、ヘドマルク博物館のある納屋の遺跡から少し離れた場所にある。

中世の教会の遺跡

もともとあった納屋の遺跡の開口部の1つが来館者用の入口になっている。中に入ると、地面の上に浮かぶように階段とスロープが設けられている。地面はほぼ手付かずの状態で残されているので、今後も発掘作業を進めることができる。

東側のウイングには、地面に浮かぶ2つのプラットフォームと、それをつなぐスロープ、階段状の座席がある。外側の通路からは中庭の遺跡が眺められる。

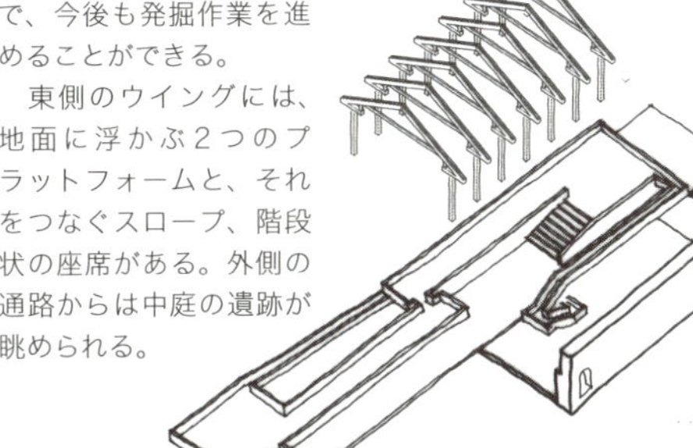

東側立面図

入口

トラスと柱を組み合わせた部材が建物全体に並ぶ。

建物の断面図や平面図では、もともとの遺跡を黒で、フェーン設計の増築部分を赤で示している。

スロープや通路、テラスをつなぐ順路が来館者を展示作品へ導く。

西ウイング

3つの天井の高い小部屋の中には小さな作品が展示されている。小部屋は遺跡に負担を与えないように1本の柱で支えられている。

西側のウイングにはホールがある。1番上から下まで、2フロアにわたって階段状に座席が並んでいる。真ん中より前は勾配のゆるいスロープになっている。

北ウイング

南ウイング

テラコッタ（素焼の陶器）製の屋根の一部がガラスになっている。

北ウイング縦断面図

北側立面図

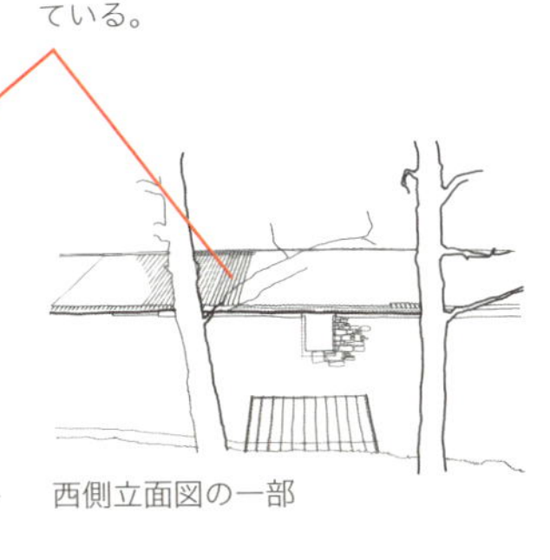
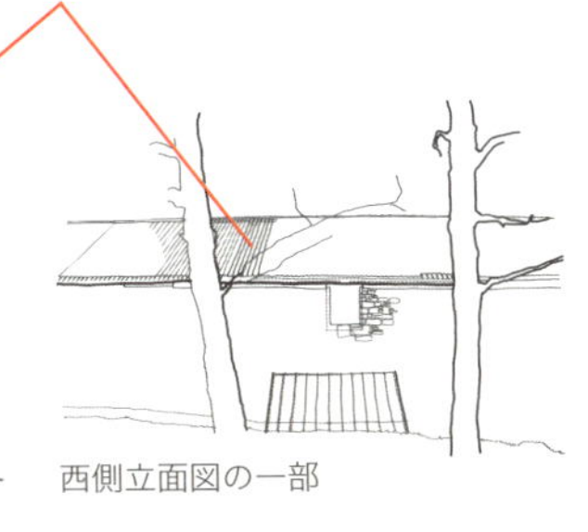
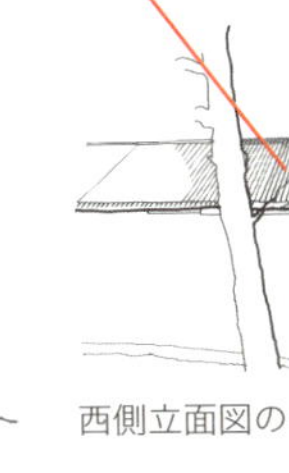

西側立面図の一部

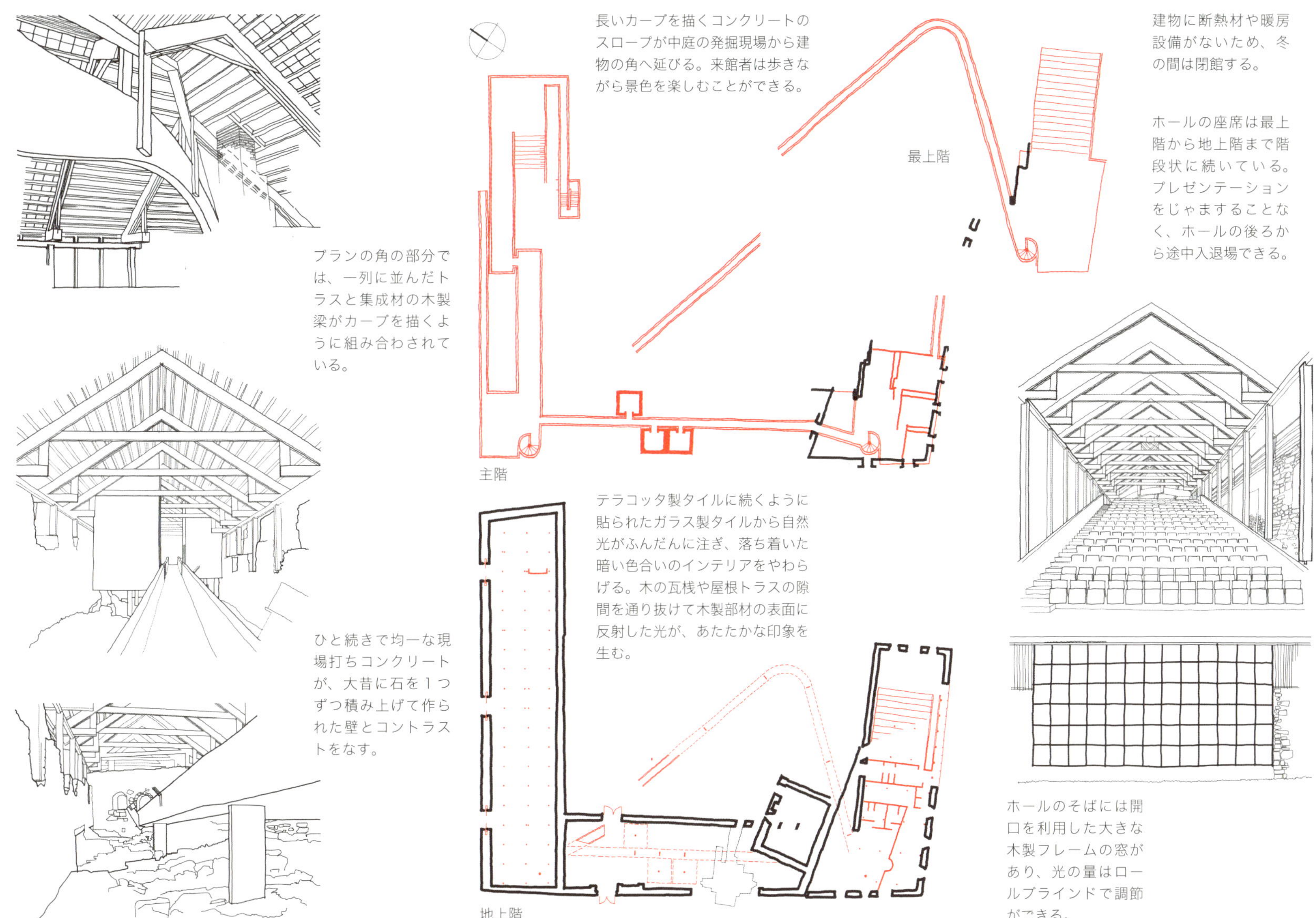

プランの角の部分では、一列に並んだトラスと集成材の木製梁がカーブを描くように組み合わされている。

ひと続きで均一な現場打ちコンクリートが、大昔に石を1つずつ積み上げて作られた壁とコントラストをなす。

長いカーブを描くコンクリートのスロープが中庭の発掘現場から建物の角へ延びる。来館者は歩きながら景色を楽しむことができる。

テラコッタ製タイルに続くように貼られたガラス製タイルから自然光がふんだんに注ぎ、落ち着いた暗い色合いのインテリアをやわらげる。木の瓦桟や屋根トラスの隙間を通り抜けて木製部材の表面に反射した光が、あたたかな印象を生む。

建物に断熱材や暖房設備がないため、冬の間は閉館する。

ホールの座席は最上階から地上階まで階段状に続いている。プレゼンテーションをじゃますることなく、ホールの後ろから途中入退場できる。

ホールのそばには開口を利用した大きな木製フレームの窓があり、光の量はロールブラインドで調節ができる。

11 ヘドマルク博物館｜1967-79

スヴェレ・フェーン
ノルウェー、ハマル

建物の要素の表現

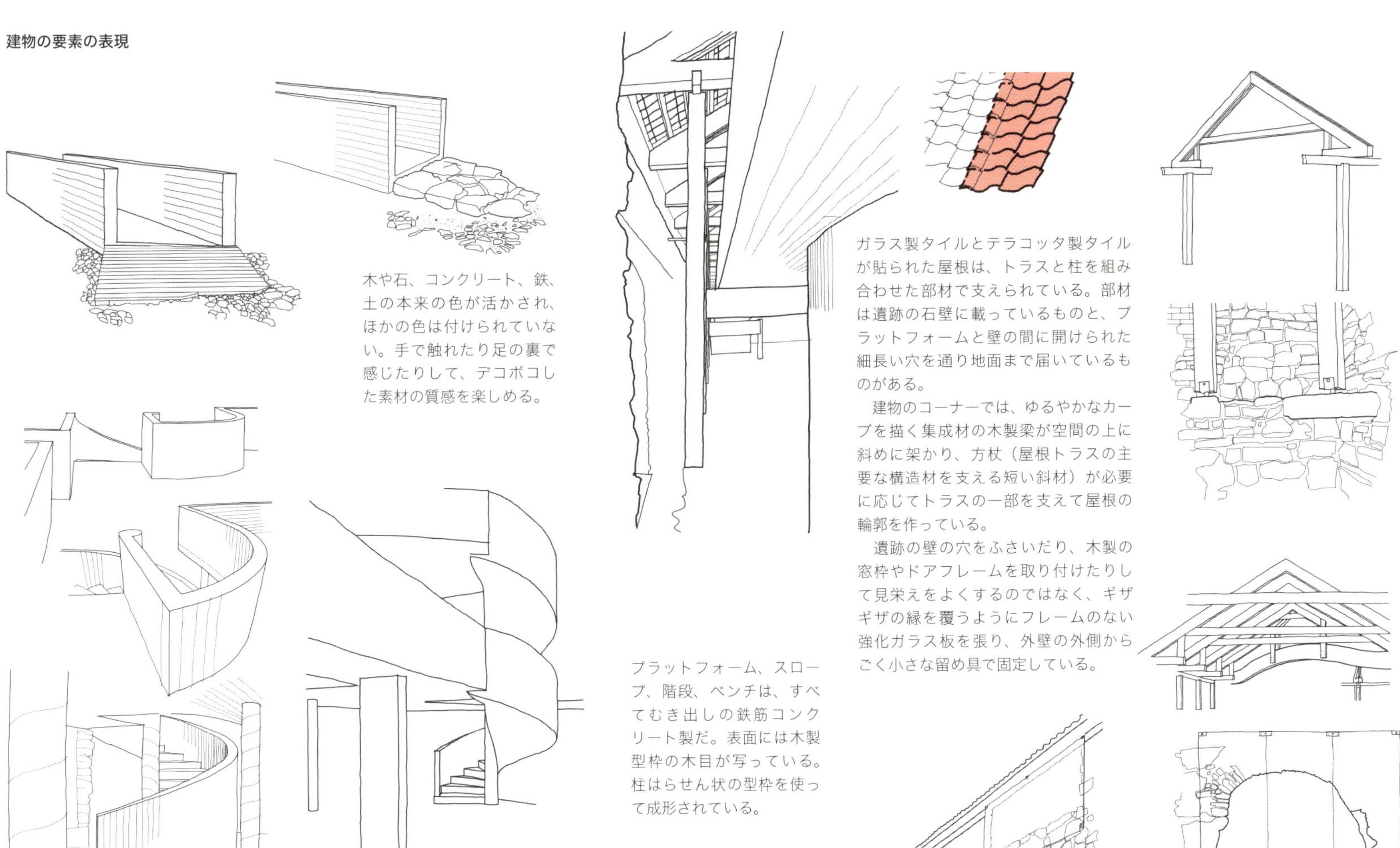

木や石、コンクリート、鉄、土の本来の色が活かされ、ほかの色は付けられていない。手で触れたり足の裏で感じたりして、デコボコした素材の質感を楽しめる。

プラットフォーム、スロープ、階段、ベンチは、すべてむき出しの鉄筋コンクリート製だ。表面には木製型枠の木目が写っている。柱はらせん状の型枠を使って成形されている。

ガラス製タイルとテラコッタ製タイルが貼られた屋根は、トラスと柱を組み合わせた部材で支えられている。部材は遺跡の石壁に載っているものと、プラットフォームと壁の間に開けられた細長い穴を通り地面まで届いているものがある。

建物のコーナーでは、ゆるやかなカーブを描く集成材の木製梁が空間の上に斜めに架かり、方杖（屋根トラスの主要な構造材を支える短い斜材）が必要に応じてトラスの一部を支えて屋根の輪郭を作っている。

遺跡の壁の穴をふさいだり、木製の窓枠やドアフレームを取り付けたりして見栄えをよくするのではなく、ギザギザの縁を覆うようにフレームのない強化ガラス板を張り、外壁の外側からごく小さな留め具で固定している。

展示用具の表現

フェーンがデザインした展示用具はどれも、ガラスカバーや金属の固定具とともに、黒い鉄製の棒材や梁、板が使われている。

　家庭で使われていた深鍋、農具、雪そり、衣服などがシンプルに、かつ丁寧に展示されている。展示品の全形や表面の特徴がよく見えるように置き方が工夫され、必要な場合だけスタンドが使われている。馬車などいくつかの展示品は床に直接置かれ、衣服や漁網は壁に吊られている。

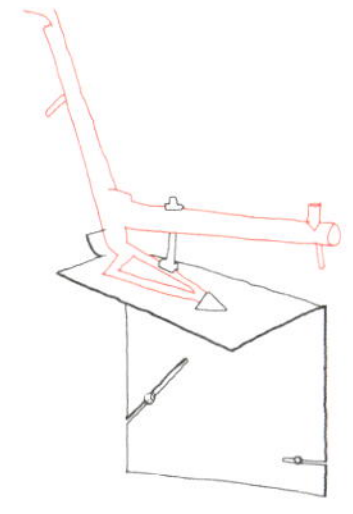

鋼板が展示品に合うように折り曲げられ、スタンドは建物の壁の表面に留められている。

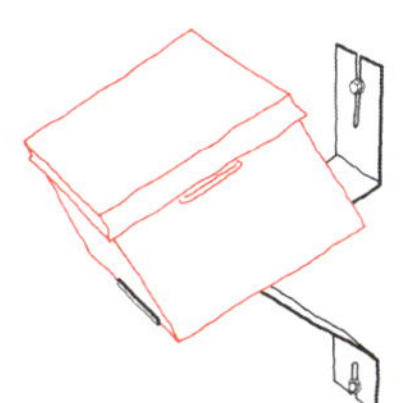

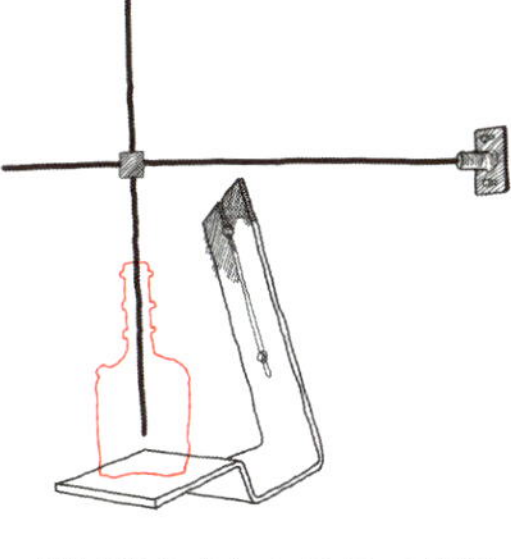

瓶は落ちないように、交差した棒材に支えられている。片方の棒材が瓶のネックまで差し込まれ、それを支えるもう片方の棒材が石壁に固定されている。

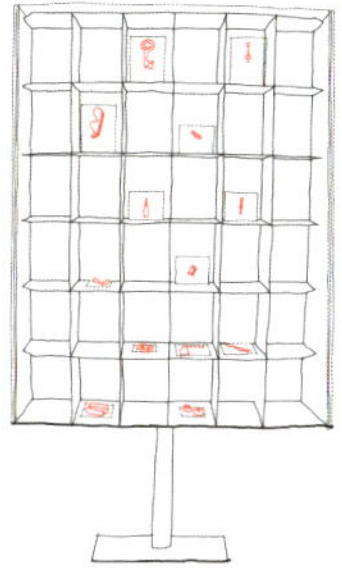

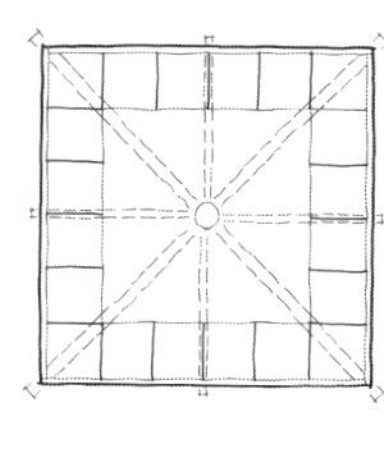

バックライトがついたスタンド式の展示ケースには、小さな展示品が置かれている。

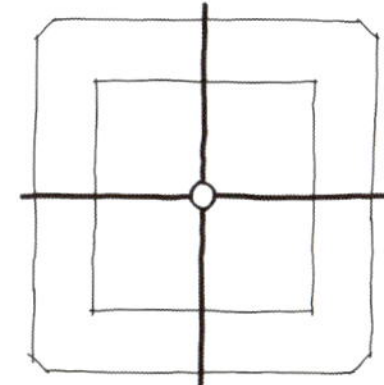

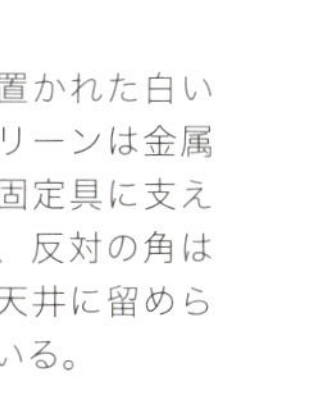

床に置かれた白いスクリーンは金属製の固定具に支えられ、反対の角は壁や天井に留められている。

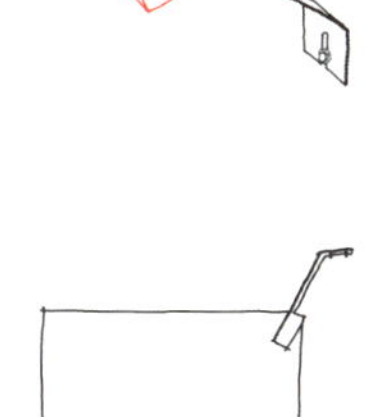

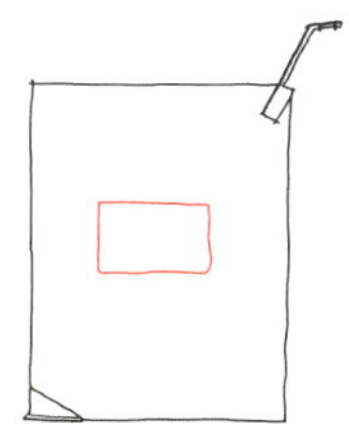

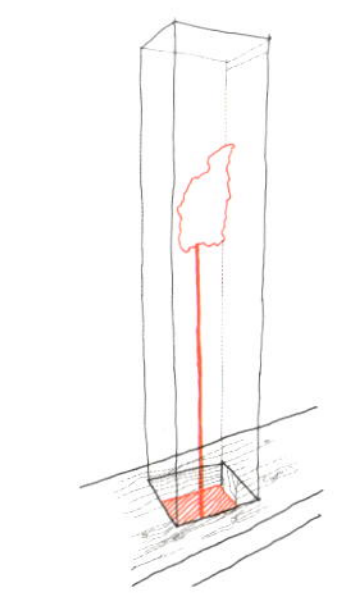

壁に囲まれた３つの小部屋にある木製の展示台は、一部がくり抜かれ、ガラスカバーがかけられている。

黒いスチール製フレームの上に蒸留器がそっと置かれている。

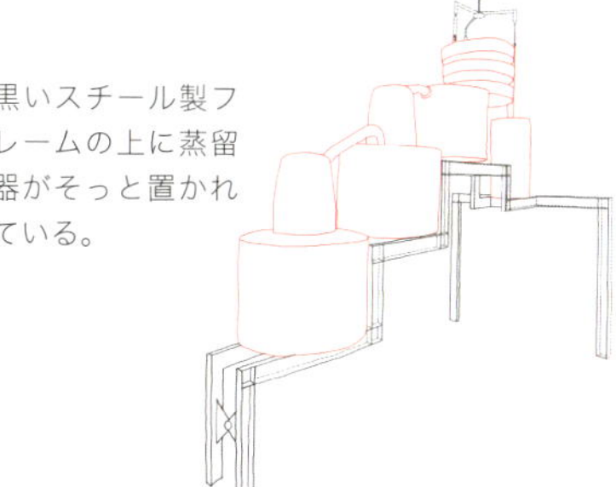

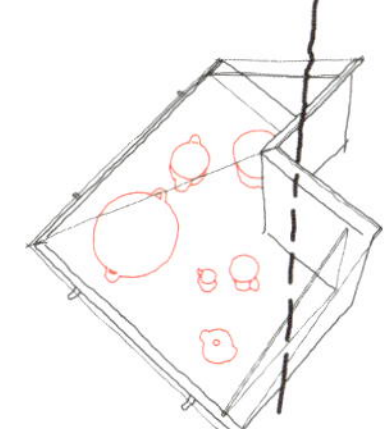

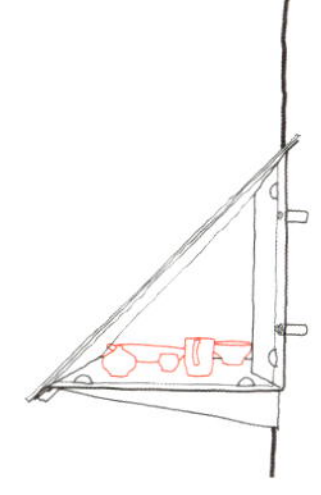

三角形の展示ケースはあらゆる壁や部屋のコーナーにフィットする。

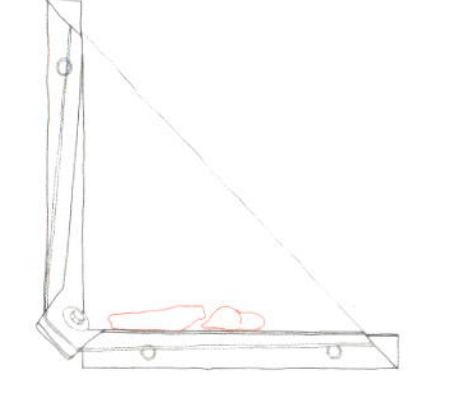

折れ曲がった鋼板に農具が立てかけられている。

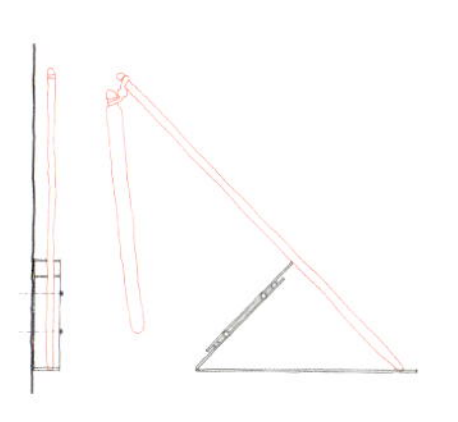

12

インド経営大学 | 1963-74

ルイス・カーン
インド、アーメダバード

インド経営大学は、研究機関と住居からなる複合施設だ。アメリカ人の建築家ルイス・カーンがインド西部のアーメダバードに建設した。もともと敷地は街の郊外にあるので、都市コンテクストとのつながりは少なく、学びの場である教育機関のニーズをとらえ直したデザインの建物になっている。

多様な機能をもった空間同士を、いくつもの中間スペースや移動スペースがつなぎ、学生や職員がコミュニケーションをとるチャンスを作り出す。あらゆる機能がつながり合って、施設に一体感が生まれている。カーンは別のアンビルトのプロジェクトでも、巨大な構造や光が差し込む大開口を使った表現を模索していた。インド経営大学では、そのような表現を現地の文化や建物のコンテクストに合わせて応用している。こうして、建物の素材をレンガに限定し、素材が持つ可能性を高める野心的な試みが生まれた。また、この地で生産されたレンガを使い、現地の建設業の発展を促している。カーンがインド現地のパートナーと話し合いを重ね、協力して完成させたインド経営大学は、文化の壁を越える建物の好例だ。

アミット・スリヴァスタヴァ、マルグリット・テレーズ・バートロ

12 インド経営大学｜1963-74

ルイス・カーン
インド、アーメダバード

敷地への対応 - 校舎

インド経営大学（IIM）のキャンパスは、開発中だったアーメダバードの当時の西端にあり、新しく設けられた総合大学の敷地内に建つ。街の中心部からはやや離れているので、敷地内に校舎、学生寮、職員居住棟のすべてが揃うよう設計されている。いろいろな建物が建っている様子は、1つの街の縮図のようだ。

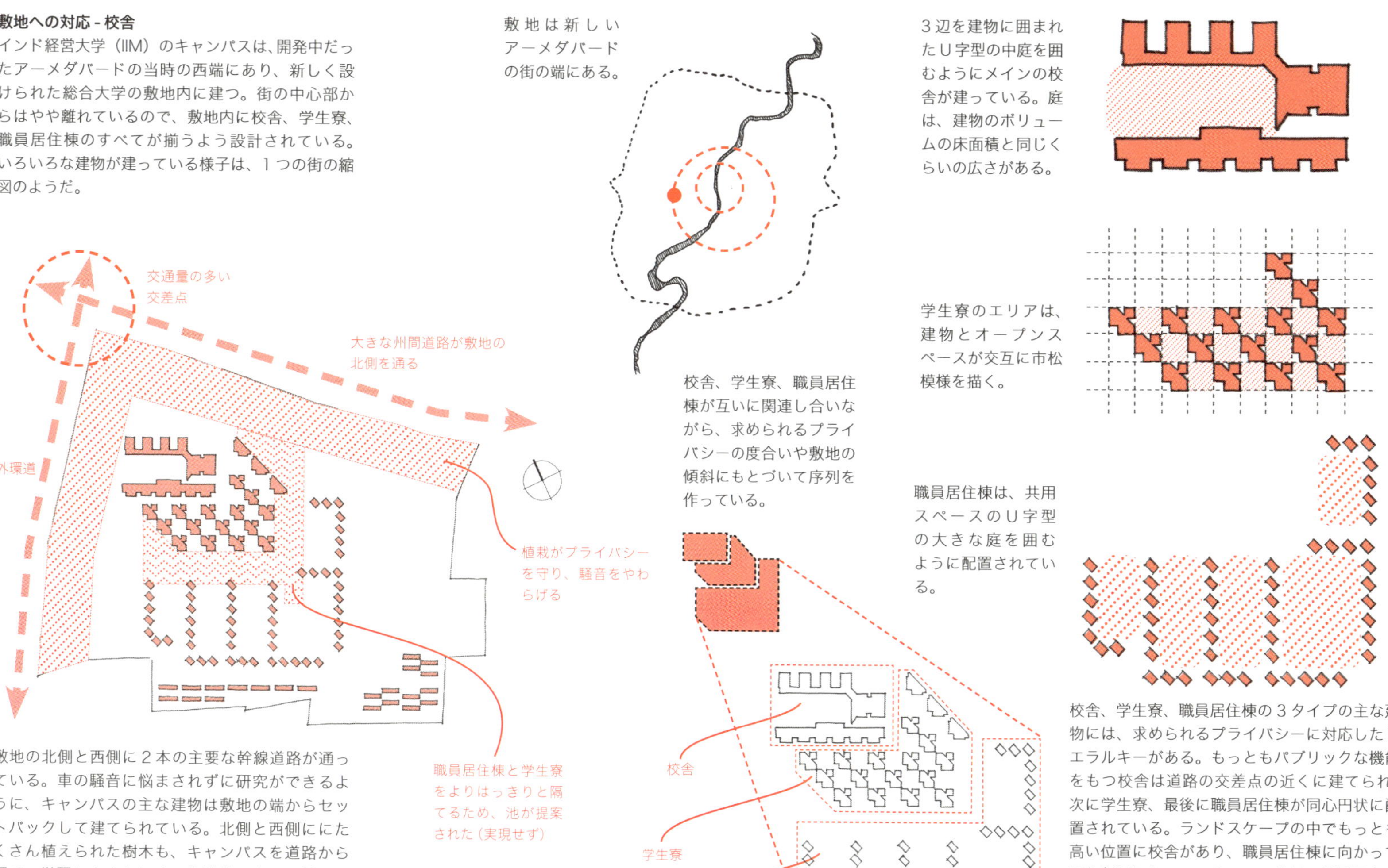

敷地は新しいアーメダバードの街の端にある。

3辺を建物に囲まれたU字型の中庭を囲むようにメインの校舎が建っている。庭は、建物のボリュームの床面積と同じくらいの広さがある。

学生寮のエリアは、建物とオープンスペースが交互に市松模様を描く。

校舎、学生寮、職員居住棟が互いに関連し合いながら、求められるプライバシーの度合いや敷地の傾斜にもとづいて序列を作っている。

職員居住棟は、共用スペースのU字型の大きな庭を囲むように配置されている。

敷地の北側と西側に2本の主要な幹線道路が通っている。車の騒音に悩まされずに研究ができるように、キャンパスの主な建物は敷地の端からセットバックして建てられている。北側と西側ににたくさん植えられた樹木も、キャンパスを道路から隔て、学習にふさわしく、修道院のように静かな環境を作るのに役立っている。当初の案では、池を作って学生寮と職員居住棟の間をさらにはっきりと隔て、居住する職員のプライバシーを守ろうとした。

それぞれの建物に応じた、建物とオープンスペースの空間構成。

校舎、学生寮、職員居住棟の3タイプの主な建物には、求められるプライバシーに対応したヒエラルキーがある。もっともパブリックな機能をもつ校舎は道路の交差点の近くに建てられ、次に学生寮、最後に職員居住棟が同心円状に配置されている。ランドスケープの中でもっとも高い位置に校舎があり、職員居住棟に向かって下り勾配になっているので、敷地の断面図からもヒエラルキーがよくわかる。建物とオープンスペースの関係性もそれぞれことなり、3つのエリアの特徴をさらに強調している。

学びの場

学生寮や居住棟などそれぞれの機能を設けるだけでなく、学びの場を作るという基本的な要求事項にも対応する必要があった。教室以外でも、仲間との交流の場から学びが生まれ、偶然の出会いがアイデアの交換につながる。IIM のデザインには、そのような考え方が表れている。そのため、偶然の出会いや学びのきっかけが生まれるように、廊下や共用エリアなどに多様な移動スペースが設けられている。この「出会いの場」と、機能面での要求事項、さらにこの２つが重なり合う移動空間を合わせて、3 部構成のプログラムができあがった。

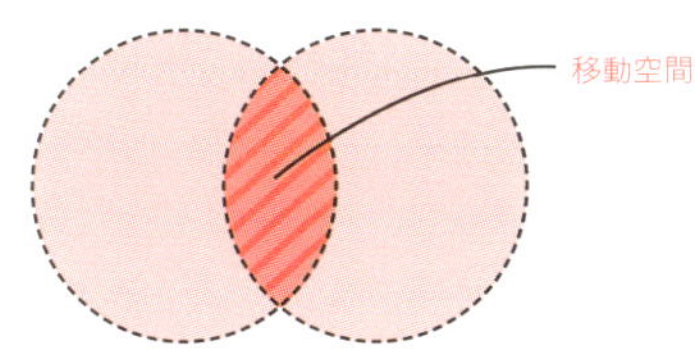

ルイス・カーンが「出会いの場」のアイデアを最初に模索したのは、ソーク生物学研究所のプロジェクト（プロジェクト 06 を参照）だった。彼はこの考え方をもとに、メインの棟から独立した集会棟を提案した。集会棟は実現しなかったが、このアイデアは IIM で見事に表現されている。

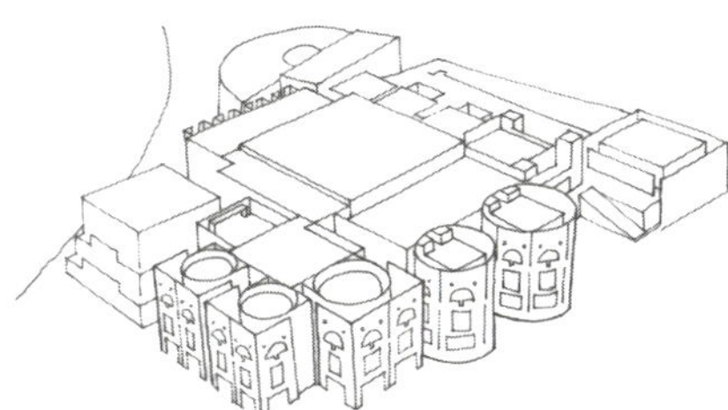

ソーク生物学研究所集会棟（アンビルト）

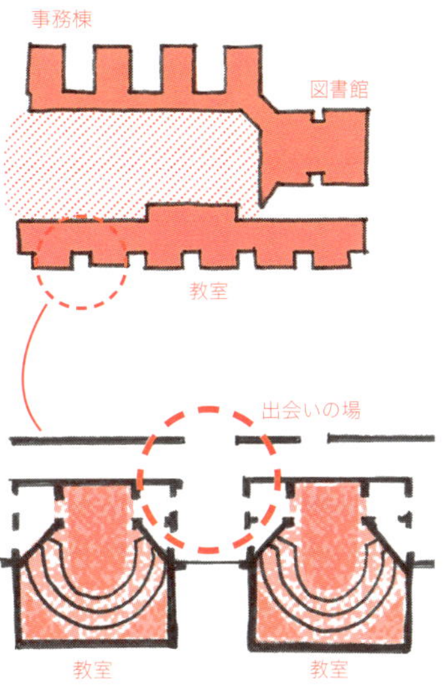

メインの校舎には２つの教室のの間をつなぐ第３の空間が生まれ、偶然の出会いの場となっている。

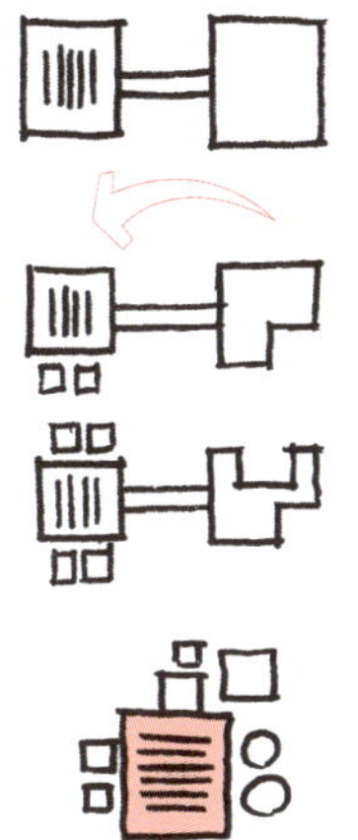

メインの校舎の中央にある、3 辺を建物に囲まれた大きな U 字型の庭は、あらゆるプログラムの機能を結び付ける重要な場所だ。当初の案では、4 つめの辺に食堂が建ち、庭の真ん中にはさらに別の建物が作られ、南アジアの建築の伝統的な中庭のようなやすらぎの場所として使われる予定だったが、建設の過程で案が変更された。庭にはインドの強い日差しが降り注ぎ、両側にある事務棟と校舎は機能面での関連が低く人の行き来が少ないので、庭を横切る人はあまりいない。

その代わり人々は、何もない大きなオープンスペースを囲むように延びる、日よけ付きの廊下を通る。太陽の光が眩しく暑い屋外とは対照的な涼しい廊下は憩いの場になり、人々が出会うスペースになっている。中庭そのものは、決まった用途のない「何もない場所」だが、周りにあるさまざまな機能を結び付ける心理的な要所の役割を果たしている。

メインの校舎に面した中庭。

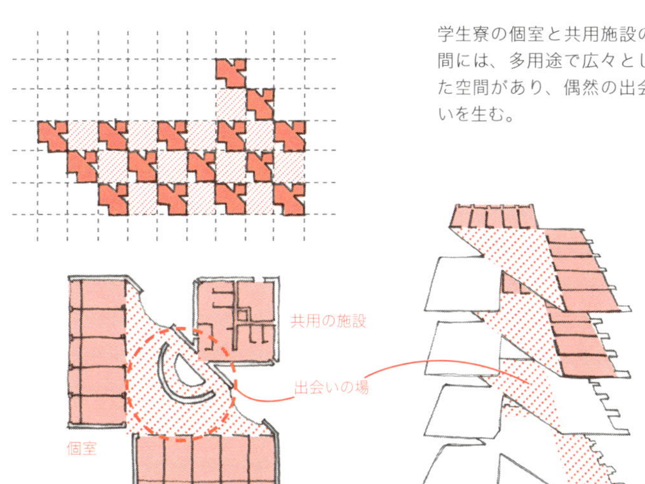

学生寮の個室と共用施設の間には、多用途で広々とした空間があり、偶然の出会いを生む。

学生寮には「出会いの場」のコンセプトがもっともよく表れている。それぞれ 4 階建ての棟の 1 階にはミーティングのための共用の大きな部屋があり、学生たちが交流したり議論をしたりできる。上階には、学生が住む個室と共用施設を隔てる広い空間があり、そこで学生同士は偶然に顔を合わせることがある。このような空間の特徴は、大開口や部屋の上部の窓やそこから差し込む太陽の光とあいまって、学生たちがつい長居して話し込んでしまう心地よい雰囲気を作っている。

日光と壮大さ

アーメダバードは熱帯特有の鋭い日差しが降り注ぎ、気温が高く乾燥しているので、建物にとって暑さや眩しさが課題になる。そこで、冷房設備に頼りすぎずにこの問題を解決する「眩しい壁」という独特のしくみが使われている。大開口のある眩しい壁は、その内側にあるガラス壁から離れた位置に設けられているので、隙間に空間が生まれている。屋外からの日光や熱は、この中間スペースでやわらげられてから室内に届く。また、眩しい壁で隔てられた空間は、学生がひと息つける移動空間となり、友人と偶然出会ったり静かにもの思いにふけったりする学びの場を提供している。

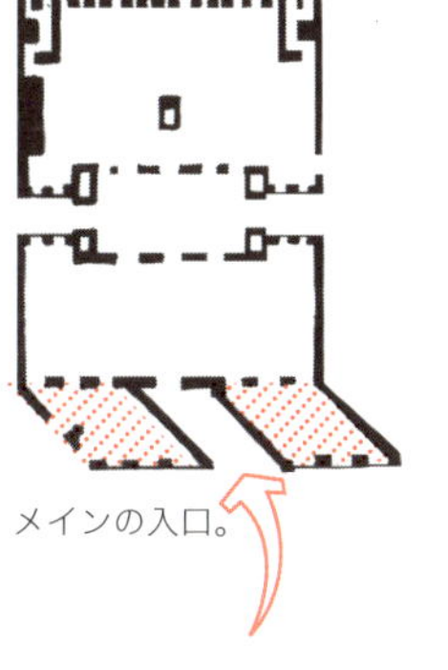

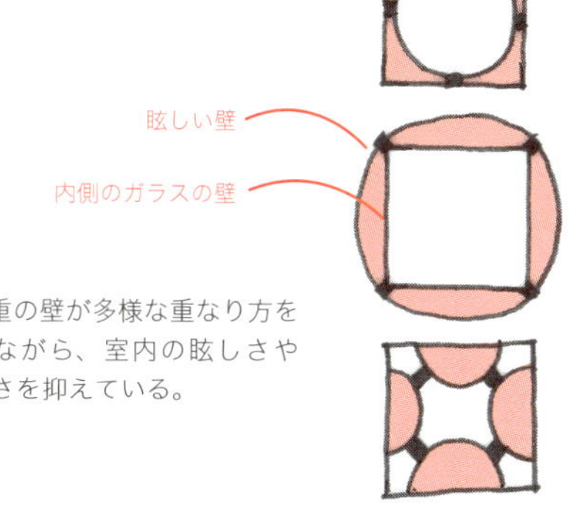

2重の壁が多様な重なり方をしながら、室内の眩しさや暑さを抑えている。

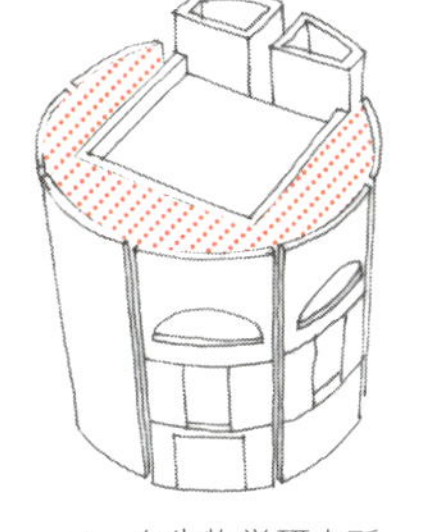

ソーク生物学研究所集会棟（アンビルト）

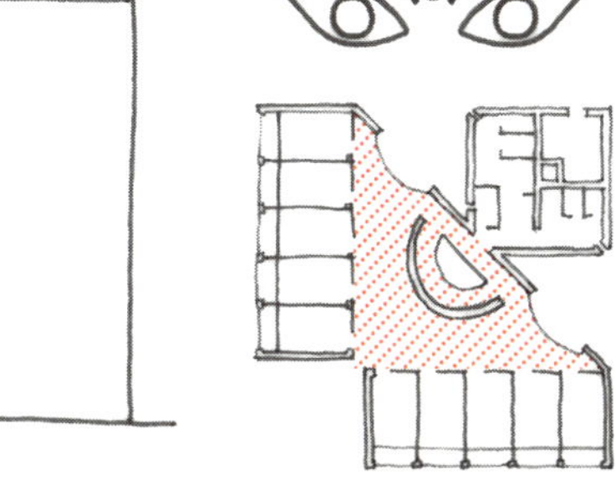

外側に眩しい壁が設けられた学生寮。

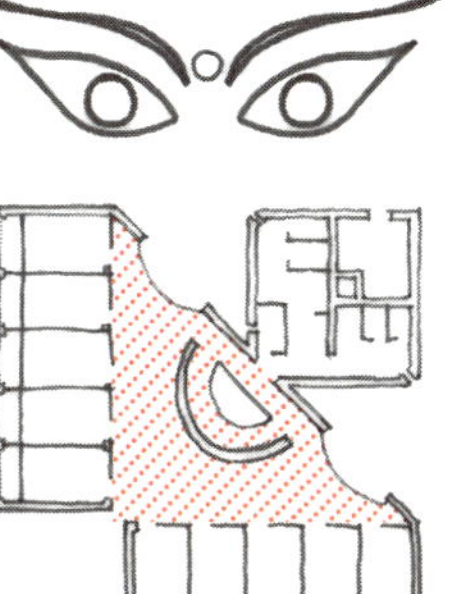

図書館の巨大なメインエントランスは5階分の吹き抜けになっていて、2枚の眩しい壁の間を横切るように斜めに設けられている。見上げると、周りの眩しい壁に開けられた3つの丸い大開口がエントランスを特徴付けているのがわかる。

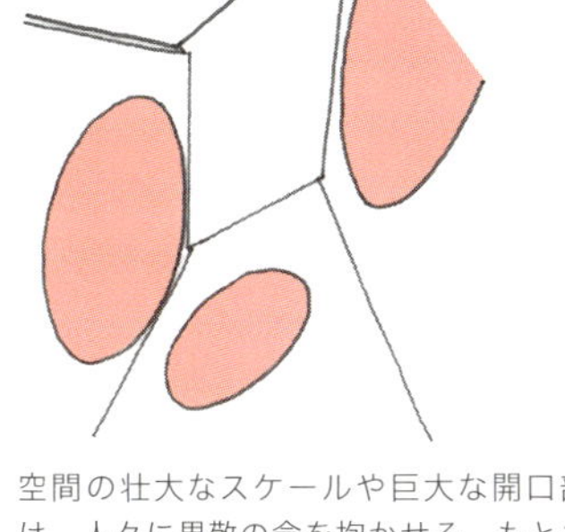

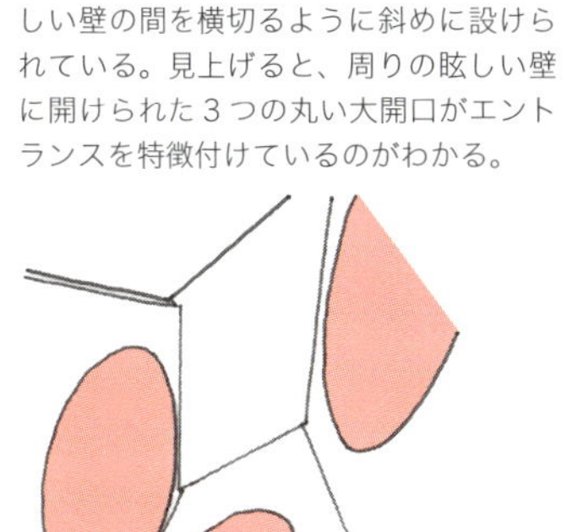

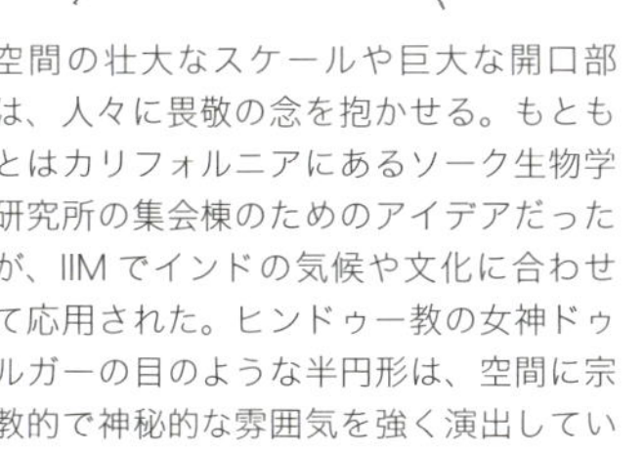

空間の壮大なスケールや巨大な開口部は、人々に畏敬の念を抱かせる。もともとはカリフォルニアにあるソーク生物学研究所の集会棟のためのアイデアだったが、IIMでインドの気候や文化に合わせて応用された。ヒンドゥー教の女神ドゥルガーの目のような半円形は、空間に宗教的で神秘的な雰囲気を強く演出している。

巨大な開口部は見る人に畏敬の念を抱かせる。

秩序、空間、形状

あらゆる部分と部分、あるいは部分と全体が関わり合うしくみが生まれるように、デザインには四角形や円などの幾何学の基本図形が組み合わされている。これはオープンスペースと建物の関係、決まった用途をもつ機能エリアと多目的エリアとの関係、さらには窓割りのディテールにもはっきりと表れている。例えば、学生寮は、四角形が交互に並ぶようにオープンエリアと建物が配置されている。カーンがアメリカのニュージャージー州のトレントン・バス・ハウス（1955）に取り入れた、古典主義的な9分割の正方形グリッドに似ているが、機能の柔軟性を上げるためにさらにグリッドに工夫をしている。機能エリアと多目的エリアの配置にも同じしくみが見られる。

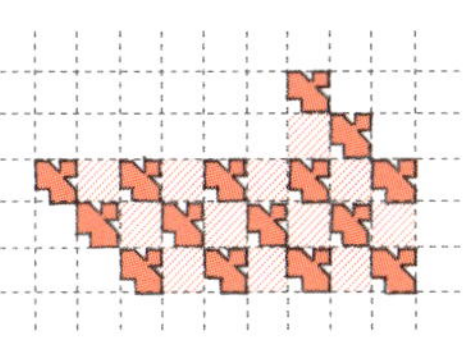

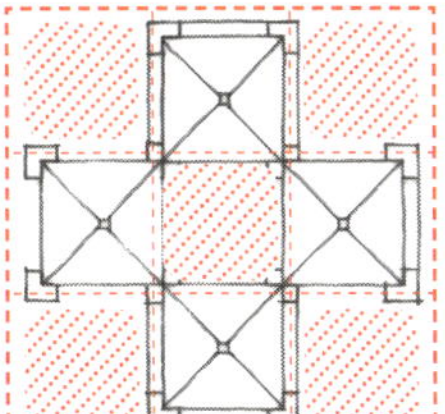

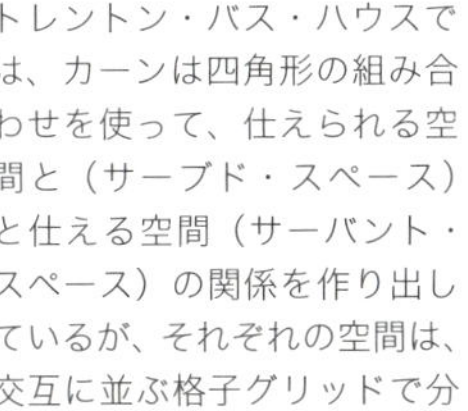

トレントン・バス・ハウスでは、カーンは四角形の組み合わせを使って、仕えられる空間と（サーブド・スペース）と仕える空間（サーバント・スペース）の関係を作り出しているが、それぞれの空間は、交互に並ぶ格子グリッドで分かれている。

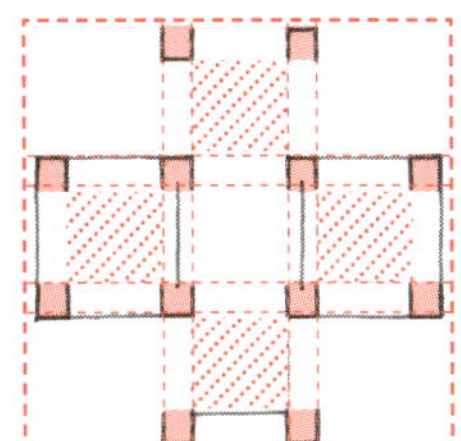

IIMの学生寮のデザインは3部構成だ。仕えられる空間と（サーブド・スペース）と仕える空間（サーバント・スペース）を、第3の移行空間がつなげ、すべての四角形が入れ子に配置されている。

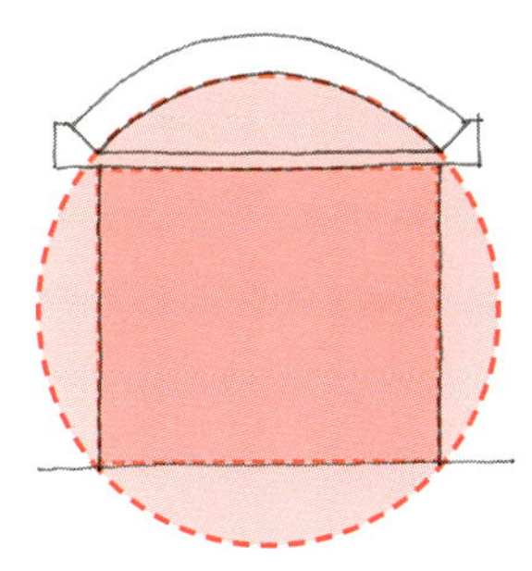

四角形や円などの基本図形は、多様な窓割りのデザインにもはっきりと表れている。「眩しい壁」では、開口部の巨大な円が、ヒューマンスケールの四角形とコントラストを描く。そのほか、基本図形が途切れることなく整然と並んでいる様子は、ゲシュタルト（そのもの全体やすべての構成を直感的に知覚する現象）を通して認識される。

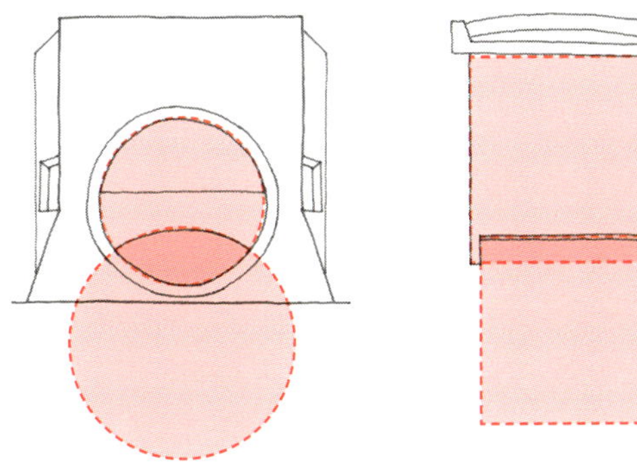

図形が途切れることなく整然と並び、全体像を作っている。建物を見る人が、並んでいる図形の続きを脳内で補完するので、視覚的な広がりが生まれる。

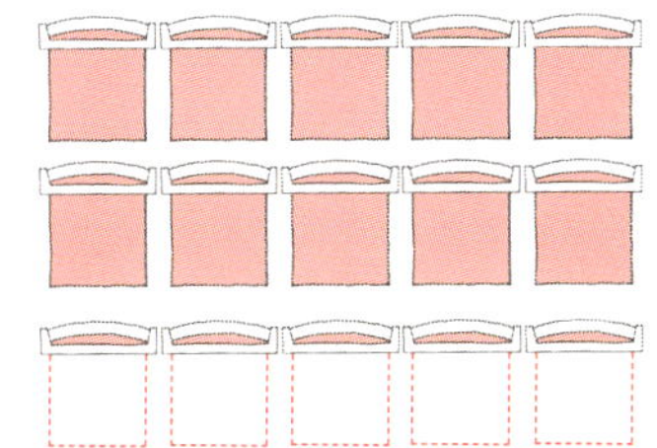

レンガが作る構造

IIMのデザインは、地元産のレンガから生まれている。プログラム上のニーズに対応するだけでなく、デザイン全体でレンガという1つの素材の可能性を探っているのだ。開口部に水平なマグサ（開口部のすぐ上に取り付けられた横材）を設けるためにコンクリートがどうしても必要な箇所では、レンガのアーチと組み合わせて、2つの素材が呼応する複合構造が作られている。

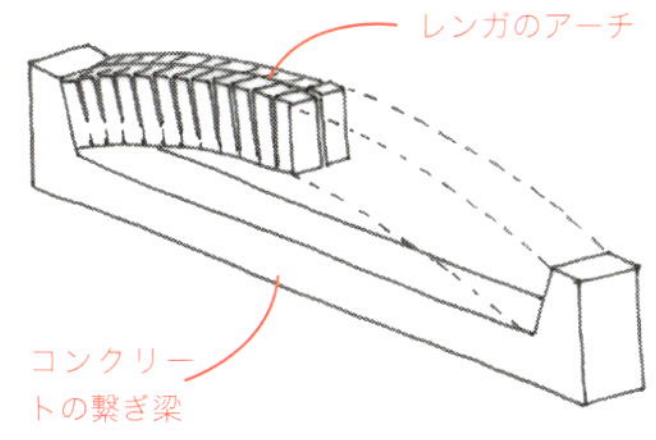

圧縮力がはたらくレンガのアーチと、引張力がはたらくコンクリートの繋ぎ梁を組み合わせた複合構造が作られている。

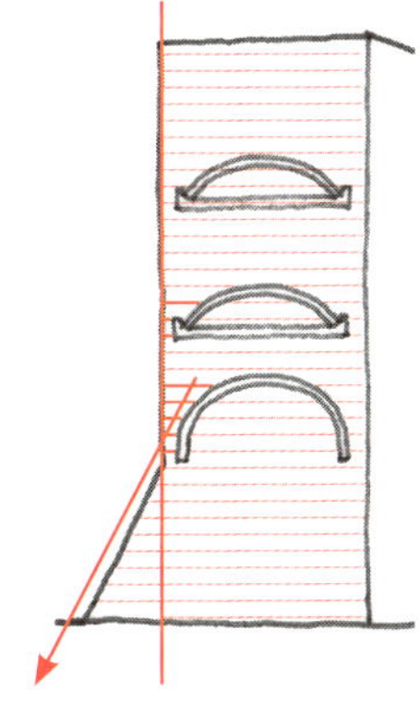

控え壁や中に支持部材が入ったアーチが荷重のかかり方を示す。

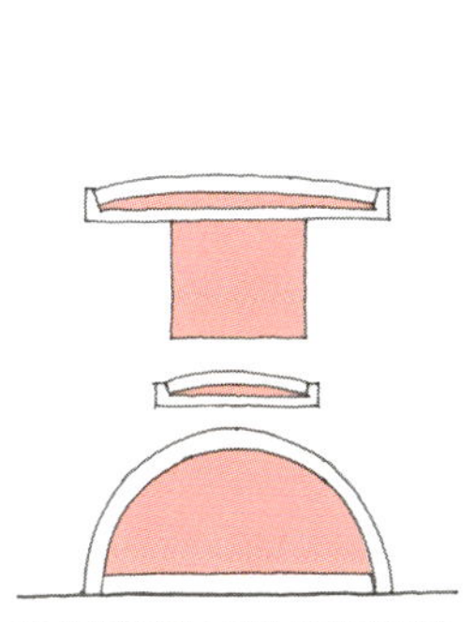

複合構造がいろいろな形状を作っている。

レンガの均一な長方形が、多様な形や開口部を作る構造の手段として応用され、空間に生き生きとした表情を与えている。レンガ造りの荷重のかかり方がよくわかるように、控え壁（壁を側面から支持するレンガ造りの構造物）や、中に支持部材が入ったアーチが使われるなど、さまざまな構造を生み出すレンガの可能性が建物の全体を通して表現されている。

13 バグスバード教会｜1974-76

ヨーン・ウッツォン

デンマーク、コペンハーゲン、バグスバード

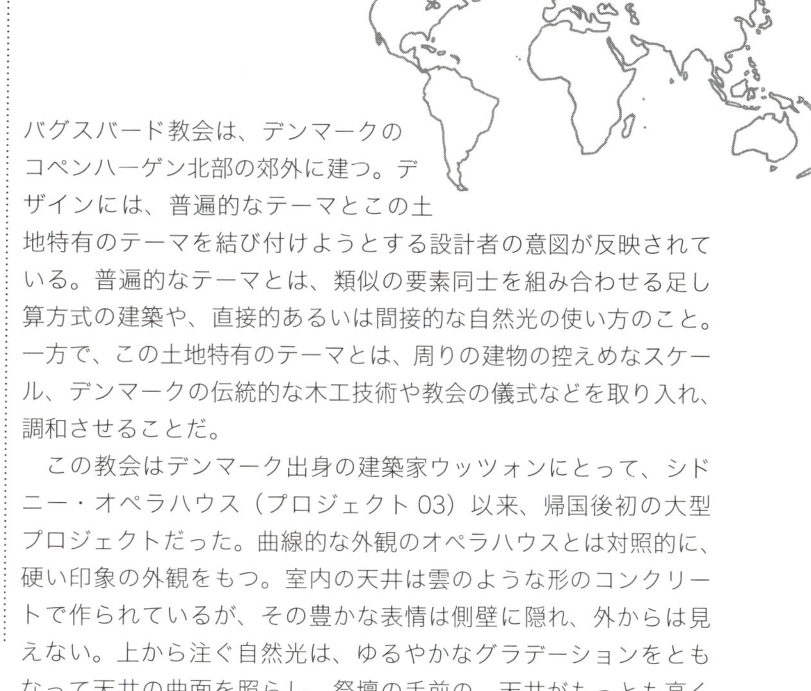

バグスバード教会は、デンマークのコペンハーゲン北部の郊外に建つ。デザインには、普遍的なテーマとこの土地特有のテーマを結び付けようとする設計者の意図が反映されている。普遍的なテーマとは、類似の要素同士を組み合わせる足し算方式の建築や、直接的あるいは間接的な自然光の使い方のこと。一方で、この土地特有のテーマとは、周りの建物の控えめなスケール、デンマークの伝統的な木工技術や教会の儀式などを取り入れ、調和させることだ。

この教会はデンマーク出身の建築家ウッツォンにとって、シドニー・オペラハウス（プロジェクト 03）以来、帰国後初の大型プロジェクトだった。曲線的な外観のオペラハウスとは対照的に、硬い印象の外観をもつ。室内の天井は雲のような形のコンクリートで作られているが、その豊かな表情は側壁に隠れ、外からは見えない。上から注ぐ自然光は、ゆるやかなグラデーションをともなって天井の曲面を照らし、祭壇の手前の、天井がもっとも高くなっているところから低い位置の会衆席へ広がる。薄い色合いのカバ材で作られた窓枠やドア、椅子などが、白いコンクリートの天井や壁の印象をやわらげている。

セレン・モーコック、アントニー・ラッドフォード、フェリシティ・ジョーンズ、イン・スン・チア、レオナ・グリーンズレイド

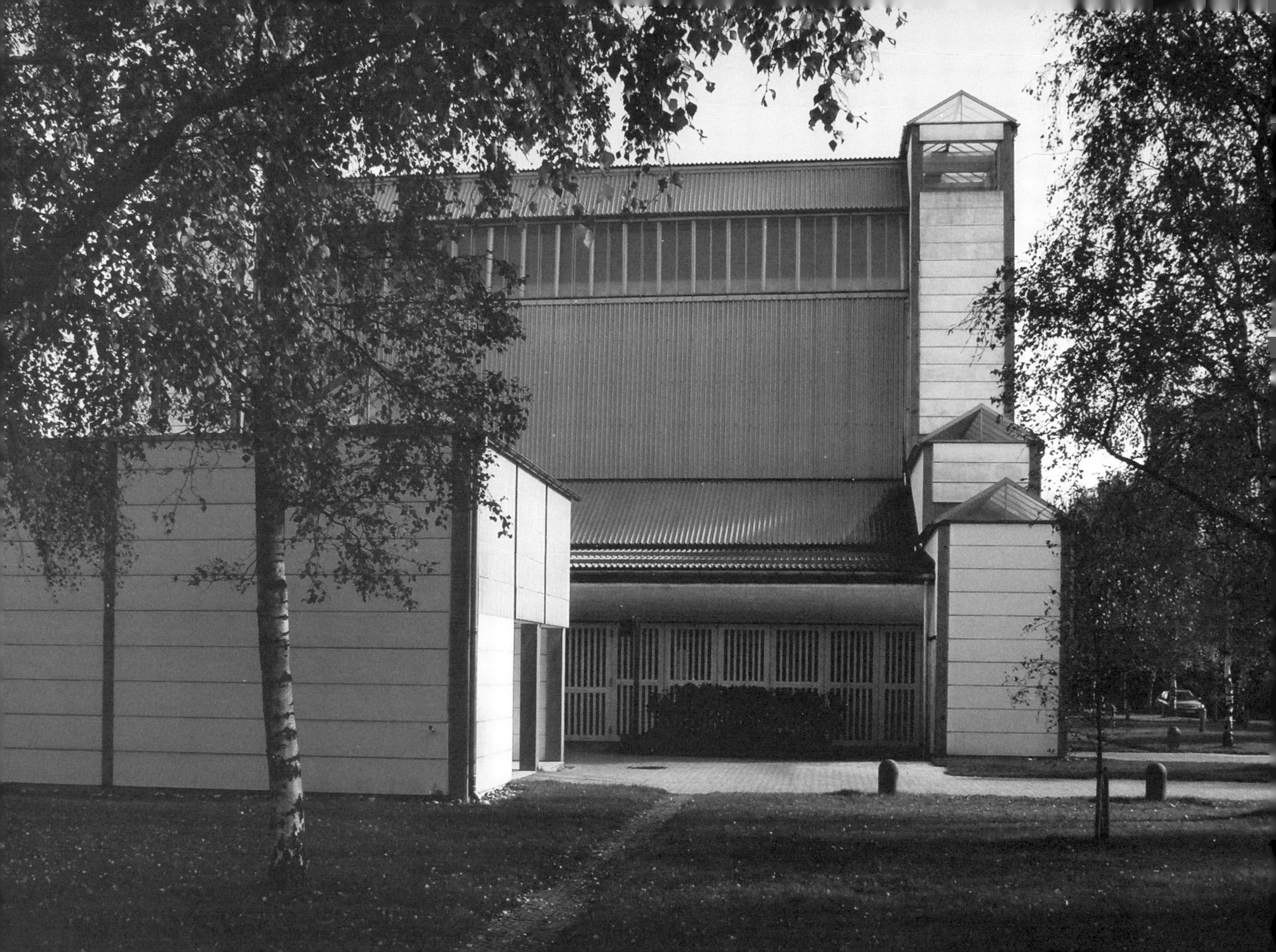

13 バグスバード教会｜1974-76

ヨーン・ウッツォン

デンマーク、コペンハーゲン、バグスバード

コンテクストへの対応

バグスバード教会は、コペンハーゲン北部の郊外に建つルター派の教会だ。交通量の多い道路の脇にあるが、道路に背を向けて建っている。設計の重点は中庭に置かれていて、周りのカバの木々が、教会の直線的なフォルムをランドスケープになじませている。また、白いコンクリートパネルと白い化粧タイルという硬い素材が使われた外壁の印象を、季節によって葉の色を変える木々がやわらげている。

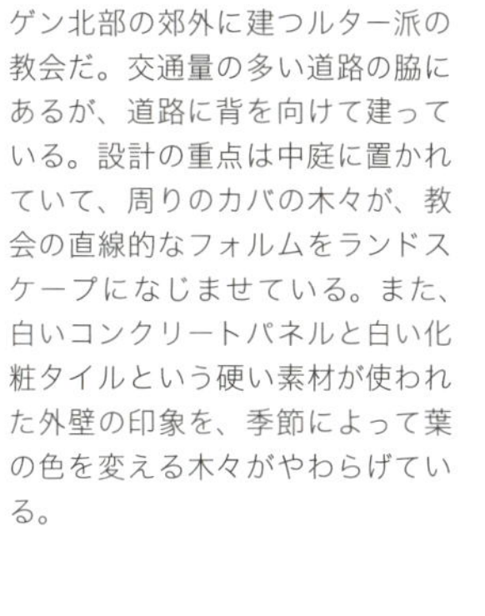

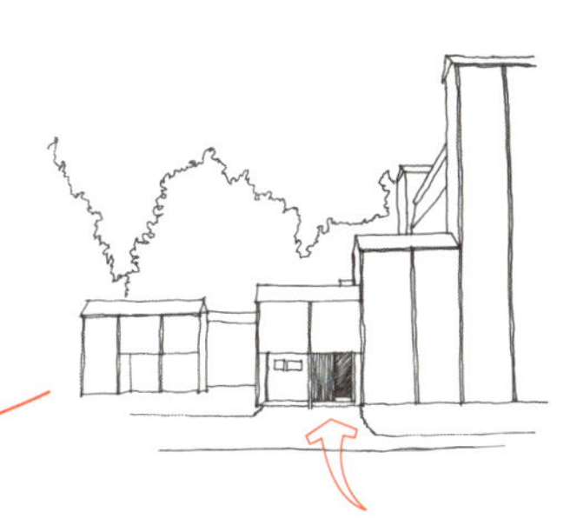

控えめなスケールの正面入口。

形状の成り立ち

前庭　教会　事務室、教室　会議室　青年会棟

細長い長方形の3辺を、天窓のある廊下がぐるりと囲む。この長方形の中にある5つの部屋が、メインの機能エリアとなっている。

教会エリアの廊下の屋根は高くなっていて、建物の主要部である教会の屋根をまるでブックエンドのように支えている。

さらに、天窓のある廊下が教会、事務室、教会区ホール、青年会棟を区切る。日当たりのよい南側の外周の廊下はところどころ途切れていて、中庭へ通じる開口部を作っている。建物の底面はおおむね長方形だが、片側の廊下の終端が内側にずれているので、南西の角はへこんだ形になっている。

両側の廊下の間に、メインの室内空間がある。きわめて整然とした直線的な廊下と、これらの空間を覆うなめらかなコンクリートシェルとの緊張感の中に、呼応し合う一体感が生まれている。

全体としては、廊下、機能エリア、中庭が組み合わさったわかりやすい形状だ。

テーマ

にぎやかな都市景観から切り離された、カバの木々に囲まれた静かな場所。

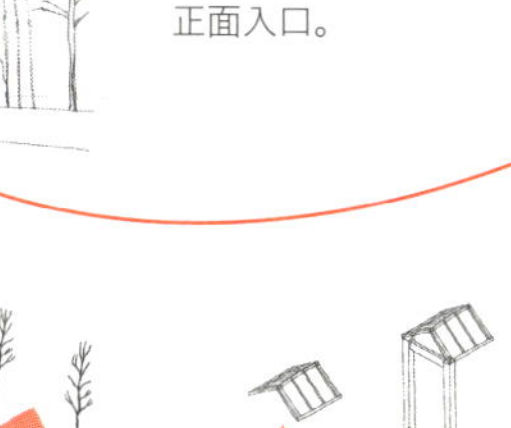

中国の仏教寺院から影響を受けた整然としたフォルムの脇に、中庭の壁が並ぶ。

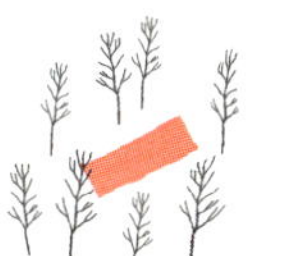

グリッドは2.2メートル角で統一されている。

「足し算方式の建築」とは、要素がわかりやすく組み合わさった建築をいう。ウッツォンは多くのプロジェクトで、足し算方式の建築を試みた。

雲の間を光が通り抜け十字架を照らすというフォルムの表現によって、キリスト教教会のシンボルを表している。

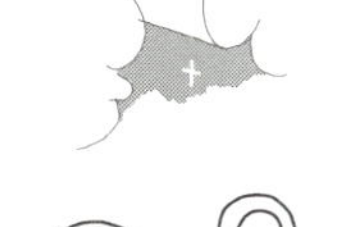

空間・光・音が一体となった経験ができる。

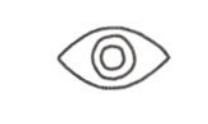

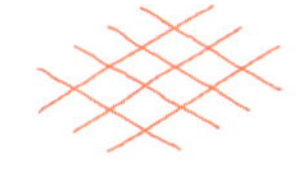

プランと室内空間

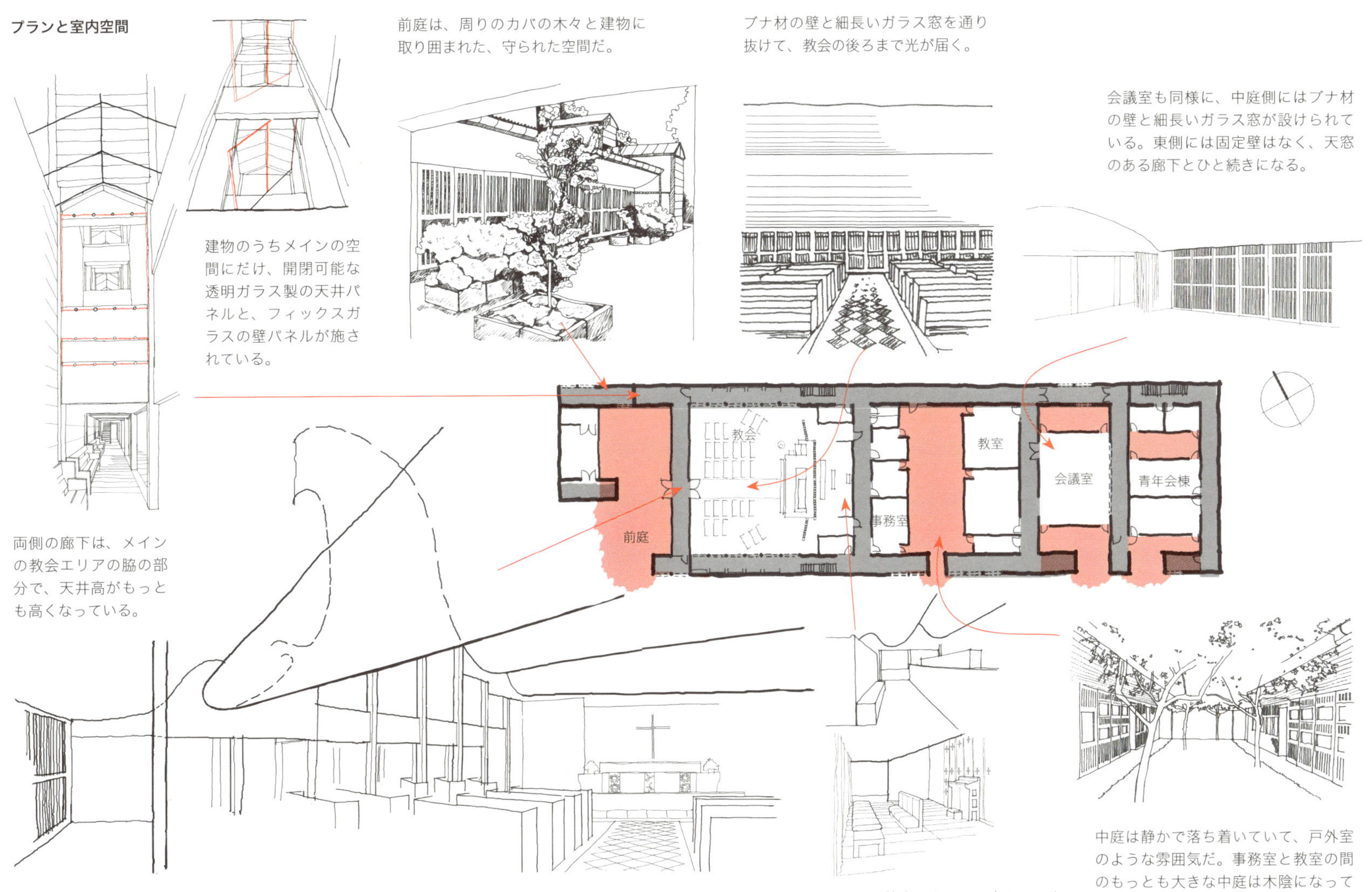

前庭は、周りのカバの木々と建物に取り囲まれた、守られた空間だ。

ブナ材の壁と細長いガラス窓を通り抜けて、教会の後ろまで光が届く。

会議室も同様に、中庭側にはブナ材の壁と細長いガラス窓が設けられている。東側には固定壁はなく、天窓のある廊下とひと続きになる。

建物のうちメインの空間にだけ、開閉可能な透明ガラス製の天井パネルと、フィックスガラスの壁パネルが施されている。

両側の廊下は、メインの教会エリアの脇の部分で、天井高がもっとも高くなっている。

メインの教会エリアへの入口では天井が低く抑えられているので、その奥で天井が急に高くなるという演出がさらにドラマチックに感じられる。カーブを描く白い天井は、低く垂れ込める雲から太陽の光が差す、北欧の空を思わせる。

祭壇の後ろには聖具保管室があり、天窓からの光に照らされている。聖具保管室の上にあたる屋根裏の部分には、細長い展示室が設けられている。

中庭は静かで落ち着いていて、戸外室のような雰囲気だ。事務室と教室の間のもっとも大きな中庭は木陰になっている。

13 バグスバード教会｜1974-76

ヨーン・ウッツォン

デンマーク、コペンハーゲン、バグスバード

建設

廊下は、現場打ちのコンクリートを組んで作られたグレーのコンクリートフレームで構成されている。外壁には白のプレキャストコンクリートのファサードパネル、内壁には現場打ちのコンクリート壁が使われている。屋根はガラス製で、天窓の役割をもつ。

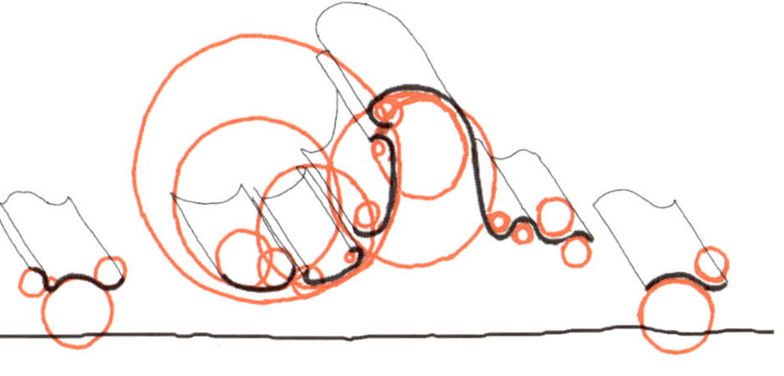
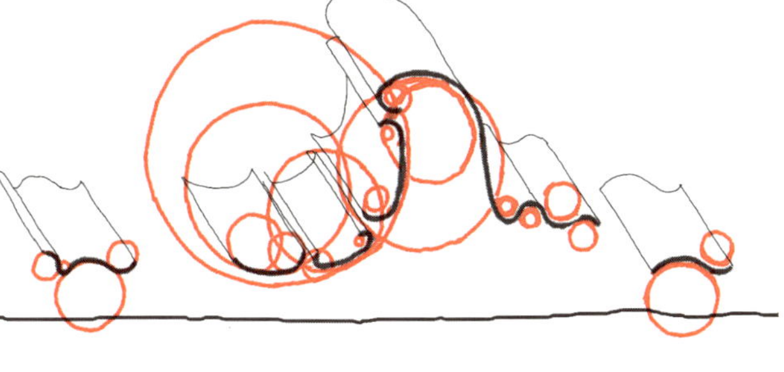

廊下のフレームと壁が、メインの空間を覆う鉄筋コンクリート製の天井のシェルの端を支えている。シェルの横断面は円弧と円が組み合わさった形になっていて、中間柱がなくても空間を覆うのに十分な剛性がある。シェルのコンクリートは、木材型枠を使って現場で吹付けが行われた。白で塗装されたシェルの表面には型枠の木目が残り、グレーの柱や白壁のなめらかな表面と対照的だ。このコンクリートシェルが、木造骨組みの金属屋根を支えている。

床暖房用のプラスチックの水管が地域暖房ネットワークにつながっている。部分地下には、トイレ、クロークルーム、売店がある。

外壁のファサードの上階部分では、プレキャストコンクリートのパネルの上に、壁面用の化粧タイルが貼られている。この仕上げの切り替えのおかげで、壁という大きな要素のスケール感がやわらぐとともに、繊細なパターンで光が反射するようになっている。

ディテールのつながり

建物の側面に延びる廊下は、西と東の端で途切れているように見える。同じように祭壇や聖書朗読台のプラットフォームも、押し出し成形された細骨材コンクリートが途切れたようなデザインだ。

メインの教会の屋根や天井は、天井の高い両脇の廊下から押し出されているように見える。会衆席の長椅子も、押し出し成形のような形のブナ材が両サイドの長いパネルに挟まれている。

ブナ材による木工細工。日本の家屋や庭園、デンマークの工芸を参考に、家具や木製ドア、ドアフレーム、窓のマリオンなどのディテールの中に、未塗装の木材が控えめに使われている。

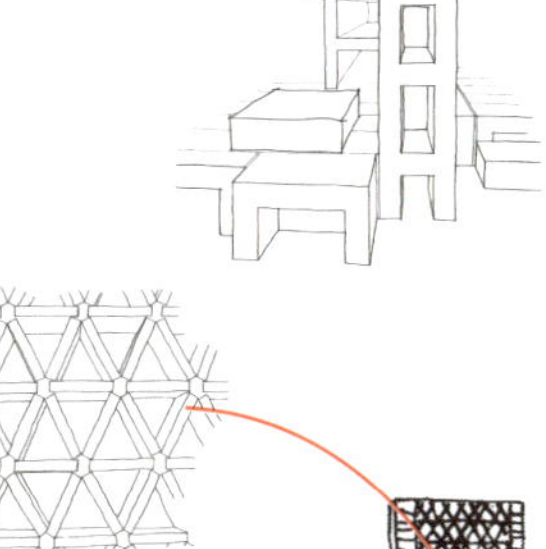

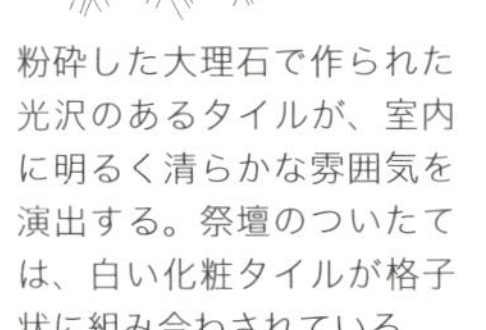

格子状のついたて

粉砕した大理石で作られた光沢のあるタイルが、室内に明るく清らかな雰囲気を演出する。祭壇のついたては、白い化粧タイルが格子状に組み合わされている。

祭壇の後ろの格子状のついたてが、メインの空間と聖具保管室を隔てる。ついたての奥の厚いカーテンは開閉可能で、聖具保管室を見せることも隠すこともできる。

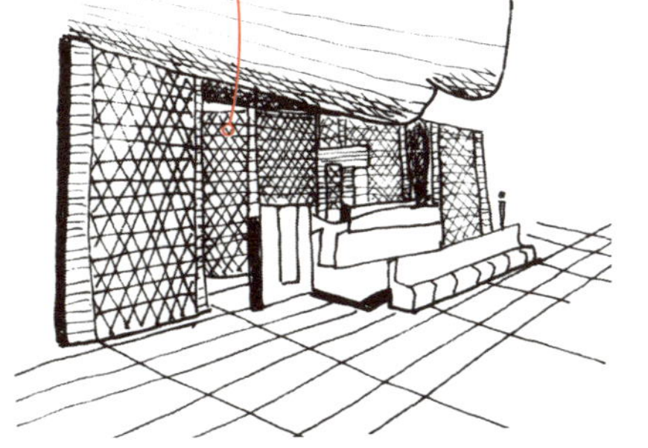

テキスタイル

北極星

太陽

野に咲くユリ

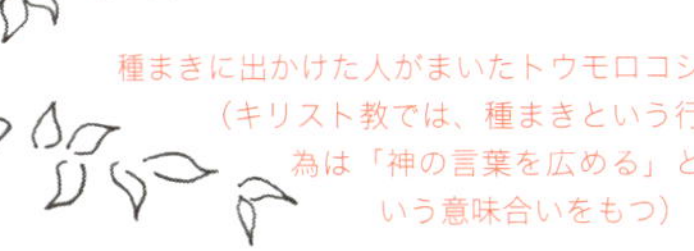

種まきに出かけた人がまいたトウモロコシ（キリスト教では、種まきという行為は「神の言葉を広める」という意味合いをもつ）

教会で使われているカラフルなテキスタイルは、ウッツォンの娘であるリン・ウッツォンのデザインだ。室内の空間ごとの特徴に合わせて、キリスト教を象徴する図柄が描かれている。

教会では、空間・光・音が一体となった体験ができる。太陽の光に照らされ、オルガンの演奏に合わせて聖歌隊が歌うときに、教会がもっとも荘厳な雰囲気になる。

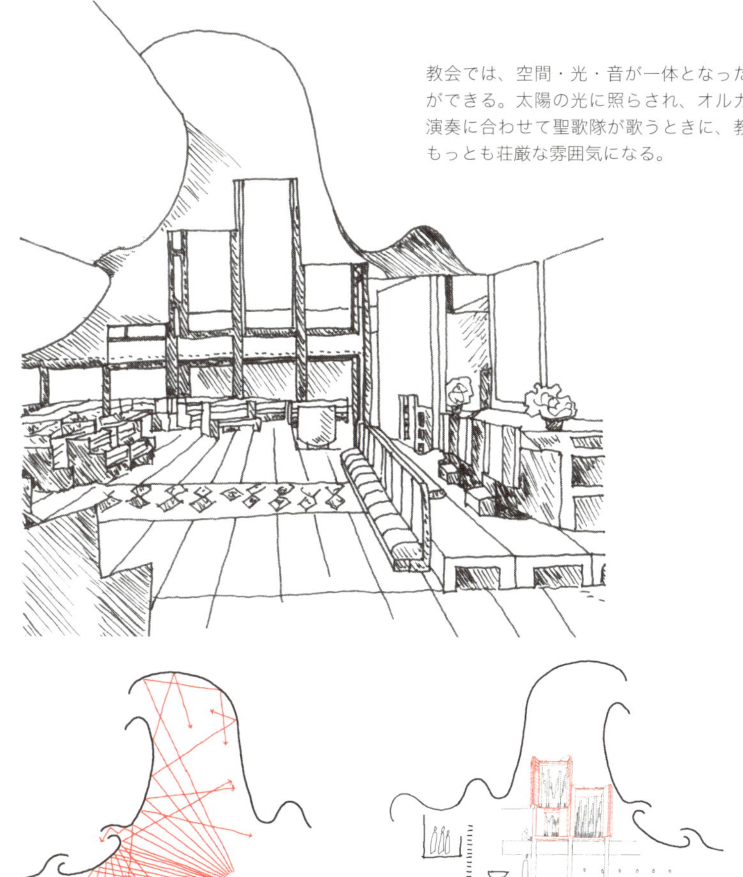

光

すべての廊下には天窓がある。教会の両側の壁には開口部があり、廊下からの光が差し込む。祭壇の向かい（会衆席の後ろ）には、木とガラス製の壁があり、教会の講堂と前庭を隔てている。講堂のもっとも天井が低い部分の下は陰になるが、この壁越しに光が差し込み、陰の部分を照らす。

天窓のある明るい廊下では、南から入る太陽の光が、高い白壁に何度も反射する。朝や午後の、低い位置にある太陽から届く光は、東西に延びる廊下に設けられたさまざまな縦幅の横梁に遮られる。

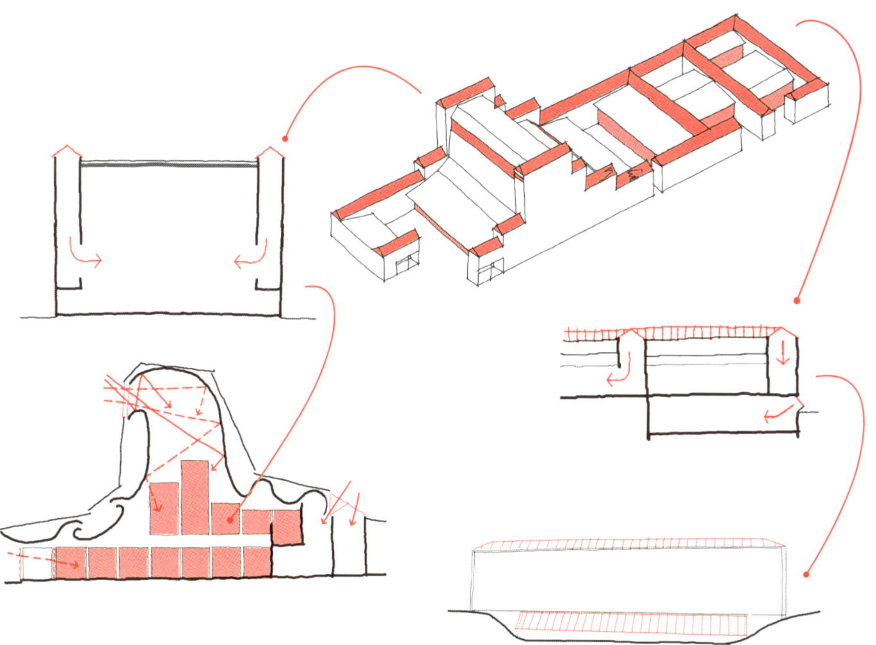

音

説教を行うことを考慮し、音響経路が短くなるよう、会衆席は祭壇および説教台に立つ説教師に近い位置に設けられている。祭壇の対面の、固いコンクリート製の天井の凸面が音を下向きに反射し、説教師からもっとも遠い会衆席まで届ける。音響経路が長い音は会衆席から反れ、何度も反射して拡散するので、反響することはない。

音楽演奏をする際には、高さのある空間ボリュームのおかげで、オルガン演奏や聖歌隊の歌唱に必要な長めの反響時間が得られる。オルガンは、教会の南側の柱と柱の間にすっぽりと納められている。建設業者が講堂の音響を知る必要があったため、教会が完成してから設置された。

西側の高い位置に設けられた採光窓から西日が入るが、その光が何度も反射するため、空のように天井の頂部がもっとも明るくなる。天井の表面は、光の当たり方によって、真っ白な部分から濃い影の部分までさまざまに変化する。屋外の太陽や雲の動きが、屋内の光に生き生きとした表情を与える。

小さめの室内空間でも、教会の講堂の壁と同様の木とガラス製の壁が部屋と中庭を隔て、その壁越しに太陽の光が差し込む。建物の東端の低い位置に傾斜窓が設けられ、青年会棟の地下の工芸室に日光を届ける。

14

ミラン邸｜1972-75

マルコス・アカヤバ・アルキテクトス

ブラジル、サンパウロ、シダージ・ジャルジン

限られたデザインの要素を整然と組み合わせていくと、視覚的な趣に満ちた空間が生まれる。ミラン邸はそれを体現した建築だ。アーチ型の鉄筋コンクリートの屋根がメインの空間とテラスを覆い、さらに外側へ延びてスイミングプールのデッキになっている。

独特の外観をもつ大邸宅だが、緑豊かなサンパウロの高級住宅街で浮いている様子はない。ブラジル人建築家のマルコス・アカヤバが設計したこの邸宅は、南半球最大の都市サンパウロで、隠れ家リゾートのような雰囲気を醸し出している。

建物に使われている素材の多くは、コンクリート、タイル、ガラスだ。さらに木材や革、布の色が控えめに、かつ効果的に採用され、素材の硬い印象をやわらげている。シンプルな形状と素材の使い方が、家の周りに青々と茂る緑とコントラストをなしている。

アミット・スリヴァスタヴァ、アントニー・ラッドフォード

14 ミラン邸｜1972-75

マルコス・アカヤバ・アルキテクトス

ブラジル、サンパウロ、シダージ・ジャルジン

コンテクストへの対応

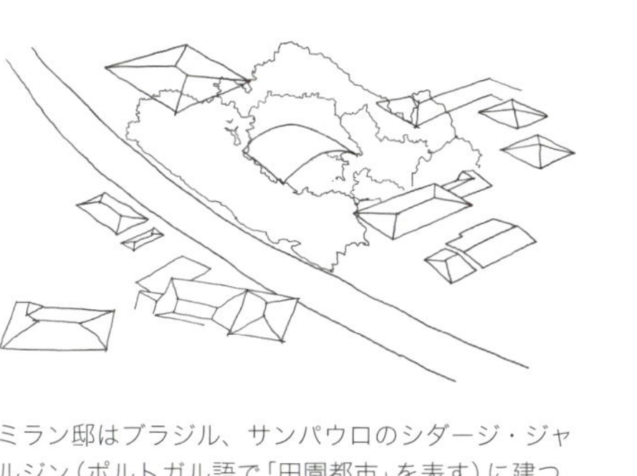

ミラン邸はブラジル、サンパウロのシダージ・ジャルジン（ポルトガル語で「田園都市」を表す）に建つ。木々が多く、区画の大きい郊外だ。家と家の間には距離があり緑も茂っているので、屋外の生活空間は隠れ家のような雰囲気だ。ミラン邸のフォルムは、レンガとタイルでできた近所の家々とは大きくことなるが、周りと同じくらいの高さやスケールであるうえ、木々が目隠しになって通りからは見えないので、コンテクストになじむようにひっそりと息づいている。

気候への対応

サンパウロには南回帰線が通っている。標高が高いこの街の気候は、極端な暑さや寒さはなく温暖で、年間降水量が多い。このような気候に応えるために、日当たりのよい北側、日陰ができる南側の両方にオープンテラスを作り、居間とプールの間にも大きな屋根付きのテラスを設けている。

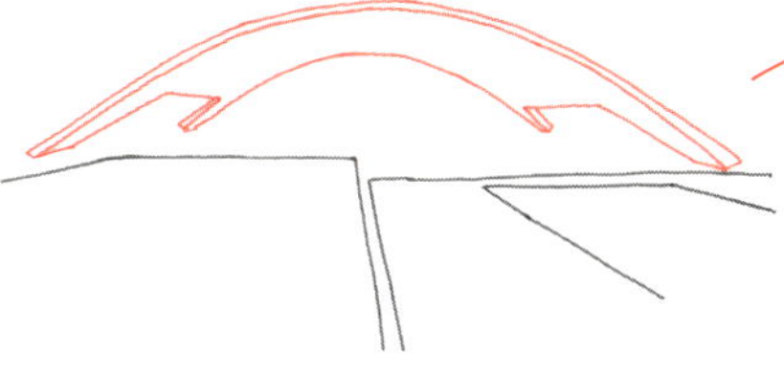

左右に突き出した鉄筋コンクリートの屋根の4隅は下を向き、地面へつながる。アーチの外殻はポリウレタンで覆われている。

フォルムと構成

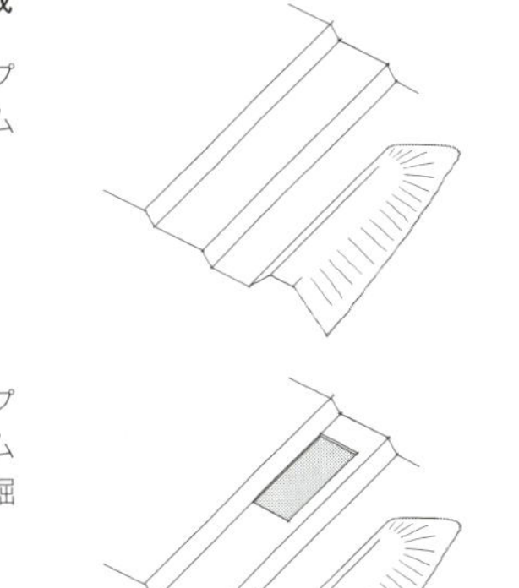

地面に３つのプラットフォームを作る。

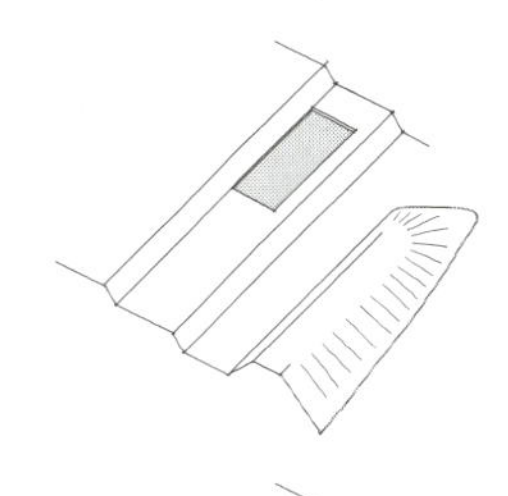
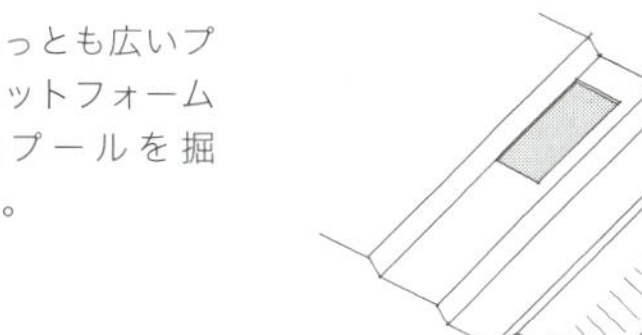
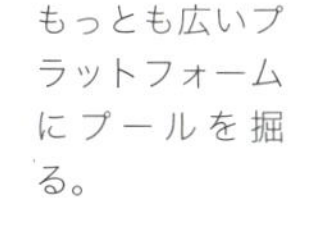
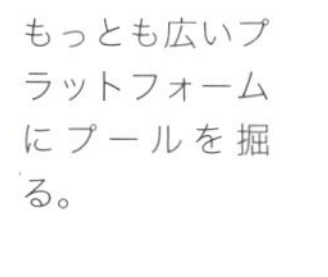
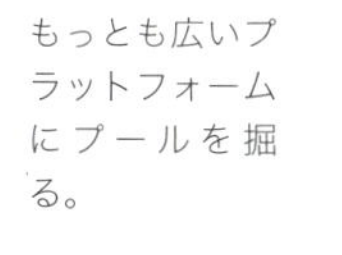
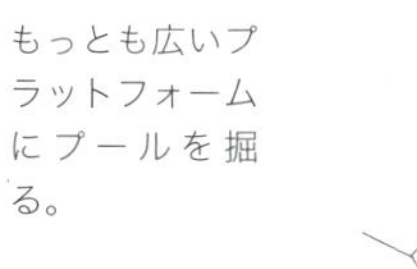
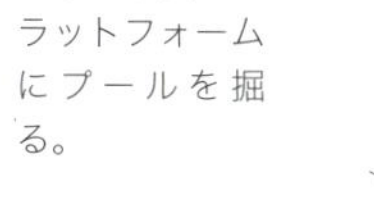
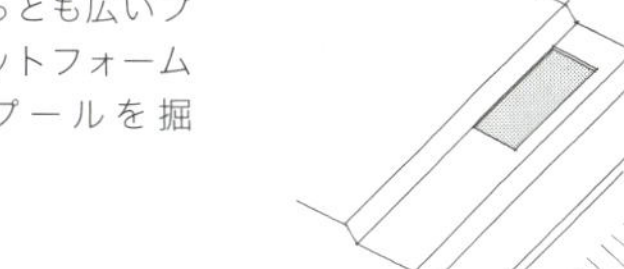
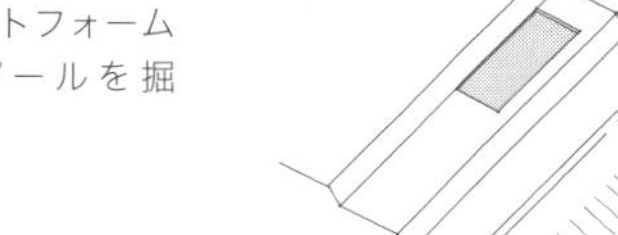
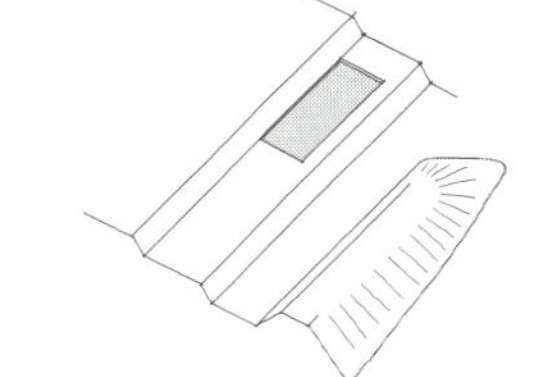
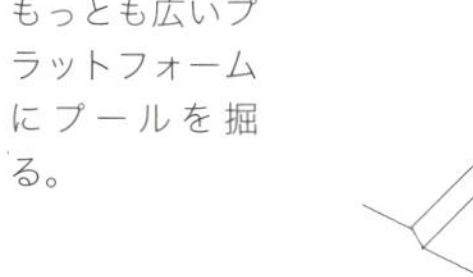
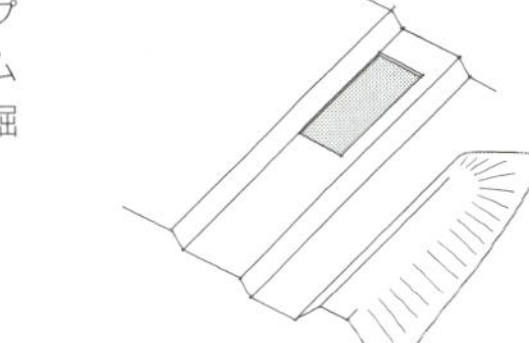
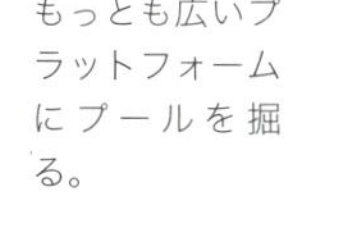
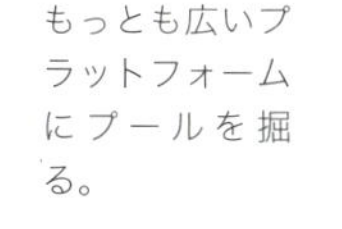
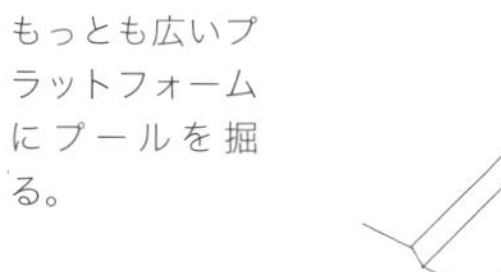
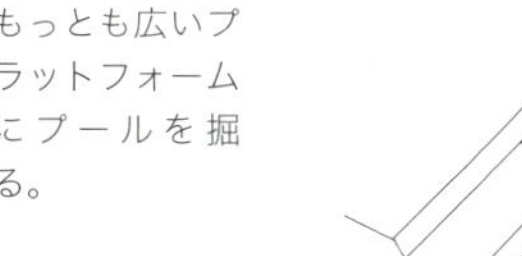
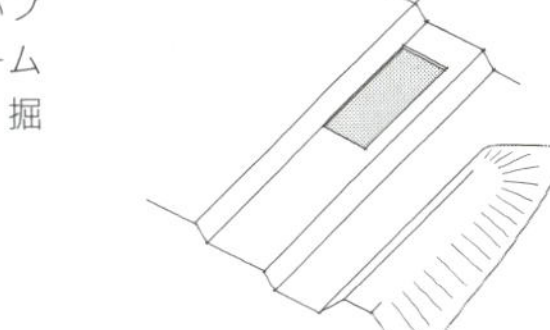
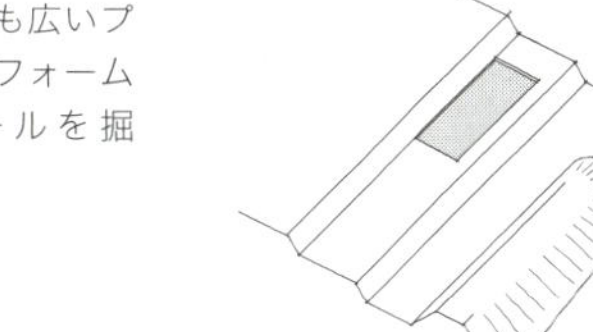
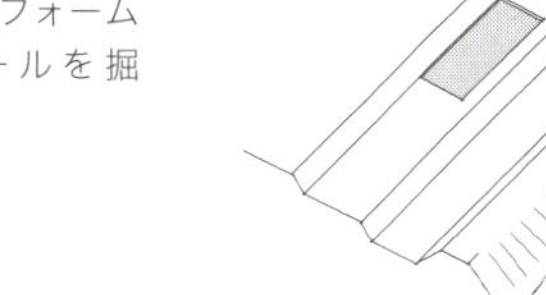
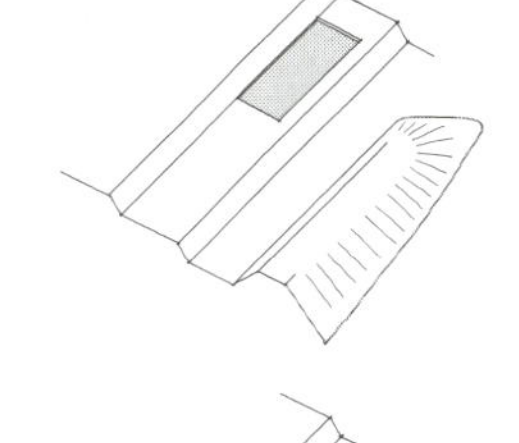
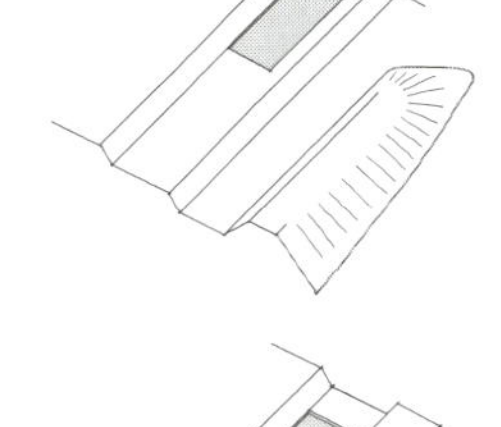

もっとも広いプラットフォームにプールを掘る。

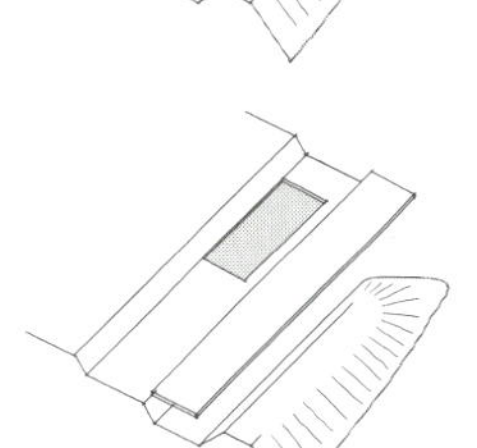
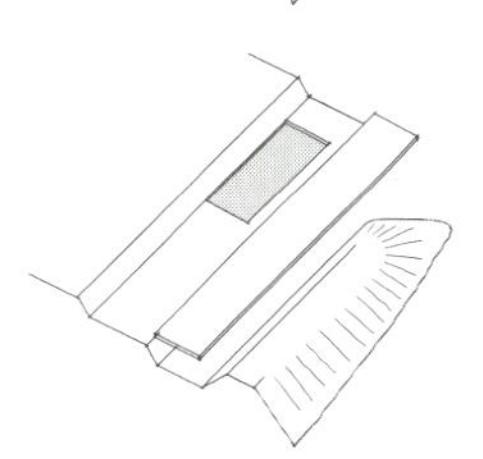
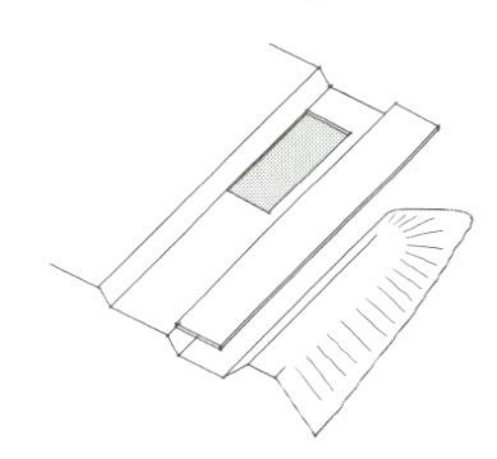
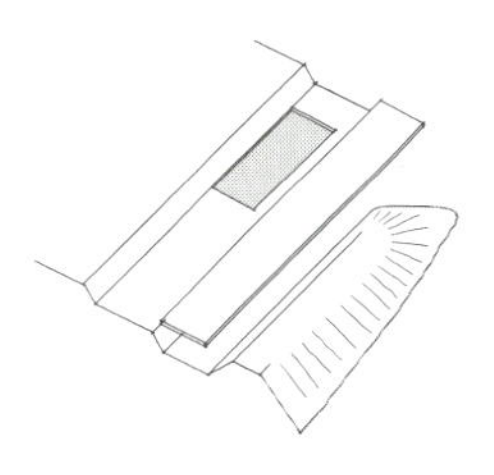

地面に浮かぶような４つめのプラットフォームを作る。

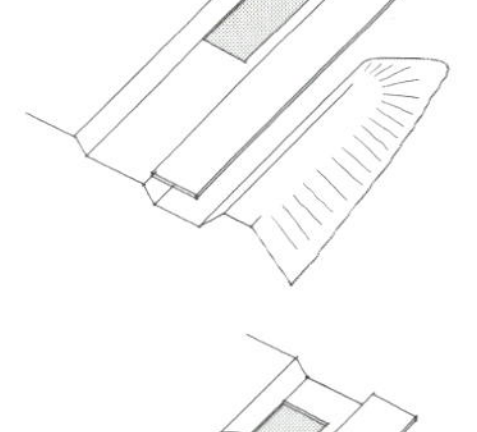

プラットフォームの上に屋根をわたす。

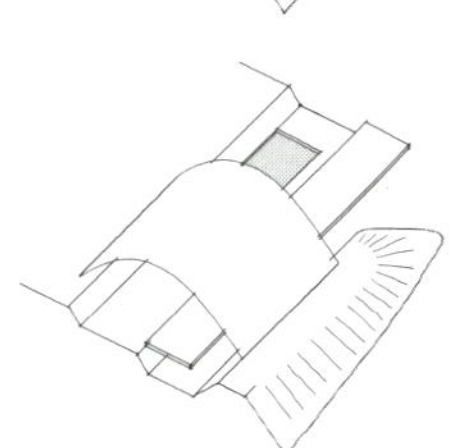

室内から外の景色が見えるよう、アーチの両側を切り取る。

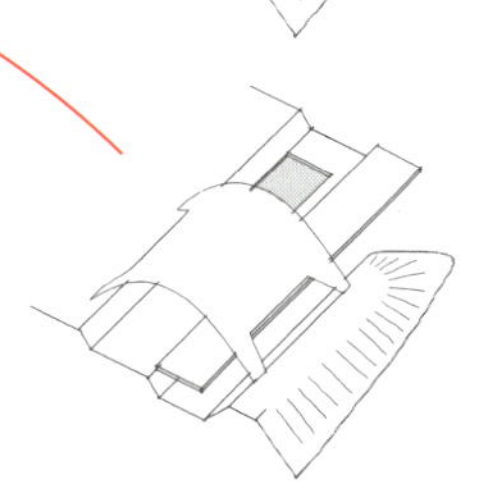

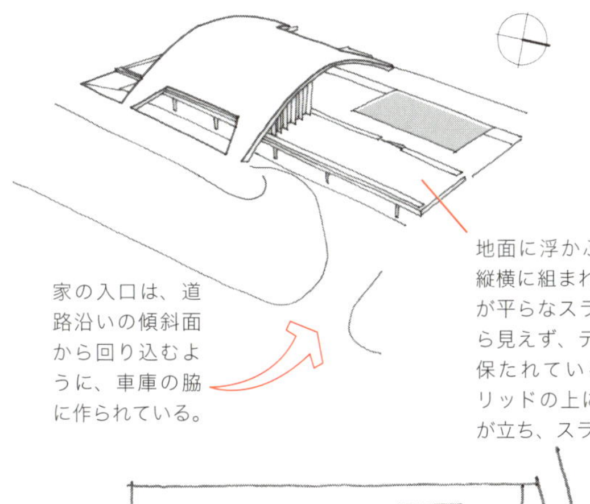

家の入口は、道路沿いの傾斜面から回り込むように、車庫の脇に作られている。

地面に浮かぶようなテラスでは、縦横に組まれたコンクリートリブが平らなスラブを作り、梁は外から見えず、テラスのシンプルさが保たれている。整然と並んだグリッドの上に12本の円筒形の柱が立ち、スラブを支える。

入口

メインの居間の床とアーチ屋根の間を、ガラスが覆う。

断面図をシンプルに描くと、起伏のある地面の上に、プラットフォームや床の水平なラインがあり、その上にアーチの優雅なカーブが載っているように見える。

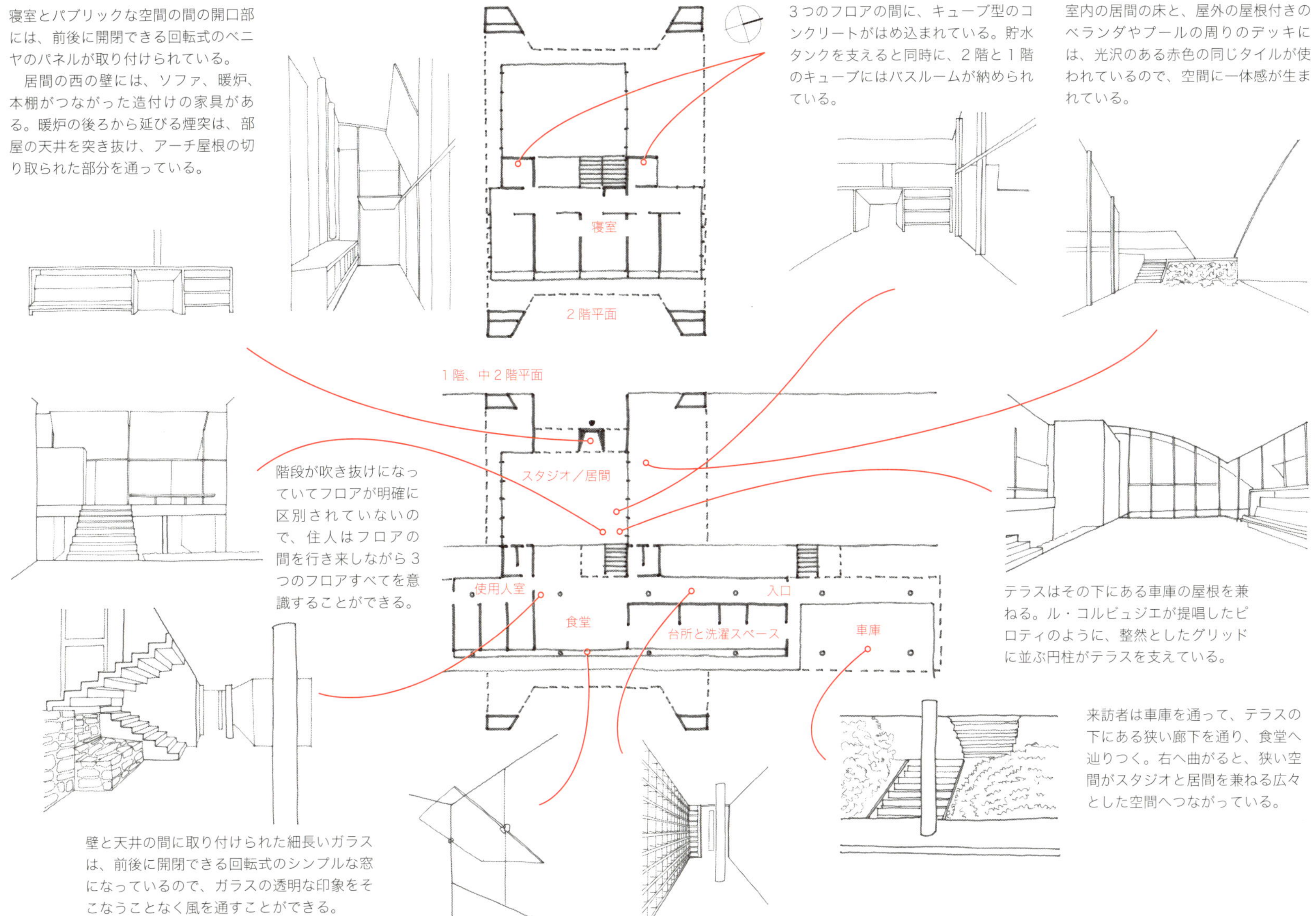
寝室とパブリックな空間の間の開口部には、前後に開閉できる回転式のベニヤのパネルが取り付けられている。
居間の西の壁には、ソファ、暖炉、本棚がつながった造付けの家具がある。暖炉の後ろから延びる煙突は、部屋の天井を突き抜け、アーチ屋根の切り取られた部分を通っている。
3つのフロアの間に、キューブ型のコンクリートがはめ込まれている。貯水タンクを支えると同時に、2階と1階のキューブにはバスルームが納められている。
室内の居間の床と、屋外の屋根付きのベランダやプールの周りのデッキには、光沢のある赤色の同じタイルが使われているので、空間に一体感が生まれている。
寝室
2階平面
1階、中2階平面
スタジオ／居間
階段が吹き抜けになっていてフロアが明確に区別されていないので、住人はフロアの間を行き来しながら3つのフロアすべてを意識することができる。
使用人室
入口
食堂
台所と洗濯スペース
車庫
テラスはその下にある車庫の屋根を兼ねる。ル・コルビュジエが提唱したピロティのように、整然としたグリッドに並ぶ円柱がテラスを支えている。
来訪者は車庫を通って、テラスの下にある狭い廊下を通り、食堂へ辿りつく。右へ曲がると、狭い空間がスタジオと居間を兼ねる広々とした空間へつながっている。
壁と天井の間に取り付けられた細長いガラスは、前後に開閉できる回転式のシンプルな窓になっているので、ガラスの透明な印象をそこなうことなく風を通すことができる。

15

香港上海銀行オフィスビル | 1979-86

フォスター・アソシエーツ
中国、香港

香港上海銀行の本店として建てられた香港上海銀行オフィスビルは、洗練された構造表現主義（構造部材や設備ダクトなどを建築物の内外に露出させて工業製品や技術を表現することで、新たな美的価値観を生み出そうとする思想）の代表作だ。このビルの美しさは、露出した構造物にある。ノーマン・フォスターと彼の設計チームは1979年から1986年にこのビルをデザインしたとき、航空機器製造業や海底油田採掘業などの工業分野の技術を取り入れた。構成要素の多くがプレハブ（あらかじめ工場で部材を生産・加工し、現場では加工を行わず組み立てる建築工法）で、海外から輸入された部材もあった。一見すると別々の要素同士が精巧に組み合わされ、このビルに特徴的な印象を与えている。

デザインには建築の美学と技術が融け合い、求められる機能性や象徴性、全体の構造、現地の気候への対応が一体となっている。構造の手法から小さなディテールまで、デザインの過程でさまざまな選択肢を模索し続けた成果といえるだろう。

アントニー・ラッドフォード、シンディ・チュン、ブレンダン・キャバー

HSBC

敷地への対応

香港は、貿易と金融の拠点として長い歴史を誇る。香港島にあるこのビルの北側からは、本島の九龍の海辺を見渡せる。敷地の近くにはスターフェリー（香港島と九龍を結ぶフェリー）の船着き場がある。

敷地は以前、海岸沿いにあったが、埋め立て工事が進んで海岸線が海側へ移った。ビルの後ろには、香港島のヴィクトリア・ピークの急斜面が控えている。敷地と海の間の細いエリアは比較的開けているので、今でもビルから海の景色が見える。

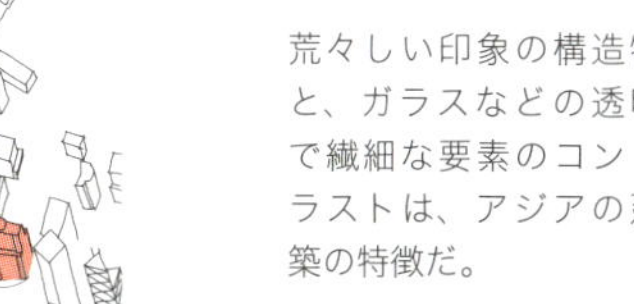

荒々しい印象の構造物と、ガラスなどの透明で繊細な要素のコントラストは、アジアの建築の特徴だ。

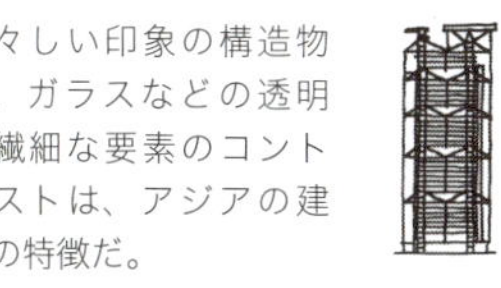

金属とガラスで精巧に設計された建物は、周りのビルの中で独特の存在感を放つ。対称と非対称、荒々しさと繊細なディテールというテーマが表現され、フロアの分節、構造要素、構造単位の重なりなどがリズムを生んでいる。

完成当時は周りのビルと相互に反応し、一体感が生まれていた。ビルはどれもスケールが同じくらいで長方形をしており、香港上海銀行のビルは周りを圧倒することなく、ディテールと独特のファサードが個性を放っていた。

2012年頃までに周りにより高いビルが建てられた。遠くから眺めると香港上海銀行ビルは昔ほどの存在感はないが、周りのごく普通のビルと比べると今なお際立っている。

1階は、サービスコアやメインの営業フロアにつながるエスカレーターのほかは何もないオープンスペースになっている。

新しいビルの中には、より大きなサイズや濃い色の外壁、大きな看板、よりくっきりとした外観をもち、香港上海銀行ビルに負けない存在感を放つものもある。

間取りと空間の使い方

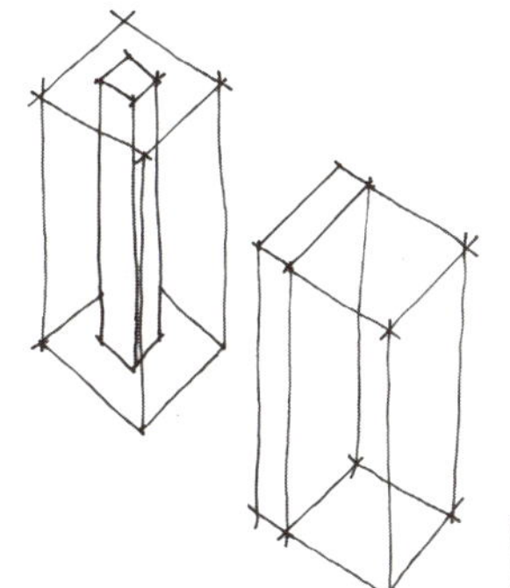

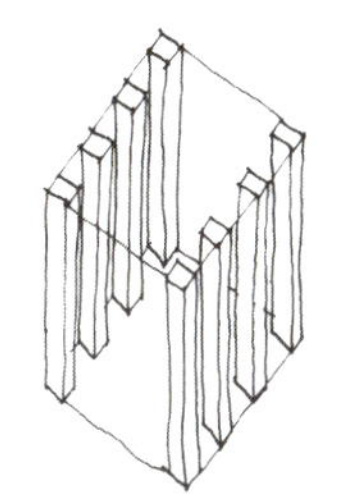

1980年代までに建てられたオフィスビルは、エレベーターやサービス機能が納められたサービスコアが中央にあり、その周りに窓付きのオフィスが配置されていた。オープンプラン（自由に使えるワンルーム形式のプラン）のオフィスが主流になると、サービスコアはひと続きのオープンスペースの片側に寄せられるようになった。香港上海銀行のビルはコアを小さな要素に分けて両サイドに配置し、要素の隙間に窓を設けている。

土地区画規制や日影規制に対応するために、コアに挟まれたフロアは上階へいくにしたがって西側、北側、南側がセットバックしている。将来このような規制が緩和されることを想定して、セットバックした部分を後から埋め、建物の敷地面積と全体の高さはそのままで床面積を30パーセント増やせる設計になっている。

仕えられる空間と（サーブド・スペース）と仕える空間（サーバント・スペース）のはっきりとした区分は、ルイス・カーンがアメリカのフィラデルフィアに建てたリチャーズ医学研究棟のサービス棟（1957-62）と似ている。

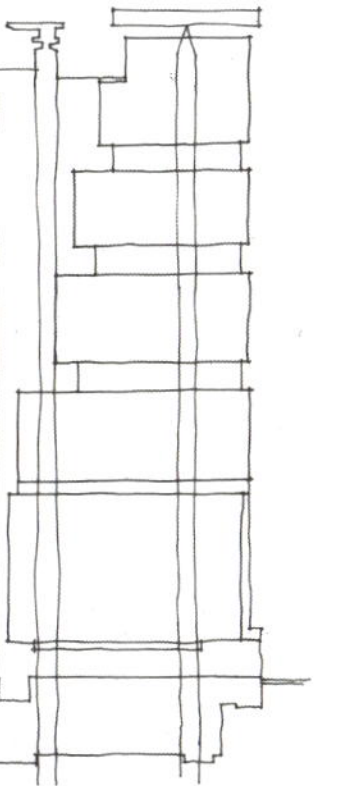

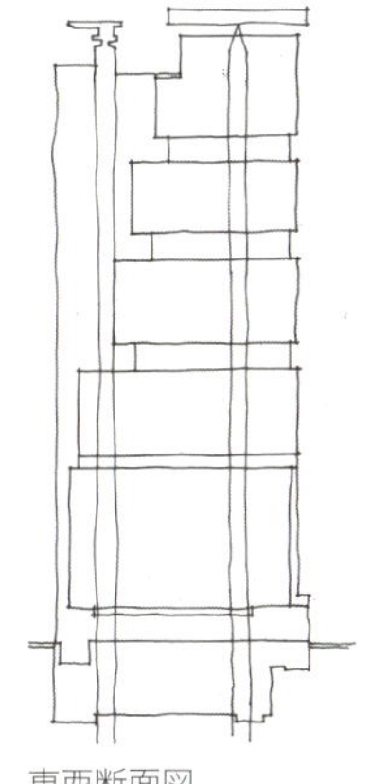

東西断面図

オフィスはオープンプランになっているので、1人1人が広々と空間を使い、北側の海辺や南側のヴィクトリア・ピークを眺めることができる。

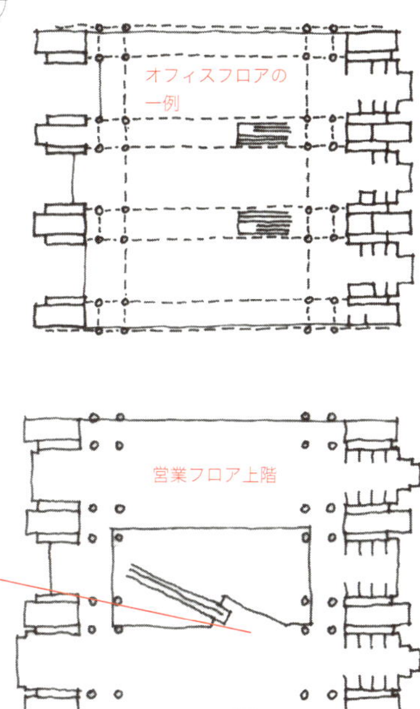

パブリックな空間は、ビルの中央の地上階まで続いている。利用者はパブリックな広場から2本のエスカレーターに乗ってアトリウムのような営業フロアへ進む。

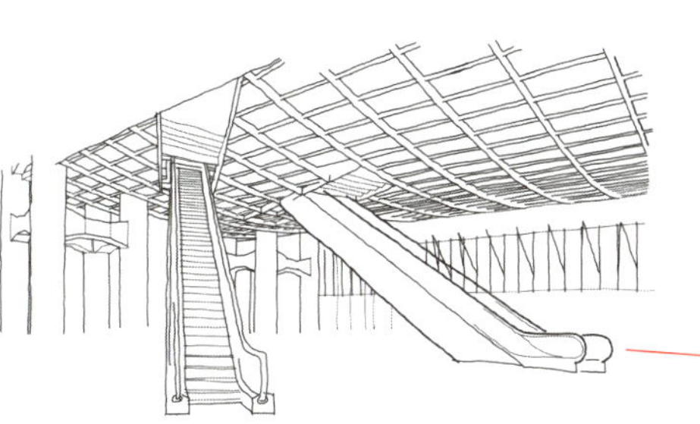

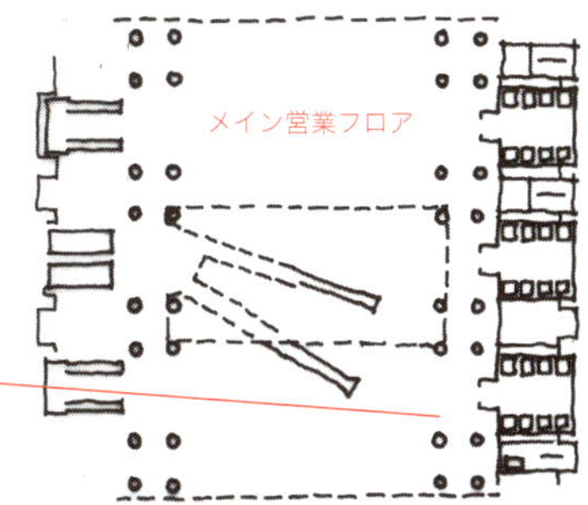

15 香港上海銀行オフィスビル｜1979-86

フォスター・アソシエーツ

中国、香港

空間と機能

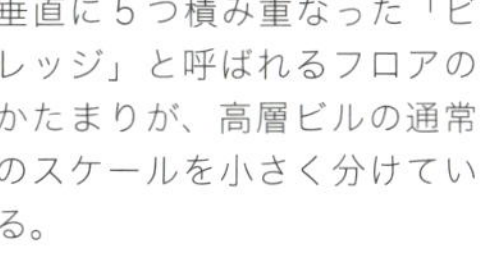
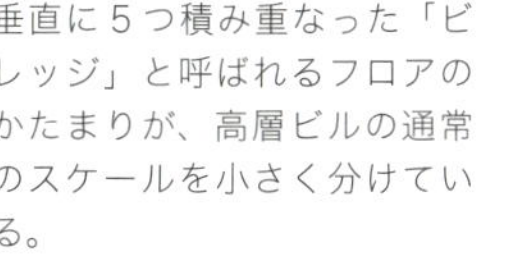
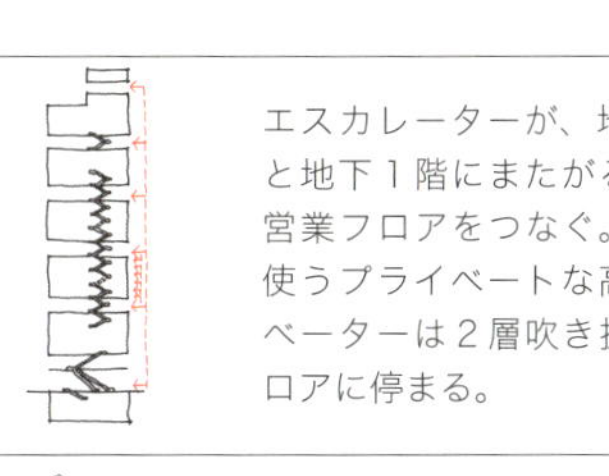

垂直に５つ積み重なった「ビレッジ」と呼ばれるフロアのかたまりが、高層ビルの通常のスケールを小さく分けている。

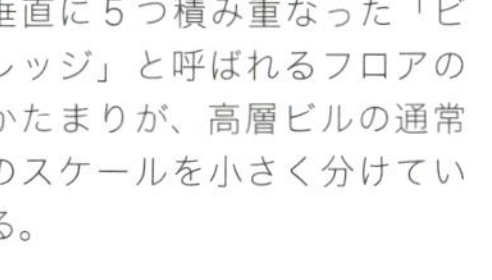
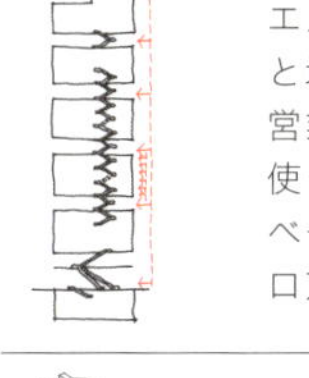
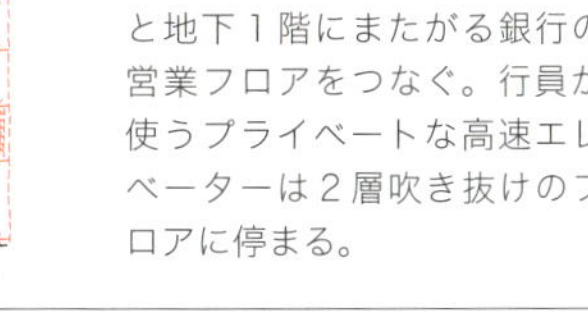
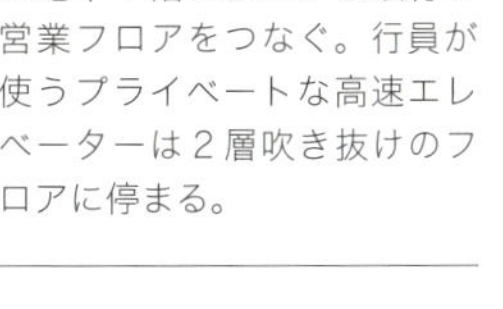

エスカレーターが、地上２階と地下１階にまたがる銀行の営業フロアをつなぐ。行員が使うプライベートな高速エレベーターは２層吹き抜けのフロアに停まる。

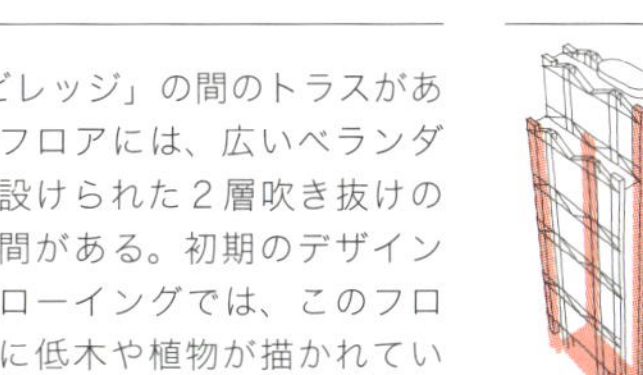
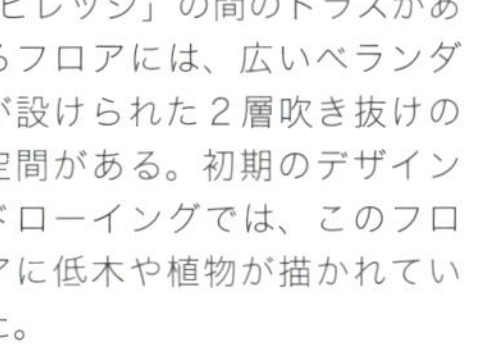

「ビレッジ」の間のトラスがあるフロアには、広いベランダが設けられた２層吹き抜けの空間がある。初期のデザインドローイングでは、このフロアに低木や植物が描かれていた。

地下の機械設備室は、ダクトを通じて各フロアのモジュール内の空調施設とつながっている。モジュールは縦に積み上げられ、プレハブのトイレがその中に納められている。

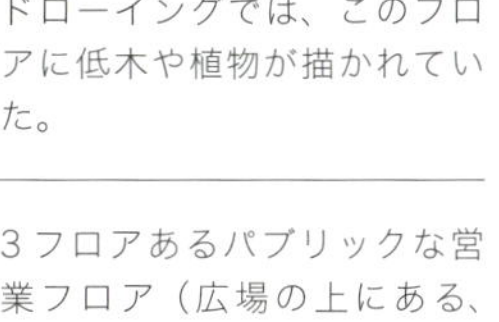

３フロアあるパブリックな営業フロア（広場の上にある、大きなアトリウムの低層の２フロアおよび地下１フロア）は、地上階の近くに設けられている。

４か所の非常階段が１階へつながっている。

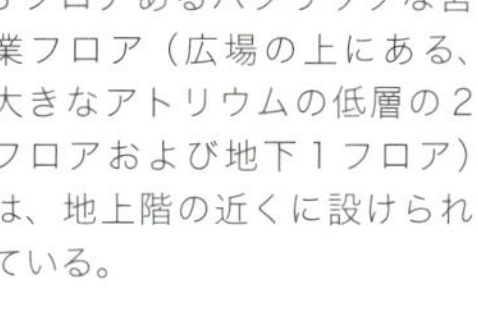
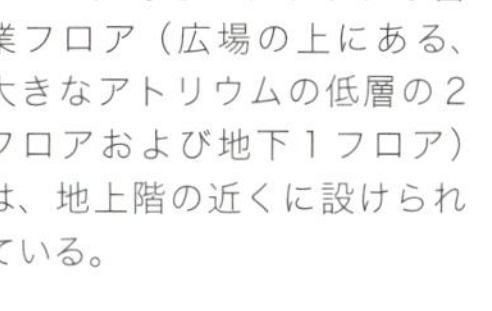

上級経営幹部の部屋がある「ビレッジ」は、もっとも高い位置にある。最上階は頭取の住居になっている。

ビルの屋上にあるヘリポートを２本のマストが支えている。メンテナンス用のクレーンが屋上に常設されているので、建設中の未完成のビルのように見える。

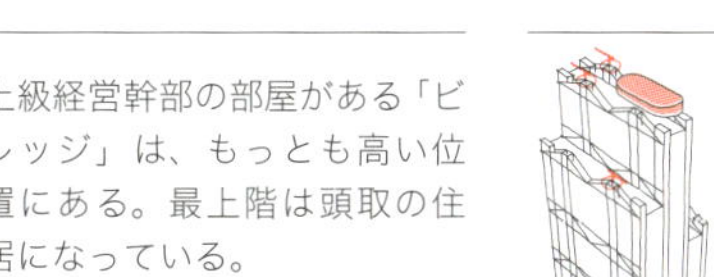

ビルの東側に３台のエレベーターが設けられている。高速エレベーターは２層吹き抜けのフロアだけに停まるので、利用者はそこから各フロアをつなぐエスカレーターに乗り換える。

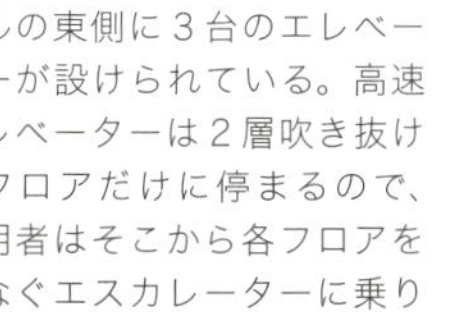
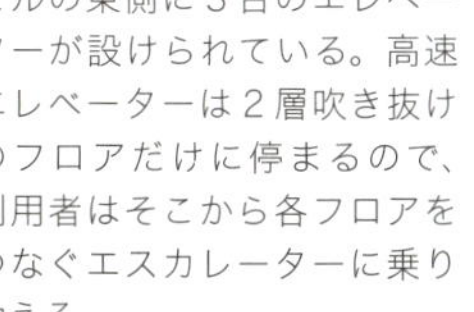
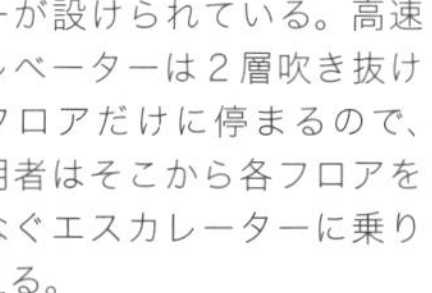
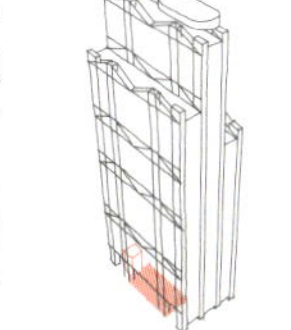
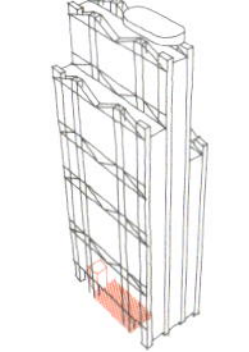
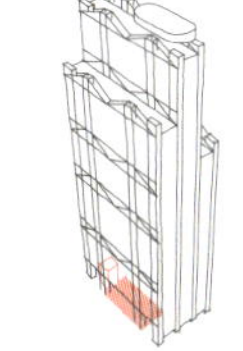
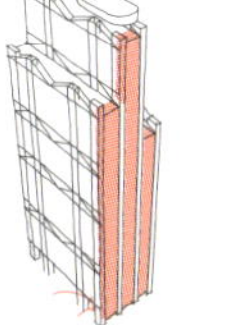

車用エレベーターが、小さな車両を地下の荷物配達エリアへ運ぶ。

モジュール

139個にのぼるプレハブのモジュールの中には、各フロアのトイレや空調設備、発電装置や変電装置などの２次的な機械設備が納められている。運送用コンテナと同じくらいの大きさで、製造と組み立ては日本で行われた。モジュールは２～３フロア分のフレームの中に、同じくプレハブのライザーパイプ（地中に設置する立上り管）でつながれ、ステンレススチールで覆われている。

モジュールはビルのマストの上のクレーンを使って吊り上げられ、所定の位置にはめ込まれた。

構造

フロアの床を吊っている、橋のような形の５層のトラスを８本のマストが支える。

マストは垂直なフィーレンディール架構だ。強固な水平部材が、４本ずつのサポート柱を、フロアの天井高と同じ間隔で結び付けている。フィーレンディールトラスには斜めのブレース（鉄骨造の建築物の強度をもたせるために、タスキ掛けに設ける線状の材）がないので、結合部の強度が要になっている。

鉄骨の部材は、耐食性と耐火性をそなえた層で覆われている。厚さ５ミリのアルミニウム製の被覆材が構造の形に沿ってかぶせられている。

地上階の広場の真上にあるガラス、縁から吊り下がったカテナリー構造で、軽やかで優雅な曲線を描いている。

気候への対応

香港のコロニアル様式（17～18世紀のイギリス・スペイン・オランダの植民地に見られる建築様式）の建物には、屋根付きの柱廊やひさしがある。その少し後に建てられた商業用の建物も同じだ。香港上海銀行ビルは、地上階には屋根付の広場、上階では日よけ付きのバルコニーがある。

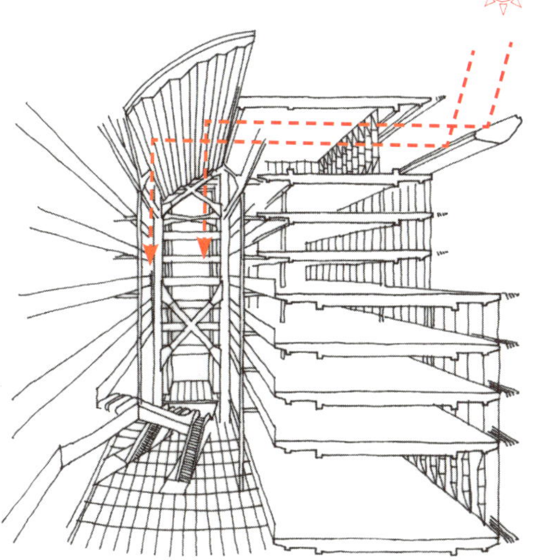

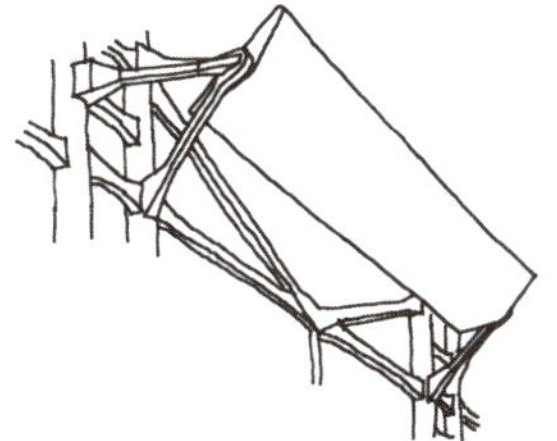

サンスクープ（コンピューターでコントロールされた電動式の反射鏡）が、建物の外側20か所に棚のように取り付けられている。太陽の動きに合わせて自動で向きを変え、ビルの中へ反射する光の角度を一定に保つ。

室内側のサンスクープには、光を拡散するためにさまざまな角度で固定された鏡が、何列も設けられている。その間に取り付けられた照明が自然光を補完するので、より多くの自然光が室内へ差し込んでいるように感じられる。

地中深くに掘られたトンネルを通って海から運ばれる海水は、空調の冷却機能やトイレの水洗に使われている。

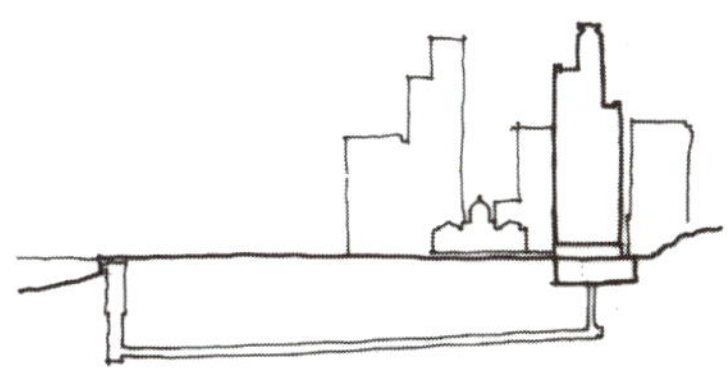

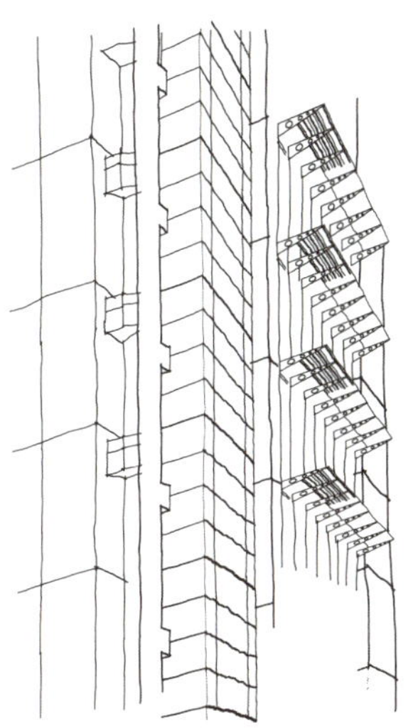

外壁に水平に取り付けられた日よけには斜めの羽板があり、道路の眺めをじゃますることなく、亜熱帯の日差しを遮る。窓のすぐそばにぴったりと並んだ羽板は、窓の清掃やメンテナンスをするときの足場になる。

風水

風水の考え方の起源は、古代中国の人と自然の融合の思想にさかのぼる。風水では、建物の立地や方角、細部のデザインが、その建物に入居する企業や人の幸せに影響すると考えられている。北側の海に面し、後ろにヴィクトリア・ピークを控え、2筋の尾根に抱かれる香港上海銀行ビルは、風水では恵まれた立地だ。

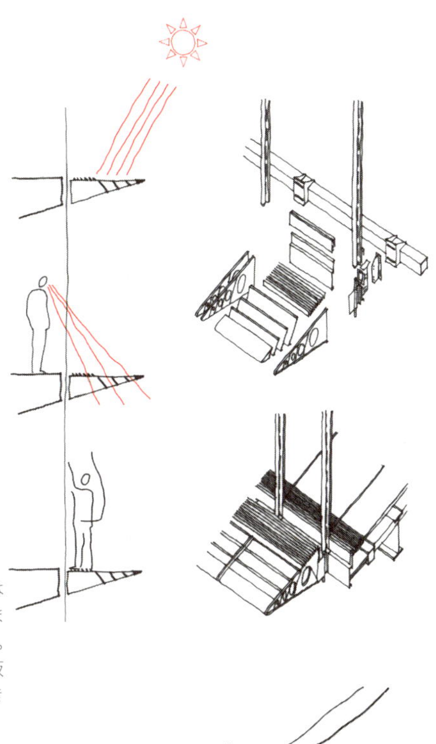

海から山までの断面図。

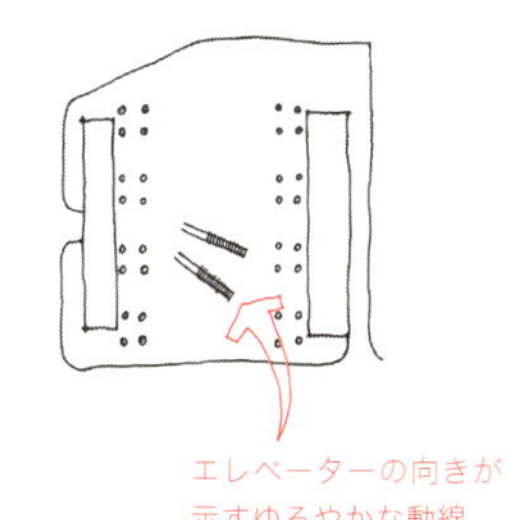

エレベーターの向きが示すゆるやかな動線

16

シュトゥットガルト州立美術館新館｜1977-84

ジェームズ・スターリング、マイケル・ウィルフォード&アソシエーツ

ドイツ、シュトゥットガルト

シュトゥットガルト州立美術館の新館は、美術館の増築のために開かれた国際設計コンペで勝利したイギリス人の建築家ジェームズ・スターリングが設計した。デザインには、旧館とのつながりを意識したタイポロジー（構成の論理を抽象化して類型化した概念）が使われた。素材や形の選び方には、歴史のコンテクストとの結び付きを模索するポストモダンの思想が強く表れている。一方で、このシュトゥットガルト州立美術館では、新古典建築など伝統的な要素の引用と、現代的な建築デザイン表現である鮮やかな色合いやガラスとスチールなどが、同時に用いられている。伝統的な建築から引用されたことなる性質をもつ要素が見事に組み合わされ、建物全体のデザインに一体感を生んでいる。

建物の周りにはいくつもオープンスペースがあり、人々が美術館の前で集うことができる。また、多様な床レベルの通路やスロープが中庭を区切っているので、敷地内を歩きながら彫刻が展示されている中庭を眺められる。このように工夫が凝らされたデザインを通じて、美術館の環境が周りの都市コンテクストに自然に溶け込んでいる。

アミット・スリヴァスタヴァ、リマス・カミンスカス、ラナ・グリア

STAATSGALERIE

16 シュトゥットガルト州立美術館新館｜1977-84

ジェームズ・スターリング、マイケル・ウィルフォード＆アソシエーツ

ドイツ、シュトゥットガルト

都市コンテクストへの対応

州立美術館新館は、美術館の旧館の増築部分として建てられた。旧館とのつながりを考慮し、旧館に使われていた新古典主義建築の要素が取り入れられている。また、新館の全体の構成も旧館と同じU字プランだ。さらに、中庭の空間にもU字型の旧館の建物と同じ半円形のパターンが使われている。旧館には半円の芝生をぐるりと囲むように通路が設けられているが、新館では周辺の都市コンテクストに沿うように、かつ敷地内の動線がスムーズになるように、円形の庭の半周に通路が作られている。また、美術館が人々の憩いの場になるように建物を道路との境界からセットバックさせ、その間に市民が交流できる場所を提供している。

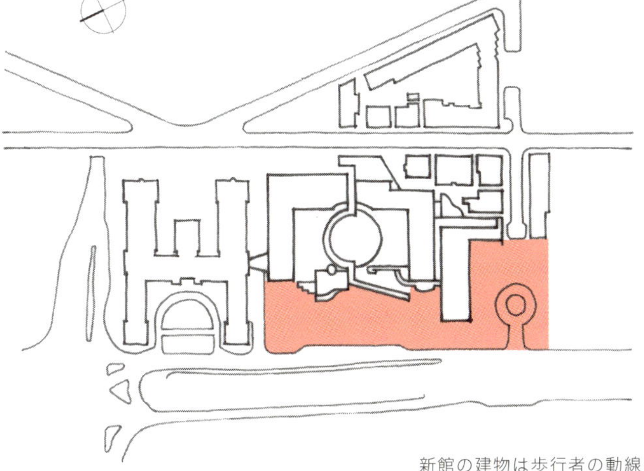

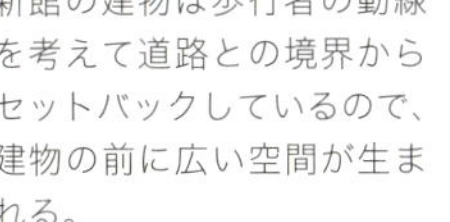

新館の建物は歩行者の動線を考えて道路との境界からセットバックしているので、建物の前に広い空間が生まれる。

新館の建物は、州立美術館旧館のU字型にならっている。

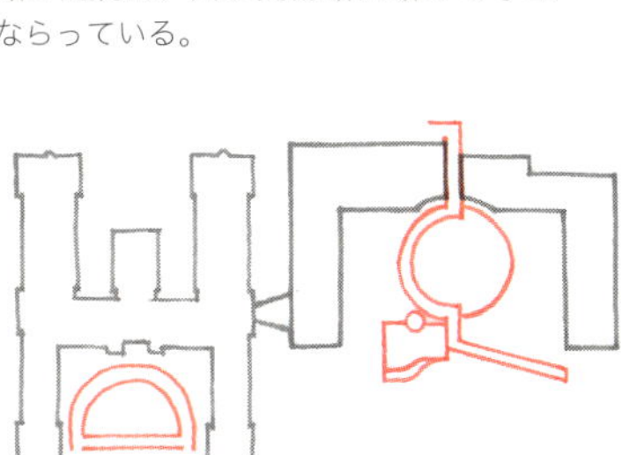

旧館と同じように新館にも庭があるが、動線をスムーズにするため別の表現がとられている。

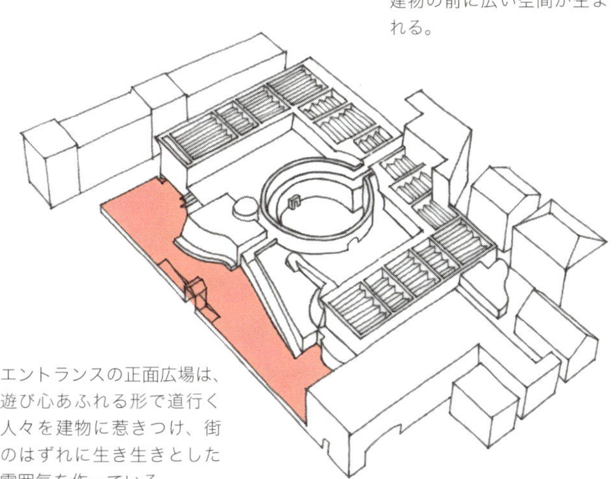

エントランスの正面広場は、遊び心あふれる形で道行く人々を建物に惹きつけ、街のはずれに生き生きとした雰囲気を作っている。

タイポロジーと前例への対応

デザインのうちもっとも興味深い工夫は、U字プランから生まれる中庭の表現方法だ。中庭は2層の庭が互いを抱え込むような形になっている。上の層の庭は正面の道路に面し、下の層の庭は敷地を横切る歩行者用通路の合流地点に面している。この合流地点は、道路からセットバックした空間に作られている広場と、建物の後ろにある住宅街をつないでいる。庭を2層にする独特の表現を通して、建物と前後の道路をつなぎ、周りの都市構造と美術館を1つに結び付けている。

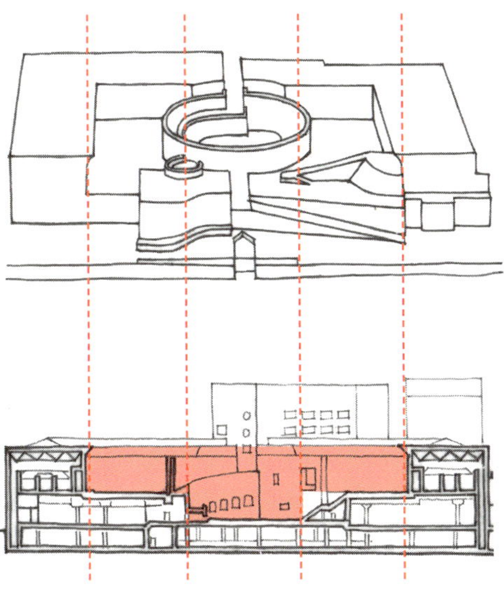

2層構造の庭は、それぞれ自動車用と歩行者用の別々の道路に面している。

パブリックな中庭とプライベートな中庭

歩行者が敷地を横断できるようにしたところ、これまでにないおもしろいデザインの中庭が生まれた。中庭はパブリックな大通りでもあり、彫刻作品を展示する場でもある。円形の中庭をスロープの通路が囲っているので、通行人は歩きながら彫刻作品を眺められる。また、来館者が美術館内から庭へ出るための通路もある。

パブリックな通路は、彫刻作品が置かれたプライベートな中庭を見下ろすバルコニーのようになっている。

歩行者用通路の構成は、ローマの近くにあるパレストリーナの古代遺跡、フォルトゥーナの神殿（フォルトゥーナ女神を祀った古代遺跡）（図上）がもとになっている。この遺跡では上りスロープが折れ曲がりながら続き、メインの神殿へ辿りつく。州立美術館新館のデザイン（図下）も同じようにスロープの歩行者用通路が続き、敷地を横切って美術館の裏の道路へつながっている。歩行者がこのスロープを通れば、途中で横切る美術館の空間をおのずと楽しめるようになっている。

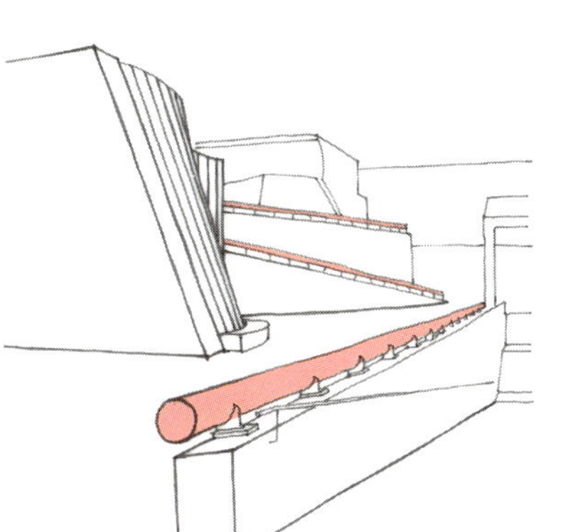

中庭と、敷地を横断するように延びる通路

敷地を横切る歩行者用の上りスロープと、地面より１段低く作られた中庭が、２層構造を作る。中庭では来館者が彫刻や展示作品に近づいて鑑賞できる。通行人は、バルコニーのような歩行者用通路から身を乗り出して彫刻を眺められる。美術館の背後にある急勾配の傾斜地につながるように、スロープは上り坂になっている。このおかげで通路がバルコニーのようになって通路と中庭に視覚的なつながりが生まれる。その結果、通路が活気付き、よりたくさんの人々を招き入れている。

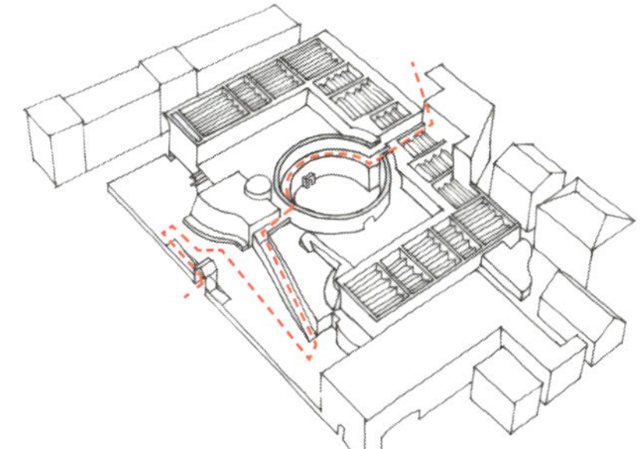

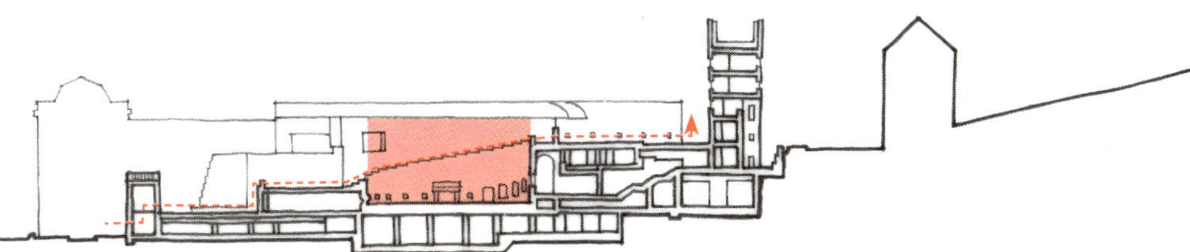

16 シュトゥットガルト州立美術館新館｜1977-84

ジェームズ・スターリング、マイケル・ウィルフォード＆アソシエーツ
ドイツ、シュトゥットガルト

新しいものと古いもの

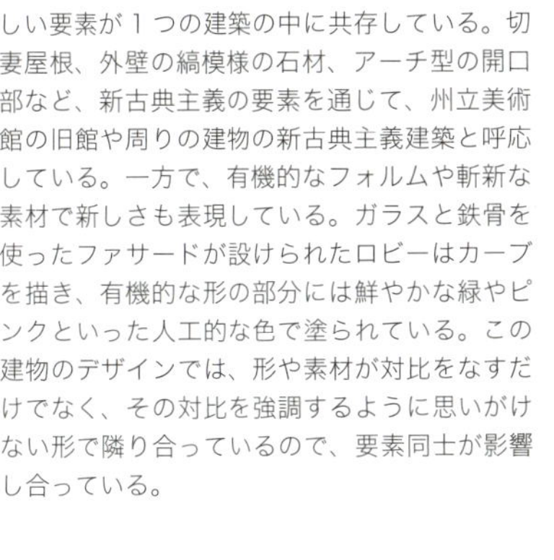

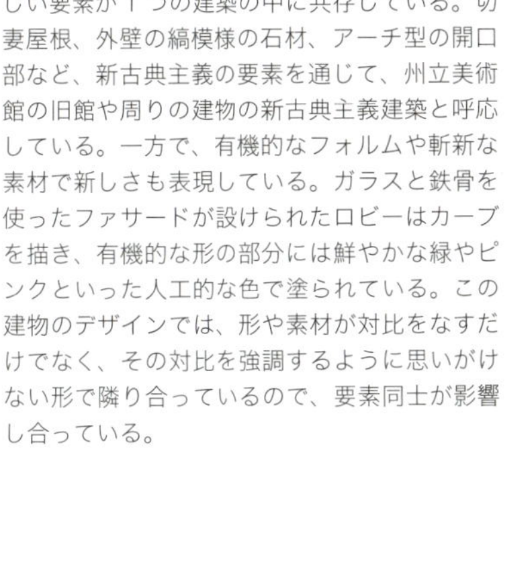

切妻屋根などの旧館に相通じる要素と、新しいフォルムや素材が共存している。

ポストモダニズムの建築らしく、古い要素と新しい要素が１つの建築の中に共存している。切妻屋根、外壁の縞模様の石材、アーチ型の開口部など、新古典主義の要素を通じて、州立美術館の旧館や周りの建物の新古典主義建築と呼応している。一方で、有機的なフォルムや斬新な素材で新しさも表現している。ガラスと鉄骨を使ったファサードが設けられたロビーはカーブを描き、有機的な形の部分には鮮やかな緑やピンクといった人工的な色で塗られている。この建物のデザインでは、形や素材が対比をなすだけでなく、その対比を強調するように思いがけない形で隣り合っているので、要素同士が影響し合っている。

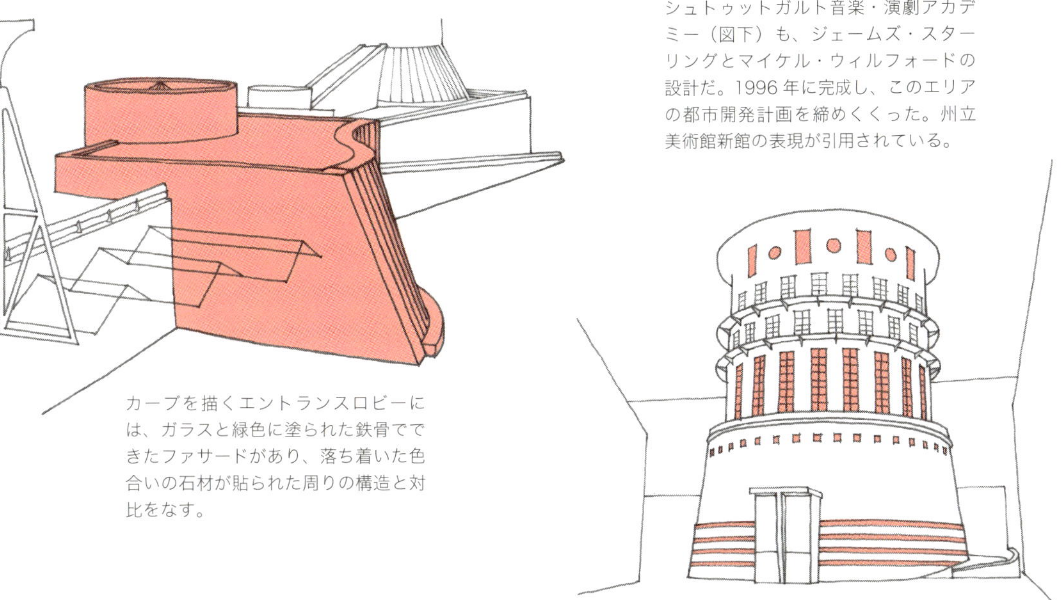

カーブを描くエントランスロビーには、ガラスと緑色に塗られた鉄骨でできたファサードがあり、落ち着いた色合いの石材が貼られた周りの構造と対比をなす。

シュトゥットガルト音楽・演劇アカデミー（図下）も、ジェームズ・スターリングとマイケル・ウィルフォードの設計だ。1996年に完成し、このエリアの都市開発計画を締めくくった。州立美術館新館の表現が引用されている。

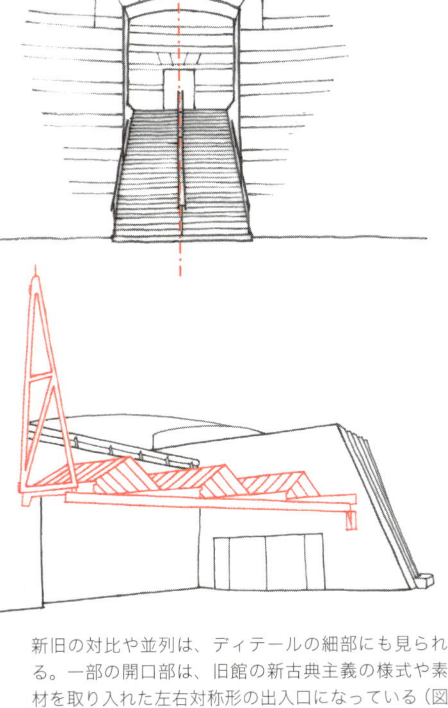

新旧の対比や並列は、ディテールの細部にも見られる。一部の開口部は、旧館の新古典主義の様式や素材を取り入れた左右対称形の出入口になっている（図上）。一方で、非対称なバランスで配置されている要素もある。真上の図では、ガラスの張り出し屋根（新古典主義の形を模しているともとれる）が鮮やかな色のスチールパイプで支えられ、背景にある自然な色合いの石材が貼られた壁とコントラストをなしている。

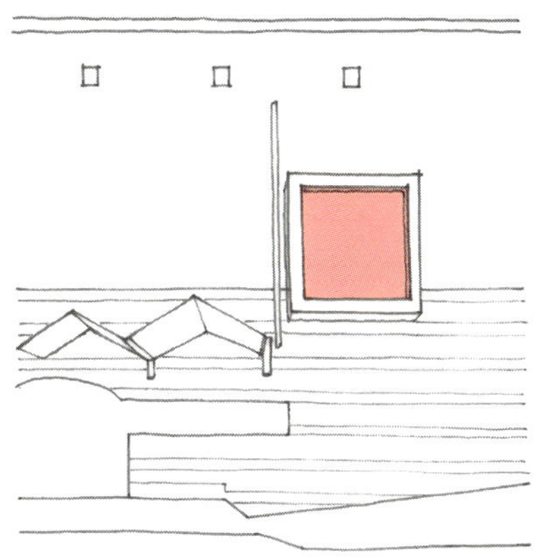

対比的なディテールはそれぞれ別の部分だけでなくしばしば１つの部分の中で隣り合わせに使われ、遊び心あふれる造形を強調している。一見すると新古典主義的な秩序あるファサードをあえて少しだけ左右非対称にしたり、石壁に開口部を設けて石の破片を地面に散らすように配置したりして視覚的なおもしろさを演出し、設計者のポストモダニズム的な意図を表現している。

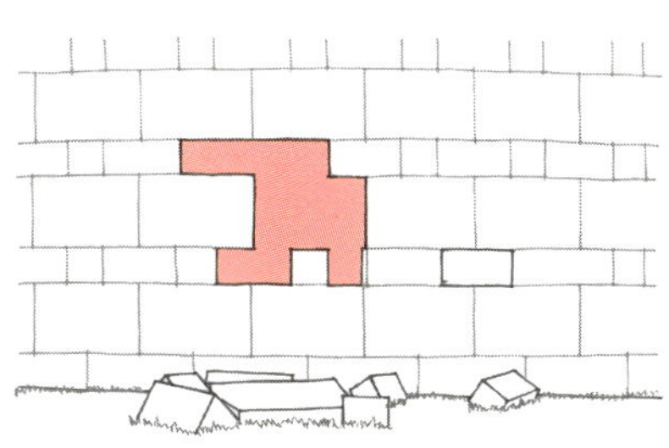

来館者への対応

室内にも遊び心に満ちたフォルムが使われている。特徴的なカーブを描くエントランスホールの壁は、光と影が独特の趣を見せる。ガラス張りの壁から注ぐ光が室内を満たし、鮮やかな緑色の床に反射して不思議な雰囲気を醸し出す。太陽が空を移動するにつれてマリオンの影も移ろい、空っぽな印象を与えかねない空間に生き生きとした表情を作っている。

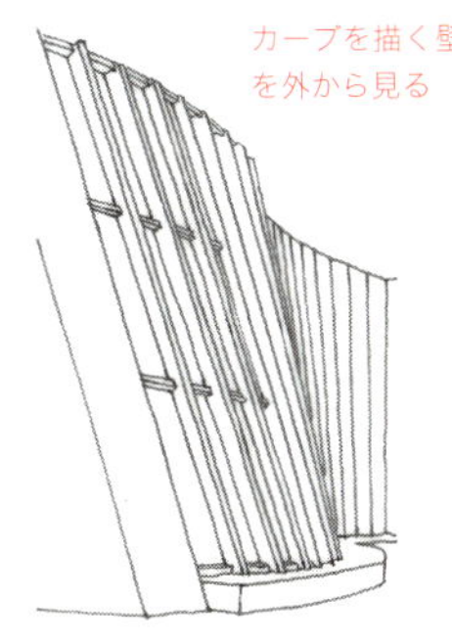

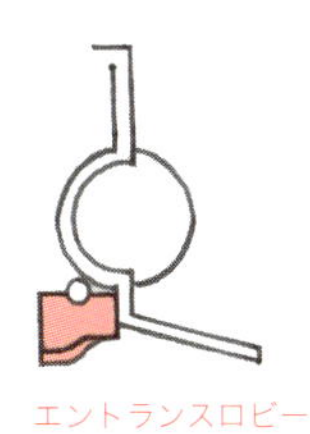

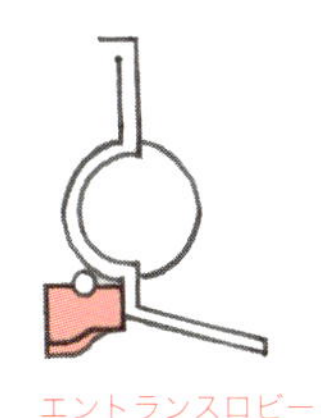

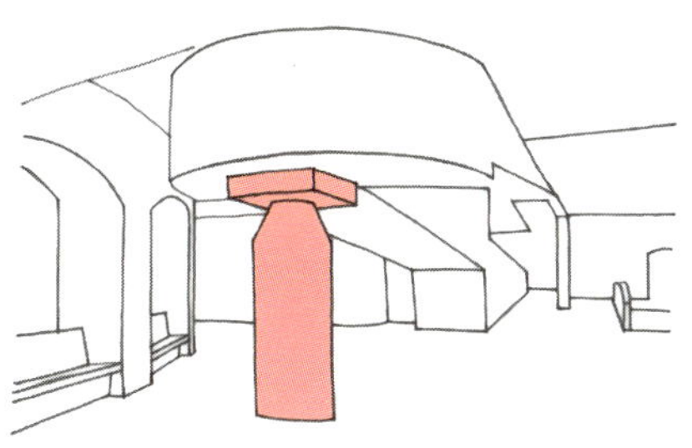

彫刻作品のような、多様なフォルムの柱。

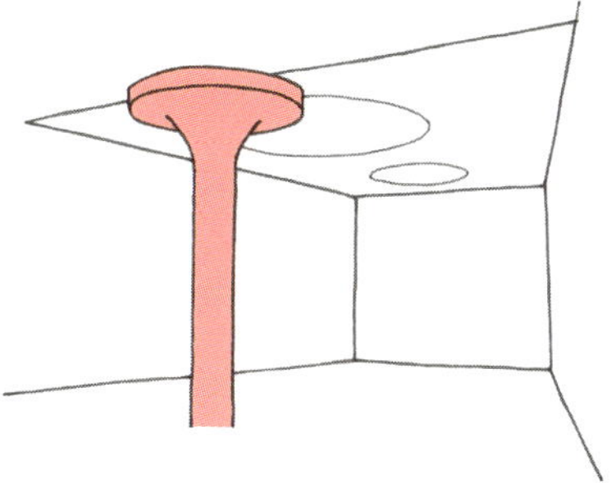

さまざまな形の影がロビー内に映る。

明るく広々とした室内は美術館にぴったりだ。白く塗られた大きな壁は、あらゆる芸術作品を展示しやすく、来館者は鑑賞に集中できる。また、いくつかの建築の要素でスケールが強調されているので、建物にも意識が向かう。多様な形の柱はそれ自体が彫刻作品のようで、建築そのものが美術館の展示作品の一部になっている。

17

マーサズ・ヴィニヤードの家｜1984-88

スティーブン・ホール・アーキテクツ

アメリカ、マサチューセッツ、マーサズ・ヴィニヤード

マーサズ・ヴィニヤードの家は、アメリカ人建築家のスティーブン・ホールが依頼を受け、ある夫婦のためにデザインしたビーチハウスだ。マーサズ・ヴィニヤードはその土地ならではのビーチハウスで有名な、マサチューセッツの沖にある離島。敷地は細長く、海岸線に沿う平屋でなければならないという建築規制の制約があった。スティーブン・ホールは、スケールや素材を使って周りの家になじませながらこの条件に対応させつつ、構造やフォルムで個性を放つデザインを施した。

この家では住人が豊かな人生体験を味わえることが優先され、永続性よりもつかの間の儚さを感じるデザインが特徴的だ。敷地や規制などの物理的な条件に応えるこの家では、自然と人工、内部と外部、明るさと暗さ、一時性と永続性などさまざまな「境界」があいまいに感じられる。

セレン・モーコック、ヴィクトリア・コバレフスキ

17 マーサズ・ヴィニヤードの家｜1984-88

スティーブン・ホール・アーキテクツ
アメリカ、マサチューセッツ、マーサズ・ヴィニヤード

敷地

敷地の裏には湿地があり、近くにはこの土地ならではの小さなスケールの家が並んでいる。建物を海から見たときに平屋に見えなければならず、近所の家のオーシャンビューをさまたげてはならないという規制がある。このためマーサズ・ヴィニヤードの家は独特の細長い形をしていて、その規模は近くの建物と同じくらいになっている。

短辺 7.6 メートルの長方形をした敷地は、湿地からやや離れた建物のない場所にある。大通りには面しておらず、家と大通りをつなぐ小道が延びている。敷地の周りの自然に負担を掛けないように、車の通れない歩行者専用通路になっている。

メタファー

デザインのきっかけになったのは、海と深い関わりをもつ先住民やその生活、そしてハーマン・メルヴィルの小説『白鯨』（1851）だ。先住民は、浜に打ち上げられたクジラの骨を引いてもち帰り、それを動物の皮や樹皮で覆って住居にした。マーサズ・ヴィニヤードの家では本来建物の内側にある木製のフレームが外側へ裏返されたように見える。外縁に作られたベランダは、クジラの骨で作った住居のようだ。屋根や壁はフレームの上に広げられた膜のようで、クジラの骨を覆う動物の皮や樹皮を思わせる。

ここでは自然がデザインに強いインスピレーションを与えている。雨風にさらされたグレーの外壁、華奢な構造、コンパクトな室内、海風や日光を存分に感じられる工夫が、自然とふれあえる生活スタイルを作り出す。この家は現代的なフォルムだが、敷地に浮かんで海を見渡す船のようでもある。

西側、東側、北側のファサードにはすべて木製フレームが使われ、一体感が生まれている。ファサードが建物の内部と外部、半内部にまたがる移動空間を作り出しつつ、それらの境界をぼかす。

ハーマン・メルヴィルの小説『私と私の煙突』では、老人が家の真ん中にある古い大きな煙突に心を奪われる様子が描かれる。マーサズ・ヴィニヤードの家でも、中央にある大きくがっしりとした暖炉と煙突は、建物の中心的な要素だ。暖炉の奥には食堂と居間がひと続きに見え、暖炉の手前には階段が作られている。

海から見たときに平屋に見えるように、敷地の中で海からもっとも遠い位置に２階建て部分が作られた。

気候への対応

マーサズ・ヴィニヤードの平均気温は冬で摂氏２度、夏で摂氏 20 度だ。夏を過ごすビーチハウスに適した過ごしやすい気候なので、太陽熱を利用した暖房や風などを利用した冷房はデザインの大きな問題にはならなかった。生活空間へ差し込む直射日光を遮ることよりも、海の景色を見渡せることが優先されている。天窓やいろいろな大きさの窓から、自然光が部屋の中へたっぷりと降り注ぐ。

室内、屋外にある階段が、空間と空間をつなぐスペースを明確にしている。

形状の成り立ち

木製の骨組を基本単位として、大きな直方体に幾何学の立体の基本図形が水平、垂直に組み合わされている。

骨組が、皮で覆われる（すなわち外壁で覆われる）ボリュームの大きさを決めている。ずらりと並ぶ木製の柱が基本単位となり、細長い敷地の形にとらわれない多様な空間が作られる。

長手方向のボリュームの一部にパティオが設けられ、その分のボリュームを埋め合わせるかのように、直方体の上にボリュームが追加されて２階部分を作っている。

２つの三角のボリュームが直方体の基本のボリュームから突き出している。１つは、何もない空間を三角すいに囲い取ったような天窓のフレーム、もう１つは直方体の長辺から三角柱のように出っ張っている食堂の空間だ。

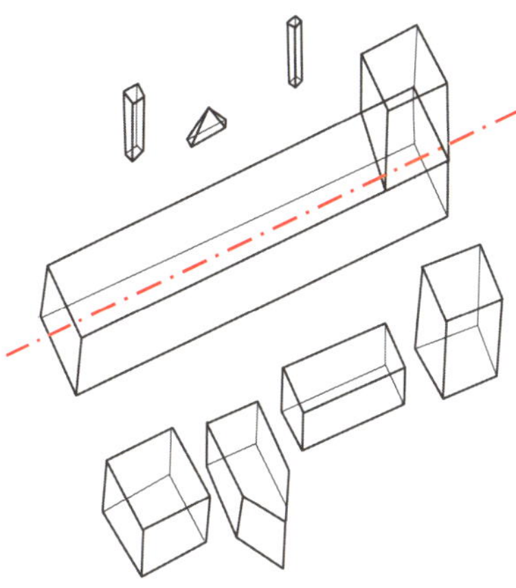

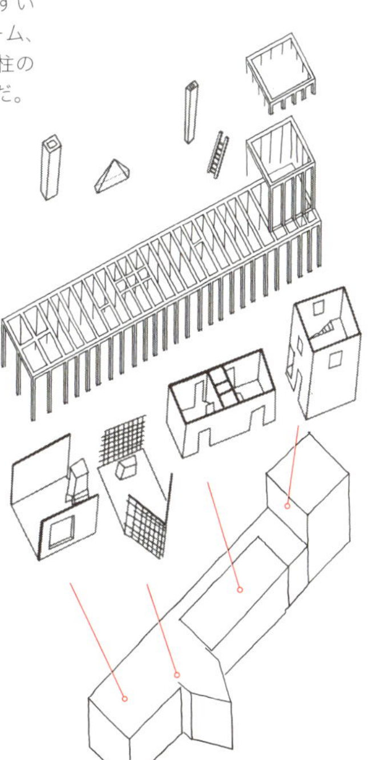

形状と建設

マーサズ・ヴィニヤードの家は、建物を持ち上げて眺めを最大限に確保するために、この地方でよく使われる柱状の支持部材（杭基礎）で支えられている。この支持部材は斬新な使われ方をしている。支持部材の長さを調節することで、地面の傾斜に合わせて、平面の長手方向に沿って床レベルに段差が設けられているのだ。地面は傾斜しているが屋根は同じ高さで平らになっているので、床レベルの低い居間などのパブリックな部屋は天井が高くなっている。屋上のデッキからは広々とした景色が見渡せる。

自然光

暗い廊下に、明るい点のような小さな開口部がある。薄暗いホールは光あふれる食堂に向かって開けている。三角形の天窓や窓の複数の面から自然光が注ぐ食堂は、この家で光がもっとも集まる場所だ。食堂にはガラスと木材のマリオンが取り付けられた三角形の窓があり、住人は180度のパノラマビューを楽しめる。

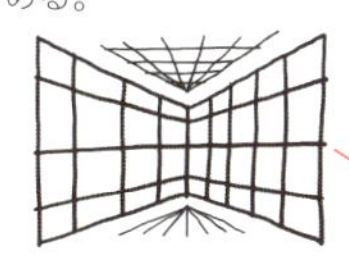

西側の立面に広がる木製フレーム。ディテールにはさまざまな反復するパターンが使われている。

むき出しの天井の梁が、空間の奥行きとつながりを演出する。

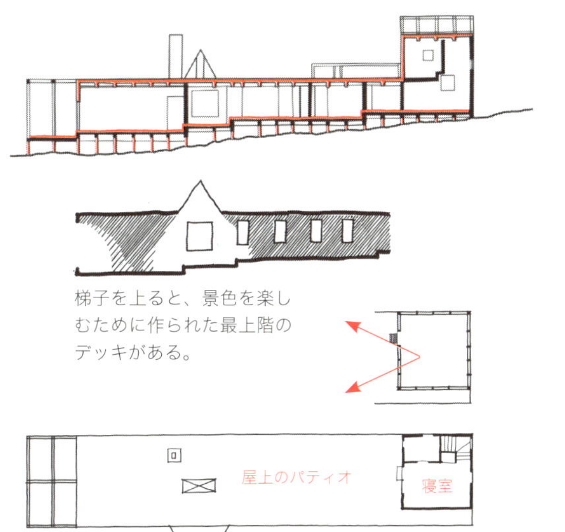

梯子を上ると、景色を楽しむために作られた最上階のデッキがある。

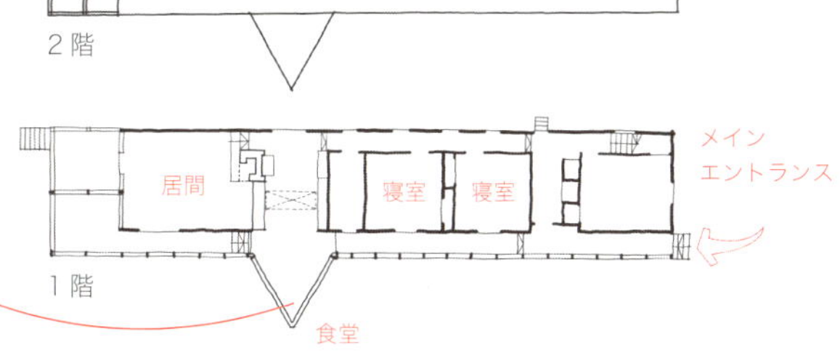

影

いろいろな模様を描くように組み合わされた木製フレームが西側のファサードに多様な影を映し、時とともに移ろいゆく人生体験を表現している。

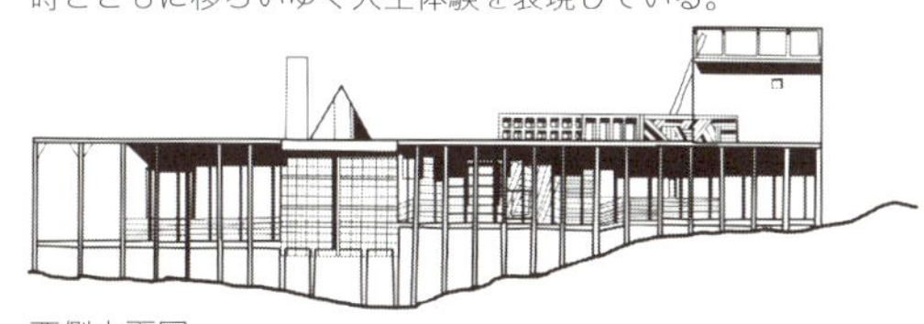

西側立面図

18

水の教会｜1985-88
安藤忠雄建築研究所
日本、北海道、トマム

水の教会は、日本のトマムにある星野リゾート・ホテル内の結婚式場として建てられた。リゾートのほかの建物から離れた位置にあり、外観には際立ったデザインが使われているので、教会の神聖性とそのほかの施設の世俗性との違いがはっきりと区別されている。

安藤忠雄が設計したこの教会は、敷地や宗教施設というコンテクストへの対応に加えてドラマチックな演出が施されている。室内と屋外、神聖性と世俗性、明と暗、伝統と現在などことなるもの同士の境界がはっきりと表現され、それでいてすべてが１つのデザインとして融合している。

水の教会は、安藤が水、光、風の自然の要素を取り入れて日本国内に設計した「教会三部作」の１つだ。ほかに、大阪郊外の光の教会、兵庫県の風の教会がある。

セレン・モーコック、アントニー・ラッドフォード、シー・ヤー・チャン、ジョージナ・ペンホール

18 水の教会｜1985-88

安藤忠雄建築研究所
日本、北海道、トマム

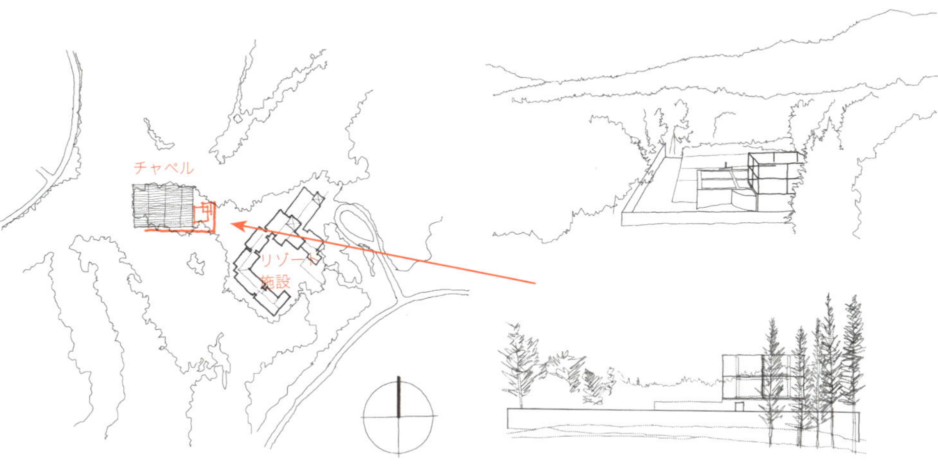

コンテクスト

水の教会は、大型リゾートホテル内に設けられた、印象的な結婚式場だ。ホテルに背を向け、人工池に面して建っている。人工池の背景には木々や夕張山地がある。長いＬ字型のコンクリート壁が、この理想的なランドスケープをリゾート施設から物理的・象徴的に切り離している。

Ｌ字の壁がリゾート施設を、木々が近くの道路をそれぞれ隠しているので、建物と池は自然の中に孤立しているように見える。チャペルは池に少しだけ浸るようにして岸の上に建っている。

アプローチと入口

リゾート施設から、木々の間を通り抜けてＬ字の壁の端を回り込むように小道が続き、教会の入口である内側の壁に設けられた開口部へ至る。

室内には廊下から上階へ続く階段がある。上階では、スチールフレームのガラス壁の内側に、４つの十字架が向かい合って正方形を作るように立てられている。４本の十字架の外側を通る通路は下り階段につながりエントランスのフロアへ戻るが、壁が作られているので来場者が再び外へ出てしまうことはない。来場者は右へ曲がり、半円形の階段を下って、待合室がある下階へ辿りつく。待合室は４つの十字架の下にあたる。チャペルの後ろから入ると、正面には人工池と水面に佇む１本の十字架が見える。

来館者は順路を歩いていくと、その間に用意されているさまざまな空間やランドスケープとのつながりを感じられる。チャペルで行われる結婚式などの儀式を待つ時間にも豊かな体験が味わえる。

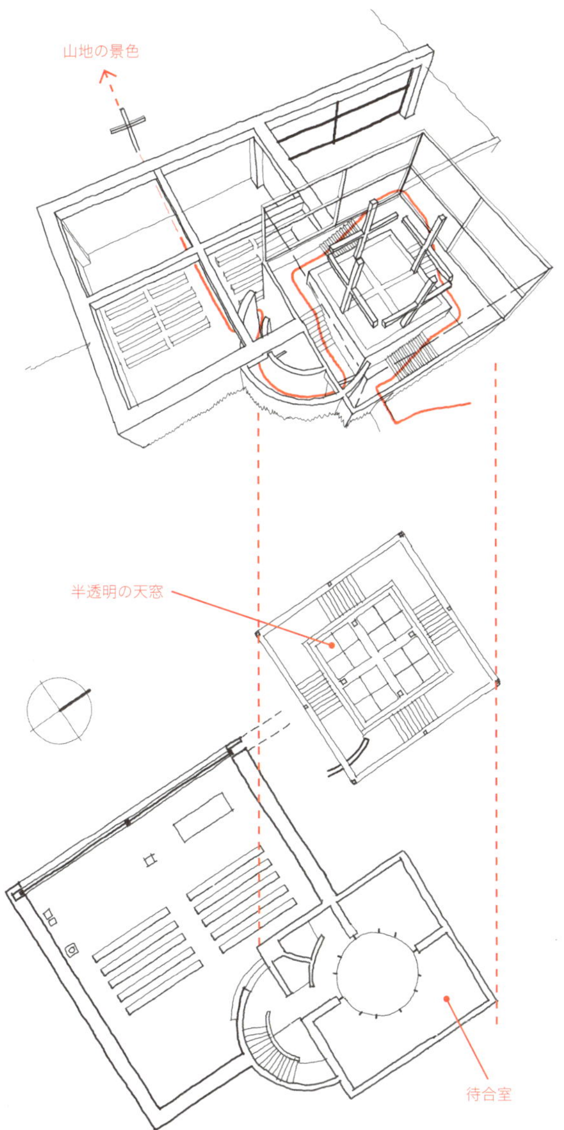

ランドスケープの中の十字架

キリスト教のシンボルである十字架は、屋外の池の中に配置されている。まず上階のガラスのボックスから景色を見渡すと、広い景色の中に溶け込んでいるような十字架が見える。次に下階に降りると、壁で３方向をＵ字型に囲われたチャペルから再び十字架が見える。チャペルからは十字架が真正面に見えるように念入りに計算されている。

ガラス壁の中枠が十字に交差し、池の中の十字架と同じ軸上に、より大きなもう１つの十字架を作っている。ガラスの壁をスライドさせると、チャペルが外の十字架や周りのランドスケープに向かって開け放たれ、内と外が一体になる。長方形の開口部が、プロセニアム・アーチ（劇場の客席と舞台との間の上部に作られるアーチ状の構造）のように風景を切り取る。この建物とランドスケープとの境界で、結婚式が行われる。

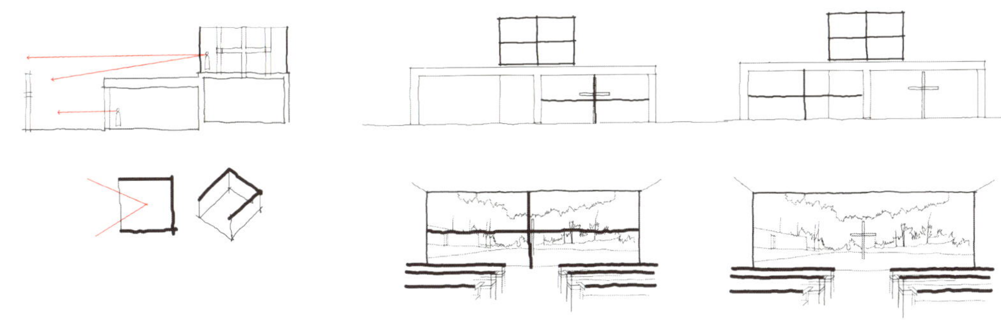

ガラスの壁から後ろを振り返ると、壁と天井が直行する直方体のフォルムをしたチャペルの空間に、入口から続く円筒形の階段室が割り込んでいるように見える。グレーのコンクリート壁は未塗装だが、打設時に使われた長方形の型枠シートの、規則正しい格子模様が付いている。

素材

この建物のメインの素材は、コンクリートとガラスだ。打ち放しのコンクリートにはざらざらした部分や光沢のある部分がある。そのため、多彩な光が演出され、来館者に豊かな経験を提供している。厚い壁と屋根のおかげで、冬の寒さの中でも室内の気温は快適だ。黒い御影石が床暖房設備を途切れなく隠している。

18 水の教会｜1985-88

安藤忠雄建築研究所
日本、北海道、トマム

空間、フォルム、幾何学図形

教会の中の空間は、シンプルな幾何学的関係と正確な比率にもとづいて構成されている。

池は、短辺と長辺の長さが1：2の比率の長方形だ。長辺は4等分割され、それぞれに段差があるため、小さな滝ができている。池の上には木々が張り出し、くっきりとした池の端のラインをやわらげている。

チャペルの北端は、池の中心線に接している。チャペルの空間の広さは、建物全体に共通する単位である正方形9つ分だ。そこに、正方形4つ分の広さの背の高いボリュームが組み合わさっていて、北東の角の正方形は重なっている。2つめのボリュームには、対照的な空間の特徴をもつ2つのフロアがある。下階はコンクリート壁に囲まれ、一部が地下に潜っている。上階はガラス壁に囲まれ、屋根はない。

上階の空間の中には、さらに入れ子状の小さな空間がある。この内側の空間の境界になっているのは、それぞれ独立し、中心に向かって向かい合わせに立つ4本のコンクリート製の十字架だ。床には5つめの十字架のようにコンクリート製の枠が組まれていて、その枠が作る正方形にはガラスが張られ、天窓になっている。これらの天窓から入る光が下のフロアを照らす。

内側の空間と外側の空間の間の4か所に、短い階段がある。来館者は教会へ入るとき、2か所の階段を上って北西の高い地点（池、十字架、ランドスケープが見える）へ至り、残りの2か所の階段を再び降りることになる。

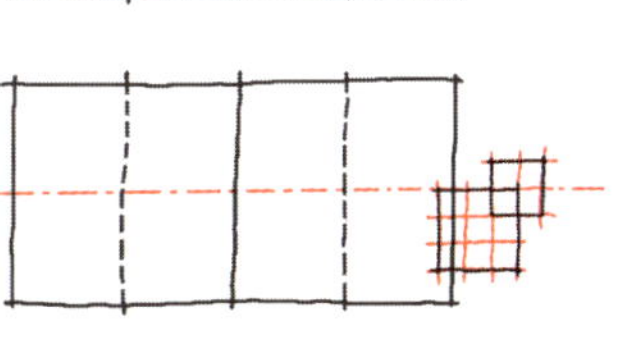
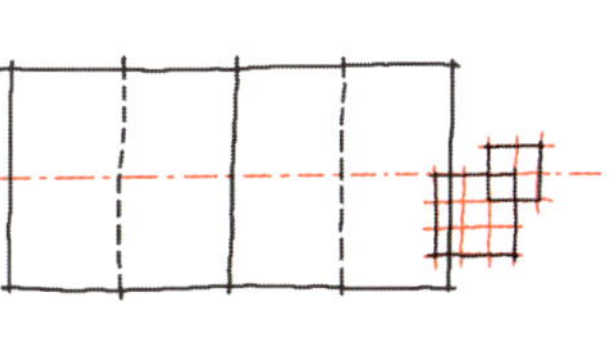
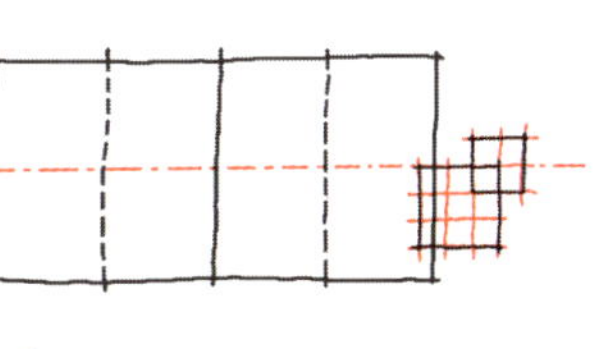
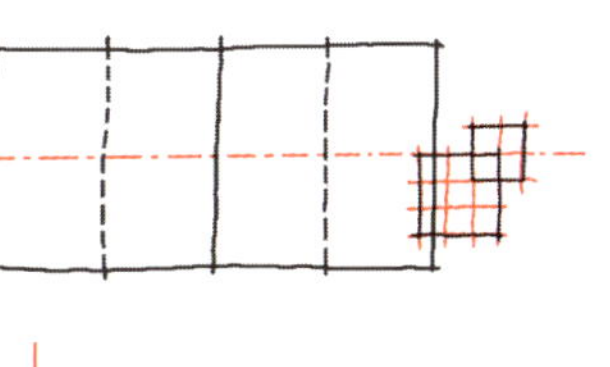
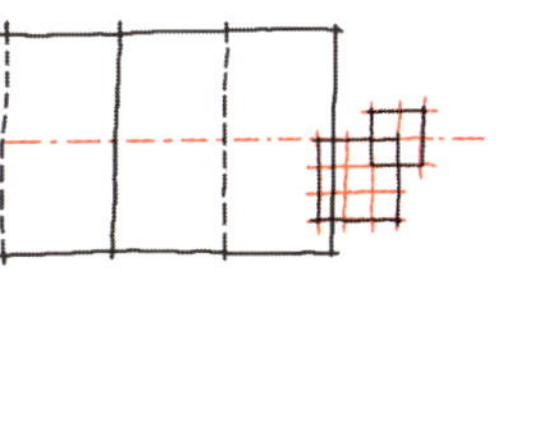

コンクリート製の十字架は、上階のガラスのボックスの中に、上下左右対称に配置されている。

2つの直方体のボリュームに、円筒形のボリュームが挿入されている。正方形9つ分であるチャペルの東側の壁と正方形4つ分のボリュームの南側の壁とが交差する部分に、円筒の中心線が通っている。

円筒形の4分の1は2つの直方体のボリュームの外側へ突き出ていて、さらに4分の1はチャペルの角に張り出している。正方形4つ分のボリュームでは、円筒の外周のごくわずかな部分しか見えない。その部分は、4本の十字架の外側に設けられている通路を阻むように張り出しているので、通行する人は右に曲がり、円筒を半分に切った形のボリュームへ入ることになる。そこから、半円形の階段室が階下へ続いている。

コンクリート製の十字架の下に位置する下階でも、空間が入れ子状になっている。ガラス壁の円筒形のボリュームが、中央のホール（上階の床に天窓があり、そこから光が入る）を待合室から切り離している。一角に2つの小さなトイレがある。

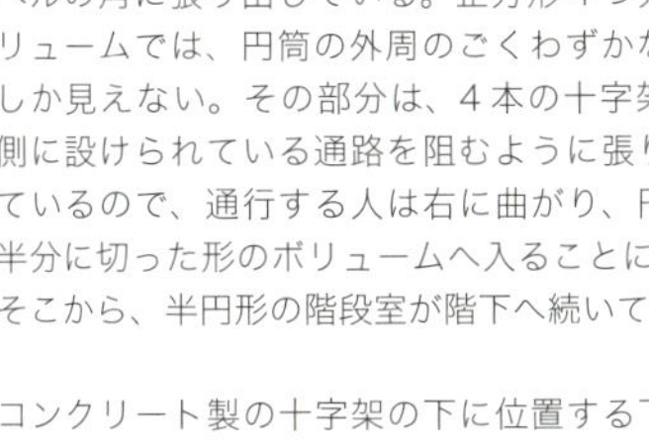

鋼の十字架　池の中に立つ十字架は、2本のH型鋼を組み合わせて作られている。

調度品も同様に、幾何学的なフォルムと比率で秩序立てられている。背の高い2脚の椅子は、背もたれの高さと座面の高さの比率が3：1になっている。フラワースタンドは、立方体の木製枠のベースに円錐形が組み合わさっている。

空間、フォルム、光

この建物の重要なポイントの1つが、光と闇のコントラストだ。最上階のガラスのボックスとチャペルの開かれた壁から日光が入る。ガラスボックスと待合室をつなぐ円筒形のヴォイドが光の管のような役割を果たす。反射した光が半円形の階段室を照らし、人工池の水面もチャペル内に光を反射する。

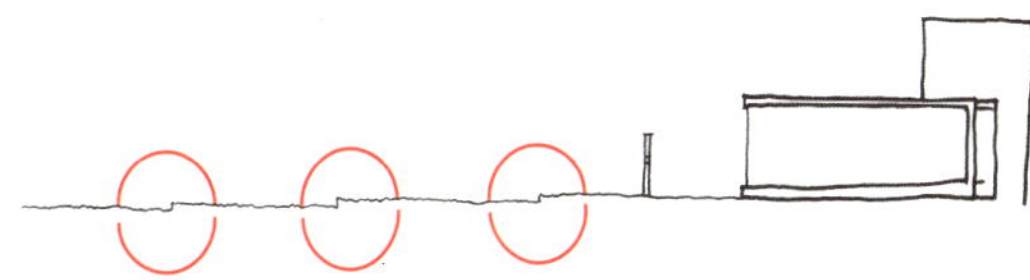

段差のある池に映る風景や水面が立てる静かな音が、いずれも神聖な雰囲気を高める。

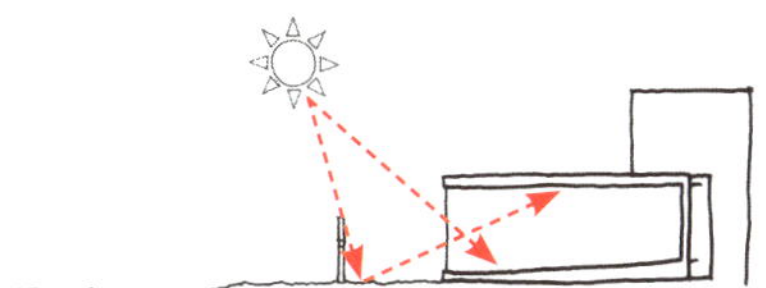

チャペル内部の自然光は、ガラスのファサードでコントロールされている。チャペルの壁のうち、池に面した壁だけがガラス張りだ。水面に反射した光が室内に届くので、チャペルにはそのほかの照明は必要ない。

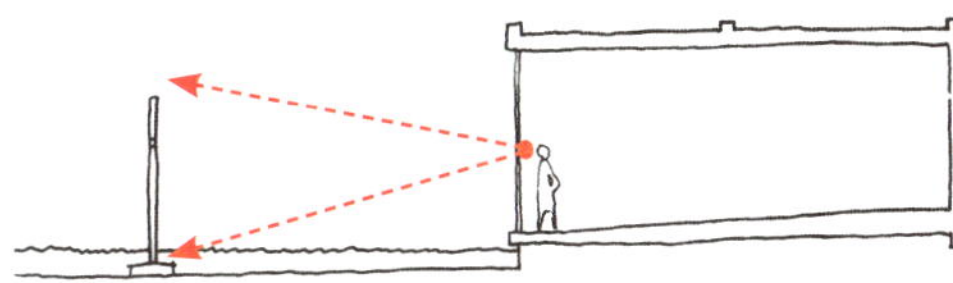

チャペルは壁に囲まれ、キリスト教の重要なシンボルである十字架が風景の中に立てられているので、意識の上では空間がランドスケープに向かって広がっているような印象を受ける。

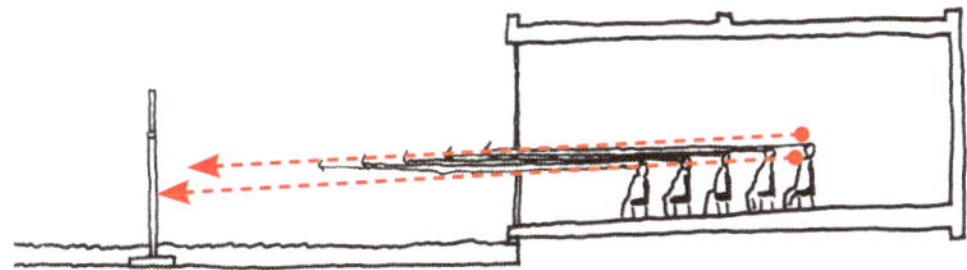

チャペルの床は傾斜がついているので、儀式の間も来場者1人1人が十字架や風景を眺められる。

チャペルの2倍の幅があるコンクリートのフレームがあり、チャペルと池を隔てるガラスの壁を横にスライドすることができる。

訪問体験における周囲との結び付き

風景の中に立つ十字架は宗教において、無個性でありながら力強い精神的シンボルだ。

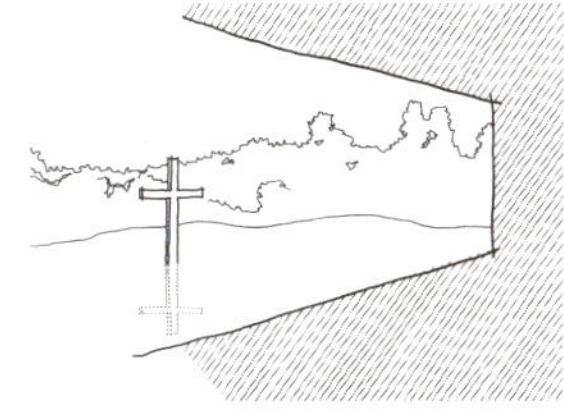

水の境界では、水面に立つ十字架が、ランドスケープの中に切り取られる。

くっきりとした幾何学図形による建物のフォルムが、一定の形をもたない周りの自然と好対照をなしている。

19

ロイズ・オブ・ロンドン　オフィスビル | 1978-86

リチャード・ロジャース
イギリス、ロンドン

ロイズ・オブ・ロンドンは、ロンドンを本拠地として200年以上続く保険組合だ。リチャード・ロジャース設計の新しいオフィスビルは、シティ・オブ・ロンドンの中世の建築がもつ構造の特徴や美しさを、「ハイテク」という視点から現代的な構造と機能に置き換えている。その結果生まれたビルの一貫した秩序は、伝統的な建築の価値を重んじつつも、建設当時の最新技術や工業の進歩をめいっぱい表現している。エレベーターやサービス機能がビルの外側に配置され、内側には何もない空間が確保されている。ロイズ・オブ・ロンドンオフィスビルでは、工業化の過程を反映したハイテクの魅力が、建物を街の公共スペースになじませるための細やかな配慮と溶け合っている。

ショーン・ケレット、アミット・スリヴァスタヴァ、サイフル・アザム・アブドゥル・ガプール

19 ロイズ・オブ・ロンドン　オフィスビル｜1978-86

リチャード・ロジャース
イギリス、ロンドン

敷地のコンテクストへの対応

ロイズのオフィスビルは、中世から続く街シティ・オブ・ロンドンの東端にあたるアルドゲイトの近くに建つ。細い通りや裏道が縫うように走る、込み入ったエリアだ。敷地の北側はレドンホール・ストリートという広い通りに向かって開け、南側はレドンホール・マーケットに面している。敷地は既存のビルに囲まれたゆがんだ台形をしている。

長方形のオフィスペースを中心にして６本のサービスタワー（エレベーターなどのサービス機能を納めたタワー）が立ち、敷地のいびつな形に沿うアメーバのように不規則な平面を作っている。その結果、敷地内に生まれた空地がオフィスと公共エリアを取りもつバッファーとなり、マーケットなど市民が生活する込み入った空間に向かって、建築が開放されている。

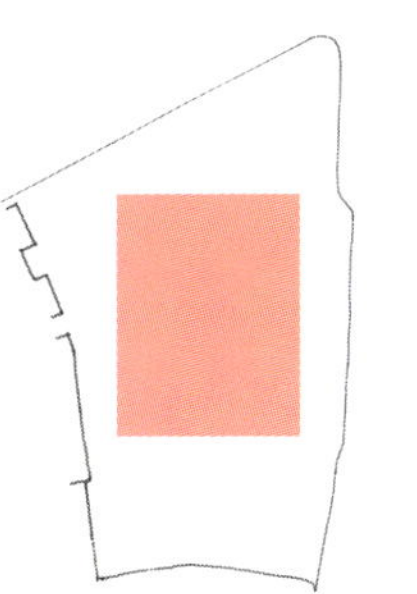

デザインの出発点は、クライアントの要求事項にもとづく長方形の空間だ。

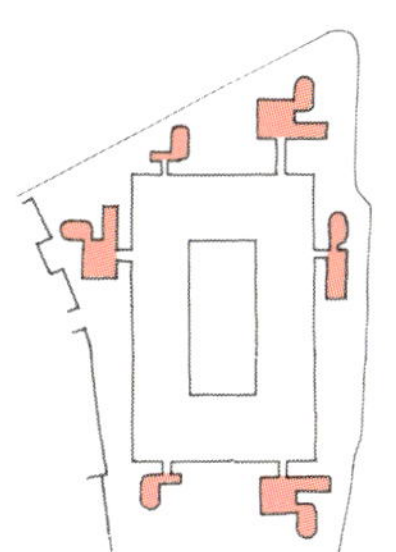

敷地のいびつな形に合わせて、補助的なサービス機能が追加され、独特の平面プランが生まれている。

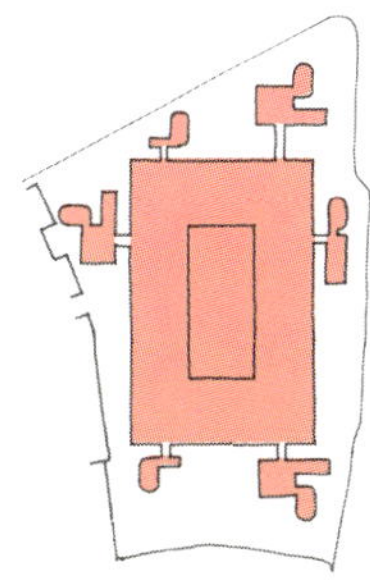

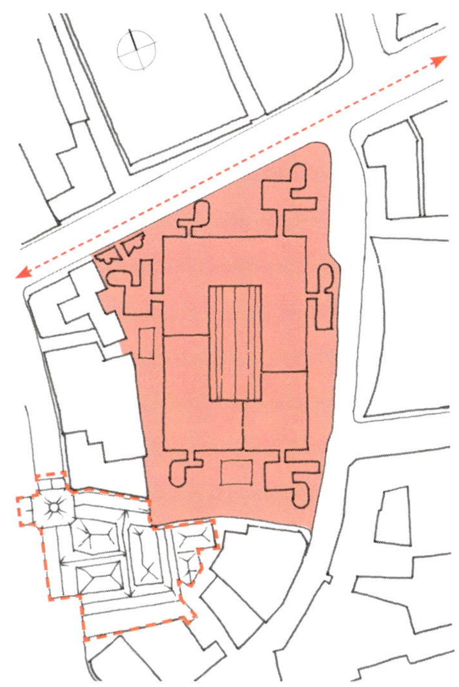

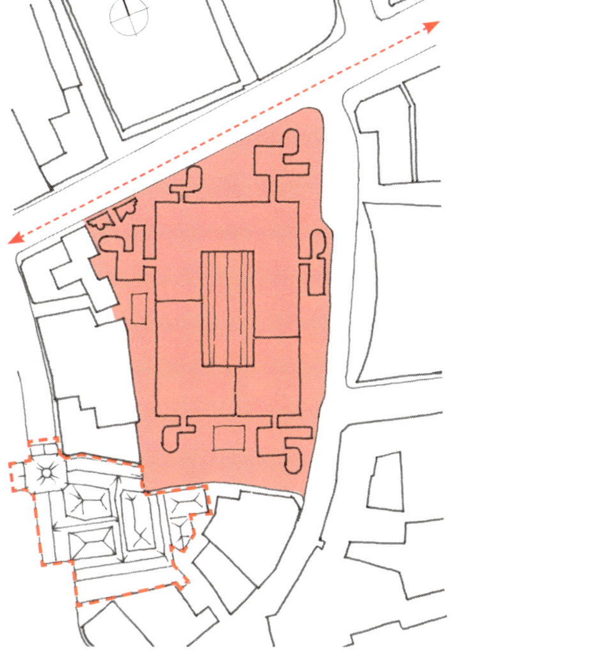

周りのコンテクストへの対応

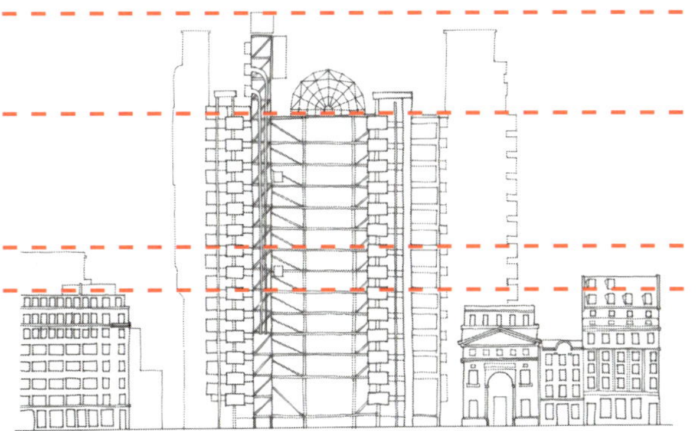

ロイズ・オブ・ロンドンオフィスビルは超高層ではないが、中世の建築が並ぶ周りのコンテクストと比べるとやや大きな印象を与える。特にレドンホール・ストリートに面した北側では、はっきりとした分節をもつファサードが周りの建物との高さの違いを際立たせるので、その印象がより強く感じられる。南側にある低層の商店街、レドンホール・マーケットになじむように、階段状のビルは北側から南側に向かって低くなっている。

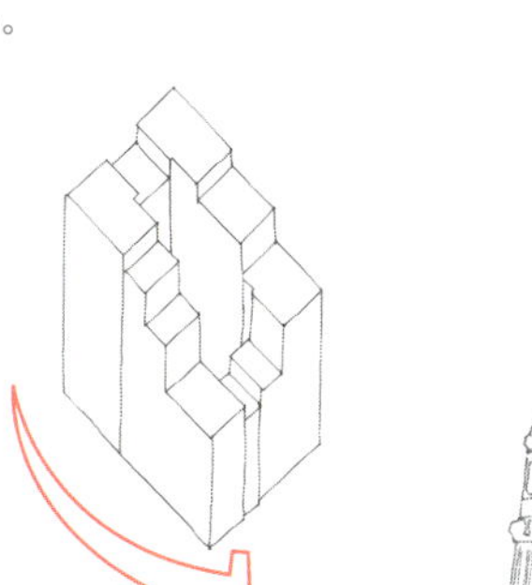

歴史あるレドンホール・マーケットの風景になじむよう、ビルのスケールは階段状にだんだんと低くなり、複数のテラスが設けられている。

建築のコンテクストへの対応

工業的な仕上げや機械のような美しさをもつこのオフィスビルは、一見すると中世の建物が並ぶ周りのコンテクストから浮いているようだが、近くで見ると中世の建築の伝統と密接に関わり合っていることがわかる。

補助的な機能が納められたタワーは、中世の城の尖塔や銃眼付きの胸壁（城壁や城の最上部に設けられる、通路や兵士を防御するための背の低い壁面）を思わせる。中央の空間を守り、外観を特徴付ける点が共通している。

中世の建築の伝統との関わり合いは、素材の使い方や特定の建築要素を通してではなく、建物全体を作っているあらゆる部分から生まれている。

いろいろな高さのサービスタワーは外観にはっきりとした分節を作り、さりげなく、それでいて強く周りの建物と結び付いている。

高層の建物が少ない広い空に映えるビルの外観は、街を作っている多様な建築の中でもひときわ強い存在感を放っている。

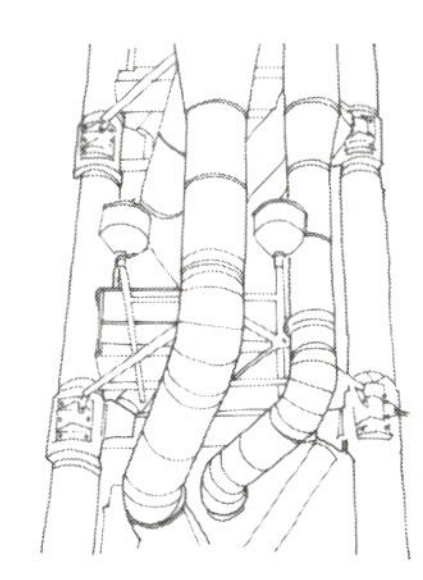

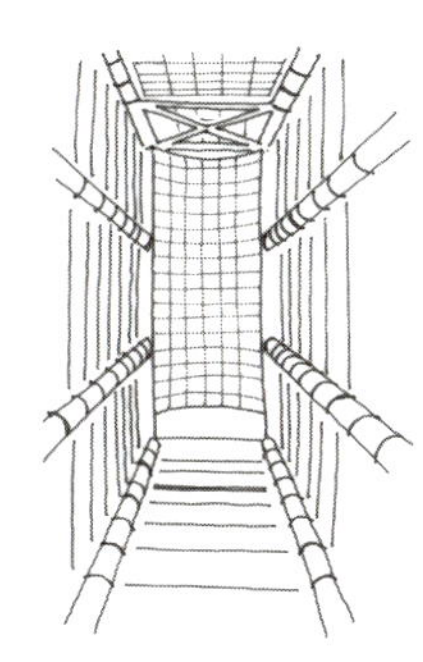

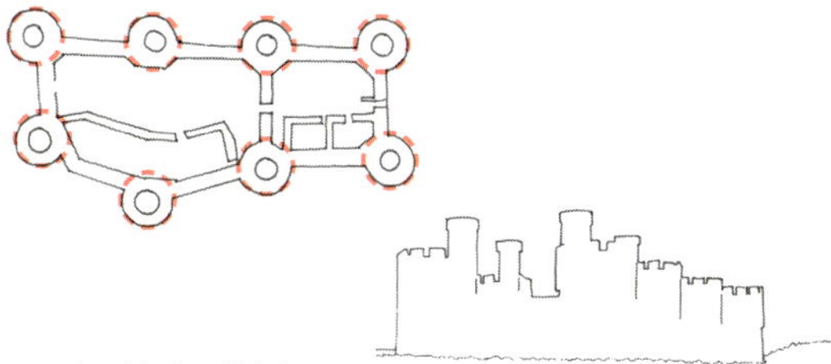

コンウィ城（13 世紀）

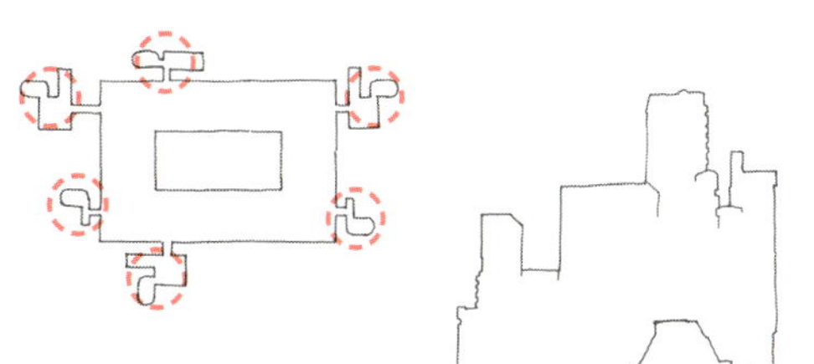

サービスタワーが設けられたロイズのオフィスビル（20 世紀）

ゴシック様式（中世末期のヨーロッパの建築様式。大聖堂の尖頭アーチやステンドグラスなどを特徴とする）に似たディテールも、中世の伝統的な建築を参照している。ビルの構造や、照明や空調設備などの機能を通して、複雑な全体の中に要素が盛り込まれているゴシック様式の特徴を表現している。それぞれ工場で作られたプレハブが組み合わさりながら、中世の建築技術の要素をもち合わせた建築が生まれている。

ゴシック建築の教会の明るくて大きな室内空間は、ビルの中央のアトリウムに置き換えられている。すべてのフロアをつなぐアトリウムの上部は、ガラスのヴォールトで覆われている。

通りを歩いて近づいていくと、ビルがゆっくりと姿を現す。伝統的な形式をもつエントランスは、昔の社屋のファサードを活かして作られている。

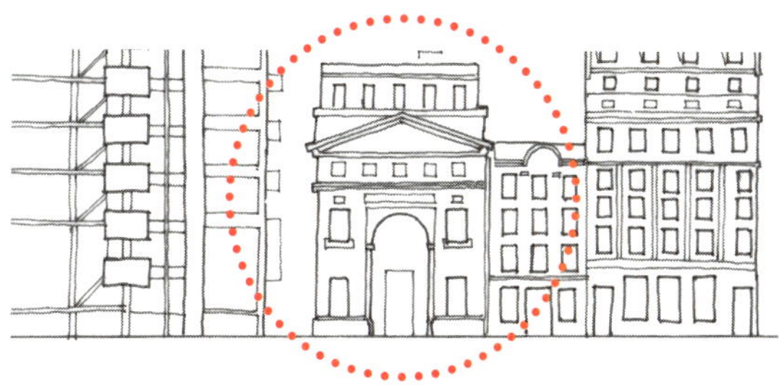

19 ロイズ・オブ・ロンドン　オフィスビル｜1978-86

リチャード・ロジャース
イギリス、ロンドン

機能と技術への対応

中央の多目的な空間からサービス機能を切り離しているので、中央の空間が広々としているうえ、通路をたくさん設ける必要がない。サービス機能の耐用年数は中央の構造よりも短いので、サービス機能を外側に配置すると将来のメンテナンスにも都合がよい。仕えられる空間と（サーブド・スペース）と仕える空間（サーバント・スペース）の区別は、ルイス・カーンが先だって提唱し、フィラデルフィアのリチャーズ医学研究棟（1957-62）のデザインで発展させた。ロイズ・オブ・ロンドンのオフィスビルではこの考え方をプレハブや組み込みの構造に取り入れている。

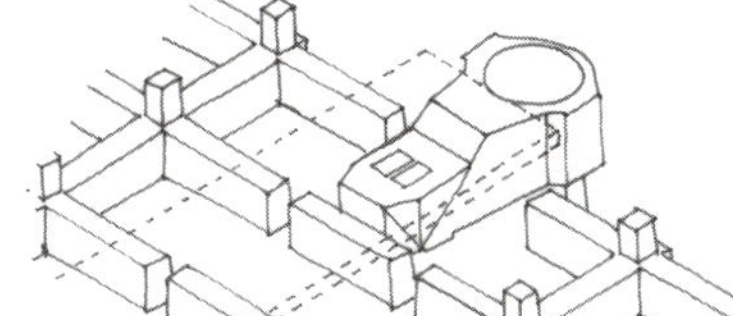

プレハブ工法はコンクリートの構造要素にも取り入れられている。構造要素は、ひとそろいのパーツごとに組み立てられる。

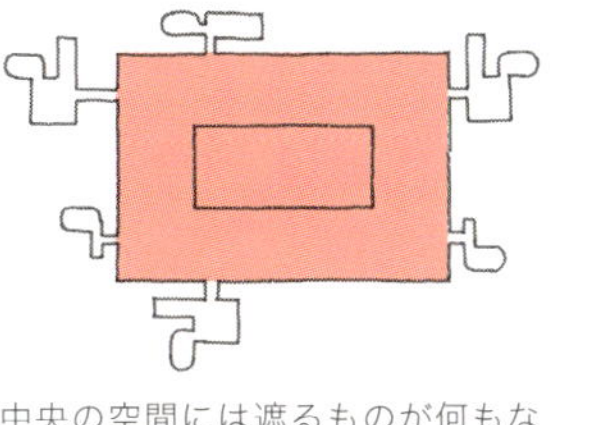

中央の空間には遮るものが何もないので、自由な使い方ができる。

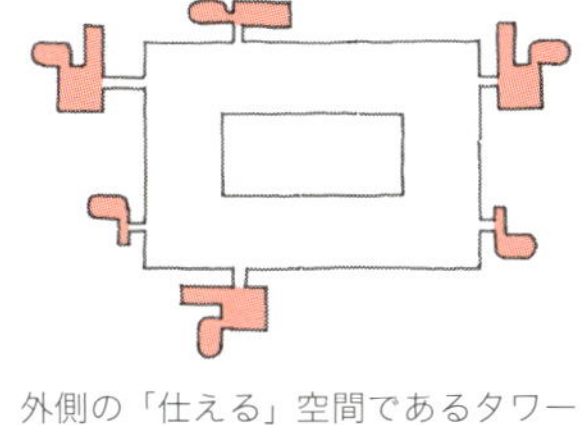

外側の「仕える」空間であるタワーは、中央の多目的な空間、すなわち「仕えられる」空間に仕えている。

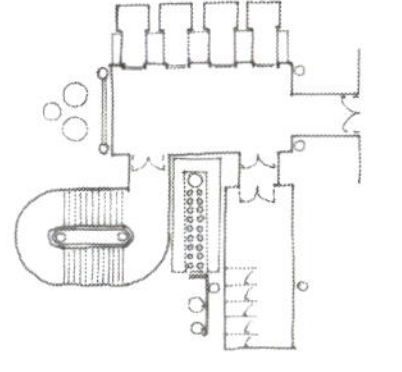

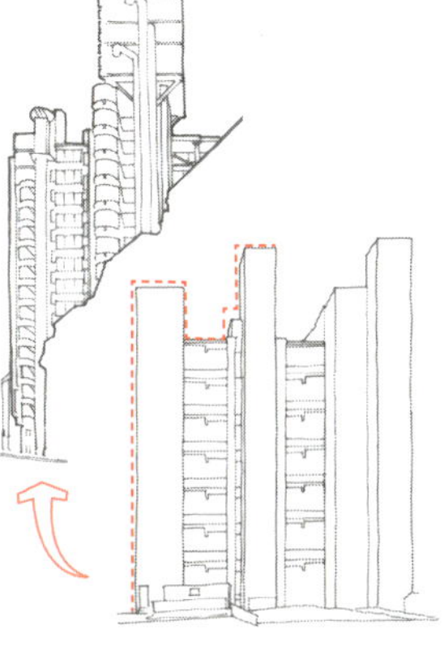

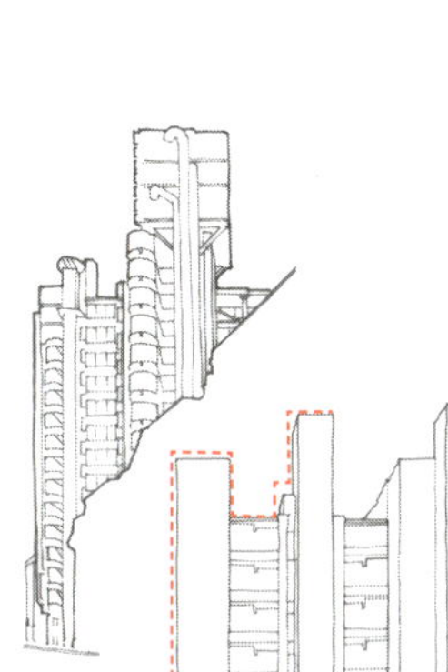

リチャーズ医学研究棟の、レンガ造りのシンプルな「仕える」タワーは、完全な組み込み式の機能として建物のほかの要素から独立している。据え付けられたクレーンを使い、必要に応じてプレハブの部分が付け加えられている。将来、新しい技術を使ったサービスタワーに取り換えることもできる。

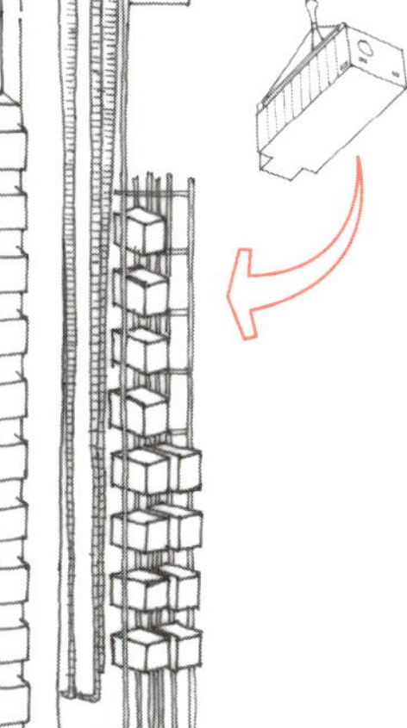

機械のような美しさ

サービス機能の技術が発展したきっかけとなったのは、1900年代初頭の未来派（イタリアで起こった前衛芸術運動の総称。建築に関しては、主にアントニオ・サンテリア（1888-1916）による都市および建築計画案を指す）や構造主義（ロシア革命のもと、新しい社会主義国家の建設への動きと連動して大きく展開した思想）など、非現実的な建築を提唱する思想から生まれた「機械美」だ。

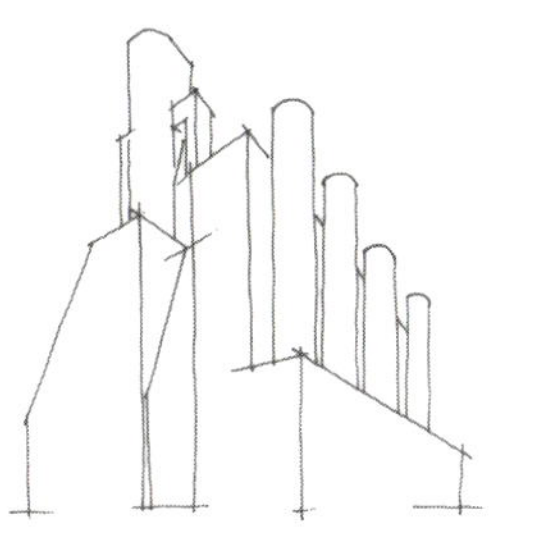

未来派（イタリア、アントニオ・サンテリア画、1912）

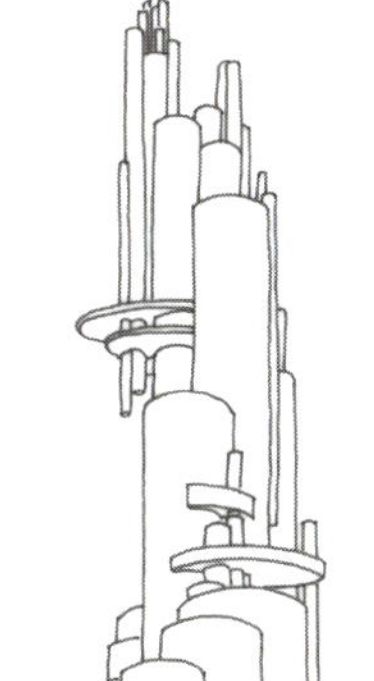

構成主義（ロシア、ヤコフ・チェルニコフ画、1925）

リチャード・ロジャースは1980年代のロンドンのアンビルト作品ですでに機械美を模索していた。1つめは、テムズ川沿いの構造物（図左上）、2つめはナショナル・ギャラリー増築計画の設計競技案（図右上）だ。

街中の公共のエリアへの対応

サービスタワーは２階から始まり、１階部分の空間は公共の広場になっている。地上階が市民に開かれ、建物の通路は外側に設けられているので、建物の中と外にいる人々の動きが互いに目に入り、建物やその周辺はまるで街中の劇場のようなにぎやかな雰囲気になっている。

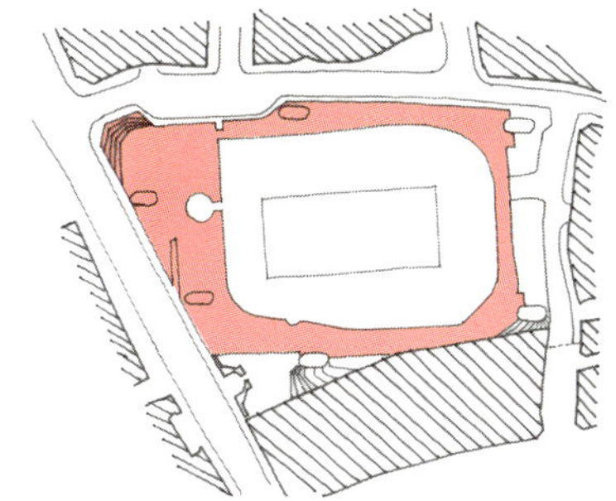

低層階は、市民に開かれた大きな広場になっている。

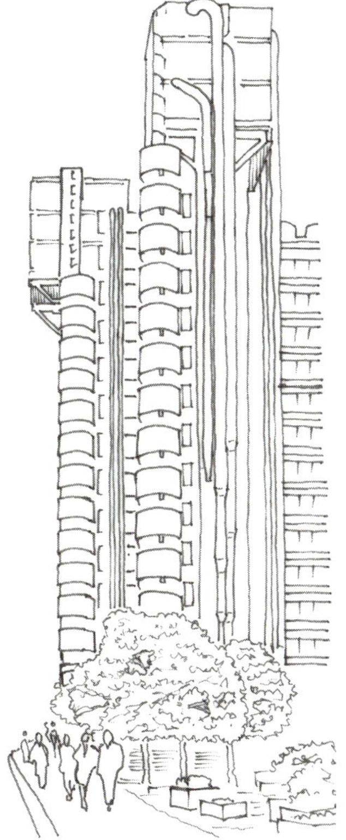

高くそびえるビルと街の人々の生活を、地上階の広場がつなぐ。

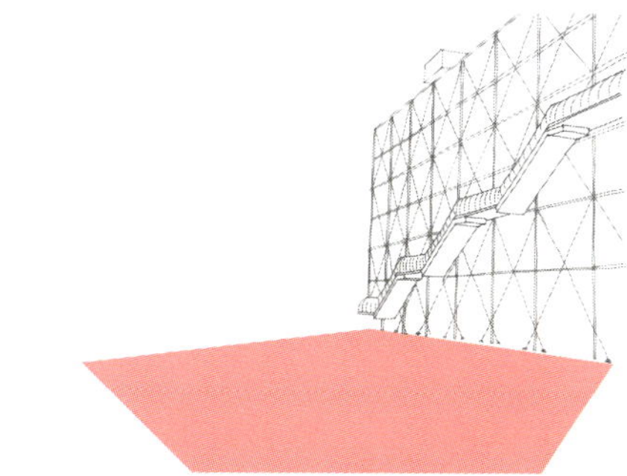

レンゾ・ピアノとリチャード・ロジャースが設計したパリのポンピドゥー・センター（1971-77）にも、市民のための大きな広場が作られている。

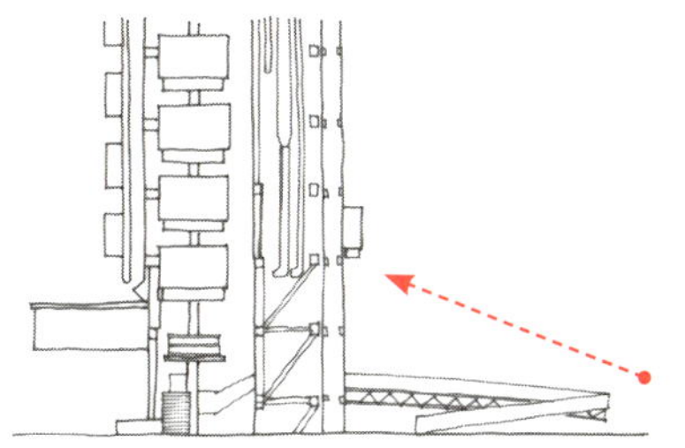

ビルのフロアの重なりや外側に設けられたガラス張りのエレベーターが、通行人の注目を集める。

室内の空間の使い方

伝統的なグリッド構造に工夫が凝らされ、柱はビルの外側の縁か、中央のアトリウムの中に立てられている。このため、視界を遮るものが何もないドーナツ型の空間が生まれる。保険取引を行うフロアにぴったりの空間構成だ。

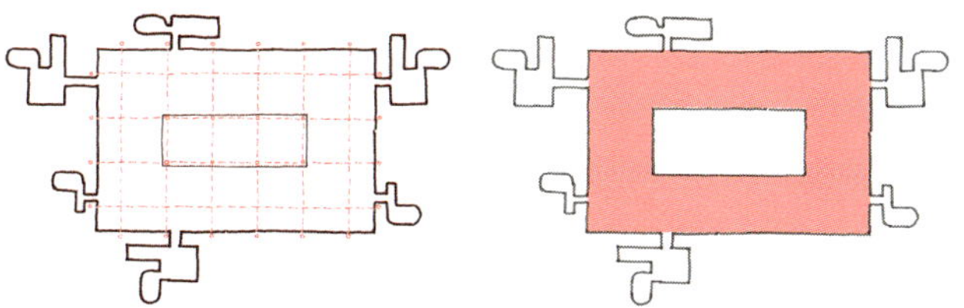

ドーナツ型の空間はすべてのフロアに共通している。保険取引の立会場として使われたり、小さなオフィスに分けられたりしている。すべてのフロアがこの構造になっているので、将来ビジネスが成長してより大きな立会場が必要になったときにスペースを広げたり、技術が進歩して立会場の物理的なつながりがいらなくなったときに配置を変更したりできる柔軟性が生まれている。

さらに、中央のアトリウムが各フロアの視覚的なつながりを強めている。総吹き抜けのアトリウムにはガラスのヴォールト天井が設けられている。余計な影を作ることなく、明るい自然光が空間のすべてを包み込むが、ガラスの外側の表面が半透明になっているので眩しさは感じない。

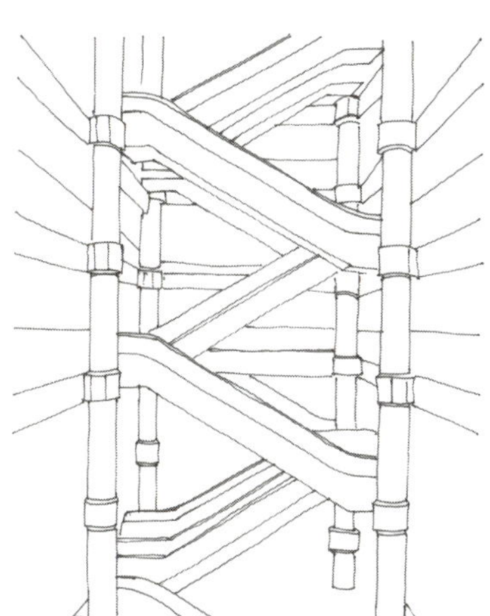

アトリウムにジグザグに設けられたエスカレーターが、各フロアに視線を導く。

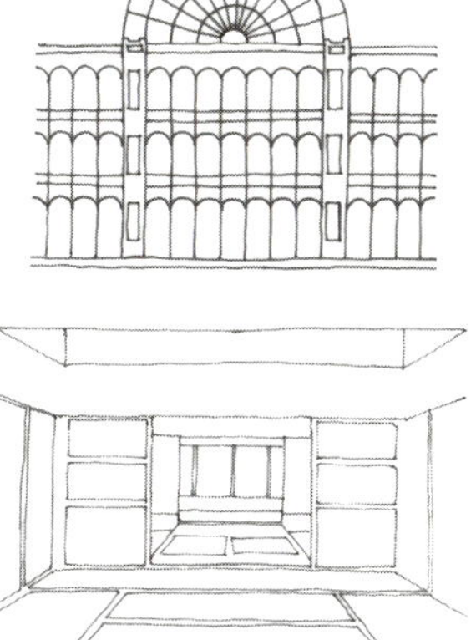

日本の伝統家屋の障子にも通じるアトリウムの半透明なガラス表面は、明るい室内を作る。

20

アラブ世界研究所 | 1981-87
ジャン・ヌーヴェル
フランス、パリ

アラブ世界研究所は、アラブ文化の発展や、フランスとアラブ諸国の文化を超えたつながりを促すためにパリ中心部に建てられた公共施設だ。フランスの建築家ジャン・ヌーヴェルは、現代と伝統という相反する要素をもち合わせる建物を提案し、設計競技に勝利した。室内の空間の扱いや光のコントロールなどアラブの伝統建築の多様な前例を取り入れたこの建物は、過去のデザインの要素を新しい技術、素材、構造で置き換えている。

南側のファサードには見事なディテールをもつアラベスク模様の金属パネルが取り付けられ、プライバシーを守りながら日陰を作る。太陽の動きや日光の強さに応じて模様の穴の大きさがカメラの絞りのように変わり、室内への光の差し込み方に変化を与える。このように、環境へ対応することで、この建物の美しさやアラブ文化を象徴する魅力的なデザインが生まれている。

セレン・モーコック、ウェイ・フェン・ソー、ヒラル・アルブセイディ、レオナ・グリーンズレイド

20 アラブ世界研究所｜1981-87

ジャン・ヌーヴェル
フランス、パリ

コンテクスト

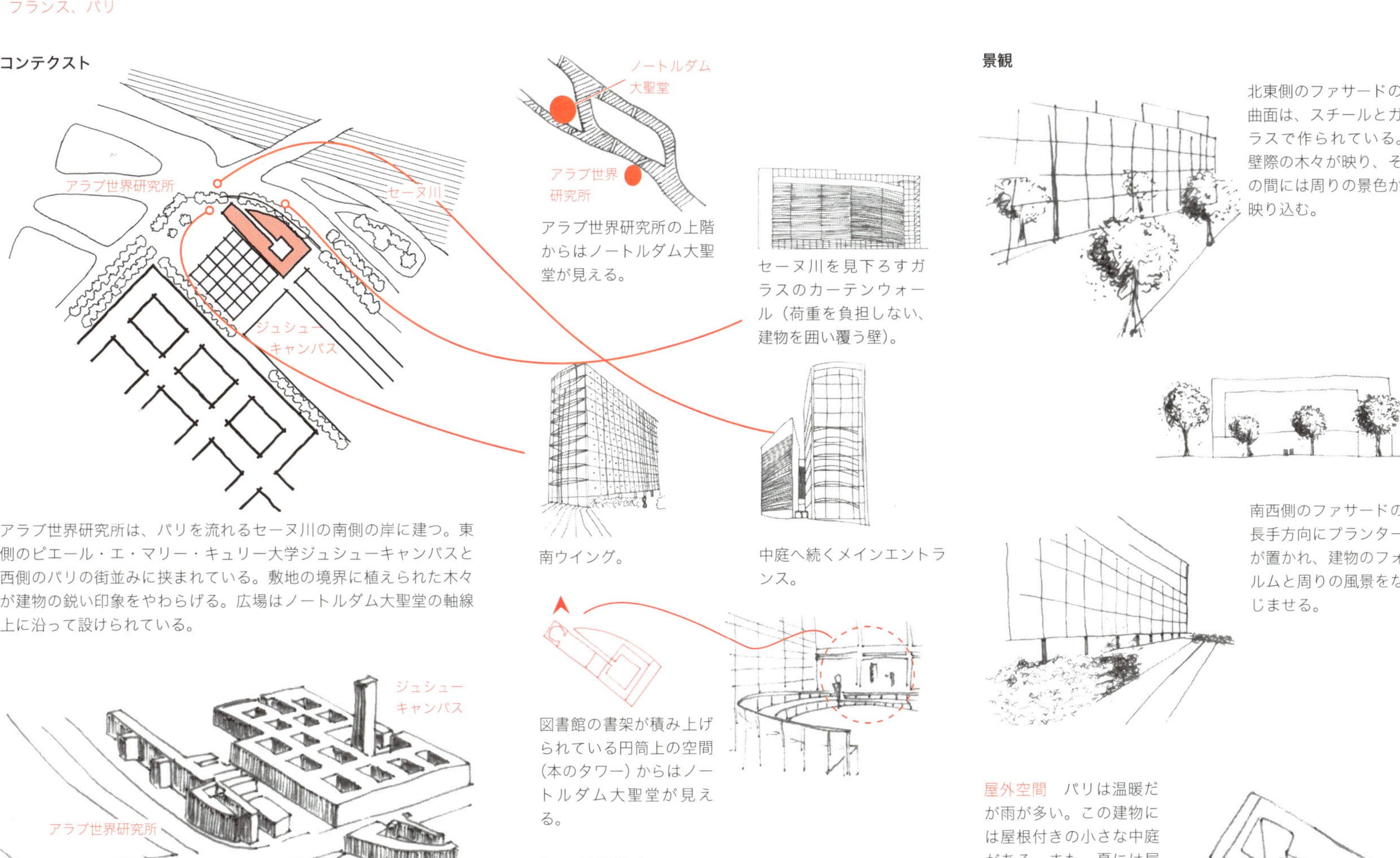

アラブ世界研究所は、パリを流れるセーヌ川の南側の岸に建つ。東側のピエール・エ・マリー・キュリー大学ジュシューキャンパスと西側のパリの街並みに挟まれている。敷地の境界に植えられた木々が建物の鋭い印象をやわらげる。広場はノートルダム大聖堂の軸線上に沿って設けられている。

控えめな高さのアラブ世界研究所の建物は、周りの建物を圧倒することなく、セーヌ川とピエール・エ・マリー・キュリー大学のキャンパスの間をつなぐように建つ。

アラブ世界研究所の上階からはノートルダム大聖堂が見える。

セーヌ川を見下ろすガラスのカーテンウォール（荷重を負担しない、建物を囲い覆う壁）。

南ウイング。

中庭へ続くメインエントランス。

図書館の書架が積み上げられている円筒上の空間（本のタワー）からはノートルダム大聖堂が見える。

南西側のファサードからはエッフェル塔が見える。

景観

北東側のファサードの曲面は、スチールとガラスで作られている。壁際の木々が映り、その間には周りの景色が映り込む。

南西側のファサードの長手方向にプランターが置かれ、建物のフォルムと周りの風景をなじませる。

屋外空間　パリは温暖だが雨が多い。この建物には屋根付きの小さな中庭がある。また、夏には屋上のレストランに、セーヌ川が眺められるテラス席が設けられる。日当たりのよい建物の南西側には、屋根のない大きな庭がある。

建物へのアプローチ

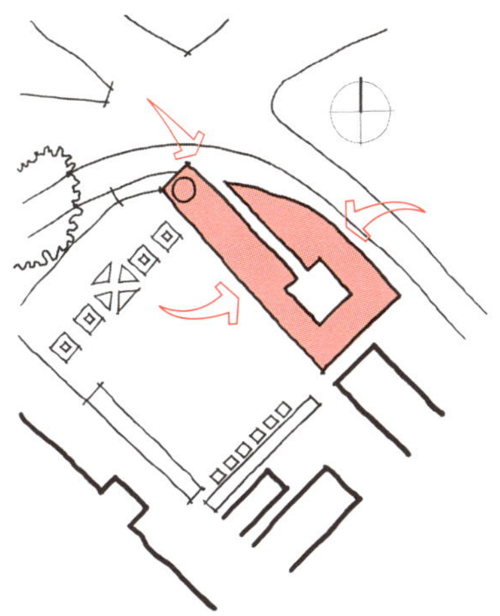

建物のエントランスは3つ用意されている。曲面をもつ北ウイングへのエントランス、南ウイングへのエントランス、そして両ウイングの隙間へつながるエントランスだ。

水平方向のあいまいなつながり

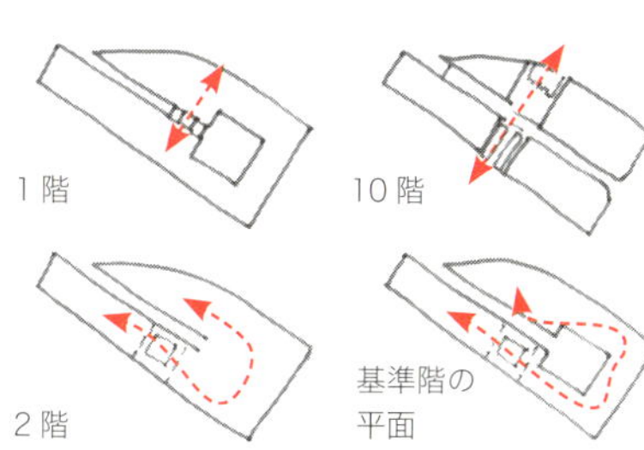

北ウイングと南ウイングが連絡通路でつながっているのは、1階と10階だけだ。並行するウイングに面する同じフロア同士は、互いに中が見えるが簡単に行き来できるのは2フロアしかないというあいまいな関係をもつ。

プログラムへの対応

形状の成り立ち

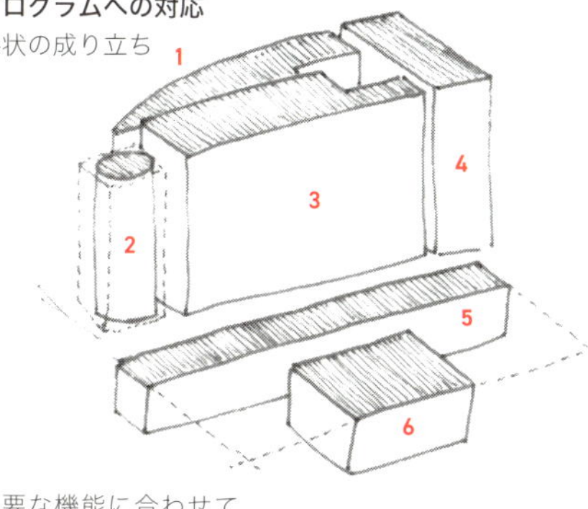

主要な要素

1. ミュージアム
2. 本のタワー（図書館の閉架）
3. 高等会議室
4. サービス機能
5. 多柱式ホール
6. 講堂

必要な機能に合わせて多様な形の空間が作られている。講堂は地下にある。

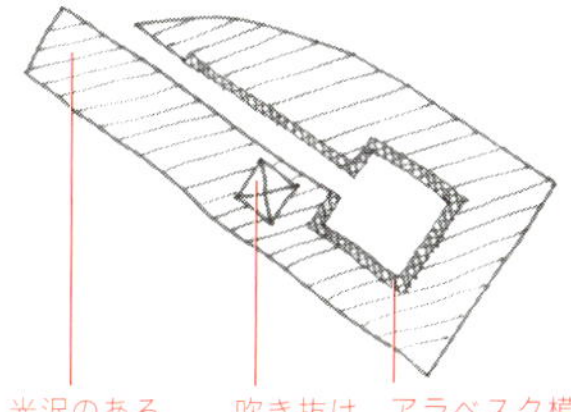

大きな垂直材は水平材を支持する機能を果たすだけでなく、床レベル同士の視覚的なつながりを生む。また、垂直材が影を作るので光がさまざまな形になって室内に差し込む。

垂直方向のあいまいなつながり

光沢のあるコンクリート

吹き抜け空間

アラベスク模様の穴のあいた金属パネル

ファサードには、アラベスク模様の穴のあいた金属パネルが取り付けられている。その内側では通り抜ける光の量が調節され視界がぼやけるので、フロア同士のつながりがあいまいになっている。ファサードを通り抜ける光と影には、ガラスを通り抜ける光、金属を通り抜ける光で、さまざまな明るさのバリエーションが生まれている。

金属パネル越しに向こう側の空間がぼんやりと見えるので、空間同士のあいまいなつながりがより強く感じられる。

下のフロアから見上げると、上のフロアにいる人の影と足跡がぼんやりと見える。

ダイナミックな空間

柔軟性の高い間取り

ミュージアムと展示スペースは、パーテーションを使って小さな空間に分けることができる。

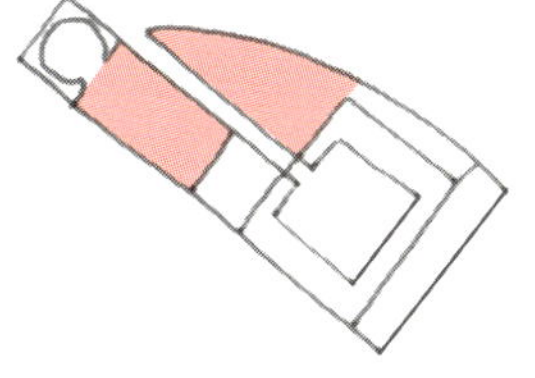

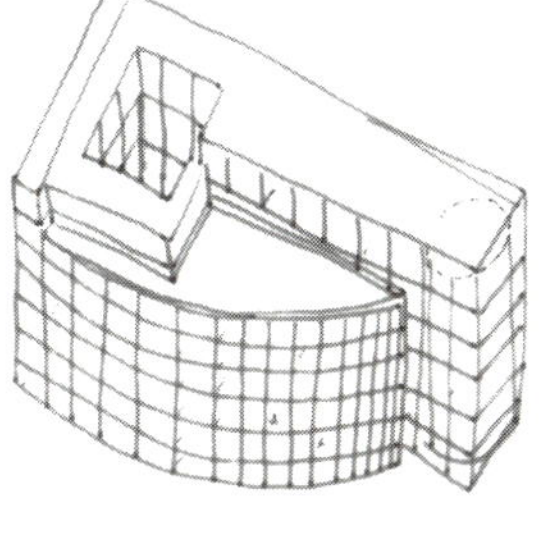

透けて見える風景

アラブのモスクに通じる要素がいくつか取り入れられているが、アラブ世界研究所は礼拝をする場所ではないので、壁で囲ってプライバシーを守る必要はない。スチールとガラスでできた外壁からは、向こう側の風景が透けて見える。

風景が透けて見えるので内と外の境目があいまいになり、室内と周りの景色に視覚的なつながりが生まれている。

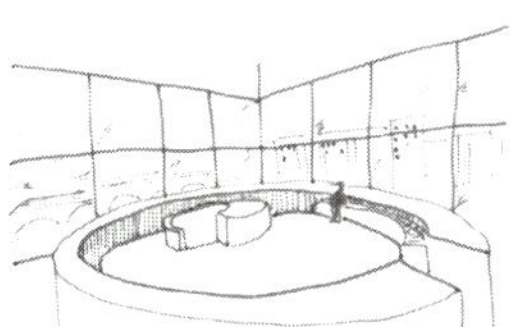

光と機能

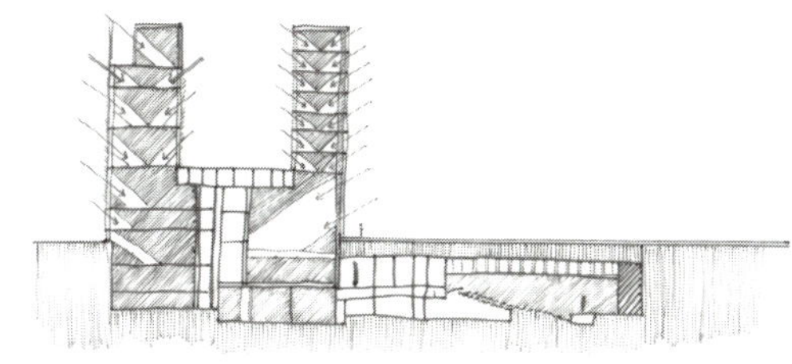

展示スペース、図書館、レストランは、自然光が入る上階にある。一方で光を取り入れる必要のない講堂は地下に納められている。

20 アラブ世界研究所｜1981-87

ジャン・ヌーヴェル
フランス、パリ

一体感のあるデザイン表現

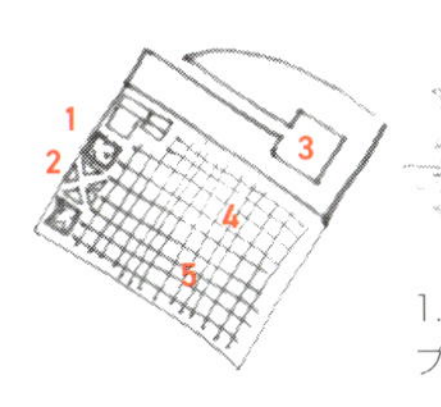

繰り返しとグリッド

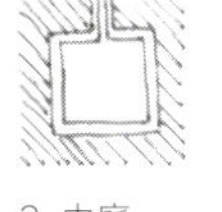
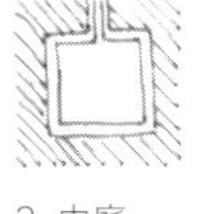
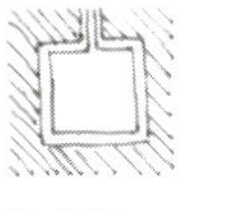
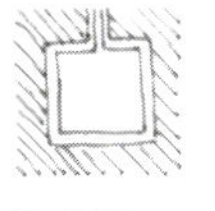
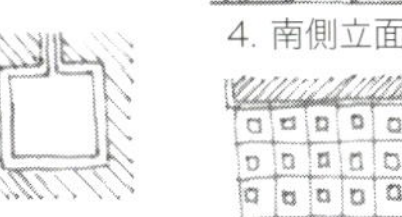
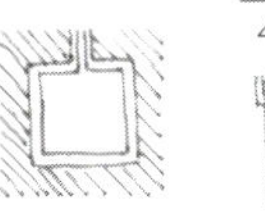

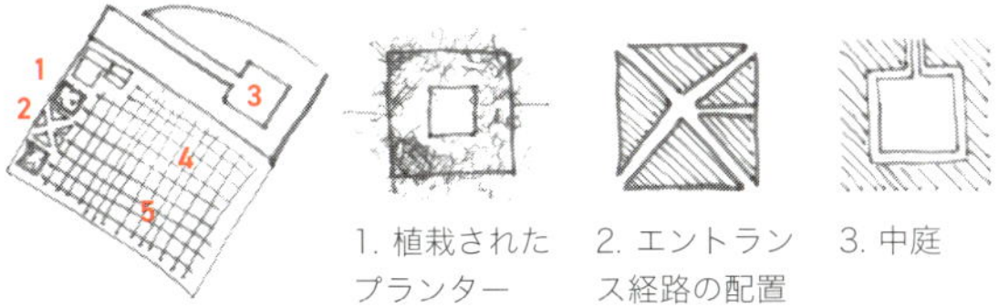

1. 植栽されたプランター　2. エントランス経路の配置　3. 中庭

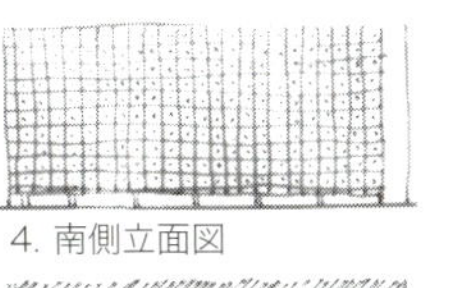

4. 南側立面図

5. 中庭の広場のプラン

切り取られる風景

1. 南西エントランス
2. 北西エントランス
3. 北東エントランス

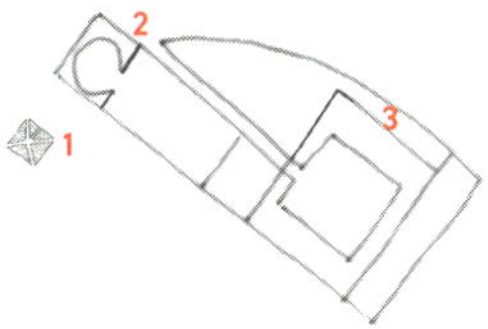

北ウイングと南ウイングの大きなファサードの狭い隙間を通るメインエントランスは、訪問者に畏敬の念を抱かせる。

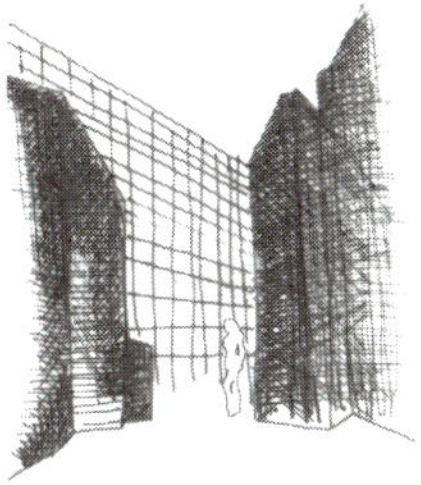

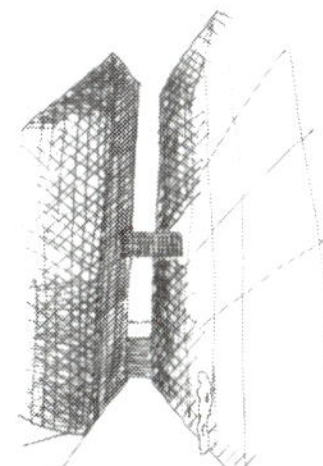

この狭い通路は中庭へつながり、狭い空間から広々とした空間へ出る開放感を生んでいる。

光あふれる中庭が訪問者を歓迎する。

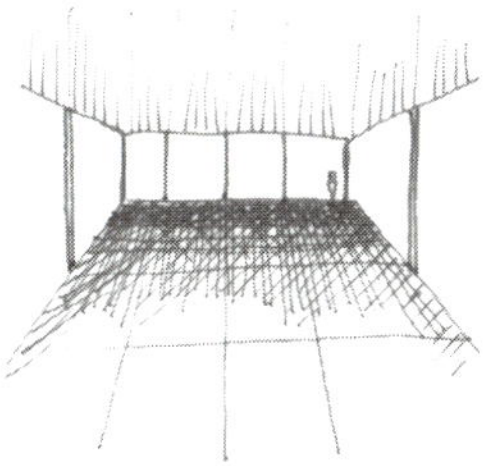

デザインの対比

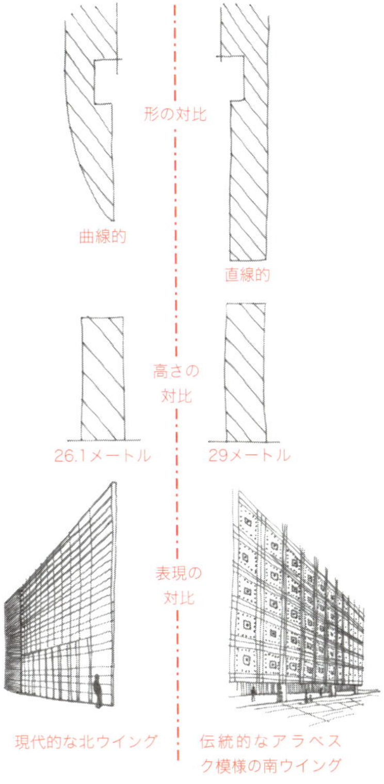

形の対比　曲線的　直線的

高さの対比　26.1メートル　29メートル

表現の対比　現代的な北ウイング　伝統的なアラベスク模様の南ウイング

自然光

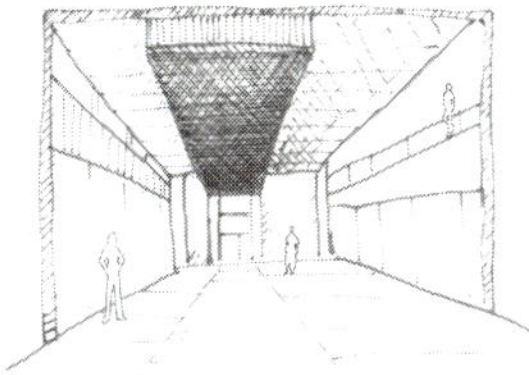

吊天井がいびつな空間の形を作る。もともと細長い部屋が３つの狭い空間に分けられ、訪問者は奥行きをさらに強く感じられる。

ファサードはガラスの部分とコンクリートの部分が交互になっていて、室内に多様な光を届ける。

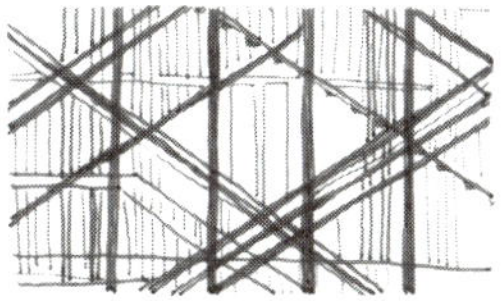

階段は光や影を通すフィルターの役割を果たす。

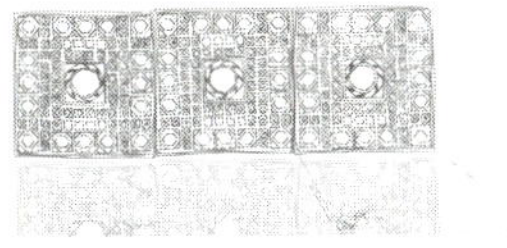

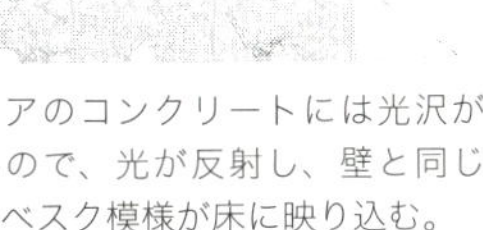

フロアのコンクリートには光沢があるので、光が反射し、壁と同じアラベスク模様が床に映り込む。

気候

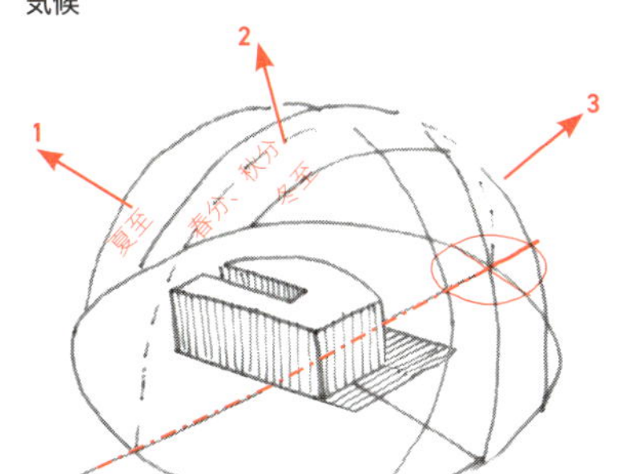

直線的な南ウイングは日中、全面に日光を受ける。曲線的な北ウイングは南ウイングの陰に建っている。

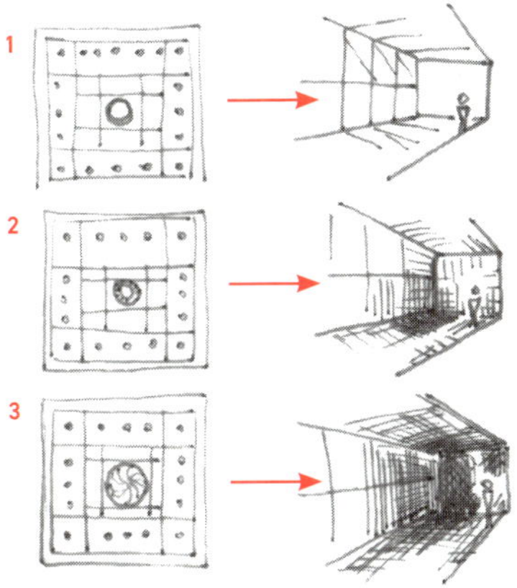

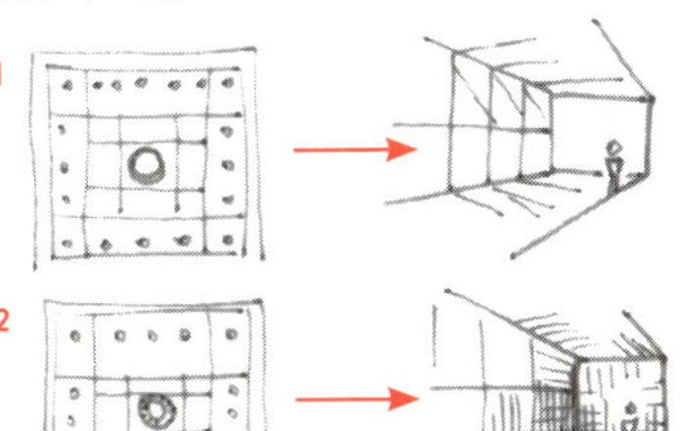

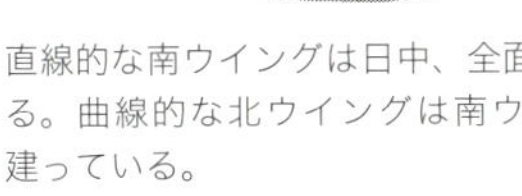

照明

夜には本のタワーのらせんのスロープがライトアップされ、人目を引く。

前例の分析

マシュラビーヤ

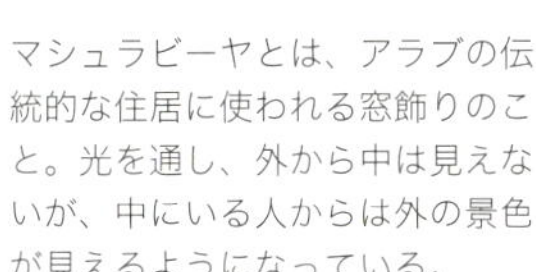

マシュラビーヤとは、アラブの伝統的な住居に使われる窓飾りのこと。光を通し、外から中は見えないが、中にいる人からは外の景色が見えるようになっている。

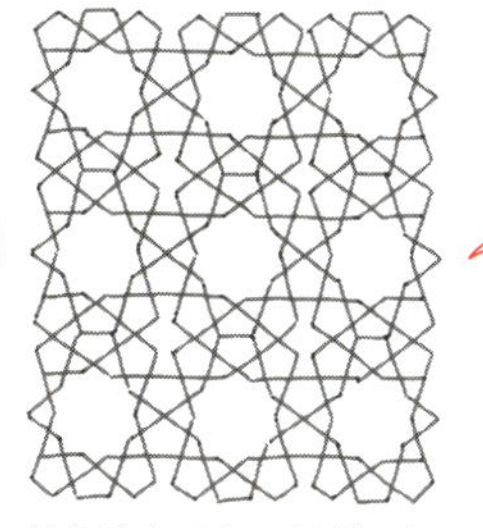

伝統的なマシュラビーヤの模様。

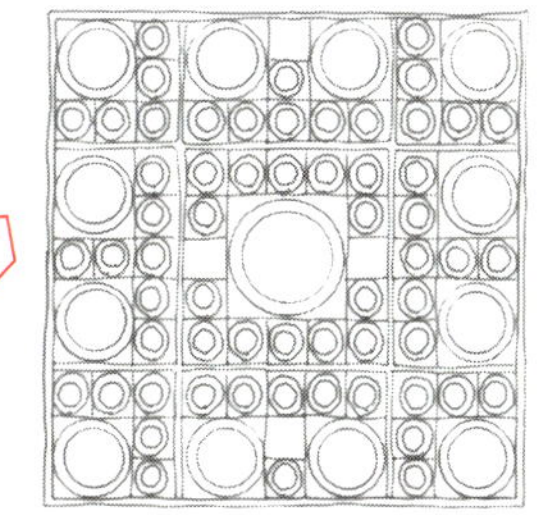

アラブ世界研究所の南側のファサード。それぞれの四角いパネルの中に、幾何学模様の大小さまざまな開口部がちりばめられている。

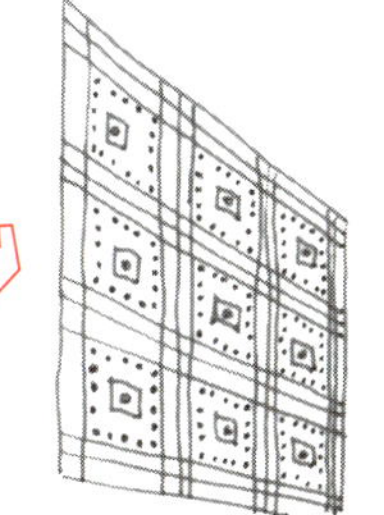

開口部のあるパネル　四角いパネルには光に反応してモーターで開閉する開口部が並び、アラブの建築に使われるマシュラビーヤのような外観を作っている。

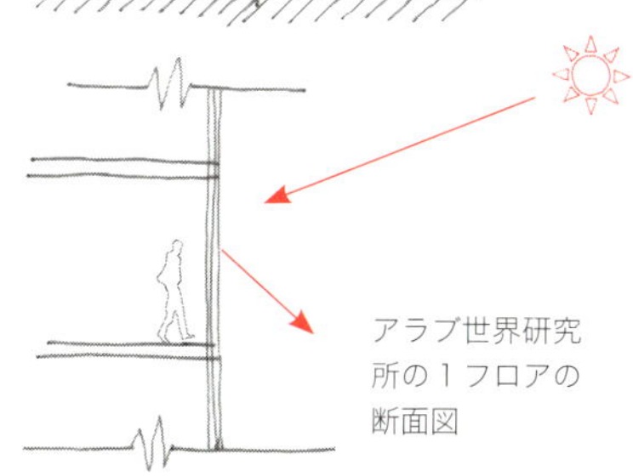

アラブの伝統的な住居の断面図

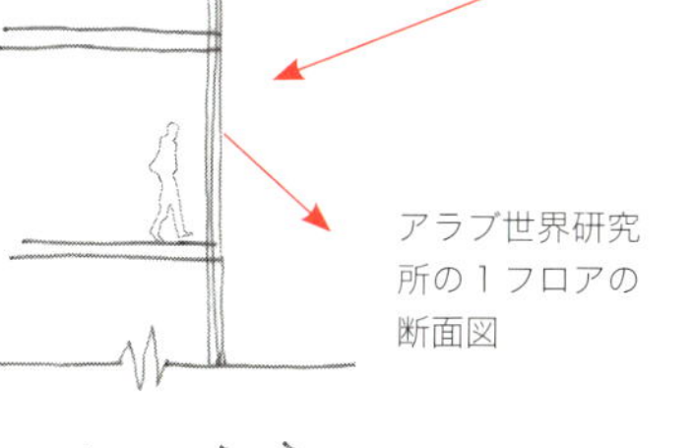

アラブ世界研究所の１フロアの断面図

中庭

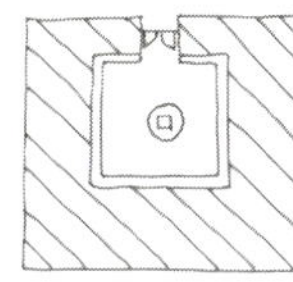

アラブの住居の中庭。

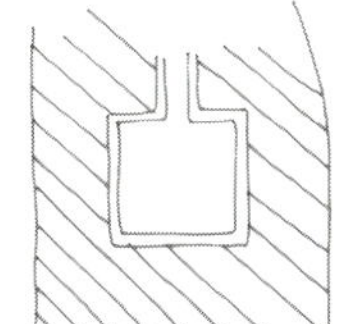

アラブ世界研究所の中庭。光庭（建築物内に自然光を取り入れるために設ける空間や庭）の役割がある。

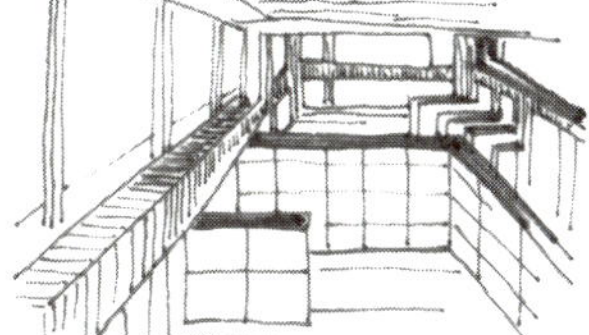

開口部とシャッター　開口部にはカメラの絞りのように光に反応する高度な技術を使ったシャッターが取り付けられ、建物の中に入る光の量を調節する。

パブリックとプライベート　大きなフェンスや門を設けず、スロープやプランターで空間を分けたり性格付けたりしているので、パブリックな空間とプライベートな空間の境界はあいまいになる。

ミナレット

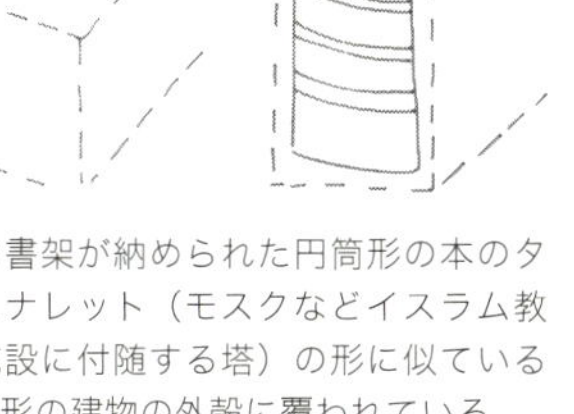

図書館の書架が納められた円筒形の本のタワーはミナレット（モスクなどイスラム教の宗教施設に付随する塔）の形に似ているが、長方形の建物の外殻に覆われている。

円筒形の本のタワー（図下）の隣には、２層吹き抜けの長方形の図書館がある（図上）。

21
バルセロナ現代美術館 | 1987-95
リチャード・マイヤー
スペイン、バルセロナ

アメリカ人建築家のリチャード・マイヤーが設計したスペインのバルセロナ現代美術館は、バルセロナ中心部の近くにある。ガウディなどの名建築で昔から有名な街に建つこのバルセロナ現代美術館は、マイヤーの作風の特徴である白を基調にしながら、シンプルな幾何学図形が組み合わされたデザインをもつ。

洗練された秩序、対比、積層、形の足し算や引き算を通して、モダニズム建築の普遍的なデザインが、要素の独特の配置方法や芸術作品を展示するという美術館特有の目的と溶け合う。その結果、光と影が見事に演出された、複雑だがわかりやすい全体構成が生まれている。白い色、素材、フォルムは近くに建つ既存の建物と大きくことなっているが、周りに合わせたスケールやディテールは美しい都市の景観へ貢献している。

セレン・モーコック、ハオ・ルブ、ジョン・パージター、レオナ・グリーンズレイド

21 バルセロナ現代美術館｜1987-95

リチャード・マイヤー
スペイン、バルセロナ

都市コンテクストへの対応

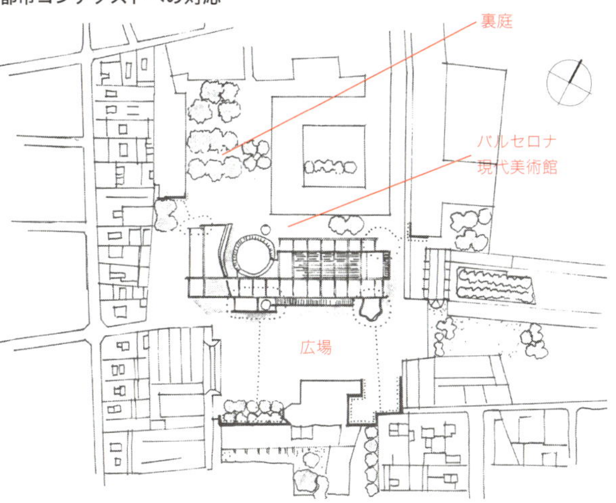

現代美術館は、バルセロナでもっともたくさん人が集まる広場、プラサ・デルサンジェルスの隣にある。近くの建物は大小さまざまだが高さは同じくらいで、都市グリッドは整然としている。素材は主に石やレンガが使われている。

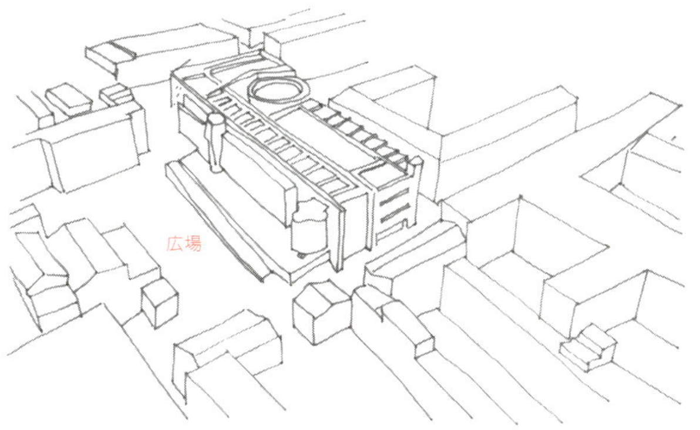

リチャード・マイヤーの建築デザインは、モダニズム建築の要素の組み合わせでできている。彼は求められているプログラムや敷地に合わせて、デザイン表現を応用する。まず、ベースとなる直方体などの基本的な幾何学体はグリッドの上に配置され、色は白で統一される。バルセロナ現代美術館にもこの手法が使われている。

敷地の形と周辺環境

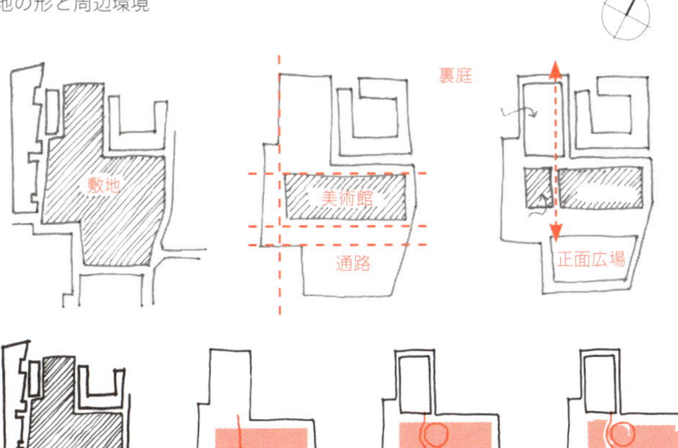

目には見えない軸が正面の広場と裏庭をつなぎ、美術館を管理用の機能エリアと展示室エリアに分ける。交差する軸が建物のメイン要素を区分している。

建物を構成要素の１つである円筒のボリュームが、正面の広場から展示室エリアを通って裏庭へ出る動線を遮る。そのため、カーブを描く通路が建物内の重要な動線になっている。

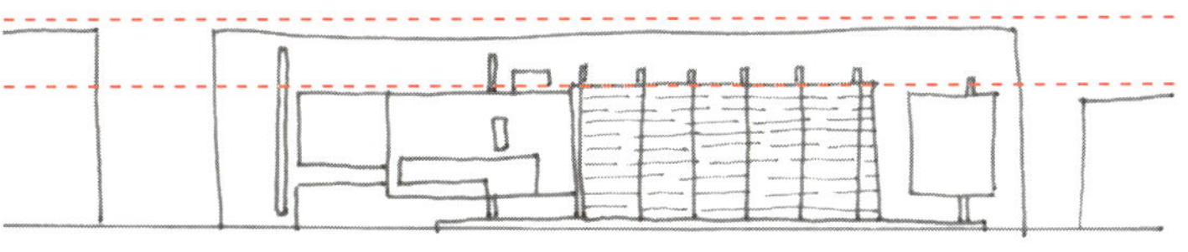

南側立面図
メインの建物や、壁の外側に突き出す要素の高さは、周りの建物と同じくらいに揃えられている。

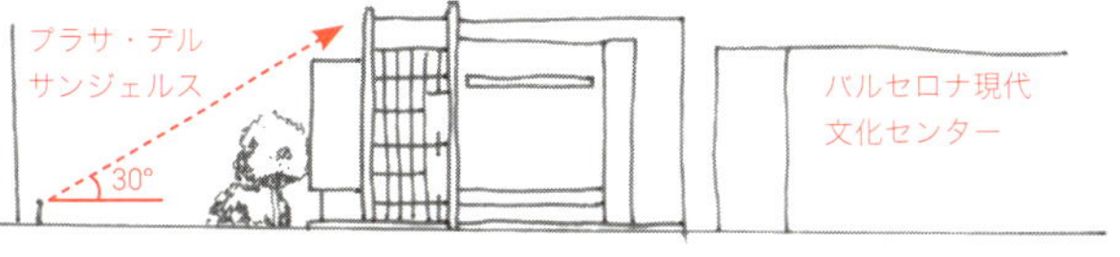

東側立面図
美術館の南側正面の高さや全体のバランスは、プラサ・デルサンジェルスのスケールやバランスに揃えられているので、来館者からはファサード全体が見やすくなっている。

要素の抽象化

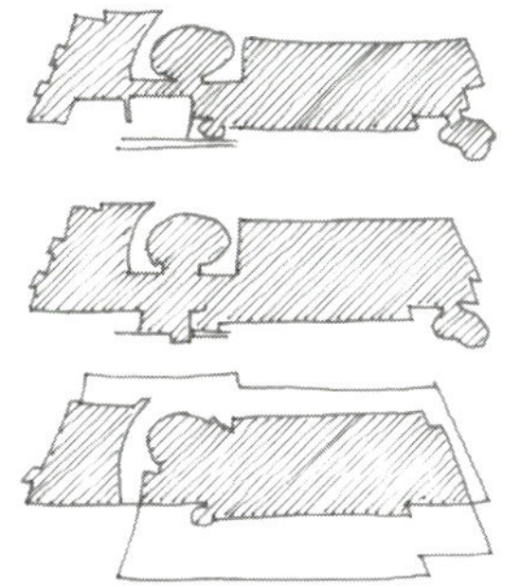

多様な形の床平面からは、いくつかの幾何学図形の一部がくり抜かれ組み合わさっている様子がわかる。

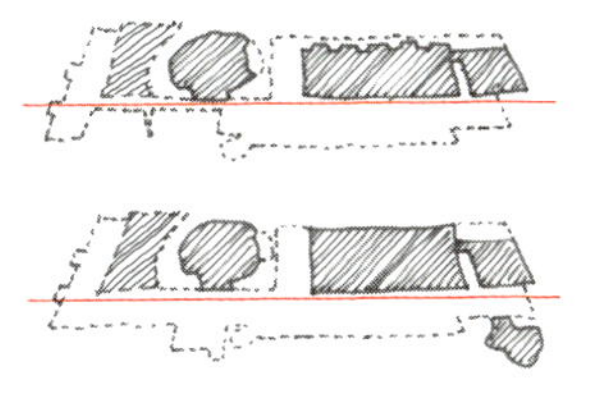

直線や曲線を描くいろいろな形の展示室が、軸に沿って配置されている。

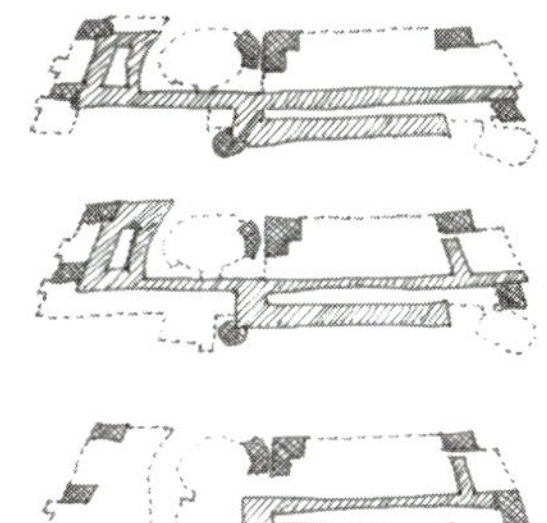

メインの動線は建物の南側にあるスロープとらせん階段だ。非常用階段と従業員用の階段は建物のコーナーに配置される。

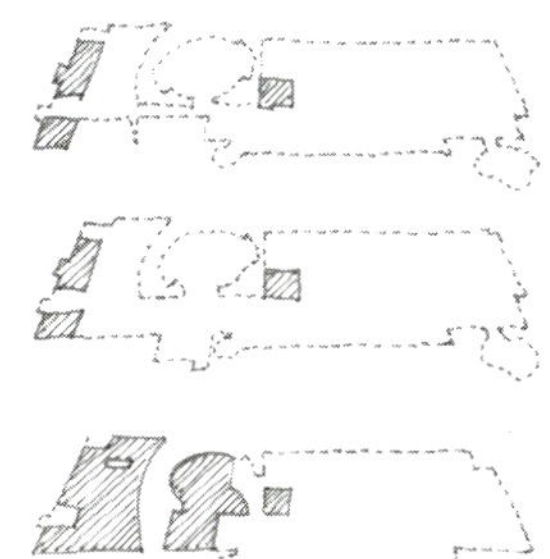

主要な管理用の機能エリアは建物の西の端にあり、展示エリアからははっきりと分けられている。

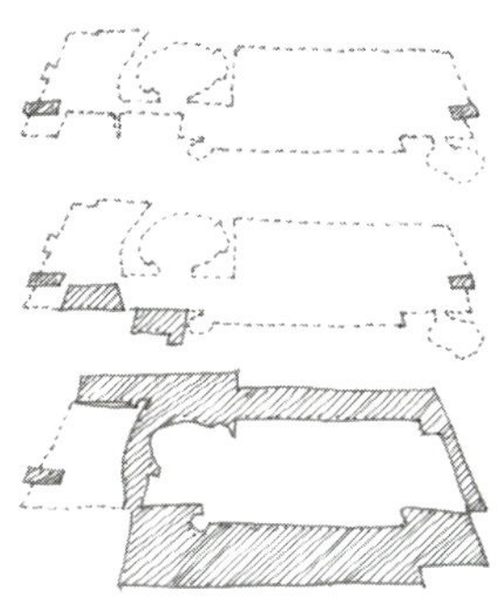

来館者は屋外のテラスから周りの景色を楽しむことができる。

グリッド

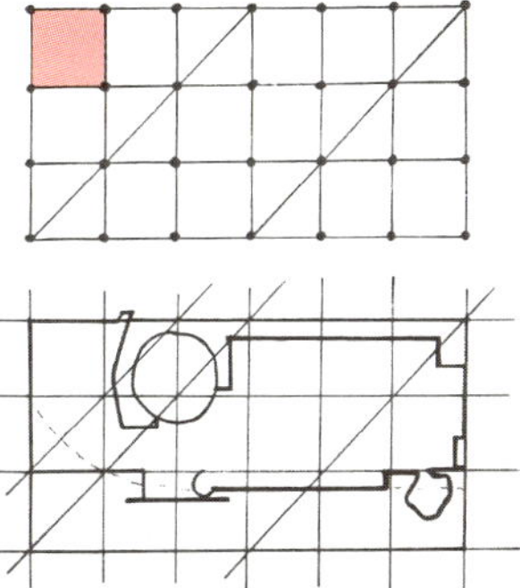

バルセロナの都市グリッドを模したグリッドが、デザインのベースになっている。

動線などのデザインの要素は、このグリッドをベースに配置されている。

広々としたアトリウムの端の白いスロープからは、にぎやかな広場の様子が眺められる。

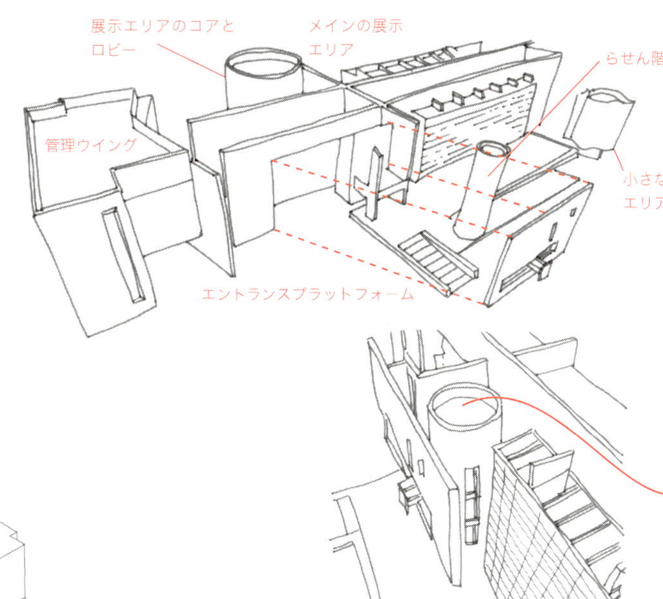

さまざまな要素が緻密に組み合わされているが、建物の基本はいくつものシンプルな幾何学図形でできている。

らせん階段はコンクリートの円筒にすっぽりと覆われている。円筒の脇に取り付けられた窓からは狭い景色しか見えないが、一方でガラスのファサードに囲まれた内部のスロープからは広い景色が見渡せる。

形状の成り立ちと自然光の使い方

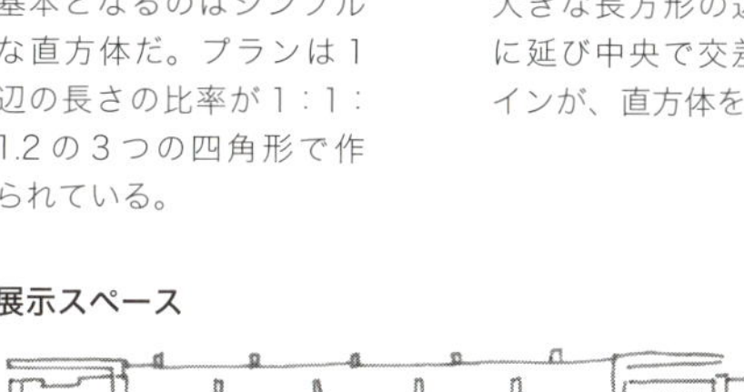

基本となるのはシンプルな直方体だ。プランは1辺の長さの比率が1：1：1.2の3つの四角形で作られている。

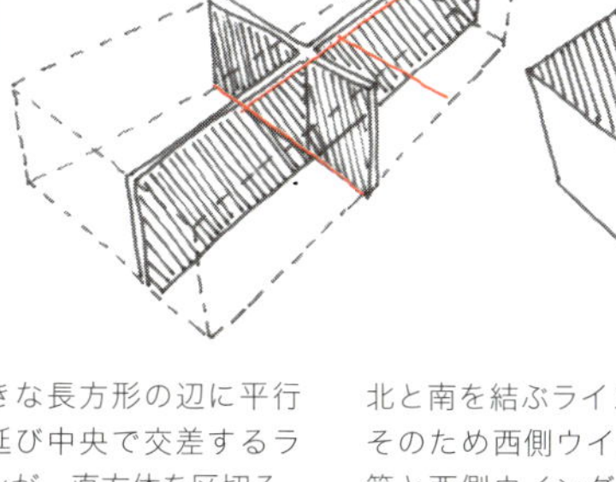

大きな長方形の辺に平行に延び中央で交差するラインが、直方体を区切る。

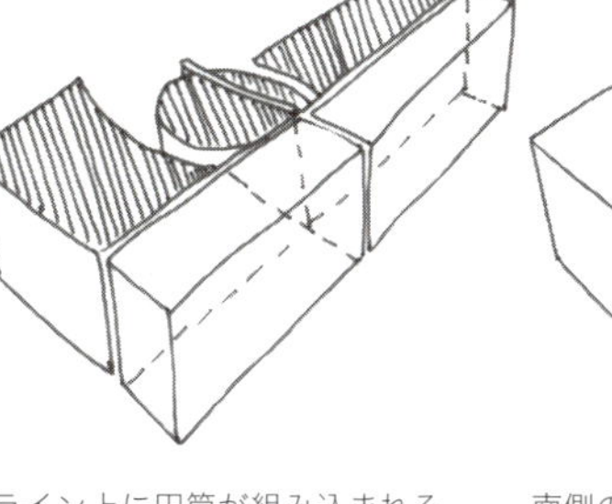

北と南を結ぶライン上に円筒が組み込まれる。そのため西側ウイングが内側に引っ込み、円筒と西側ウイングの間にカーブを描くヴォイドが生まれている。

南側のファサードの表面の一部がくり抜かれている。その空間を埋め合わせるように、ファサードの表面と平行に壁がもう1枚設けられ、2重のファサードが作られている。

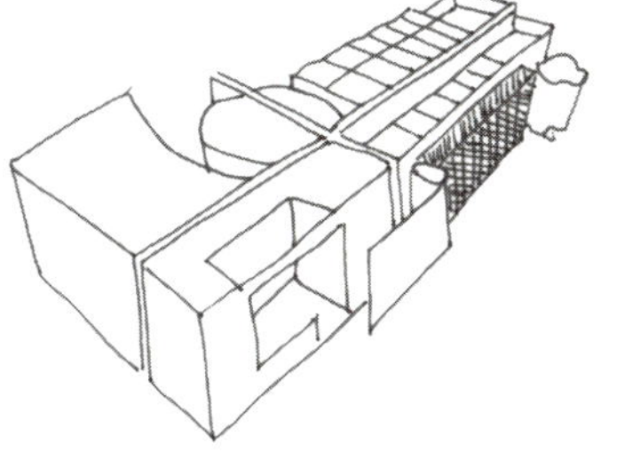

カーテンウォールや天窓から自然光が差し込む。

展示スペース

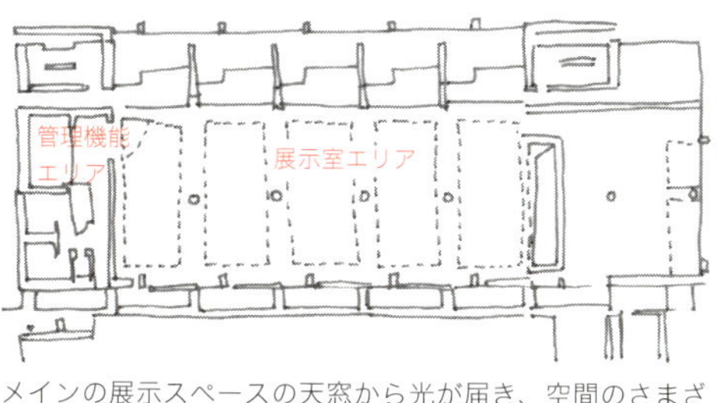

メインの展示スペースの天窓から光が届き、空間のさまざまな特徴を高めている。

3層フロア分の高さがある通路の天井は、部屋間の移動をスムーズにしている。また、通路からは広場の景色が見える。

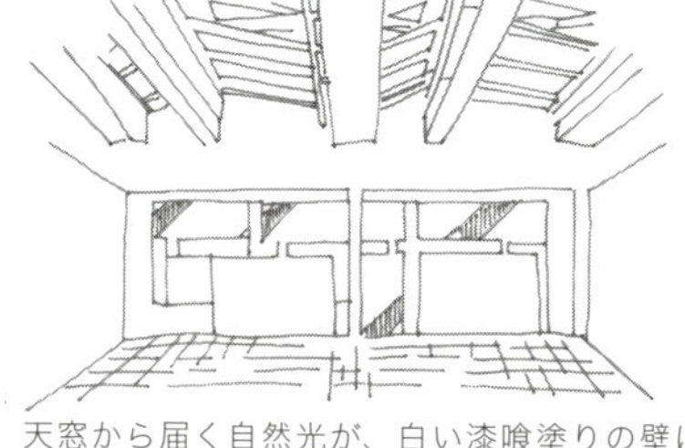

天窓から届く自然光が、白い漆喰塗りの壁にくっきりとした影を映す。多様に変化していく影の形が時間の流れを感じさせる。

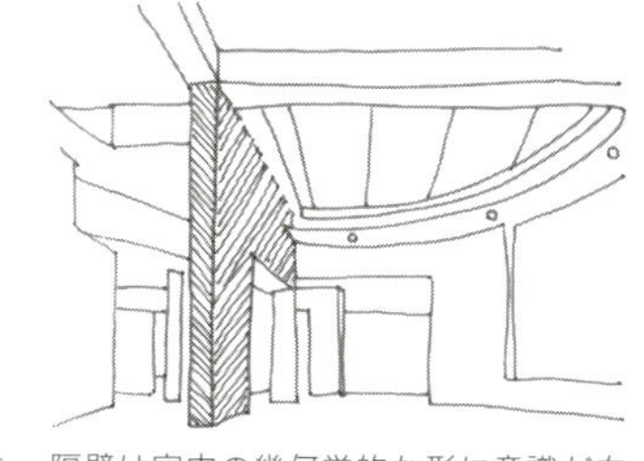

隔壁は室内の幾何学的な形に意識が向けさせ、構造に特徴を与えている。

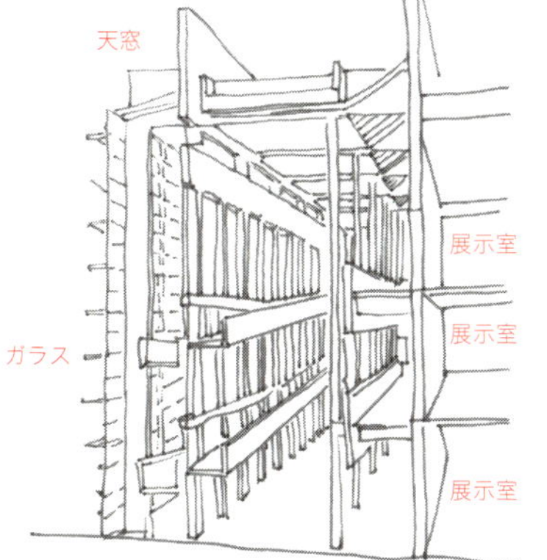

美術館のエントランスや展示室をつなぐ通路は、来館者が展示室を行き来しながら、空間を体感できるよう入念に計画されている。室内では奥行きのある景色が楽しめ、バルコニーやテラスからは下の広場や周りの街の風景が眺められる。白い壁は、展示作品の色のほか、来館者の服の色やちらりと見える外の景色を鮮やかに対比させる。

上階　外の景色

上階のバルコニーや窓辺では、ひと休みしながら周りの景色を眺められる。アトリウムの壁はガラス張りなので、スロープを歩きながら広場の様子をうかがえる。

ミュージアムショップ　案内デスク　アトリウム　1階　入口

メインの入口から大きなロビーへつながり、その右手に案内デスクがある。来館者はここからアトリウムを通って1階の展示エリアへ進んだり、ゆったりと腰を下ろして休んだりできる。スロープや階段で上階へ行くこともできる。

大きな円筒

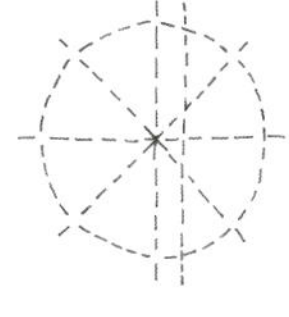

大きい方の円筒は、シンプルな円が45度ずつの部分に分割される。中心から外れたラインが円を区切っている。

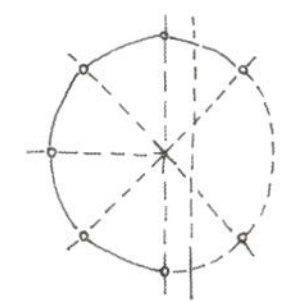

45度の分割に合わせて、柱が規則正しく配置されている。

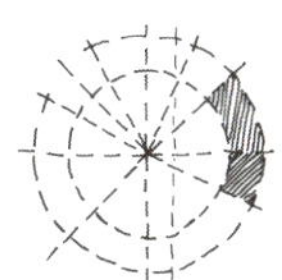

円筒の内側にもう1つの円がはめ込まれている。従業員用階段などの機能が、より細かく分けられた部分に納められている。

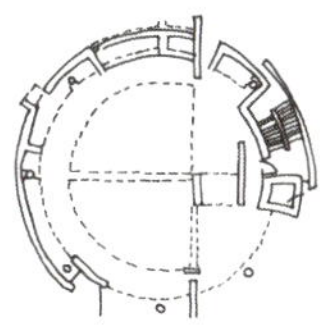

外側にひとまわり大きな3つめの円を設ける。その円を基準に、円筒の内側の壁と外側の壁が決められている。2枚の壁の間に階段を作るのは、マイヤーがよく使う手法でもある。

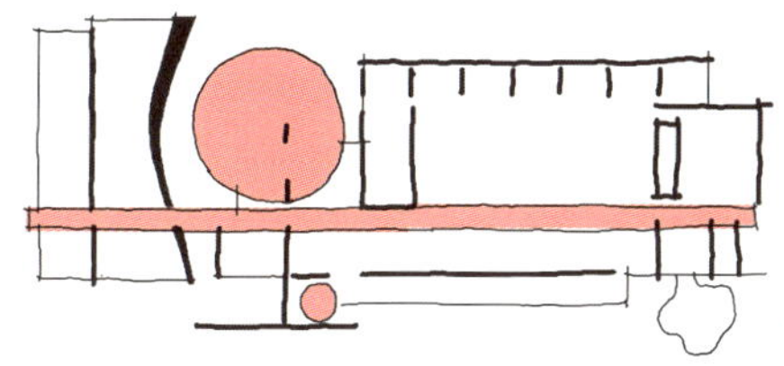

細い空間が建物の端から端までまっすぐに延び、上階のメインの動線を作っている。大きな円筒と小さな円筒はその空間を挟んで両側に置かれる。

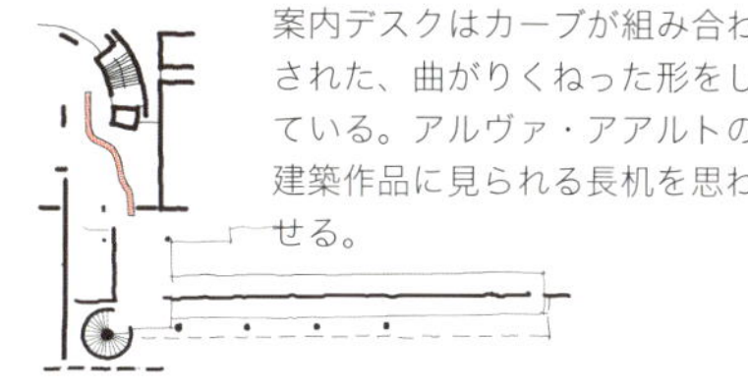

案内デスクはカーブが組み合わされた、曲がりくねった形をしている。アルヴァ・アアルトの建築作品に見られる長机を思わせる。

らせん階段を覆う小さい方の円筒は、開口部のある2枚の平行な壁に挟まれている。案内デスクからスロープへつながり、動線の方向転換の要所に配置されている。

前例

マイヤーのほかの作品でも、この美術館と同じく、独特の建築様式の中で幾何学図形が組み合わされる。

小さな展示室

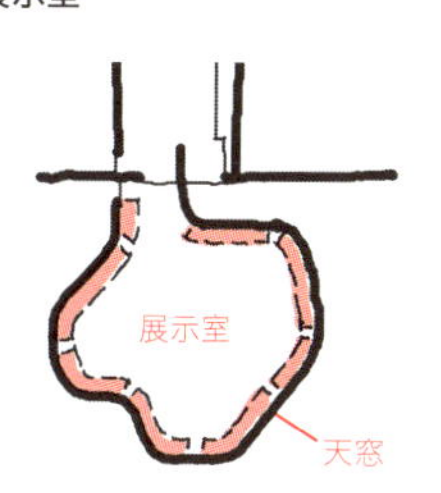

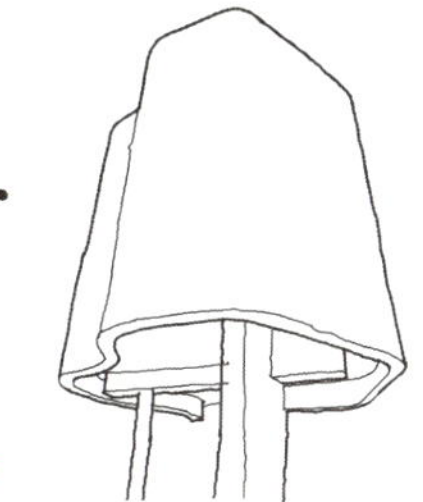

建物の南東にある小さな展示室は、シンプルな幾何学図形のパターンから外れたいびつな形をしている。遊び心あふれる自由曲面が、メインの建物の整然としたフォルムと相互反応的な一体感を生んでいる様子は、ル・コルビュジエの建築作品を想起させる。太陽が空を動くにつれて、いびつな形の表面の色合いが変わっていく。

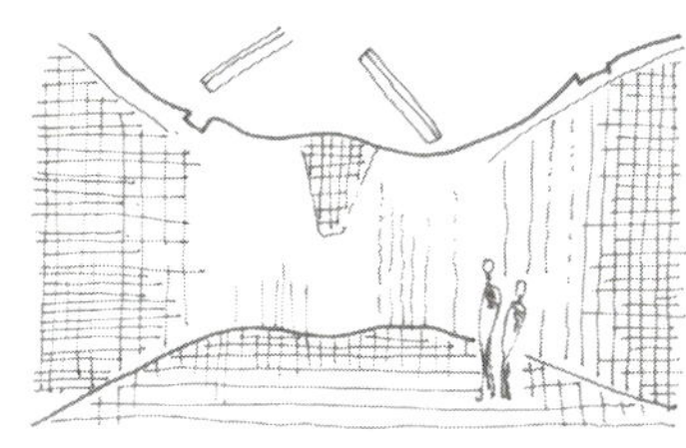

天窓から注ぐ光が作る影が、小さな展示室にダイナミックな印象を与えている。

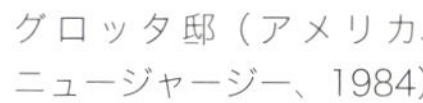

グロッタ邸（アメリカ、ニュージャージー、1984）

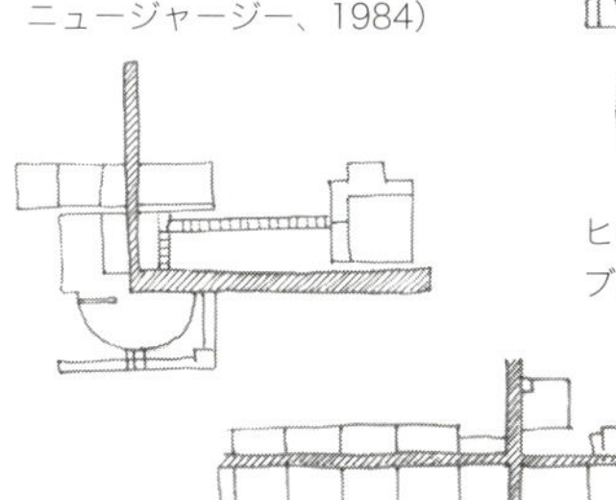

ヒポルクス銀行本社、（ルクセンブルク、1989）

サンドラ・デイ・オコナー米国裁判所（アメリカ、アリゾナ、フェニックス、1994）

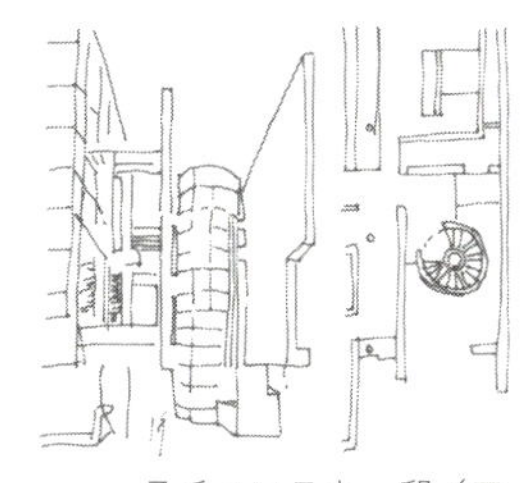

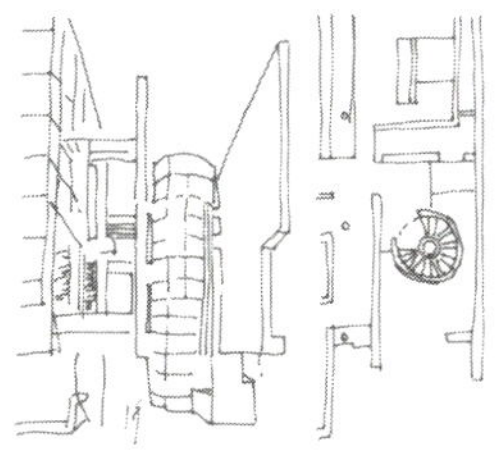

ラチョフスキー邸（アメリカ、テキサス、ダラス、1994）

スイス航空北米本社（アメリカ、ニューヨーク、メルヴィル、1994）

素材

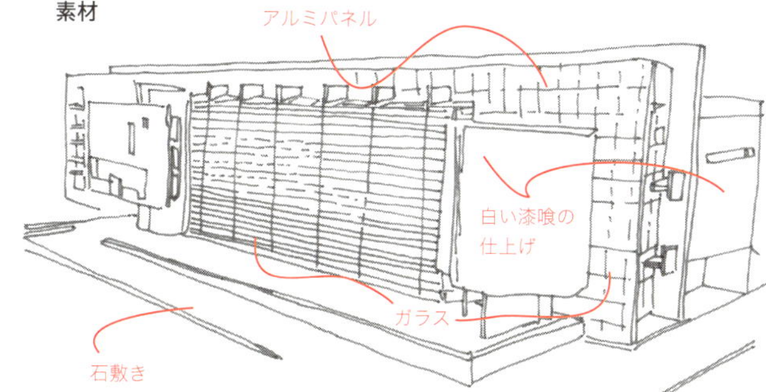

白い色はマイヤーの建築の特徴だ。平らなアルミパネルの壁は、その前面にあるガラスの部分や白い部分の背景になる。外側のボリュームには3つの素材が使われ、それぞれのボリュームの序列を表している。

22

ヴィトラ社 消防ステーション | 1990-93

ザハ・ハディド・アーキテクツ
ドイツ、ヴァイル・アム・ライン

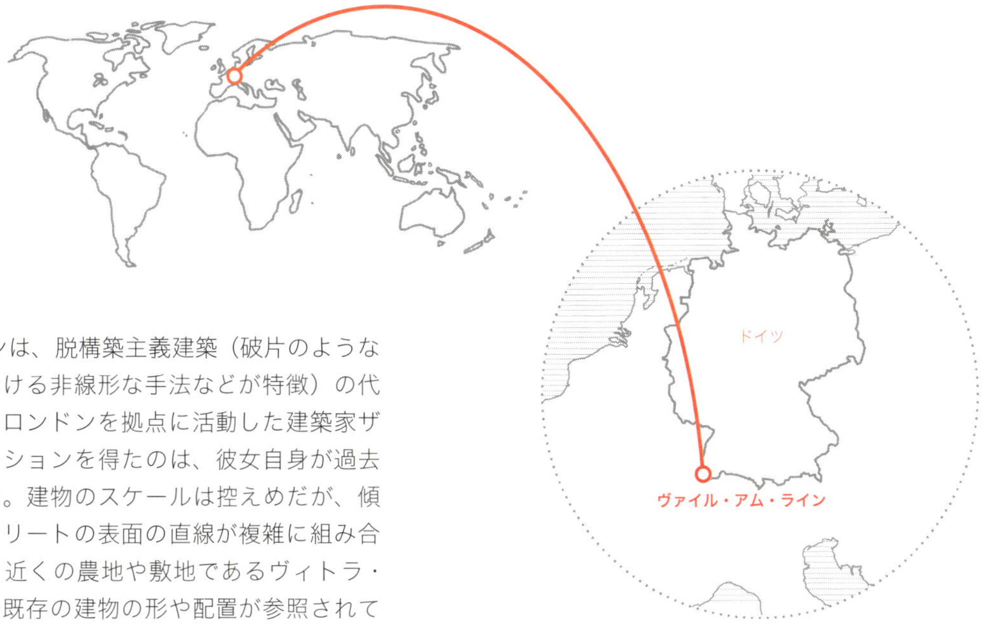

ヴィトラ社 消防ステーションは、脱構築主義建築（破片のような建築物の形状、設計過程における非線形な手法などが特徴）の代表的な作品だ。イラク出身でロンドンを拠点に活動した建築家ザハ・ハディドがインスピレーションを得たのは、彼女自身が過去に描いたドローイングだった。建物のスケールは控えめだが、傾けられ折り曲げられたコンクリートの表面の直線が複雑に組み合わされている。デザインは、近くの農地や敷地であるヴィトラ・デザイン・キャンパスに建つ既存の建物の形や配置が参照されている。同じ敷地内には工場や博物館のほか、有名な建築家たちが家具メーカーのヴィトラ社のために設計した関連施設がいくつか建つ。

大きな火災があった10年後に設計されたこの消防ステーションには、火災を繰り返さないための消防機能や、安全への人々の願いが表れている。この建物は「アンビルトの女王」と呼ばれたハディドが初めて実現させたプロジェクトであり、彼女を世界に知らしめるきっかけとなった。

レオ・クーパー、セレン・モーコック、フィリップ・イートン

ドイツ
ヴァイル・アム・ライン

22 ヴィトラ社 消防ステーション｜1990-93

ザハ・ハディド・アーキテクツ
ドイツ、ヴァイル・アム・ライン

コンテクスト

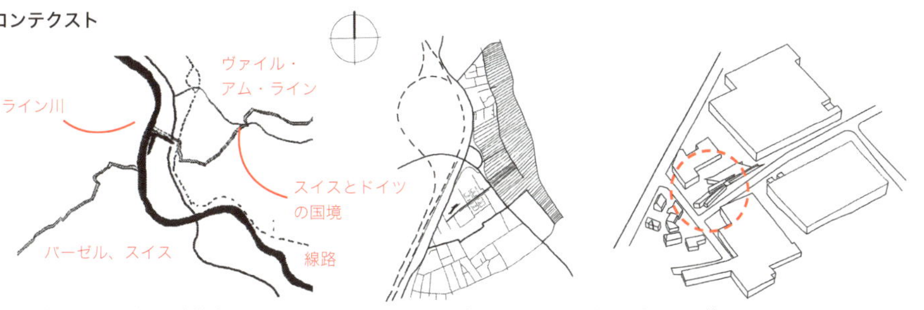

1981年の火災の後、建築家ニコラス・グリムシャウが家具メーカーであるヴィトラ社の工場敷地のヴィトラ・デザイン・キャンパスを基本計画した。キャンパス内には工場や博物館があり、現在は斬新な建築作品がいくつも建っている。消防ステーションもその1つだ。敷地は、ドイツとスイスの国境やほかの敷地との境界線、ライン川が交わる場所にある。このような一見バラバラな要素が互いに影響しながら、建物のデザインに取り入れられている。

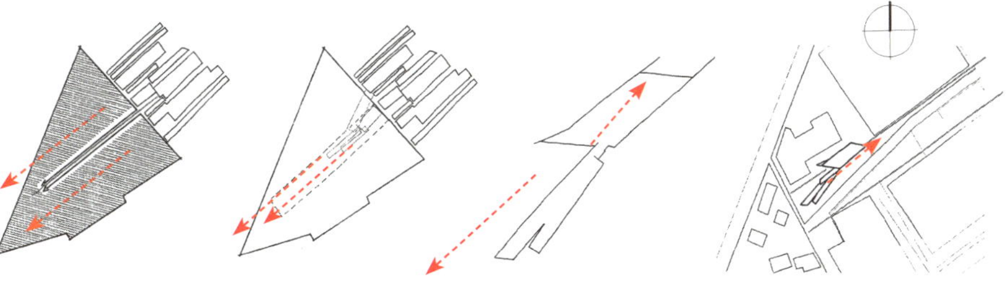

周りの建物の形や交通の流れなど、敷地がもつ影響力と建物のフォルム。

ヴィトラ・デザイン・キャンパスの大通りは、隣の農地にある畑やブドウ園に沿って延びている。細長い消防ステーションは、キャンパス内の建物を結ぶ通り沿いに配置されている。

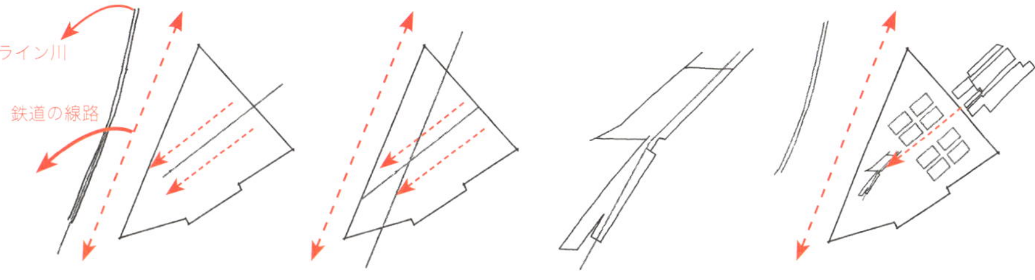

建物の主軸は、ライン川と鉄道の線路に対して斜めに設けられている。建物の軸と敷地の軸が交差する地点で、建物の2つのボリュームがつながっている。

コンテクストからの断絶

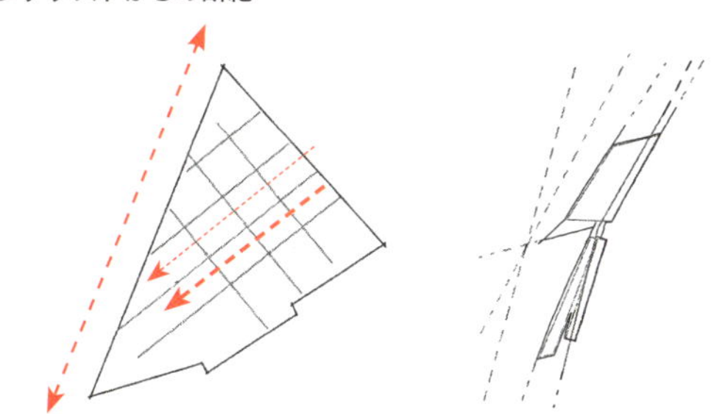

消防ステーションの建物のフォルムは、周りの工場の建屋と著しい対比をなす。敷地を分けるグリッド線は、鉄道の線路のラインと交差するように引かれている。鉄道の線路や農地の区画など、敷地の外の要素の影響力を取り入れて、そのラインに沿って敷地のグリッドを分割している。

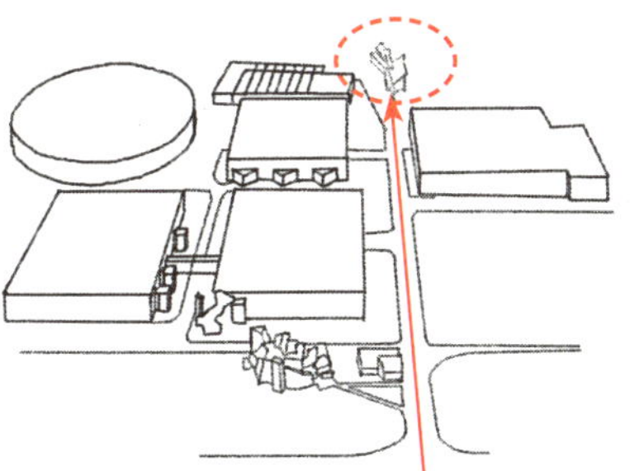

消防ステーションは敷地に延びる軸の終端にあり、農地のエリアと建物が並ぶエリアの中間に位置している。

敷地がもつ明らかな限界を脱構築の視点から分析し、敷地が与える影響をデザインに取り入れている。大きくはないがダイナミックで鮮烈なフォルムの消防ステーションは、堅牢で大きな工場の建物と著しい対比をなす。

遊び心あふれるデザインと機能主義の競合

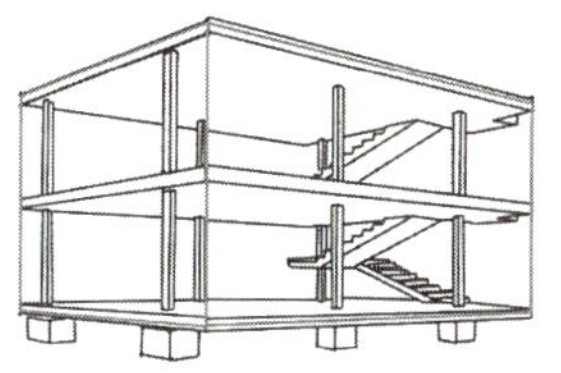

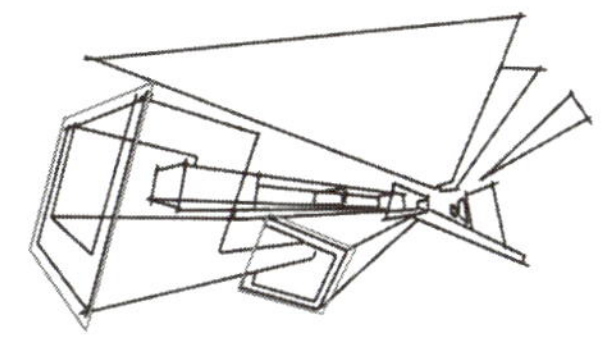

デザインは機能と合理性から生まれるというモダニズムの考え方とは対照的に、ハディドが考えるシュプレマティスム（幾何学の基本図形を重要視する芸術運動）では、デザインを「技術や経済、文化の影響を受けながら芸術的な形を作る、遊び心あふれるプロセス」だととらえる。素材の本質を活かした使い方はそのままに、モダニズムの「シンプルな直方体」が平面や線などの要素に分解されて、ゆがんだ平面や溶けていくような傾斜に変わっていくのだ。

ハディドの構想図には、彼女が当初考えていたフォルムのアイデアが描かれている。鍵になった２つの要素は、曲がりくねった鉄道の線路と、農場区画の幾何学的なレイアウトだ。

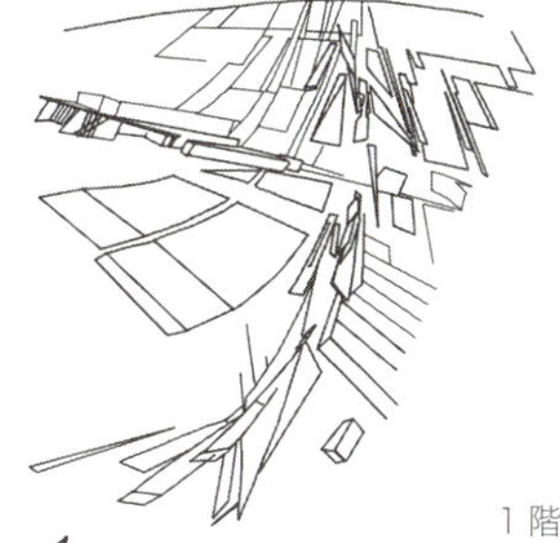

敷地の影響力の抽象化

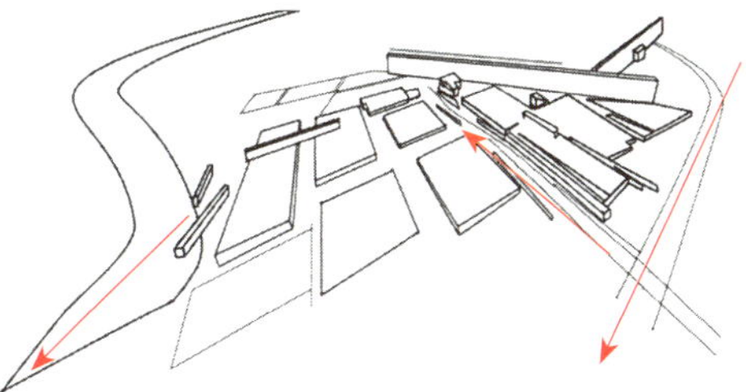

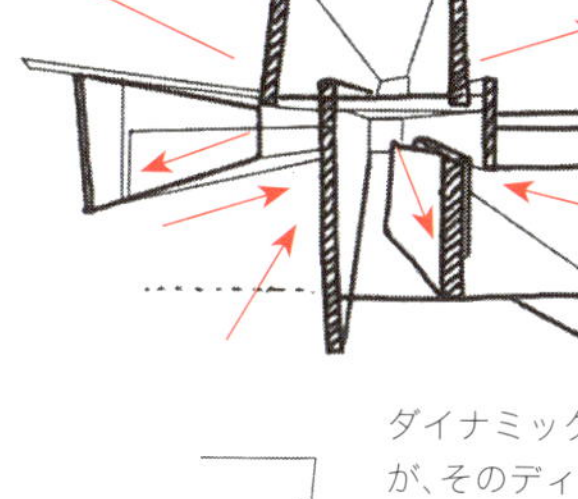

周りの建物の形や交通の流れなど、敷地の影響が、建物の力強いフォルムの決め手になった。構造要素がダイナミックな平面を水平方向、垂直方向に定位置で支えている様子は、まるで動いている建物の一瞬を切り取ったようだ。

ダイナミックな空間だが、そのディテールは、プラスチックがヒューマンスケールで成形されているような自在で柔軟な印象すら与える。

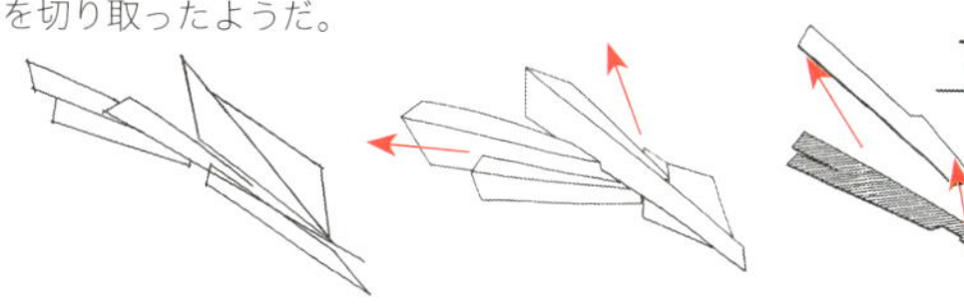

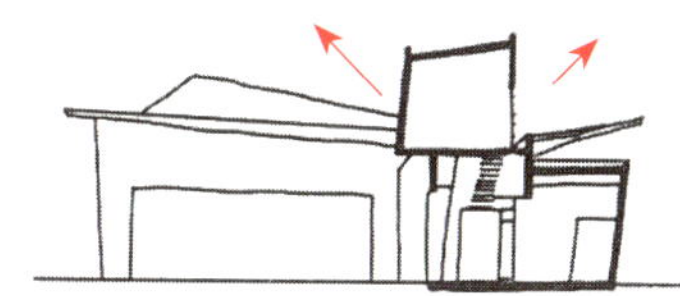

消防士更衣室やトレーニングルーム、クラブハウスルームなどの生活空間を納めた鋭いフォルムは、近くを走る電車の動きを模している。消防ステーションは周りの工場の建物とは対比をなすが、フランク・O・ゲーリーが設計したヴィトラ・デザイン・ミュージアム（1988-2003）など敷地の端にある独特の建築の形とは調和している。

プログラムへの対応

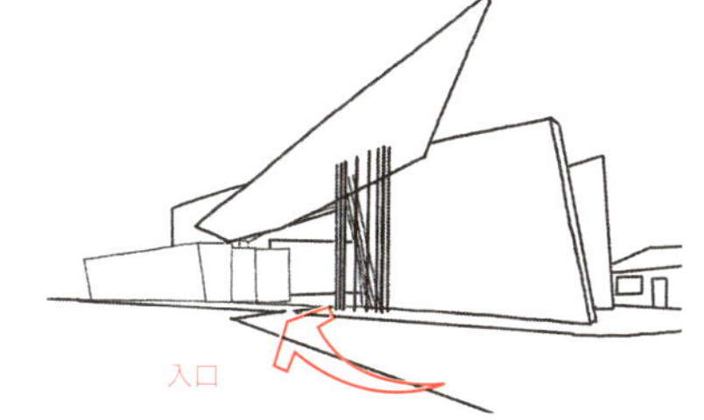

建物のデザインは、重なり合う３つのボリュームからなる。平面と断面のどちらにも空間のヒエラルキーが表れている。もっとも大きなボリュームは、車５台分の駐車レーンが平行に並んだガレージで、残りの２つのボリュームはスタッフが使用する空間だ。

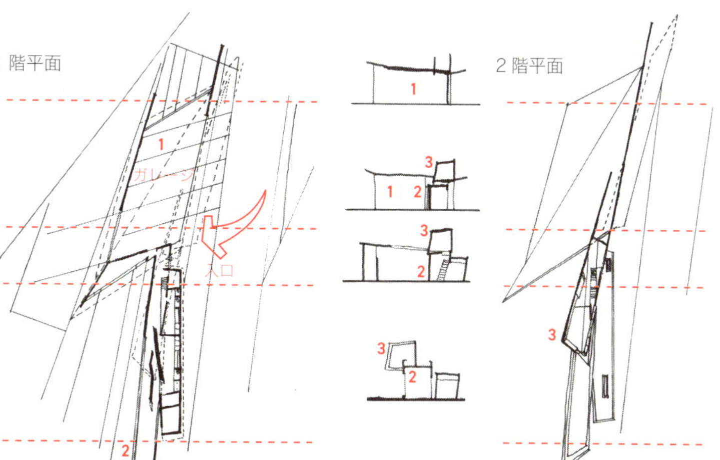

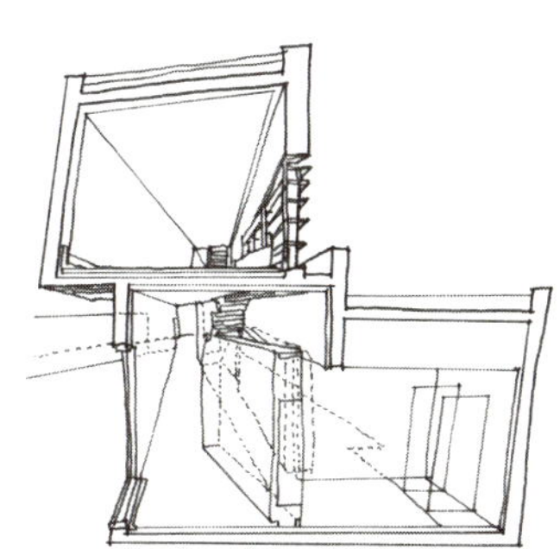

傾いている壁、曲がっている壁など、角度の付いた平面が際立つ。プログラムに合わせて壁には開口部が設けられている。

22 ヴィトラ社 消防ステーション｜1990-93

ザハ・ハディド・アーキテクツ
ドイツ、ヴァイル・アム・ライン

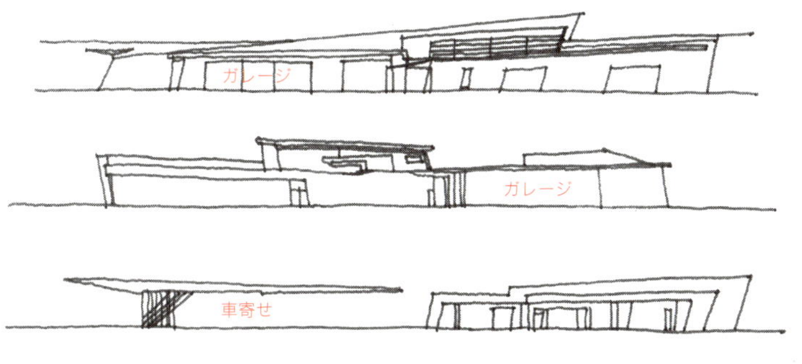

建物の外壁はすべて現場打ちの鉄筋コンクリート製で、上部が外向きに開くように傾いている。ダイナミックなフォルムが、まるで無重力の中に浮いているような軽い印象を演出する。壁はすべて構造物として建物を支えながら、流れるような立面のラインを描いている。

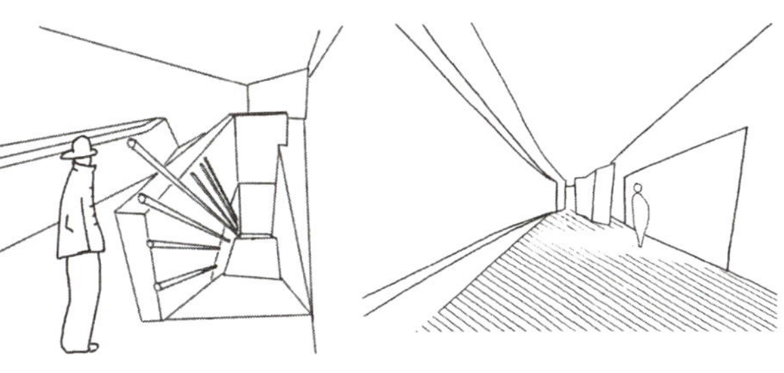

建物内の直線的な空間に、流れるようなラインが延びている。ラインがつながって方向を指し示しているので、消防士たちは室内をスムーズに移動できる。

パブリックとプライベート

パブリックな機能とプライベートな機能にボリュームが分けられ、それぞれのボリュームは軸の交点でぶつかっている。

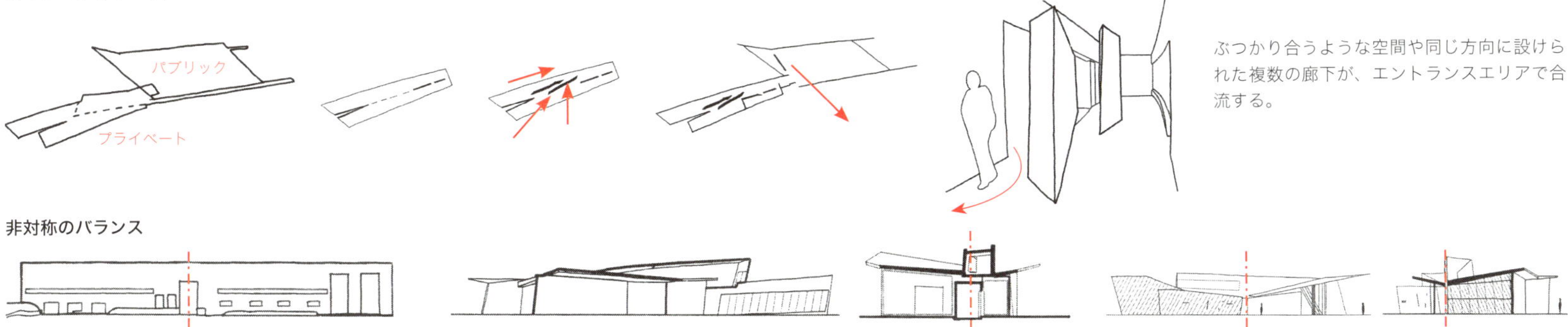

ぶつかり合うような空間や同じ方向に設けられた複数の廊下が、エントランスエリアで合流する。

非対称のバランス

一般的な消防署の建物の形にとらわれず、左右対称やバランスなどの伝統的なデザイン表現があえてゆがめられている。それぞれのボリュームは入口がある真ん中へ傾斜しているが、全体では左右非対称な形がバランスを取り、力強さが表現されている。室内は、オフィスや更衣室などの補助機能などのプライベートな空間よりも、消防車が並ぶパブリックな空間のボリュームの方が大きい。

開口部のないどっしりとしたコンクリートの側壁が、細い柱や薄い屋根と対照をなす。

光と室内

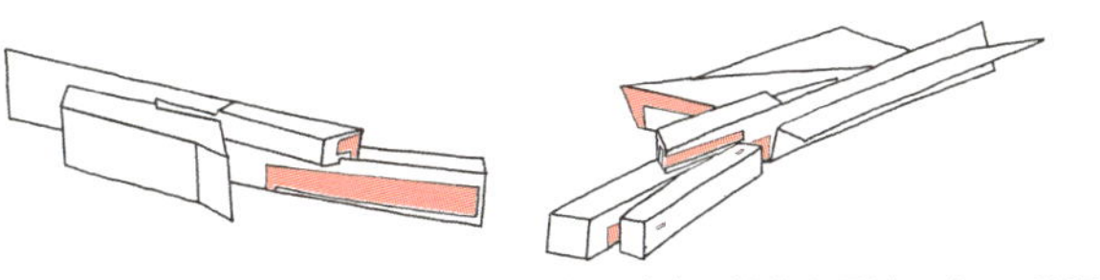

壁や屋根に設けられた横長の開口部から光が差し込む。光の筋が室内の機能を屋外へ映し、強調する。点ではなく線で描かれるすべての光の要素は、力強い全体のフォルムとあいまって、なくてはならないデザイン要素になっている。

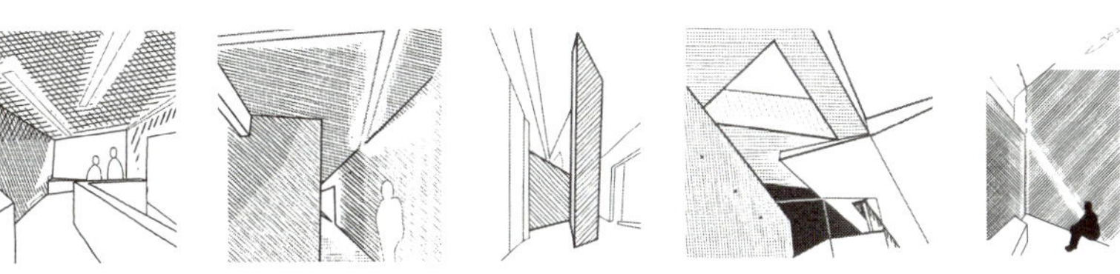

開口部から入る光の筋が建物の向きや室内の動線を強調し、消防士を出口へ向かって誘導する。屋根の開口部や1階に取り付けられた蛍光灯によって、建物の直線が強調される。

形に込められた意味

強烈な視覚的インパクト
船首のような突き出した長方形が、見る人に強い印象を与える。

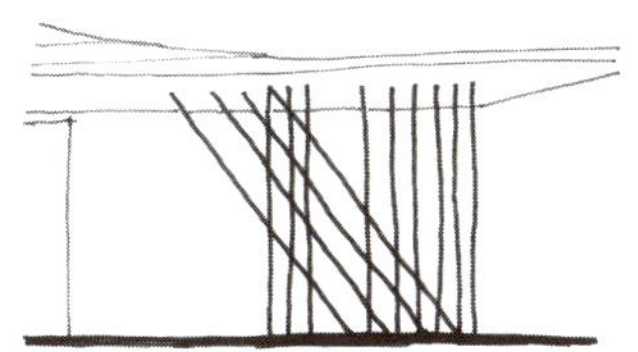

細い柱が並ぶ。不規則な間隔や角度が、建物全体の要素の類似性や差異を連想させる。

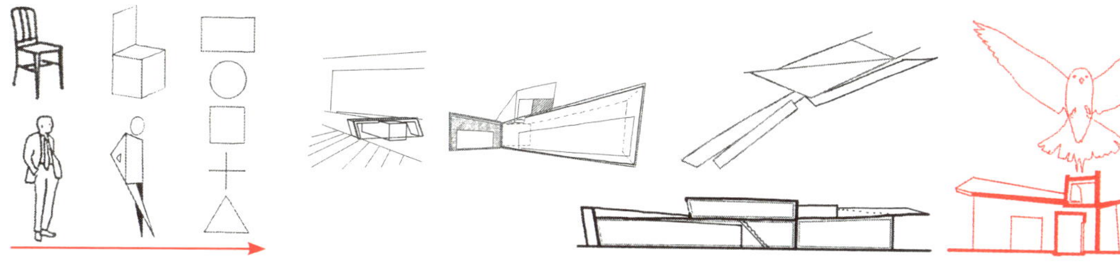

ハディドは、カジミール・マレーヴィチが20世紀初頭に提唱したシュプレマティスムという芸術運動に大きな影響を受けた。シュプレマティスムとは、幾何学的な抽象化を通して、リアリズムをごくシンプルな形にそぎ落とすことを目指した思想だ。その結果考え抜かれたハディドの作品は、シンプルな図形で構成された抽象的なフォルムをもっている。

シュプレマティスムの作品は、抽象化を通して芸術に対する純粋な感覚をつかむことを前提としている。この建物では、平面や断面、そして全体の立体的な構成に広くシュプレマティスム的なフォルムが使われている。基本図形が組み合わさって印象的なアッサンブラージュ（ことなる3次元の素材を組み合わせて立体作品を構成すること）を作り、空間同士が相互につながり合っている様子は、見る人に強い印象を与える。

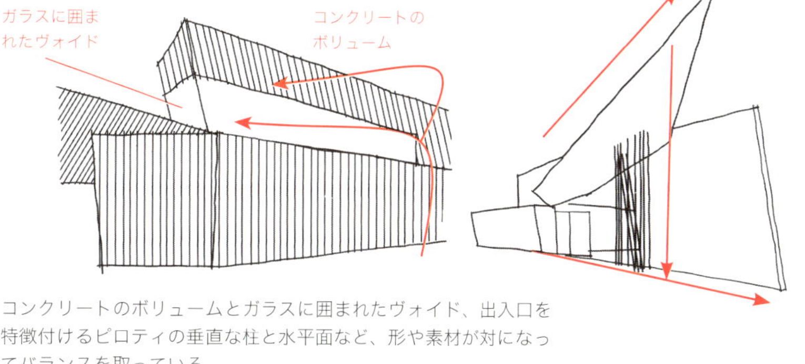

コンクリートのボリュームとガラスに囲まれたヴォイド、出入口を特徴付けるピロティの垂直な柱と水平面など、形や素材が対になってバランスを取っている。

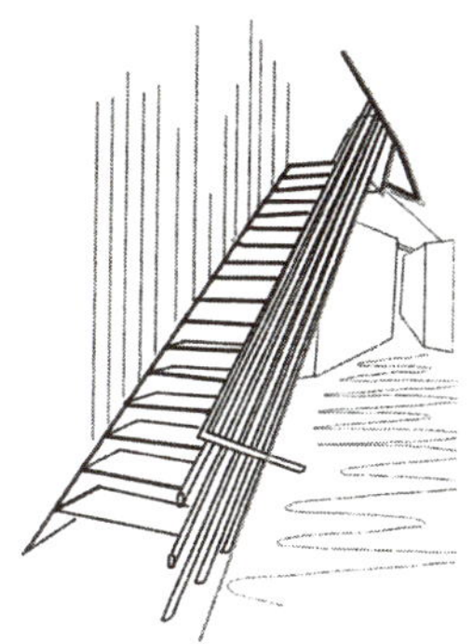

同じフロアを歩いたり、階段を上り下りしたりすると、多様な平面が目に入る。屋外の柱や階段の手すりなど、共通するデザイン要素である直線のモチーフがさまざまなスケールにおいて繰り返し用いられている。

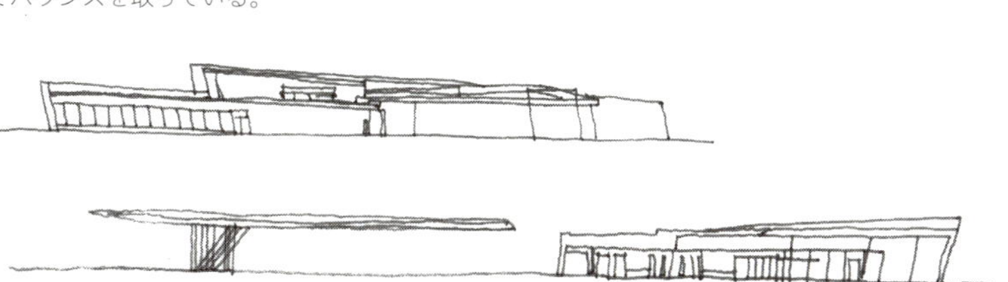

片方に傾いた建物のソリッドなマッスと、消防車用のガレージのスライドドアの上に延びる、宙に浮かぶような張り出し屋根がバランスを取っている。まるで壁が水平に切り取られたような横長の開口部にはルーバーが取り付けられている。開口部のおかげで外からも2階のボリュームがどれほどかがわかる。

23 ローズ・クリケット・グラウンド メディア・センター | 1994-99

フューチャー・システムズ
イギリス、ロンドン

ローズ・クリケット・グラウンドは、1787年に設立されたメリルボーン・クリケット・クラブのホームグラウンドだ。メリルボーン・クリケット・クラブは、クリケットの競技規則「ローズ・オブ・クリケット」を制定している名門チーム。放送局や記者がグラウンドを見下ろせる新しいメディア・センターの指名コンペで優勝したのは、ヤン・カプリツキーとアマンダ・レヴェットが率いたフューチャー・システムズだった。1999年のクリケット・ワールドカップに向けて、1997年と1998年の、オフシーズンにあたる冬の間に建設された。

アルミニウムのプレハブ工法、「ポッド」と呼ばれるさまざまな機能が詰め込まれた独立空間、テラスとクリケット場のスタンドの関係、「ピッチとプレーヤーを同時に眺められる、壁に囲まれた空間」という機能を明確に表した表現など、この建物には見どころがいくつも詰め込まれている。

ダニエル・オディー、アントニー・ラッドフォード、シュアン・ジャン

NatWest Media Centre
NatWest Media Centre

23 ローズ・クリケット・グラウンド　メディア・センター｜1994-99

フューチャー・システムズ
イギリス、ロンドン

ローズ・クリケット・グラウンド
リージェンツ・パーク
ハイド・パーク
ロンドン
テムズ川
リージェンツ・パーク

ローズ・クリケット・グラウンドは、ロンドンの中心部から約4キロメートル離れたセント・ジョンズ・ウッドのエリアにあり、住宅街や商業施設に囲まれている。マウンド・スタンド（ホプキンズ・アーキテクツ設計、1987）、エドリッチ&コンプトン・スタンド（ホプキンズ・アーキテクツ設計、1991）、グランド・スタンド（グリムシャウ・アーキテクツ設計、1998）など、グラウンド内のいくつかのスタンドが20世紀終わりに建て直された。メディア・センターはグラウンドの端にあり、文化遺産に指定されているパビリオン（クリケット場に併設される建物。選手の更衣室や、クラブメンバー専用の観戦席がある。）（トーマス・ヴェリティ設計、1889）の正面に位置する。

メディア・センター

メディア・センターは、既存の観戦席をそのまま残し、テラスを見下ろすようにしてその後ろに建っている。ランドスケープの中では、まるで跡形もなく消せる独立した物体のように見える。建物のカーブが、直線的な塀と対比をなす一方、テラスの傾斜と呼応している。

ナーセリー・グラウンド（練習用グラウンド）
メディア・センター
マウンド・スタンド
グランド・スタンド
クリケット競技場
パビリオン

華やかなディテールのパビリオンが、装飾のないカーブ状のメディア・センターと対比をなす。

対比：マウンド・スタンド

マウンド・スタンド（図下）は1987年に建て直され、コンクリート製の既存のテラスの上に新しいテラスが付け加えられた。メディア・センターと同じように、新しいものと古いもの、金属の「軽さ」とレンガやコンクリートの「重さ」にはっきりとした違いがある。

　マウンド・スタンドが描く凹状のカーブが連なるスカイラインは、メディア・センターの凸状のカーブとコントラストを生む。

マウンド・スタンドは、古いスタンドの上に設けられている。金属素材でできた繊細な網目の飾り格子や布製の天蓋が取り付けられている。

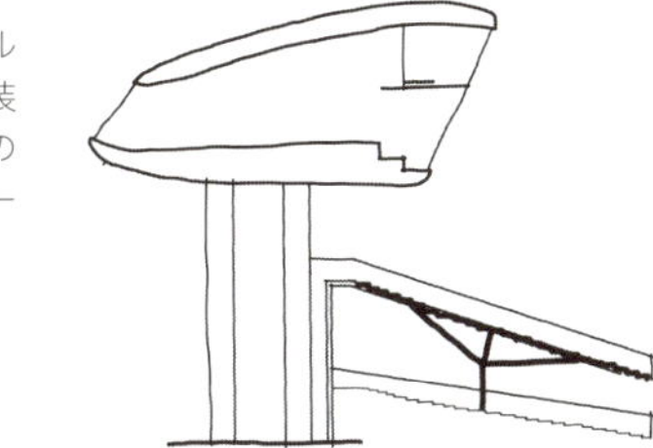

メディア・センターは古いスタンドの後ろに建つ。構造要素とひと続きになった外壁をもち、いろいろな機能が詰め込まれたポッドだ。

建築部材を描いた屋根伏図

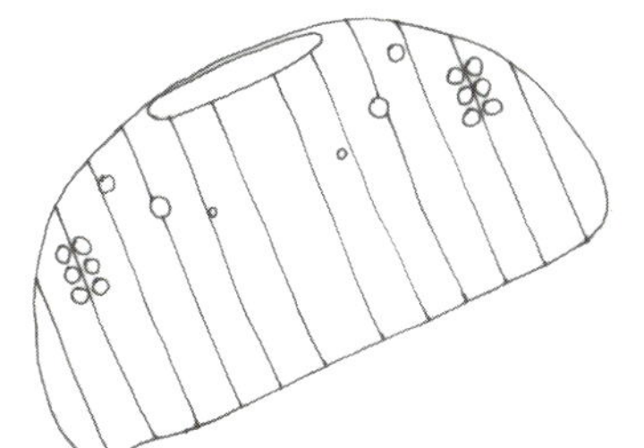

中２階平面

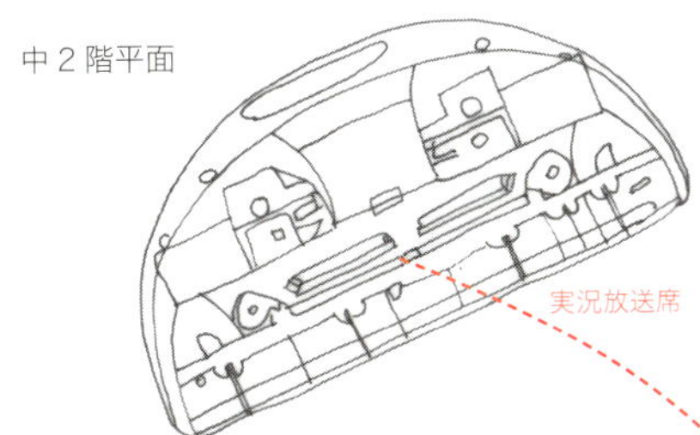

メインフロア平面

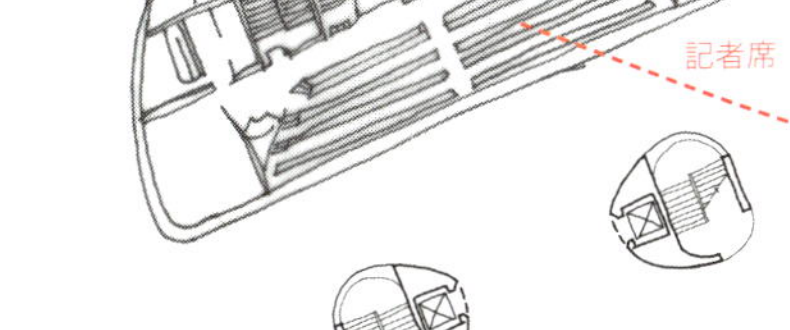

地上階から延びる２組のエレベーターと階段が、それらの間に走るスパイン（建物の長手方向に延びる、メインの通路）へ導く。このスパインに沿ってロッカーがある。それぞれの空間は床レベルの違いや手すり、ガラスのパーテーションで性格付けられているが、視覚的にはつながっているので移動がしやすい。

インテリアは鮮やかだが落ち着いた色合いだ。室内の壁、床、天井はすべて明るい青色、デスクや調度品は白と、観戦をさまたげない控えめな色が使われている。らせん階段には真っ赤なカーペットが敷かれているが、室内にいる人が試合を観戦するときは、この鮮やかな色は視界に入らない。

ポッドの奥にあるレストランからは、裏側のガラス越しにクリケット場の後ろにあるナーセリー・グラウンド（練習用のクリケット場）が見下ろせる。ポッド裏面のガラスの両側はカーブしているが、中央部分は平らだ。レストランはメディア関係者が使うほか、オフシーズンには一般にも貸し出されている。

床面積は 600 平方メートルで、テレビやラジオ放送局のスタッフ 100 人、記者 120 人、レストランやバーの従業員 50 人を収容できる。

正面のガラスのファサードは、反射した光が選手のプレーをじゃましないように傾いている。ガラスが透明なので、中で働いているコメンテーターや記者が見える。

設計者の１人であるカプリツキーは、この建物をクリケット場にピントを合わせているカメラや、古めかしいテレビ、車、船、飛行機、男性用の電気シェーバーなどになぞらえている。メディア・センターのドアは、船のドアのようだ。

気候への対応

アルミニウム素材はエネルギー効率がよいうえ、建物の耐用年数が過ぎた後には再利用もできる。白い外壁は太陽の光を反射し、斜めにはめられたガラスが光の眩しさや暑さを抑える。雨水は建物の周りに巡らされている雨樋に流れ込むので、下の観客席にしたたることはない。

建物には空調設備があり、それぞれのメディアのデスクに１つずつ通気口が設けられているので、好みに合わせて調節できる。空調設備は建物の中に納められていて、外殻に取り付けられたルーバーパネルから風が通り抜ける。雨や雪は、設備が納められている区画には入らず、雨水管理システムに流れ込むようになっている。

ガラス壁の一部は開閉窓で、クリケットの試合の音が室内に届くほか、自然換気も可能だ。

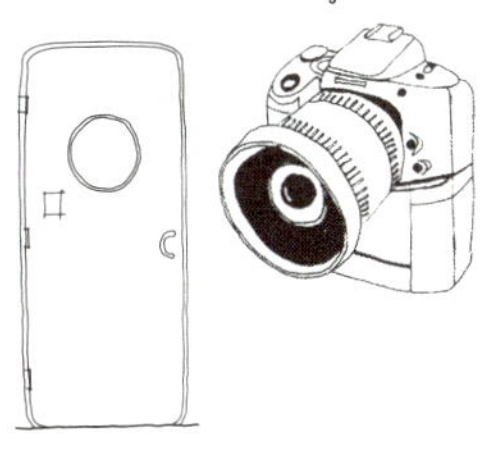

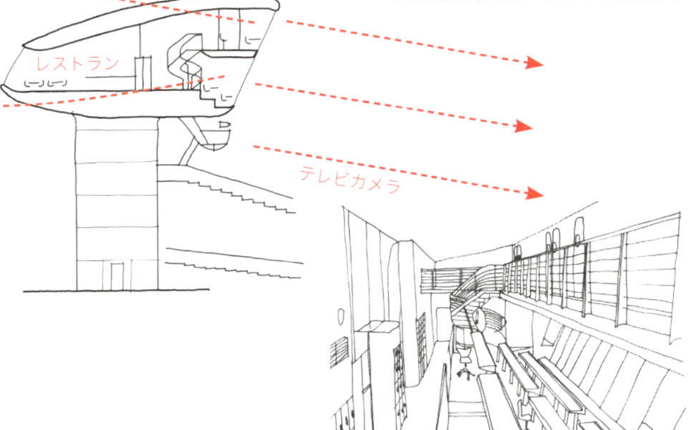

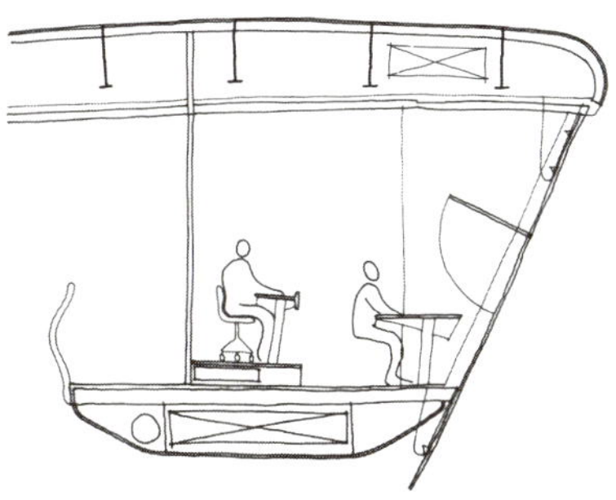

23 ローズ・クリケット・グラウンド　メディア・センター｜1994-99

フューチャー・システムズ
イギリス、ロンドン

建設のプロセス

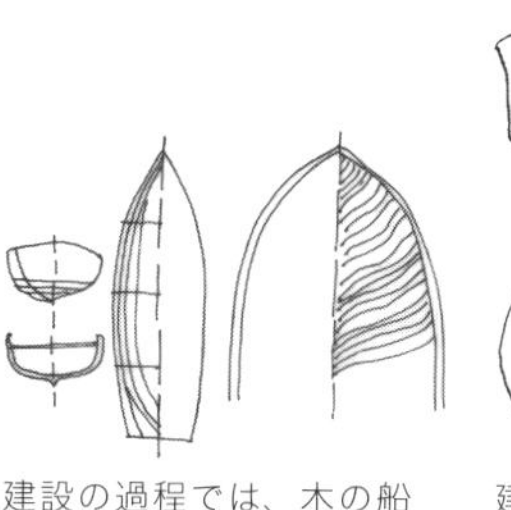

建設の過程では、木の船の船体のように外殻が細長い部材に分けられた。

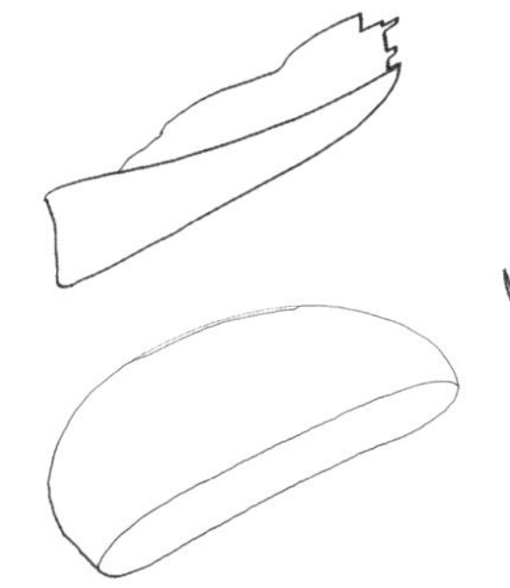

建物の横幅は約40メートルで、大型のキャビンクルーザーと同じくらいの大きさだ。

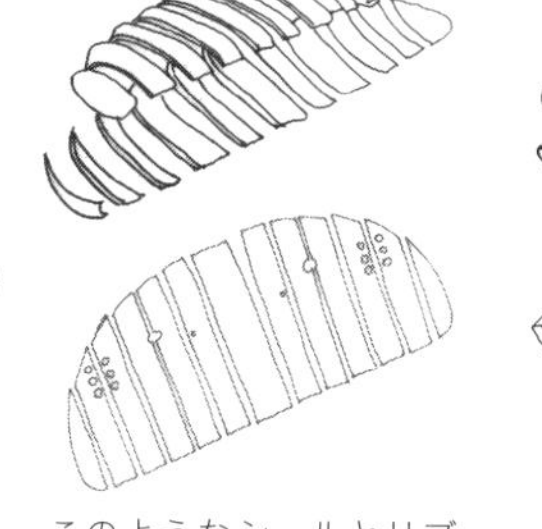

このようなシェルとリブからなる構造は、アルミ素材の船の製造で使われる方法だ。それぞれの部材は造船所で作られ、ポッド全体は大きな倉庫の中で組み立てられる。

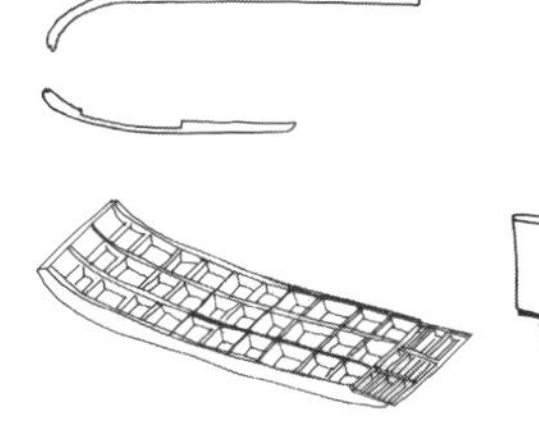

パネルはアルミ素材でできているので、大きさのわりには軽い。

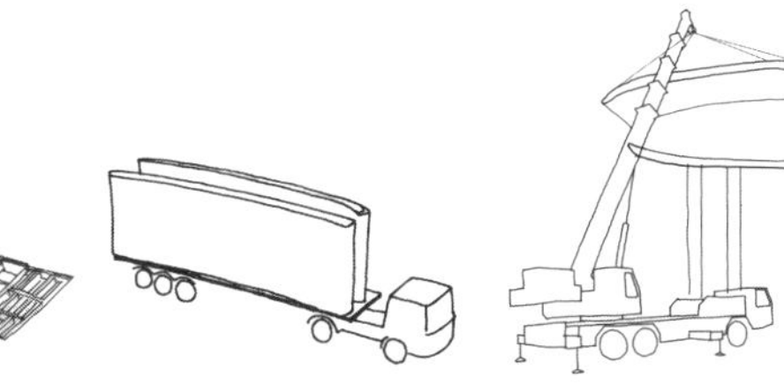

天井と床の細長い部材は、組み立てられた後に敷地へ運ばれる。

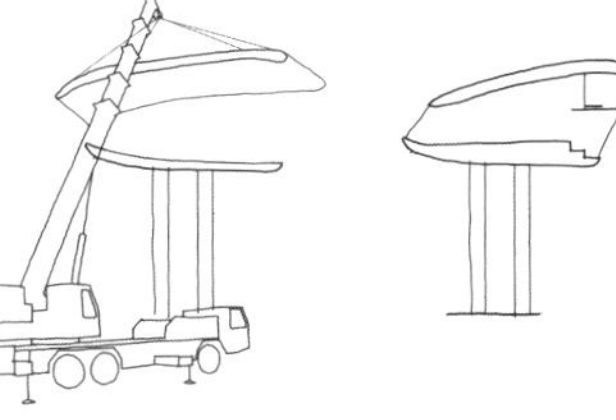

それぞれの部材は、前もって建てられた2本の支柱の上にクレーンで配置される。

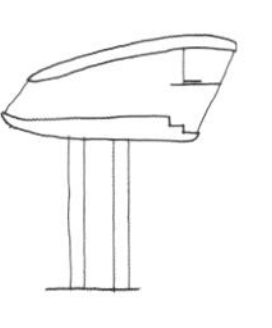

それぞれの部材が溶接されている。伸縮継手（構造体間の相互変位による影響を吸収するための部材）が使われていないので、白いポッドの表面で光を反射し、熱膨張を最小限に留める必要がある。ポッドが組み立てられた後に室内の設備が取り付けられている。

ポッドは、独立した支持構造に外殻が取り付けられているのではなく、外殻が構造の一部となり強度をもっているセミモノコック構造だ。外殻が構造のリブのウェブに溶接され、従来の梁のフランジ（鉄骨部材のＩ形断面の、上下の部分。その間に挟まれている部分をウェブという）に代わる役割を効果的に担っている。リブは屋根から壁、床へ続いている。

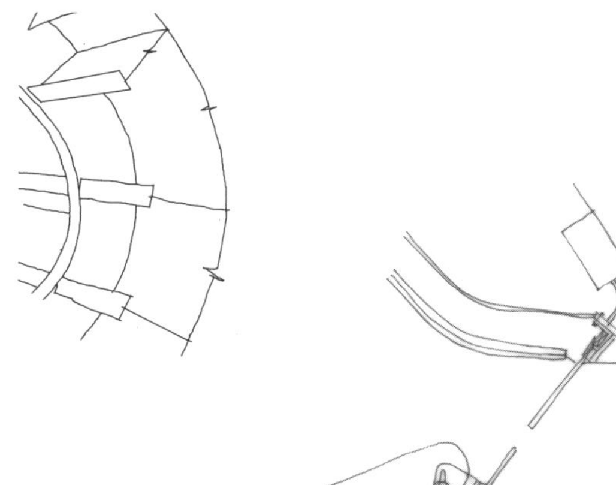

ガラスは外殻の内側にはめられているので、縁枠は隠れている。

「ポッド」と「ブロブ」

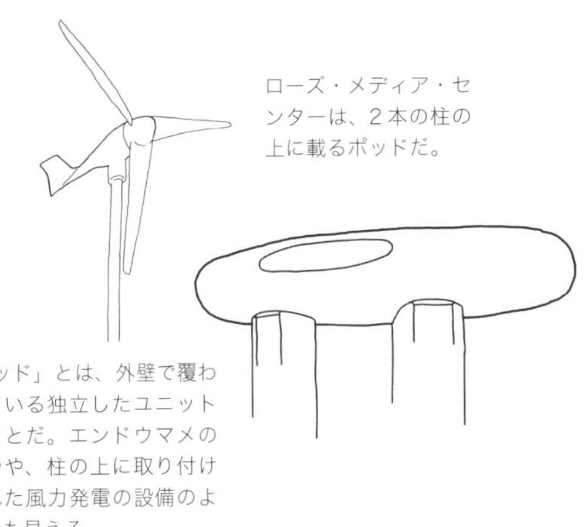

ローズ・メディア・センターは、2本の柱の上に載るポッドだ。

「ポッド」とは、外壁で覆われている独立したユニットのことだ。エンドウマメのさやや、柱の上に取り付けられた風力発電の設備のようにも見える。

フューチャー・システムズは、ロンドン中心街に建つオフィスビルの設計競技（1985年）で、自身のデザイン案を「ブロブ（アメーバのようなカーブを描く、有機的な形をした建築）」と呼んだ。ふにゃふにゃの生き物のような形をしている「ブロブ」は、ポッドよりも柔らかそうな外観をもつ。

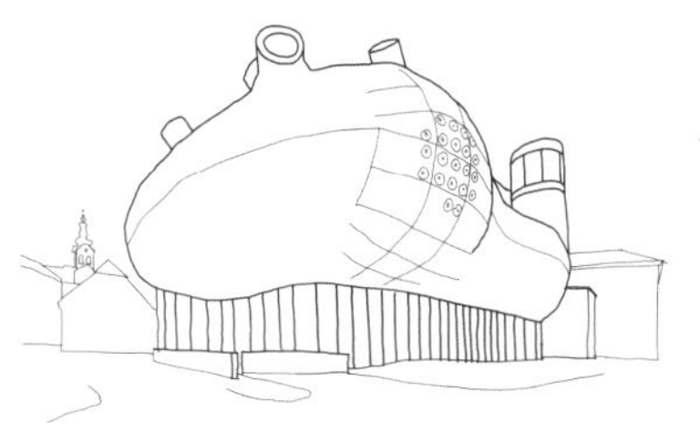

オーストリアのグラーツに建つ、スペースラボ・クック - フルニエの設計によるクンストハウス・グラーツ（オーストリア、グラーツ、2003）も、「ブロブ」を表現した建築だ。ブロブはエンツォ・フェラーリ博物館と同じく、周りの既存の建物に沿う形をしている。ただし、ここではエンツォ・フェラーリ博物館のようにブロブの一部を削るのではなく、ブロブそのものの形をコンテクストにフィットさせている。

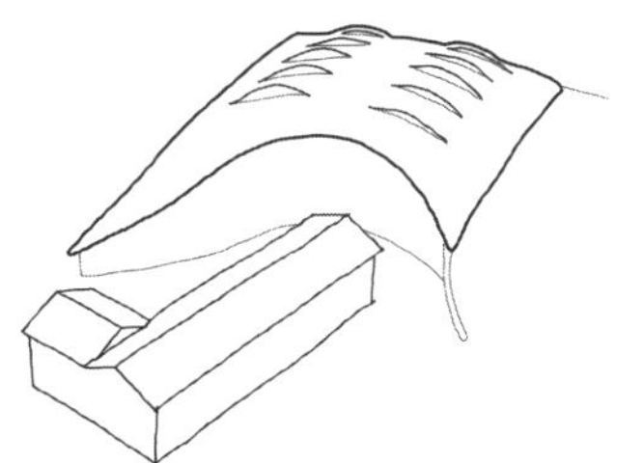

フューチャー・システムズが設計したエンツォ・フェラーリ博物館（イタリア、モデナ、2009）も、長方形とブロブを組み合わせたデザインだ。隣にある既存の建物にフィットさせるために一部が切り取られているように見える。

フューチャー・システムズが設計したセルフリッジズ百貨店（イギリス、バーミンガム、2003）は、側面がカーブした壁に覆われているが、屋根は覆われていない（図右および図右下）。機械設備は建物の中ではなく屋上に設けられている。

彼らは2010年、プラハのチェコ国立図書館（チェコ、図下）の設計競技で優勝した。デザイン案では、ローズ・メディア・センターに似た窓が取り付けられている。

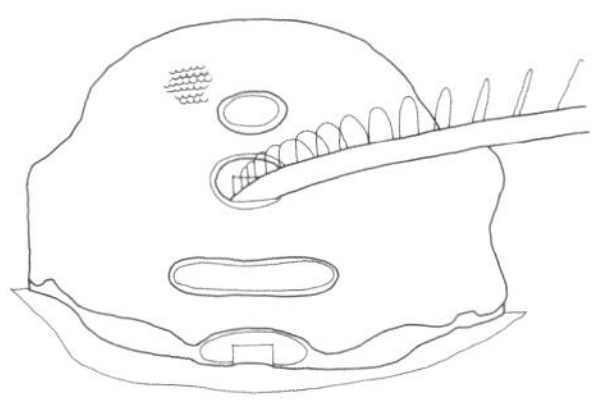

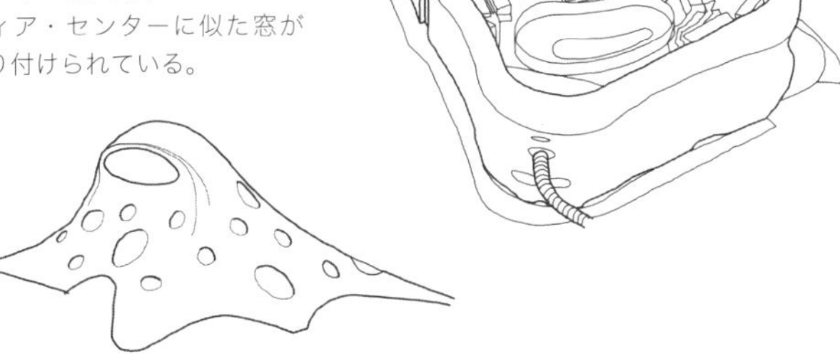

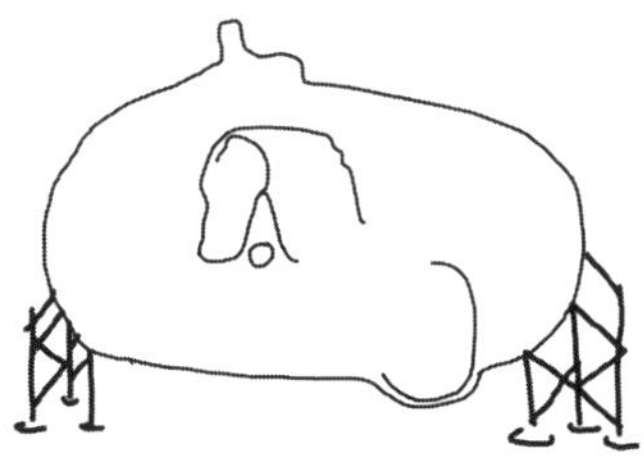

デヴィッド・グリーンは、1960年代のイギリスにおけるアーキグラム（イギリスの建築家集団。ウォーレン・チョーク、ピーター・クック、ロン・ヘロン、デニス・クロンプトン、デヴィッド・グリーン、マイケル・ウェブの6人のメンバーからなる。アーキグラムは造語で、テレグラム〈電報〉のように、通常の雑誌よりも早い情報伝達のイメージをもたせている）の活動の一環で、いろいろな機能が詰め込まれている独立したユニットをデザインし、それを「生きるポッド」と呼んだ。

24

メナラUMNO | 1995-98
ケネス・ヤング、T.R.ハムザ&ヤング
マレーシア、ペナン

メナラ UMNO は、マレーシア北東部のペナン島にある。生物気候学をふまえた熱帯の高層ビル――すなわち込み入った街に建つ高層ビルに、気候へ対応する伝統建築の知恵を組み合わせた建物――を模索していた建築家のケネス・ヤングにとって、この建物は重要な契機となった。彼のねらいは、高層ビルの特徴をとらえ直し、現地の気候により適した、省エネルギーの建物を提案することにある。

ケネス・ヤングはそれまで省エネルギーの建物をいくつか設計していた。メナラ UMNO では、通風や影など気候に対応する特徴と機能面の特徴が互いにもたらす一体感をはっきりと実現させている。また高層ビルでは珍しい特徴として、自然に換気が行われるように設計されている。

アミット・スリヴァスタヴァ、ケイ・トリン・オー、ラナ・グリア

コンテクストにおける独自性

メナラ UMNO は、ジョージ・タウン（ペナン州の州都）の旧市街の端に立っている。中国系住民のショップハウス（1階の店舗と2階の住居が一体になっている建物）が建ち並ぶ旧市街は、ユネスコの世界文化遺産に登録されている。統一マレー国民組織という政党の本部ビルであるメナラ UMNO は、高さと特徴的な形のおかげで、エリア内で存在感を放っている。この高層ビルは低層の建物が並ぶエリアに建っているので、周りの景観とのつながりは少ない。

独特の輪郭が空に映えるこのビルは、街のランドマークとして目立っている。

低層の建物が並ぶエリアにそびえる21階建ての高層ビル。

都市コンテクストへの対応

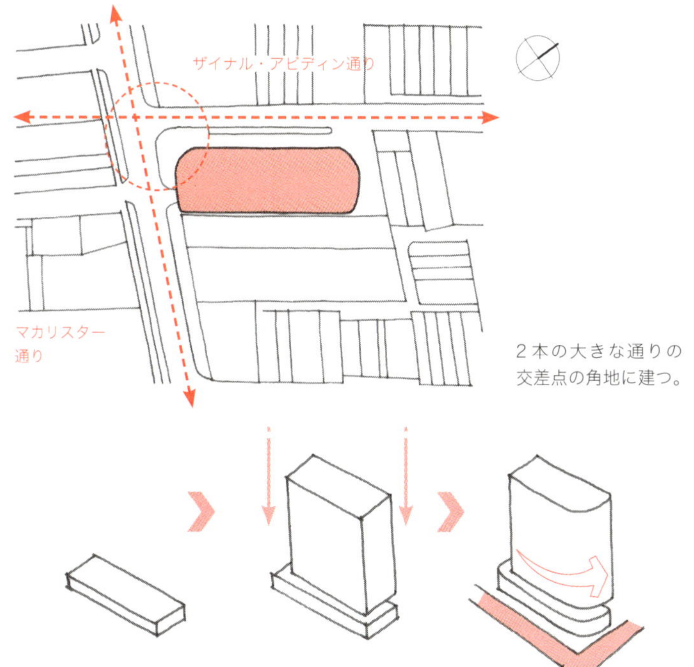

2本の大きな通りの交差点の角地に建つ。

基壇の上に大きなビルの棟を付け加えたシンプルな形をしている。基壇と棟の角はどちらも、交差点に沿ってカーブしている。

要求事項であるいろいろな機能が、敷地のすぐ近くのコンテクストに合わせて調整され、それらが集まって建物の形を作っている。

近くの建物と呼応する低層部の基壇と、その上の大きなオフィスエリアにビルのマッスが分かれているので、低層にある駐車場フロアの車の騒音は上のオフィスには届かない。さらに、敷地の角に合わせて建物の形がカーブしているので2本の大きな通りの視覚的なつながりが保たれ、人々がスムーズに通行できる。

ビルの地上階は通りに向かって開かれ、公共エリアとのつながりが生まれている。地上階の機能エリアは道路との境目からセットバックし、マカリスター通りを歩く人々のためのパブリックな空間ができている。また、機能エリアは、ビルのコーナーからエントランスに向かって視界が開けるように配置されている。

交差点側の輪郭は、人々を歓迎するかようにカーブしている。また、じょうごのような形のエントランスに向かって視界が開け、人々をビルの中に導く。

自動車用のアクセス経路はザイナル・アビディン通りに沿ってビルの裏側へ延びているので、正面のエントランスは通行人が歩きやすい環境になっている。

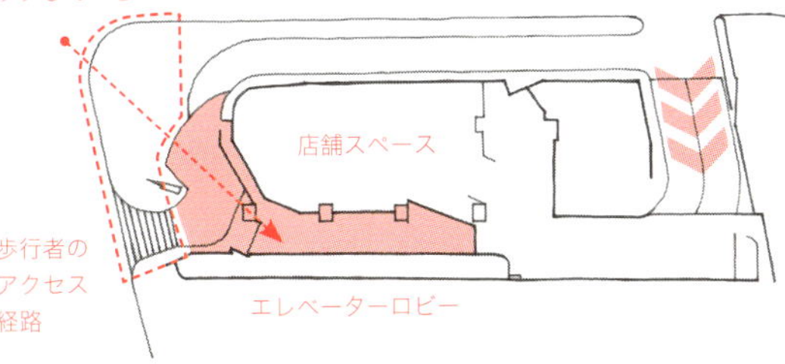

地上階を公共エリアに開くようにデザインされているので、屋外と室内の間に視覚的なつながりやスムーズな動線が生まれている。

ビルは7フロア分の低層部にあたる基壇と、その上の14フロア分のオフィスエリアに分かれ、コンテクストに沿ってことなる機能がそなわっている。周りの建物の中で際立つ14フロア分のオフィスエリアは、日光がふんだんに注ぎ、風通しもよい。

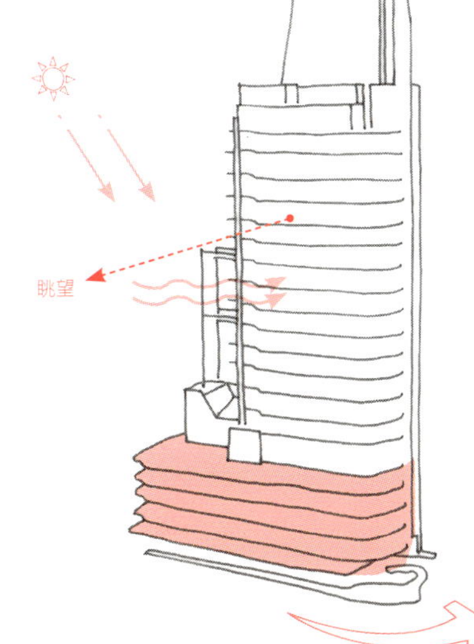

プログラムへの対応

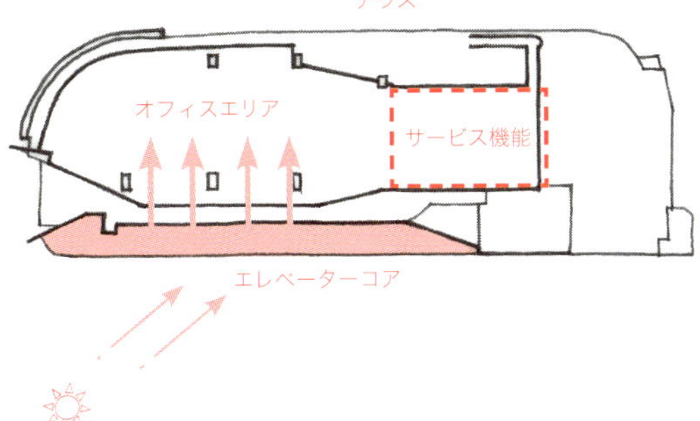

エレベーターコアから延びるオフィス利用者用の通路は、自然光が注ぎ、風が通り抜ける開放的なロビーを通り、オフィスエリアへ辿りつく。さらにオフィスからはオープンエアのテラスへ出られるので、ここで働く人たちは仕事場から離れて外の空気を吸うことができる。

中央にコアを置く従来のオフィスビルの形とは違い、メナラUMNOの動線のコアはビルの南東の端に配置されている。このおかげで、オフィスエリアは遮るものが少なく広々としている。また、南東側のファサード沿いのエレベーターシャフトがサーマルマスとなって断熱効果を生み、午前中の日光の熱を抑える。コアとオフィスエリアの間には広いロビーがあり、オフィスエリアに届く熱がここでさらに冷やされる。

南東のファサードの内側にはコアがあるので、窓を設ける必要がない。建物の輪郭を描くソリッドな壁でファサード全体が覆われ、政党の広告を掲げられるようになっている。

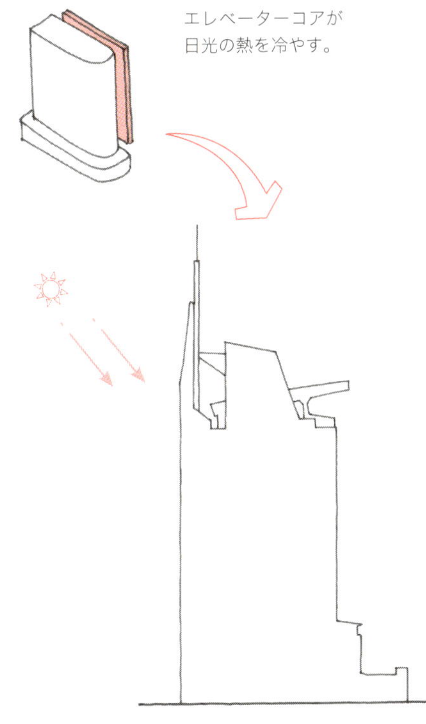

24 メナラUMNO｜1995-98

ケネス・ヤング、T.R.ハムザ&ヤング
マレーシア、ペナン

気候への対応 - 生物気候学を応用した高層ビル

中国の伝統的なショップハウスの空気の流れ。

庭やテラスが設けられ、空気の流れや室内の快適な温度が保たれている。

伝統的な建築の知恵を取り入れたこの建物には、テラスや「スカイコート（屋内と屋外の中間的な性質をもつスペース）」が設けられ、上階のオフィスエリアにも風がよく通る。熱帯の気候は蒸し暑いが、風通しがよいので空調設備に頼りすぎなくてもよい。当初のアイデアではこのビルには空調設備がまったくなかったほどだ。西側のスカイコートは、この気候に必要不可欠な日陰を作る役割もある。

ビル全体を上から見ると飛行機の翼のような形をしていて、空気の流れがデザインのベースになっていることがわかる。

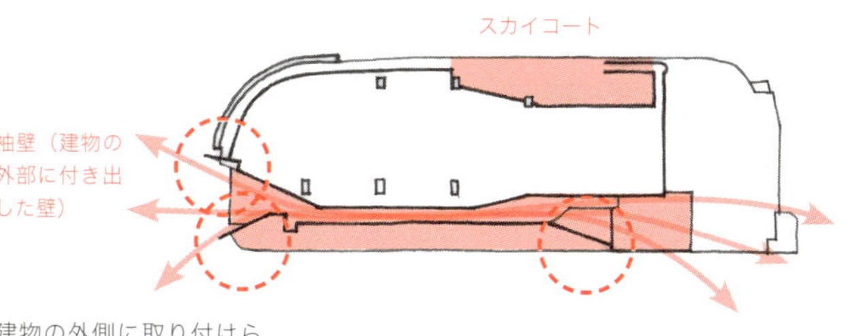

建物の外側に取り付けられた細長い板状の壁が、袖壁の役割を果たす。

じょうごのような形のエントランスを通る。

メナラ・メシニアガ（マレーシア、セランゴール、ケネス・ヤング設計、1992）

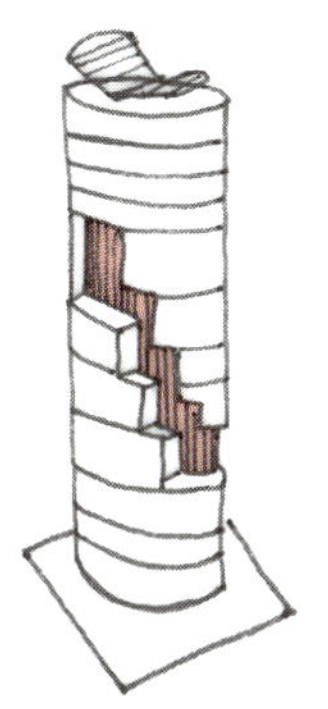
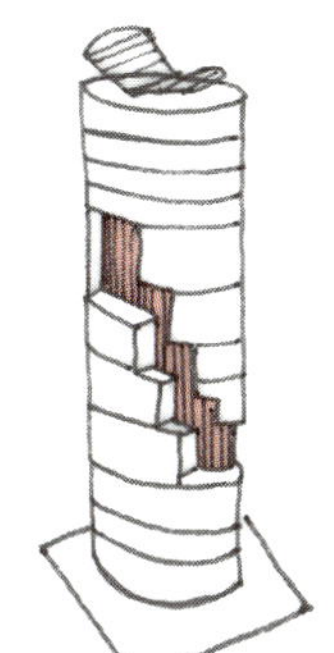

コメルツ銀行（ドイツ、フランクフルト、ノーマン・フォスター設計、1997）

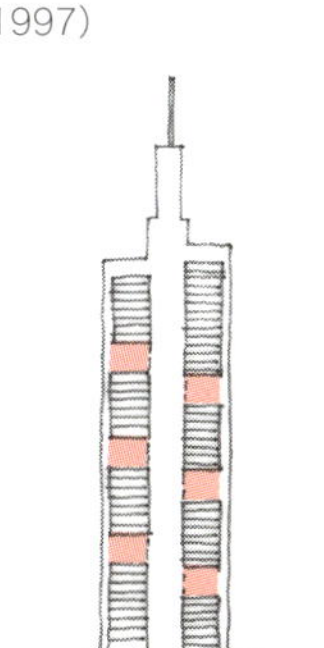

メナラ・テレコム（マレーシア、クアラルンプール、ヒジャズ・カツリ設計、2001）

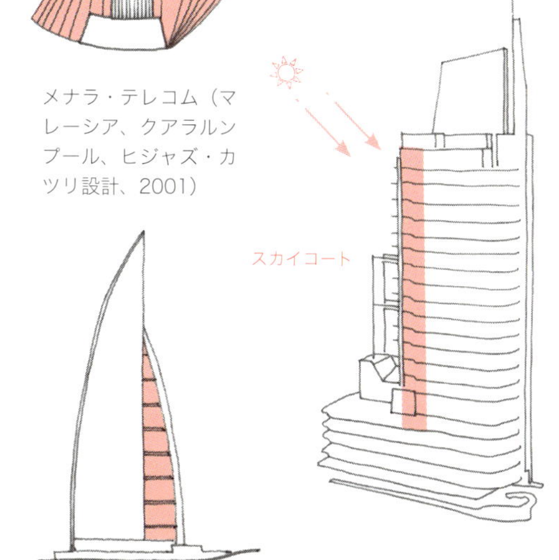

生物気候学にもとづく高層ビルというヤング独自の建築様式を実現するために、袖壁というしかけもデザインに取り入れられている。袖壁は、卓越風（ある地域・地方で、ある期間にもっとも頻繁に現れる風向きの風）を取り込みビル内の風通しをよくするために、開口部に取り付けられている。メナラ UMNO は、本来低い建物に使われる袖壁を最初に取り入れた高層ビルの例だ。ビルは卓越風に合わせて北東と南西を向いている。中央のじょうごのような形のロビーと袖壁が、ベンチュリ効果（流体の流れを絞ることによって、流速を増加させること）を生み、建物の風通しをよくする。スカイコートや開閉窓、そしてこの袖壁によって、空調設備に頼らずとも室内は過ごしやすい気温に保たれている。

気候への対応 - 日陰を作るしくみ

各要素が組み合わさって建物全体の形を作り、それぞれのデザイン要素が日よけなどの機能を担っている。北西のファサードに沿って、日光を遮る帯状のパネルがいくつも取り付けられている。この帯状のパネルは西側へいくほど厚くなっているので、日光を遮る効果を高め、北と西のファサードの外観に変化を付けている。午後にもっとも強い西日が差す南西の角には、カーブした分厚いパネルがさらにもう１枚設けられ、室内の気温を一定に保つ役割を果たす。

このようなしくみが多様に重なった外壁が、気候に対応しながら魅力的な外観を作っている。

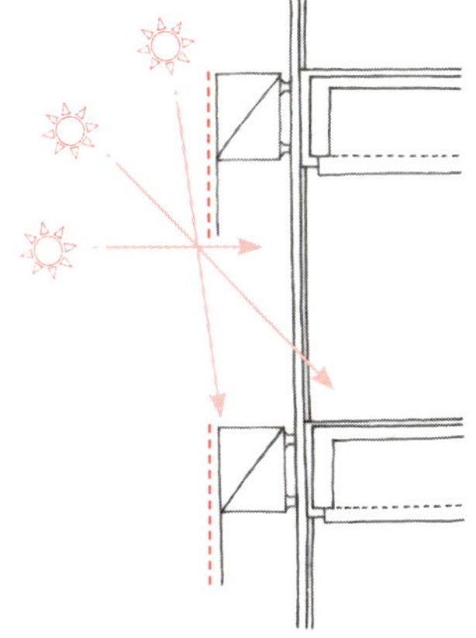

水平に取り付けられた日よけパネルの外側に、さらに垂直方向にもスクリーンが取り付けられている。この組み合わせのおかげで、1日を通してオフィスの中に差し込む日光の影響がやわらげられる。

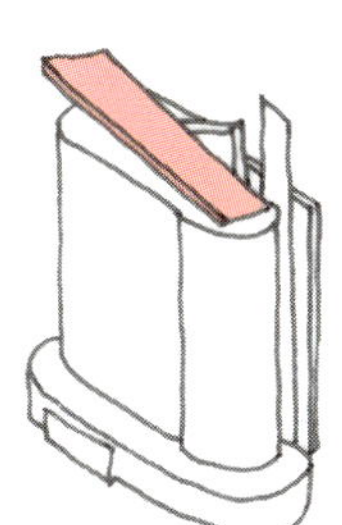

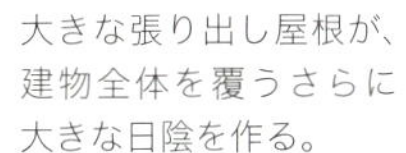

大きな張り出し屋根が、建物全体を覆うさらに大きな日陰を作る。

南西の角には、西日を遮る日よけ用のパネルがもう１枚設けられている。

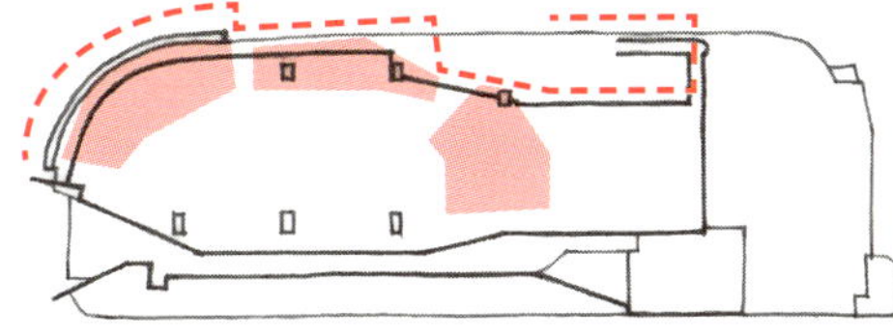

西側のファサードには帯状の日よけがいくつも取り付けられ、オフィスに日陰を作る。

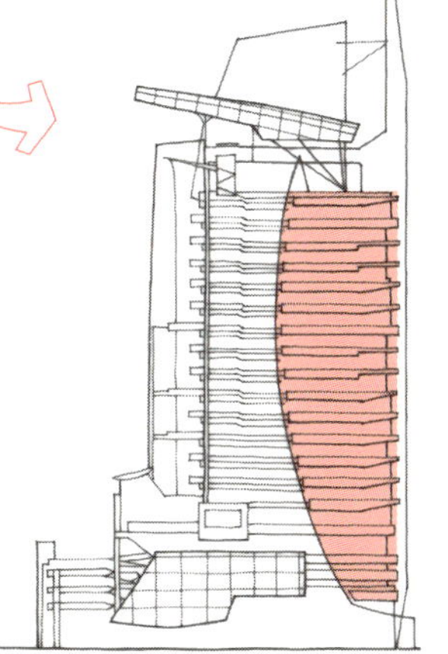

外壁に取り付けられた帯状のパネルがファサードの模様を作る。

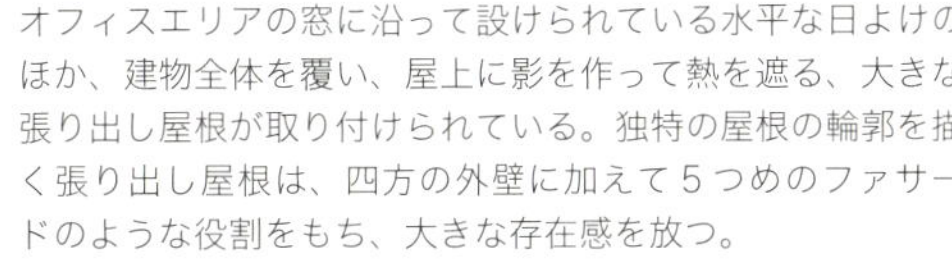

オフィスエリアの窓に沿って設けられている水平な日よけのほか、建物全体を覆い、屋上に影を作って熱を遮る、大きな張り出し屋根が取り付けられている。独特の屋根の輪郭を描く張り出し屋根は、四方の外壁に加えて５つめのファサードのような役割をもち、大きな存在感を放つ。

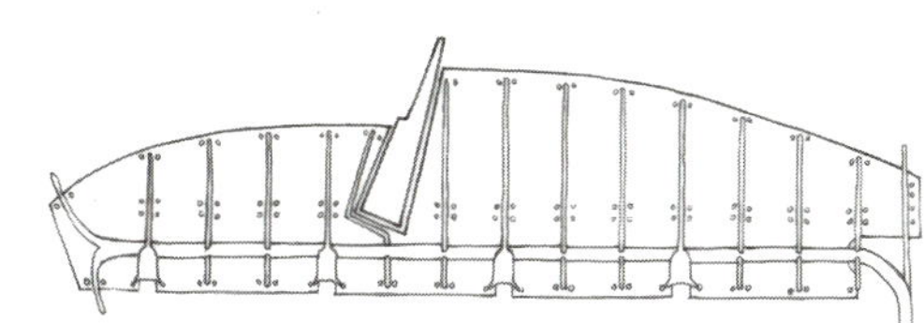

25

ダンシング・ビル | 1992-96

フランク・O・ゲーリー・アソシエイツ／ヴラド・ミルニッチ
チェコ、プラハ

ダンシング・ビルは、建物が密集するプラハの旧市街にある。バロック様式（16～18世紀初頭に流行した曲線や楕円を多用する豪華な装飾をもつ様式）やゴシック様式、アール・ヌーヴォー（19世紀末～20世紀初頭の美術運動。鉄やガラスなど当時の新素材を使った有機的なモチーフが特徴的）様式の歴史的に重要な建物に囲まれた、にぎやかな角地に建っている。議論の的になるほど独特な外観をもつが、高さや窓割りを通して都市コンテクストに細やかに対応し、周辺の建物から浮いたりせず、現代的なランドマークとして都市の景観を洗練させている。アメリカ人建築家のフランク・O・ゲーリーと地元の建築家のヴラド・ミルニッチが共同で設計したこのビルは、プラハ中心部の国際化の象徴でもある。建物の中には、昔ながらのカフェや店舗、オフィスも設計された。

ゲーリーのほかの作品と同様に、従来のビルをゆがめたようなファサードが、建物の要素に新たな解釈を与えている。

セレン・モーコック、ガブリエラ・ディアス、ダグ・マカスカー、レオナ・グリーンズレイド

プラハ
チェコ

25 ダンシング・ビル | 1992-96

フランク・O・ゲーリー・アソシエイツ／ヴラド・ミルニッチ

チェコ、プラハ

コンテクスト

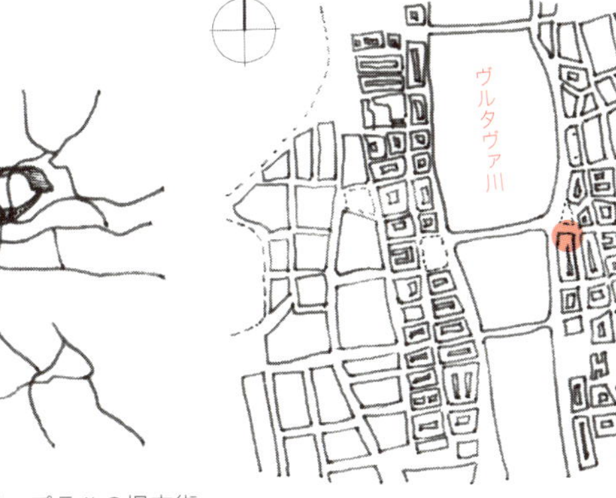

ダンシング・ビルは、プラハの旧市街を流れるヴルタヴァ川のほとりにある。フォルムには、周りの環境、特にヴルタヴァ川と町の構造が参照されている。ヒントとなったのは、都市構造を特徴付けている波打つような区画のパターンや、ほかのビルのファサードの表現だった。

デザインのコンセプト上は、以前この敷地に建っていた建物とのつながりはない。第2次世界大戦中、この敷地に建っていた建物は1945年のプラハの空襲で大破し、1960年まで廃墟のままになっていた。

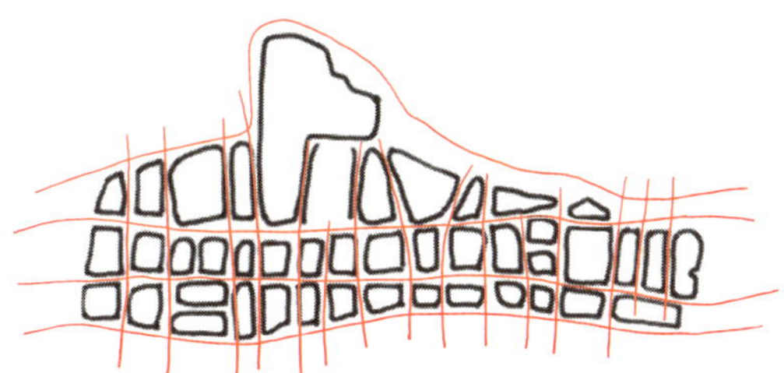

プラハの都市構造は、まっすぐな道ではなく、うねった道が描くゆがんだグリッド状になっている。

整然と並んでいた周りのビルは、1945年の空襲で容赦なく破壊されてしまった。

プラハの都市構造は込み入っているが、区画の間に小さな公園を設けたり中庭を作ったりして公共のスペースが確保されている。

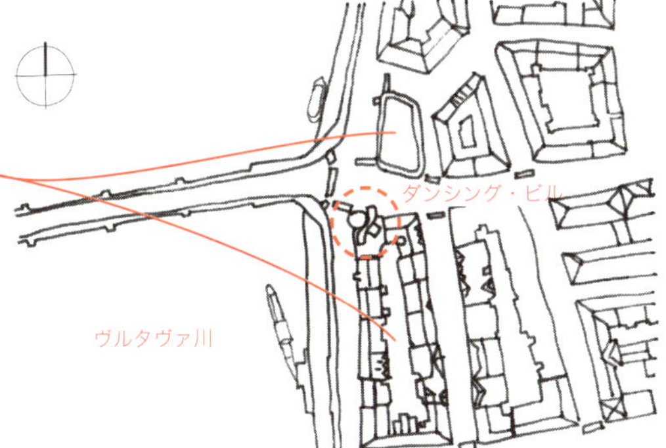

ダンシング・ビルは、プラハの旧市街に建てられた3つの現代的な建物のうちの1つだ。周りには新古典主義やアール・ヌーヴォーの建物がある。

ダンシング・ビルのコンセプトのベースは、川に面したにぎやかな北側の角地に建つ2つのタワーだ。2つのタワーは、ダンスをするカップルのような遊び心あふれる形だ。その姿は特に1930年代のハリウッド映画のダンススター、フレッド・アステアとジンジャー・ロジャースの姿にたとえられる。

ビルの形のヒント

寄り添いあう２本のタワーが、デザインのベースになっている。

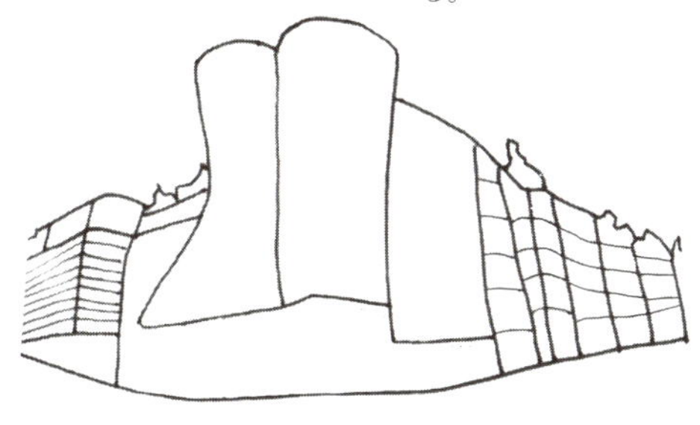

議論の的になるほど独特の外観だが、建物の高さや窓の形を両側の建物に合わせて周囲に溶け込んでいる。

波打つような水平のラインが、タワー同士の一体感や既存の周りのビルとのつながりを作る。

輪郭のカーブが外側に突き出している片方のタワーは、女性的な印象だ。それと対照的に、より安定感があり地面に向かって細くなる円錐のような形のもう片方のタワーは、男性的な印象を与える。２つのタワーのファサードに描かれた波状のラインが際立ち、建物の一体感やつながりを強調している。

円筒型の２つのタワーは、張り出し屋根のようにコーナーから突き出し、歩道に日陰を作る。ひと続きになったガラスの外壁が、タワーを見上げるように人々の視線を誘導する。

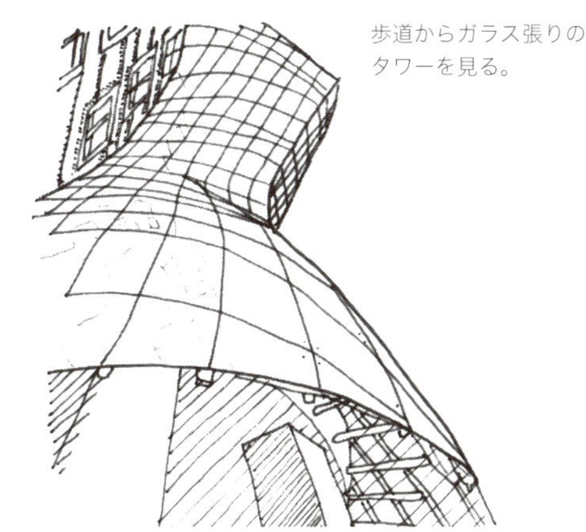

歩道からガラス張りのタワーを見る。

ビルは人通りの多いエリアにある。地上や水上の交通機関の利用者たちが、さまざまな方向からそれぞれの交通機関のスピードでこのビルを眺める。

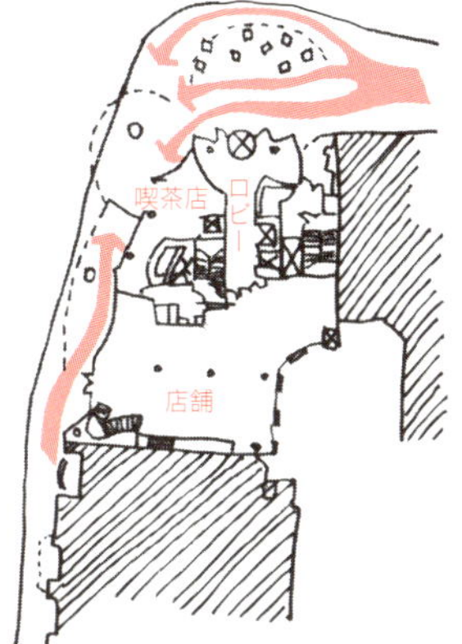

１階は公共の空間になっていて、通りを歩く人々をビル内へ引き込む。カフェはビルの中の小さな交流スペースだ。

１階には彫刻のような柱が立ち、隣の広場やその先の川の景色が見える。

柱が歩道を歩く人々の視界を遮り、動線に変化が生まれる。人々は柱の内側へ導かれ、ビルを体感することができる。

25 ダンシング・ビル｜1992-96

フランク・O・ゲーリー・アソシエイツ／ヴラド・ミルニッチ
チェコ、プラハ

室内の構成

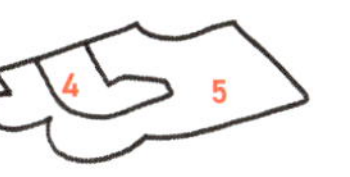
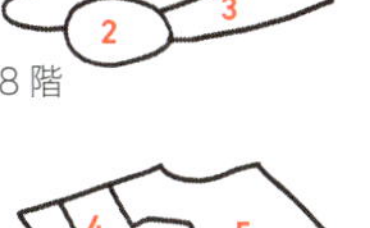
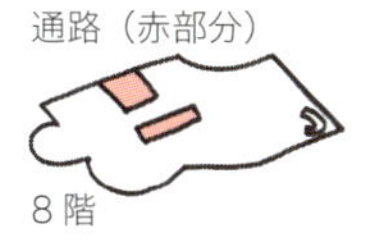
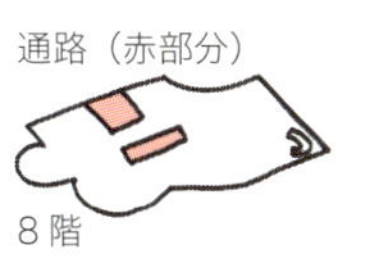
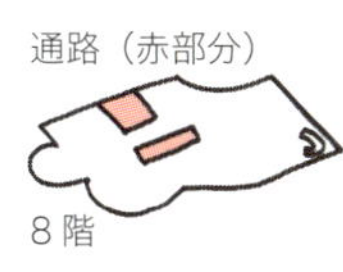
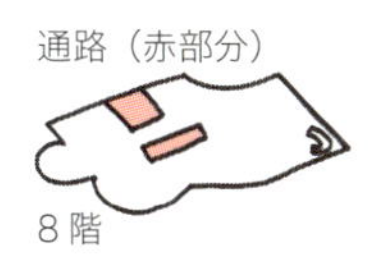
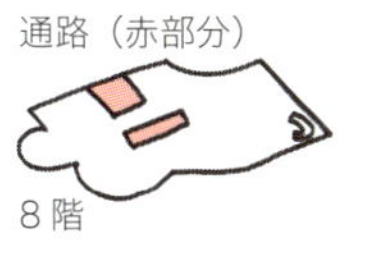
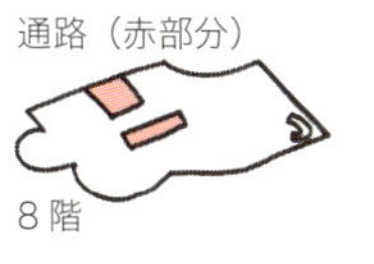

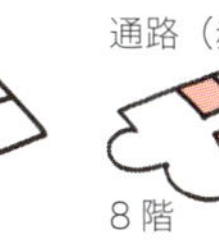
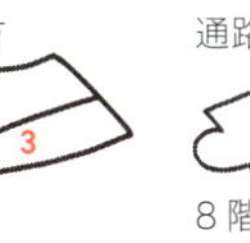
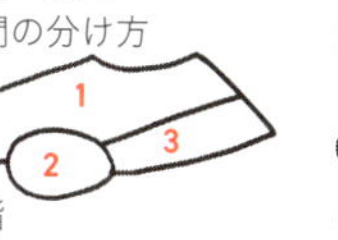

鍵となる要素

1. レストランとカフェ
2. 休憩室
3. バルコニー
4. 通路
5. オフィス
6. ロビー
7. 喫茶店
8. 店舗

ガラス張りのタワーの断面図。

タワーのガラスは2重構造になっている。屋根板のような外側のガラスは、ビルの外壁になっている。内側のガラスは、騒音や汚れた空気からオフィスエリアを守る。オフィスには空調設備も取り付けられている。

2016年、建物内部の一部が小さなホテルに改装された。

2つのタワーに分かれているような外観だが、内部は一般的なひと続きの空間になっている。1階にはロビー、カフェ、店舗があり、上階にオフィスがある。最上階のレストランと、「巣」と呼ばれる休憩室からは、街の景色が見渡せる。垂直につながった通路のコアは、平面の真ん中に設けられている。

1階平面　　オフィスフロア平面

形状の成り立ち

ねじ曲げられたような2本の円筒型のボリュームは、女性と男性を表現している。「女性」のタワーはゆるやかにカーブし、ひと続きのガラスの表面が軽やかさを演出する。どっしりとしたソリッドなマッスである「男性」のタワーは、「女性」のタワーの流れるような印象のガラスと周りの建物をつなぐ役割もある。

コンクリート製の「男性」のタワーに設けられている窓は、プラハの旧市街の景色をスナップ写真のように切り取る。ガラス張りの「女性」のタワーからは、ひと続きのパノラマビューで風景を楽しめる。

「男性」のタワーの内部。

「男性」のタワーの最上階にある休憩室。

2つのタワーのような外観だが、室内の間取りは1つにつながっている。

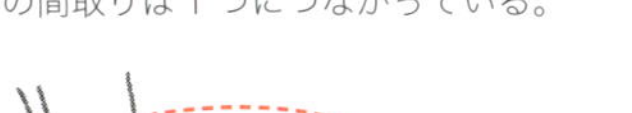
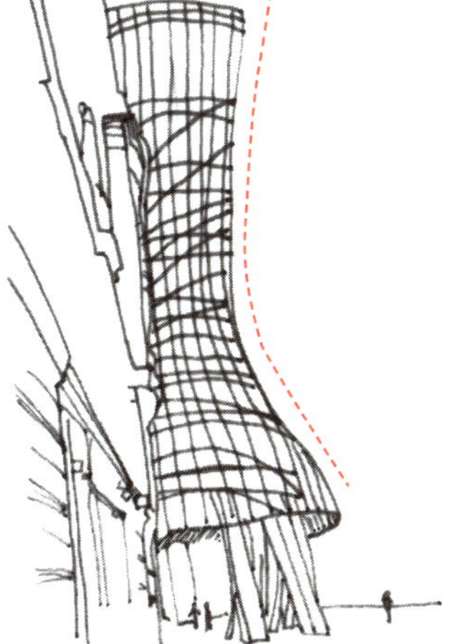
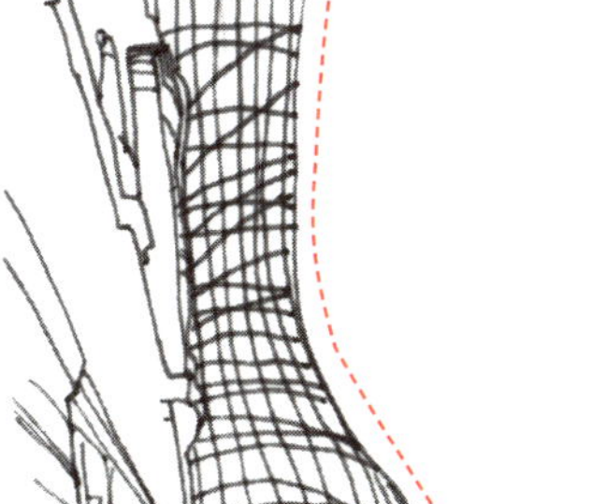

ガラス張りの「女性」のタワーは外側に張り出しているので、室内のオフィスからは川や通りの景色が見える。隣の建物のリバービューをさまたげないように、タワーの真ん中がへこんでいる。

ファサードを使ったコンテクストへの配慮

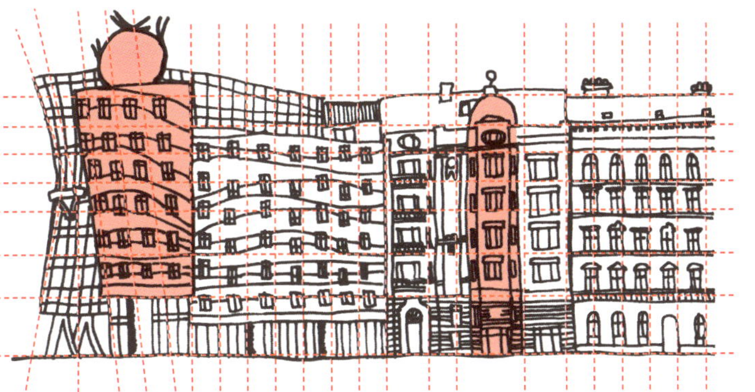

ファサードは、都市コンテクストへの配慮が決め手となっている。ダンシング・ビルのフォルムは地元で物議を醸すほど現代的で独特だが、高さや窓の大きさなどを両側のビルと揃えて周りの建物を尊重している。ファサードのデザインは、1階と2階以上のフロアで機能を分けたり、タワーのような要素を使ったり、全体の道路からセットバックさせて歩道を確保したり、等間隔で窓を設けたりと、このエリアの建物の一般的な例にならっている。

ディテール

片方のタワーはガラス張り、もう片方はコンクリート造りだが、どちらも屋根板のような外壁で覆われている。

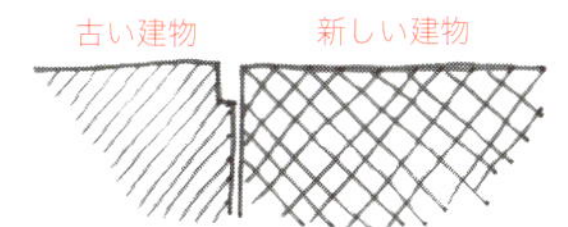

平面図を見ると小さく凹む溝のような部分があり、その溝こそが古い建物とダンシング・ビルの間にファサードに濃い色の影の線を描き、互いを隔てている。

窓

等間隔で並ぶ窓。

波状のライン。

窓の形や大きさはごく普通だが、さまざまな奥行きで壁から突き出し、多様でおもしろい影を作っている。

内側と外側が逆になったような窓。

ダンシング・ビルの窓は近くの建物のように内側に引っ込んでいるのではなく、外側に突き出している。ファサードに映る窓の黒い影が、波状のラインを際立たせる。

ダンシング・ビルのファサードの波状のラインは、隣にある新古典主義建築のコーニスの水平な要素につながるように描かれ、建物の境目をやわらげている。

26

イーストゲート | 1991-96
ピアース・パートナーシップ
ジンバブエ、ハラレ

イーストゲートは巨大な複合商業施設だ。アフリカ大陸にある同様の施設はヨーロッパ式や北アメリカ式の建築が多いが、イーストゲートにはアフリカのアイデンティティが込められている。アイデンティティの源は、素材、色、模様、そして輸入部材に頼ることなく、現地の労働力に着目して現地の製造業を潤す建設技術だ。施設には、ショッピングモール、フードコート、7フロア分のオフィス、駐車場がある。

イーストゲートには気候に対応したデザインが表現されている。ハラレは日中暑いことが多いが、夜は1年を通して比較的涼しい。建物上部に煙突を取り付けた垂直なシャフト、上げ床、ダクトを使って空気を入れ換え、室内を涼しくするしくみは、建物の最大の特徴だ。さらに、ファサードが作る日陰、室内の植栽、深い凹凸のある外壁から夜の涼しい空気中へ熱を逃がすしくみ、ソーラーパネルなどの工夫も見られる。

アントニー・ラッドフォード、マイケル・ピアース

26 イーストゲート | 1991-96

ピアース・パートナーシップ
ジンバブエ、ハラレ

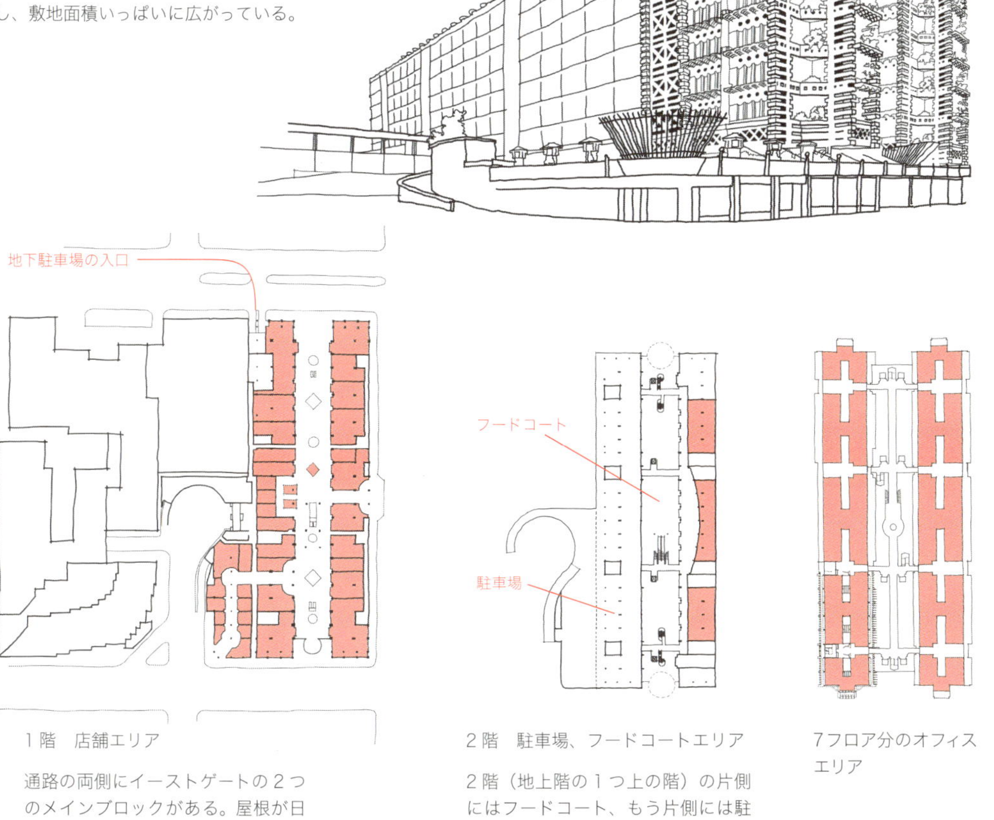

コンテクスト、間取り、建物の形

イーストゲートはハラレの中心街でも際立っている。この街のガラス張りやコンクリート造のオフィスビルと違い、質感や素材、植物が植えられた外壁などにアフリカのアイデンディが表現されている。

構造の大部分は直線的で左右対称だ。ただし、1階の間取りは、一部が長方形の外側に飛び出し、敷地面積いっぱいに広がっている。

アフリカの儀式で使われる冠を模した銀色のオブジェが、アトリウムへ続くエントランスに飾られている。

1階　店舗エリア

通路の両側にイーストゲートの2つのメインブロックがある。屋根が日光や雨から室内を守っているが、両端には屋根はない。

2階　駐車場、フードコートエリア

2階（地上階の1つ上の階）の片側にはフードコート、もう片側には駐車場がある。地下にも駐車場が設けられている。

7フロア分のオフィスエリア

生物に学ぶ

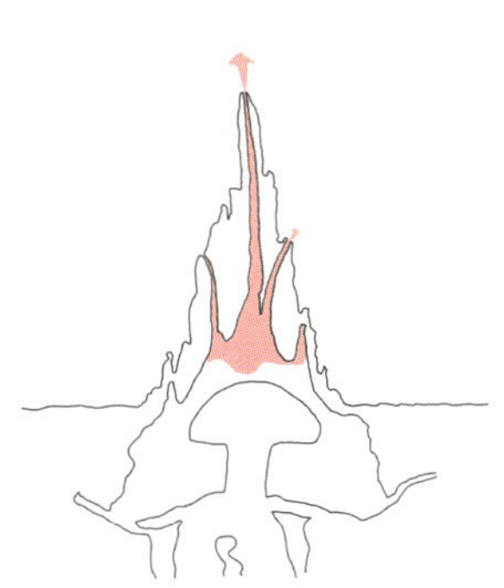

デザインチームが建物全体のアイデアのヒントにしたのは、アリ塚のしくみだ。日中は地上の気温が変化するが、土の熱質量を利用してアリ塚の中の温度は一定に保たれている。

デザインと気候

スタック効果（内外の温度差が生む空気の流れ）で換気する。

湯を沸かすためのためのソーラーパネル

植物や張り出し屋根が北側のファサードに日陰を作る

ガラスの張り出し屋根

駐車場

フードコート

レンガ製の長い煙突が熱を吸収し、スタック効果を高める。

屋根の部分のヴォイド

7フロア分のオフィスエリア

垂直なダクト

サービス機能がある中2階

1階ショッピングモール

地下2階分の駐車場

建物には換気設備が設けられ、さらにフロアの層が積み重なってファンの機能を補っている。サービス機能がある中2階に納められているファンは、季節ごとに使い分けられている。

日中は屋根のあるアトリウムから空気が吸い上げられ、サービスコアの大きなダクトを通ってオフィスエリアへ届き、屋根の部分のヴォイドから煙突へ抜ける。空気は1時間に2回入れかわる。夜には、ファンとスタック効果で冷たい空気がアトリウムへ流れ込み、オフィスエリアを通って、屋根の部分のヴォイドから煙突へ出る。このような空気の流れが各フロアや建物全体を冷やす。夜は屋外と室内の空気の温度差が大きくなるので、スタック効果による空気の流れが速まり、空気が1時間に10回入れ換わる。さらにアトリウムから地下の駐車場にも空気が引き込まれ、換気される。

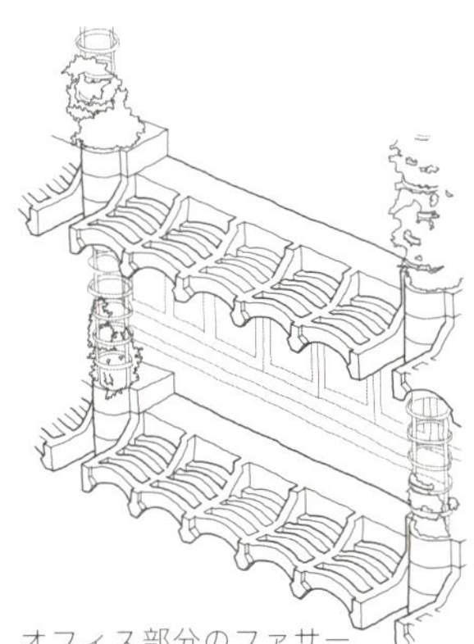

オフィス部分のファサードには、プレキャストコンクリート製の奥行きのあるひさしと、植物が植えられた格子垣の日よけが設けられている。

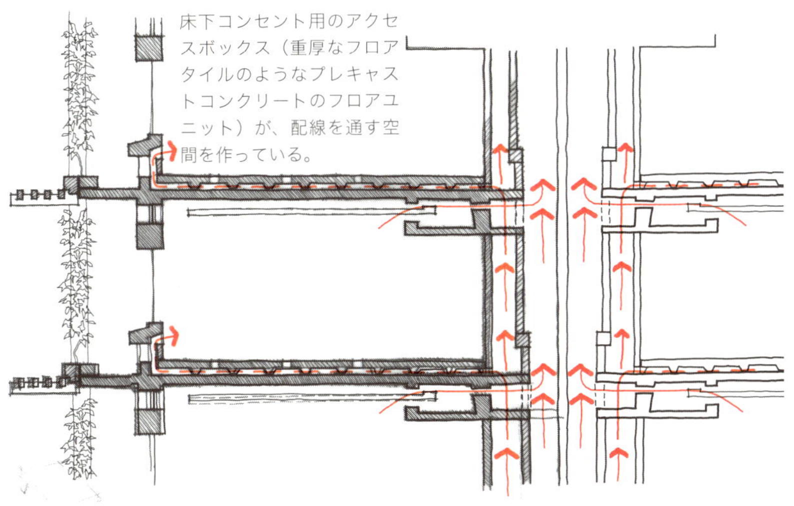

床下コンセント用のアクセスボックス（重厚なフロアタイルのようなプレキャストコンクリートのフロアユニット）が、配線を通す空間を作っている。

オフィスエリアでは、「冷気」ダクトから入る空気がプレキャストコンクリートのフロアユニットの下の空間を通り、部屋の外周にある窓の下から室内に流れ込む。プレキャストコンクリートのフロアユニットは夜の空気で冷やされ、それ自身が日中の空気を冷やす、熱交換器の役割を果たす。「熱気」ダクトのスタック効果で、部屋の空気は逆側のコーナーから抜ける。

かまぼこ状のコンクリート製アーチのヴォールト天井が、蛍光灯のアップライト（下から天井を照らす照明）の光を反射し、天井が光の熱を吸収する。照明の安定器（ランプ電流を制御して安定させる装置）は排気ダクトに納められているので、照明が発する熱が室内にこもらない。

排気ダクトの下には、省エネルギーのダウンライトが取り付けられている

外壁表面のパターンの前例

グレート・ジンバブエ遺跡（ジンバブエ共和国南部にある大規模な石造建築遺跡）、フランス人建築家のクロード・ニコラ・ルドゥが手がけた組積造の王立製塩所、アフリカの工芸品の模様、ジンバブエの鉱業のスチール構造など、イーストゲートの素材や質感は、地元ジンバブエや世界各地の過去の例からヒントを得ている。

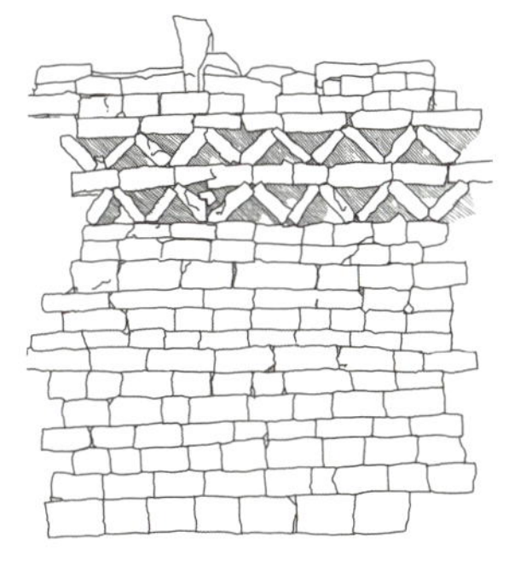

グレート・ジンバブエ（1100-1500頃）の積み重ねられた石材。巨大な石造りの遺跡は、洗練されたアフリカ文化の産物だ。

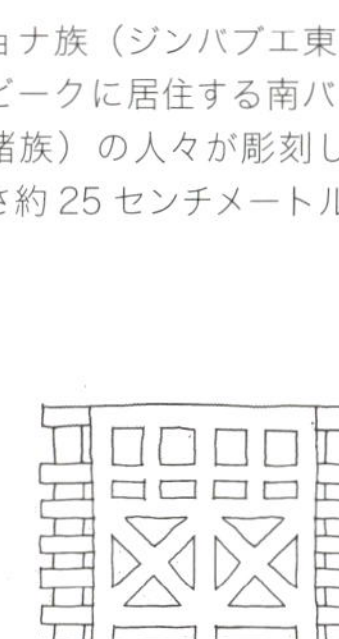

ショナ族（ジンバブエ東部、モザンビークに居住する南バンツー語系諸族）の人々が彫刻した椅子。高さ約25センチメートル。

王立製塩所の組積造の壁（フランス、アル＝ケ＝スナン、クロード・ニコラ・ルドゥ設計、1775-80）。

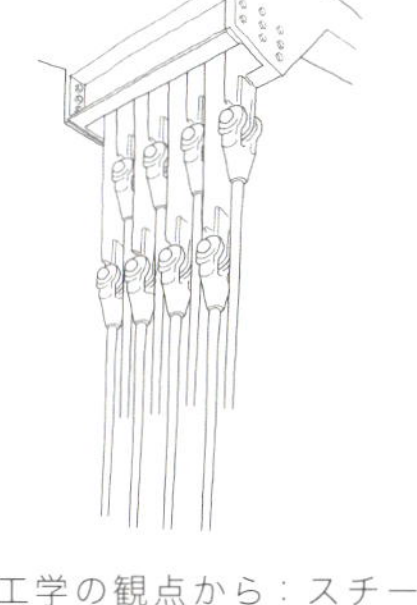

生産工学の観点から：スチールケーブルとトラスのつなぎ目のディテール。

メインの建設材料はコンクリートだが、艶がなく、花こう砂岩の骨材（コンクリートやアスファルト混合物を作る際に用いられる材料である砂利や砂などのこと）が混ぜられているので、本物の花こう岩が使われているように見える。そのほか、鋼鉄、粘土レンガ、ガラスなども使われている。

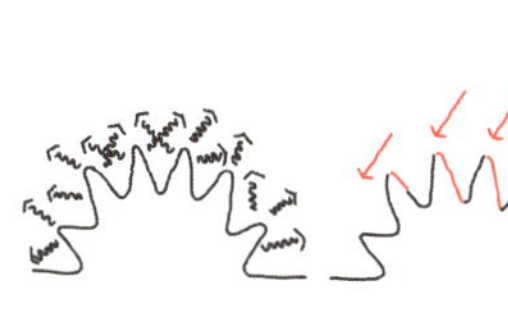

日中はギザギザの表面にあたる日光の熱だけを吸収するが、夜には大きな表面積を活かして、より多くの熱を冷たい空気中へ逃がすことができる。

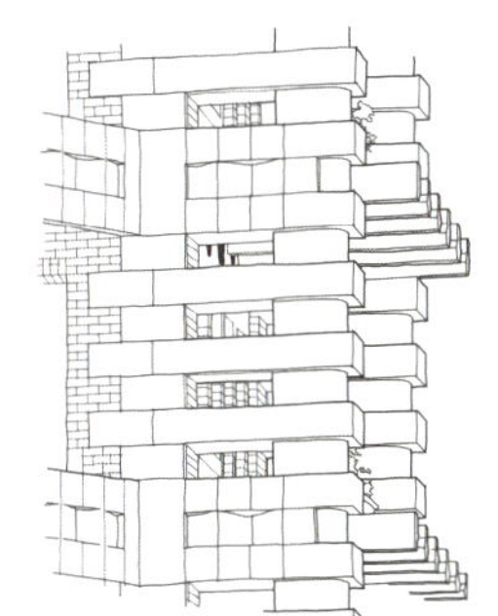

プレキャストコンクリートが積み重なり、イーストゲートのギザギザの壁の表面を作っている。

イーストゲートの非常階段の上にある、コンクリート製スクリーンの幾何学模様。

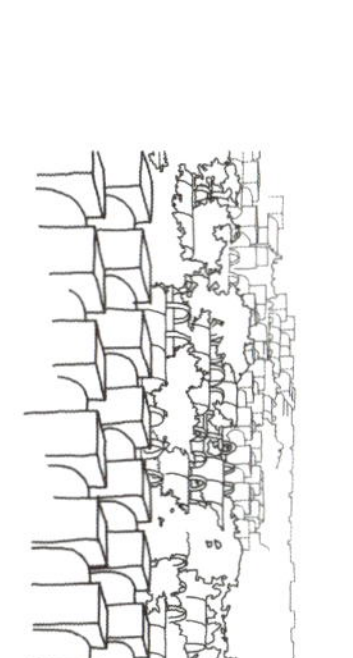

植物が植えられた、イーストゲートの組積造の壁。

通路とショッピングモール

幅約16メートル、高さ30メートルのショッピングモールは、あらゆる要素や質感、明るくハイライトされた部分や濃い影の部分が組み合わさっている、にぎやかな空間だ。建物の両側の壁はコンクリート製で、開口部にガラスやレンガがはめられている。両側の壁の間には、まるで工事現場のガントリークレーンが積み荷を吊るように、太いトラスがスチール製のデッキやエレベーター装置を吊り下げている。一方、ショッピングモールの店舗は繊細なオーニング（布などでできた日よけ）が設けられ、まるで郊外の通りに面した小さな店のテラスのようにドアが内側に引っ込んでいる。両側の壁に植物のつるが這い、スチール製の輪が縦に並べられている。

ショッピングモールを覆うガラスの張り出し屋根は、温室や駅舎などによく使われるのこぎり屋根の形をしている。建物の4側面に架かる通路や、エレベーターの上の太いトラスには、さまざまな陶磁器タイルが貼られている。

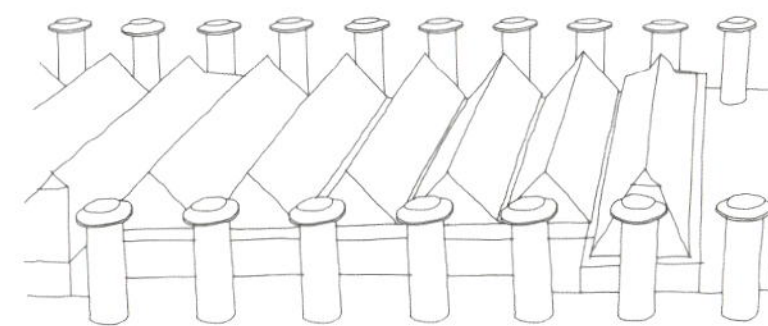

ショッピングモールの屋根を外から見る。両側には煙突が立っている。

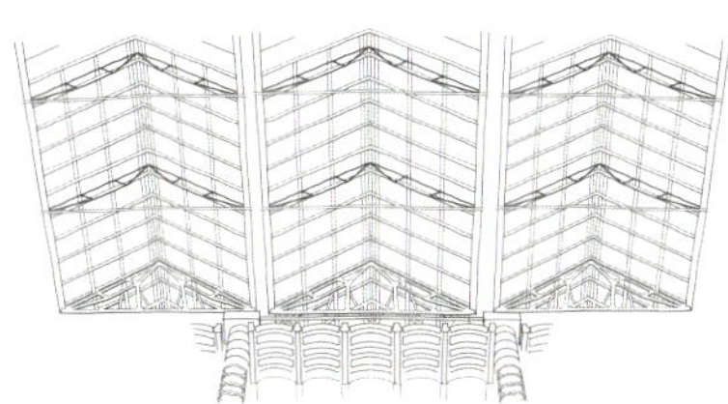

ショッピングモールの内部からガラス屋根を見上げる。

動線

2階のフードコートまではエスカレーター、その上のフロアにはエレベーターがあり、垂直の動線を作っている。エレベーターはショッピングモールの上に吊り下げられているので、1階には視界を遮るものは何もない。エレベーターの間には連絡通路がある。壁に覆われていない階段はエレベーターの動線を補完している。

スケールの対比

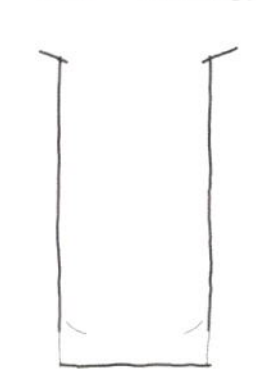

小さなスケールの店舗や日よけ。

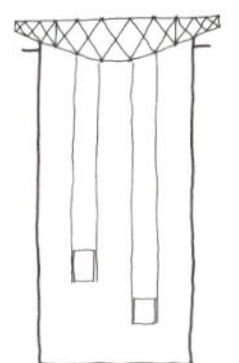

大きなスケールの機械設備。

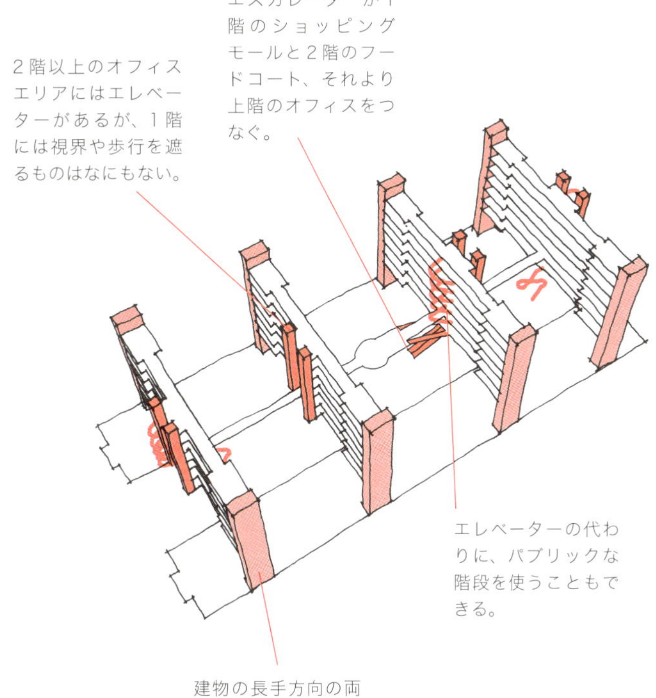

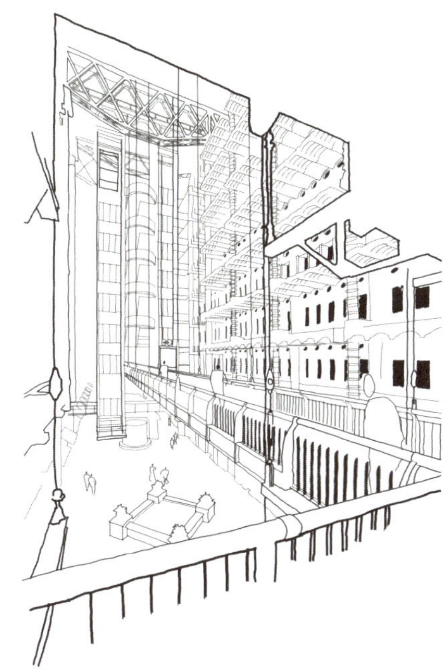

アトリウムに架かる通路から上下のフロアを眺めると、コンクリートやレンガでできたデコボコのファサードの間に、荒々しいスチール製の設備が見える。

スイス
ヴァルス

27 テルメ・ヴァルス | 1986-96

ピーター・ズントー
スイス、ヴァルス

スイスのグラウビュンデン州にあるヴァルスは、アルプス山脈の中腹にある人里離れた山村だ。スイスの建築家ピーター・ズントーが依頼を受け、1960年代に建てられたホテルに温泉施設を増設し、改装を施した。山の急斜面に建ち、一部が山肌に埋まっているこの建物には、地元ヴァルスで採れる石材を主な建築材料に使い、デザインを象徴する要素となっている。その結果、現地の文化や環境にさりげなくなじみつつ、恒久性をもった建築が生まれている。

室内は、ソリッドなマッスから洞窟のように切り取られた四角いボリュームで作られ、谷を正面や側面から眺められるよう工夫されている。この温泉施設は誰でも実際に利用することができる。温水や冷水のプールに浸かり、サウナやリラクゼーションスペースを巡りながら、人々は心と体を休め、若返るような気持ちになれる。温度や素材の質感を感じる触覚、嗅覚、視覚、聴覚など、建物の要素があらゆる感覚に訴えかけてくるようだ。

セレン・モーコック、アリックス・ダンバー、フオ・リウ

コンテクストへの対応

ヴァルスとイーランツ（ヴァルス北部の町）を結ぶ道路沿いにあるたくさんのトンネルや地下通路は、車が落石や雪崩に巻き込まれないように山の斜面の中に作られている。山のランドスケープに語りかけるテルメ・ヴァルスのデザインは、このような周辺環境がヒントにされている。

敷地図

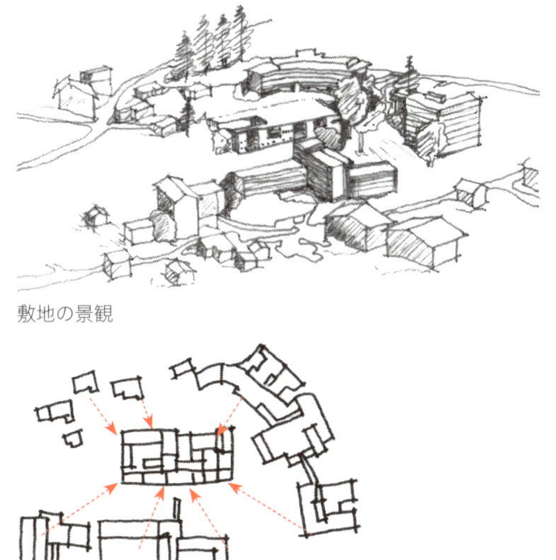

敷地の景観

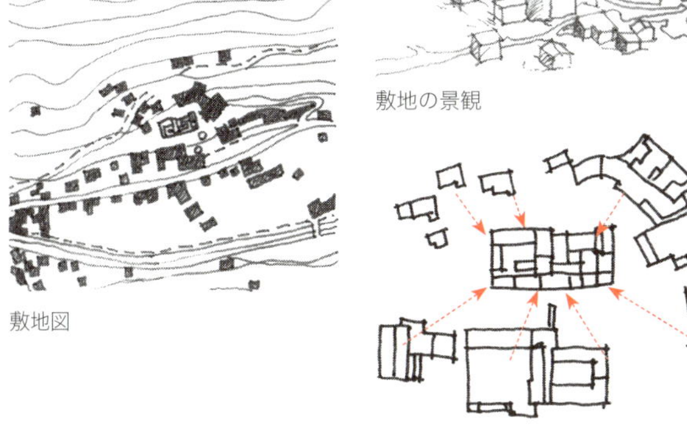

建物の一部が斜面地に埋まり、南側、東側、西側の印象的な立面が山肌から突き出ている。背後に建つホテルの客室からは、この建物のガラス張りの屋根が見える。

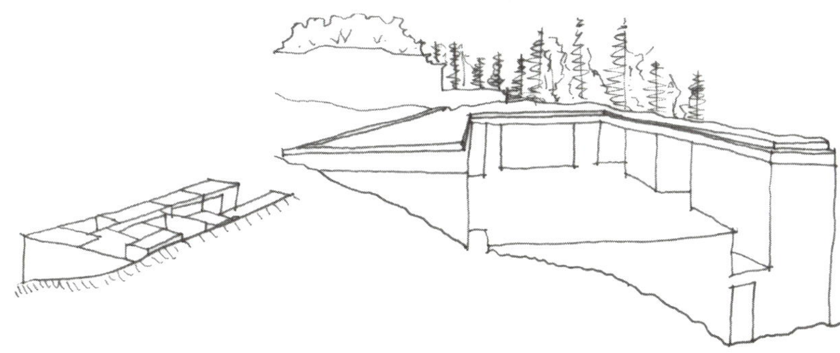

テルメ・ヴァルスは、1960 年代に建てられた 5 つの棟からなるホテルの中心施設だ。ホテルのメイン棟と温泉施設をつなぐ唯一の経路は、ロビーから延びる地下通路だ。

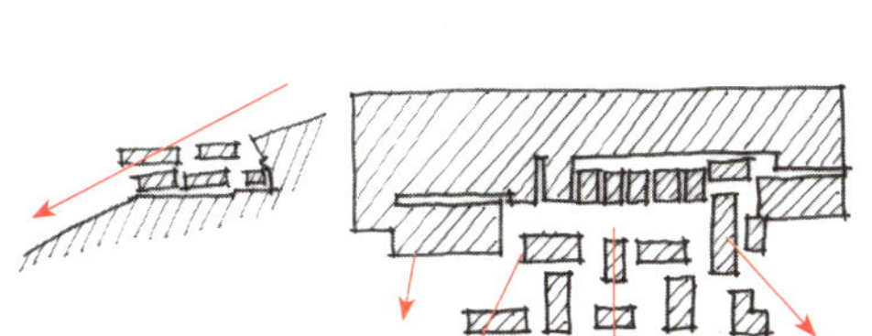

敷地にもともとあった岩がデザインのヒントになっているので、傾斜地に埋まっている建物は、平面、断面どちらも、山を転がる岩のようにも見える。岩は、文字通り材料として建物に使われたり、山や水とともにモチーフとして比喩的に用いられたりしている。

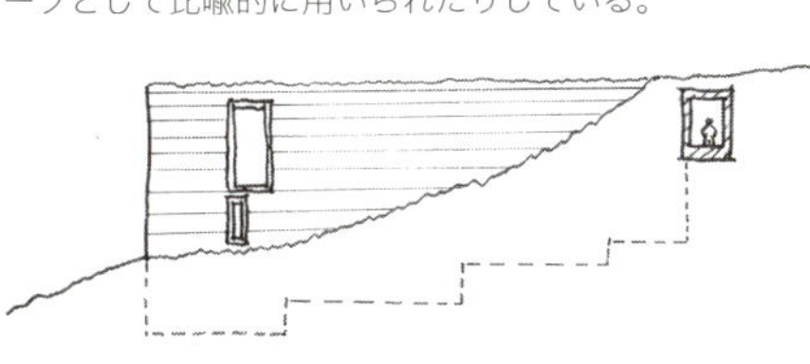

建物の配置

屋外施設は日当たりのよい南東の角にあり、山や谷のすばらしい景色を眺められる。

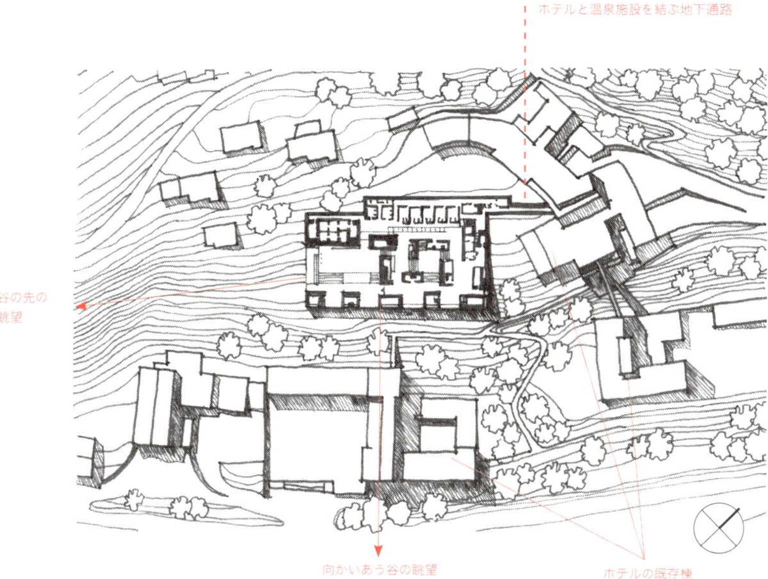

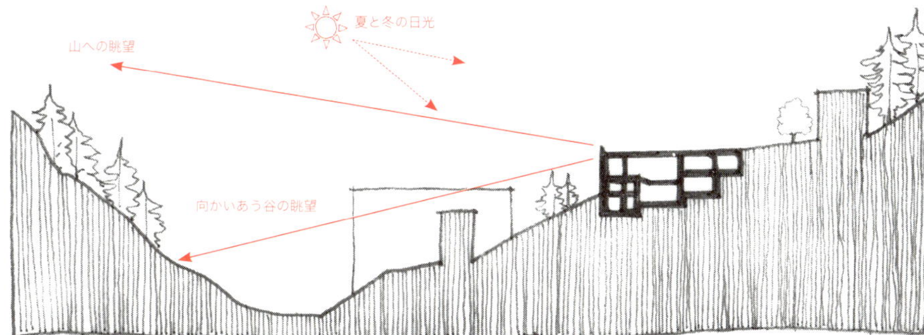

ヴァルスの地質はデザインの大きなヒントになった。温泉施設は、既存棟や、地形、自然によくなじみ、ほかの建物から見える山や谷の景色をさまたげないように建っている。ここには季節を問わず、あたり一帯に日光が降り注ぐ。

形状の成り立ち

間取りは、水中にばらまかれた石のようないくつものキューブ型のボリュームで構成されている。隣り合うキューブが、シャワー室、サウナ、飲泉室、休憩室、屋内や屋外のプールなど、温泉施設内のパブリックな空間とプライベートな空間を性格付ける。

プールサイドの空間を含めた屋外プールと屋内プールが、デザインの２つの要所になっている。プールの中に段差が設けられ、いろいろな温度のプールにスムーズに入ることができる。空間や素材の質感、温度、音、香りなどをより生き生きと感じられる。

デザインのベースになっている、ずらりと並んだキューブ型のボリューム。

似ている機能の要素ごとにまとめられている。

残りの空間にパブリックな空間やプールが納められている。

27 テルメ・ヴァルス｜1986-96

ピーター・ズントー
スイス、ヴァルス

洞窟のようなフロントから薄暗い通路を通って温泉施設へ入る。更衣室を出ると踊り場状のプラットフォームがあり、メインの温泉エリアがある。空間には決められた順路はないので、利用者は自由に歩き回ることができる。

入口

メインフロア平面、動線

下階平面、セラピー施設

キューブのボリュームの間には何もない広々とした空間があり、山の景色を切り取る２つの大きな窓に向かって開放されている。利用者はプライベートな空間とパブリックな空間を自由に行き来できる。下階には、各種のマッサージや理学療法やセラピーを行う小さな部屋がある。

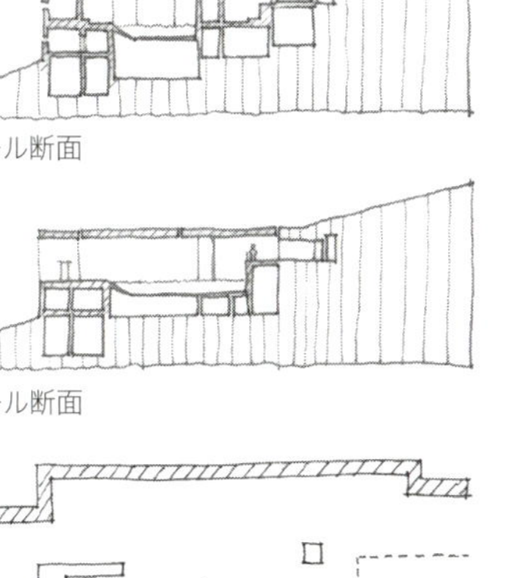

屋内プール断面

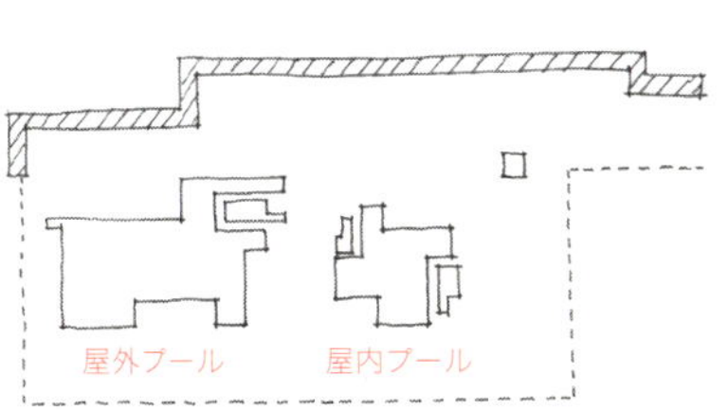

屋外プール断面

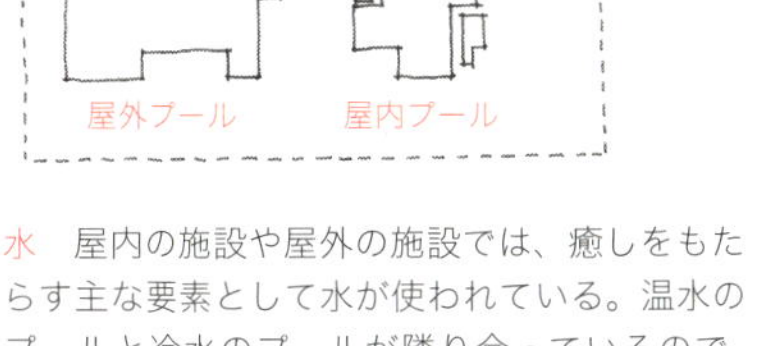

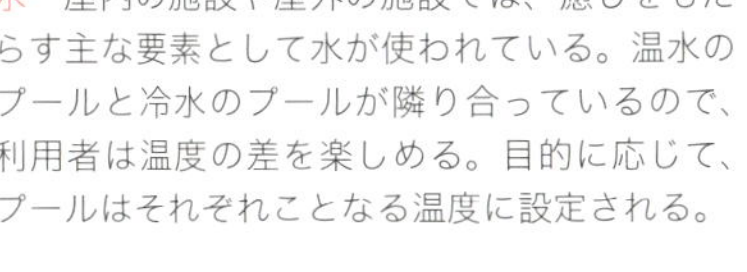

水　屋内の施設や屋外の施設では、癒しをもたらす主な要素として水が使われている。温水のプールと冷水のプールが隣り合っているので、利用者は温度の差を楽しめる。目的に応じて、プールはそれぞれことなる温度に設定される。

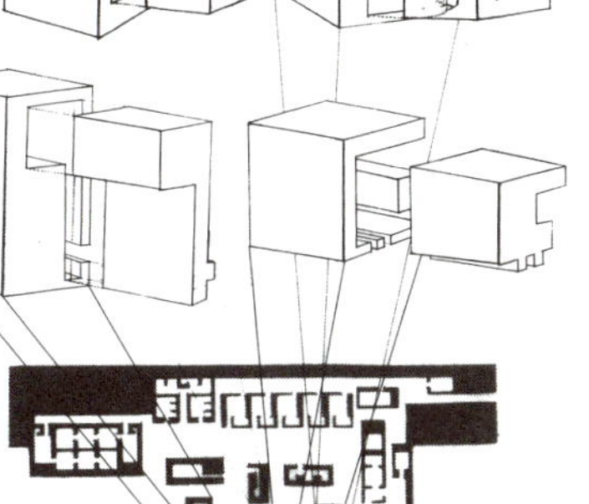

マッスとヴォイド　立方体のスペースは一見ランダムに配置されているので、利用者はどの空間へ向かうか自由に選べる。マッスをくり抜いて作られている空間は、機能に応じてそれぞれ独特の形をしている。また、配置されたマッス同士の間にヴォイドが生まれている。

自然への対応

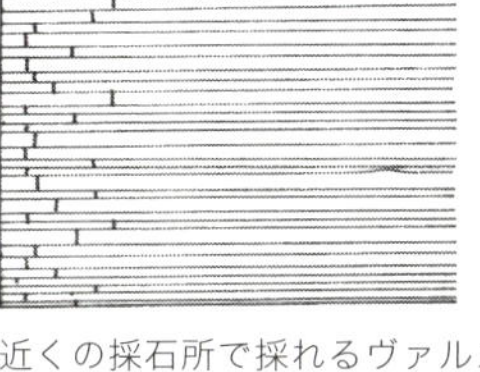

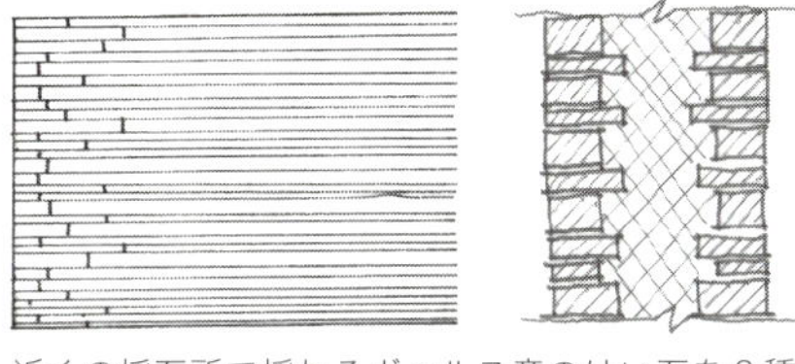

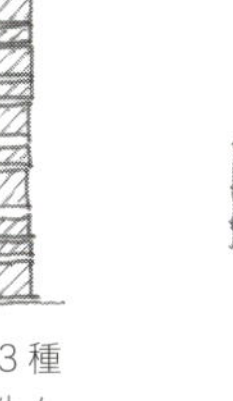

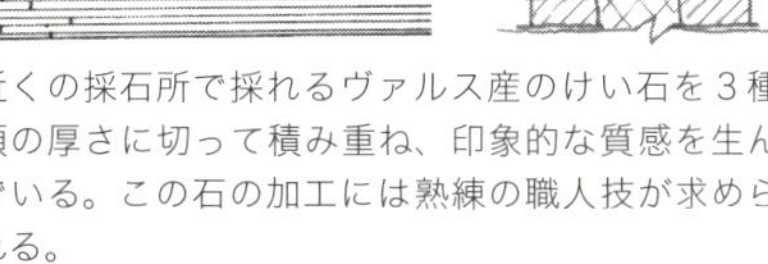

近くの採石所で採れるヴァルス産のけい石を３種類の厚さに切って積み重ね、印象的な質感を生んでいる。この石の加工には熟練の職人技が求められる。

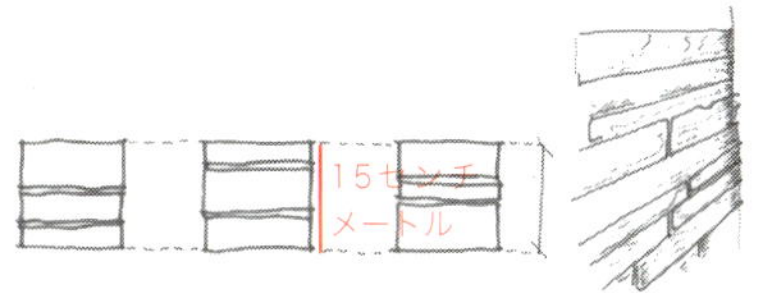

採石所
テルメ・ヴァルス

建物の外観

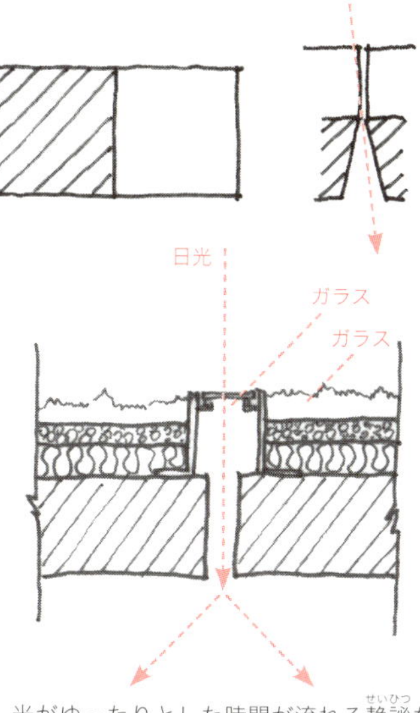

光　光がゆったりとした時間が流れる静謐（せいひつ）な空間を演出している。ガラス張りの天井から光の筋が室内に差し込む。

更衣室　更衣室などのプライベートな機能は、小さな個室になっていて、天井が高く広々としたパブリックな空間と対比をなす。

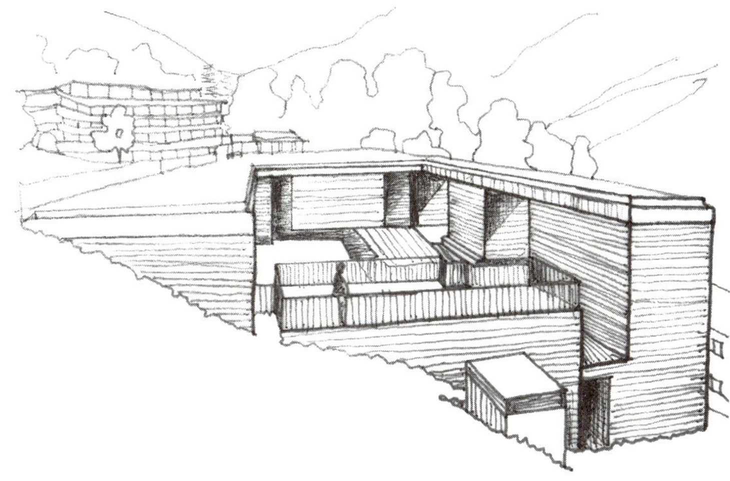

景色を楽しむ：屋外での体験

屋外プールの外観は、建物の水平なラインとあいまって、周りの自然にすっかり溶け込んでいる。

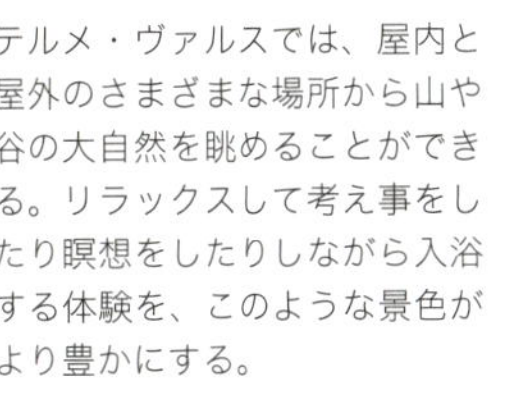

テルメ・ヴァルスでは、屋内と屋外のさまざまな場所から山や谷の大自然を眺めることができる。リラックスして考え事をしたり瞑想をしたりしながら入浴する体験を、このような景色がより豊かにする。

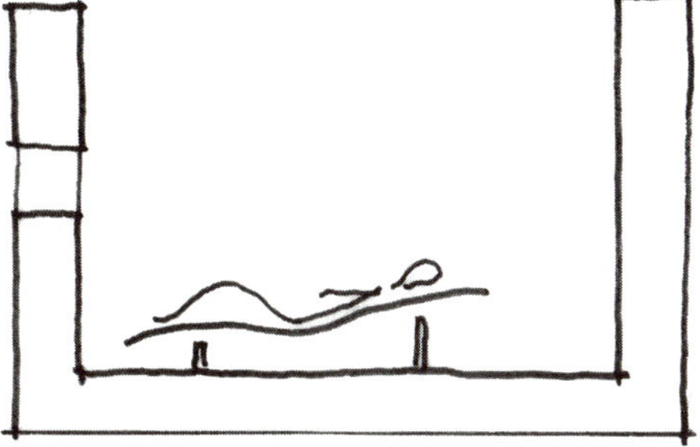

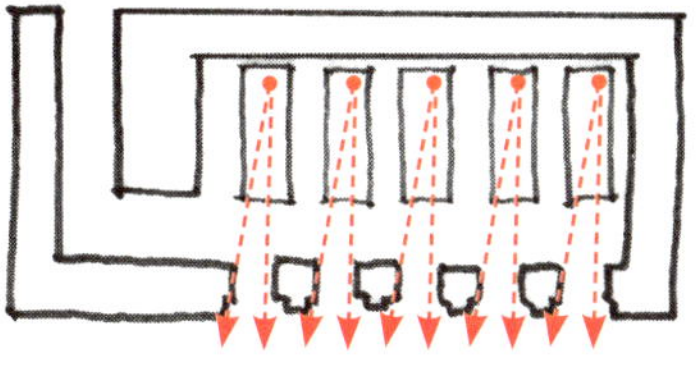

景色
順路は決められていないが、デザインを通して外の眺望がコントロールされ、利用者はすばらしい景色をおのずと楽しめるようになっている。

屋内での体験：孤立感、隠れているものと隠れていないもの

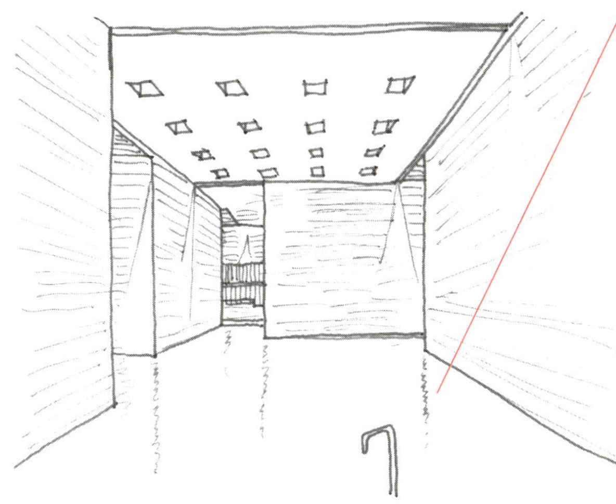

テルメ・ヴァルスの室内は、五感に訴えかける、静かで原始的な雰囲気だ。ざらざらした壁やことなる温度の水の手触りを楽しみながら、考えにふけることができる。屋内プールはいろいろな方向へ進める広さがありながら石の壁に囲まれているので、プライベートな空間のように感じられる。

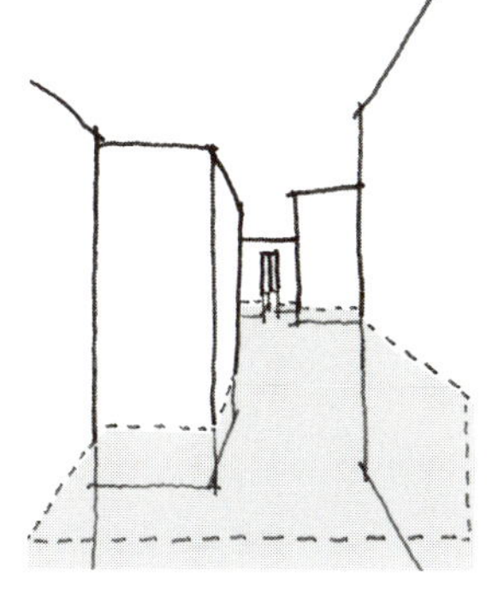

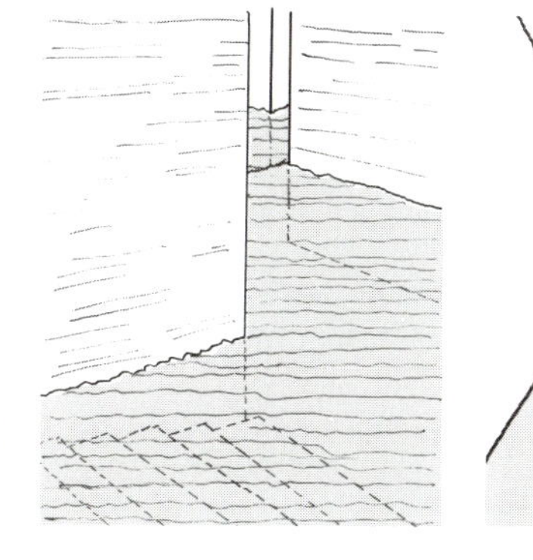

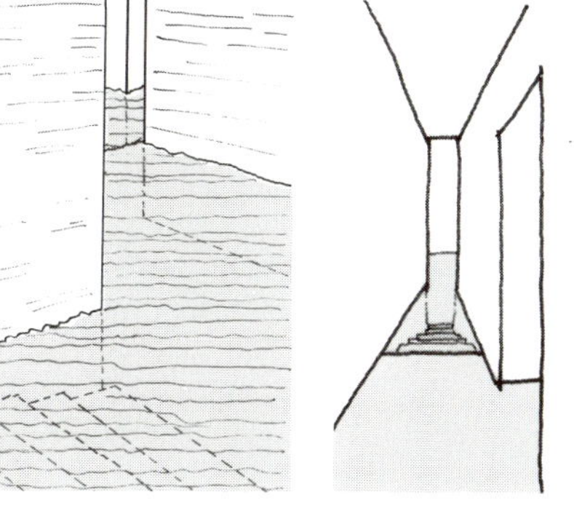

多様な床レベル　利用者はさまざまな段差を体感し、冒険をしているような感覚になる。

孤立感　パブリックなエリアから隔離された空間が、1人でもの思いにふけるのにぴったりな居場所を作っている。狭い通路や天井の高さの変化によって、この空間の特徴が強められている。

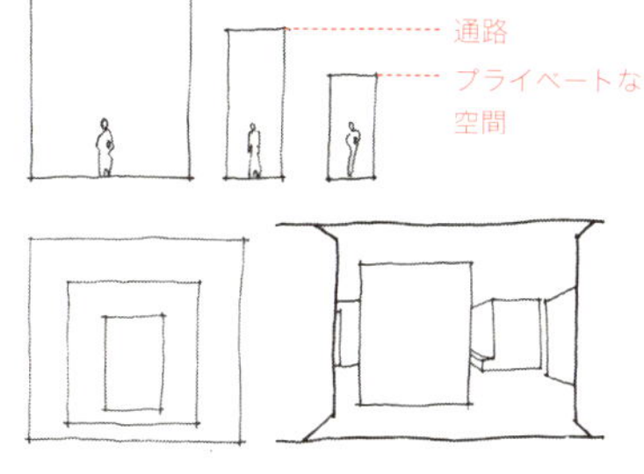

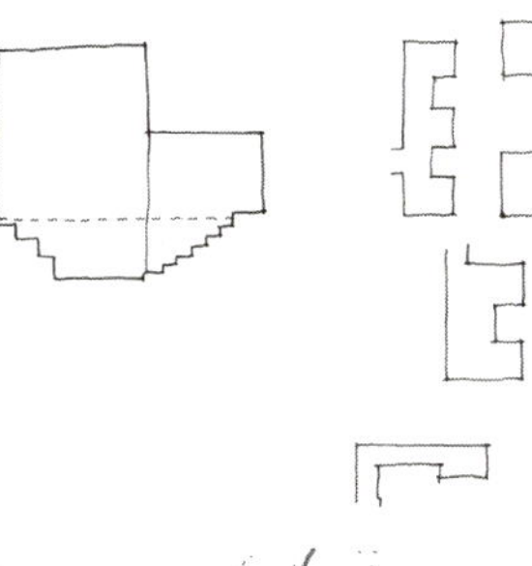

隠れているものと隠れていないもの　空間を進み、角を曲がると、手前と奥に重なり合う空間が切り取られるように見える。1つの空間を通り抜けると、また次の空間が現れる。

階段　蹴上げ（階段の一段の高さ）が低く、踏み面（階段の足を載せる板の上面）の長い階段を降りていくことが、入浴体験のプロセスの1つになっている。この建物では入浴が神聖な儀式のようにとらえられている。

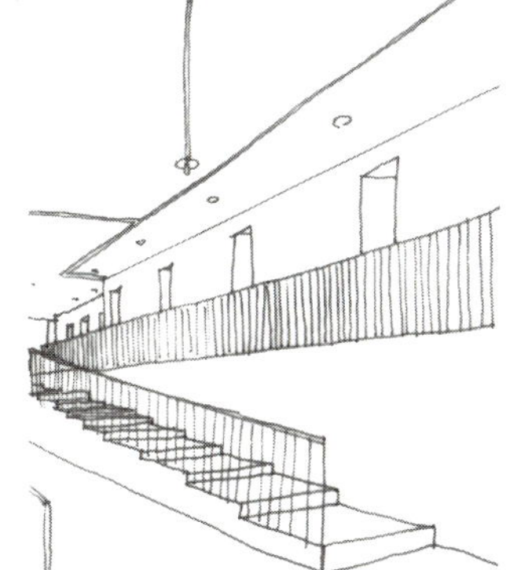

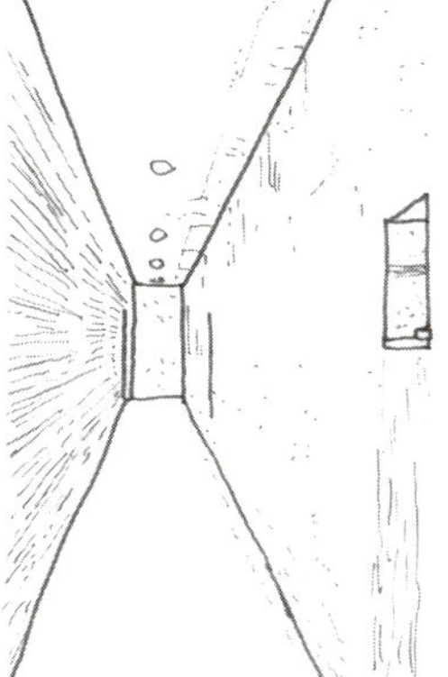

28

ビルバオ・グッゲンハイム美術館 | 1991-97

フランク・O・ゲーリー・アソシエイツ

スペイン、ビルバオ

ビルバオ・グッゲンハイム美術館は設計コンペを経て、スペインのビルバオの文化的なランドマークとして建てられた。このプロジェクトのねらいは、芸術の発展を促して文化観光で収益を上げ、街の脱工業化をはかることにあった。アメリカ人建築家のフランク・O・ゲーリーによるフォルムや素材を活かしたユニークなデザインは街を象徴する存在となり、ビルバオを世界的に有名な観光地へと変貌させた。

この美術館が文化都市としてのアイデンティティを街にもたらし、市民の誇りを表す記念建造物となった理由には、都市の文脈に対する繊細なデザインが挙げられる。この建物は、「芸術作品としての美術館」と「市民へさまざまな機能を提供する」という役割を担い、そのデザインが２つの役割の作用を相互に高めている。プログラムや外観などいろいろな要素が影響し合い、先入観にとらわれない新しい視点で美術館が提案されている。

アミット・スリヴァスタヴァ、ブレント・マイケル・エディ、サイモン・ホー、ラナ・グリア

28 ビルバオ・グッゲンハイム美術館｜1991-97

フランク・O・ゲーリー・アソシエイツ
スペイン、ビルバオ

都市コンテクストへの対応

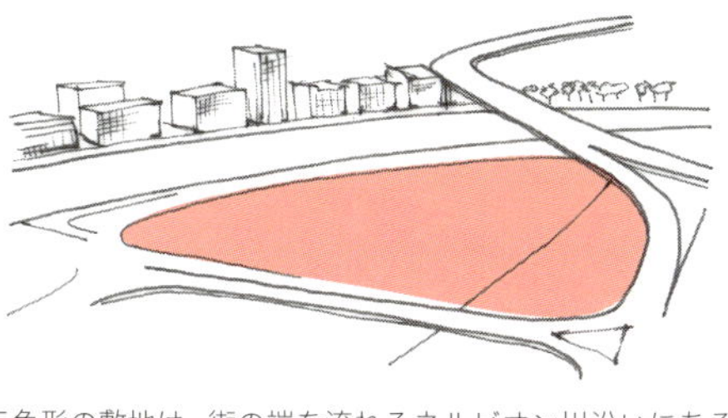

三角形の敷地は、街の端を流れるネルビオン川沿いにある。ラ・サルヴェ橋が敷地の一角を横切っている。

三角形の敷地や、境界にある川や橋などの条件に対応するために、街のいろいろな施設に向かって延びるように３つのウイングが放射状に配置され、中央にある彫刻のようなタワーがそれらを束ねている。市役所や公園など街の重要なランドマークから美術館を眺められる。また、彫刻のようなフォルムは、敷地のすぐ近くの環境にに合わせて工夫されている。建物は川沿いに延びて橋の下をくぐり、逆側で再び高くなっていて、湾曲部の中に取り込まれた橋は街の玄関口となっている。

彫刻のようなタワーは、ラ・サルヴェ橋とともに街の玄関口になっている。美術館のヒントになったのは、川の風景や、水面を進む船の帆の形だ。

設計コンペが行われた当初から、ビルバオ・グッゲンハイム美術館は街を象徴する文化的なランドマークになることを期待されていた。芸術の発展を促して街を文化観光の中心地にするだけでなく、市民の誇りを表す記念建造物となり、市役所や公園など点在するさまざまな施設を結び付け、街全体のアイデンティティを作り上げることが求められたのだ。そのため、この美術館は都市コンテクストに深く根差し、街のすべてを包み込む役割を果たしている。

川の対岸から、存在感のある外観が見える

市役所からの視線

大きな市民公園からの視線

タワーが、橋を建物全体に結び付けている。

カーブを描く川岸が、美術館の彫刻のようなフォルムにつながる。

川の流れる方向に合わせて建物全体がカーブしている。川の水面のように光を反射するチタン被覆が施されているので、美術館そのものが川から立ち現れているように見える。

直行する２つのウイングが街の一部を包み込むように広がり、大きな公共広場を作っている。

街側のエントランス

中央にそびえるエントランスホールのタワーから、街に面した長方形の２棟と細長い彫刻のようなフォルムの川沿いの棟が、放射状に延びている。

街から美術館へ近づいていくと、金属の彫刻が石造りの建物の上に浮かんでいるような姿が見えてくる。美術館は街中（まちなか）でよく目立つランドマークだ。

デザインを既存の都市構造により深くなじませるために、街側の直方体の２つのウイングは周りの建物と同じ石造りになっている。だんだん高くなる川側のウイングの金属彫刻のようなフォルムは、街側のウイングの石造りのファサードに浮かんでいるようだ。このように新しい要素がさりげなく表現され、古さと新しさが違和感なく調和している。そのほか、高さ 60 メートルのタワーなどの彫刻のようなフォルムのおかげで、この美術館は街のランドマークになっている。

彫刻のように際立つチタン被覆のフォルム

直線的な石造り

プログラムを包み込む間取り

デザイン全体の中でプログラムと外観が相互に呼応しているように見える。それぞれことなるプログラムのニーズに応じたシンプルな平面が組み合わさって、中央のアトリウムでつながる。それをファサードがひと続きに覆うデザインだ。

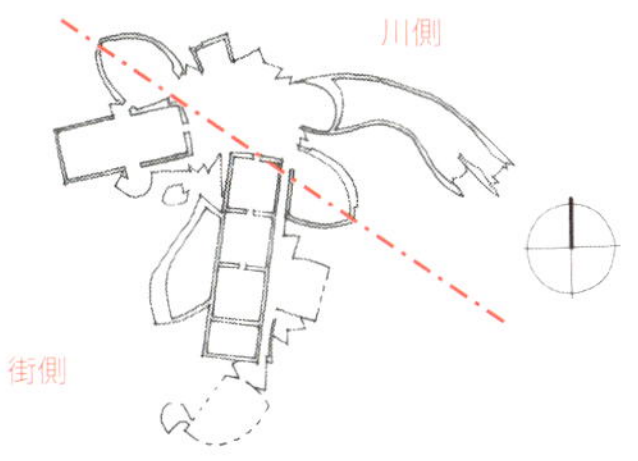

街側の２棟の展示室と、カーブを描く川側の展示室は、斜めの軸の両側に配置されている。

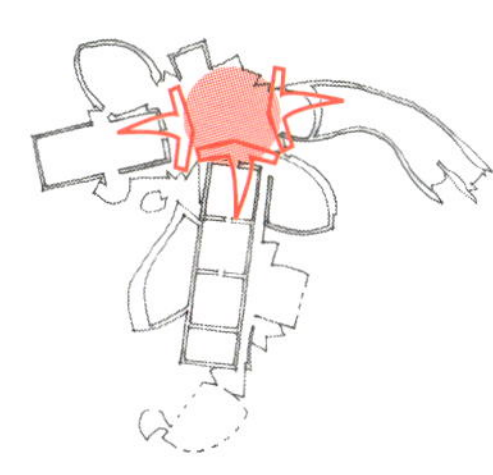

３棟は、それらを巻き込む渦の真ん中のような中央のアトリウムで結び付けられている。

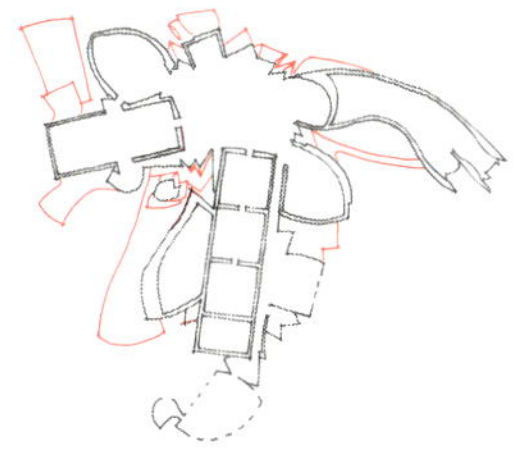

ことなるプログラムがチタンの外壁で覆われ、一体感を生んでいる。

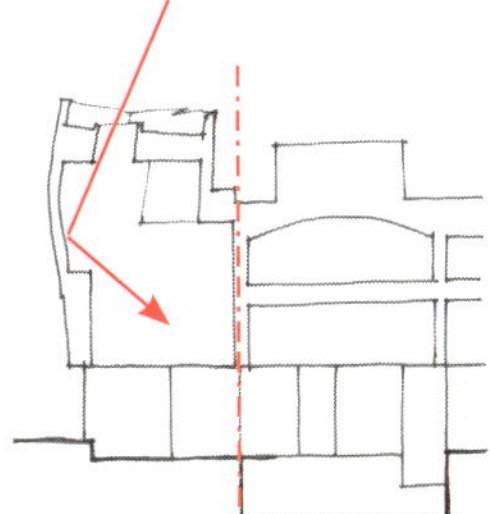

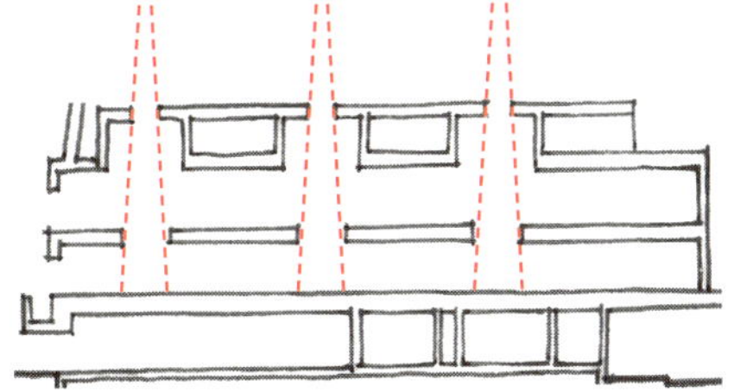

天窓から自然光が入る。天窓がある場所とない場所によって、外壁に包まれた空間に多様な明るさが生まれている。

一般的な間取りの展示室には、過去の芸術家の作品がある

遊び心に満ちた間取りの展示室には、現代の芸術家の作品がある

あらゆる用途に応じた多様な空間が、間取りの中で共存している。例えば、過去の芸術家の作品を展示している街側の展示室は、一般的な空間設計にもとづいた長方形が直行するシンプルな形をしている。一方で、川側の遊び心に満ちた形の展示室では、現在活躍中の芸術家の作品が生き生きと展示され、建築と作品が影響を与え合っている。従来の建物の形の固定観念にとらわれずに、一般的なフォルムと前衛的なフォルムを組み合わせ、美術館全体に求められるプログラムに応じている。

彫刻のような屋根

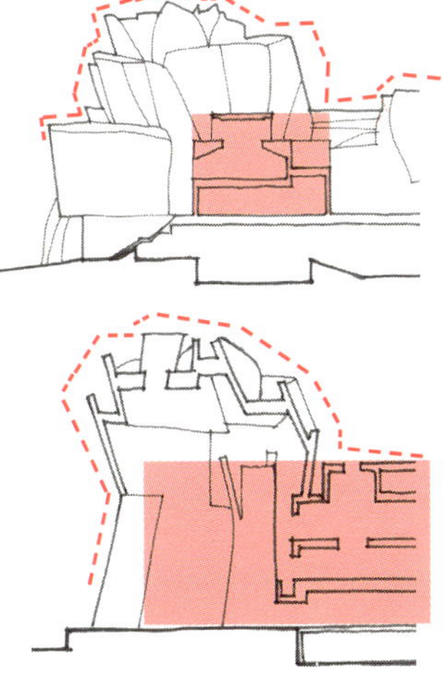

プログラムは平面図に、外壁は屋根に、それぞれの特徴がよく表れている。間取りと屋根が互いに影響を与え合い、全体を形作る。従来通り、まず建物のベースとなる平面をそのまま持ち上げて直方体のボリュームを作り、外壁の位置を決め、その上を彫刻のような屋根で覆った。生き物のような屋根が下に延びてシンプルな直方体のボリュームをえぐり、室内に独特の空間を生んでいる。

　平面を持ち上げた直方体が、まるで生き物のような形の屋根をまとっているように見える。そして、この直線的なボリュームと、曲線的な屋根が全体のフォルムを作っている。また、石造りの土台の上に、傘をかたどった彫刻のような金属の屋根が浮かんでいる外観では、素材同士の調和も見られる。

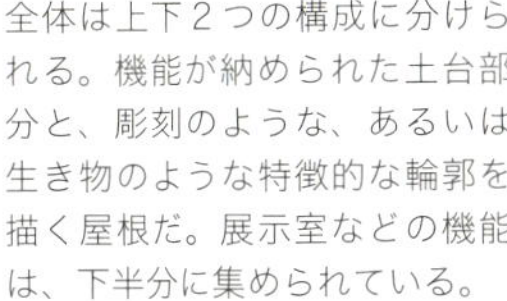

全体は上下２つの構成に分けられる。機能が納められた土台部分と、彫刻のような、あるいは生き物のような特徴的な輪郭を描く屋根だ。展示室などの機能は、下半分に集められている。

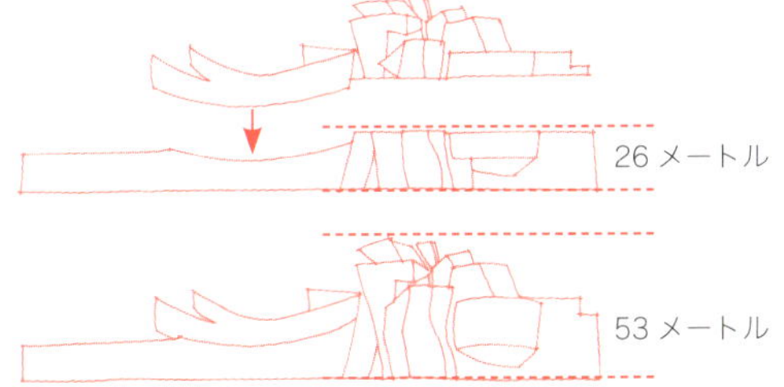

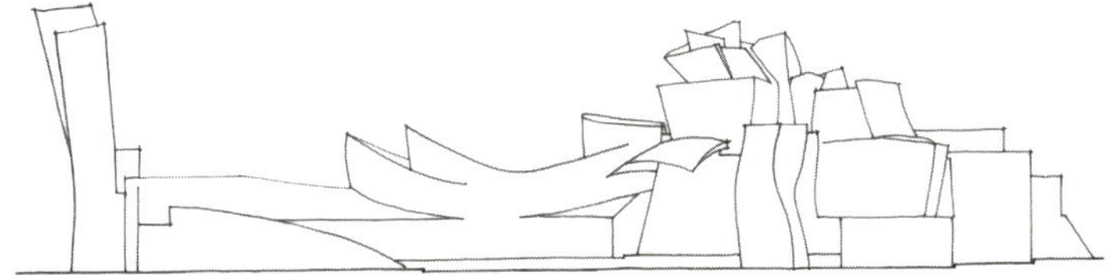

生き物のようなチタン被覆の屋根が、展示室などの機能が納められた直線的な土台を覆っている。このような全体構成を通じて、プログラムの要求事項を組み合わせたシンプルな間取りから、彫刻のようで象徴的な街のランドマークを作り出している。

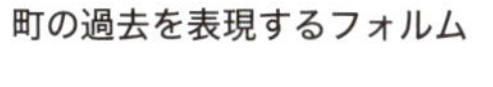

28 ビルバオ・グッゲンハイム美術館｜1991-97

フランク・O・ゲーリー・アソシエイツ
スペイン、ビルバオ

町の過去を表現するフォルム

カーブを描く川沿いのフォルムは、街の歴史を比喩的に表現している。建物の上部は、船体のようにやや斜め上に傾いている。船のモチーフは、19 世紀から造船業で栄え、海運の拠点として産業が発展したビルバオの街にぴったりだ。

フォルムと効果

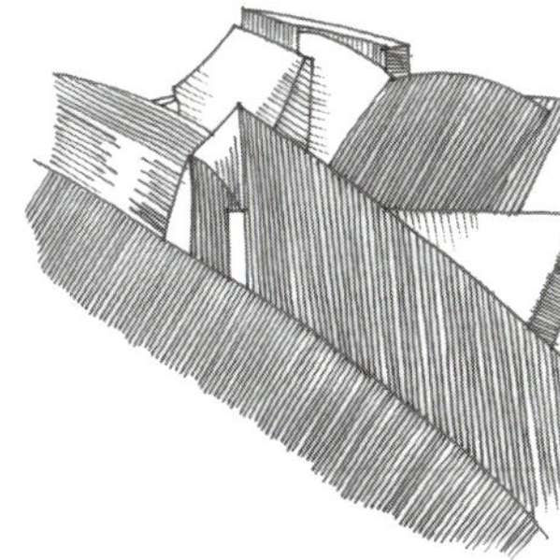

高くそびえる先端は彫刻のように躍動的だ。太陽の光を受けてちらちらと輝く姿が、街の目印になっている。

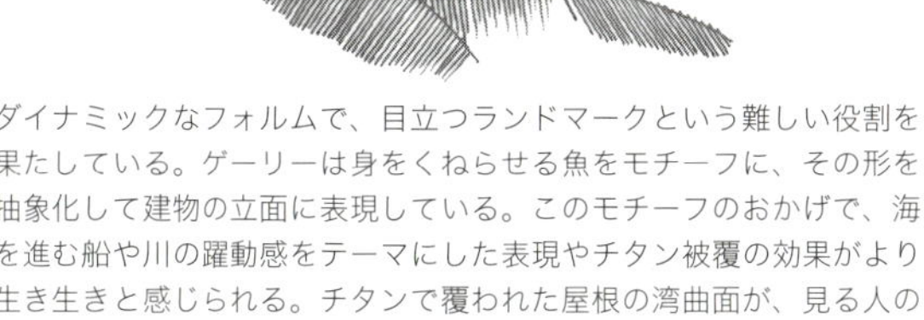

生き生きとした躍動感を表現するために、魚の形が使われている。

ダイナミックなフォルムで、目立つランドマークという難しい役割を果たしている。ゲーリーは身をくねらせる魚をモチーフに、その形を抽象化して建物の立面に表現している。このモチーフのおかげで、海を進む船や川の躍動感をテーマにした表現やチタン被覆の効果がより生き生きと感じられる。チタンで覆われた屋根の湾曲面が、見る人の場所や太陽の動きに応じて多様な表情を見せる。

外観とアクセス

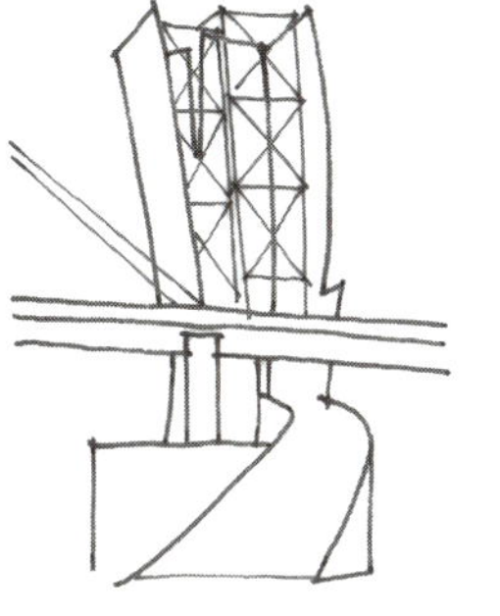

手前のスロープが、中央のタワーの堂々とした印象を強める。少し離れた場所から船のような全景を眺めるには、川沿いの歩道橋が絶好のスポットだ。

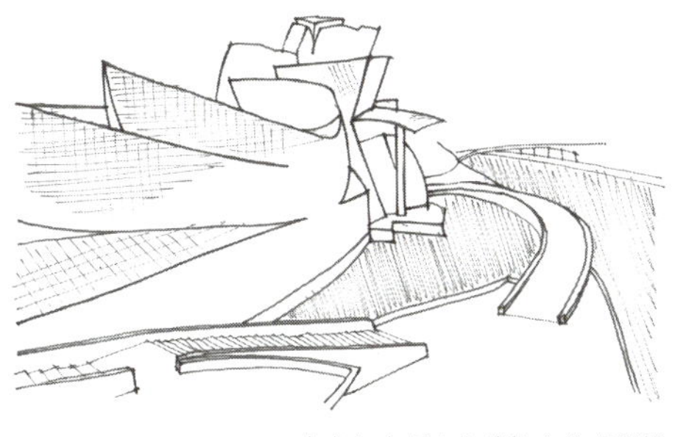

大きな広場から建物全体が鑑賞できる。

魚を抽象化したダイナミックなフォルム。

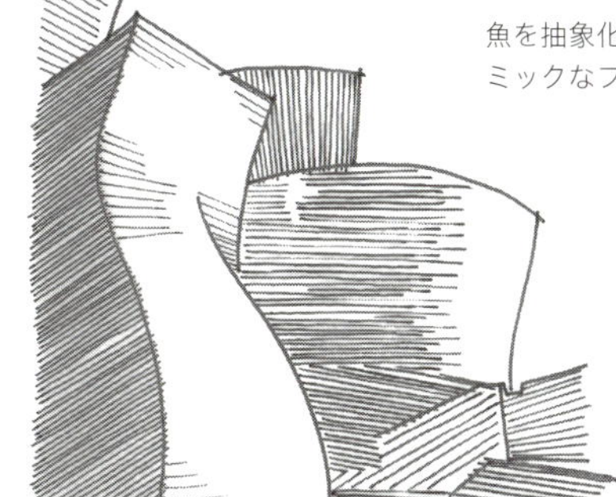

うねるようなフォルムとチタン被覆が大胆に組み合わされ、太陽や見る人の動きに応じて多様な表情を見せる。

どのように景色を切り取るか、建物が人々からどのように見えるかが念入りに計算され、それにもとづいてフォルムの比喩的な表現や全体構成が組み立てられている。美術館から少し離れた川沿いの歩道橋は、船のような姿を鑑賞できる絶好の場所だ。また、スロープからは、帆のようにそびえるタワーを見上げられる。街側の広い公共広場は、直線的な石造りの部分と、曲線からなるチタンの屋根の全景を真正面から眺められる。

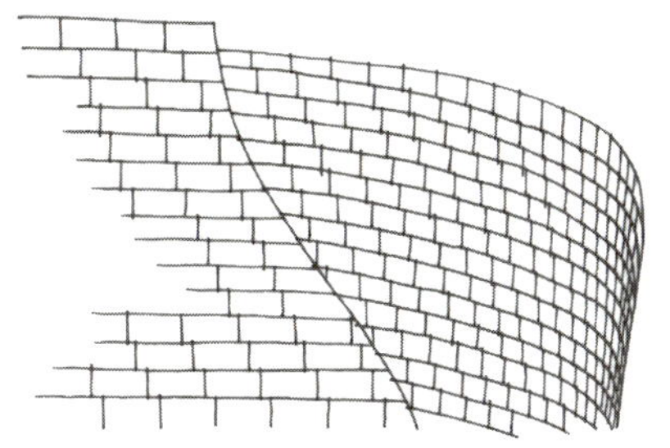

表面を覆うチタンパネルの質感も、魚のうろこを模したデザインだ。各パネルを固定している部分が浅くへこんでいるので、ちらちらした輝きが増し、建物の表面にさざ波が立っているように見える。ガラスや石、そしてチタンの質感の演出が、建物全体に生き生きとした表情を与える。

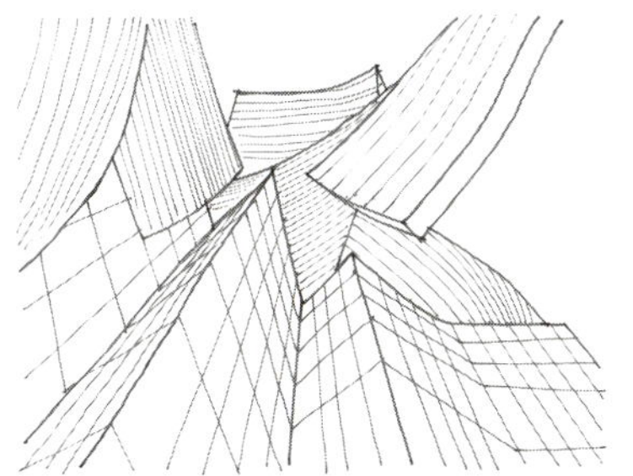

チタンの屋根が描く曲線が、ガラスのカーテンウォールの上に重ねられている。

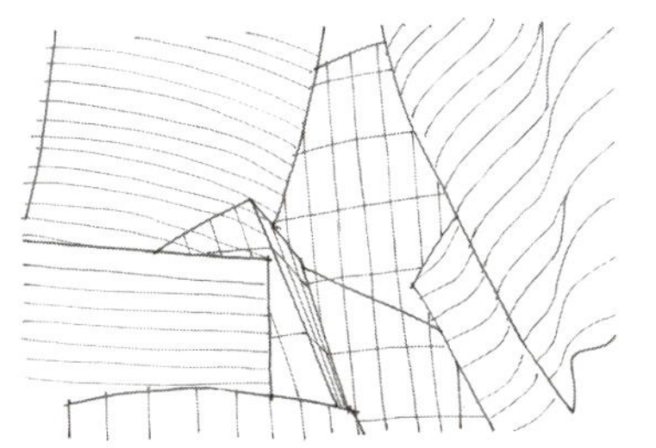

チタン、ガラス、石が描く直線や直線が、躍動感を演出する。

鑑賞体験

建物に近づくにつれ、全体のフォルムから、ヒューマンスケールのディテールが明らかになる。このようなディテールはエントランスにはっきりと表れている。堂々とした支柱に支えられた川側の大きな張り出し屋根が、中央のエントランスロビーを特徴付けている。街側のエントランスは奥に引っ込んでいるので、来館者は広場があるフロアへ降りなければならない。来館者はまず狭い空間に導かれ、その後であっと驚く大きな室内空間へ出る。これは建築でよく使われる手法だ。来館者は地下の入口を通り抜けてから中央のアトリウムへ出るので、さらに大きく感じられる。高さ 50 メートルを超えるアトリウムは、1950 年代にフランク・ロイド・ライトが設計したニューヨークのグッゲンハイム美術館の中央の巨大なボリュームを参照している。

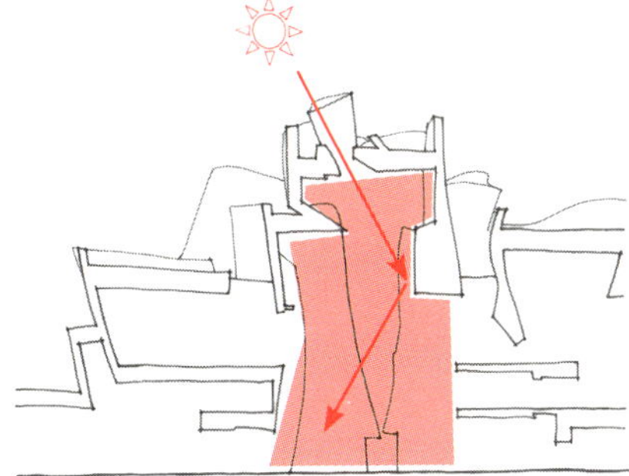

ロビーにも外壁と同じチタン、ガラス、石が使われ、質感の演出が屋内に引き継がれている。

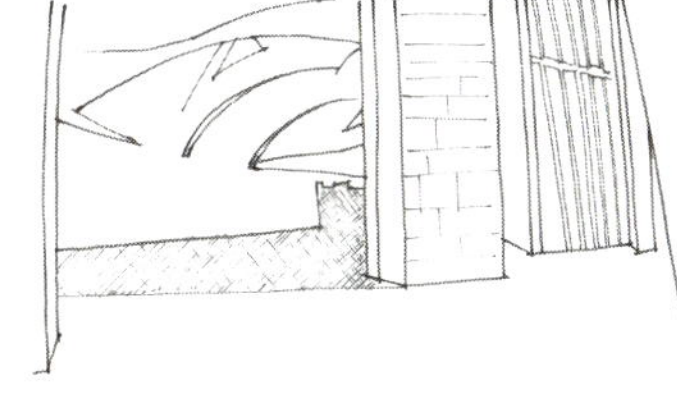

展示室に外壁と同じ素材は使われず、現代のアーティストの作品がある展示室では、ニューヨークのグッゲンハイム美術館のように、作品と建築が互いに影響し合う空間の工夫がなされている。

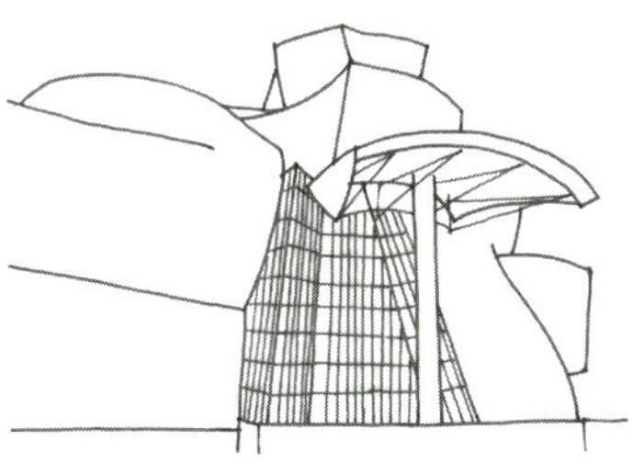

川側では、大きな張り出し屋根が中央のエントランスロビーを目立たせる。

街側のエントランスは奥に隠れているので、来館者は広場があるフロアまで降りなければならない。

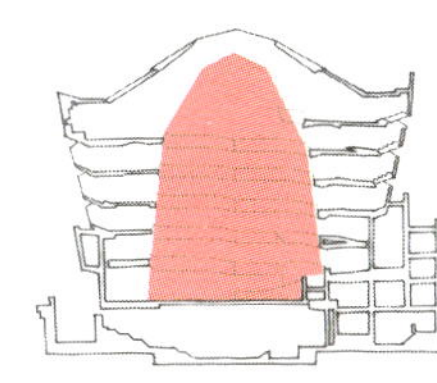

来館者は、グッゲンハイム美術館（図上）を連想させる室内の巨大な空間（図左上）へ辿りつく。

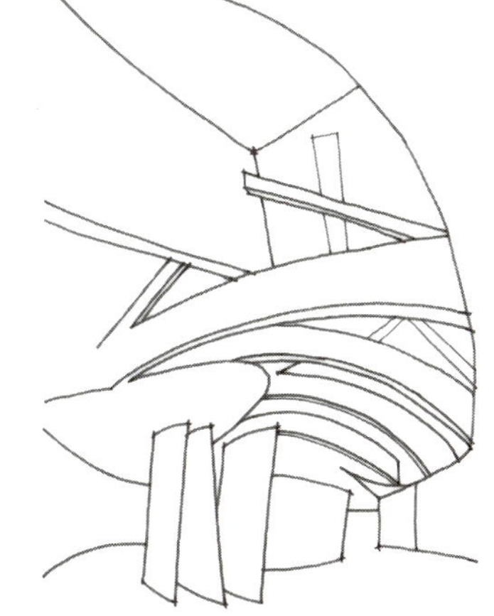

ライト設計のグッゲンハイム美術館と同様の考え方が反映されている現代アーティストのための展示室。

29

ESOホテル | 1998-2002
アウワー+ウェーバー
チリ、セロ・パラナル

ESO ホテルは、ヨーロッパ南天天文台（European Southern Observatory、ESO）の職員と来客のための居住・宿泊施設だ。チリ北部、標高 2635 メートルのセロ・パラナルの山頂にある、人里離れた天文台に併設されている。デザインの主なコンセプトは、極度に乾燥している気候に対応すること、自然のランドスケープをそこなわないこと、耐震に配慮すること、そしてなにより、天文台での天体観測に影響を与えないよう、夜に光を外に漏らさないようにすることだった。

ドイツの建築家アウワーとウェーバーは、現地の地形の曲線と対比をなす、長方形や円など明確な幾何学図形を使った建物を、山に囲まれた谷の端から端までまっすぐに埋め込んでいる。ランドスケープのスケールや荒々しさにふさわしい、くっきりとしたフォルムの建物が谷を横切り、草木の生えていない独特の周辺環境を際立たせている。

キャサリン・スネル、マイケル・キン・ポン・ウン、アミット・スリヴァスタヴァ

29 ESOホテル | 1998-2002

アウワー＋ウェーバー
チリ、セロ・パラナル

自然のランドスケープへの対応

ESO ホテルは、ヨーロッパ南天天文台の職員と来客のための居住・宿泊施設であり、一般には公開されていない。敷地へのアプローチを通して、起伏するランドスケープの山ひだにひそむ隠れ家のような雰囲気が作られている。

ホテル全体は自然の谷に沈むように設計されていて、中央のドームだけが地平線より上にある。このアプローチは、コンテクストへの視覚的な影響を最小限に抑え、息を飲むほど広大なランドスケープの眺めがそこなわれるのを防いでいる。コンテクストへの負担をかけないように建物が配置されている一方で、くっきりとした直線の輪郭は起伏した山の地形に映え、視覚的な趣を十分に演出する。また、文明を象徴する施設として存在感を放ち、周辺の荒野と一線を画している。

天文台への対応

ESO の施設には最大級の地上天文台がある。そのため、施設のもっとも重要な機能である天文台を考慮して、ホテルの光が決して天体観測のじゃまにならないように設計されている。谷に建っているので建物の表面からは光が漏れにくくなっているが、天窓がある中央のドームからは日常生活で使う光が漏れてしまう場合がある。そこで、機械仕掛けのカバーを使った、光を遮る特別なしくみをドームに設け、夜は必要に応じて完全な真っ暗闇が作れるようにしている。

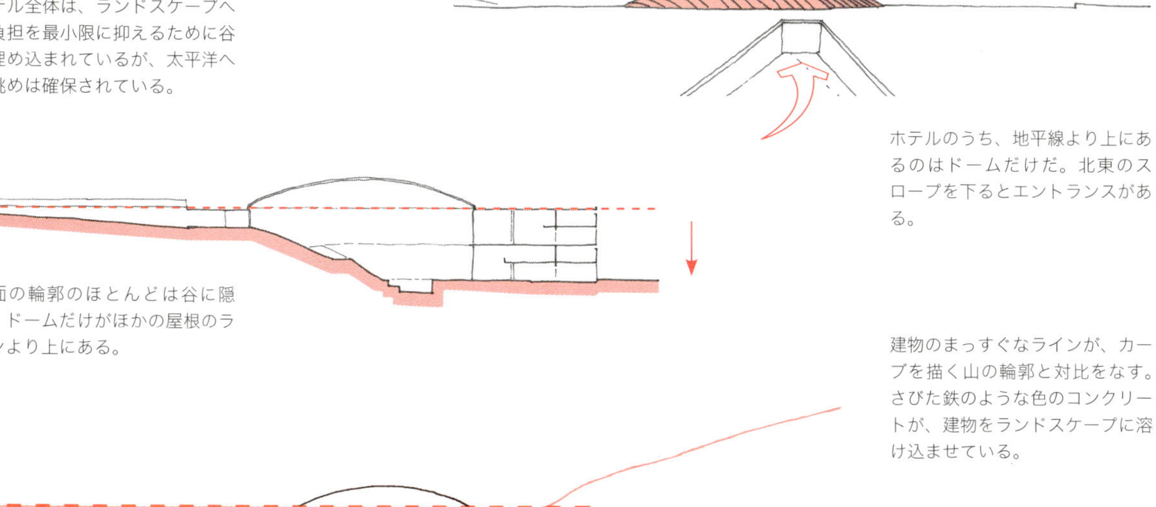

ホテル全体は、ランドスケープへの負担を最小限に抑えるために谷に埋め込まれているが、太平洋への眺めは確保されている。

ホテルのうち、地平線より上にあるのはドームだけだ。北東のスロープを下るとエントランスがある。

断面の輪郭のほとんどは谷に隠れ、ドームだけがほかの屋根のラインより上にある。

建物のまっすぐなラインが、カーブを描く山の輪郭と対比をなす。さびた鉄のような色のコンクリートが、建物をランドスケープに溶け込ませている。

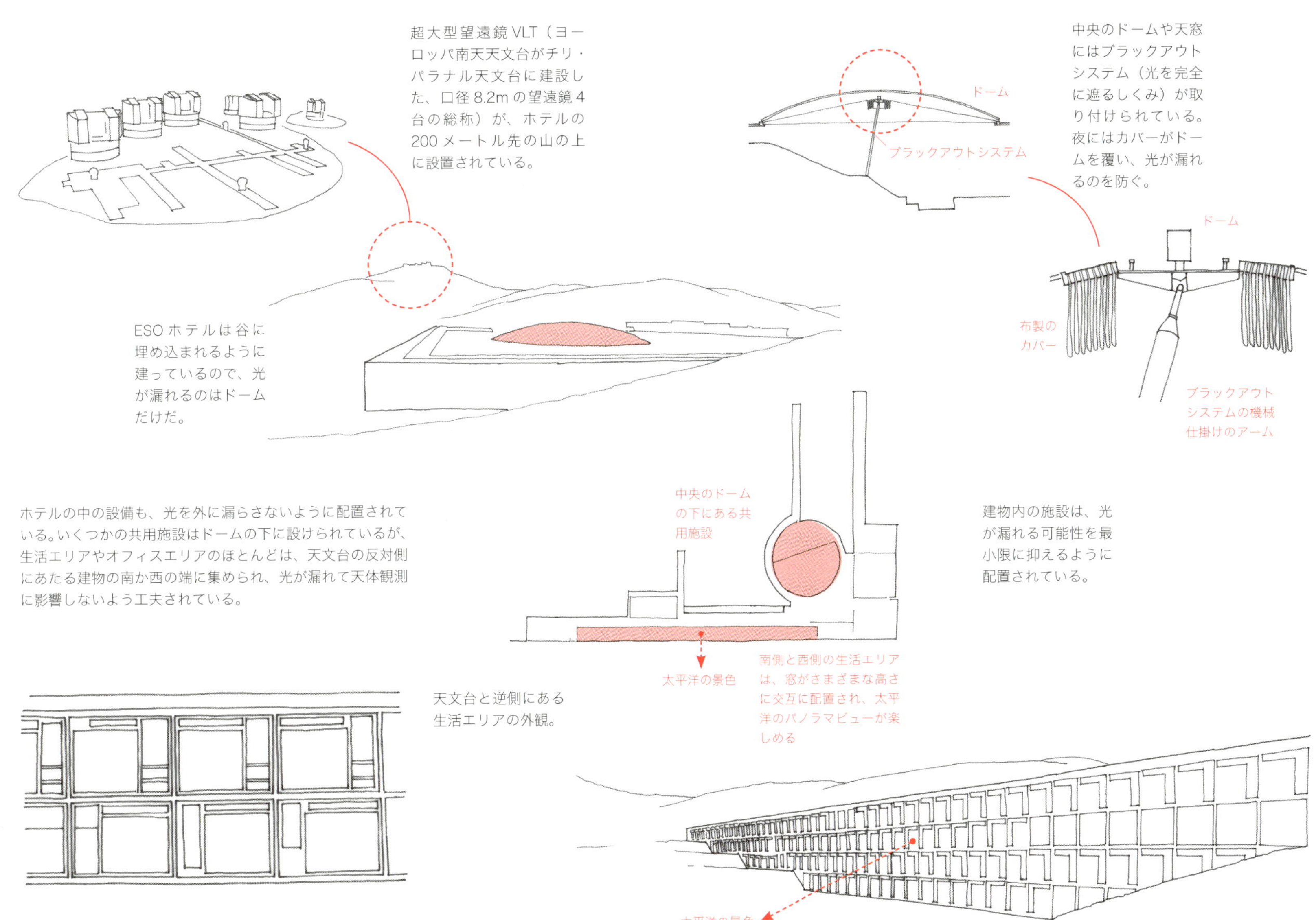
超大型望遠鏡VLT（ヨーロッパ南天天文台がチリ・パラナル天文台に建設した、口径8.2mの望遠鏡4台の総称）が、ホテルの200メートル先の山の上に設置されている。
ドーム
ブラックアウトシステム
中央のドームや天窓にはブラックアウトシステム（光を完全に遮るしくみ）が取り付けられている。夜にはカバーがドームを覆い、光が漏れるのを防ぐ。
ドーム
ESOホテルは谷に埋め込まれるように建っているので、光が漏れるのはドームだけだ。
布製のカバー
ブラックアウトシステムの機械仕掛けのアーム
中央のドームの下にある共用施設
ホテルの中の設備も、光を外に漏らさないように配置されている。いくつかの共用施設はドームの下に設けられているが、生活エリアやオフィスエリアのほとんどは、天文台の反対側にあたる建物の南か西の端に集められ、光が漏れて天体観測に影響しないよう工夫されている。
建物内の施設は、光が漏れる可能性を最小限に抑えるように配置されている。
太平洋の景色
南側と西側の生活エリアは、窓がさまざまな高さに交互に配置され、太平洋のパノラマビューが楽しめる
天文台と逆側にある生活エリアの外観。
太平洋の景色

極度に乾燥した気候への対応

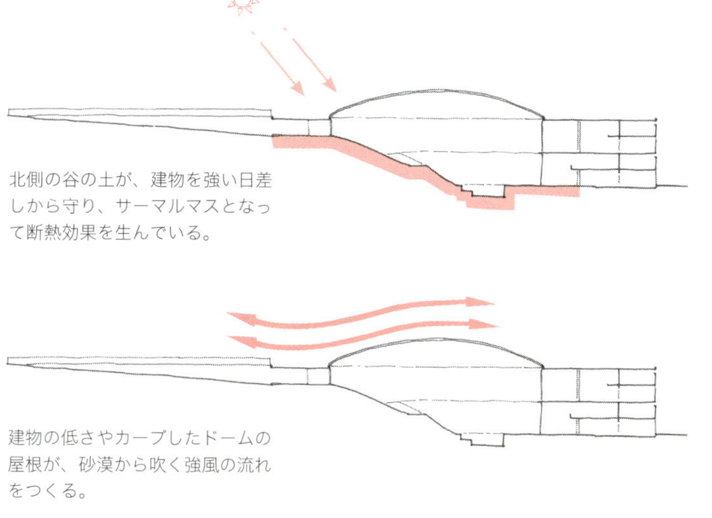

北側の谷の土が、建物を強い日差しから守り、サーマルマスとなって断熱効果を生んでいる。

建物の低さやカーブしたドームの屋根が、砂漠から吹く強風の流れをつくる。

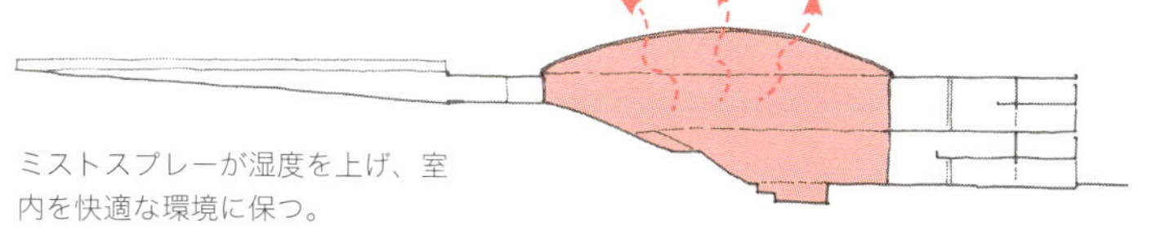

ミストスプレーが湿度を上げ、室内を快適な環境に保つ。

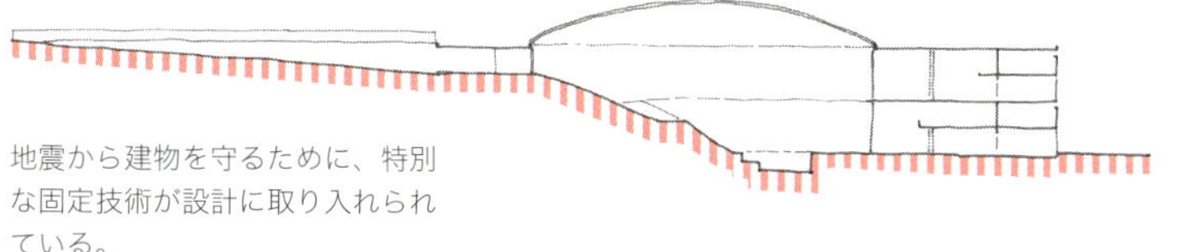

地震から建物を守るために、特別な固定技術が設計に取り入れられている。

ESO ホテルは、アタカマ砂漠にほど近い、チリ北部の乾燥地帯に建っている。荒涼とした土地には太陽がぎらぎらと照りつける。ホテルは谷あいに埋まるように建っているので日光にさらされている部分は少なく、周りの土がサーマルマスとなって断熱効果を生んでいる。露出している表面は主に建物の南側だが、南半球に建っているので日光はほとんど届かない。

さらにこの敷地には、東のアンデス山脈から西の太平洋へ抜ける強風が吹きつける。砂漠の方向からくる風は高温になることもあるので、この熱風を遮る必要がある。建物の低さとドームのカーブが風の流れをつくり、室内を守っている。

降水量が少なく平均湿度が5～10パーセントしかないので、乾燥対策も課題の1つだ。そこで、気密性を高めたドームの中にミストスプレーを取り付け、湿度を上げて快適な環境を作り出している。室内環境がコントロールされた空間は、砂漠の急激な温度変化から人々を守る役割もある。

この地域は地震が多いので、コンクリートの棟をファイバーガラスのマットで地面につなぎとめ、振動をすべて吸収する耐震技術が導入されている。また、地震の影響を抑えるため、1つの大きな建物ではなく、小さな建物が連なった構造になっている。

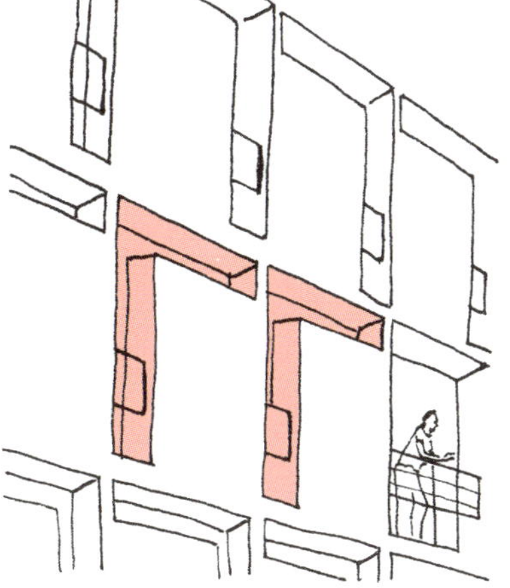

熱が入らないように南側と西側に設けられた小さな窓からは、荒涼とした砂漠の風景が眺められる。

利用者への対応 - 砂漠の中のオアシス

ホテル全体のデザインは、施設で働く科学者やスタッフがリラックスするための休憩室を中心に構成されている。皆が利用するこの休憩室の周りに、それぞれの居住施設、オフィス、食堂を含む共用エリアなど、あらゆるプログラムが置かれている。このような機能の配置からは、休憩室が施設全体の要所であり、ホテルのどこからでもアクセスできることがわかる。休憩室に出るときの開放感を高めるために、さまざまな部屋からつながる薄暗く細長い通路を進んだ先に、大きな天窓の付いた２層吹き抜けのドームが広がるように配置されている。

中央にある２層吹き抜けのドームがホテルのすべての空間を結び付けている。

天文台で働くスタッフの中に地元出身者はほとんどいないので、ホテルは厳しい砂漠の気候から逃れられるように工夫されている。中央にある休憩室は、高度な科学技術が使われる天文台の仕事場から離れてひと息付ける場所であり、砂漠から逃れる熱帯のオアシスでもある。オアシスにはいろいろな熱帯植物が植えられ、スイミングプールも設けられている。利用者は仕事から離れて、安全で快適な環境で休憩を取ることができる。半透明のドームには温室の役割があり、植物やプールが室内の湿度を上げる。さらに機械仕掛けのミストスプレーが休憩室に南国のような雰囲気を演出している。室内では外のランドスケープと同じ色合いの素材がむき出しになっているので、自然の中にいるように感じられ、この休憩室全体をより楽しむことができる。

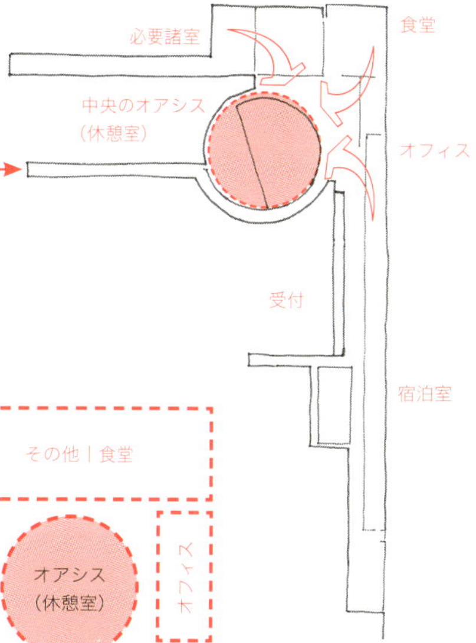

必要諸室
食堂
中央のオアシス
（休憩室）
エントランスに
続くスロープ
オフィス
受付
宿泊室

その他｜食堂
オアシス
（休憩室）
オフィス
宿泊室

諸室の配置。

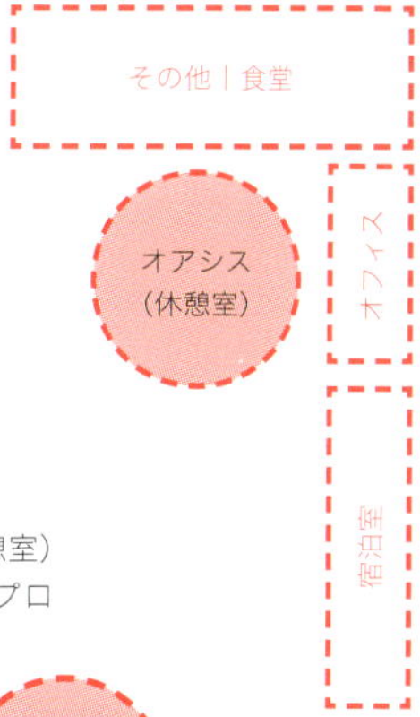

オアシス（休憩室）を中心としたプログラム図。

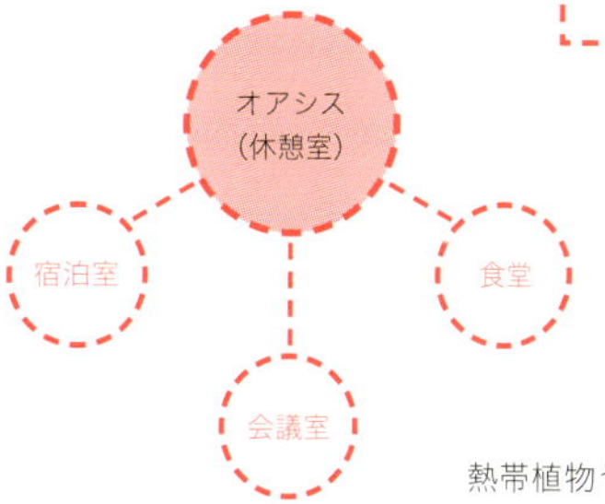

オアシス
（休憩室）
宿泊室
食堂
会議室

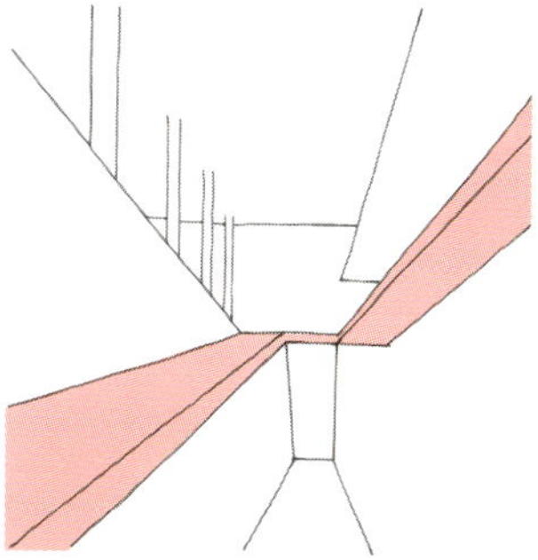

薄暗く細い通路が、あらゆるフロアを中央のオアシス（休憩室）へつないでいる。この通路を歩いて休憩室へ向かうことで、オアシスに到着したという気持ちがより高められる。

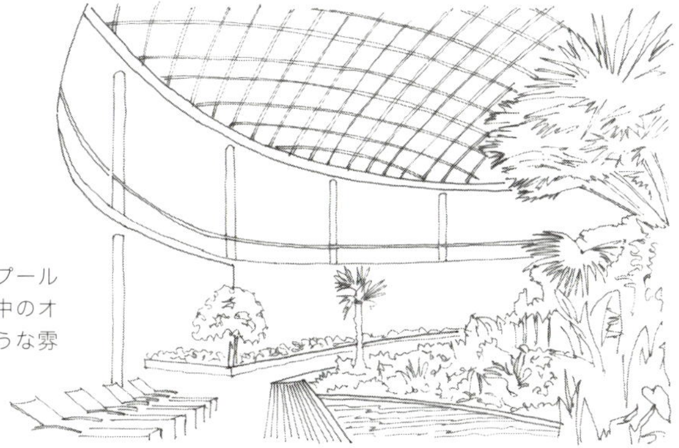

熱帯植物やプールが、砂漠の中のオアシスのような雰囲気を作る。

30

アーサー&イヴォンヌ・ボイド・アートセンター｜1996-99

マーカット・レーウィン・ラーク

オーストラリア、ニューサウスウェールズ、リバーズデール

オーストラリア人画家のアーサー・ボイドとその妻のイヴォンヌは、シドニーの南に位置する田舎の所有地を国に寄付した。そこに建てられたアーサー＆イヴォンヌ・ボイド・アートセンター（Arthur and Yvonne Boyd Education Centre、AYBEC）は、主に学齢期の子どもたちなどがキャンプをしながら、原生植物や動物、岩や川に親しみ、芸術とふれあうための場所だ。建築家のグレン・マーカット、ウェンディ・レーウィン、レッグ・ラークが設計を担った。

技巧が凝らされた建物は、全体と部分がどちらも明快で洗練されている。合理的な間取りや素材の使い方、コンテクストに沿ったディテールを通して、室内に一体感が生まれる。一方、建物の外観は、美しい自然風景とつながるようにデザインされた。建物が描く直線は、敷地の風景を大きく変えることなく、自然の有機的な形と対比をなす。

アントニー・ラッドフォード、ヴェルディ・クエ、サミュエル・マーフィー

30 アーサー&イヴォンヌ・ボイド・アートセンター｜1996-99

マーカット・レーウィン・ラーク

オーストラリア、ニューサウスウェールズ、リバーズデール

リバーズデール

ナウラ

太平洋

センターは、砂の丘の間を流れるショールヘブン川がカーブしているところにある、氾濫原（河川の流水が洪水時に河道から氾濫する範囲にある平野部分）を見下ろすように建っている。

古い木造のコテージ

新しいセンターの建物

センターは、近くの森と、のどかで広大な平地の境界に沿って建つ。

センターのホールからは、川の先まで見渡せる。川は、アーサー・ボイドが「リバーズデールの山」と呼んだ丘のそばを通っている。

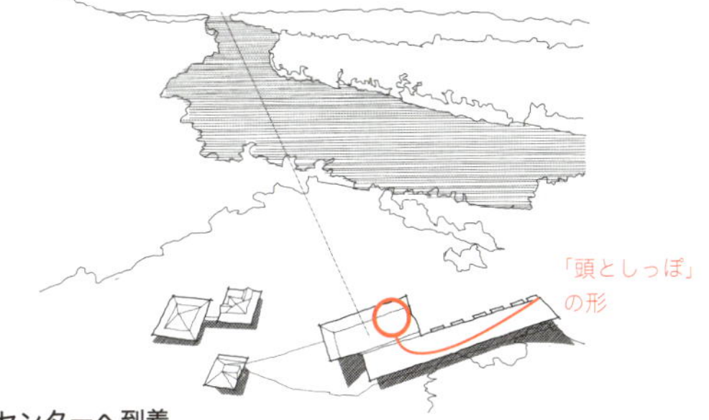

センターへ到着

谷沿いの曲がりくねった長い道を車で進むと、コテージが集まっているエリアに辿りつく。コテージの１つはもともとアーサー・ボイドのアトリエだったもので、その周りに駐車場が作られている。そこから歩いていくと、センターの新しい建物が見えてくる。センターのホールとコテージの間にある舗装された前庭でひと休みし、周りの様子や遠くの風景を眺められる。テラスから大きなドアを通って、直接ホールに入ることもできるし、ホールと台所の間の廊下から入ることもできる。この廊下は寝室まで続いているので、森がある裏側へ回って、そのまま寝室へ向かうこともできる。豪華なエントランスやロビーはない。

地面を這う「しっぽ」部分と、前に向かって浮かぶ「頭」部分は、まるで地面の上で休んでいる生き物のようだ。

建物の専有スペースの外側はほぼ手付かずのままで、動植物への影響を最小限に抑えている。この建築は明らかな人工建造物でありながら、もともとそこにあった環境を支配することはなく、ランドスケープはまさに自然のままだ。人工物である建物と自然のランドスケープがどちらも完全性を保っている。

前庭を見下ろす草の生えた土手に座り、テラスを舞台、川を背景に見立てて、風景を眺めることができる。

間取り

建物の「頭」にあたるホールは、北東の角という絶好の場所にある。自然光や風が入り、眺めもよいので、利用者に強い印象を残す。「しっぽ」にあたる台所や寝室は、ホールの奥の坂の上に配置されている。

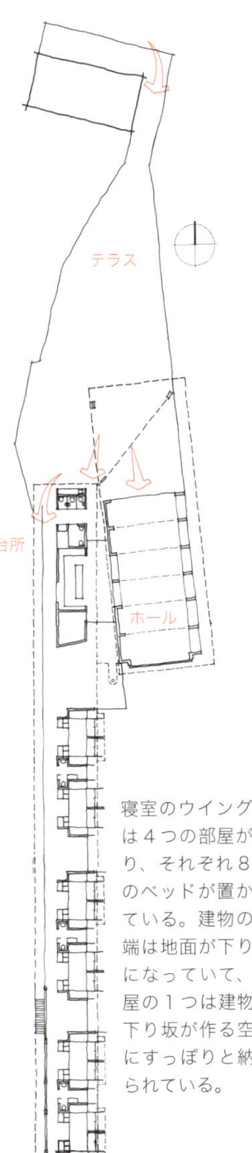

寝室のウイングには４つの部屋があり、それぞれ８台のベッドが置かれている。建物の南端は地面が下り坂になっていて、部屋の１つは建物と下り坂が作る空間にすっぽりと納められている。

ホール

ホールは作業場やスタジオになるほか、80人まで収容できる食堂や、さらにたくさんの人を収容できる劇場やコンサートホールとして使われることもある。前庭の上に張り出した斜めの屋根は北や北東から吹く風をじょうごのように集め、メインの出入口のドアや、ホールと台所の間にある末広がりの廊下へ流す。この工夫によって、奥行きがあり自然換気が難しい部分にも風が流れる。

ホールと台所の屋根から集められた雨水は、地下のタンクにたまる。建物の外側に突き出している雨樋は、じょうごのような屋根のくぼみの端にある竪樋につながっている。竪樋の1本はまるで見張り番のように入口の近くに立ち、もう1本は「頭」のホールと「しっぽ」の寝室棟が斜めに接しているつなぎ目にある。建物の形の特徴は、機能と連動しているのだ。

ランドスケープの景色にグリッドを描くように、ホールの柱や無目（開口部を分断する横方向の部材）が設けられている。

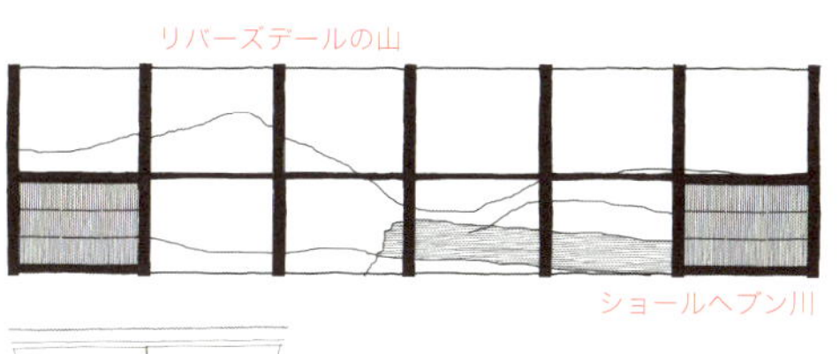

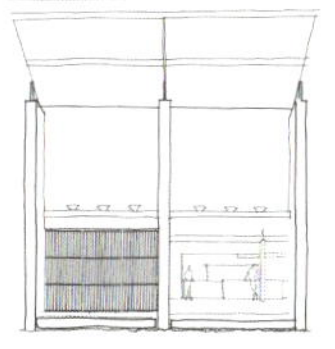

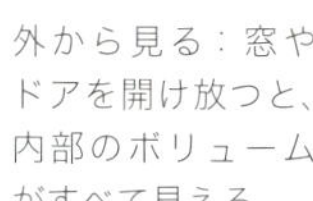

外から見る：窓やドアを開け放つと、内部のボリュームがすべて見える。

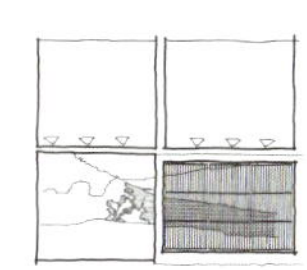

中から見る：窓に取り付けられた木製の羽板の間を自然光と景色が通り抜ける。羽板には音響効果があり、掃除をするときには簡単に取り外せる。

デザイン表現は、素材や建設技術の組み合わせと密接に関わっている。要素同士のシンプルなつながりやディテールが、わかりやすいミニマリズム（装飾的趣向を凝らすのではなく、それらを必要最小限まで省略する表現スタイル）建築を実現し、重厚感（均一性やソリッド性、力強さ）と軽やかさ（細さや薄さ、儚い外観）の対比など、素材の特徴が強調されている。開口部には、羽板、網戸、ガラスなどのいろいろな機能が層をなし、室内と屋外の境界を作る。

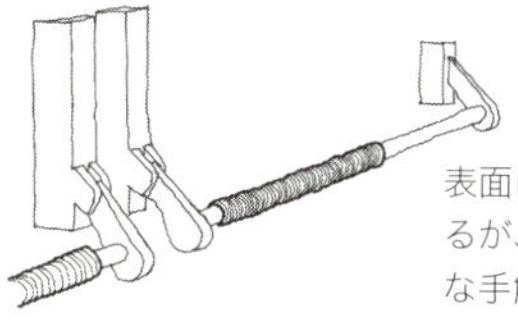

眉毛のような日よけが、屋根の北側と東側を覆っている。

表面には硬い素材が多用されているが、ドアのハンドルには柔らかな手触りの革が巻かれている。

ホール両側の角に通気口が設けられている。

外に通じる小さな出入口。

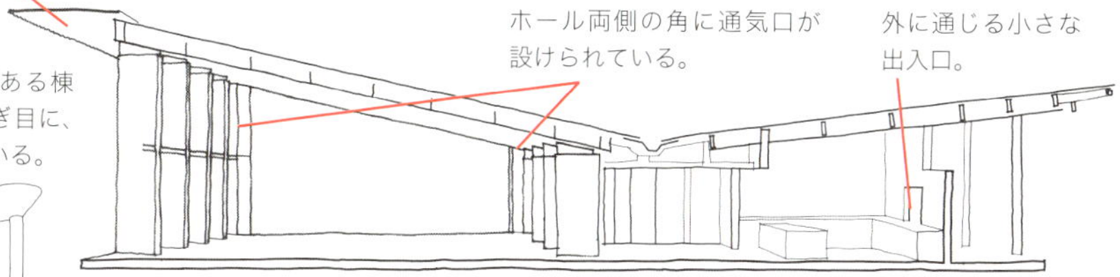

寝室と補助機能がある棟とホールとのつなぎ目に、竪樋が設けられている。

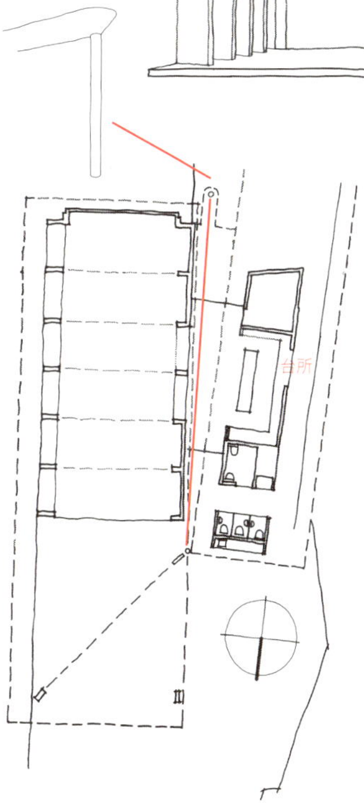

台所

天井に届かない高さのコンクリート柱と屋根との隙間を、薄いスチール製の部材がつなぐ。

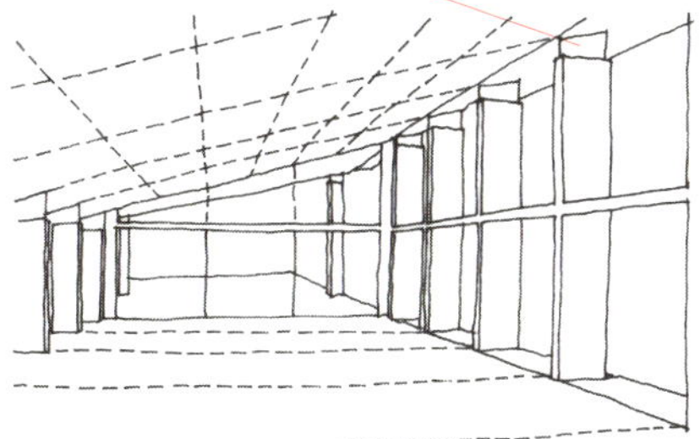

柱の配置、ドアのマリオン、床の模様、天井のパネルなどに、構造のグリッドが表れている。

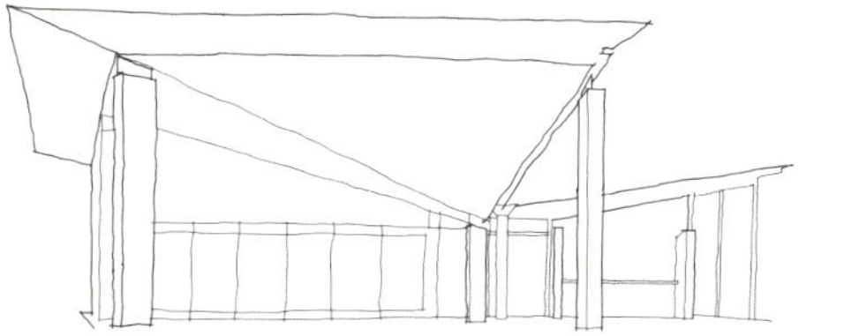

利用者が前庭を横切って建物に向かうと、左にメインホールの堂々とした入口、右手に台所のシンクや水切り台が見える。驚くような美しい対比をなしている。

資料や写真では、ホールや前庭は壮大な寺院や広場のように見えるが、実際に訪れてみると、天蓋が広げられたテントのような印象を受ける。

30 アーサー&イヴォンヌ・ボイド・アートセンター | 1996-99

マーカット・レーウィン・ラーク

オーストラリア、ニューサウスウェールズ、リバーズデール

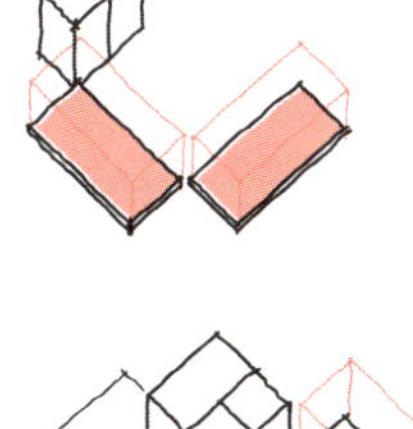

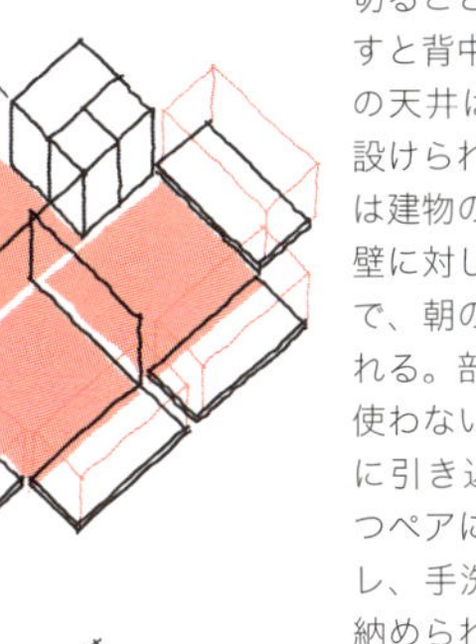

足し算の美学で構成される寝室エリア

寝室棟では、造付けの2台のベッドと1棹のたんすが、基本の組み合わせになっている。ベッドは直角に配置されているので、座っておしゃべりをするのにぴったりだ。中央に広い空間ができるよう左右対称の配置になっていて、目隠し用のスライドパネルで空間を区切ることもできる。職員が使う戸棚は、たんすと背中合わせに置かれている。ベッドの上の天井は低く、ベッド1台につき窓が1つ設けられ、半個室のような雰囲気を作る。窓は建物の壁の外側に突き出し、その両側には壁に対して垂直な日よけが設けられているので、朝の太陽の光が遮られ、景色が切り取られる。部屋を区切るためのスライドパネルを使わないときには、2枚重ねの日よけの隙間に引き込んで収納できる。寝室は2部屋ずつペアになっていて、そのペアの間にトイレ、手洗い場、洗面所、シャワー室が納められている。それぞれ離れた場所にあるので、同時に大勢が使える。

廊下の端には、高いコンクリート壁に挟まれた階段があり、地上へ降りることができる。薄くなっている屋根の先は、木の梢を思わせる。

8台のベッドがある寝室と水回りの設備を1グループとして、グループが4つ並び、ベッドが合計32台ある寝室エリアを作っている。すべてのベッドに1つずつ窓が設けられている。

壁に住む

初期の案では、キャンプ場にテントを張るように、敷地の輪郭に沿って寝室を配置する予定だった。最終的なデザインでは、まるで古代の要塞都市のように寝室が壁の中に並べられている。下り坂では、建物の下にもう1つ部屋が納められている。4台のベッドがある寝室は2部屋ずつペアを作り、そのペアの間にトイレ、手洗い場、洗面所、シャワー室が納められている。8台のベッドがある寝室と水回りの設備で1グループになり、グループ同士の間にはやや距離がある。通路を歩くと、部屋の間から外の景色が見える。

「地球にそっと触れる」

マーカットは、オーストラリアの先住民であるアボリジニの「地球にそっと触れる」という哲学を引用する。このメッセージには、人間の活動が環境に与えるダメージを最小限にしようという望みが込められている。また、建築と周りの自然がもたらす一体感を目指しているともいえる。これは、単なる建築様式に関する意見ではない。マーカットの建築の中には、細い杭基礎で地面から持ち上げられているもの、サーマルマスを大きくするためにコンクリートのスラブを介して地面に建っているもの、地下部分が地面に食い込んでいるものもある。どのプロジェクトでも、建物の占有スペース以外の地面は、手付かずのまま保たれている。

四角いテントのような寝室

寝室の入口の低い位置に、細い木材を並べて作られた天井が設けられているので、その奥のベッドがある空間は天井が高く感じられる。この木材の細さや儚さは、建物の上に茂る美しいユーカリの木を思わせる。スライドパネルを片付け、扉を開け放つと、空間の雰囲気ががらりと変わる。利用者が朝日で目覚められるように、ブラインドやカーテンがないので、いつでも外の景色が眺められる。

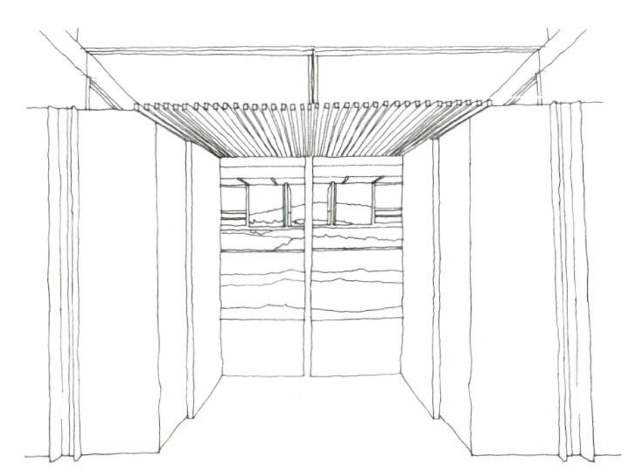

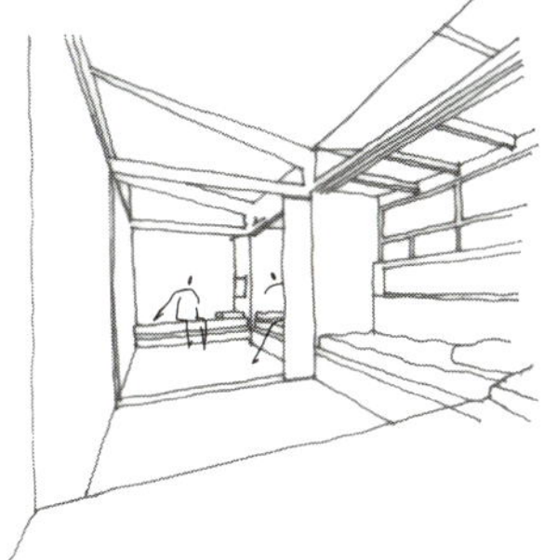

寝室ではベニヤ板の天井が断熱材を覆っているが、そのほかの部分では斜め屋根の裏側の構造がむき出しになっている。

寝室の中では、それぞれのベッドに空間が割り当てられ、個室のような雰囲気を作っている。

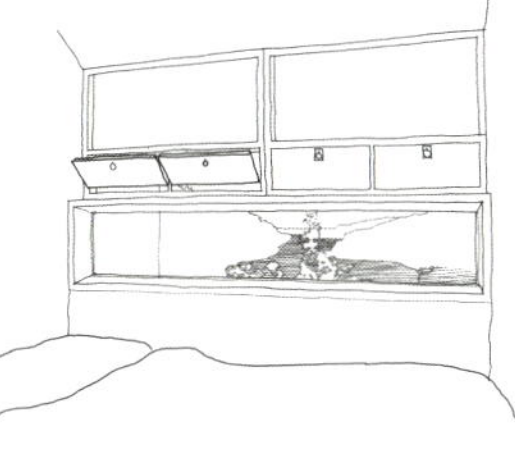

ベッド１つに窓が１つ設けられ、外の景色を眺められる。

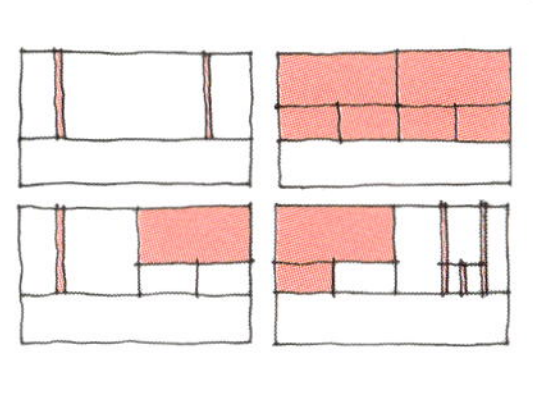

窓はいろいろな開け方ができるので、空気や光の入り方もさまざまに変えられる。窓の開け方によって風景の切り取られ方も変わり、光と影の多様なパターンが生まれる。

ベッドの上やドアと戸棚の上にはめられたフィックスガラスが、部屋の気密性を高める。また、このガラスのおかげで、屋根が部屋の上に浮かんでいるように見える。

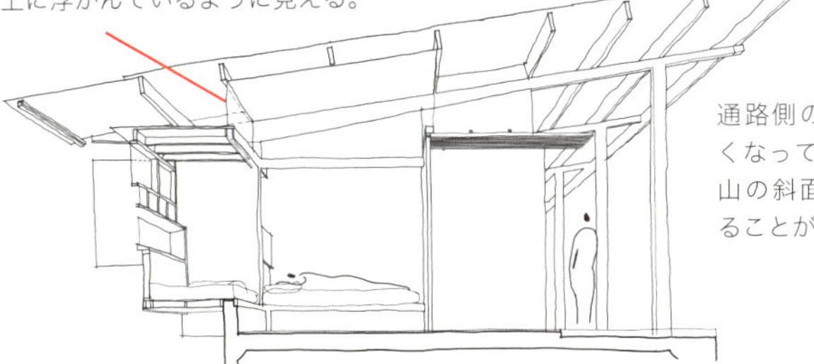

通路側の屋根は高くなっているので、山の斜面を見上げることができる。

直角に配置されている２台のベッドのうち、建物の外側にあるベッドは、寝室のウイングの東側のコンクリート壁から突き出すように置かれている。

大きく張り出した屋根は北東からの風を取り込み、早朝の太陽の光を遮る。昼近くになると、太陽の光を反射して部屋の中に届ける。寝室の屋根には断熱効果があるが、暖房や空調設備はないので、冬はテントの中にいるように寒くなることがある。

シャワーは基本的には外のベランダの下にある（ガラスで仕切られてはいない）が、眺めよりもプライバシーを優先したいときには、木製のシャッターを閉めることができる。

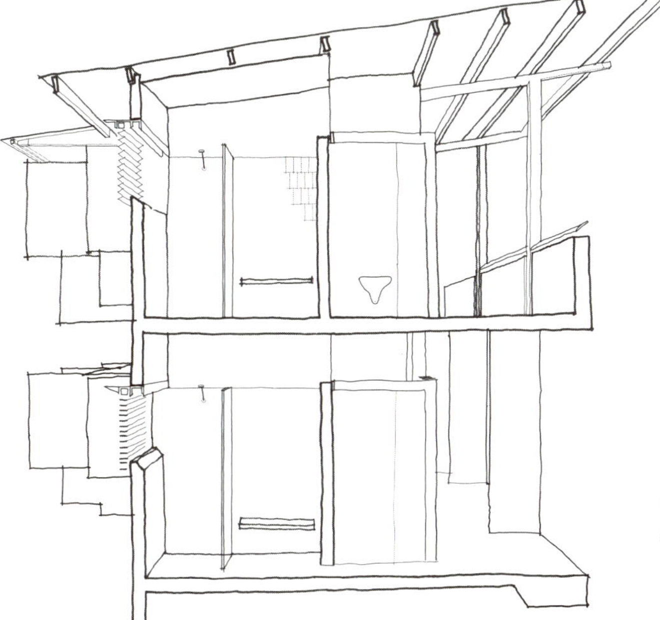

トイレの壁の高さは、天井との間に隙間ができるように低くなっている。また、トイレの天井は換気のためにところどころ開口部が設けられている。通路側では、すりガラスの壁の両側に、細い木材が並ぶついたてがあり、空気と光が通り抜ける。

31

ユダヤ博物館 | 1988-99

ダニエル・リベスキンド
ドイツ、ベルリン

ベルリン
ドイツ

1988 年、ベルリンのユダヤ博物館の建築設計コンペが催された。その目的は、コレギエンハウスと呼ばれる 18 世紀のバロック様式の既存棟を増築し、展示室と収蔵室を増やすことにあった。ポーランド系アメリカ人の建築家ダニエル・リベスキンドは、単なる新棟の増築ではなく、既存棟とのつながりを保つことを提案した。彼はこのプロジェクトを第二次世界大戦後のあと建物などが残されたベルリンの歴史と、失われてしまったユダヤ人の歴史の関係を表す建築を作るチャンスだと考えた。

外壁のひっかき傷のようなスリットなど、歴史上のできごとや人々の体験を物理的に刻み込むような表現を使い、過去との関係をデザインで模索した。歴史を暗示するような記号表現を通して、失われた過去を現代によみがえらせている。また、素材や自然光などの要素は、来館者の心に訴えてユダヤ人の痛みや苦しみへの共感を呼び起こし、一貫性のある鑑賞体験を演出している。

アミット・スリヴァスタヴァ、ローワン・バーバリー、ベン・マクファーソン、マナレ・アビアド、アリックス・ダンバー

都市コンテクストへの対応

新しいユダヤ博物館の建物は、18世紀に建てられたバロック様式のコレギエンハウスの新棟にあたる。隣接するコレギエンハウスや周りの歴史的な街並みに応えたデザインになっている。新棟のフォルムや素材は、既存棟のバロック様式と明らかな対比をなし、一見まとまりがなさそうに見える。ところが、そのデザインを通して、単なる外観上のつながりではなく、過去と現在が同時に存在する関係——すなわち、過去と現在はまったくことなるものだが、現在は過去の上に成り立っている——が模索されている。

直線的な形や斜めのスリットをもつ新棟は、コレギエンハウスと明らかな対比をなす。

過去と現在が同時に存在する矛盾をはらんだ関係が最初に表れてくるのは、新棟と歴史的なコレギエンハウスのつながりだ。2棟の物理的なつながりは、あいまいだが重要な意味をもつ。ユダヤ博物館の道路側のファサードは、コレギエンハウスとは一見別の建物のようだが、堅固な要塞のような博物館の入口は外からは見えず、来館者は既存のコレギエンハウスから入らなければならない。コレギエンハウスから地下通路が通っている様子は、「新しい」棟への通路が、文字通り「古い」棟の奥底に埋め込まれ、隠されているようだ。階段の吹き抜けがコレギエンハウスのすべてのフロアを貫いているので、「古い」棟とのつながりがさらに強められている。

新棟は、あらゆる意味でコレギエンハウスとつながっている。何かを「待ちわびているような」複雑な博物館の平面は、「一般的な」都市グリッドを反映する形のコレギエンハウスと隣り合い、失われたユダヤ人の「目には見えない街の過去」を表している。

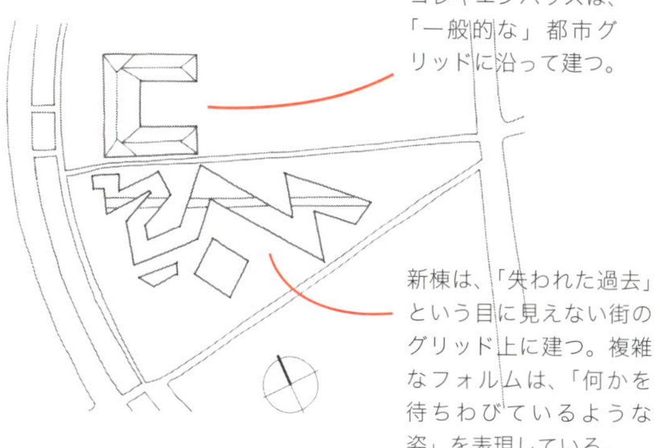

コレギエンハウスは、「一般的な」都市グリッドに沿って建つ。

新棟は、「失われた過去」という目に見えない街のグリッド上に建つ。複雑なフォルムは、「何かを待ちわびているような姿」を表現している。

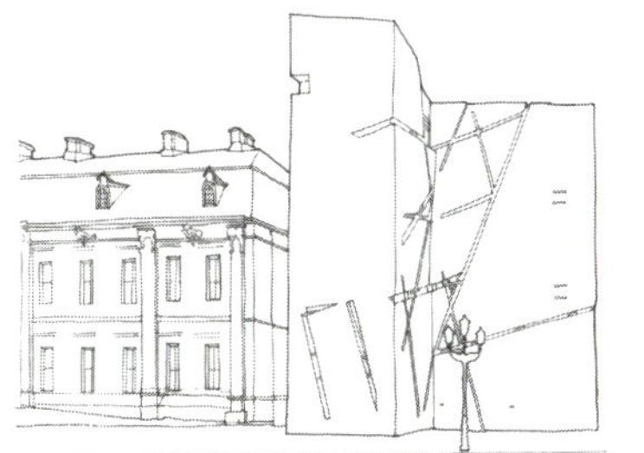

要塞のような外観の新棟はコレギエンハウスと相いれないように見えるが、来館者はこのコレギエンハウスから入らなければならないので、「古い」コレギエンハウスや街の歴史とのつながりが強調される。

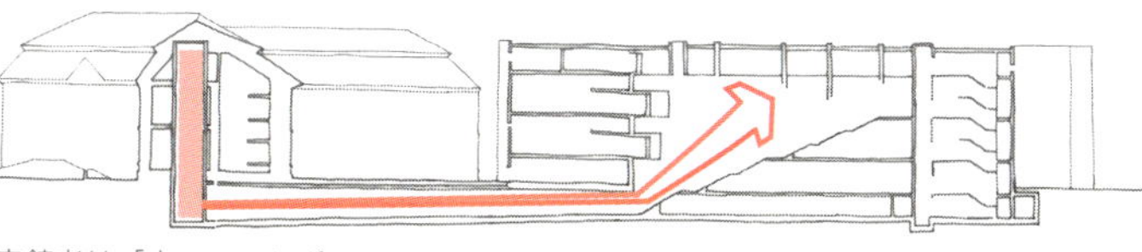

来館者は「古い」コレギエンハウスの地下に降り、スロープをゆっくりとのぼって新棟の展示スペースへ辿りつく。

ユダヤ人の歴史の表現

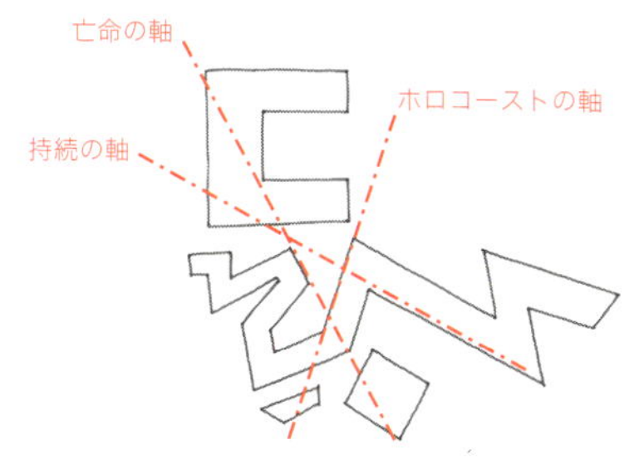

ドイツでのユダヤ人の体験を呼び起こすように「持続の軸」「ホロコーストの軸」「亡命の軸」という3本の通路を設け、建物のコンセプトと隠されたユダヤ人の歴史の関係が模索されている。3本のまっすぐな通路はそれぞれ展示スペース、ホロコーストタワー、亡命の庭へつながる。

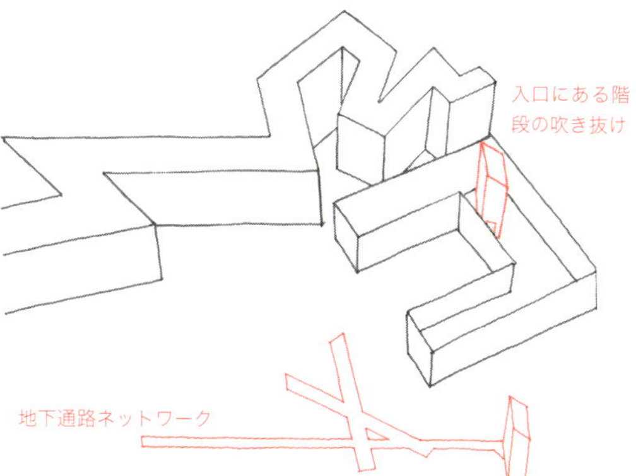

既存棟を物理的につなぐ地下道と、ベルリンでのユダヤ人の歴史を表す3本の軸はそれぞれ別のコンセプトをもち、室内の通路とエントランスがこの2つをつなぎ合わせている。また、建物のいろいろな要素を結び付ける、地下通路のネットワークが形成されている。

この建物では、さまざまな形でユダヤ人の歴史が表現されている。例えば、建物全体のジグザグ構造は、ユダヤ教のシンボルであるダビデの星が文字通りバラバラに引き裂かれているようだ。

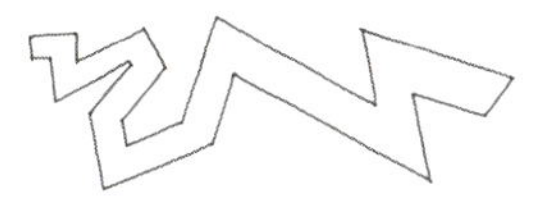

引き裂かれたダビデ像が象徴的なフォルムを作る。

ジグザグのランドスケープの類似例には、アメリカの美術作家マイケル・ハイザーの初期の作品である「リフト」(アメリカ、ネバダ、1968)が挙げられる(図下)。このランド・アート(砂漠や平原などに自然素材で作品を構築する美術)は、1960年代に作られた巨大なアースワーク(美術館を離れ、広大な自然を題材とする作品)の1つだ。

絡み合う歴史

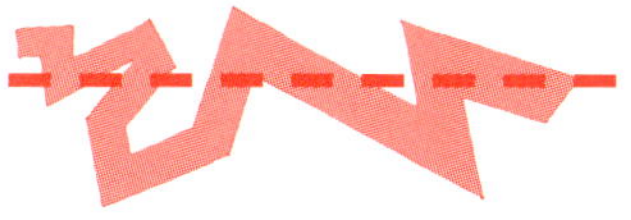

つながってはいるが紆余曲折を経たベルリンの歴史と、まっすぐだが途切れ途切れになったしまったユダヤ人の歴史が絡み合う。

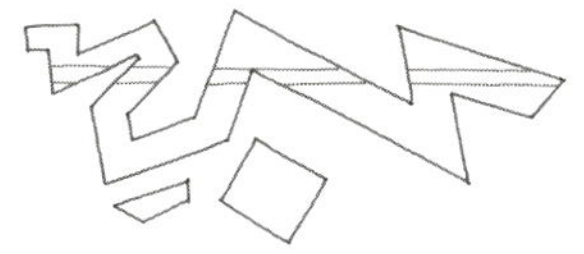

直線のヴォイドが建物に組み込まれ、2本の歴史の軸を取り囲んでいる。

ユダヤ教のシンボルの参照や、象徴的なジグザグの芸術表現がわかりやすく示されている一方で、歴史の本質や過去と現在の関係など、より哲学的な考え方がデザインを通して模索されている。ベルリンでのユダヤ人の失われた歴史は、目に見える形で残された街の歴史と絡み合う。それぞれの歴史の痕跡を表す直線を連ね、喪失感を演出している。その結果、失われた過去がもう1つのパラレルワールドを作る、ベルリンの歴史そのものを描いた絵のような建物が生まれている。

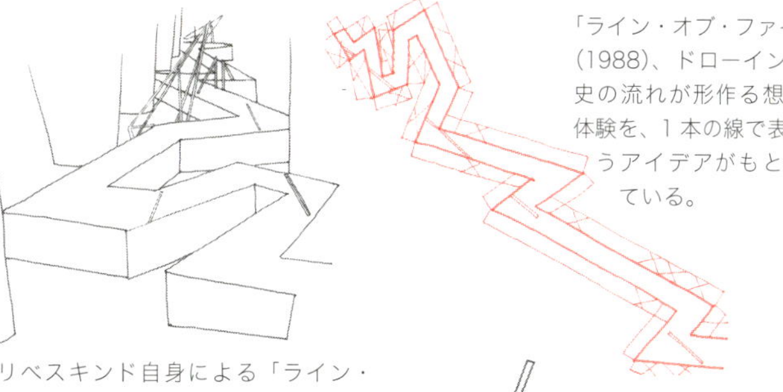

「ライン・オブ・ファイヤー」(1988)、ドローイング。歴史の流れが形作る想像上の体験を、1本の線で表すというアイデアがもとになっている。

リベスキンド自身による「ライン・オブ・ファイヤー」(1988)。フランスのブリエ・アン・フォレに建つ、ル・コルビュジエ設計のユニテ・ダビタシオン(1951-63)に作られたインスタレーション作品。ピロティに沿って直線が折れ曲がっているので、直線の軸性が弱められている。

ベルリンの都市計画案である「シティ・エッジ・コンペティション」の案(1987)。ベルリンの壁をまたぐように直線を組み合わせ、東西に分断された街に衝撃を与えた。

リベスキンドは、時間の本質を表すために、歴史の流れで形作られたような、ジグザグの直線を使う。彼は、ドローイング「マイクロメガス」(1979)やそれに続く作品を通して、かねてからこのアイデアを追求していた。このようなドローイングは何かほかのものを具体的に表す「サイン」ではなく、歴史上のできごとや経験を示す「痕跡」の役割を果たしている。

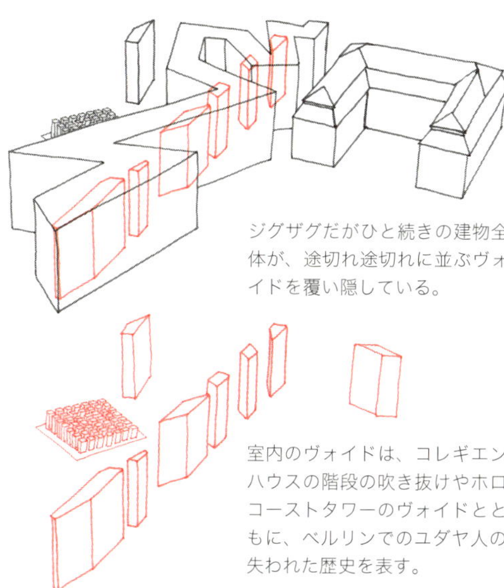

ジグザグだがひと続きの建物全体が、途切れ途切れに並ぶヴォイドを覆い隠している。

室内のヴォイドは、コレギエンハウスの階段の吹き抜けやホロコーストタワーのヴォイドとともに、ベルリンでのユダヤ人の失われた歴史を表す。

ジグザグのフォルムの内部には、人が入れるスペースと入れないヴォイドというの2つの空間が存在する。人が入れるスペースは、目に見える形で歴史が残るベルリンの継続性を表現し、人が入れないヴォイドは、一見失われたようだが確かに存在したユダヤ人の過去を表す。ベルリンから消されたユダヤ人の過去を表すヴォイドは、彼らの具体的な体験を表す3本の軸の上にそれぞれ配置されている。

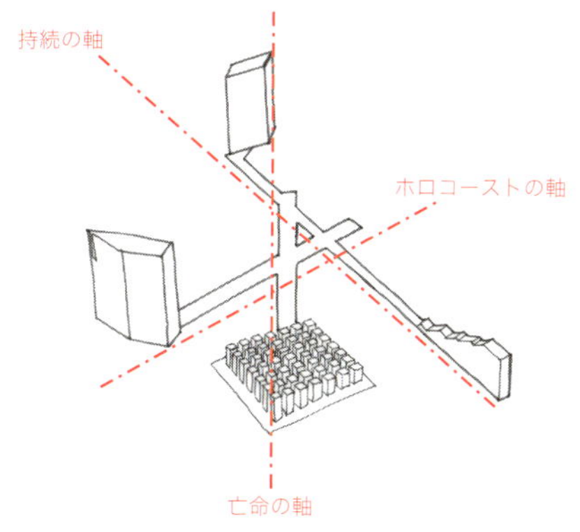

31 ユダヤ博物館｜1988-99

ダニエル・リベスキンド

ドイツ、ベルリン

鑑賞体験

ユダヤ人の苦難やベルリンとの歴史のつながりは、ジグザグのフォルムや途切れた直線のヴォイドなど図形を通して表現され、建物の構造を通してさらに強調されている。来館者が建物の中を進むと、このような表現が絶えず感情を刺激する。動線、素材や光の使い方、床のわずかな傾きなどの建築技法が来館者の感情に訴えかける。

　鑑賞体験はコレギエンハウスのエントランスから始まる。来館者はそこから地下へ降りて、薄暗い地下通路を進み、迷宮のような新棟へ辿りつく。この先は、３つのメインの空間、すなわち展示スペース、ホロコーストタワー、亡命の庭へ続いている。この３つは、地下通路を作っている３本の軸の終端にある。

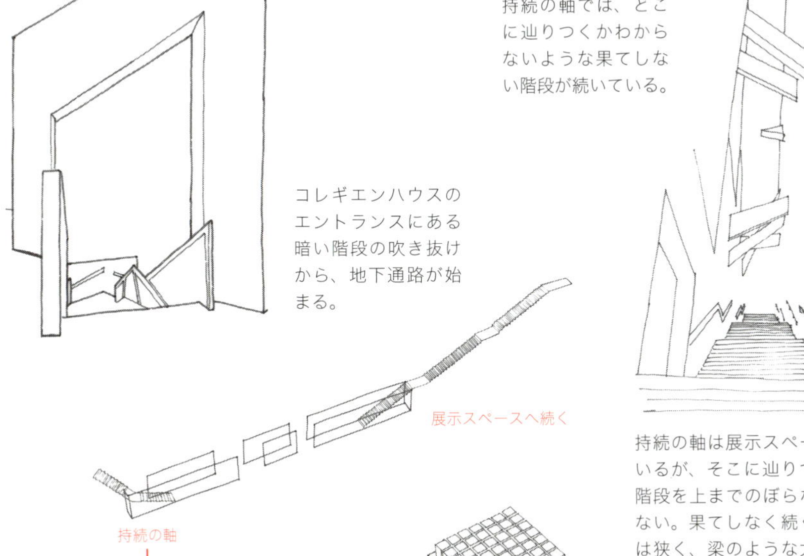

コレギエンハウスのエントランスにある暗い階段の吹き抜けから、地下通路が始まる。

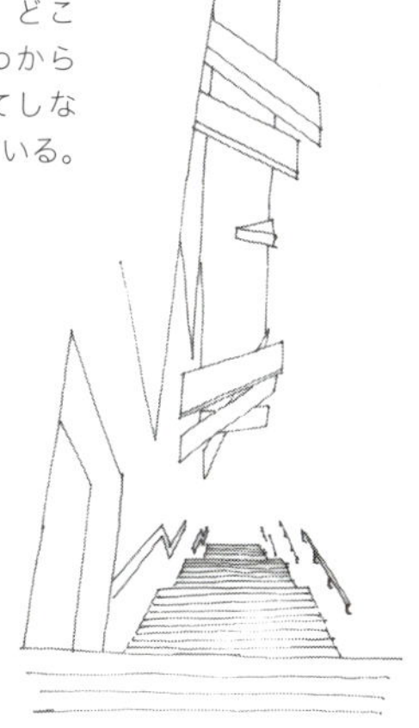

持続の軸では、どこに辿りつくかわからないような果てしない階段が続いている。

持続の軸は展示スペースへ続いているが、そこに辿りつくには長い階段を上までのぼらなければならない。果てしなく続くような階段は狭く、梁のような大きな部材が吹き抜けを大胆に横切っている。ユダヤ人にとって、自分たちの歴史をつなぐことが常に苦難に満ちていたことを思い起こさせる。

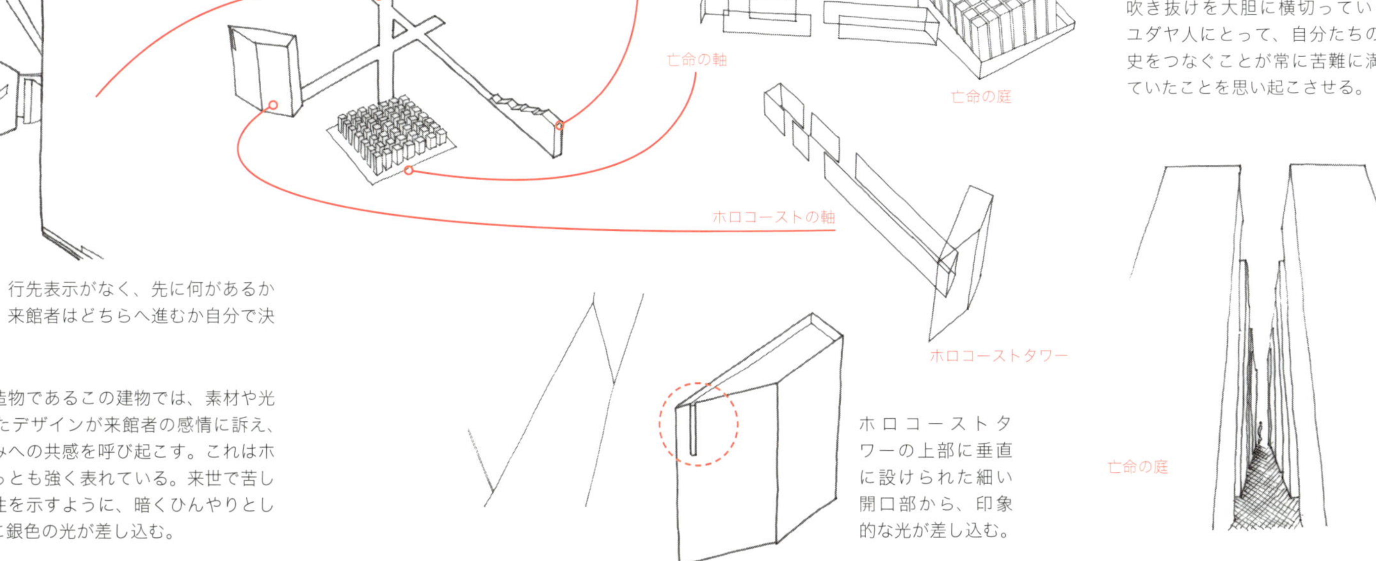

地下通路の分岐点には、行先表示がなく、先に何があるかも示されていないので、来館者はどちらへ進むか自分で決めなければならない。

ユダヤ人を悼む記念建造物であるこの建物では、素材や光の効果が巧みに使われたデザインが来館者の感情に訴え、ユダヤ人の痛みや苦しみへの共感を呼び起こす。これはホロコーストタワーにもっとも強く表れている。来世で苦しみから逃れられる可能性を示すように、暗くひんやりとしたコンクリートの室内に銀色の光が差し込む。

ホロコーストタワーの上部に垂直に設けられた細い開口部から、印象的な光が差し込む。

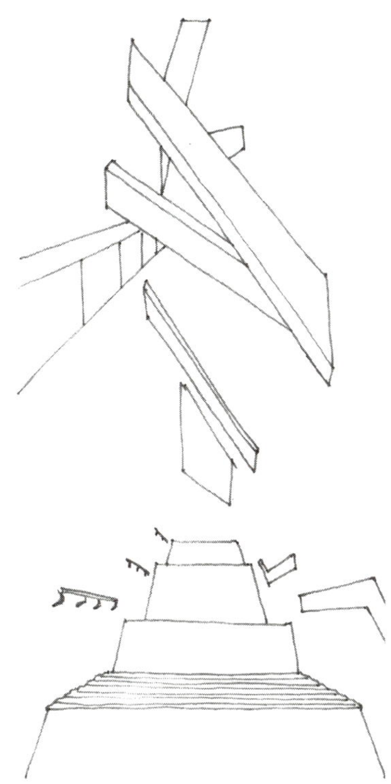

次に、来館者は屋外に出て亡命の庭に入る。傾いた地面に、木が植えられた49本のプランターが置かれ、来館者はその周辺へ導かれる。木々が茂る自由な屋外へ出られるという期待は、方向感覚を失わせる狭い空間に打ち砕かれてしまう。庭には出口がなく、来館者はメインの建物に戻るしかない。亡命とは、何かに閉じ込められているような感覚が常につきまとうものだ。国から完全に逃れられることは幻想にすぎず、生きる場所や自分の存在を決める歴史や現実から切り離されるという考えにさいなまれる。この庭はそのような亡命者の苦悩を来館者に追体験させる。

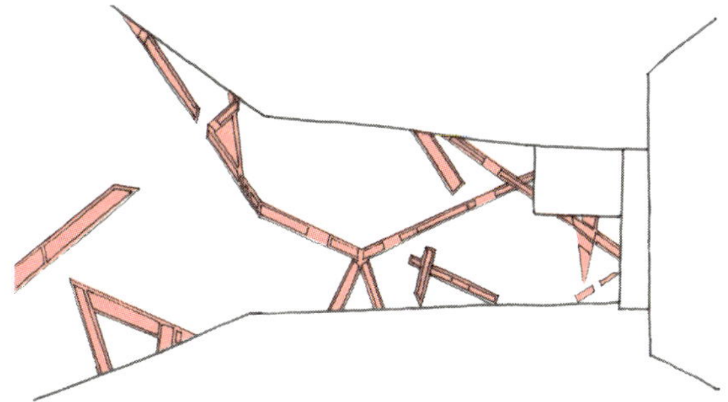

室内のヴォイドには音響効果もあり、不穏な雰囲気を作る。床に敷き詰められた丸くて薄い金属の板の上を来館者が歩く音が、落ち葉のヴォイドに響く。これはユダヤ人の苦しみの叫びを表現している。

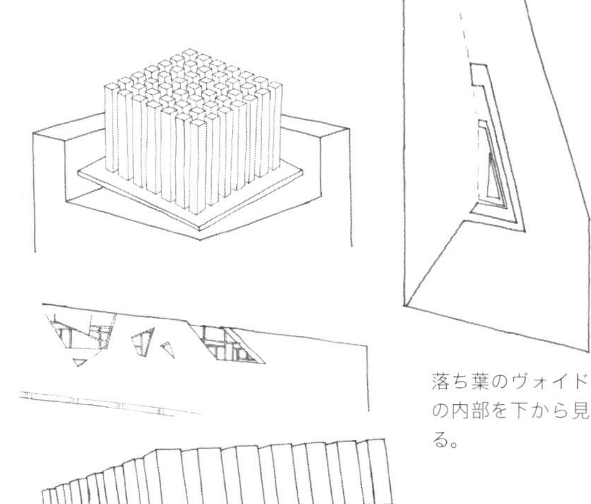

落ち葉のヴォイドの内部を下から見る。

亡命の庭の地面は傾き、建物2階分の高さがあるコンクリートのプランターに木が植えられている。プランターの隙間を進んでいくと、その高さに圧倒され、方向感覚が失われる。

展示室内は、壁に設けられた複数の細い窓から差し込む光に照らされている。ファサードの外側に使われているスリットの表現が室内のデザインにも引き継がれている。

ベルリンの地図を表すファサード

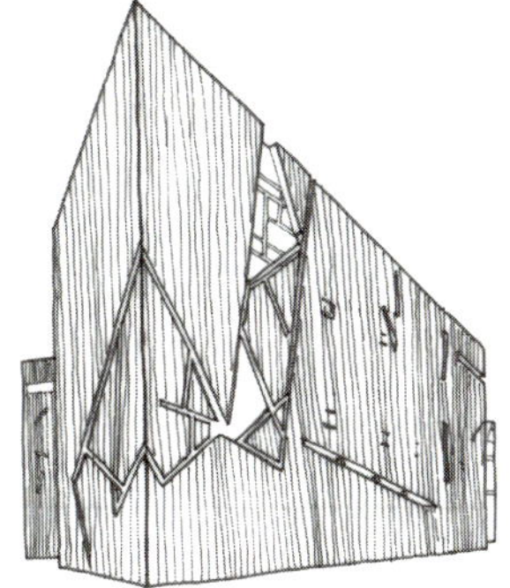

建物の外壁のスリットは、ベルリンにあるユダヤやドイツの歴史的な建物の位置関係を指し示している。

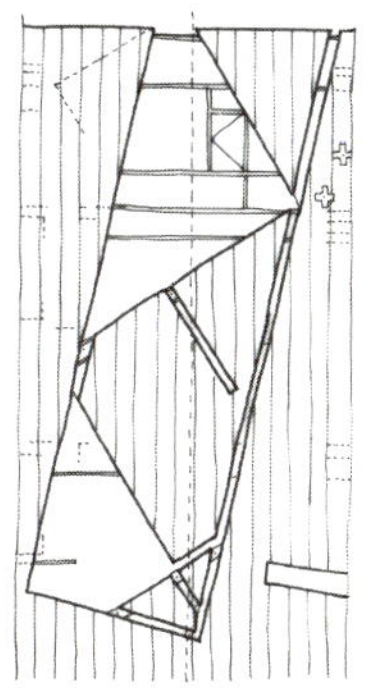

亜鉛のパネルで覆われたコンクリートの外壁を、ヴォイドが貫いている。

建物の外殻では地図を使った表現を通して、美術館のフォルムとベルリンにあるユダヤやドイツの文化とをつないでいる。地図上でユダヤ人やドイツ人の有力者の住所を線で結び、それをもとにファサードが形作られている。リベスキンドは直線を使って時間や空間を表そうと試み、その直線の「痕跡」を表すスリットを外殻に残している。切れ込みは鉄筋コンクリートの外殻にヴォイドを作り、窓は光を取り入れる機能だけでなく歴史の流れを表す役割も担う。被覆素材には、昔の建物によく使われた亜鉛が選ばれ、ベルリンの輝かしい過去を表している。これから亜鉛の被覆は長い間風雨にさらされて風合いを変え、建物が新しい物語を紡いでいくだろう。

亜鉛で覆われた建物を背景にすると、打ち放しのコンクリートで作られたホロコーストタワーと亡命の庭が映える。

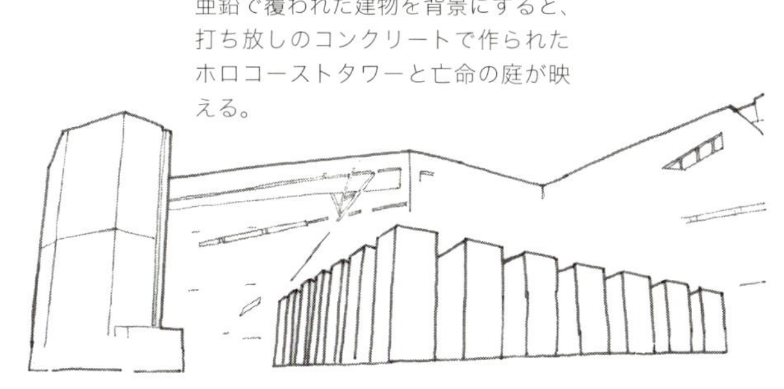

32 クォッドラッチ・パビリオン | 1994-2001

サンティアゴ・カラトラバ

アメリカ、ウィスコンシン、ミルウォーキー

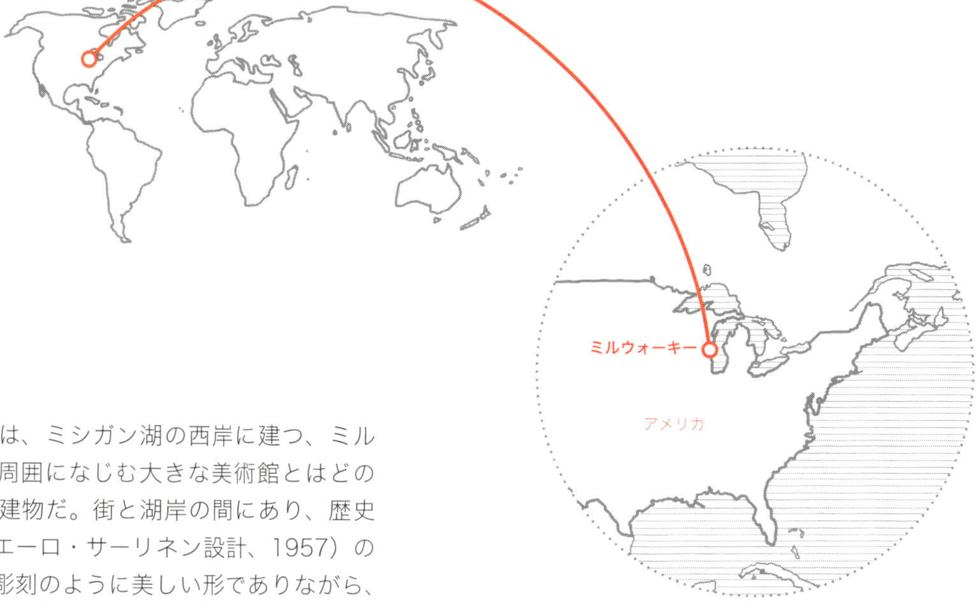

クォッドラッチ・パビリオンは、ミシガン湖の西岸に建つ、ミルウォーキー美術館の新館だ。周囲になじむ大きな美術館とはどのようなものかを体現している建物だ。街と湖岸の間にあり、歴史的に価値ある戦没者記念館（エーロ・サーリネン設計、1957）の隣にあるこのパビリオンは、彫刻のように美しい形でありながら、物理的なコンテクストや気候の条件にしっかりと対応している。

このパビリオンは、スペイン出身の建築家・構造家サンティアゴ・カラトラバにとってアメリカでの最初の作品であり、革新的な技術を使いこなして表情豊かな建物を作る彼の才能が発揮されている。彼は、自然から得た洞察力を周りの建築と融合させる。調節可能な大きなブリーズ・ソレイユ（日よけ）が、太陽や風に合わせて開閉する。翼のようなこのしくみは飛び立とうとする鳥を思わせ、視覚的な緊張感を生んでいる。

セレン・モーコック、アントニー・ラッドフォード、ポール・アンソン、シー・リー

32 クォッドラッチ・パビリオン｜1994-2001

サンティアゴ・カラトラバ
アメリカ、ウィスコンシン、ミルウォーキー

クォッドラッチ・パビリオンは、ミルウォーキーの高層オフィスビル群とミシガン湖の西岸の間に建つ。湖に浮かぶヨット、天候、空を飛ぶ鳥たち、地形、隣接する戦没者記念館（エーロ・サーリネン設計、1957）など、コンテクストにおける数多くの要素に対応した設計になっている。下のフロアの大きな展示室ウイングの上に、ウィンドホバー・ホールがある。

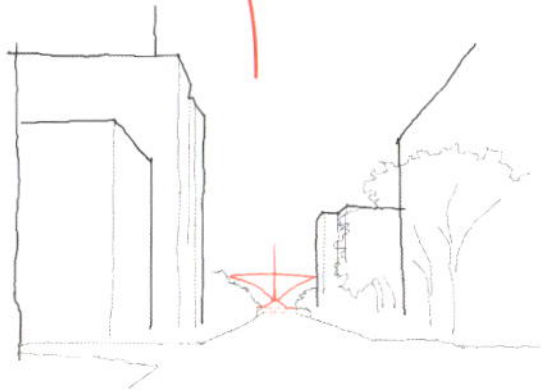

1　展示室は南北に対称軸が通っている。建物の側面にある展示室からはミシガン湖の風景が見渡せるので、来館者はつい長居してしまう。

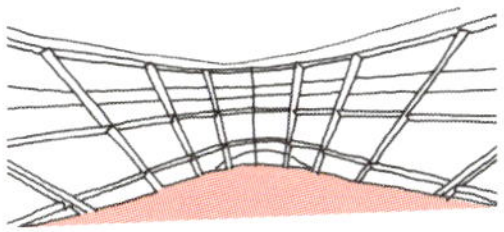

2　ウィンドホバー・ホールはパビリオンのメインの空間だ。天井がとても高く、ブリーズ・ソレイユが開いているときには自然光に満たされる。パビリオンの南側の屋外テラスが付いた庭に面している。テラスの下には駐車場の入口がある。

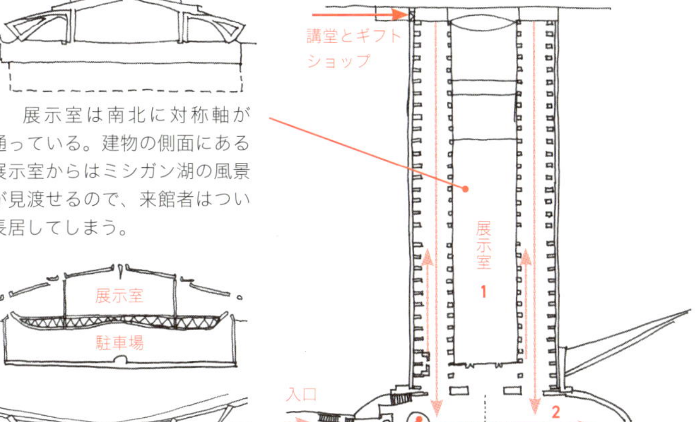

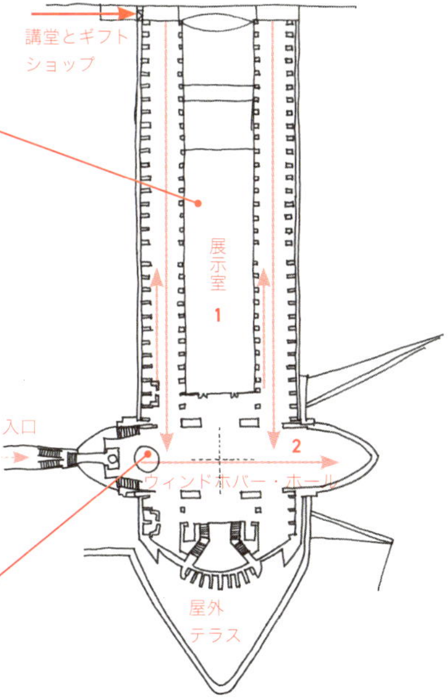

市街地から向かうと、イースト・ウィスコンシン通りの突きあたりに、彫刻のようによく目立つパビリオンが見えてくる。

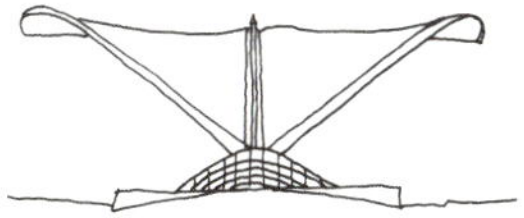

ウィンドホバー・ホール（パビリオンの大きなレセプションホール）の東西軸の延長線上にありノース・リンカーン・メモリアル・ドライブの上に架かっている細い歩道橋と、歩行者用の入口が交差している。

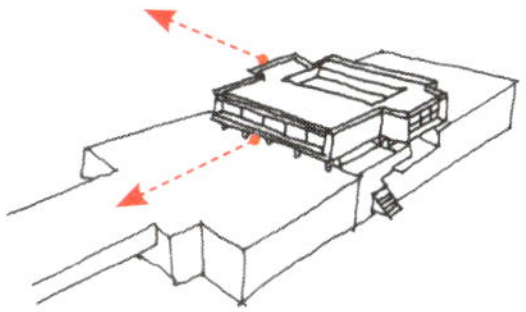

設計上の重要な方針の1つは、戦没者記念館から見える湖や周辺の公園の眺めを保つことだった。

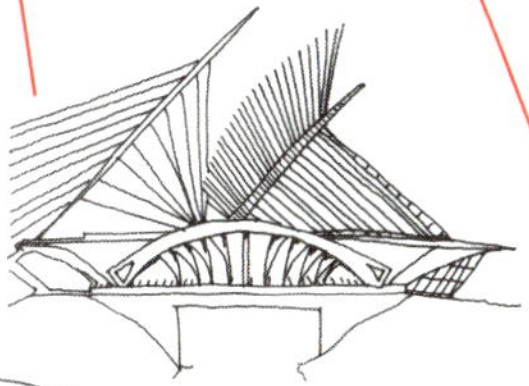

駐車場の入口はウィンドホバー・ホールの南北の軸上にあり、ホールの地下へ潜っている。

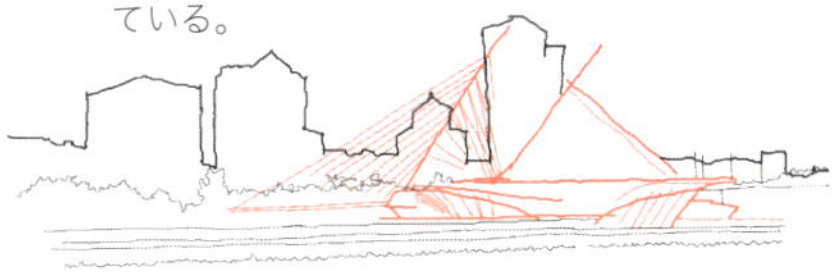

ミシガン湖からパビリオンを眺めると、市街地を背景に、ダイナミックな三角形のフォルムとブリーズ・ソレイユの真っ白な翼が映えている。夜には、湖岸で光を放つランタンのように見える。

テーマ
クォッドラッチ・パビリオンには、カラトラバのほかの作品との共通点がある。歩道橋には平衡力を利用するというアイデアが活かされているが、この点はスペインのセビリアにあるアラミリョ橋（1992）に似ている。また、ガラスのファサードは、フランスのリヨン・サン＝テグジュペリ国際空港に隣接する高速列車のターミナル（1994）を思わせる。

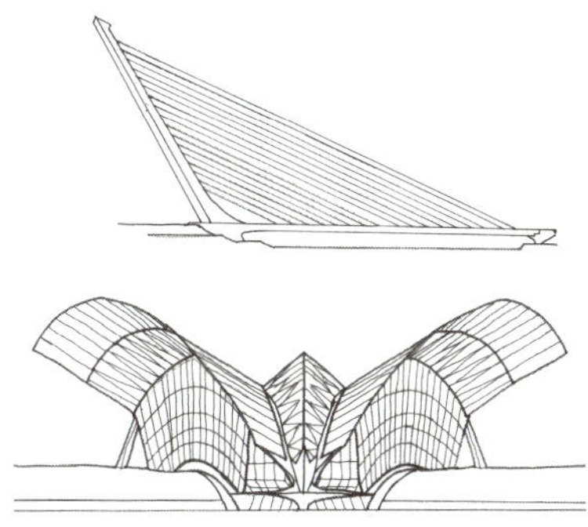

要素の連続　展示室を長手方向に見ると、むき出しの支持構造が連続して並んでいるので、空間を分ける隔壁がないにもかかわらず、広い空間が小さく区分されているように感じる。

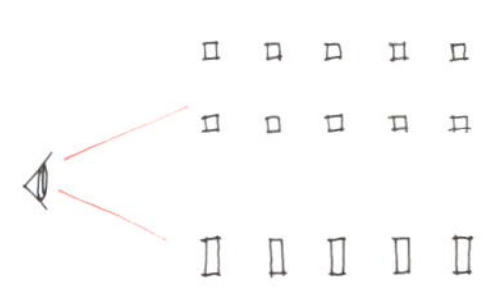

切り取られる景色　長手方向に設けられた、ガラス張りの横長の開口部が、パビリオンの両側の視覚的なつながりを強める。開口部を区切る部材が景色を切り取り、構造要素の繰り返しが強調されている。

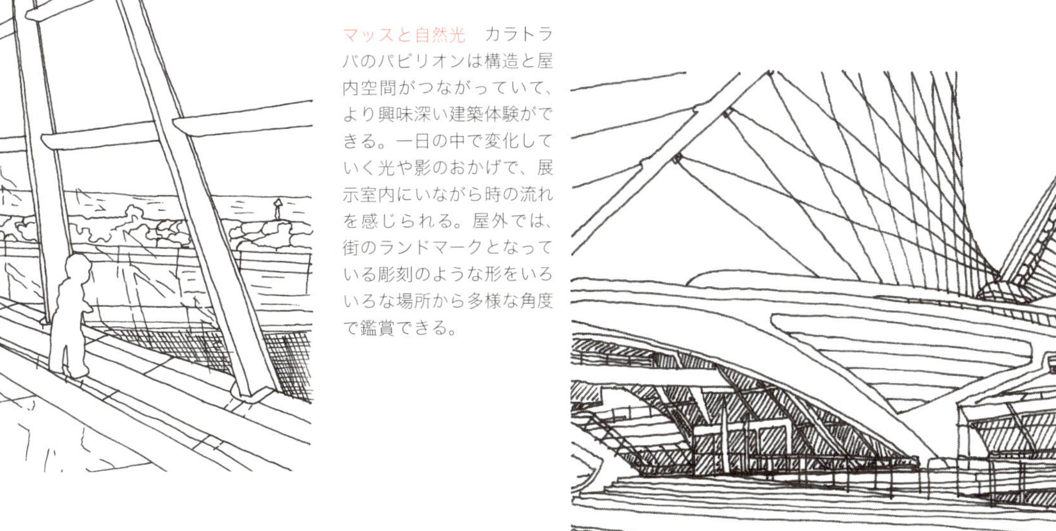

平衡力を利用した表情豊かな構造　カラトラバによる表情豊かな構造は、柱とケーブルの平衡力と引張力を利用している。例えば、ノース・リンカーン・メモリアル・ドライブの上に架かるライマン歩道橋は、斜張橋（パイロンと呼ばれる塔から斜めに張られた複数のケーブルで吊り、支える構造の橋）だ。東側にある斜めの長いパイロンと橋桁は、ケーブルでつながれている。アームが橋を、橋がアームを支えることでバランスが保たれる。

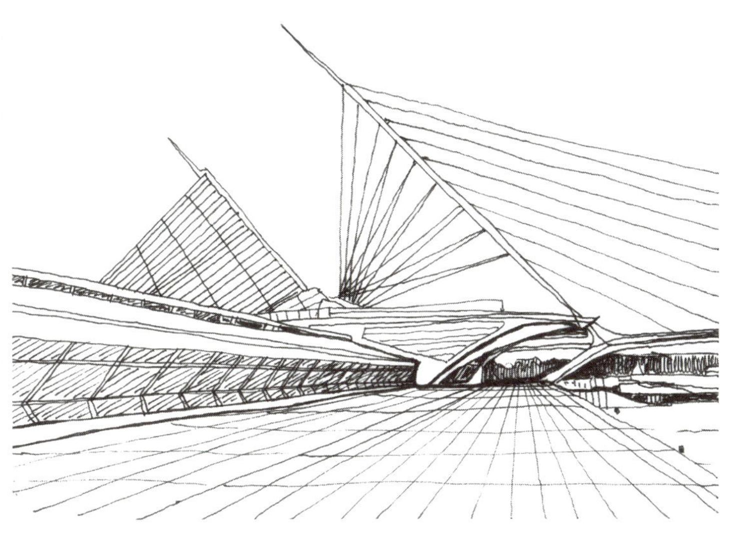

マッスと自然光　カラトラバのパビリオンは構造と屋内空間がつながっていて、より興味深い建築体験ができる。一日の中で変化していく光や影のおかげで、展示室内にいながら時の流れを感じられる。屋外では、街のランドマークとなっている彫刻のような形をいろいろな場所から多様な角度で鑑賞できる。

32 クォッドラッチ・パビリオン｜1994-2001

サンティアゴ・カラトラバ
アメリカ、ウィスコンシン、ミルウォーキー

前例になった生き物たち

カラトラバは、ライマン歩道橋のケーブルシステムの内力（多数の部分から構成される力学系をある範囲で内部と外部に分けるとき、内部の部分同士に働く力）を考えるとき、人間の筋肉や骨格をヒントにした。

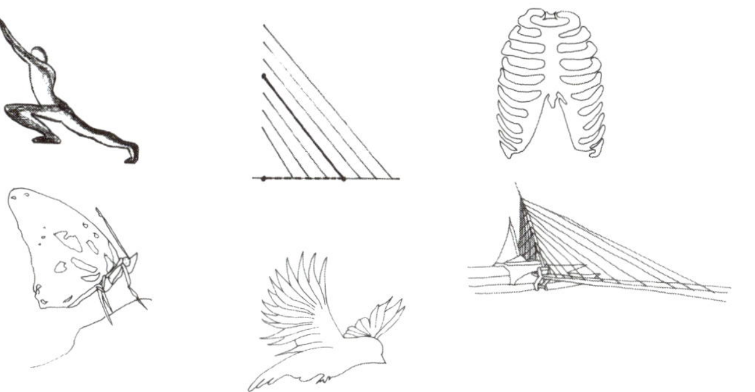

カラトラバのブリーズ・ソレイユは、昆虫の羽や鳥の翼やそのダイナミックな動きからインスピレーションを受けている。

ブリーズ・ソレイユ

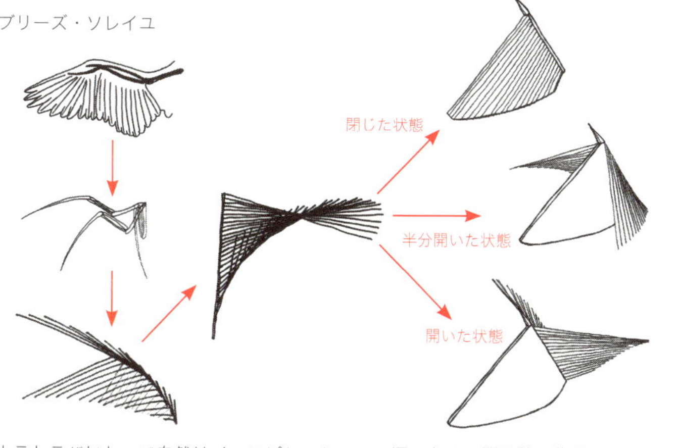

カラトラバにとって自然はインスピレーションの源である。翼は彼の作品のたびたび登場するテーマだ。パビリオンの特徴であるブリーズ・ソレイユは、開閉できる日よけになっている。光を調節すると同時に際立った外観を作る、象徴的かつ機能的な要素だ。ブリーズ・ソレイユは、パビリオンで催されるイベントや天気によって調節できる。

前例になった建築

軸性の強い、左右対称の平面

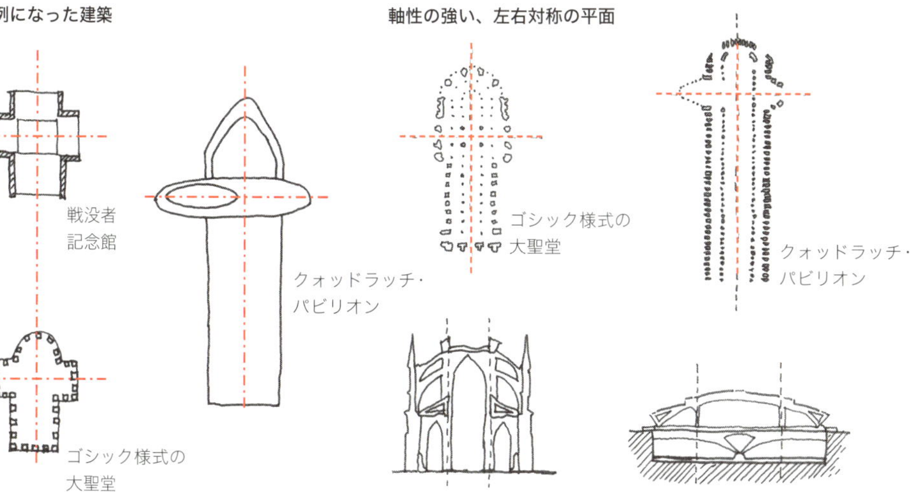

ゴシック様式の大聖堂の身廊の断面図。

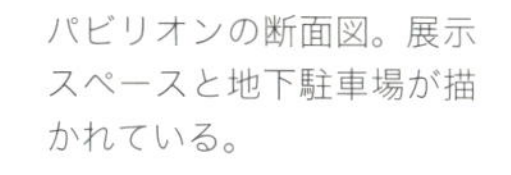

パビリオンの断面図。展示スペースと地下駐車場が描かれている。

クォッドラッチ・パビリオンは、ゴシック様式の大聖堂をポストモダン風にとらえ直していると解釈できる。間取りは左右対称で、構造はフライング・バットレス（ゴシックの聖堂建築で発展した飛梁。ヴォールトの横圧を受止め、側廊側壁の控え壁へ流す）やリブ・ヴォールト（横断アーチとその対角線のアーチをリブとし、その隙間をセルで覆うヴォールト）を連想させる。このような構造要素はいろいろな形の影を作り、室内の視覚効果を高めている。

空間性　ウィンドホバー・ホールの天井高とスケールが、ゴシック様式の大聖堂に似た畏敬と驚嘆の念を起こさせる。しかし、ゴシック様式の大聖堂とはことなり、軽やかな印象の天井やさまざまな開口部をもつ壁が、屋内と屋外を結び付けている。

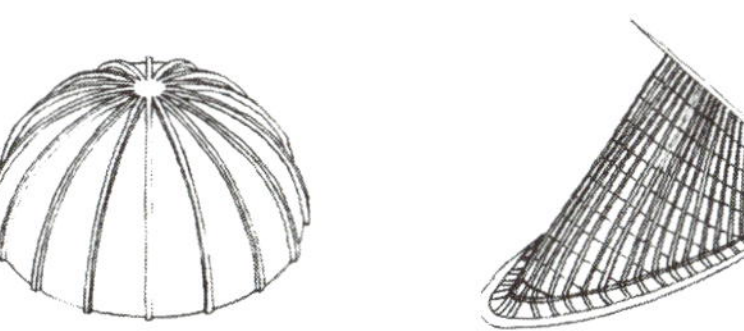

古典主義のドームの構造。

ウィンドホバー・ホール（パビリオンのメインの空間）の、金属とガラスでできた構造。

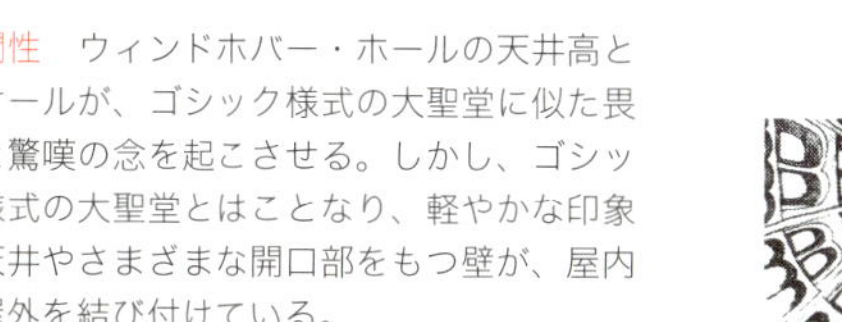

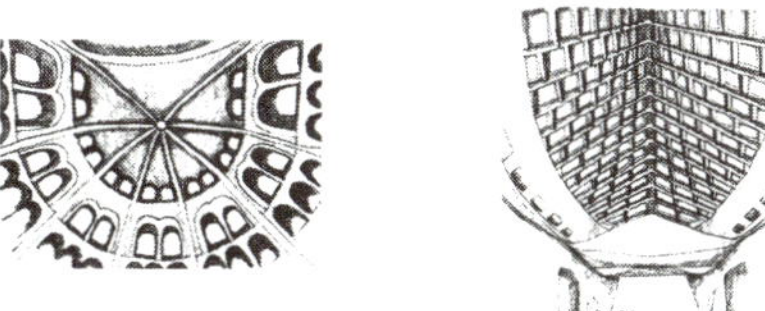

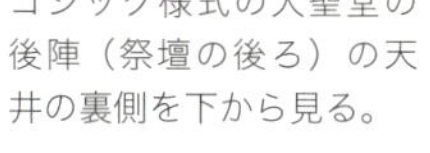

ゴシック様式の大聖堂の後陣（祭壇の後ろ）の天井の裏側を下から見る。

ウィンドホバー・ホールの天井の裏側を下から見る。

構造と影

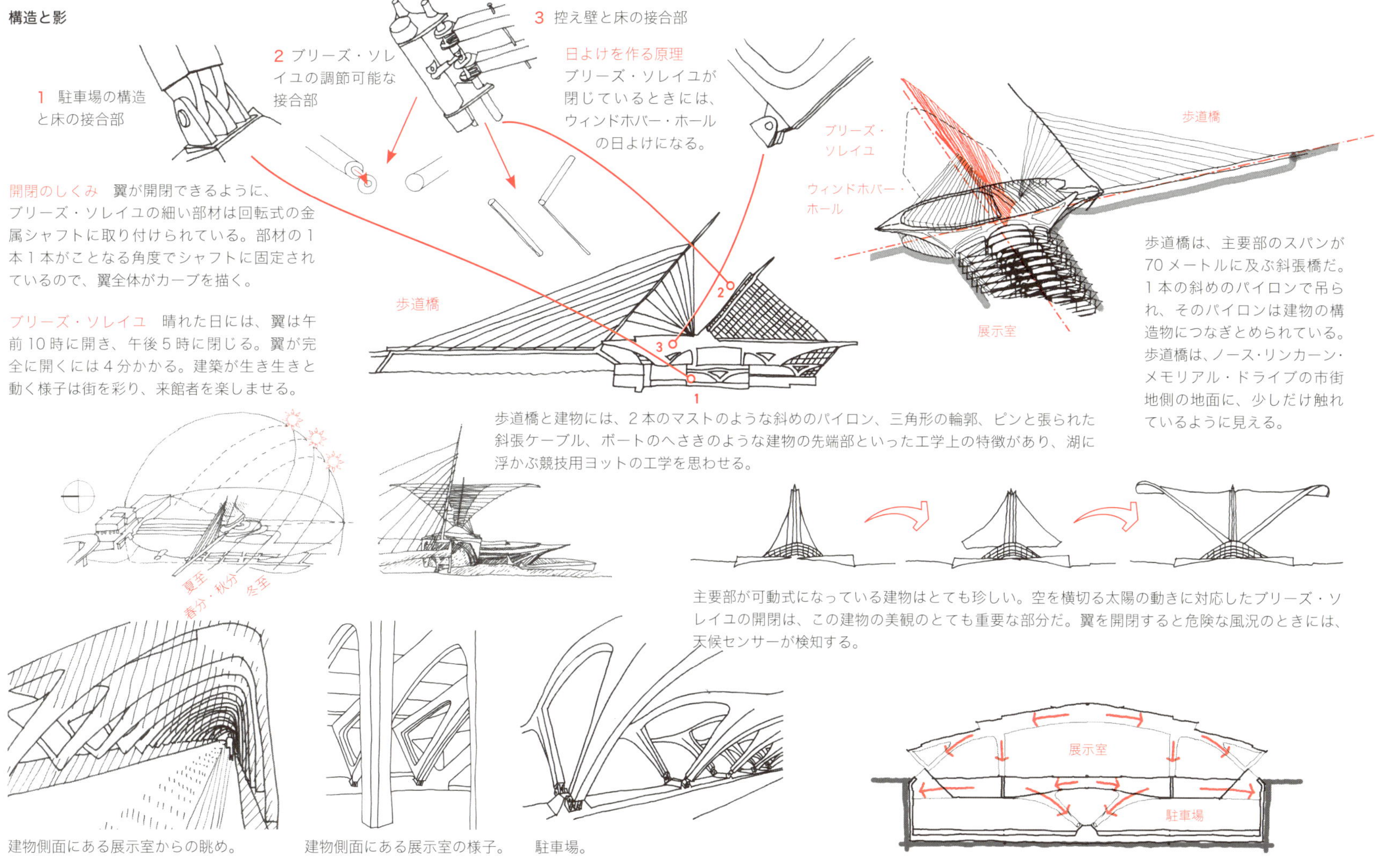

開閉のしくみ　翼が開閉できるように、ブリーズ・ソレイユの細い部材は回転式の金属シャフトに取り付けられている。部材の1本1本がことなる角度でシャフトに固定されているので、翼全体がカーブを描く。

ブリーズ・ソレイユ　晴れた日には、翼は午前10時に開き、午後5時に閉じる。翼が完全に開くには4分かかる。建築が生き生きと動く様子は街を彩り、来館者を楽しませる。

歩道橋と建物には、2本のマストのような斜めのパイロン、三角形の輪郭、ピンと張られた斜張ケーブル、ボートのへさきのような建物の先端部といった工学上の特徴があり、湖に浮かぶ競技用ヨットの工学を思わせる。

歩道橋は、主要部のスパンが70メートルに及ぶ斜張橋だ。1本の斜めのパイロンで吊られ、そのパイロンは建物の構造物につなぎとめられている。歩道橋は、ノース・リンカーン・メモリアル・ドライブの市街地側の地面に、少しだけ触れているように見える。

主要部が可動式になっている建物はとても珍しい。空を横切る太陽の動きに対応したブリーズ・ソレイユの開閉は、この建物の美観のとても重要な部分だ。翼を開閉すると危険な風況のときには、天候センサーが検知する。

建物側面にある展示室からの眺め。

建物側面にある展示室の様子。

駐車場。

建物側面の展示室　建物側面の展示室　東側と西側の展示室は、ずらりと並んだプレキャストコンクリート製の構造で支えられている。支持構造であると同時に、空間を分割し、視覚的なインパクトを生んでいる。駐車場にも同じような柱があり、大きな空間を小さなボリュームに区分している。

アーチ状の柱と一体になった梁が、荷重をピン接点経由で直接地面に伝える。この表情豊かなフォルムが、長い展示室と駐車場の美観上の特徴を作り出している。

33

B2ハウス | 1999-2001

ハン・トゥメルテキン

トルコ、アイワジュク、ビュユックフスン

B2 ハウスは、トルコ西部、アイワジュクの近くにあるビュユックフスン村の南東の境界に建っている。イスタンブールから車で 2 時間のところに住む 2 人の兄弟のために、トルコの建築家ハン・トゥメルテキンが設計した別荘だ。

この家は、現地のコンテクストに現代的な要素を組み合わせた、批判的地域主義（近代建築における場所性の欠如を、建物の地理的文脈を用いて乗り越えようとするアプローチ）の建築と解釈できる。形やスケール、空間の組み立ては、機能的で必要最小限だ。この地域特有の家屋にならって素材を選ぶ一方で、形や質感、配置などは現代的な手法が取り入れられている。B2 ハウスは村のそばの丘の上に建ち、村から見ると正面斜め横の姿が眺められる。スケールは控えめだが、ランドスケープに映える記念碑のような印象を与えている。

マシュー・ランデル、セレン・モーコック、アラン・L・クーパー

アイワジュク

トルコ

33 B2ハウス｜1999-2001

ハン・トゥメルテキン

トルコ、アイワジュク、ビュユックフスン

アイワジュク村のはずれに建つB2ハウスは、石、コンクリート、木材で作られた別荘だ。現地のコミュニティや物理的な環境に配慮し、この土地ならではの設計や建設技術が使われている。

敷地の景観

B2ハウスはモダンな形だが、スケールや素材で現地の環境に調和している。

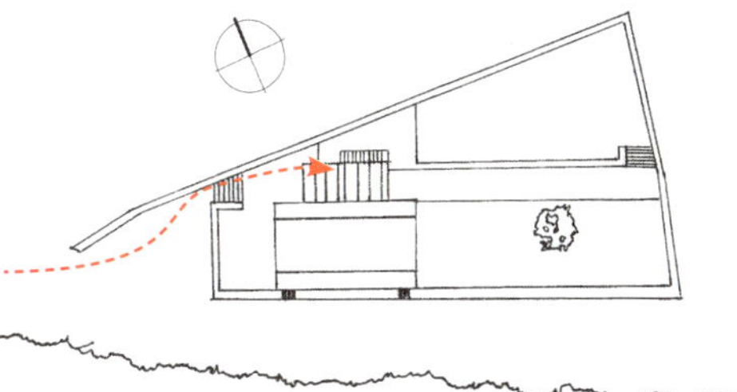

敷地の計画

太陽の光や眺望、地形に合わせて、B2ハウスは南を向いている。

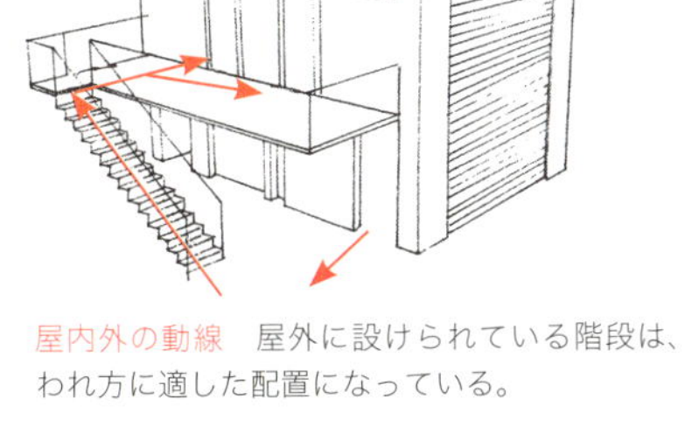

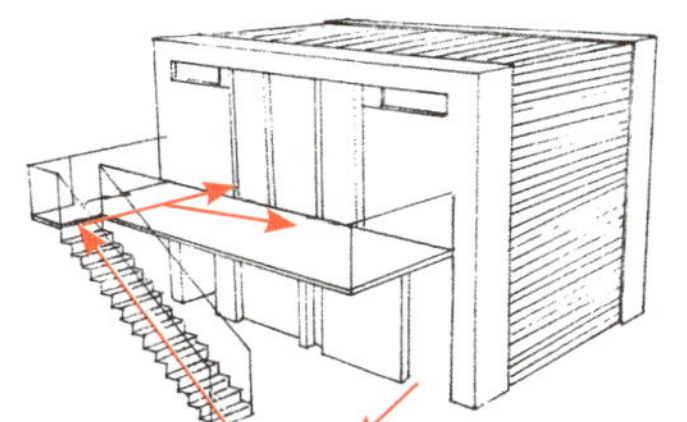

屋内外の動線　屋外に設けられている階段は、この家の使われ方に適した配置になっている。

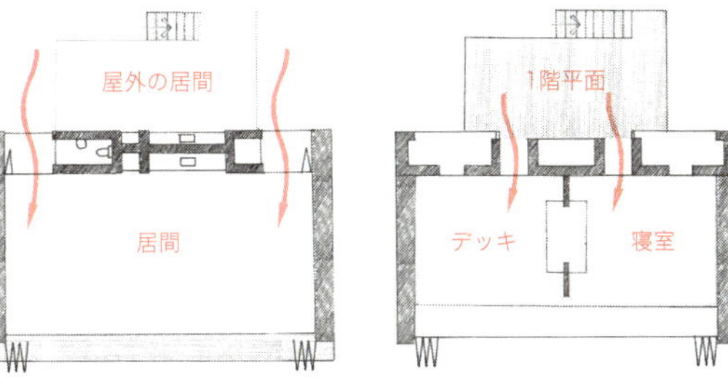

寝室　　2階平面

住人のための基本的な生活機能をそなえた、必要最小限の間取りだ。

南西側パース

外形の成り立ち

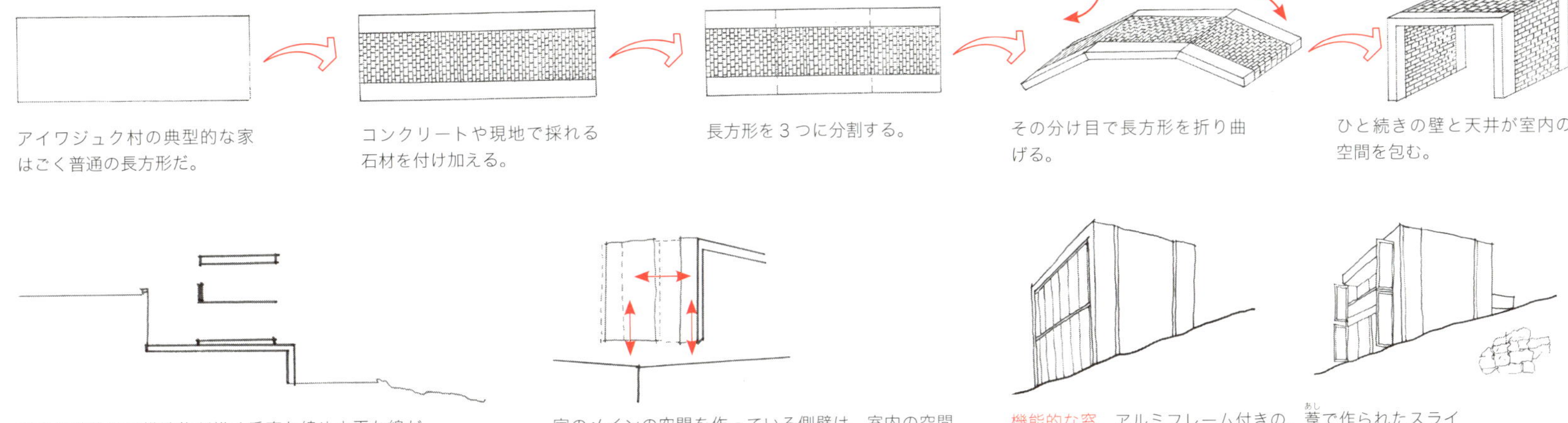

アイワジュク村の典型的な家はごく普通の長方形だ。

コンクリートや現地で採れる石材を付け加える。

長方形を３つに分割する。

その分け目で長方形を折り曲げる。

ひと続きの壁と天井が室内の空間を包む。

敷地や建物には構造物が描く垂直な線や水平な線がいくつもあり、室内へつながるあいまいな空間を作り出している。

家のメインの空間を作っている側壁は、室内の空間構成を示すように縦３つに分かれている。あらゆる素材はむき出しになっていて、人工の素材が自然の素材と共存している。

機能的な窓　アルミフレーム付きの、葦で作られたスライド式折戸ドアが設けられている。必要に応じて開け方を調節し、環境に対応できる。

周りの環境と家の関わり

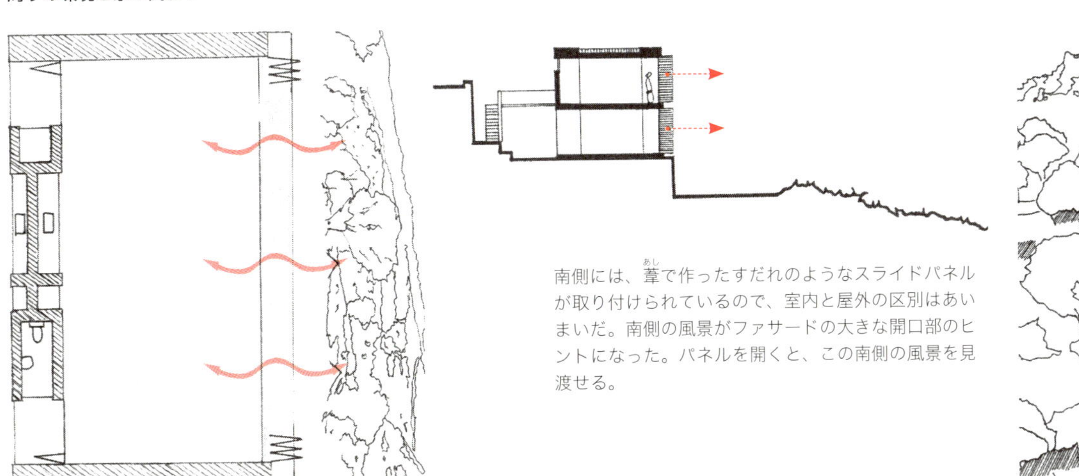

南側には、葦で作ったすだれのようなスライドパネルが取り付けられているので、室内と屋外の区別はあいまいだ。南側の風景がファサードの大きな開口部のヒントになった。パネルを開くと、この南側の風景を見渡せる。

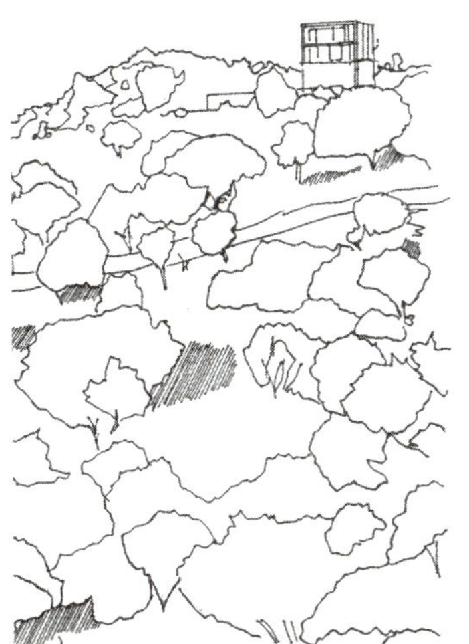

傾斜地に建つこの家を近くの村から見ると、台の上に載った記念碑のように見える。控えめなスケールにもかかわらず、このような立地がこの家や基壇を強調している。記念碑のような外観のおかげで、B2ハウスは周辺環境において際立っている。

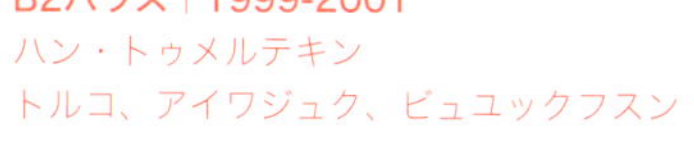
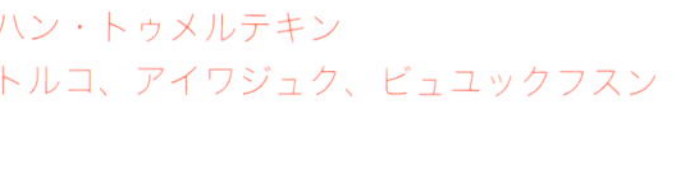

33 B2ハウス｜1999-2001

ハン・トゥメルテキン

トルコ、アイワジュク、ビュユックフスン

自然環境への対応

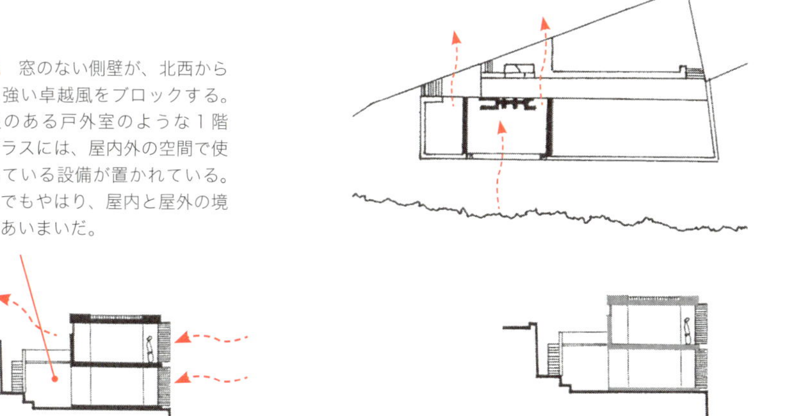

防風　窓のない側壁が、北西から吹く強い卓越風をブロックする。屋根のある戸外室のような１階のテラスには、屋内外の空間で使われている設備が置かれている。ここでもやはり、屋内と屋外の境界はあいまいだ。

通風　北側と南側のファサードの開口部から、空気が効率的に入れ換わる。

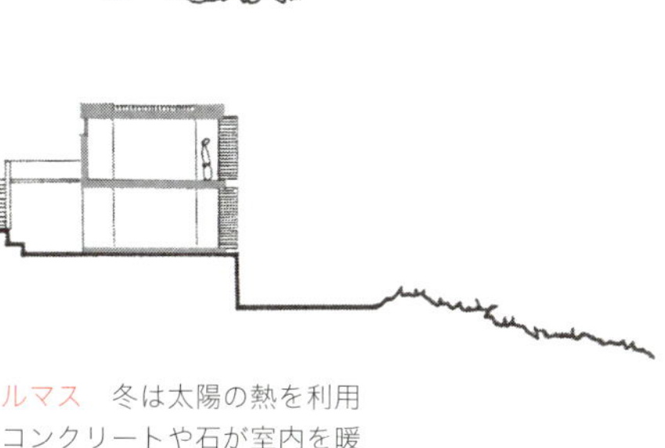

サーマルマス　冬は太陽の熱を利用して、コンクリートや石が室内を暖めるサーマルマスとなる。

周りとの一体感　B2 ハウスは周りに溶け込むように素材が使われている。

文化に対応したデザイン

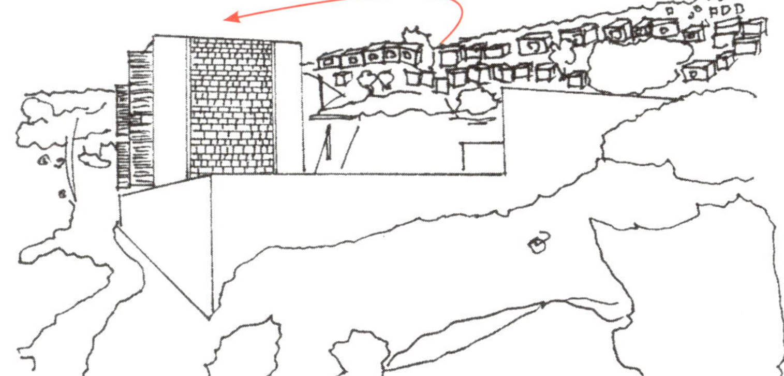

素材の一貫性　石やコンクリート、木材、葦(あし)などのトルコ産の素材が、質感に豊かなコントラストをもたらす。構造や建設プロセスの中で、このような素材がはっきりと表現されている。

随所に見られる建設技術　スケールや色、質感などには、地中海沿岸に特有のさまざまな建設技術が取り入れられている。

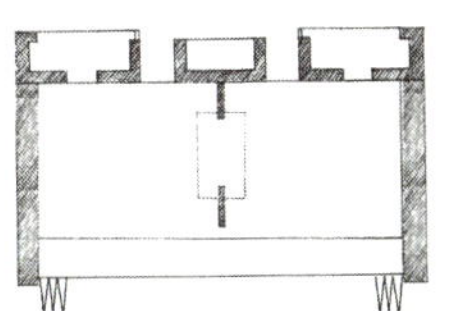

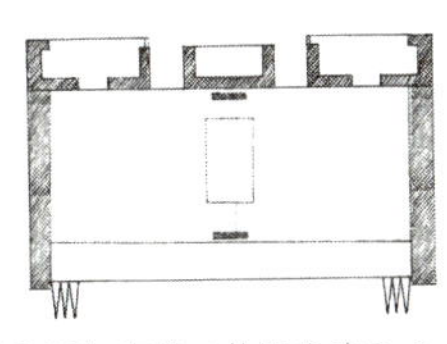

柔軟な空間　2 階の寝室の隔壁は必要に応じて位置を変えられるので、2 つの独立した部屋を 1 つの大きな部屋にすることができる。

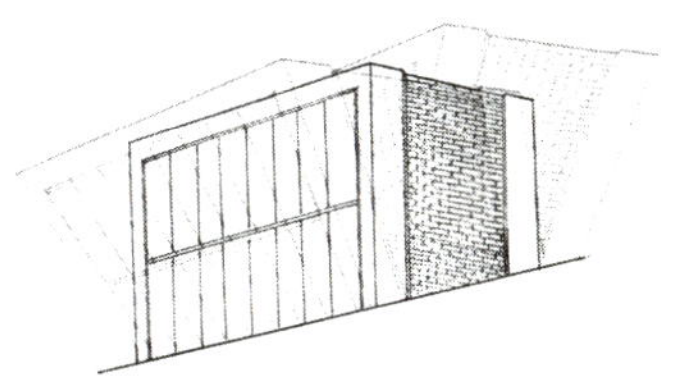

耐震性　この地域は地震が多いが、しっかりしたひと続きの壁のおかげで揺れに耐えることができる。

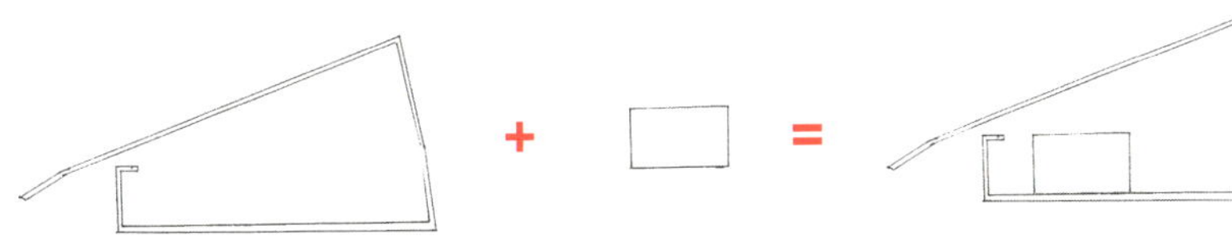

ミニマリズム　三角形の敷地に直方体の家のボリュームを配置し、ランドスケープの制約に応えている。直方体の B2 ハウスは、アイワジュク村の一般的な家の形を模している。要素が最小限に抑えられた敷地には、上図の 2 つのデザインの要素が組み合わされている。

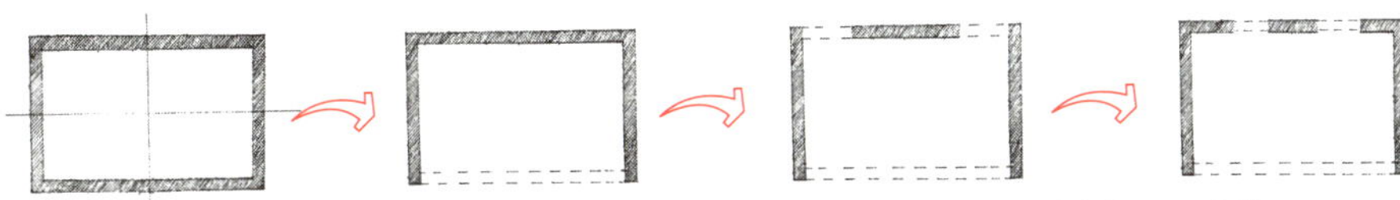

建物の形と開口部　アイワジュク村の典型的な家の形である、左右対称の一般的な直方体から、環境のコンテクストに合わせて南側に大きな開口が穿たれる。北側のファサードは、1 階と 2 階のどちらにも、ところどころ通路や通風のための開口部が設けられている。

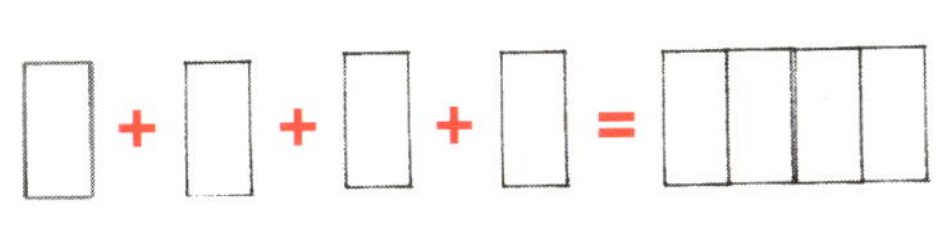

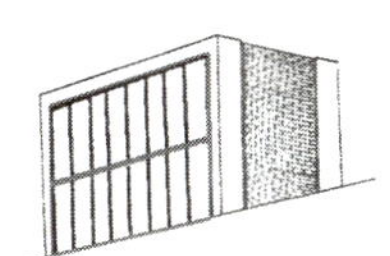

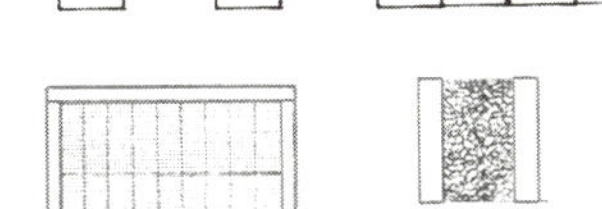

家全体の要素は、小さな部分が足し算されて組み合わさっている。

形の繰り返しが描く境界線　デザイン要素として同じような長方形が繰り返され、ことなる素材の境界線をくっきりと描いている。

アイワジュック村の典型的な家　　B2 ハウス

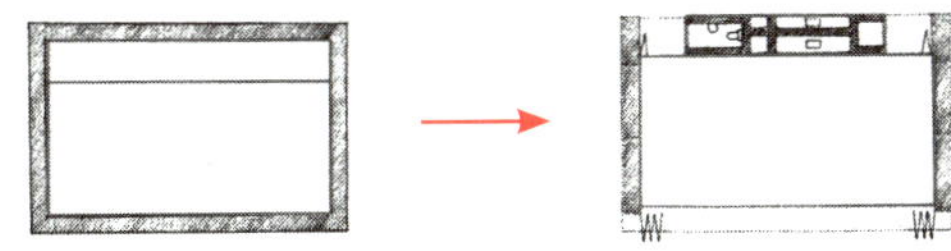

1 階の居間

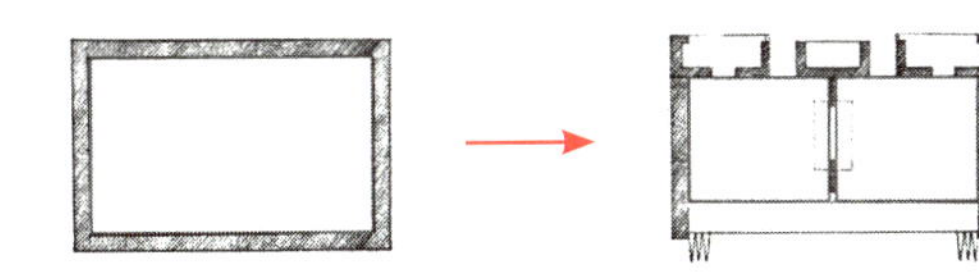

2 階の寝室

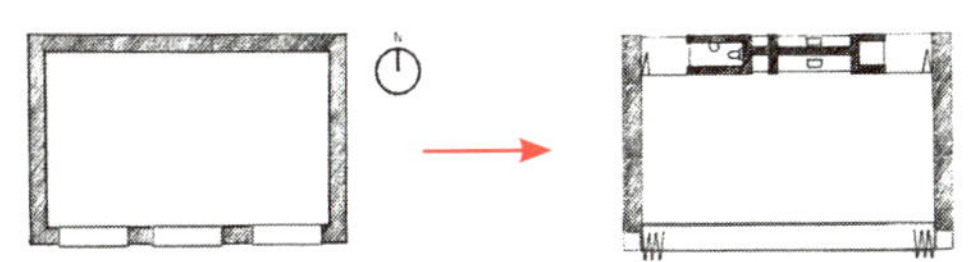

北西の風を防ぐために、窓は南側のファサードに設けられている。

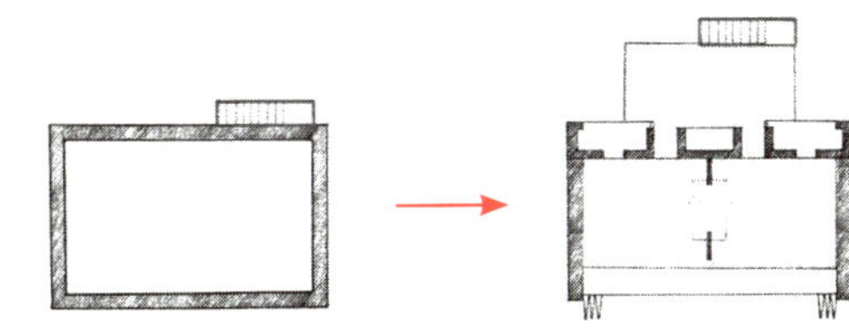

窓を開けると、南側の室内空間はランドスケープに向かって完全に開け放たれる。

南側の窓　　居間の内部

34

カイシャフォルム | 2001-03
ヘルツォーク＆ド・ムーロン
スペイン、マドリード

既存の建物を取り壊さずに大幅な改修を施すことで、現代的でありながら過去とのつながりをもった作品は実現できるのか。カイシャフォルム・マドリードでは、それが見事に実現されている。この文化施設を設計したスイスの建築家ヘルツォーク＆ド・ムーロンは、発電所だった1899年頃の建物をもとに、要素を足したり引いたりした。もとの壁の輪郭に続くように、ボリュームを建物の上に付け足し、コールテン鋼（鋼表面に保護性錆を形成するように設計された低鉄合金鋼）で覆っている。また、建物の1階部分が取り去られているので、建物のマッスが重力に逆らって地面から浮いているように見える。こうして都市コンテクストになじむ建物が生まれ、壮大さで街を圧倒したり真っ向から対抗したりせず、さりげなく存在感を主張している。

「生きている絵」と呼ばれる植物で覆われた壁は、フランス人の植物学者でありアーティストであるパトリック・ブランのデザインだ。硬い印象を与える建物のファサードを緑が覆っている。生きている植物を使った部分、レンガや鋼を使った部分には、どちらも人間の創造性がはっきりと表れている。

サラ・スレイマン、アリス・マクヴィカー、アントニー・ラッドフォード

Dalí
Lorca

34 カイシャフォルム｜2001-03

ヘルツォーク＆ド・ムーロン
スペイン、マドリード

カイシャフォルムは、マドリード中心部の文化施設が集まる地域にある。プラド美術館、ソフィア王妃美術館、ティッセン＝ボルミネッサ美術館を結ぶ、「アートのゴールデントライアングル」の中に建っている。カイシャフォルムには、市立植物園との境界になっている大きなプラド通り、または細い裏道からアクセスできる。

都市コンテクスト

1899年に建てられたもともとのビルは周りの建物に比べると低かったが、上階が足され高くなった。建物の上部には深い切れ込みが入り、マドリードの街並みになじむデコボコのスカイラインを描いている。周りの建物の窓割りと合わせて、古いファサードの窓が残されている。

ビルの正面に新しく作られた広場があり、その側面には植物園を意識した緑の壁がある。まるで植物園の草花が道路をわたって繁殖したようだ。こうして2辺を緑に囲まれている広場は、プラド通りを象徴する場所になっている。敷地の境界である狭い歩道が、ビルの地下へ続いている。

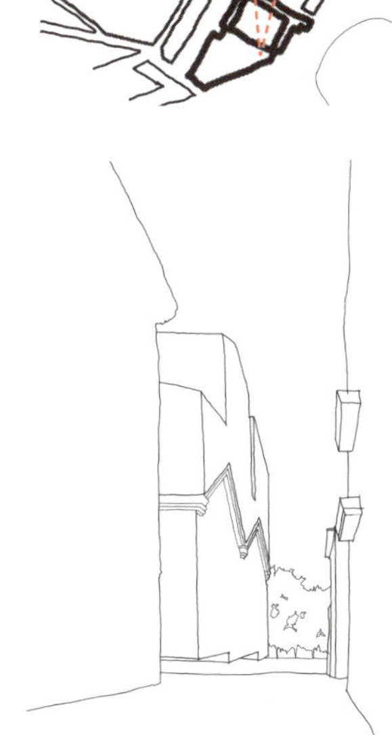

カイシャフォルムの西側に沿って視線を向けると、植物園が見える。

プラド通り
緑の壁
植物園の緑の垣根

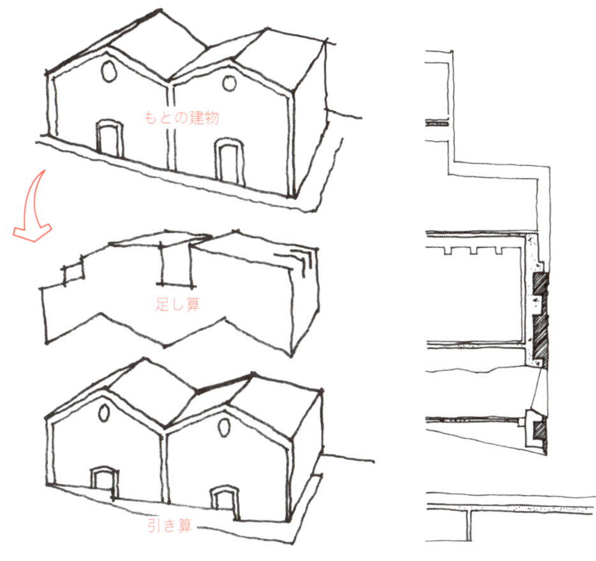

古いものと新しいもの

設計者は、既存の建物をそのまま保つように提案しなかった。彼らは、建物から不要なものを取り除き、残ったものをきれいにして、古い要素と新しい要素を融合させた。

1899年の建物から唯一残されたレンガ壁の内側に新しい建物を作り、高さを加えた。光沢のある素材でできた入口の階段やロビーはとても現代的だ。新しい建物の内壁はコンクリート、床は白いテラゾ（白色セメントに大理石粒を混ぜて仕上げたもの）が使われた。

レンガ壁から飛び出たコンクリート部分は、コールテン鋼で覆われている。コールテン鋼は最初から使い込まれたような風合いをもち、その色合いは風雨にさらされたレンガ壁と調和している。

気候への対応

観光シーズン真っ盛りである夏のマドリードは暑さが厳しいので、日光がしっかりと遮られる地下が好まれる。建物の厚い壁や地下の構造がサーマルマスとなり、室内の環境を一定に保つ。植物で覆われた新しい壁は絶えずメンテナンスが必要だが、その代わりに周りの建物に断熱効果をもたらし、夏には空気の温度を下げる自然冷却の役割を果たす。

いらない古い窓はレンガでふさがれ、必要に応じて、もともとのレンガのファサードに窓が穿（うが）たれている。コンクリートの新しい建物にも窓があり、レースのように穴があけられたコールテン鋼の外壁に覆われている。

足し算と引き算

ほかのプロジェクトでも、ヘルツォークとド・ムーロンは、既存の建物に要素を足したり、外科手術のように大胆に差し引いたりする。

イギリスのロンドンにあった大きな発電所をテート・モダン（1995-2000）に改造したときには、巨大な壁の下の角を削り取り、ガラスで囲まれた空間の上に驚くほど重厚感のあるマッスを残している。以前は大型発電機が置かれていたタービンホールに広い開口部を設けるために、地下階までフロアを下げて壁の下に穴を掘った。建物の上部には、平たい長方形のボリュームが横たわっている。

スイスのバーゼル民族文化博物館の改修では、既存の建物の下に穴を掘り、もとのファサードを残したまま地下に広い開口部を設け、屋根裏の空間には新しくフロアを付け足している。周りの建物に合わせて屋根には鋭い傾斜が付いているが、その表面は無数の小さな穴があけられ、デコボコしている。

2017年1月にオープンしたドイツのエルプフィルハーモニー・ハンブルク（2003-16）では、古い倉庫の1階の壁に広い開口部を作り、倉庫の上に大きなガラス張りのホールを新設した。繊細で遊び心に満ちた屋根の輪郭が、もとの倉庫のどっしりとしたレンガの建物と好対比をなす。カイシャフォルム・マドリードとは違い、もとの壁の上部にはくぼみがあり、その影が新しい部分と古い部分をくっきりと隔てている。

34 カイシャフォルム｜2001-03

ヘルツォーク＆ド・ムーロン
スペイン、マドリード

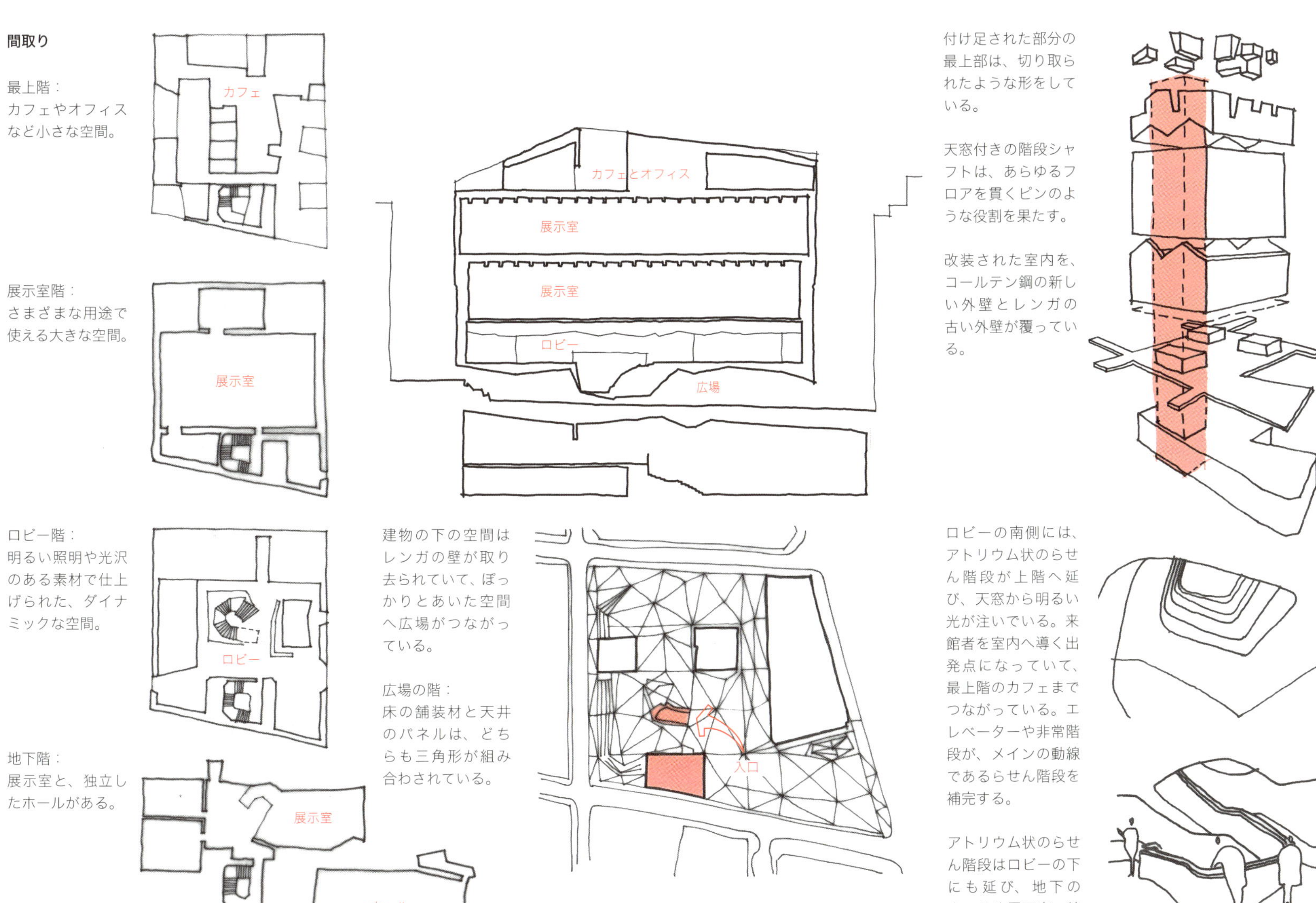

間取り

最上階：
カフェやオフィスなど小さな空間。

展示室階：
さまざまな用途で使える大きな空間。

ロビー階：
明るい照明や光沢のある素材で仕上げられた、ダイナミックな空間。

地下階：
展示室と、独立したホールがある。

建物の下の空間はレンガの壁が取り去られていて、ぽっかりとあいた空間へ広場がつながっている。

広場の階：
床の舗装材と天井のパネルは、どちらも三角形が組み合わされている。

付け足された部分の最上部は、切り取られたような形をしている。

天窓付きの階段シャフトは、あらゆるフロアを貫くピンのような役割を果たす。

改装された室内を、コールテン鋼の新しい外壁とレンガの古い外壁が覆っている。

ロビーの南側には、アトリウム状のらせん階段が上階へ延び、天窓から明るい光が注いでいる。来館者を室内へ導く出発点になっていて、最上階のカフェまでつながっている。エレベーターや非常階段が、メインの動線であるらせん階段を補完する。

アトリウム状のらせん階段はロビーの下にも延び、地下のホールや展示室へ続いている。

入口

薄暗い地下には“CaixaForum（カイシャフォルム）”と書かれた電光掲示板があり、入口を示している。

地下の空間の真ん中近くに、建物の入口の階段がある。

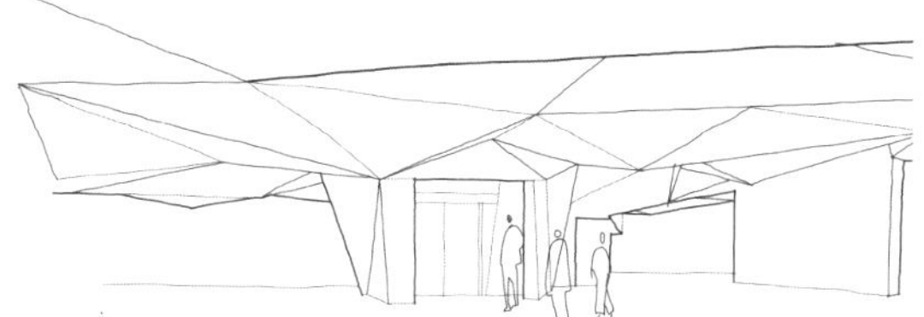

壁に囲まれていない、広々とした階段がロビーへ続く。三角形のパネルが組み合わされた両側の壁は、外側へ傾いている。ロビーの天井には覆いはなく、むき出しの構造からから細長い蛍光灯が吊られている。

大きな窓からは、広場や道路の向こう側の植物園が見える。

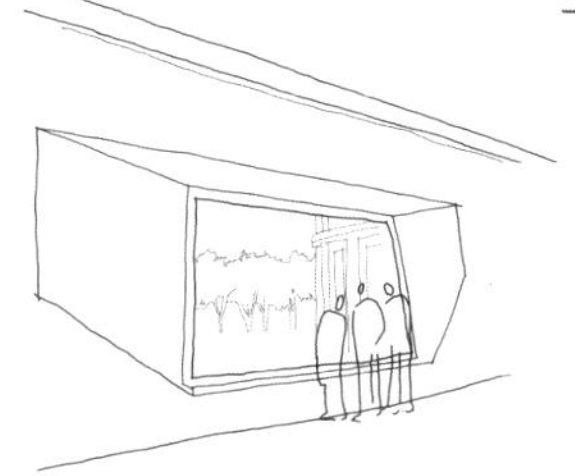

レース細工のような外壁

さび加工を施した鋼の外壁の一部は、この地方に伝わるスペインのレース細工を思わせる無数の穴があいている。その内側にあるオフィスやカフェの窓からは、無数の穴のあいた壁越しに景色が見えるので、まるで分厚いベールを通して風景を見ているようだ。来館者を外の風景から隔てるこの壁のおかげで、シンプルな外観を保ちながらも建物の特徴が強調されている。

照明が取り付けられた展示室は、展示に合わせてパーテーションで仕切られる柔軟な空間だ。

新しいコールテン鋼は、もとのレンガの壁の上にぴたりと組み合わさっているので、コールテン鋼とレンガ壁の間にくぼみはなく、影はできない。

もとの壁のレンガ造りのコーニスと新しいコールテン鋼の上部の切れ込みがコントラストを描く。

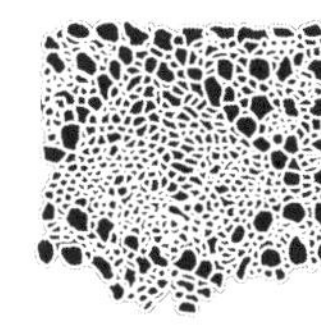

伝統的なスペインのレース細工。

穴のあいたパネルのディテール。

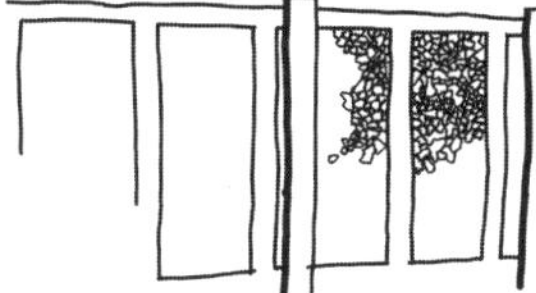

最上階のカフェの窓は、穴のあいたコールテン鋼の壁でところどころ遮られている。

35

ニュー・ミュージアム｜2001-07
SANAA（妹島和世・西沢立衛）
アメリカ、ニューヨーク

ニュー・ミュージアムの設計コンペでは、日本の建築家ユニットSANAAが優勝を収めた。SANAAは妹島和世と西沢立衛の2人組の建築家だ。彼らは大規模な国際プロジェクトに携わる一方、それぞれ独自の建築設計事務所を主宰している。

ミュージアムのデザインには、ニューヨークのにぎやかな立地に合わせて、日本の伝統建築の軽やかさやシンプルさが応用された。道路からは箱が大胆に積み上げられているように見えるこの建物は、周りの建物への配慮と主張のバランスをうまく取りながらコンテクストに溶け込んでいる。室内は、展示されている現代アート作品を圧倒しないよう、中立的な空間になっている。透明感や軽やかさ、光の反射などの特徴は、コンピューターで構築された仮想世界のような儚さを連想させるが、わかりやすい間取りや実用的な機能を通して、そのような特徴が現実世界で見事に活きている。この建物は、狭い敷地や限られた予算の中でもすばらしい建築が生み出せることを証明している。

ダニエル・ターナー、アントニー・ラッドフォード、ソニア・オットー

35 ニュー・ミュージアム | 2001-07

SANAA（妹島和世・西沢立衛）
アメリカ、ニューヨーク

敷地への対応

この建物は、ことなる大きさの箱がずれながら積み重ねられている。近くの通りには、20 世紀初めに建てられたさまざまな高さの細長い石造りの建物が並んでいる。ニュー・ミュージアムはこのスケールにならっているが、まるで1つ1つの建物を横に倒して積み上げたような外観なので、縦のラインではなく層の横のラインが際立っている。

ニューヨークに多い、上のフロアをセットバックさせた建物を参照し、両隣の建物に揃えて低層の部分をセットバックさせている。北側の隣には低い建物、南側の隣には高い建物がある。外側に突き出した片持ちの上階は、これまでの建物に類を見ない鋭い個性を放っている。建物の上下を分けるように 5 階には横長の長方形の窓がある。

ロウアー・マンハッタン
（ニューヨーク）

バワリー通り

ニューヨークが誇る現代文化を象徴するこの建物は、観光客に人気のスポットだ。周りの建物に比べて大きく、明るい色をしているので、このエリアの目印になっている。

現代的なデザインと価値観が表現された、積み上げられた箱のような大胆な建物は、まるでアート作品が路上に展示されているかのようだ。端正で瀟洒（しょうしゃ）な外観は、古くなり荒っぽさが目立つ周りの建物と対比をなしている。ミュージアムの室内は、工場のように丈夫かつ無機質な美しさをそなえている。

立面の箱の数は、室内のフロア数とは対応していない。壁に囲まれた屋上を含めると 9 階建てだが、立面で見える箱は 7 つだけだ。

箱がずれている部分には、建物の外殻の占有面積からはみ出ることなく、天窓やテラスが設けられている。

隣のビルの側壁の古い石材は、表面を整えられたり被覆材で覆われたりすることなく、削り取られただけの状態でむき出しになっている。

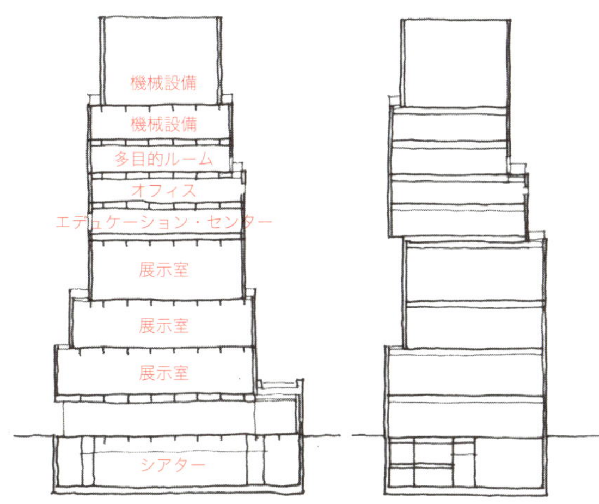

鍵となる要素

1. 上階を結ぶ階段
2. エレベーター
3. 上階と地下へ延びる階段
4. 地下へ降りる階段
5. ミュージアムショップ
6. 入口
7. 受付
8. 通りへ出る通路
9. 搬入口

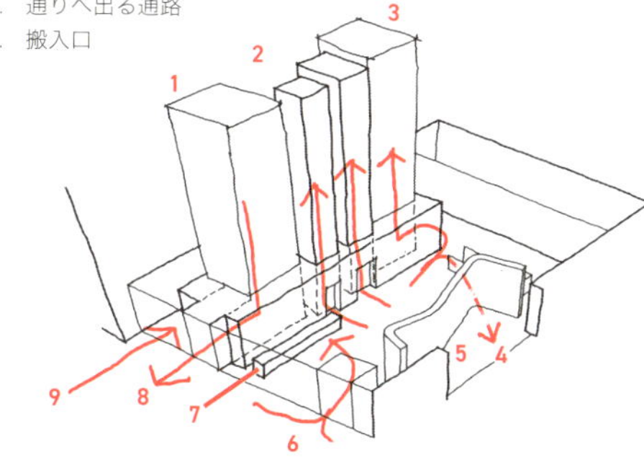

入口と間取り

床から天井まで届く窓が通りに面し、窓越しに見える室内の様子が来館者を引き込む。中に入ると、目に付きやすい金属製の長い受付デスクと、好奇心をくすぐる、カーブを描くメッシュ素材のパーテーションがある。パーテーションの向こう側には、ミュージアムショップの棚がある。カラフルなグッズが並べられているのが透けて見え、グッズをより近くで見ようとする来館者を引きつける。建物の奥にある展示室には天窓が設けられている。天窓から入る自然光が、小さなカフェの背面の大きなガラスの壁を照らし、来館者を誘う。

自然光に照らされた1階全体は、屋外と壁に囲まれた上階の展示室をつなぐ移動空間になっている。展示室は、アート作品を飾るために必要な真っ白な壁があり、整然としているので、期間限定で展示されるアート作品ごとに空間の雰囲気が変わる。

梁、ダクト、照明、スプリンクラー、耐火設備など、建物の構造や機械設備がむき出しになっている。

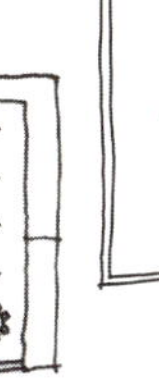

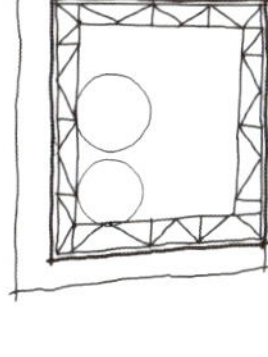

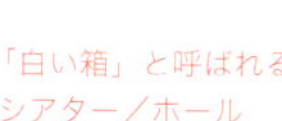

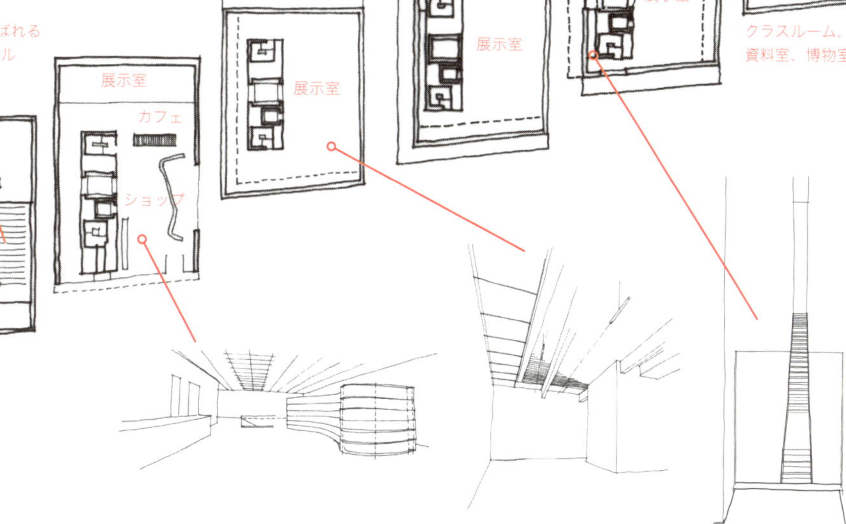

穴のあいたブロックを棒に通して遊ぶ子ども用のおもちゃのように、階段、エレベーター、ダクトを納めたサービスコアが、箱を垂直に貫いている。

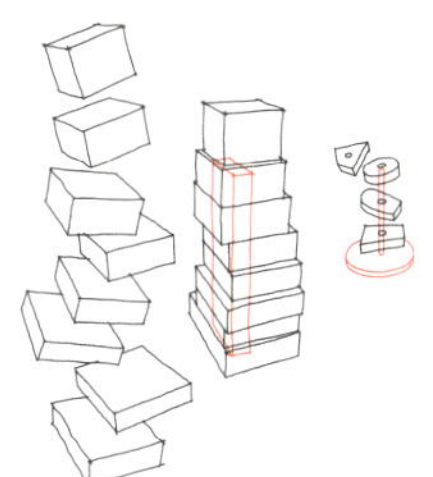

サービスコアの裏側の隙間に、展示室をつなぐ階段がある。高い天井、ごく狭い幅、9つの裸電球、光に照らされた突きあたりの空間などは、展示室に入った途端広々と開ける空間と、はっきりとした対比をなしている。この階段は、まるで近所の古い安宿の狭い階段をのぼっているような不安や孤独、苦労した頃の辛い記憶や不況の時代を想起させる。エレベーターを使うこともできるので、必ずしも体を動かして階段をのぼり、照明の使い方や雰囲気を味わう必要はない。

35 ニュー・ミュージアム｜2001-07

SANAA（妹島和世・西沢立衛）
アメリカ、ニューヨーク

透明感と光の反射

デザインには、メッシュ素材のついたて、ガラスの手すり、光沢のある床、真っ白な壁、きらきらと輝く金属製のベンチなどが使われている。透明なついたてや窓は向こう側にあるもの──例えばついたての裏側にある、ミュージアムショップの棚に並ぶ魅力的なグッズ、5階の窓の向こうに見える南側の街並みなど──に対する好奇心をくすぐり、関心を抱かせる。透明なテラスの窓に思いがけず街の風景が映り、室内と屋外が溶け合うようなあいまいさが生まれている。箱の境界や部屋同士の境界はくっきりとしているが、透明な素材や光の反射のおかげで箱の境界同士や、部屋同士、室内と屋外がつながっているように感じられ、境界そのものや、境界と境界の途中にある要素をあいまいに見せている。

軽やかさや細さ、透明感、光の反射などは、コンピューターを通して構築された仮想世界の特徴だ。

素材の使い方

ファサードは、陽極酸化処理（アルミニウムを陽極で電解処理して、人工的に酸化皮膜アルミの酸化物を生成させる表面処理を施し、耐食性を高める処理）を施したエキスパンドアルミ（アルミ金属板を千鳥状に切れ目を入れながら押し広げ、その切れ目を菱形や亀甲形に成形したメッシュ状の金属板）で覆われ、太陽とともに移ろっていく空の様子を映す。光のあたり方によって、メッシュが透けてなくなるように見える。夜には窓や天窓から室内の光が漏れ、まるで折り紙でできた大きなランプシェードのような目印になる。

室内の壁のほとんどは白く、床や天井は光沢のあるグレーのコンクリート製だ。天井には、基礎構造、露出した機械設備、蛍光灯が、建物の横軸に沿って平行に配置されている。このように一貫性のある素材の使い方や直線的なフォルムによって、空間にまとまりが生まれている。控えめな色合いが、考えを巡らせるのにぴったりな雰囲気を演出する。一見、色合いは統一されているが、ライムグリーンのエレベーターや地下のトイレのピンクのタイルなど、鮮やかな色が突然現れる。

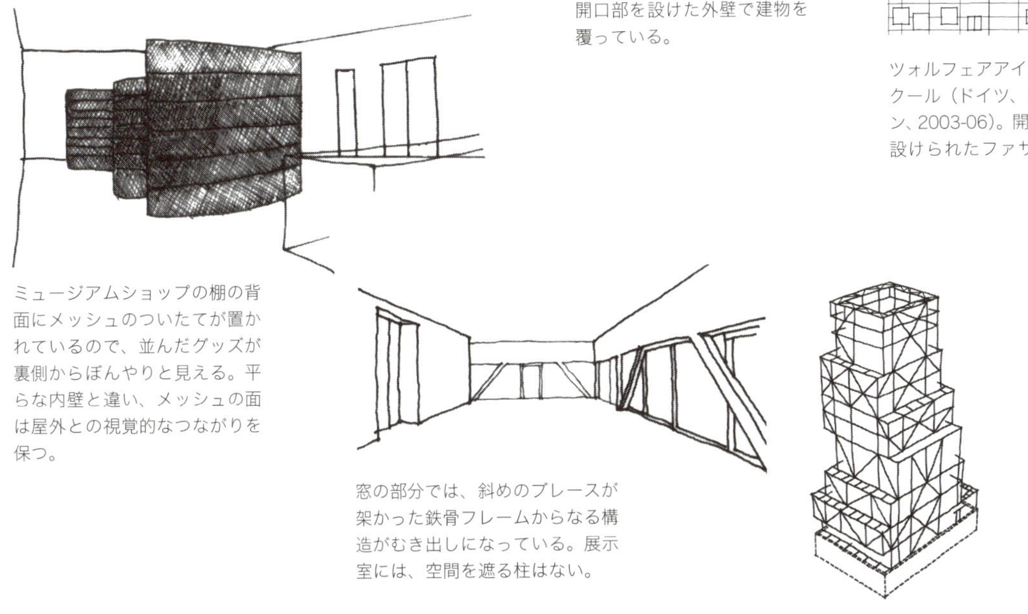

カリーナ・ストア（日本、東京、2009）。建物がメッシュで覆われている。

妹島と西沢はそのほかのプロジェクトでも、複数の面に分かれた均一な外殻や、ごく普通の壁のあちこちに無数の開口部を設けた外壁で建物を覆っている。

ツォルフェアアイン・スクール（ドイツ、エッセン、2003-06）。開口部が設けられたファサード。

陽極酸化処理を施した銀色のエキスパンドアルミが窓を覆い、光を反射する。

ミュージアムショップの棚の背面にメッシュのついたてが置かれているので、並んだグッズが裏側からぼんやりと見える。平らな内壁と違い、メッシュの面は屋外との視覚的なつながりを保つ。

窓の部分では、斜めのブレースが架かった鉄骨フレームからなる構造がむき出しになっている。展示室には、空間を遮る柱はない。

直線的なフレームの中のカーブ

うねるようなカーブを描くミュージアムショップの棚は、それが置かれている直線的な空間と対比をなす。妹島と西沢は、ほかのプロジェクトでも、直線的なフレームの中にカーブを登場させている。葉山の小屋にも同じようなカーブを描くついたてが使われているが、そのついたては室内ではなく屋外に塀として配置されている。大倉山集合住宅では、水平なテラスや屋根が設けられたまっすぐなボリュームから、カーブを描くように空間がくり抜かれている。ロレックス・ラーニング・センターでは、いびつな開口部が屋根から床までを貫いている。また、屋根と床、その間に挟まれた空間そのものが起伏し、カーブを描いている。

気候への対応

屋外の気候を取り入れるのではなく、熱を遮り、空調設備で室内を守る策が取られている。室内の環境は、最上階2フロアの機械設備でしっかりと管理されている。エキスパンドアルミのメッシュが影を作るので、外壁には高い断熱効果がある。展示室にはほとんど窓はなく、夕方に強い自然光を受ける西側の窓は、外壁と同じようにメッシュに覆われている。日当たりのよい南側にテラスがある。

工場で使われる細長い蛍光灯が天井の構造に沿って配置され、白い壁が光を拡散する。自然光と人工照明が両方使われているが、自然光のおかげで一日を通して室内の明るさがさりげなく変化する。

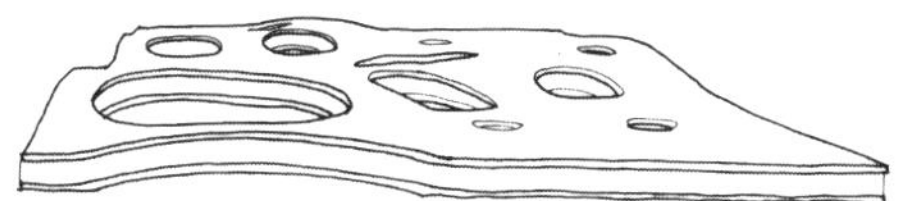

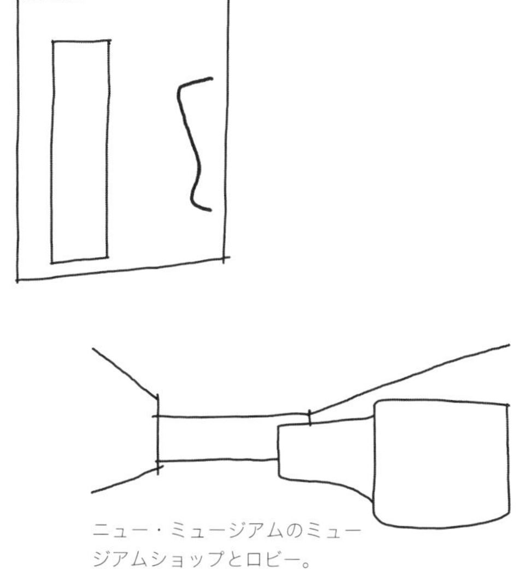

ニュー・ミュージアムのミュージアムショップとロビー。

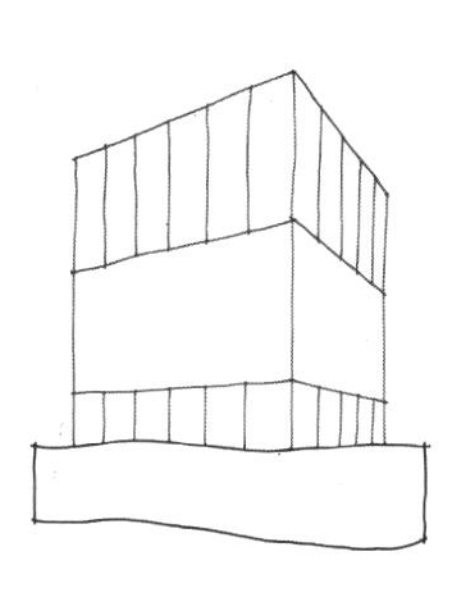

葉山の小屋（日本、神奈川、2007-10）

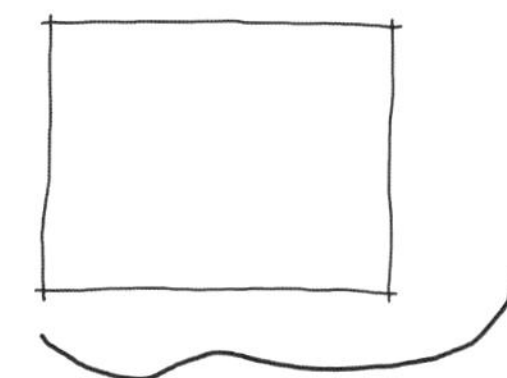

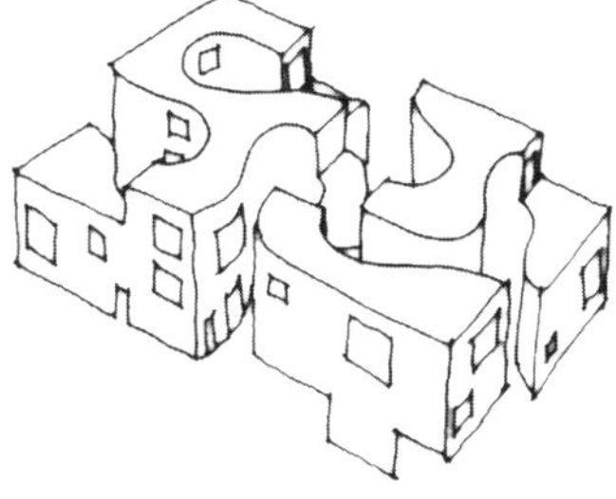

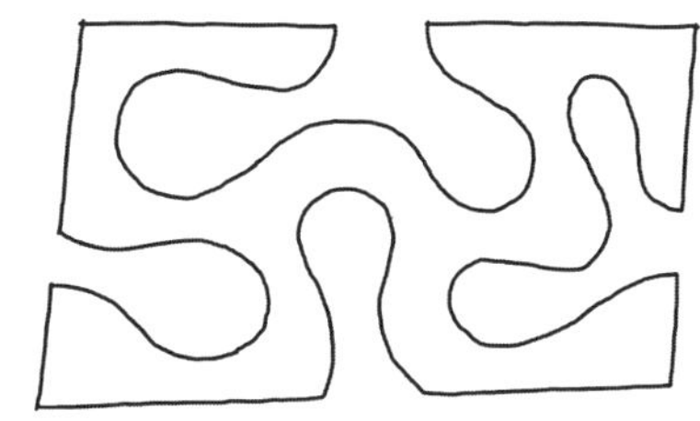

大倉山集合住宅（日本、横浜、2006-08）

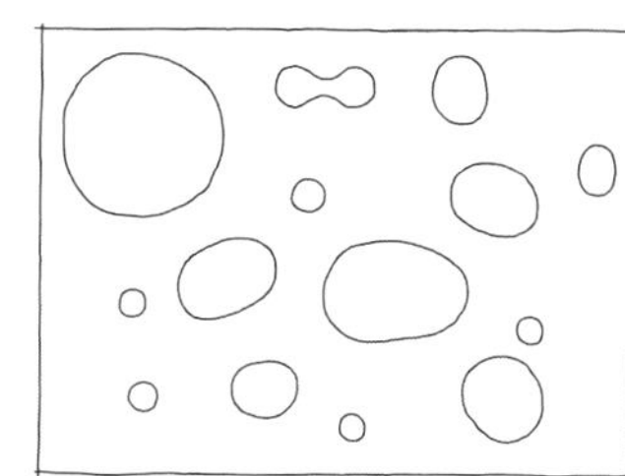

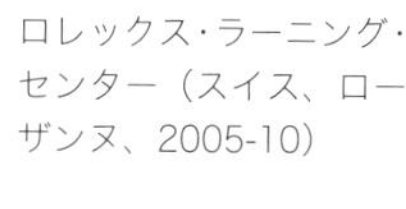

ロレックス・ラーニング・センター（スイス、ローザンヌ、2005-10）

36 スコットランド議会会館 | 1998-2002

EMBT／RMJM

スコットランド、エディンバラ

バルセロナの建築事務所であるEMBT（スペイン出身のエンリック・ミラージェスとイタリア出身のベネデッタ・タリアブーエが主宰）は、スコットランドでの施工を担当した建築事務所RMJMと手を組み、1998年に開かれたスコットランド議会会館の国際設計コンペを勝ち抜いた。この建物には、イギリス民主主義の長い歴史の中で培われた価値観や考え方が表現されている。

近くには、世界文化遺産に登録されているエディンバラ旧市街や、そこに建つスケールの小さな中世の建物、ホリールード公園やソールズベリー・クラッグズの草生した丘、向かいに建つホリールード宮殿などがある。これらに合わせて、議会会館には要素がコラージュのように組み合わされている。また、スコットランドの自然風景や人々の文化をロマンチックに表現し、国のバックグラウンドに応えている。エンリック・ミラージェスはこの建物の完成を待たず、2000年に亡くなった。

セリア・ジョンストン、アントニー・ラッドフォード、リー・ケン・ミン・イー

36 スコットランド議会会館｜1998-2002

EMBT／RMJM

スコットランド、エディンバラ

立地と都市コンテクスト

スコットランドの首都エディンバラは長い歴史をもち、中世からジョージアン様式、ヴィクトリア様式の建物が建ち並ぶ。その隙間に真新しい建物が建つ特徴的なエリアがある。スコットランド議会会館の向かいには、英国王の公邸であるホリールード宮殿が建っている。

鍵となる要素

1. エディンバラ新市街（ジョージアン様式、整然としたグリッド）
2. エディンバラ旧市街（中世の建物、いびつで有機的なグリッド）
3. 国民記念碑
4. カルトン・ヒル
5. プリンシズ・ストリート・ガーデンズ
6. アーサーの玉座

エディンバラ旧市街を背骨のように貫くロイヤル・マイルが、ホリールード宮殿とエディンバラ城を結ぶ。中世に王が馬車に乗って行進したロイヤル・マイルは、街の中心部で視覚的な軸になっていて、多くの観光客が集まる。

アプローチとエントランス

メインの入口は、3本の道路（エディンバラ城から続くロイヤル・マイル、ホリールード公園からの通り、アーサーの玉座の緑地からの通り）が交わる場所にある。見学者は長いパーゴラ（植物のつるが絡む軒先の棚）の下を通り建物に入る。

ロイヤル・マイルの両脇には建物が並ぶ。通りの突きあたりは、昔と変わらない景観を保っている。アーサーの玉座の緑地へ続く道は、より有機的なカーブを描いている。

スコットランド議会の議員が使う入口は、ロイヤル・マイルの端に建つキャノンゲート・ビルの片持ちのウイングの下にある。

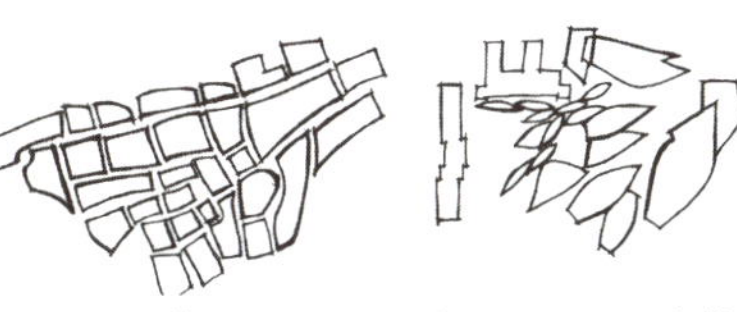

議会会館の敷地にひしめくボリュームは、中世の建物が密集する近くの街並みを表している。

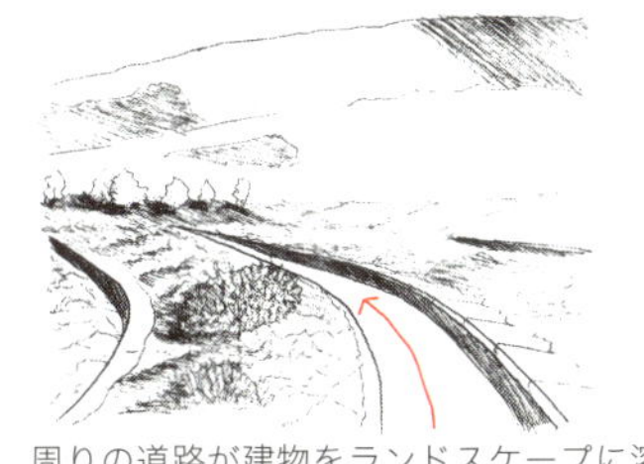

周りの道路が建物をランドスケープに溶け込ませる。これらの道路は物理的にも視覚的にも美しい風景へつながっている。

スコットランド議会会館は、スコットランドのアイデンティティのさまざまな側面が表現された、たくさんの要素からなる現代的な様式だ。多様なコンテクストを尊重し、デザイン要素をコラージュのように組み合わせてその１つ１つに対応している。

議員の事務所、クイーンズベリー・ハウス、キャノンゲート・ビル、入口のポーチなど、敷地の外周にある直線的な要素が、議事堂や委員会室を囲むフレームのように建っている。議事堂や委員会室は、港に停泊する船のようだ。

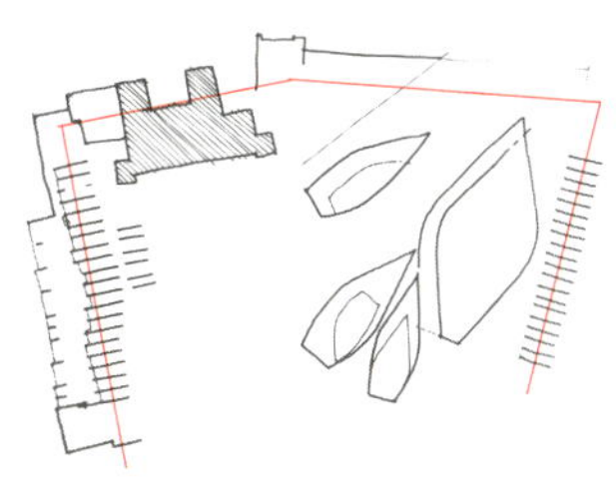

船のようにカーブを描く建物とその周りの直線的なフレームは、尖ったコーナーの斜めのラインが共通している。

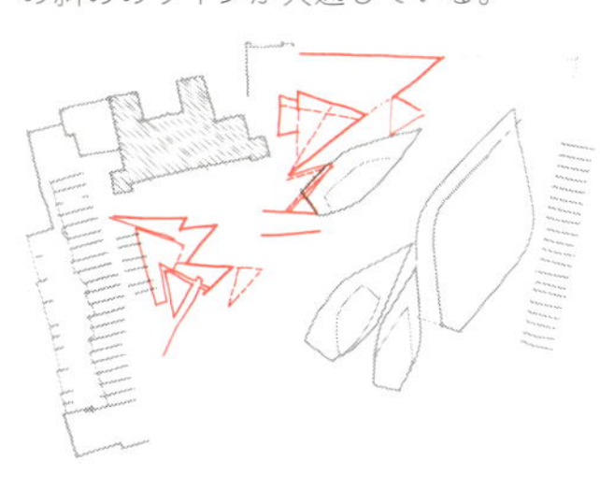

建物の後ろにはアーサーの玉座などの丘が控えている。屋根の形は丘のゆるやかな輪郭に合わせてカーブを描いている。

議事堂と委員会室は、親子のように並んでいる。

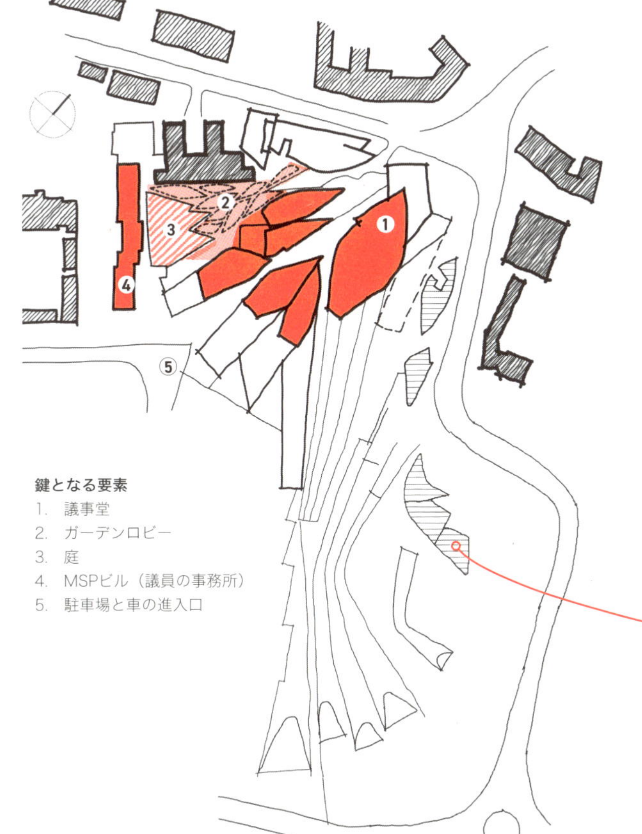

鍵となる要素

1. 議事堂
2. ガーデンロビー
3. 庭
4. MSPビル（議員の事務所）
5. 駐車場と車の進入口

議員会館は、周りの建物と同じようなスケールだ。

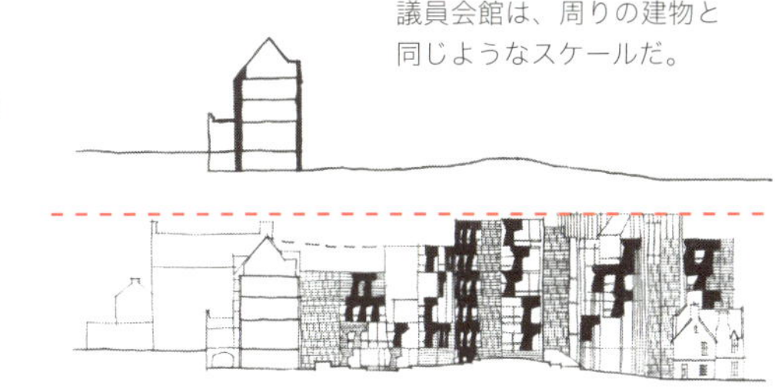

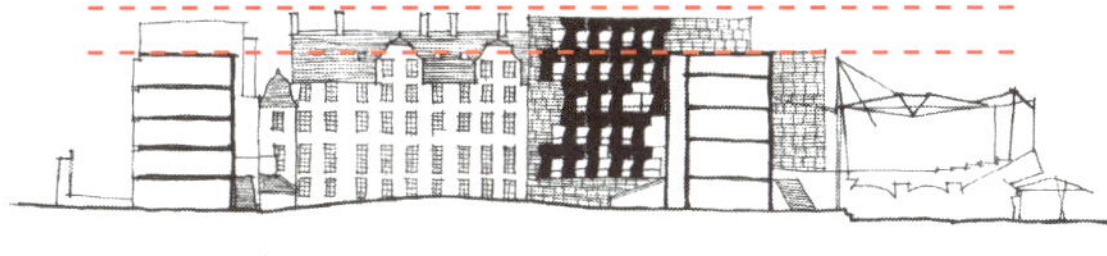

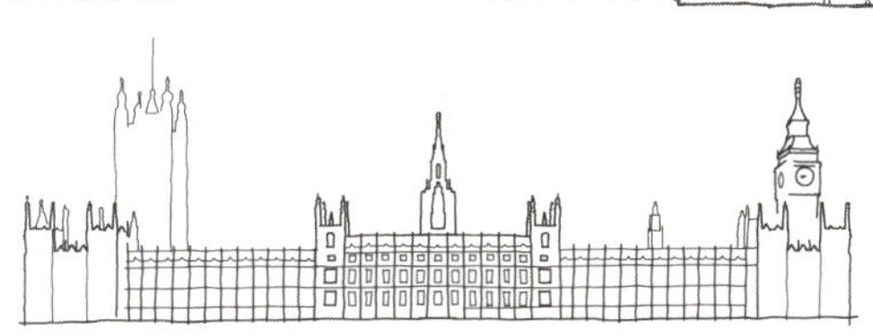

スコットランド議会会館とは対照的に、チャールズ・バリーが設計したロンドンの英国国会議事堂（1870）は、中世のゴシック様式を取り入れている。この様式がイングランドを象徴し、古典主義的な左右対称の平面が、議会の秩序を象徴する。周りの建物の中で、端正な外観が際立っている。

建物の南西には、議事堂や委員会室に似た形の池があり、アーサーの玉座の自然のランドスケープへつながる移動空間になっている。

36 スコットランド議会会館｜1998-2002

EMBT／RMJM

スコットランド、エディンバラ

ガーデンロビーの天井は、建物の外側と同じように複雑な表面をしている。たくさんの窓や天窓から注ぐ光が空間を満たす。一部の天窓では屋根の構造がむき出しになっている。

ロビーの天窓はデザイン・構造どちらも現代的だ。この向こうに見える景色が、長い歴史をもつ街並みと建物を結び付けている。

パーゴラの下にある見学者用の入口は、議事堂の下にあたるホールへ続いている。ホールには案内デスクや椅子があり、スコットランド議会についての常設展示が行われている。コンクリートのヴォールト天井には、スコットランドの国旗に使われている聖アンデレ十字の模様が彫られている。

議事堂からは近くの風景や街並みが見渡せる。スコットランド議会が団結して国を守るように、支柱、梁、繋ぎ梁が組み合わさって屋根を支えている。

クイーンズベリー・ハウス

キャノンゲート・ビル

議員用の入口

メインの階段

事務所部分の天井は、コンクリート製のヴォールト構造。落ち着いて物事を考えることに重きを置く修道院の伝統を表現している。天井の表面には、スコットランドの国旗に使われる聖アンデレ十字（X字型の十字架）を抽象化した模様がちりばめられている。室内の素材は、外観と同じくコンクリート、ガラス、オーク材だ。

椅子は劇場の観客席のように扇形に配置されているので、与党のメンバーと野党のメンバーはどちらも、外の景色が見える同じ方向を向いて座る。演説台は、中立性を象徴するために扇形の中心の延長線上にあり、議会を統治するのではなく調停をする立場であることを象徴するように、最前列の椅子と同じ高さに置かれる。

庭にはスコットランドの原生植物が植えられ、隣にある博物館「ダイナミック・アース」の向こうに見えるアーサーの玉座との視覚的なつながりを生んでいる。

委員会室の天井もヴォールト構造になっていて、照明が吊り下げられている。ずらりと並ぶ2種類の薄型出窓の木製の窓枠が、音響効果を高める。党同士の敵対ではなく融和と協力を表現するために、長方形ではなく楕円形のテーブルが置かれている。

ゆるやかにカーブを描く木製の棒材が外壁と窓を覆う。パーゴラは植物の茎、天窓は葉っぱのような形をしている。

むき出しになった天窓の構造は、ボートの肋材（船の竜骨と組み合わせて船底と両舷を形作る、湾曲した肋骨状の骨組材）や葉っぱの葉脈のようだ。

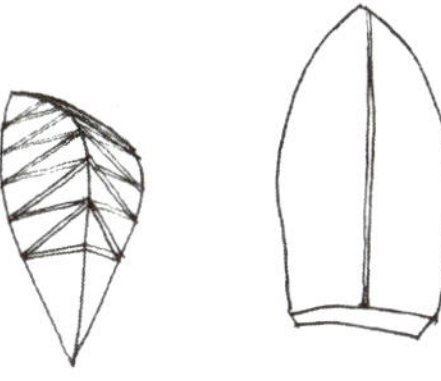

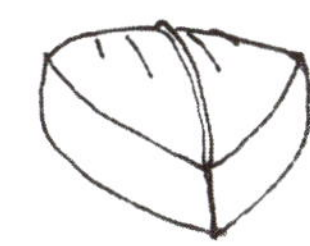

さかさまになったボートのような形は、スコットランドの造船業やマリンレジャーを連想させる。

プレキャストコンクリートに、スコットランド産の石が埋め込まれている。石のないコンクリートもあり、足し算の表現と引き算の表現が相互作用を生む。

壁に並んだ要素が生き生きとした影を作る様子は、エンリック・ミラージェスとカルメ・ピノスが過去に設計したスペインのイグアラダの墓地（1985-94）の壁に似ている。ことなる構成で並ぶ要素がファサードを特徴付け、人々の個性を表現する。

MSPビルにある議員の事務所には彫刻のような出窓があり、ベンチが造り付けられている。有機的な曲線と直線が組み合わされ、素材にはオーク材、コンクリート、ガラスが使われている。出窓は、外壁から押し出されたように突き出ている。木製の棒材がいくつかの窓を部分的に覆っている。

窓際に造り付けられたベンチを室内より見る（右下）。MSPビルのファサードの、出窓が集まっている部分を屋外から見る（右上）。

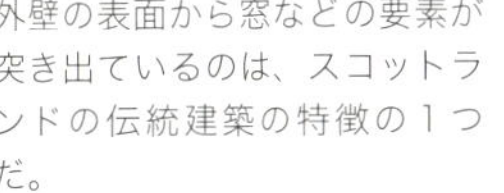

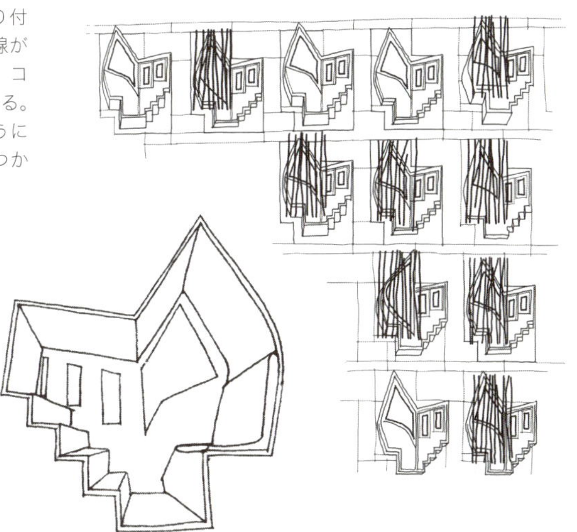

外壁の表面から窓などの要素が突き出ているのは、スコットランドの伝統建築の特徴の1つだ。

わずかにことなるいくつもの出窓が、個性豊かなファサードを作っている。エディンバラの新市街に建つジョージアン様式のように、規則正しいグリッドに沿っているが、より立体的でデコボコしている。並んでいるモチーフが少しずつことなるので、同じ要素を反復せずに一体感を演出し、デザインの基調となるアイデアを強めている。

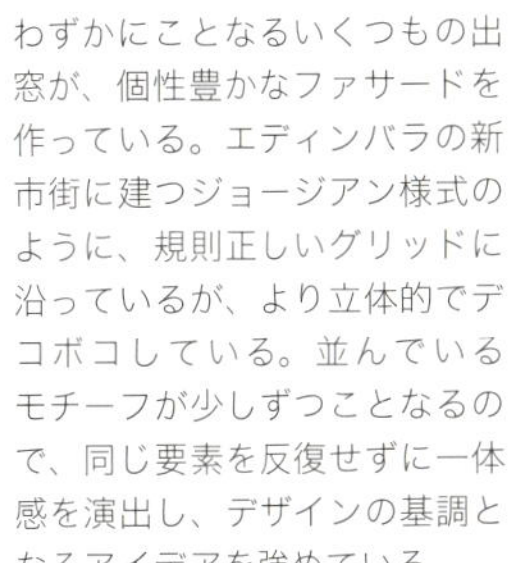

エンリック・ミラージェスの多くのプロジェクトで、コンクリート、金属、木材、ガラスの組み合わせが使われている。さまざまな要素ののコラージュも、彼の一連の作品でよく登場する。

MSPビルの、庭に面したファサードの一部。

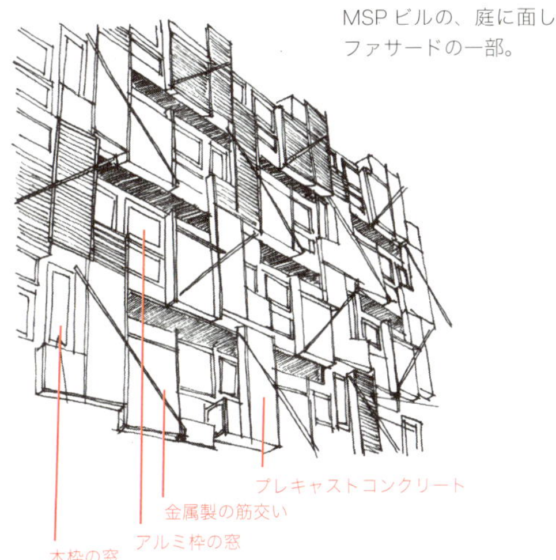

37

横浜港大桟橋国際客船ターミナル | 1995-2002

FOA（ファッシド・ムサヴィ、アレハンドロ・ザエラ・ポロ）
日本、横浜

1995 年に行われた、既存の横浜港大桟橋の再整備事業にともなう客船ターミナルの設計コンペで勝利したのは、ロンドンを拠点とする FOA（フォーリン・オフィス・アーキテクツ）だった。イラン出身のファッシド・ムサヴィと、そのパートナーであるスペイン出身のアレハンドロ・ザエラ・ポロのコンビによるデザインは、極端に奇抜な外観というわけではない。彼らは広々とした海辺の公共スペースを作ってほしいという横浜市のリクエストにもとづき、象徴的な存在感を放つ海の玄関口を提案した。床面に工夫を凝らした構造が、ターミナルに求められる機能のほか、街の延長のような商業機能や市民のための機能を包み込んでいる。

建築の特徴を活かしてスムーズな人の動きを促し、旅客船の乗客の複雑な動線に応えている。こうして生まれたひと続きの曲面からなる構造では、床、壁、屋根の区別はなくなり、従来の建物に見られる、構造と外壁の境目はあいまいになっている。途切れのない、未分化のスロープのような構造が屋外と室内の境界をなくし、広々としたパブリックな広場と室内のプライベートな空間を、一貫性のある 1 つの空間として共存させている。

エレン・ヒョジン・シム、ウィー・ジャック・リー、アミット・スリヴァスタヴァ

37

横浜港大桟橋国際客船ターミナル｜1995-2002

FOA（ファッシド・ムサヴィ、アレハンドロ・ザエラ・ポロ）
日本、横浜

都市コンテクストへの対応

横浜の大桟橋に建つ新しいターミナルは、街の地面の延長のようなデザインで、周りの都市コンテクストと強く結び付く。この計画では、ターミナルの機能と広々とした公共広場を兼ねるように、建物とランドスケープが一体化されている。

横浜港大桟橋国際客船ターミナル
横浜マリンタワー
横浜スタジアム

街の地面を延長するという考え方は、全体のスケールにも、建物のフォルムにも表れている。まず、建物全体が地面につながるようにとても低くなっている。また、波打つような曲面の屋根は、いろいろな使い方ができる柔軟で広々とした公共広場になっている。

街の施設を結ぶ中心軸の端にある桟橋は、視覚的にも物理的にも周りの都市構造と強く結び付いている。

横浜港大桟橋国際客船ターミナル
赤レンガ倉庫
山下公園
横浜スタジアム

背の低い建物が海に突き出ている。屋根は広場になっていて、海の上へ街を延長したように見える。

桟橋は広々とした公共スペースとなり、周りの公園施設の一部になっている。

起伏した屋根が波の上のような雰囲気を演出し、陸と海のつながりを暗示する。

横浜港大桟橋国際客船ターミナル（15メートル）

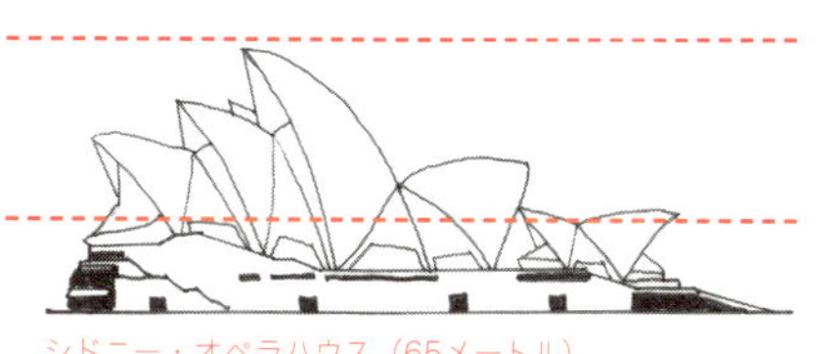

シドニー・オペラハウス（65メートル）

横浜港大桟橋国際客船ターミナルのデザインは、都市コンテクストに対して、海辺に建つほかの建物とはことなる立場をとっている。よく目立つ特徴的な建物ではなく控えめな印象だが、街の玄関口にふさわしい象徴的な存在感を放つ。平らな面を活かして街中（まちなか）の公園の役割を担い、大きな公共スペース作りに貢献している。

プログラムへの対応

デザインには、プログラムに応えるため、そして国内客船や国際客船のターミナルの利用者の複雑な動線を解決するための合理的なアプローチが表れている。これらの課題の解決方法として、まず「一筆書きの動線」が考え出され、これをもとに建物のフォルムが作られた。

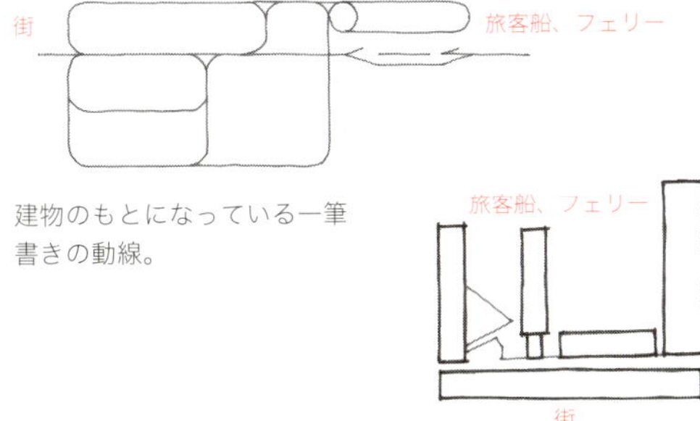

建物のもとになっている一筆書きの動線。

一筆書きの動線のもとになっているのは、桟橋に来た人々が地上へ戻るために来た道を戻らなければならない「行き止まり」を減らすという考え方だ。行き止まりをなくそうと、設計者は桟橋への行きと帰りに迂回路を作り、人々がその途中でさまざまな体験ができるようにしている。

従来のターミナルでは順路や動線が決められているが、このターミナルはそのしくみにとらわれず、一筆書きの動線から、室内のすべてのプログラムがゆるやかにつながる「折板構造(平らな板を組み合わせて構成する構造体)」を作り出し、近所に住む人々や観光客の陸での行動と海での行動をスムーズに結び付けている。

広場の「静」の空間と、たくさんの人々が往来するターミナルの「動」の空間の区別をなくして、人々があらゆる方向へ進める広い空間を生んでいる。このおかげで、すべてのプログラムが流れるようにつながり、人々はひと続きのスロープをベースにした多様な迂回路を通って、その途中でいろいろな体験ができる。また、スロープを設けると階段やエレベーターが少なくてすむので、移動しやすい。

空間から空間への移動をスムーズにするために、一般的な床面を押し広げたり引っ張ったりして、多様な機能を隣り合わせに配置している。面を折り曲げ、枝分かれさせて、へこんだ部分を屋上庭園やパブリックな広場にしている。壁で覆われた別のへこみは、船の発着施設や店舗が納められている。床面やプログラム要素は途切れることなくつながり、機能同士を融合させている。人々がターミナル全体を歩き回ると、このようなつながりがだんだんと明らかになる。

あらゆる方向へ進めるひと続きの空間に迂回路が作られ、人々はさまざまな体験ができる。

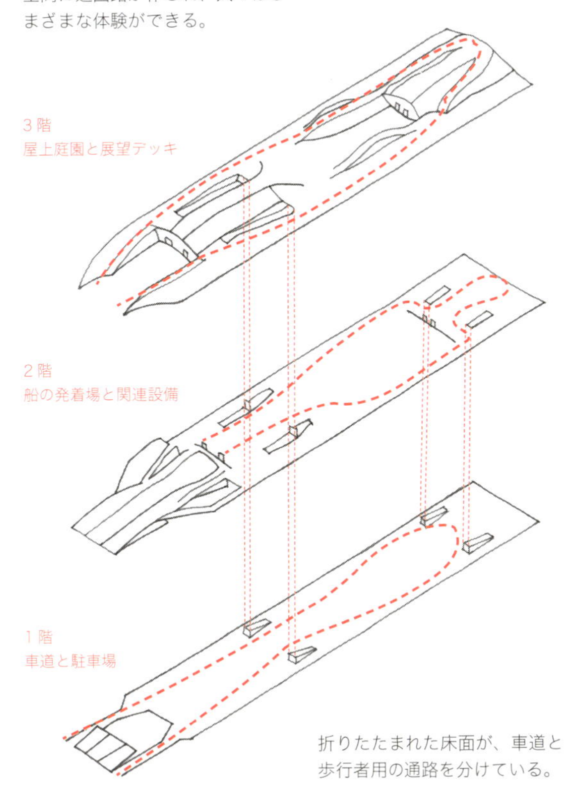

折りたたまれた床面が、車道と歩行者用の通路を分けている。

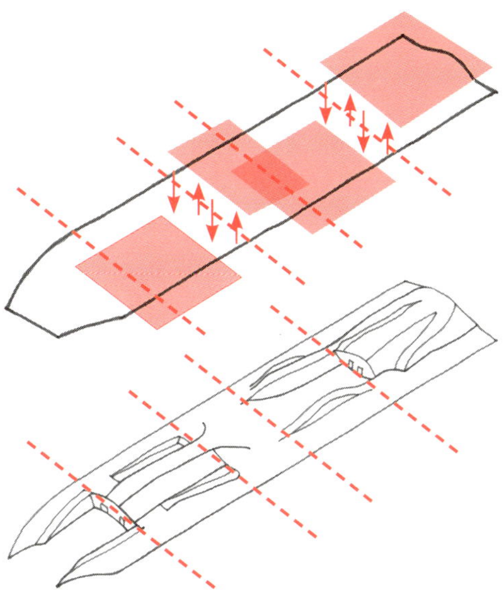

縦方向に、床が押し広げられたり引っ張られたりして、さまざまな左右対称の空間が作られている。

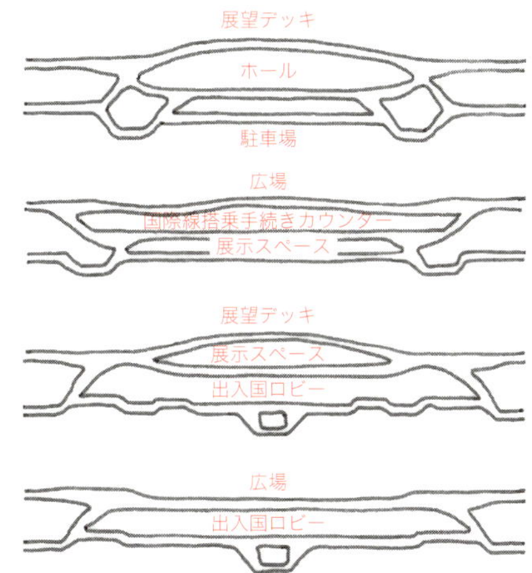

37 横浜港大桟橋国際客船ターミナル｜1995-2002

FOA（ファッシド・ムサヴィ、アレハンドロ・ザエラ・ポロ）

日本、横浜

樹形図を使った空間の考え方

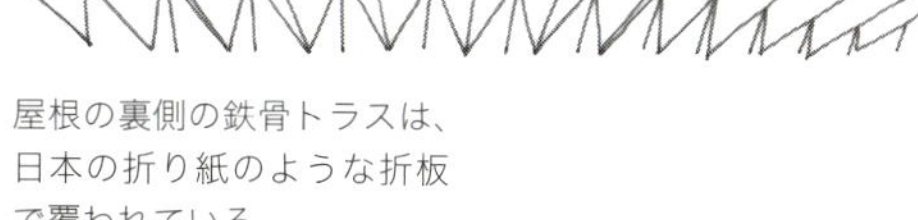

屋根の裏側の鉄骨トラスは、日本の折り紙のような折板で覆われている。

折板の折り目が強度を高める。

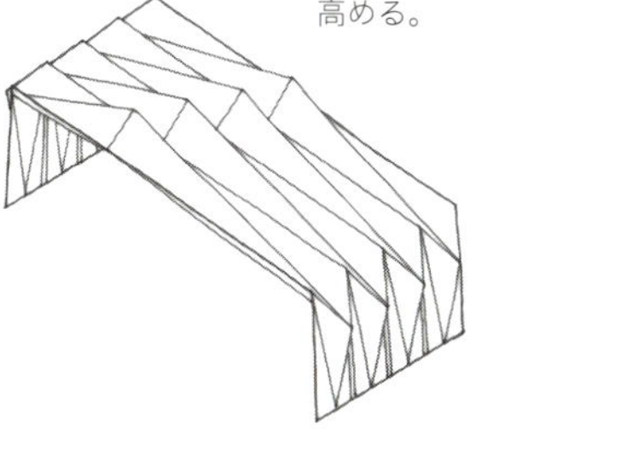

折板の斜めの面が地震の横力を吸収する。地震が多い日本に適した構造だ。

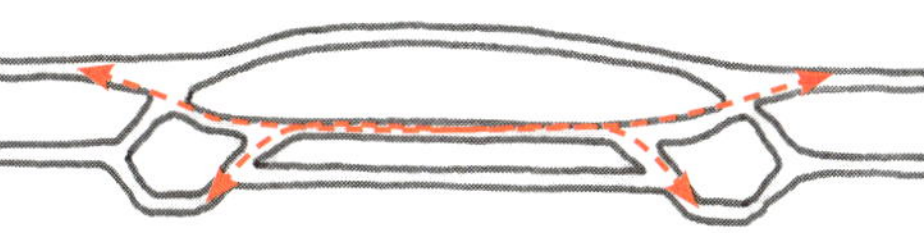

建築プロジェクトが進む段階で、「平面」は多様化し、徐々に形を変えていく。このターミナルの構造や全体のフォルムは、そのような平面の進化の過程で生まれた新しいタイプとみなすことができる。設計者は、平面の表現に対するタイポロジーのアプローチをもとに樹形図を描き、これをベースにして平面に変更を加えたり、新しいものを試したりした。樹形図は、生物の進化の過程やグループ同士の系統発生上の関係を示すために、生物学の分野でよく使われるが、建築の学問分野の中で、アイデアがどのように発展してきたかという流れを図示する手段にもなる。新しいタイプの建築を生み出そうとするとき、この図を見れば、あらゆる過去のプロジェクトを参考にしてテクニックのヒントを得られる。こうして、1つあるいは複数の過去のパターンをもとに新しい建物が作られ、これまでの系譜との関係性が生まれる。

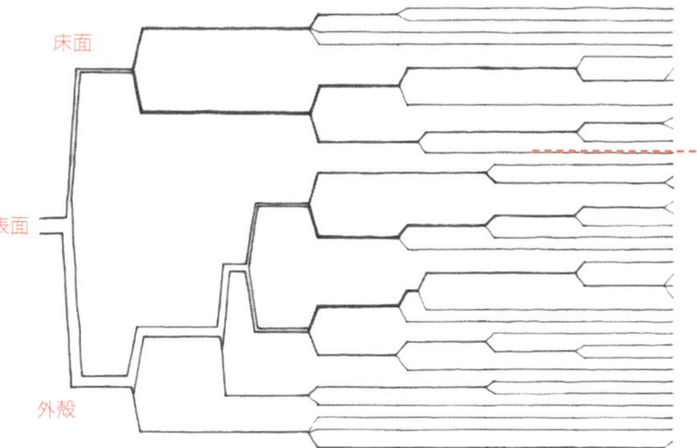

新しい建物を作るときには、外殻と床面の表現に使われる技術をもとに樹形図を描いて、ほかのプロジェクトの考え方を応用し、掛け合わせる。横浜港大桟橋国際客船ターミナルでは、折板に鉄骨トラスをわたした外壁と、折り曲げたコンクリート桁を使った床面が組み合わされている。さらに、メビウスの輪をヒントにした床面で、床、壁、屋根の境目があいまいになっている。複数の要素を掛け合わせた新タイプの建物では、構造と外壁との区別がなくなり、未分化のボリュームが生まれている。

メビウスの輪をヒントにした床面は、床、壁、屋根がゆるやかにつながり、あらゆる方向に延びるひと続きの平面を作る。

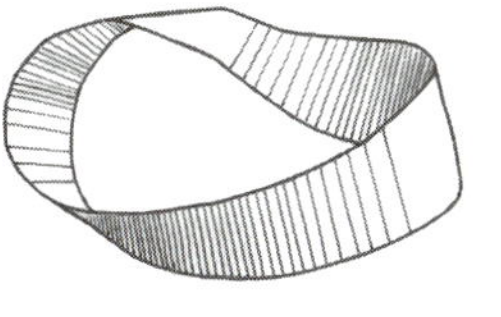

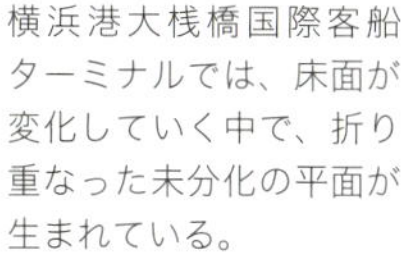

横浜港大桟橋国際客船ターミナルでは、床面が変化していく中で、折り重なった未分化の平面が生まれている。

床面が上へ延びて室内のボリュームを包み込み、床、壁、天井の区別をなくし、さらに室内の空間と屋外の空間をひと続きにしている。

利用者への対応

幾重にも重なる折板構造が、近くに住む人々や観光客を楽しませる。屋上には段差が設けられ、平らな広場のようなスペースがいくつも作られている。また、人々の視界から隠れたプライベートな空間もある。このように屋上に作られたさまざまな空間へ人々が引き寄せられ、広場で遊んだり建物の形を楽しんだりできる。控えめな色合いの木材パネルが、波打つような平面の特徴を強めている。

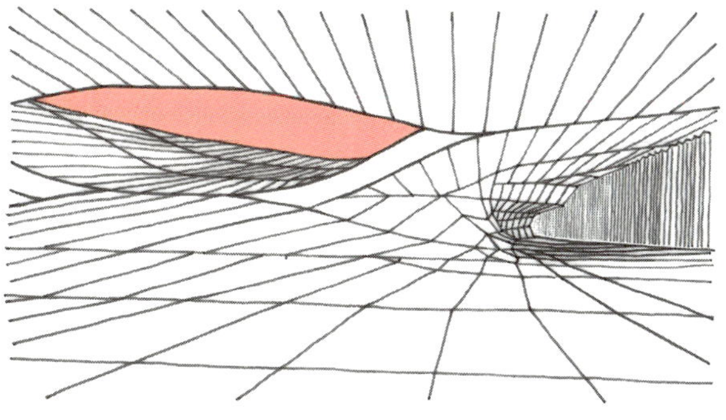

起伏した屋根の下や屋上に、さまざまな空間が生まれている。

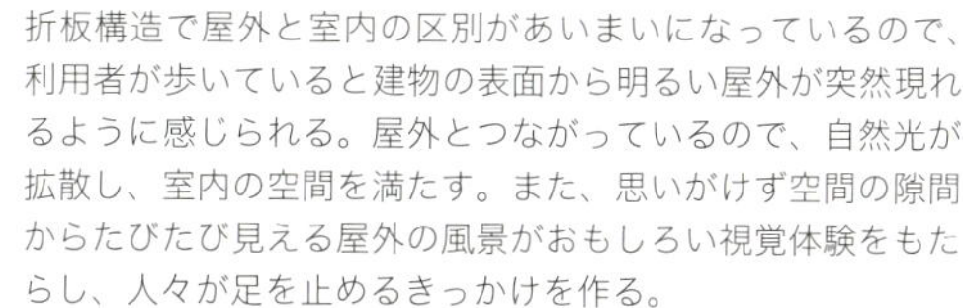

折板構造で屋外と室内の区別があいまいになっているので、利用者が歩いていると建物の表面から明るい屋外が突然現れるように感じられる。屋外とつながっているので、自然光が拡散し、室内の空間を満たす。また、思いがけず空間の隙間からたびたび見える屋外の風景がおもしろい視覚体験をもたらし、人々が足を止めるきっかけを作る。

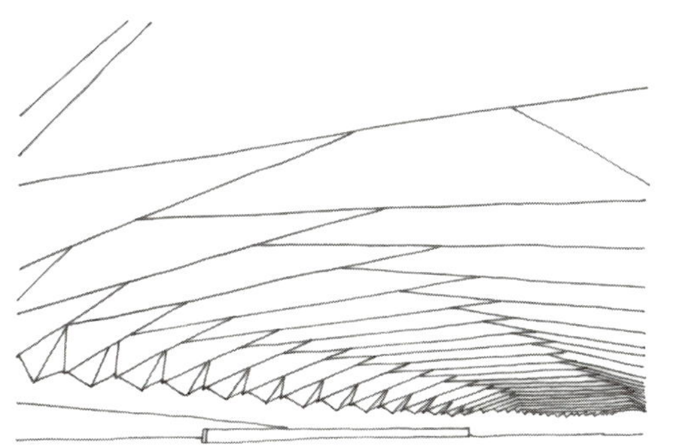

複雑な屋根のフォルムが、折板構造から生まれる大きな無柱空間にも影響を与えている。屋根の起伏に応じて天井に多様な折り目ができ、目を引くおもしろい模様を描いているのだ。このような構造を通じて、建物の縦方向が強調され、多様な空間が次々と現れる、左右対称なひと続きのボリュームを作っている。この多様性のおかげで、利用者は陸から海へ、あるいは海から陸へ歩いていくと、1つの空間が閉じ、また次の空間が開けるという体験を味わえる。

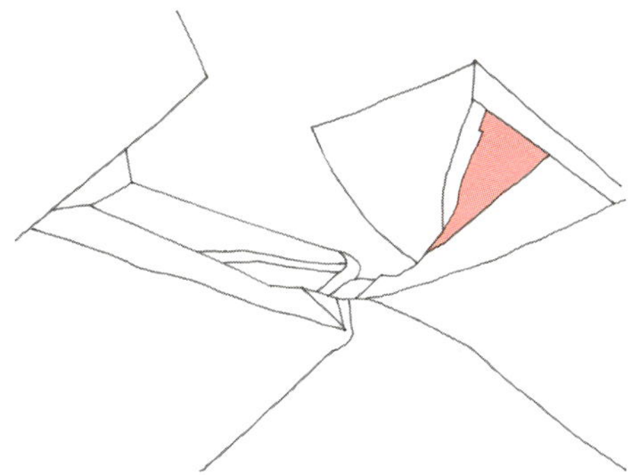

折板が作る通路の景観。屋外へつながる開口部から日光が差し込む。

38

フォートワース現代美術館｜1996-2002

安藤忠雄建築研究所

アメリカ、テキサス、フォートワース

日本人建築家である安藤忠雄が、アメリカ・テキサスのフォートワース現代美術館の設計で参考にしたのは、隣接するキンベル美術館と日本の文化だった。この美術館では、安藤の他作品と同じように、空間構成の中で光と水が重要な役割を担っている。太い柱の独特の使い方や、平らなコンクリート屋根には、打ち放しコンクリートの表現力に対する彼の探究心が表れている。また、作品のいたるところでガラスの透明感や反射性が活かされている。

安藤が国際設計コンペでの優勝を経て設計したこの美術館は、彼にとってアメリカで最初の大規模な作品であり、日本国外でもっとも大きなプロジェクトだ。シンプルな構造と完成度の高い造形が表現され、透明なガラスによって視覚的な豊かさがさらに強められている。

セレン・モーコック、ティム・ハストウェル、フイ・ワン、アリソン・ラッドフォード

38 フォートワース現代美術館｜1996-2002

安藤忠雄建築研究所
アメリカ、テキサス、フォートワース

コンテクスト

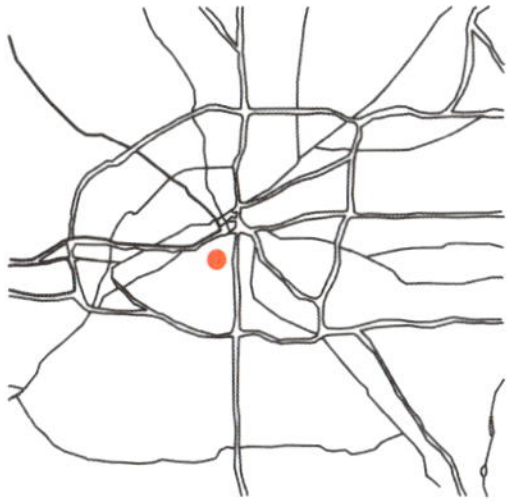

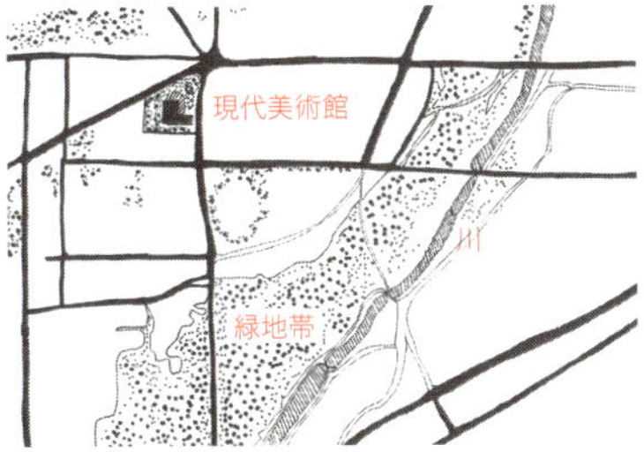

この現代美術館は、フォートワースの文化施設が集まる地域の真ん中に建っている。近くにはルイス・カーンが設計したキンベル美術館（1972）やフィリップ・ジョンソンが設計したアモン・カーター美術館（1962）がある。水盤や植栽を通して、近くの川沿いの緑地帯もデザインに取り込まれている。

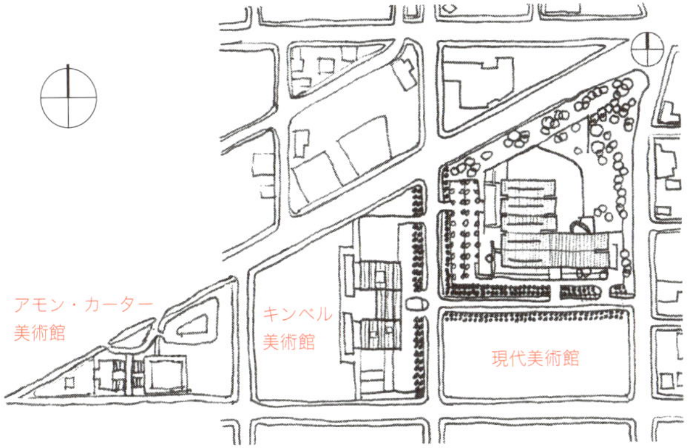

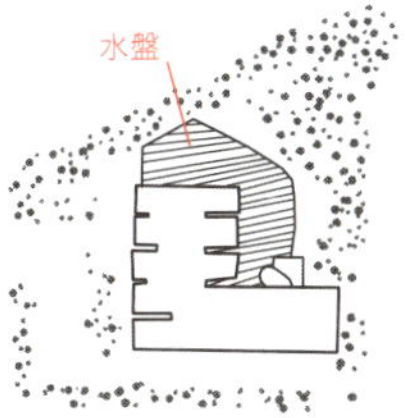

敷地図　敷地の近くに走る高速道路は、交通量が多く騒々しい。植栽などのランドスケープが緩衝地帯となり、建物を守っている。

ランドスケープと水

敷地の周りの平坦なランドスケープに合わせて、屋根は地面とまっすぐ平行になるように平らになっている。大きな水盤に反射した光が、2フロア分の吹き抜けになっている移動空間へ差し込み、ゆらめく水面の模様が壁に映る。

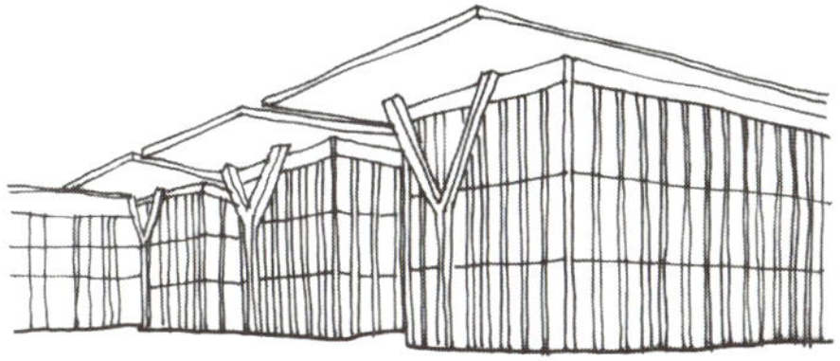

騒音や車の排気ガスを防ぐために、敷地の外周にコンクリート壁が設けられている。

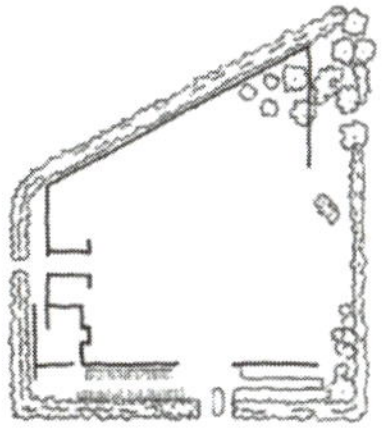

交通量の多い道路に面した2つの側には木がたくさん植えられ、道路の騒音や車の排気ガスから建物を守る壁の役割を果たす。

南　たった1つのエントランスが南側に設けられている。

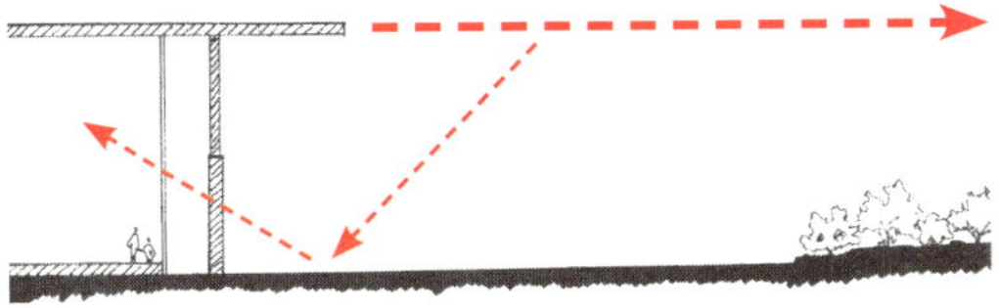

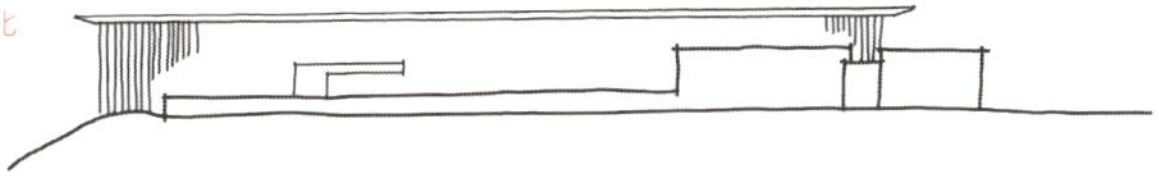

北

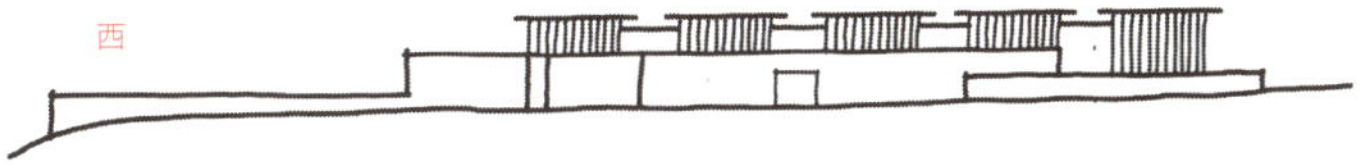

西　西側はキンベル美術館の方を向いているが、搬入口とコンクリート壁で視線が遮られている。

東

敷地を囲う盛り土が壁の効果を高める。木はフレームのように景色を切り取る役割もある。

動線

このエリアにあるほとんどの建物と同じように現代美術館も2階建てだ。美術館全体で入口は1つしかない。2フロアにわたる長方形のボリュームの大部分を展示室が占め、来館者はこの展示室を進んでいく。従業員用の空間は平面の外縁にある。

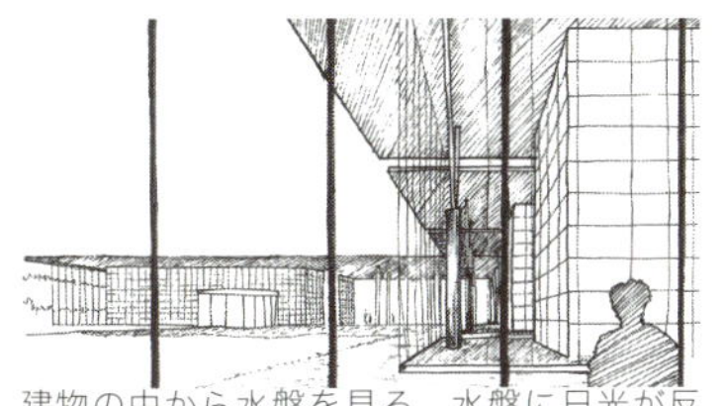

建物の中から水盤を見る。水盤に日光が反射するので、室内や建物の周りがより明るく感じられる。

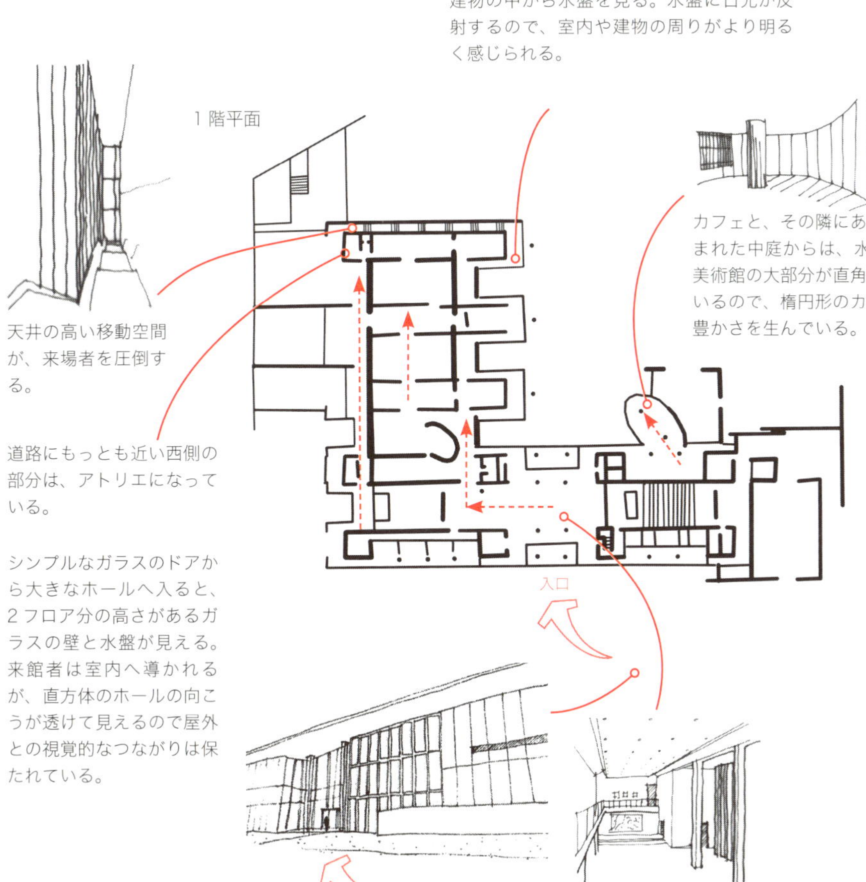

天井の高い移動空間が、来場者を圧倒する。

道路にもっとも近い西側の部分は、アトリエになっている。

シンプルなガラスのドアから大きなホールへ入ると、2フロア分の高さがあるガラスの壁と水盤が見える。来館者は室内へ導かれるが、直方体のホールの向こうが透けて見えるので屋外との視覚的なつながりは保たれている。

カフェと、その隣にあるコンクリート壁で囲まれた中庭からは、水盤と展示室が見える。美術館の大部分が直角に交わる直線でできているので、楕円形のカフェの曲線が視覚的な豊かさを生んでいる。

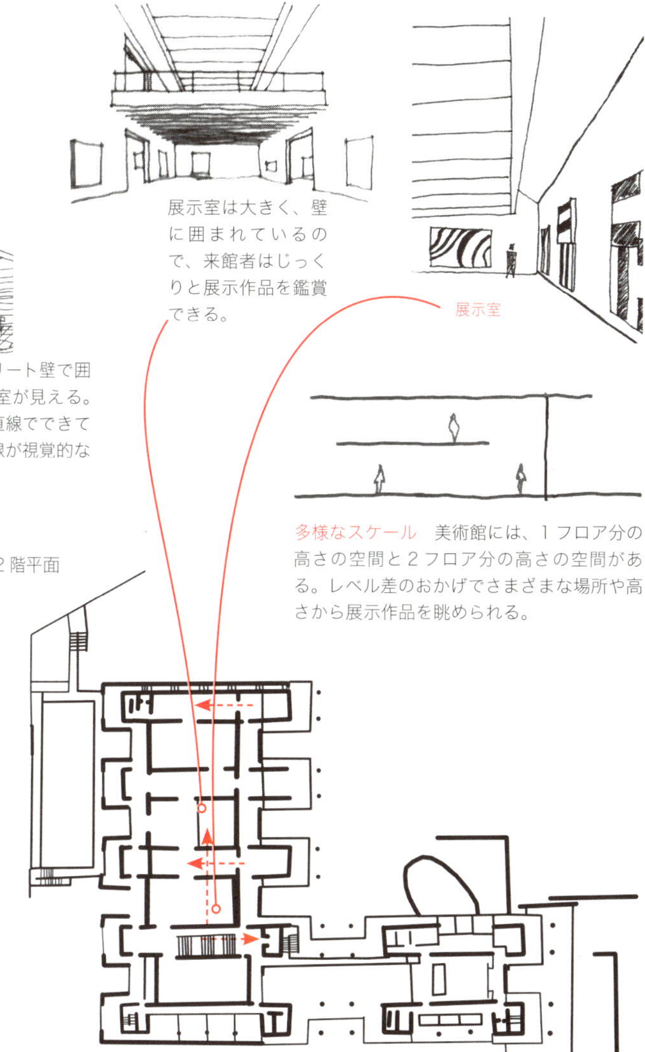

展示室は大きく、壁に囲まれているので、来館者はじっくりと展示作品を鑑賞できる。

多様なスケール　美術館には、1フロア分の高さの空間と2フロア分の高さの空間がある。レベル差のおかげでさまざまな場所や高さから展示作品を眺められる。

38

フォートワース現代美術館｜1996-2002

安藤忠雄建築研究所

アメリカ、テキサス、フォートワース

形状の成り立ち

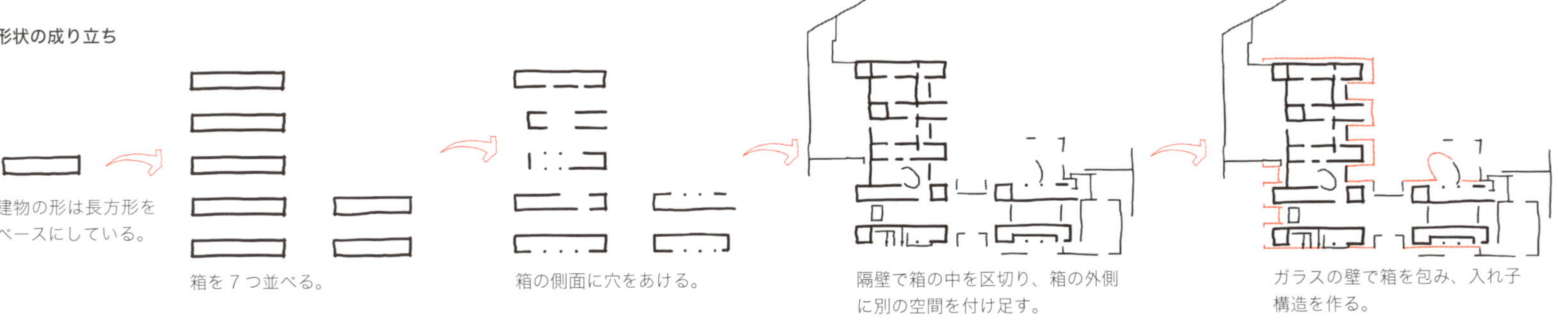

建物の形は長方形をベースにしている。

箱を７つ並べる。

箱の側面に穴をあける。

隔壁で箱の中を区切り、箱の外側に別の空間を付け足す。

ガラスの壁で箱を包み、入れ子構造を作る。

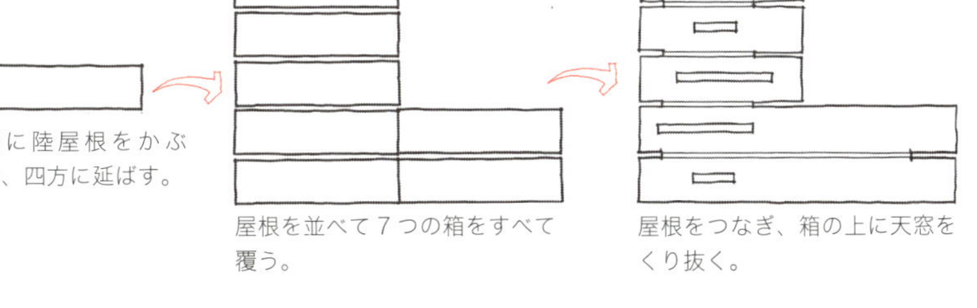

箱に陸屋根をかぶせ、四方に延ばす。

屋根を並べて７つの箱をすべて覆う。

屋根をつなぎ、箱の上に天窓をくり抜く。

シンプルな形　この美術館は、シンプル幾何学図形が組み合わさって作られている。それぞれの図形は、主にコンクリート、アルミニウム、ガラスなどのいろいろな素材ではっきりと区別されている。際立ったシンプルさゆえに技量や素材が引き立つ。巨大なＹ字の柱は２つの部分で構成される。まずＶ字の部分を作り、Ｉ字の柱となめらかにつなぎ合わせて、１つの部材のように見せている。

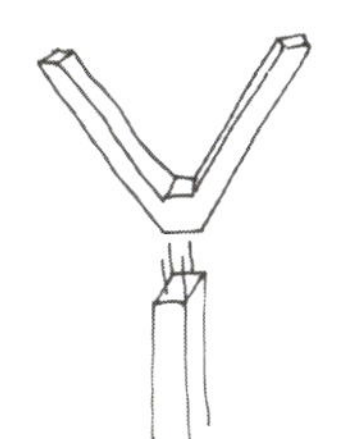

前例

安藤は建築家人生において、アメリカの建築家ルイス・カーンの作品から絶えず大きな影響を受けてきた。カーンが設計したキンベル美術館にならって、安藤の現代美術館では長方形の平面にもとづく細長いボリュームが並ぶデザインが採用された。しかし一方で、現代美術館はカーンの建築に背を向けるように建ち、機械設備や駐車場はキンベル美術館側に納められている。

キンベル美術館の基本デザインであるヴォールト天井が描く半円は、安藤のデザインでは長方形へ応用されている。どちらも２次元の基本図形を押し出すようにして、建物の基本となるボリュームを作り、この基本のボリュームを並べて美術館全体が作られている。

日本の文化

日本で生まれ育った安藤の建築には、自国の文化が深く影響している。この美術館にも日本の文化や伝統建築からの引用がいくつも見られる。

縁側　展示室の外側のガラスの壁に囲まれた狭い通路は、縁側を思わせる。縁側とは、建物の外側に設けられる、壁で囲まれていないベランダのような空間を指す。

兵庫県立美術館　デザインは、安藤の過去の作品である兵庫県立美術館（神戸、2002）とも共通しているようだ。ガラス張りの大きなパビリオンの上に浮かぶようなコンクリートの屋根には、その特徴がもっともよく表れている。

形状の効果

重い素材と軽い素材　安藤のデザインでは、重い素材と軽い素材が絶妙な均衡を保っている。すべての立面で、軽やかなガラスの壁にどっしりとしたコンクリートの屋根が置かれている。このような構造は、Y字型の柱とあいまって、光を反射する水盤の上に屋根が浮かんでいるように見せる。

力強さ　平らなコンクリート屋根を支えるY字型のコンクリート柱が、建物の力強さと圧倒的な大きさを印象付け、ガラスや水などの儚さを感じさせる要素とバランスをとっている。

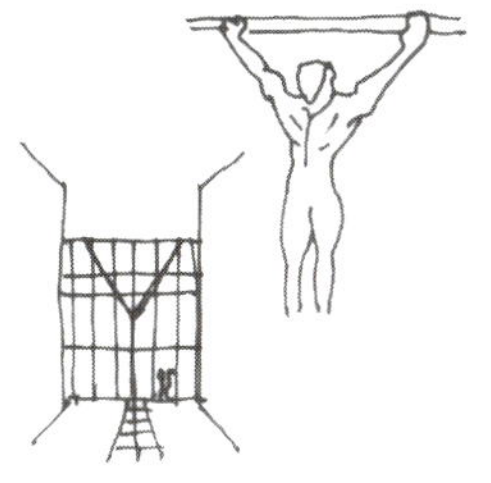

光の使い方

安藤のデザインでは太陽の光が大事な要素だ。反射した光が作品にダメージを与えることなく展示室の中に差し込み、来館者の鑑賞体験を豊かにする役割を果たしている。

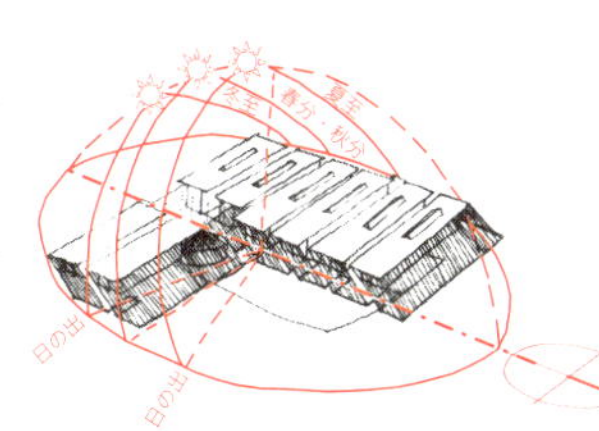

日本の灯篭

夜になると、日本の伝統的な灯篭のように、建物内の照明の光が水盤に反射する。

対称性と繰り返し　全体のデザインの中で、近い位置にある要素同士は左右対称に並び、平面や立面では同じ要素が繰り返されている。建物全体で、素材、構造要素、形状の繰り返しが見られる。

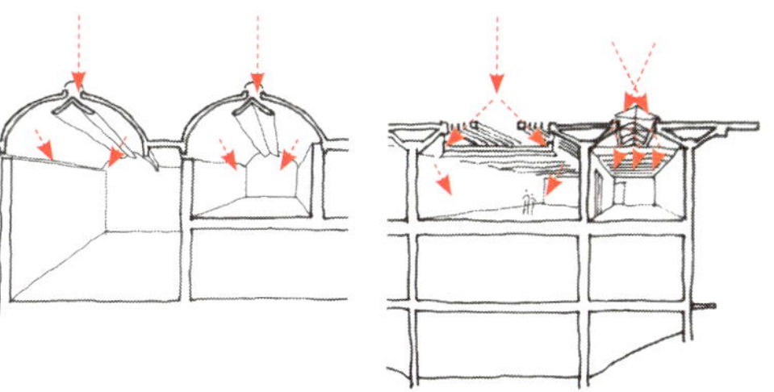

キンベル美術館と現代美術館では、展示室内への光の取り込み方が似ている。断面の輪郭が似ているのはこの光の取り込み方に由来していて、どちらも天窓から取り入れた光を反射させて室内を照らしている。さらに現代美術館では、可動式のルーバーが取り付けられ、一部の天井が透明になっている。

透明感　窓のない展示室の内壁が与える閉塞感と、通路を覆う外壁の透明感が、明らかなコントラストを描いている。晴れた日には、窓のマリオンやY字の柱が、エントランスホールの床や通路にくっきりとした影を映す。

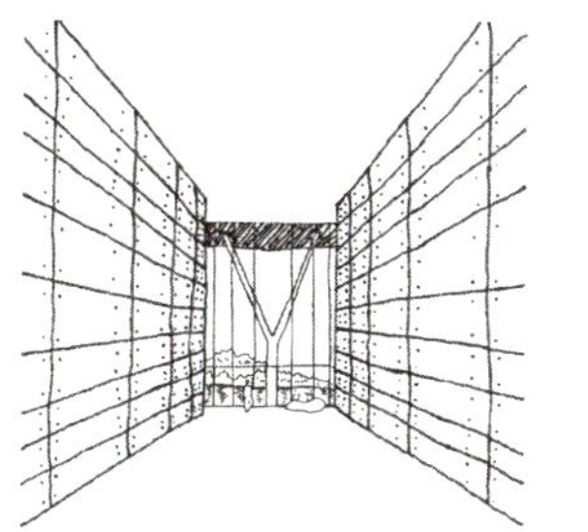

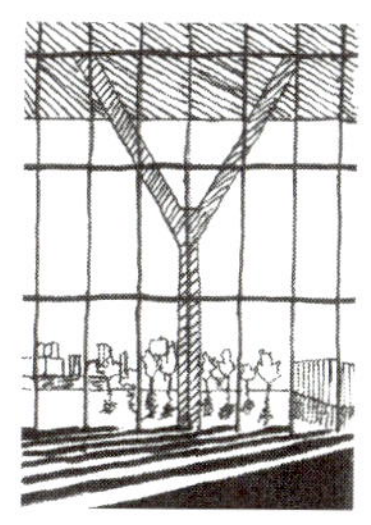

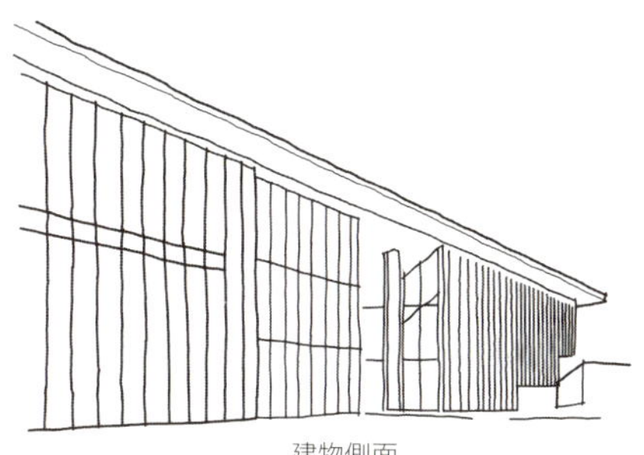

建物側面

39

クンストハウス・グラーツ | 2000-03

スペースラボ・クック-フルニエ／ARGEクンストハウス

オーストリア、グラーツ

クンストハウスは、オーストリアの第2の都市グラーツに建つ、現代美術作品を期間限定で展示する美術館だ。設計したロンドン出身の建築家ピーター・クックとコリン・フルニエが「フレンドリーなエイリアン」と呼ぶこの美術館は、旧市街に堂々と建ち、そのコンテクストを尊重しながらも独特の存在感を放っている。1960年代に活躍した建築家集団アーキグラムの根源的な考え方や、近年の設計では盛んに使われるデジタルモデリング（3Dで立体物を起こし形成すること）の技術が用いられている。

この前衛的な建物は、「ブロブ(P153参照)」と呼ばれる。つまり、ふにゃふにゃの生き物という意味だ。この生き物はおとなしくて行儀がよいが、かなりインパクトがある。クンストハウス・グラーツは、その形や街の文化的中心という役割から、心臓にたとえられることもあれば、宇宙船やフレンドリーなエイリアンという愛称で親しまれることもある。

ラクラン・ノックス、アントニー・ラッドフォード、ダグラス・リム・ミン・フイ

39 クンストハウス・グラーツ｜2000-03

スペースラボ・クック-フルニエ／ARGEクンストハウス
オーストリア、グラーツ

都市コンテクスト

さまざまな建築様式が共存し、中世から19世紀までの芸術運動の歴史が残されているグラーツの旧市街は、ユネスコの世界文化遺産に登録されている。建物同士の関係がもたらす一体感が街全体に表れている。

統一感のあるほかの建物に混じって建つクンストハウスは、都市の景観に豊かな表情を与えている。生き物のような形やつるつるした素材が周りの建物と好対照をなす。もし同じような形の建物ばかりが建ち並んでいたとしたら、これほどの魅力は生まれなかっただろう。

クンストハウスは、伝統的な建物と川に挟まれた敷地に、体をねじ込むようにして建っている。

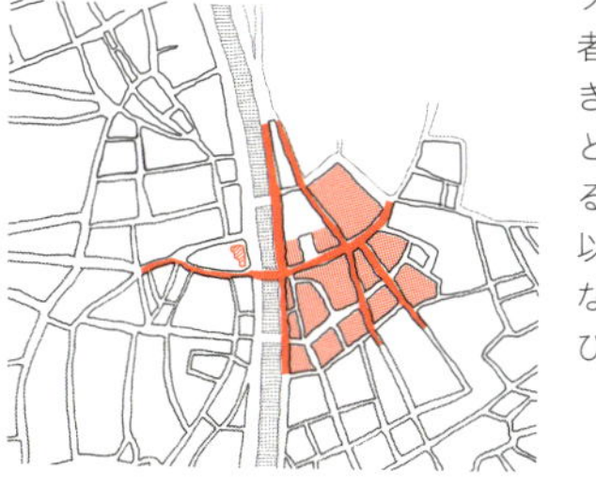

クンストハウスは広い歩行者専用道路からアクセスできる。現代を象徴する建物として、人気の観光地である川の右岸の旧市街から、以前はあまり開発されていなかった左岸側へ人々を呼び込んでいる。

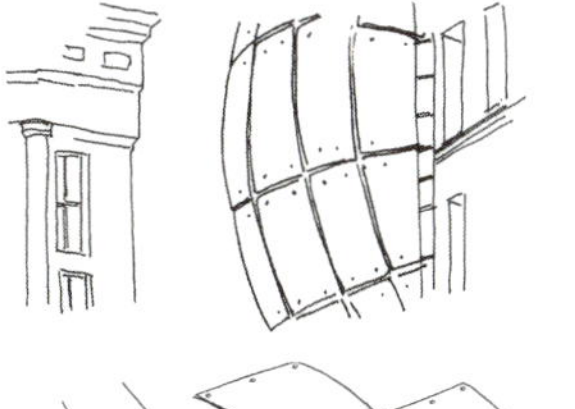

周りの建物は粘土レンガや粘土タイルを積み重ねて作られているが、クンストハウスの外壁は、成形されたプレキシグラスがボルトでスチールフレームに留められている。

ムール川の対岸から見ると、へんてこな生き物が木々の間にひそんでいるようだ。

「ブロブ」と呼ばれる生き物のような形の建物が、周辺の古い建物の角をふんわりと取り囲むように建っている。

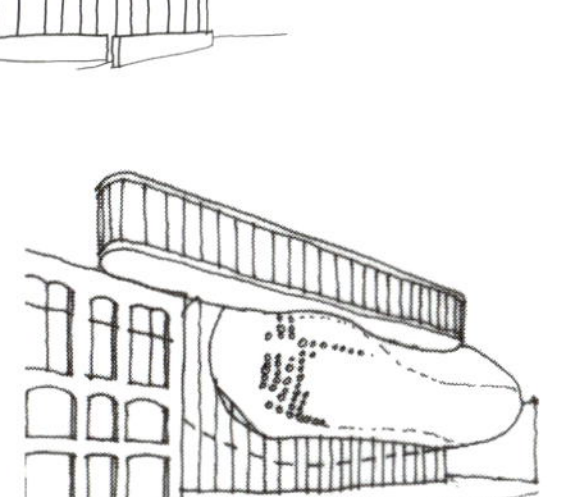

グラーツ出身の建築家ヨゼフ・ベネディクト・ヴィットヘルムが設計し、1847年に完成した、アイザーネ・ハウス（鉄の家）と呼ばれる鋳鉄構造の建物が、ブロブにつながっている。アイザーネ・ハウスの直線的な形が、道路との視覚的なつながりを保っている。

デザイン要素

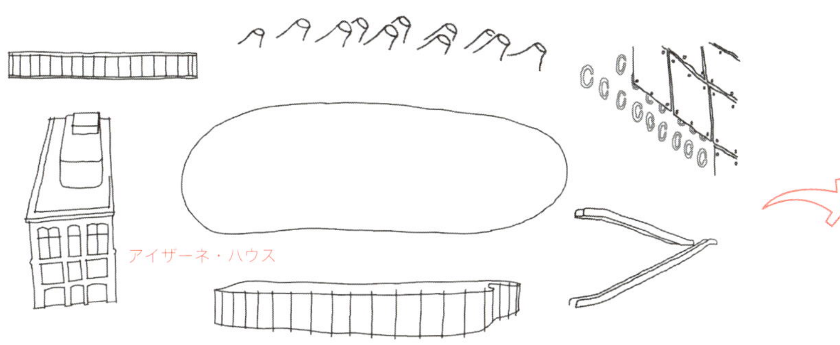

アイザーネ・ハウス　19世紀に建てられた直線的な建物には、壁で隔てられた部屋やごく普通の窓が設けられている。施設全体の中で、クンストハウスのカーブや空間のつながりを際立たせる、重要な役割を果たしている。

ブロブ　建物の大部分を「ブロブ」が占める。コンピューターの画面上での模型や3Dプリント模型を使った、デジタルモデリングで設計されている。ブロブは、生き物や、グラーツに降り立った宇宙船にたとえられる。

ブロブのお腹　ブロブのお腹にあたる建物の下の部分には、壁に囲まれた空間がある。天井は下に向かって凸状に膨らみ、バケツに置いたゴム風船を下から眺めたような形をしている。

針　ガラスで覆われた片持ちの廊下が、ブロブに刺さるように設けられている。後に「針」と呼ばれるようになったこの廊下は、旧市街を見下ろす展望台の役割を果たす。ブロブを生き物にたとえるなら、この部分は目にあたる。川沿いに並ぶ隣の建物の高さに合わせて設計されている。

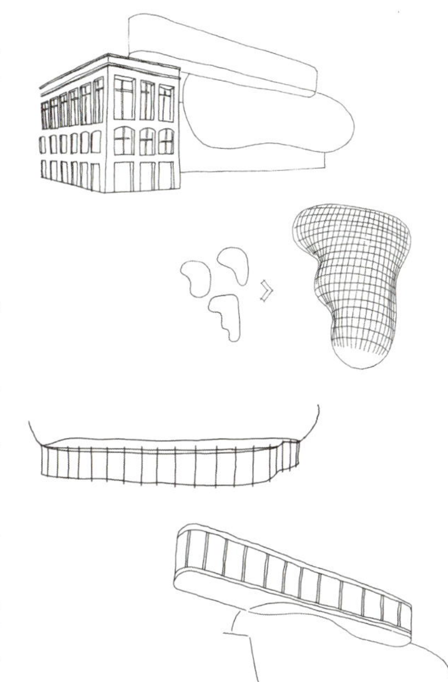

ノズル　ブロブの上面には15のノズルが飛び出し、宇宙人のような外観を作っている。このノズルから2階の展示室に自然光が差し込む。

エスカレーター　ブロブの中の2本の長いエスカレーターがメインの3フロアをつなぐ。

電光掲示板を兼ねるファサード　ブロブの外壁の大部分は、電光掲示板のスクリーンを兼ねる。半透明な外壁の100ミリ内側に、930個の環形蛍光灯が取り付けられている。建物の内部に取り込まれている蛍光灯は、1つずつ明るさや点灯時間を調節でき、低解像度の静止画や動画を表示できる。

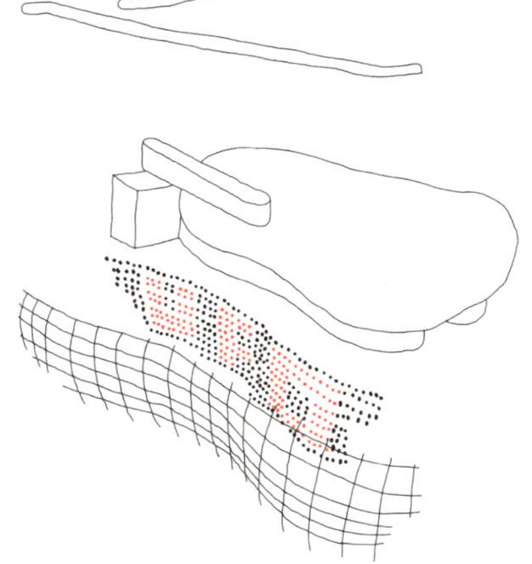

間取り

1 階

アイザーネ・ハウスから延びる連絡通路を通り、クンストハウスに入ると、ブロブのお腹にあたる大きなロビーへ辿りつく。ロビーの片側には、付属設備や階段を納めたコアの、カーブした白い壁がせり出している。コアはブロブを縦に貫いている。もう片側では、穴がたくさんあいたスチールフレームがロビーを囲い、その間に床から天井まで届くガラスが張られている。エスカレーターが2階の展示室へ続く。

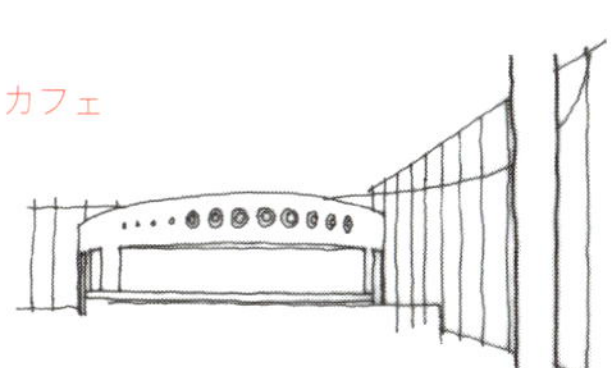

カフェ

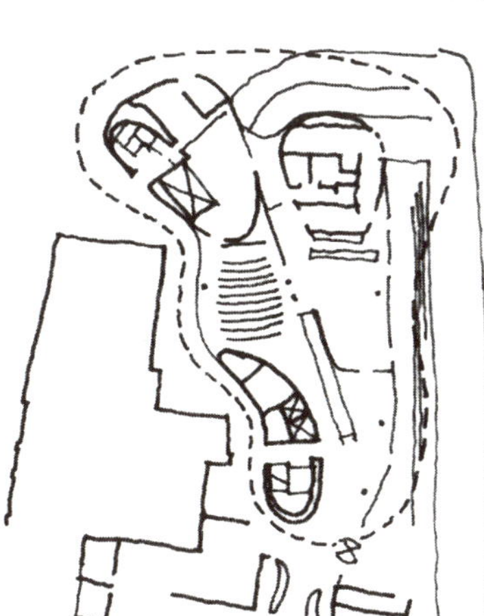

既存のアイザーネ・ハウスから延びる歩行者通路を通って、クンストハウスに辿りつく。

2 階

コンクリートの床スラブに挟まれている2階は、硬くひんやりとした印象だ。空間を自由に変えられる展示室の機能があり、ずらりと並んだ蛍光灯に照らされている。

後ろを振り返ると、最上階のブロブの先端へ延びる、2つめのエスカレーターがある。

1 階ロビー

3 階

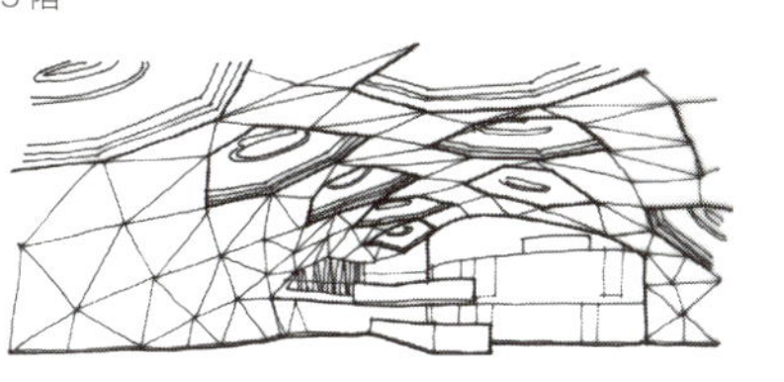

天井が低く、蛍光灯で照らされている2階と違い、3階は天井が高く、自然光が降り注いでいる。一方で、ノズルのある天井は濃いグレーに塗られているので、室内には暗い部分と明るい部分が混在している。

アイザーネ・ハウスのエスカレーターをのぼると、「針」と呼ばれる、床から天井までのガラスで覆われた狭い通路がある。このきわめて現代的な展望台からは、まるで展示作品のような旧市街の風景が眺められる。

ノズルはほぼ北東を向いているが、ブロブの幅が広くなっている方のコーナーには、1つだけ東を向いているノズルがある。そこから望遠鏡をのぞくと、グラーツの伝統的なランドマークである時計台が、まるで展示されている芸術作品のように見える。

「針」の展望台の両端は、ブロブとは接していない。

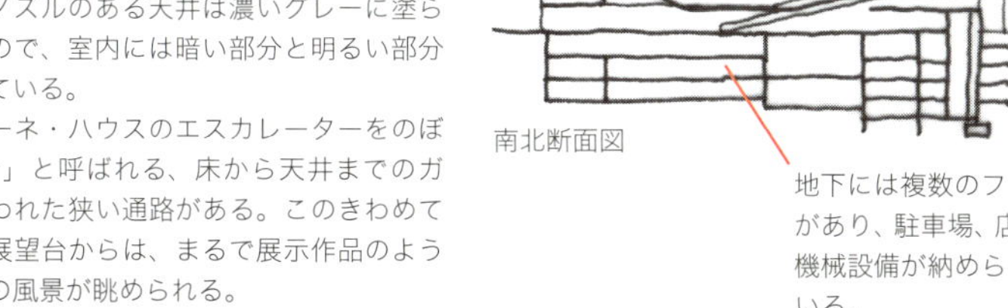

ブロブのお腹には小さな「隠し部屋」がある。

地下には複数のフロアがあり、駐車場、店舗、機械設備が納められている。

南北断面図

建設のプロセス

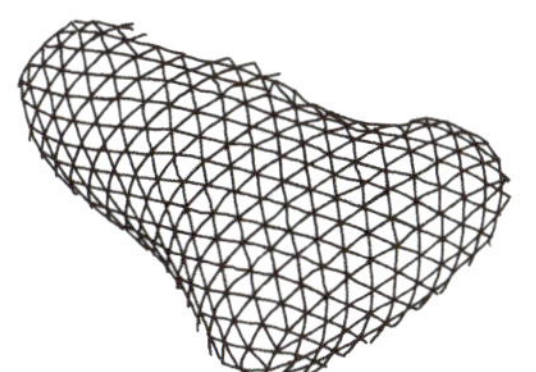

三角形のスチールグリッドからなる立体骨組が、ブロブの生き物のような形を作っている。この自立する立体骨組のおかげで、3 階の展示室では、屋根の長さと同じ縦 60 メートルに及ぶ無柱空間が実現されている。

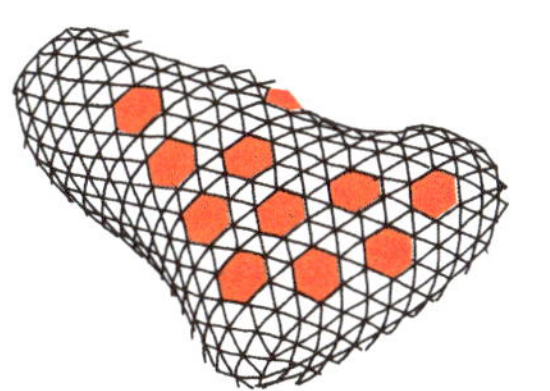

立体骨組に、ノズルを通す六角形の穴をあける。

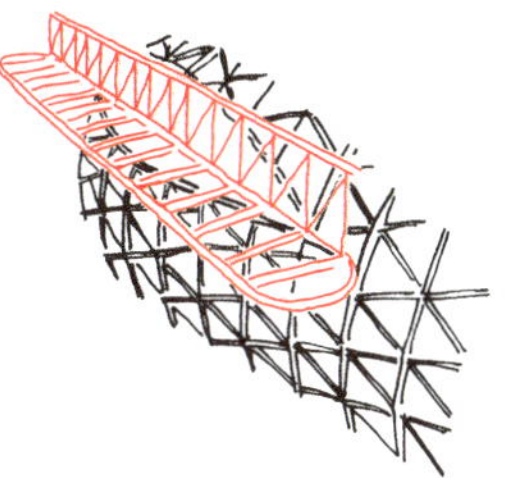

「針」の軽いスチールフレームが、アイザーネ・ハウスの上にせり出すように立体骨組へ取り付けられている。

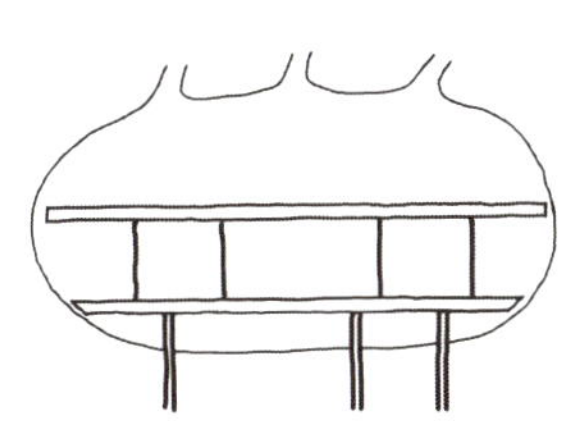

2 つのテーブルが重なるように、鉄筋コンクリートの柱が鉄筋コンクリートの床を支えている。柱は上のテーブルの方が細く、たくさん使われている。

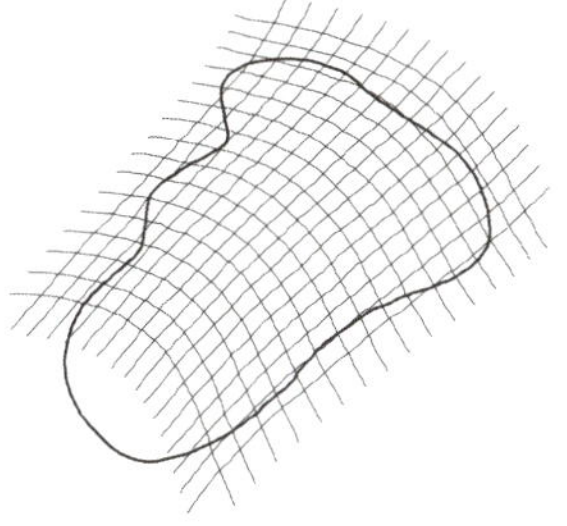

外殻のパネルを貼るために、3D のデジタルモデリングを使って、ブロブを 2D のグリッドで覆う。

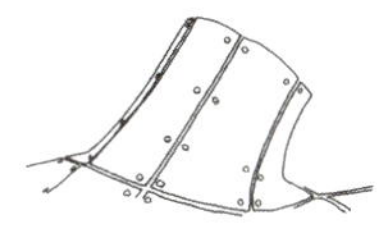

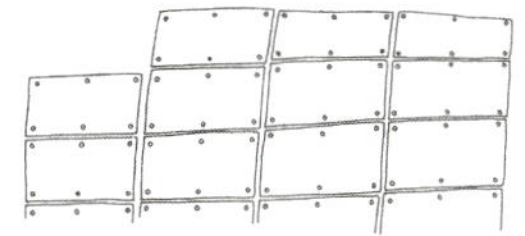

1 枚ずつ成形された青色のプレキシグラス（1931 年ドイツのローム&ハース社が開発したアクリル樹脂。ガラスの半分の重さで強度は 17 倍ある）が、両方向に曲げられている。防火規定にもとづいて難燃材料も使われている。

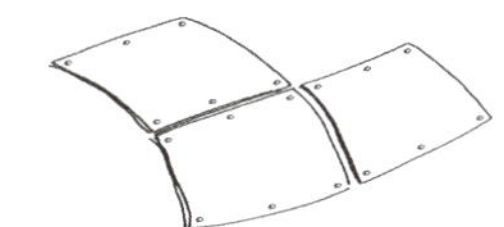

それぞれのパネルは 2 メートル × 3 メートルで、クモのような形の留め具で 6 か所を固定されている。柔らかい封止剤がパネルの熱膨張を吸収する。

気候への対応

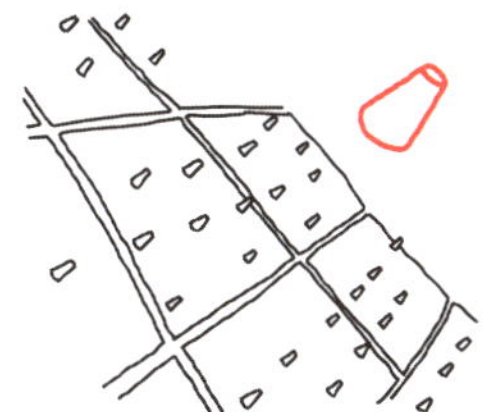

ノズルから自然光が届くが、ノズルは北を向いているので直射日光は入らない。プレキシグラスのパネルが紫外線をブロックする。1 階南側はガラス張りだが、その上にせり出すブロブと近くに生える木々が十分な日陰を作る。グラーツは冬にたくさんの雪が降るので、ブロブの屋根の表面にアクリルの突起を取り付け、ブロブから雪が落ちないようにしている。雪のかたまりが落ちて通行人にあたるのを防ぐほか、断熱効果もある。

アーキグラム

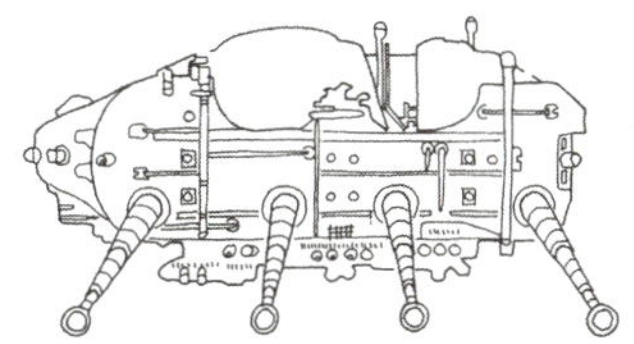

アーキグラムは、1961 年から 1974 年に活動したロンドンの前衛建築家集団だ。彼らは、大衆文化から影響を受けつつ、科学技術が発達した未来像を遊び心あふれる表現で描いた。ピーター・クックは、そのメンバーの 1 人だった。クックは、移動可能な最先端の都市が熱気球に運ばれてさびれた街に現れる「インスタント・シティ（1969）」を提案した。もしクンストハウスのブロブに足が生えたら、メンバーの 1 人であるロン・ヘロンが描いた「ウォーキング・シティ」の通りになっていたかもしれない。

40

リンクト・ハイブリッド | 2003-09
スティーブン・ホール・アーキテクツ
中国、北京

アメリカ人建築家のスティーブン・ホールが設計したリンクト・ハイブリッドは、北京の市街地の中心部にある複合型集合住宅だ。北京の人口密度の高まりや商業の発展を受けて、公共・商業施設や住宅を兼ねつつ、都市に対して開かれるこのハイブリッドな建物は、中国の伝統的な都市開発の手法にとらわれない、未来に向けた都市開発モデルでもある。

「ハイブリッド」という名前は、このプロジェクトの目的が、ほかの複合型集合住宅とはことなることを意味している。一般にほかの集合住宅は、「ソーシャル・コンデンサー（階級差のない空間を目指す、ロシア構成主義の建築理論）」と呼ばれ、多様な人々のグループが同じ空間内に等しく住むことを目指している。社会工学の実験場であるソーシャル・コンデンサーで、私的な生活と共同生活のバランスを取ろうとすると、住人たちの意見がまとまらず、全員へ平等な利潤をもたらすことができない。その結果、共用スペースは誰のものかという問題を引き起こしてしまうことがある。一方、リンクト・ハイブリッドは、プライベート、あるいはパブリックなプログラム上の多様なニーズを通して、商業の発達にともなう「自由市場」へ対応して、補完的な機能同士がダイナミックな関係性を築くことができるのだ。

ウィン・キン・イム、アミット・スリヴァスタヴァ、ウェン・ヤー、マルグリット・テレーズ・バートロ

都市コンテクストへの対応

1980年代以降、北京では急速な都市化にともない集合住宅が必要不可欠になった。これまでにも集合住宅と商業施設が1つになった施設が建てられていたが、その結果生まれたソーシャル・コンデンサーでは、住宅棟がほかの商業施設などから孤立していた。リンクト・ハイブリッドには環状の連絡通路があり、さらに住宅棟の中にパブリックな空間が作られているので、建物全体が都市構造に溶け込んでいる。今後の開発は、プライベートな住宅棟とパブリックな空間を共存させたまま、この商業的／公共的な環状連絡通路に沿って進められる。

敷地は二環路（北京市郊外を通る環状道路）沿いにあり、北京の再開発地区の一部を占めている。

要素がバラバラに配置された街　これまでの集合住宅は、プライベートな機能の配置にまとまりがなく、孤立したエアポケットや建物群が生まれていた。

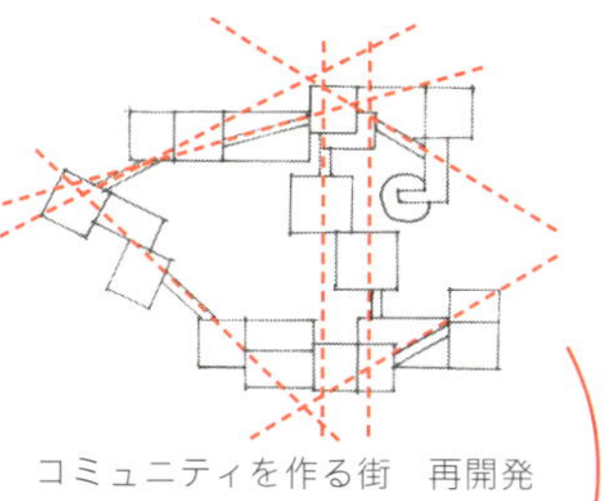

コミュニティを作る街　再開発が目指しているのは、バラバラに配置されていた建物をつなぎ、互いに関わり合うコミュニティを作ることだ。

再開発前の敷地。

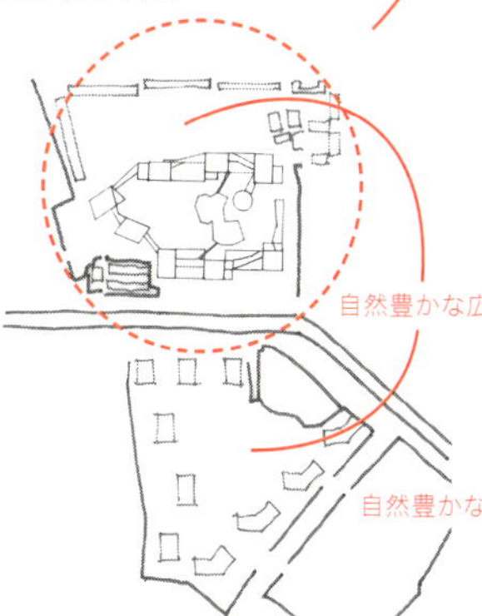

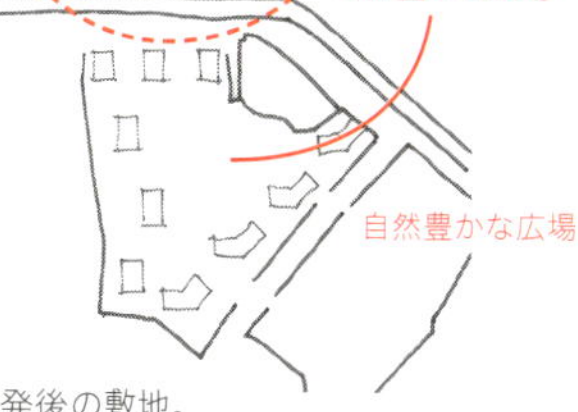

再開発後の敷地。

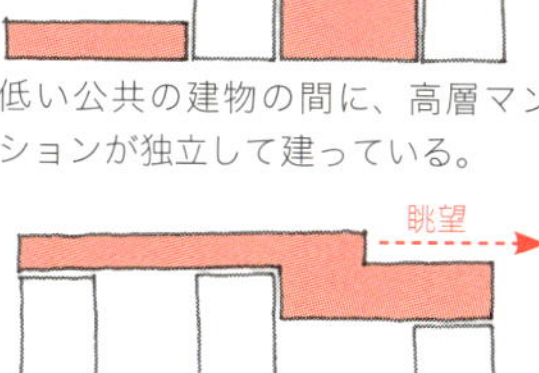

低い公共の建物の間に、高層マンションが独立して建っている。

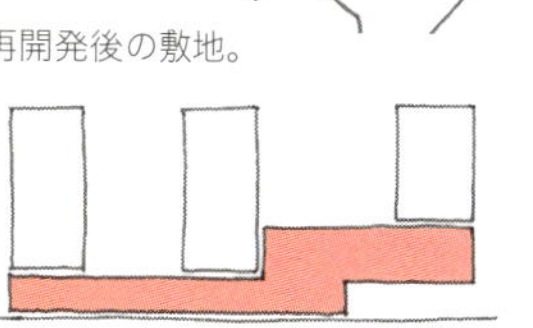

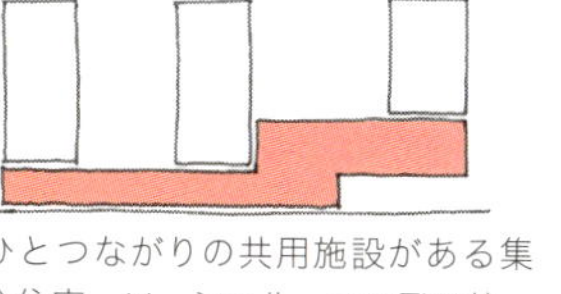

ひとつながりの共用施設がある集合住宅。ソーシャル・コンデンサーの一例だ。

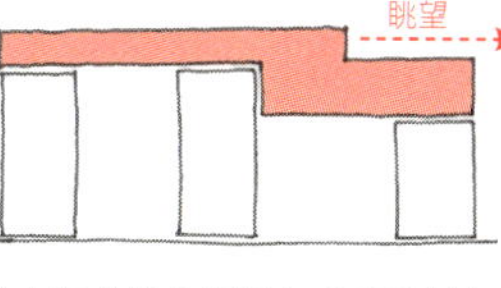

屋上に公共の庭園などを設けた上下逆のソーシャル・コンデンサー。

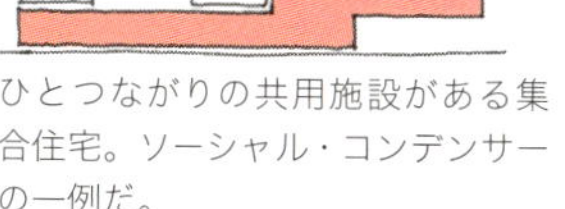

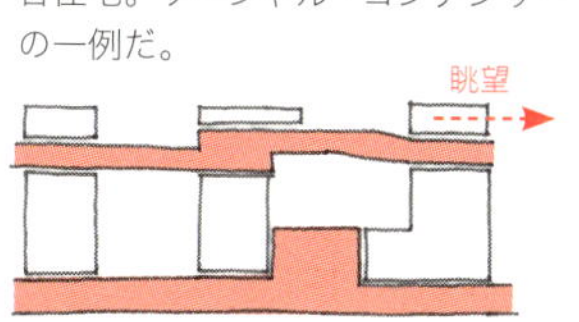

リンクト・ハイブリッドでは、公共の環状連絡通路が居住棟を貫く。

広場と建物

丘が造園され、幅広い世代の住人のための緑あふれる広場になっている。

低層の建物をたくさん経てる代わりに建物を高層にすると、その周りの土地に、緑あふれる広場をたくさん設けられる。リンクト・ハイブリッドは、敷地の中に5つのレクリエーション広場が作られ、それぞれ子どもの丘、青年の丘、ミドルエイジの丘、オールドエイジの丘、長寿の丘と名前が付いている。

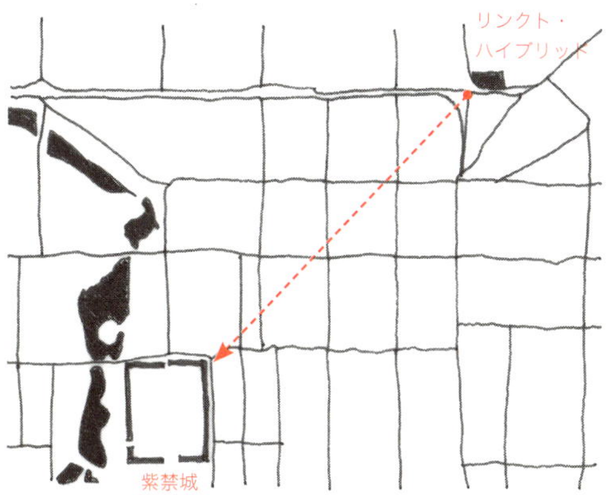

リンクト・ハイブリッドの上階にある共用施設から視界を遮るものはなく、紫禁城の中央にある前三殿の眺めを楽しめる。

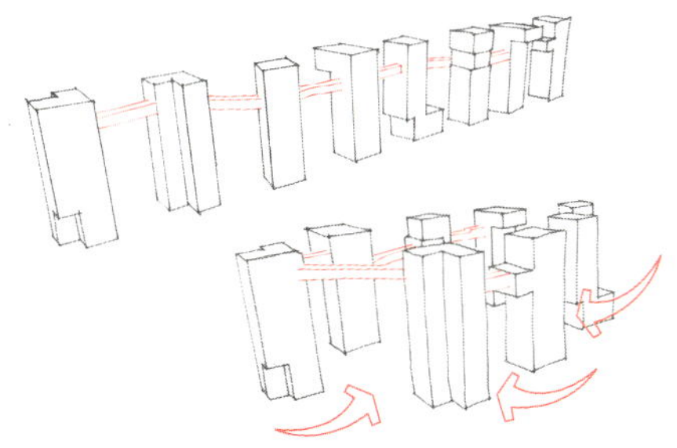

連絡通路は一直線に並んだ建物をつないでいるのではなく、輪を描くように配された建物を結んでいるので、その真ん中に、北京の伝統的な家屋・四合院の中庭のような空間が生まれる。

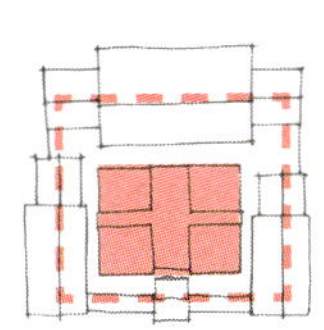

真ん中の空間には、映画館やホテルなどのパブリックな建物が建つ。映画館の屋上は庭園になっている。

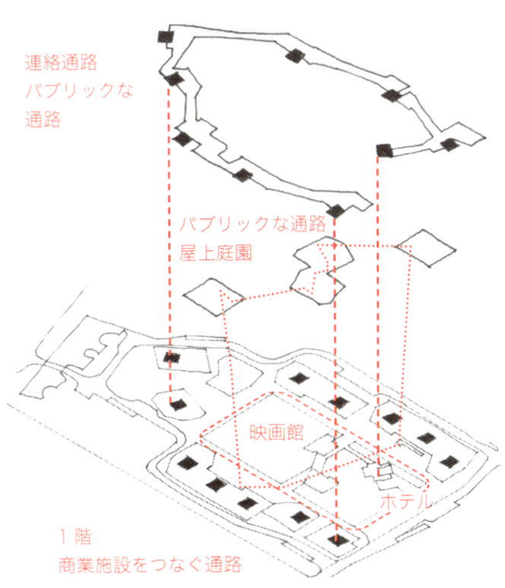

プログラムへの対応

リンクト・ハイブリッドでは、デザインを通して、その名の通りたくさんのプライベートな機能とパブリックな機能が掛け合わされるように共存している。居住棟は、中央の映画館を囲むように並んでいる。映画館はパブリックな空間の中で方向を知るための目印になり、街並みとの視覚的なつながりを生んでいる。棟の 12 階を結ぶ環状連絡通路が、その途中にあるパブリックな空間と居住棟をより強く結び付け、人々の交流を促している。

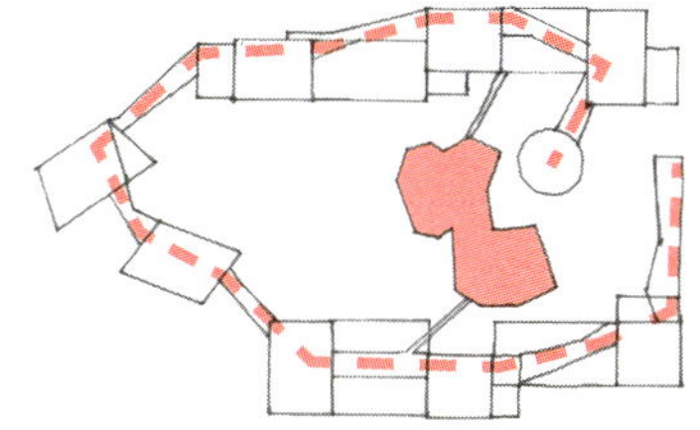

映画館の屋上にある庭園では、さまざまな交流が生まれる。

輪を描くように棟が建っているので、1 階と 12 階にある商業施設やパブリックな機能の間に強い結び付きが生まれる。垂直な棟を横に結び、直線の多い単調な外観に変化を付けている。複数の動線のネットワークが、映画館の屋上の庭園へ人々を導く。居住棟からはさまざまな機能をもつ中央のパブリックな庭が見え、同時に庭からも居住棟が見えるので、庭で交流する人々の意識がプライベートな空間に向けられ、コミュニティの一体感がより強く感じられる。

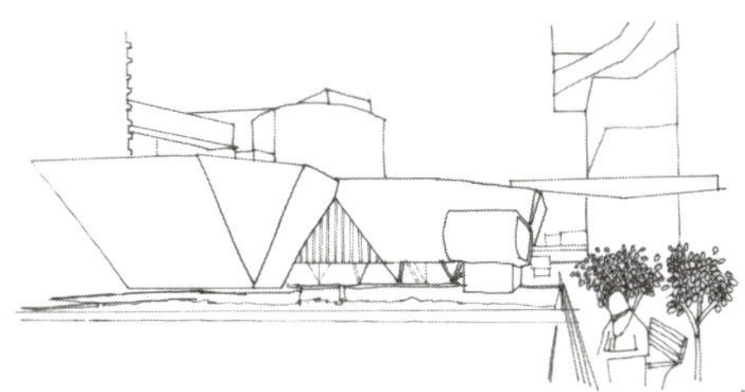

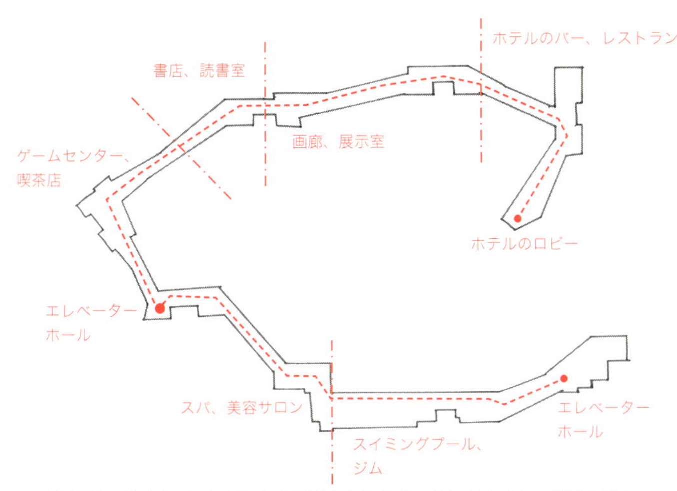

連絡通路の途中には、ホテルの宿泊客のためのバーやレストラン、共用のジム、店舗などのパブリックな機能がたくさんある。パブリックな機能のほとんどをブリッジ部分に配置し、居住棟には、人の出入りが少ない補助機能を納めるなど、住人のプライバシーに配慮した設計になっている。

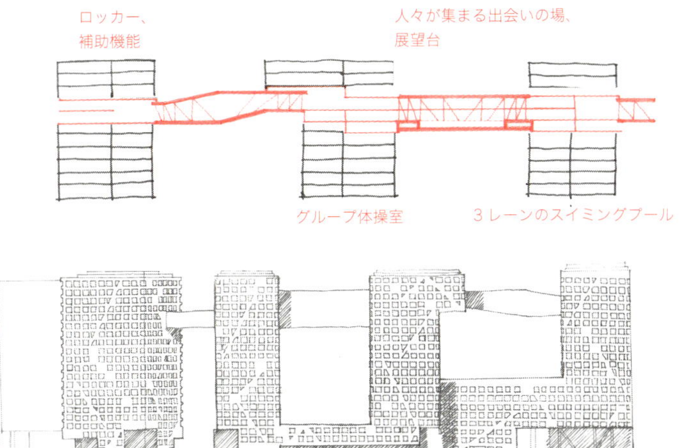

輪になって踊る人々のような形

輪を描くような棟の配置には、実用面のメリットがあるほか、コミュニティの中の人々の強い結び付きを表現したいという設計者の強い願いが表れている。シンプルな長方形の棟の群れは、独立した棟が環状連絡通路でつながっているだけにも見えるが、隣り合う棟同士が関わり合い、形や向きを通して影響を与え合っている。

相互に影響を与え合う関係を模索しようと、スティーブン・ホールがデザインの初期に描いたスケッチでは、人々が手をつないで踊っているような形の建物が表現されている。

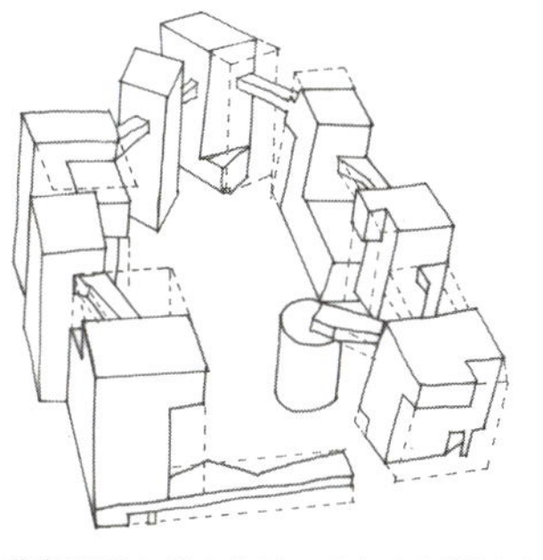

幾何学的な形の棟は、それぞれ隣接する棟に合わせて調整されている。

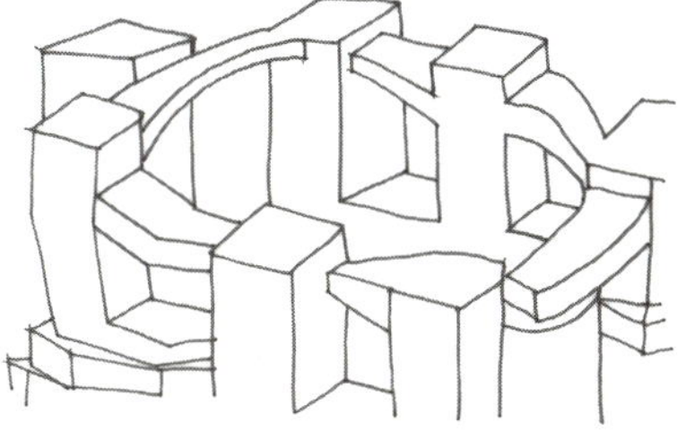

スケッチには、人々が輪になって踊っているような形の建物が描かれている。

「ダンス」（アンリ・マティス画、1910）

軽やかで透明感のある連絡通路が、棟のソリッドなマッスと対比をなし、輪になって踊る人々をモチーフにした外観を強調する。

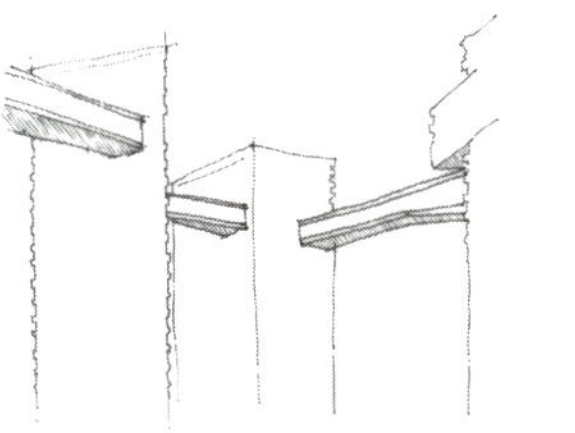

連絡通路の下面に取り付けられた照明や、棟をまたぐようにして外壁に続いている斜線の模様も、棟と棟のつながりを表現している。

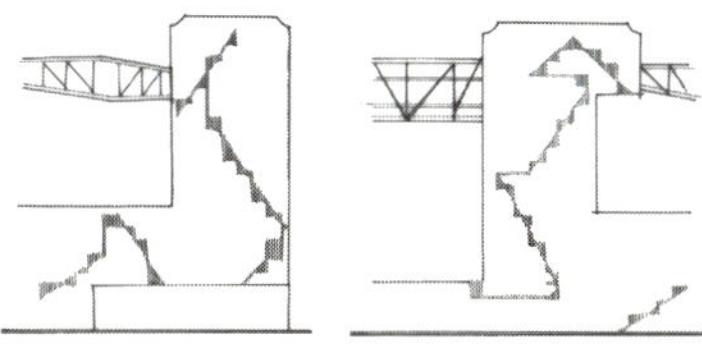

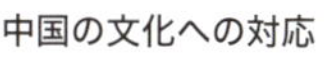

中国の文化への対応

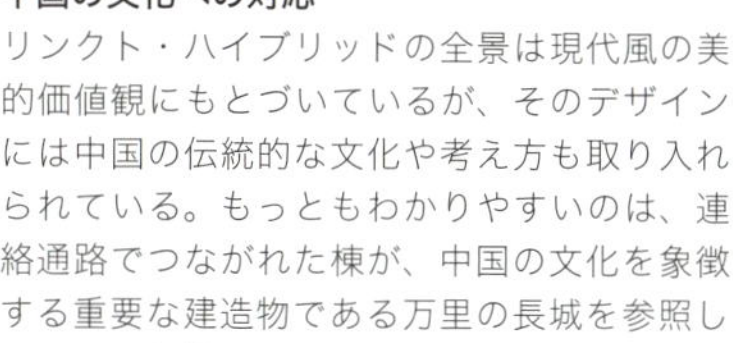

リンクト・ハイブリッドの全景は現代風の美的価値観にもとづいているが、そのデザインには中国の伝統的な文化や考え方も取り入れられている。もっともわかりやすいのは、連絡通路でつながれた棟が、中国の文化を象徴する重要な建造物である万里の長城を参照していることだ。

そのほか、デザイン要素の配置には中国の文化的な慣習である風水が取り入れられ、水の使い方や色使いにも中国の文化が反映されている。

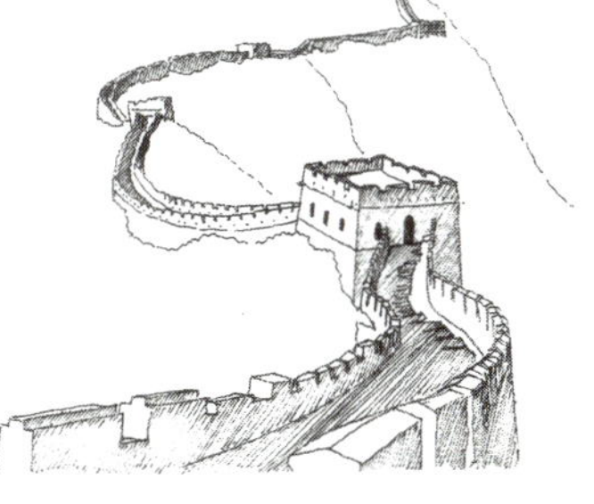

風水では、北にある高い山は悪い運気から守ってくれるとされる。敷地の北側に連なる丘は、この考え方にもとづいて作られた。中央の中庭の大きな水盤も、よい運気の流れを作って住人に富と健康をもたらすとされる、伝統的なデザインになっている。

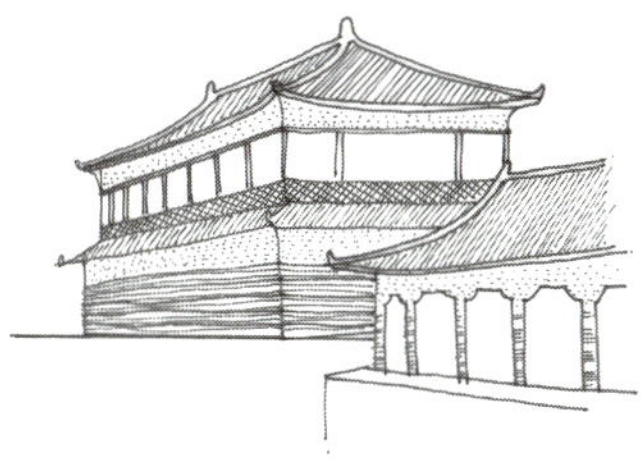

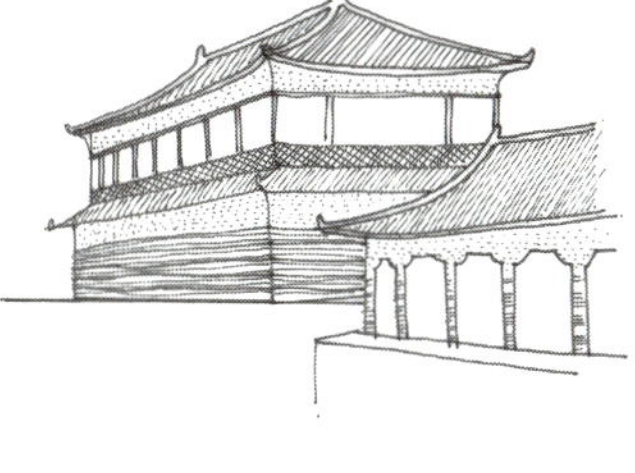

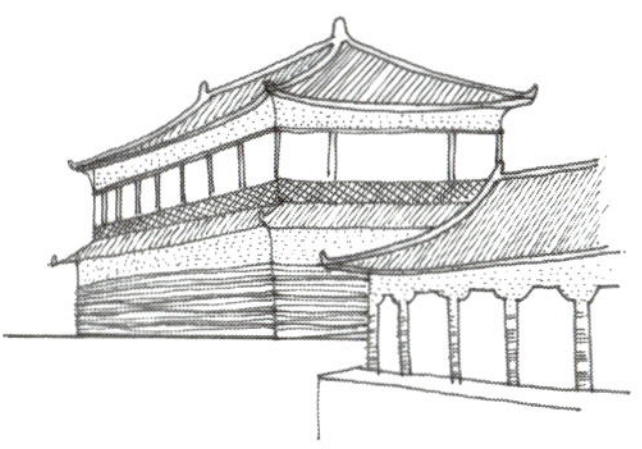

まるで色鮮やかに塗装された仏教寺院のように、ファサードに並ぶ窓の縦枠がカラフルに塗られている。

利用者への対応

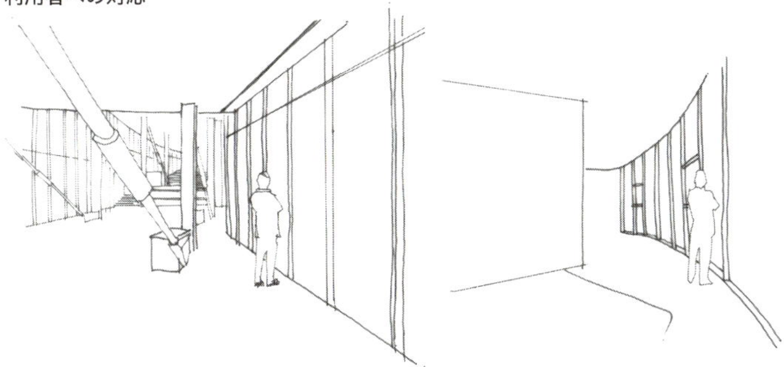

連絡通路は透明なので、外からは通路を歩く人の様子が見える。

連絡通路が展望台へつながる部分には、光の取り入れ方などを通して透明感にわずかな差が付けられている。

スケールや光の演出は、利用者にさまざまな体験を提供するほか、利用者が空間の中で方向を知るのにも役立つ。高層の居住棟の大きなスケールとはうってかわって、中庭は小さめの建物が並んでいるが、商業施設の室内通路のボリュームは、パブリックな空間であることを強調するように大きめに作られている。同じように、光があふれる透明な連絡通路は、よりプライベートな居住棟のソリッドな壁や長方形の開口部と対比をなし、パブリックな空間からプライベートな空間への移ろいを表現している。

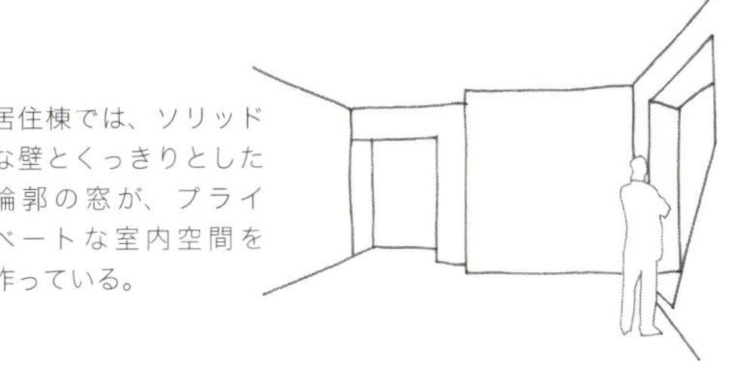

居住棟では、ソリッドな壁とくっきりとした輪郭の窓が、プライベートな室内空間を作っている。

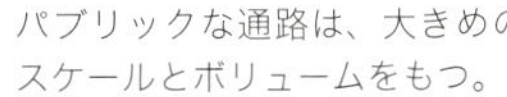

パブリックな連絡通路がプライベートな居住棟へスムーズにつながるよう、光の取り入れ方などを通して透明感に差が付けられているので、通路は透明感に応じて外の景色を眺める展望台になったり、外にいる人にとっては、通路を歩く人の様子が見えるショーケースのようになったりする。

パブリックな通路は、大きめのスケールとボリュームをもつ。

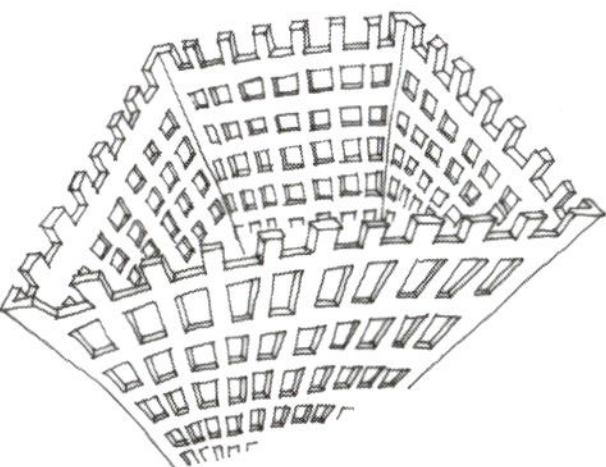

室内の柔軟なレイアウトを可能にする、グリッド状の外骨格。眺望や自然換気を最大限に活かせるようにレイアウトが組まれている。

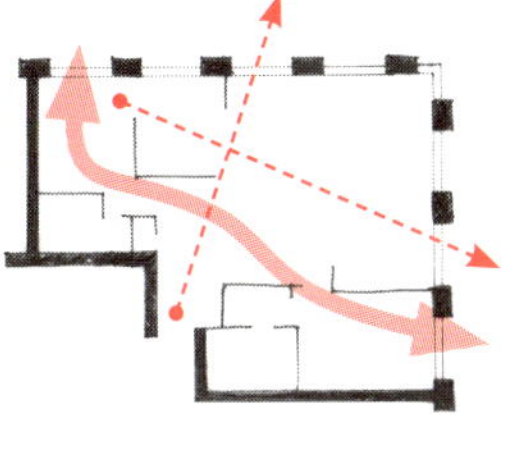

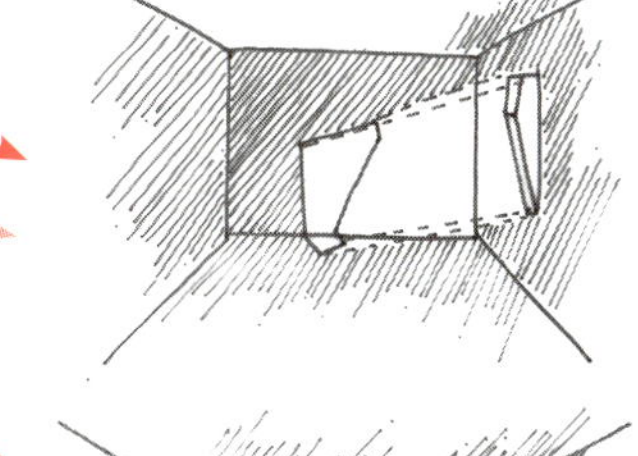

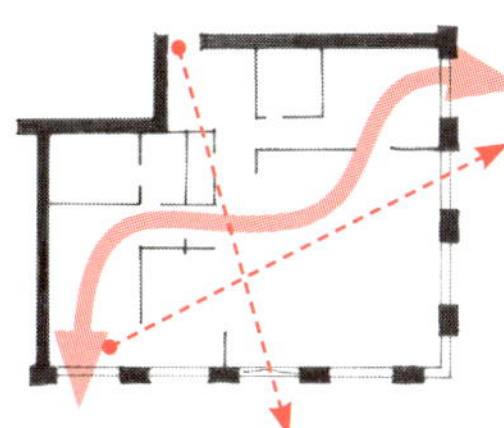

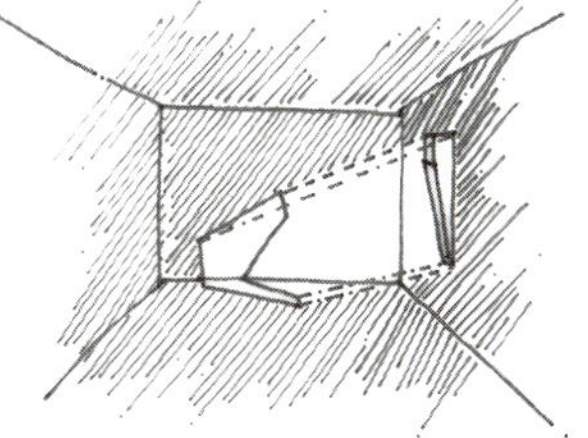

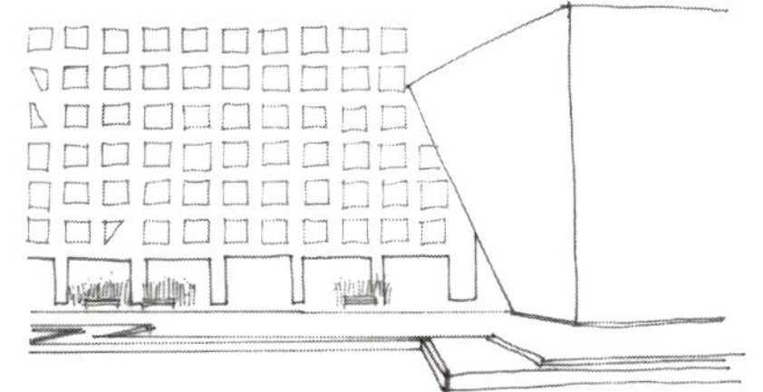

高層の居住棟のスケールに比べると、中庭に建つ映画館は比較的小さい。

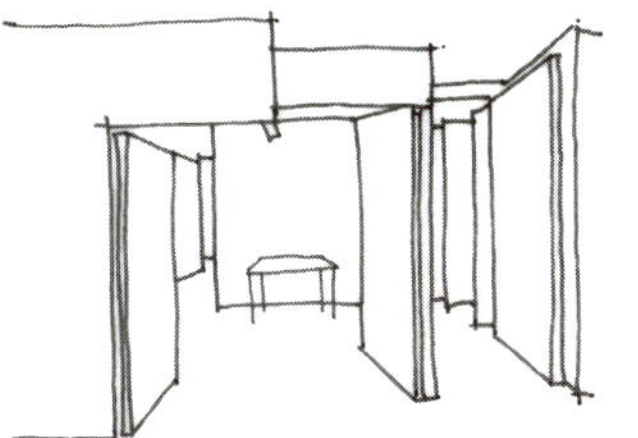

各戸には可動式パーテーションがあり、住人のニーズに応じて、壁に囲まれたプライベートな部屋をひとつながりの部屋に変えられる。

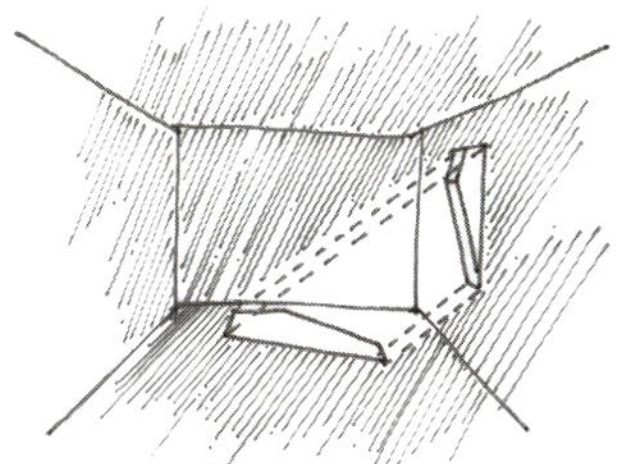

いびつな形の窓から差し込む光の模様が、太陽の動きに合わせて部屋を移動しながら、思いがけない形に変化する。

41 サンタ・カテリーナ市場 | 1997-2005

EMBT

スペイン、バルセロナ

サンタ・カテリーナ市場は、バルセロナの旧市街の再開発プロジェクトの1つだ。女子修道院の跡地に建つ、1848年に開かれたこの市場は、バルセロナで最初の屋内市場だ。改修を担当したEMBTは、もとの市場の建物のうち、アーチのある石造りのファサードを3面に残し、残りの1面を広場に向かって開けるように新しく設計した。市場の周りには、同じく都市の再開発の一環として建てられた公共住宅がある。波打つような形と鮮やかな色を特徴とする新しい屋根が、街を活気付けている。

このプロジェクトでは、都市デザインの中に一体感を作り出すさまざまな工夫が凝らされている。住居と公共スペース、車と歩行者、古いものと新しいもの、建物の全体像とディテールなどの関係は、互いに影響を与え合うよう念入りに計画されている。

セレン・モーコック、アントニー・ラッドフォード、ムハンマド・ファイズ・マドラン、ジャ・ツァイ・ザック、レオナ・グリーンズレイド

SANER
KB

41 サンタ・カテリーナ市場｜1997-2005

EMBT
スペイン、バルセロナ

コンテクストへの対応

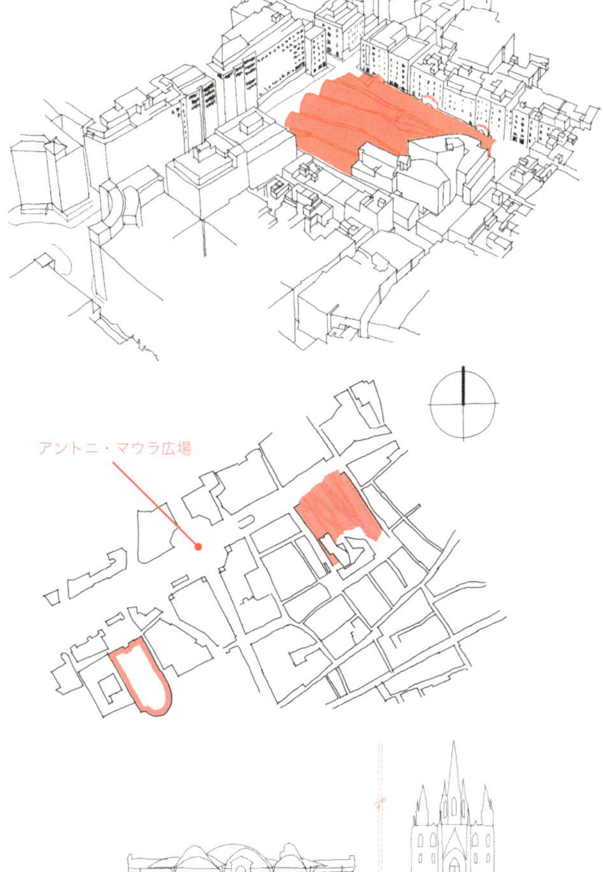

近くのバルセロナ大聖堂からは、道路へ張り出している市場の屋根が見える。大聖堂と市場はどちらも多くの観光客が集まる。大聖堂は観光名所にふさわしく、よく目立つ一方、市場の建物の高さや輪郭は周りの建物と調和するよう低めになっている。

サンタ・カテリーナ市場は、バルセロナの旧市街に建つ。5～9階建ての住宅街区と細い路地に囲まれている。市場の建物は低いため、建て込んだ都市環境に日光と空気をもたらしている。

市場のホールは、四方すべてに利用者用の入口がある。

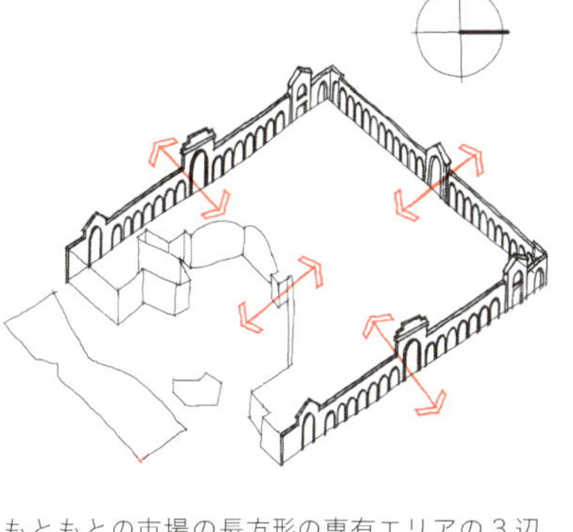

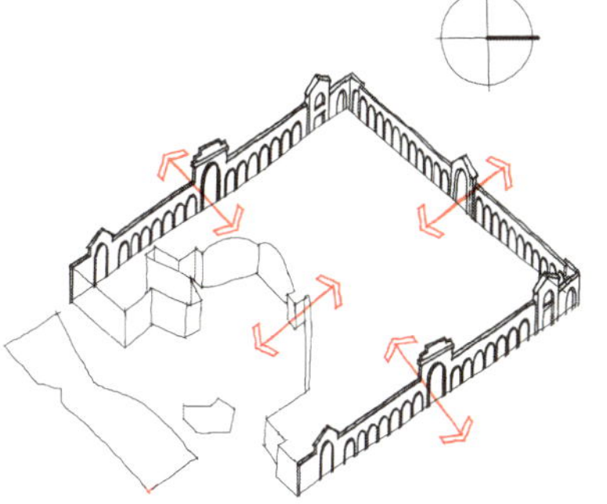

もともとの市場の長方形の専有エリアの３辺に外壁があり、その古い外壁が今も残されている。直角に交わる正面と両側の壁は、古典的な左右対称の様式だ。また、アーチによって、通りに規則正しいリズムが生まれている。４つめの辺にあたる裏側のファサードは長方形の内側へ向かってへこんでいて、屋外の公共スペースや新しい集合住宅のための空間ができている。

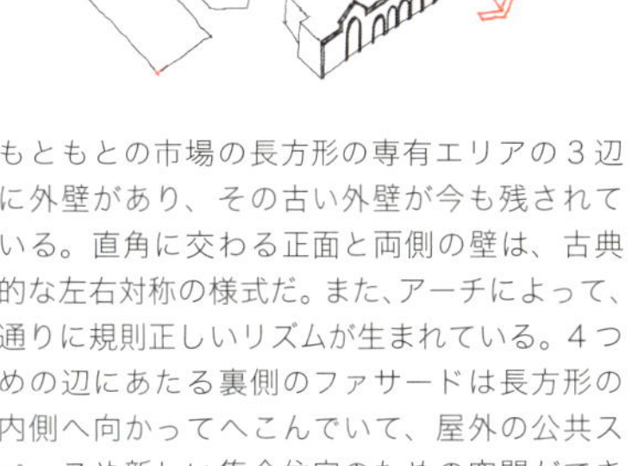

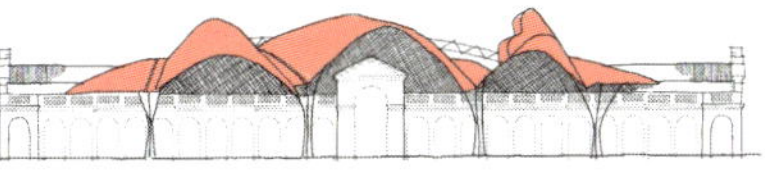

古いファサードは、白く塗装されたレンガのアーチによる新古典主義のアーケードで屋根が隠されていた。

現在の新しい市場は、張り出し屋根が壁の上にふわりと浮かんでいるように見える。有機的で堅苦しさのない「新しい要素」と、左右対称で秩序立った「古い要素」が好対照をなしている。

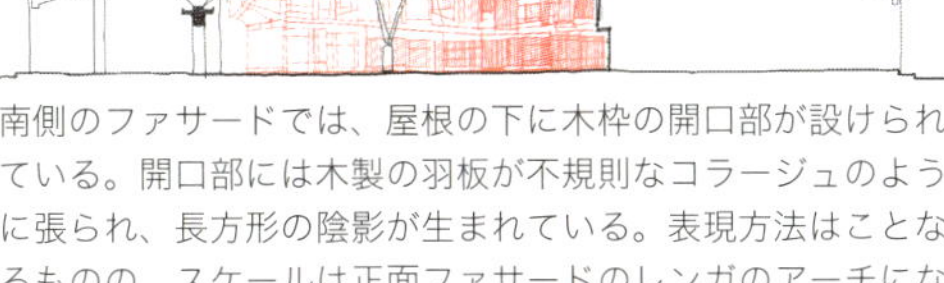

南側のファサードでは、屋根の下に木枠の開口部が設けられている。開口部には木製の羽板が不規則なコラージュのように張られ、長方形の陰影が生まれている。表現方法はことなるものの、スケールは正面ファサードのレンガのアーチにならっている。

視覚的なつながり

このエリアはかなり建て込み、オープンな公共スペースがほとんどないため、市場は歩行者にとって重要な地点になっている。再開発により、隣接する通りにつながる新しい公共広場が市場のホールの裏に作られた。

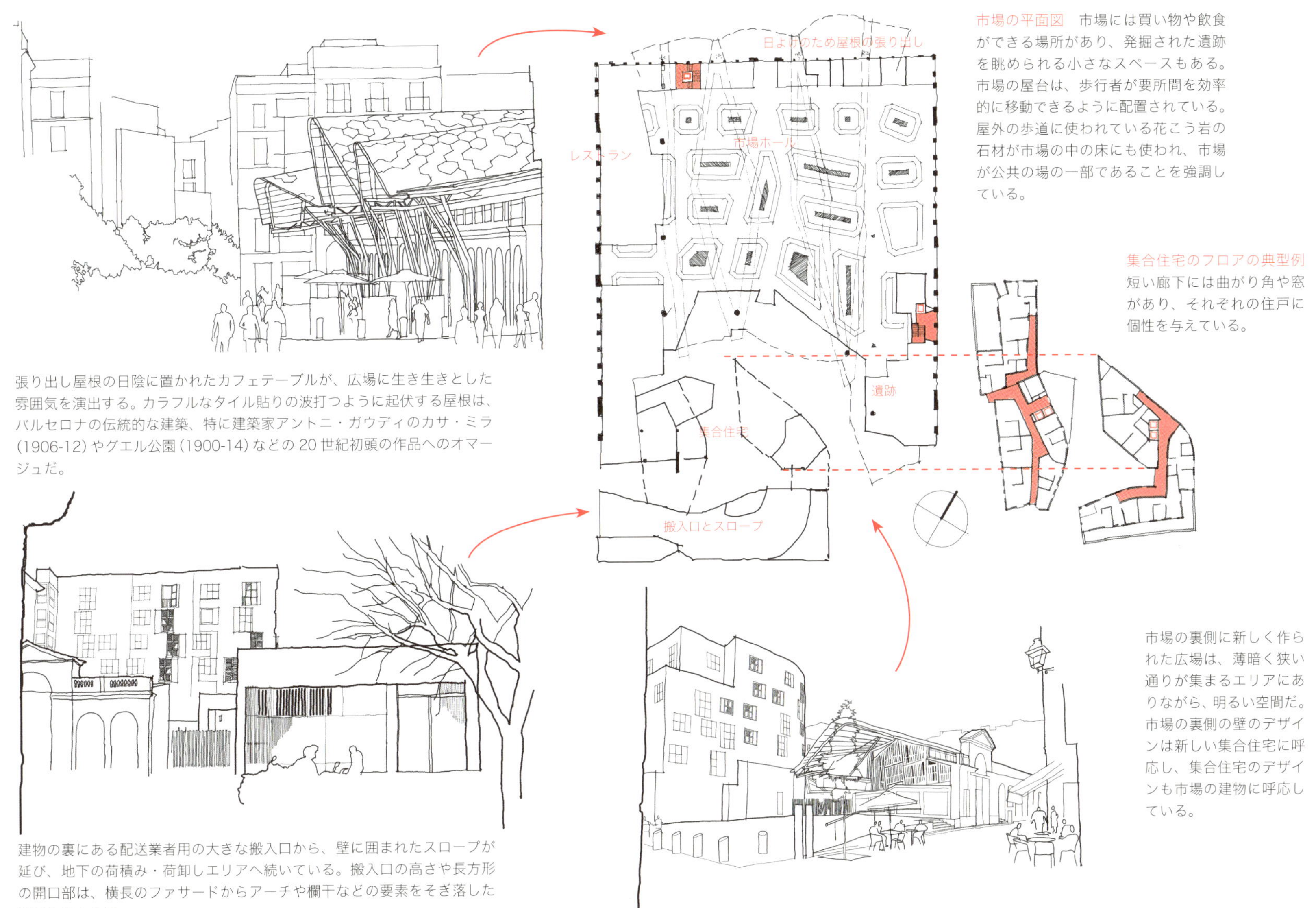

市場の平面図　市場には買い物や飲食ができる場所があり、発掘された遺跡を眺められる小さなスペースもある。市場の屋台は、歩行者が要所間を効率的に移動できるように配置されている。屋外の歩道に使われている花こう岩の石材が市場の中の床にも使われ、市場が公共の場の一部であることを強調している。

集合住宅のフロアの典型例
短い廊下には曲がり角や窓があり、それぞれの住戸に個性を与えている。

張り出し屋根の日陰に置かれたカフェテーブルが、広場に生き生きとした雰囲気を演出する。カラフルなタイル貼りの波打つように起伏する屋根は、バルセロナの伝統的な建築、特に建築家アントニ・ガウディのカサ・ミラ(1906-12)やグエル公園(1900-14)などの20世紀初頭の作品へのオマージュだ。

建物の裏にある配送業者用の大きな搬入口から、壁に囲まれたスロープが延び、地下の荷積み・荷卸しエリアへ続いている。搬入口の高さや長方形の開口部は、横長のファサードからアーチや欄干などの要素をそぎ落した簡易版のようだ。

市場の裏側に新しく作られた広場は、薄暗く狭い通りが集まるエリアにありながら、明るい空間だ。市場の裏側の壁のデザインは新しい集合住宅に呼応し、集合住宅のデザインも市場の建物に呼応している。

41 サンタ・カテリーナ市場｜1997-2005

EMBT

スペイン、バルセロナ

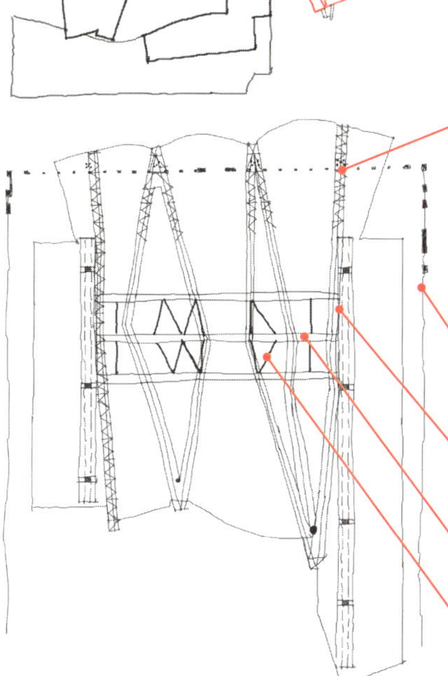

屋根の表面は、トラス構造のスパインの上に架かる木製アーチや四角形の部材の上に貼られた、鮮やかな色の六角形のセラミックタイルでカラフルに構成されている。このタイルや波打つ屋根の隠喩的な表現のヒントになったのは、市場で売られている品物だ。屋台に山積みにされた色とりどりの果物や野菜が、66色の六角形のタイルで抽象化されている。赤、緑、紫、黄色があるが、青色はない。タイルは、2軸で曲げられた集成材の屋根板に接着されている。

垂直集成材から切り出されたアーチが角材の母屋（屋根を支える部材の一部で、屋根勾配に対して垂直方向に支えている水平の建材）を支え、その上に屋根板が載せられている。

建物の北端では、木材の代わりに鋼管が使われている。

鉄管を三角柱状に組んだトラス構造のスパインが市場ホールの前後を貫き、トラスとトラスの間には集成材のアーチが架かっている。これらのスパイントラスの上部にあたる屋根の上を雨水が流れる。スパイントラスは、一部は柱に支えられ、一部は3本の鉄骨製支持アーチから吊るされている。支持アーチも鋼管製の三角トラスだ。

もともとの市場の建物のうち、レンガの外壁だけが残されている。

コンクリートの柱に支えられた、2本の鉄筋コンクリート製のT型梁が、両側の壁と平行に配されている。

市場ホールの中央付近では、コンクリート梁の間に3本の鉄骨アーチが架かっている。

鉄骨アーチには、斜めに鋼管の筋交いが入っている。

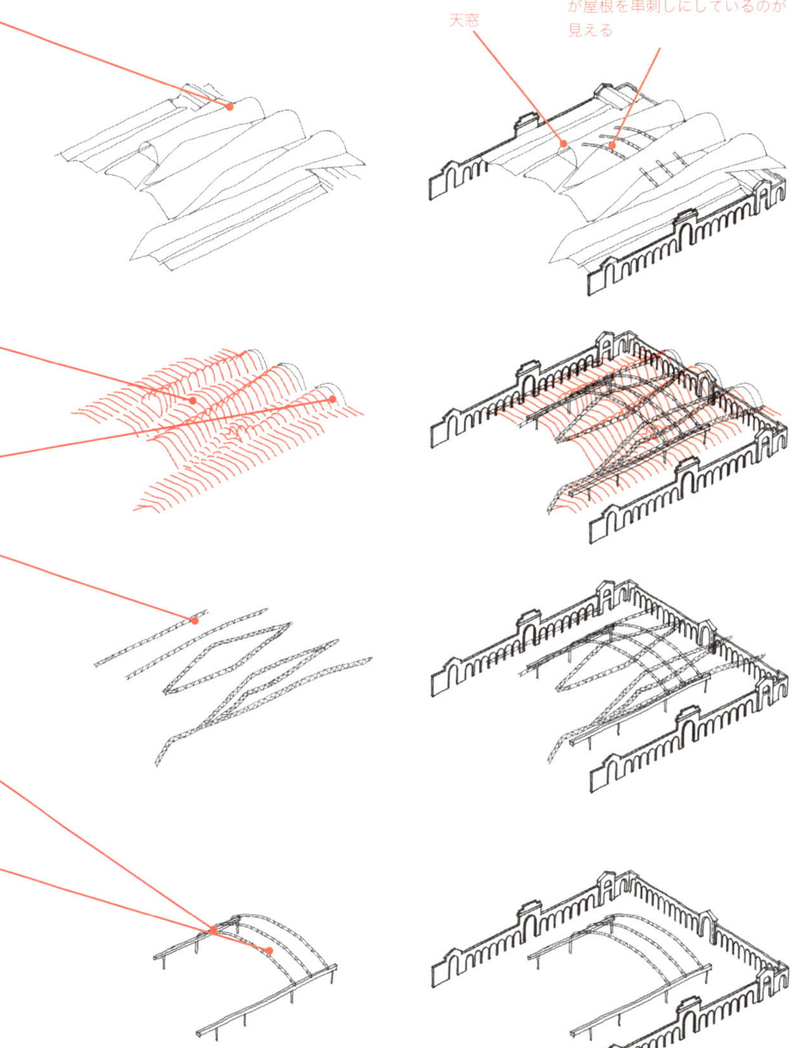

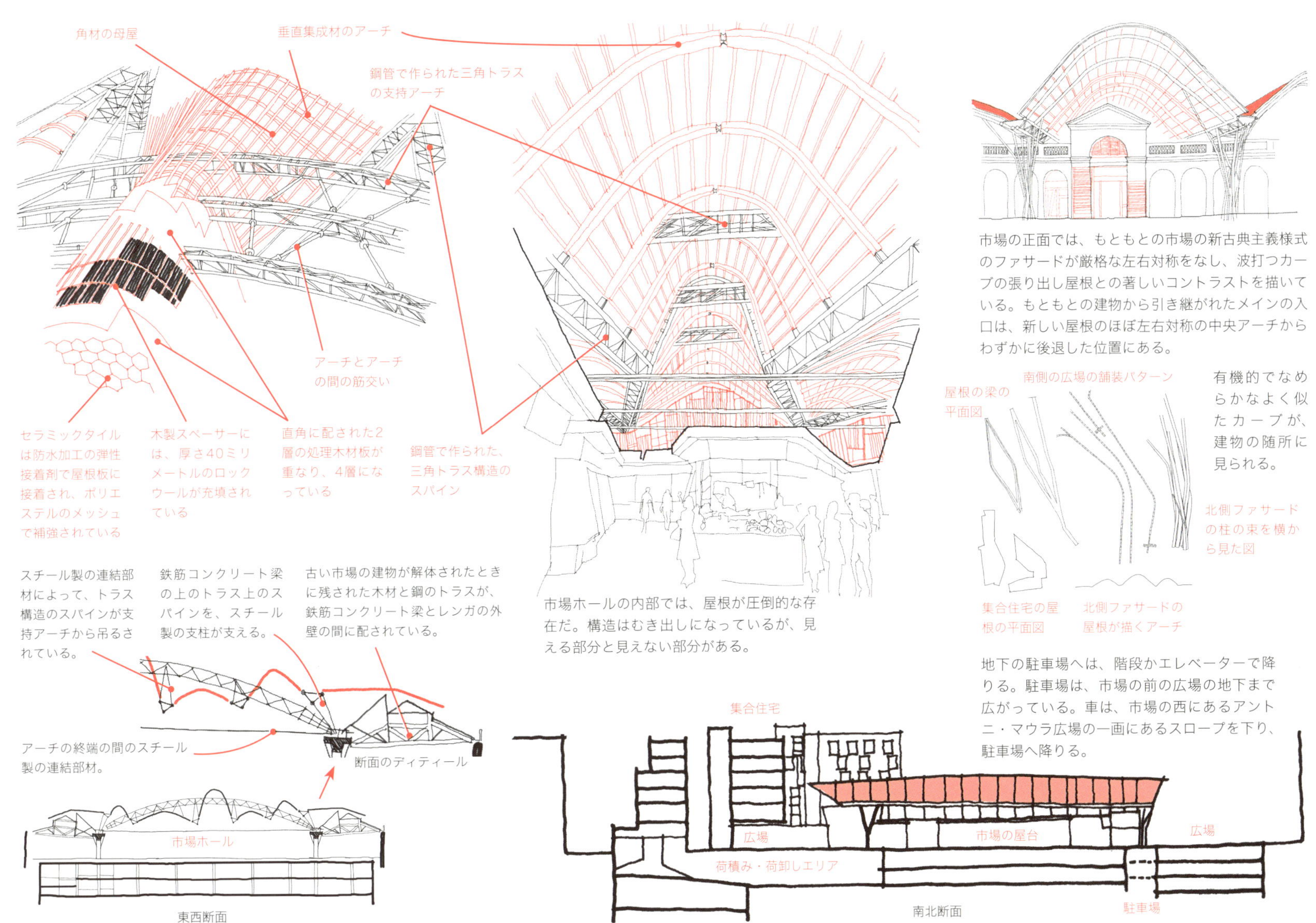
角材の母屋
垂直集成材のアーチ
鋼管で作られた三角トラスの支持アーチ
アーチとアーチの間の筋交い
セラミックタイルは防水加工の弾性接着剤で屋根板に接着され、ポリエステルのメッシュで補強されている
木製スペーサーには、厚さ40ミリメートルのロックウールが充填されている
直角に配された2層の処理木材板が重なり、4層になっている
鋼管で作られた、三角トラス構造のスパイン
スチール製の連結部材によって、トラス構造のスパインが支持アーチから吊るされている。
鉄筋コンクリート梁の上のトラス上のスパインを、スチール製の支柱が支える。
古い市場の建物が解体されたときに残された木材と鋼のトラスが、鉄筋コンクリート梁とレンガの外壁の間に配されている。
アーチの終端の間のスチール製の連結部材。
断面のディティール
市場ホール
東西断面
市場ホールの内部では、屋根が圧倒的な存在だ。構造はむき出しになっているが、見える部分と見えない部分がある。
市場の正面では、もともとの市場の新古典主義様式のファサードが厳格な左右対称をなし、波打つカーブの張り出し屋根との著しいコントラストを描いている。もともとの建物から引き継がれたメインの入口は、新しい屋根のほぼ左右対称の中央アーチからわずかに後退した位置にある。
屋根の梁の平面図
南側の広場の舗装パターン
有機的でなめらかなよく似たカーブが、建物の随所に見られる。
北側ファサードの柱の束を横から見た図
集合住宅の屋根の平面図
北側ファサードの屋根が描くアーチ
地下の駐車場へは、階段かエレベーターで降りる。駐車場は、市場の前の広場の地下まで広がっている。車は、市場の西にあるアントニ・マウラ広場の一画にあるスロープを下り、駐車場へ降りる。
集合住宅
広場
市場の屋台
広場
荷積み・荷卸しエリア
駐車場
南北断面

42

ビルヒリオ・バルコ図書館 | 1999-2001

ロヘリオ・サルモナ
コロンビア、ボゴタ

ビルヒリオ・バルコ図書館は、都市の刷新プロジェクトの一環という位置づけで建てられた。プロジェクトの目的は、より優れた文化施設を設けて、コロンビアの首都ボゴタに対する世間一般のイメージを変えることだった。大きな公共公園内に建つこの図書館は、4つのことなる入口、水路に沿った無数の公共通路、騒音を軽減し風景を切り取るために戦略的に配置された小山などにより、来館者同士の交流を促している。全体としては、建物・公園・街そのものの融合を促進し、社会的な結び付きを通して安全で民主的なコミュニティを育むという意図を強化するデザインとなっている。

建物のデザインには、直線や曲線が交差するフォルム表現が採用されている。このおかげで、公共図書館内だけでなく、屋内外をつなぐランドスケープをも含むレイアウト全体の中での、偶然の出会いや発見の機会が生まれている。さらに、建物の建設やレンガ積みの複雑なディテールが、レンガ製造という地元の伝統と、デザインによる素材への対応を示す美的表現とを結び付けている。

アミット・スリヴァスタヴァ、ラナ・グリア、ピン・シウガン

BIBLIOTECA PÚBLICA VIRGILIO BARCO
BIBLORED

コンテクストへの対応

ビルヒリオ・バルコ図書館が設計された主な目的は、安全な公共空間を提供し、民主的なコミュニティを育むことだった。1990年代、ボゴタではドラッグ関連の犯罪が何年も続いていたことから、エンリケ・ペニャロサ同市長は、より良い交通インフラ、市民公園、文化施設による都市改革構想を提案した。この構想に含まれている一連の公共図書館は、きわめて治安の悪い街の中の、安全な空間とみなされていた。シモン・ボリバル公園内に建てられたロヘリオ・サルモナ設計のこの図書館も、そのような安全な公共空間を提供している。

公共図書館のネットワークが、ボゴタの街に民主的な空間を作り出している。

ビルヒリオ・バルコ図書館

シモン・ボリバル公園

フォルム同士の関係性

曲線的なフォルムと直線的なフォルムが互いに関連しながら続き、建物全体の形ができている。三角形の敷地にあるため、円形というフォルムが強く主張し、その中心点が周辺の構造物や公園との明確な上下関係を生み出している。中心点の脇には敷地を貫く直線的な通路が並ぶ。この通路は、地下へ続く下り坂と屋上へ続く上り坂になっている。こうした構成の緊張感から、空間同士のダイナミックな関係性が生まれ、発見や市民交流のためのさまざまな機会を提供している。

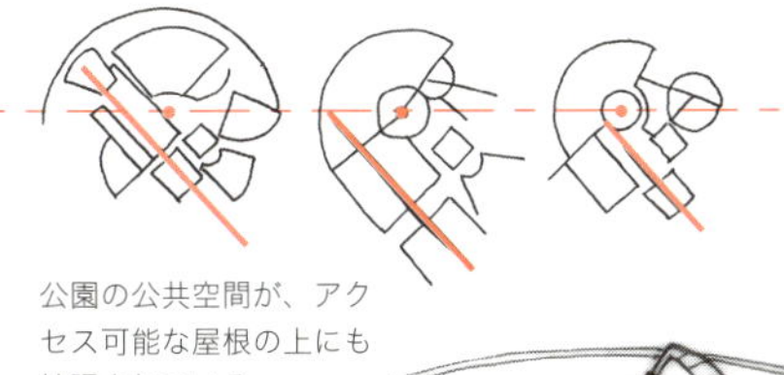
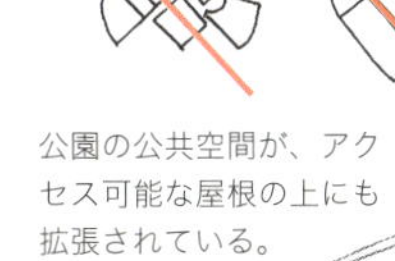

構成のさまざまな段階で、円と直線の関係が試みられている。

公園の公共空間が、アクセス可能な屋根の上にも拡張されている。

エントランスの通路は地表面の下まで下り、階段状の水路に沿って上り坂になる。

図書館は中心街から離れているため、この距離を利用して空、地平線、周りの山々とのより親密な関係を作り出すように設計されている。建物の一部は地下に潜っていて、道路のレベルより数メートル低くなっているので、近隣の交通の騒音から図書館が守られると同時に、近くの山々の眺めが切り取られる。こうして面白い空間の連なりや、通路、プラットフォームを作り出し、人々の交流を促している。空との直接的な関係を表すように、屋根は上向きに傾いている。

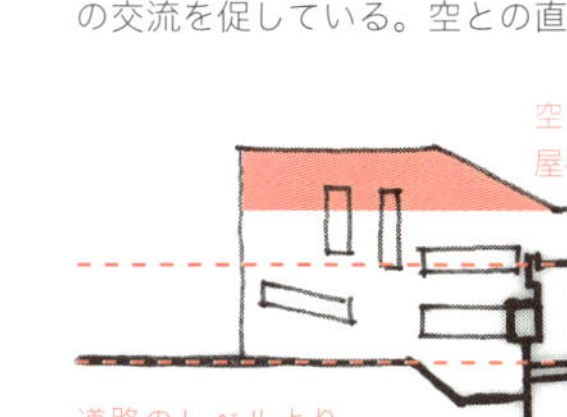

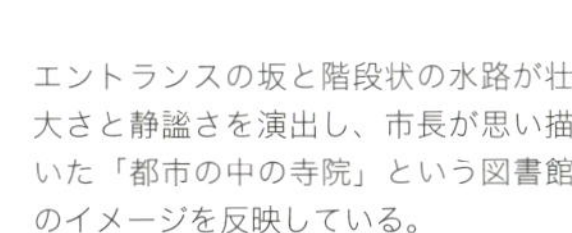
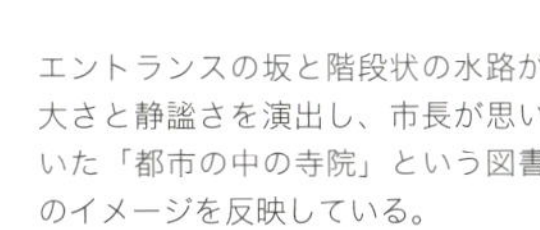

エントランスの坂と階段状の水路が壮大さと静謐さを演出し、市長が思い描いた「都市の中の寺院」という図書館のイメージを反映している。

建物にはあちこちから入ることができ、通路とランドスケープが遊び心に満ちた関係性を作っている。興味深い体験を生み出すために、水盤、テラス、丘などのランドスケープ要素が活用されていて、人々の出会いの場としての図書館の役割をさらに高めている。公共空間が屋上にまで拡張され、建物全体がランドスケープの延長のような働きをしている。

円形のフォルムや空間と、直線的なフォルムや空間とが生む構造上の関係性は、屋内にも続いている。書庫と閲覧室は中央のコアの周りに配置され、補助的な設備の全体をつなぐ通路は、直線上に配置されている。オープンプランの空間は視界を遮るものが最小限になるよう設計されていて、この円形と直線が織りなすコンセプト上の対比によって、ダイナミックな室内レイアウトが生まれている。サルモナが設計した平面は、オレゴン州のマウントエンジェル修道院図書館でアルヴァ・アアルトが活用した、同様のフォルムのテクニックを参照している。

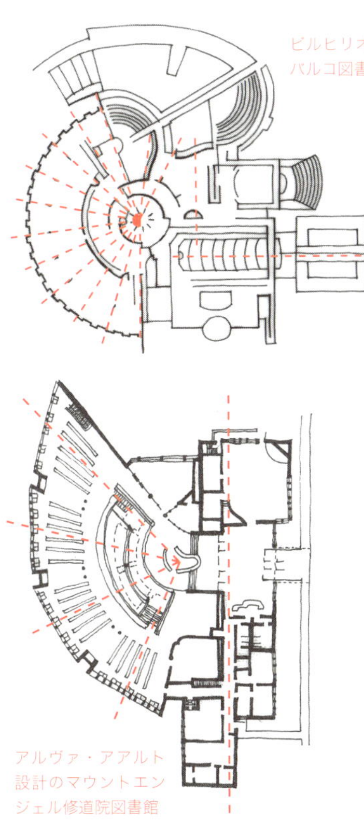

プログラムへの対応

公共図書館であるこの建物は、ゆったりと広いオープンプランの空間となっている。複数のフロアからスムーズにアクセスできるとともに、視界を遮るものもない。さまざまな機能が複数のフロアに分かれているが、スロープや大きな開口部が機能をつないでいる。柱などの構造体がはっきりと表れているので、視覚上のヒエラルキーが保たれている。

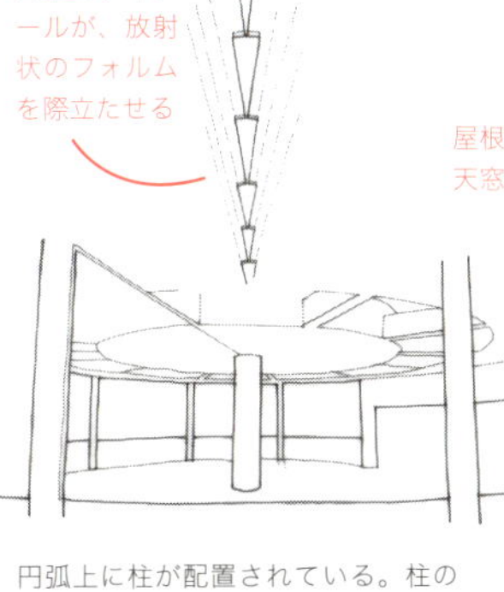

円弧上に柱が配置されている。柱のうちの1本は、梁が描くくっきりとした放射状のラインの中心点となっている。

複数のフロアに分かれたオープンプランのおかげで、機能が分けられている。一方で、スロープによるつながりも保たれている。

中央のコアの手前、エントランスとの境目には吊天井がある。このため、低い天井が印象的なエントランスから、その先の明るい２層吹き抜けの空間へ出るようになっている。下階には書庫、上階には閲覧室があり、スロープでつながったひと続きのボリュームの一部となっている。そこへ、円弧のラインに沿って屋根全体に設けられた天窓から光が差し込む。放射状に配置されたコンクリート梁と柱がオープンプランの空間に秩序を与え、来館者が方向感覚を保てるように働いている。

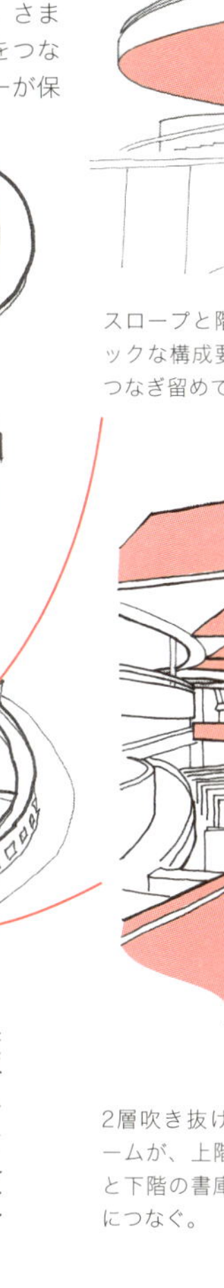

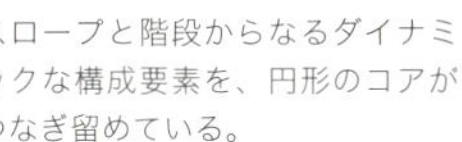

スロープと階段からなるダイナミックな構成要素を、円形のコアがつなぎ留めている。

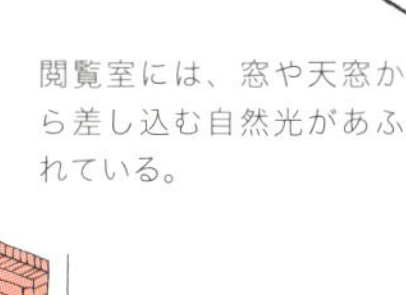

閲覧室には、窓や天窓から差し込む自然光があふれている。

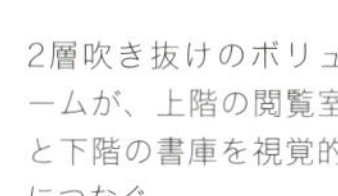

2層吹き抜けのボリュームが、上階の閲覧室と下階の書庫を視覚的につなぐ。

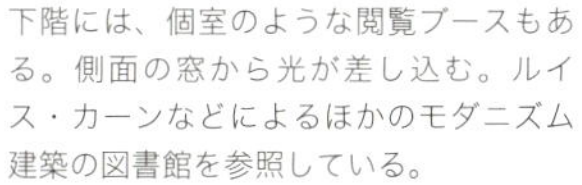
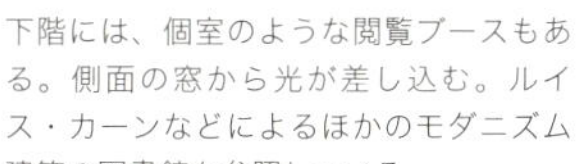

下階には、個室のような閲覧ブースもある。側面の窓から光が差し込む。ルイス・カーンなどによるほかのモダニズム建築の図書館を参照している。

42 ビルヒリオ・バルコ図書館｜1999-2001

ロヘリオ・サルモナ
コロンビア、ボゴタ

地元の素材であるレンガ

主要な構造システムでは、コンクリートがくっきりとした輪郭を描いている。一方、ディテールに質感を加え、図書館を地域のコンテクストに結び付けるために、レンガが使われている。この建物に使われているレンガは、周囲の山々で採れた赤土と伝統的な職人技により地元の工場で作られた。さらに、サルモナが地元のレンガ製造業者と共同開発した新しいタイプのレンガは、新しい美的表現の基礎となるとともに、レンガを石材の廉価な代替品という用途以上の素材として世に広めるのを助けている。

独特の形をもつアルファヒアレンガは、窓台、手すり、樋などさまざまなディテールに使われている。

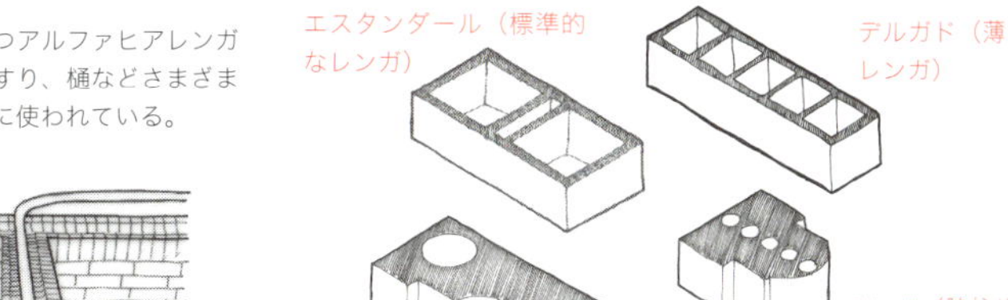

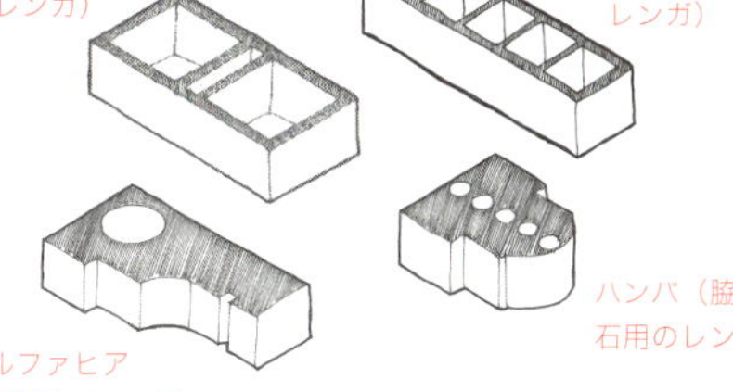

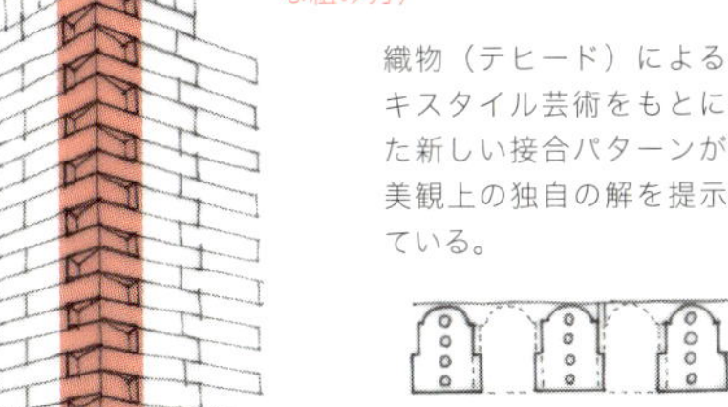

クレマレッラ（ジッパー結合のような組み方）

織物（テヒード）によるテキスタイル芸術をもとにした新しい接合パターンが、美観上の独自の解を提示している。

金属製パイプの手すりと、その下の樋

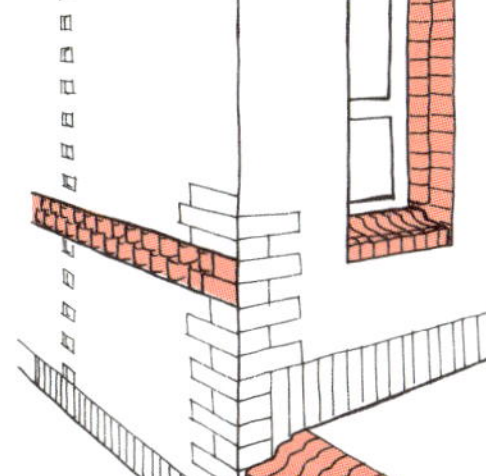

コンクリートの壁構造物が、さまざまな表面仕上げのレンガで覆われている。レンガは互い違いに積まれ、視覚的な多様性を生み出している。

ハンパレンガは、ドアや窓の枠や階段の笠石に使われている。

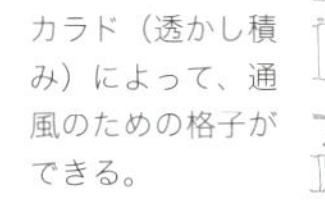

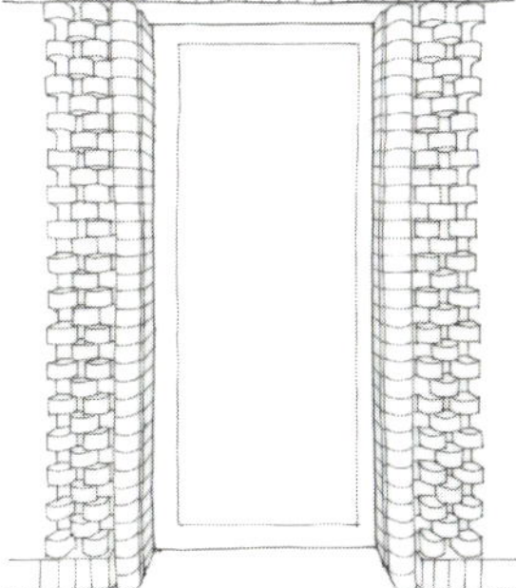

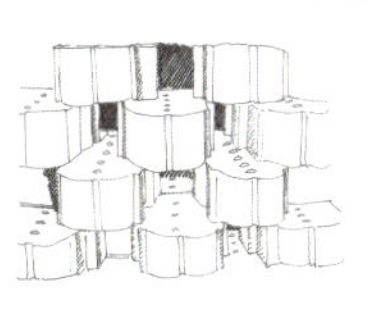

カラド（透かし積み）によって、通風のための格子ができる。

この建物でのレンガは、独特の美的表現を生み出すだけでなく、地元の建設業と結び付き、職人の技能・能力を伸ばすという役割も担っている。サルモナはレンガ職人と密に連携し、多彩な接合パターンを設計し、技能や知識が確実に伝達されるようにした。こうしたアプローチのおかげで、地元の雇用が促進され、地元の建設業との結び付きが強まっている。

来館者の体験と動線

図書館のメインとなる空間のボリューム全体の中に、スロープや通路が断続的に点在している。そのため、来館者は全体への視覚的なつながりを保ったまま、さまざまな機能の空間へアクセスできる。さらに、中央の空間に設けられた大きな円形の開口部から、隣接する部屋へ空間が流れるようにつながり、あらゆる部屋を１つの空間体験へ結び付けている。開口部や通路のコンビネーションのおかげで、さまざまな視点から見える景色が絶えず変化し、静かな図書館の空間での刺激的な視覚的多様性が生まれている。

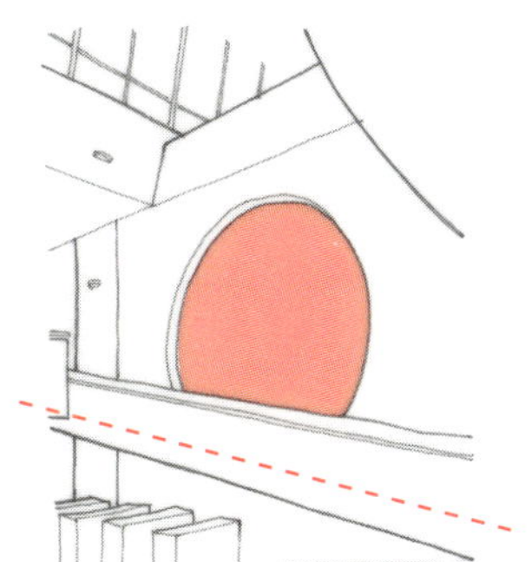

大きな円形の開口部が、隣り合う空間同士をつなぐ。

視覚上は空間同士がつながっているものの、フロアがことなるなど物理的には直接アクセスできないところがあり、動線にさらなるダイナミズムを与えている。シンプルなコンクリートのおかげで館内が移動しやすくなっている一方で、細部にこだわりぬいたレンガ造りが、立ち止まり考える機会を提供する。サルモナはレンガを、質感を模索するための感覚的な素材だと捉えている。

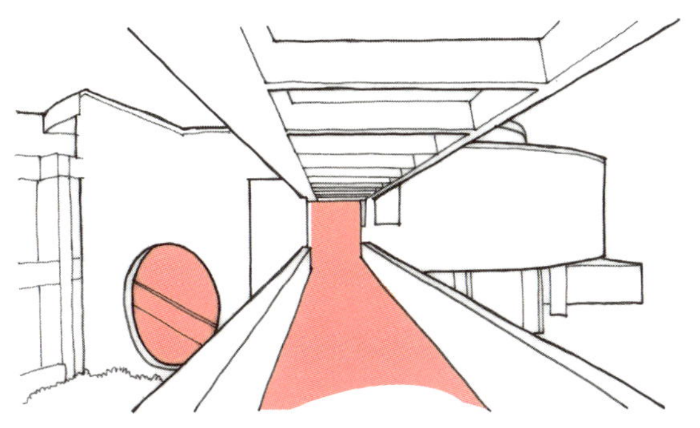

直線の通路と大きな円形とのダイナミックな相互作用は、屋外にも続いている。屋外で来館者は、高架通路から建物全体のフォルムを見渡し体験することができる。また、建物の外縁には幅の広い水路が設けられ、建物を自然のランドスケープにつなげるとともに、視線や動線を建物へと誘導している。階段状の水路の水の流れが、フォルムにさらなるダイナミズムを加えている。公共公園の中という立地と屋内からの眺めを利用し、ボゴタの街の背後にあるモンセラーテの丘やそのほかの山々の景色が切り取られる。ここでも、建物と自然のランドスケープとのつながりが明らかになっている。

地元の文化への対応

ビルヒリオ・バルコ図書館の設計には、国際的なモダニズム建築家としての実践と、地元の建築文化を融合させたいという、建築家サルモナの生涯にわたる試みが表れている。ル・コルビュジエに師事したサルモナは、コンクリート造りのモダニズム建築を採用しつつも、地元のレンガ造りの建物を参照し、ハイブリッドな建築表現を新たに生み出した。彼は1995-2000年にボゴタのコロンビア国立大学人文科学部キャンパスを設計している。ここでも、ビルヒリオ・バルコ図書館と同様のフォルムとテーマの模索が見て取れる。

ボゴタの集合住宅、トーレ・デル・パルケ（パークタワー）。ロヘリオ・サルモナ設計（1965-70）。手前には1930年代に建てられたムーア様式の闘牛場がある

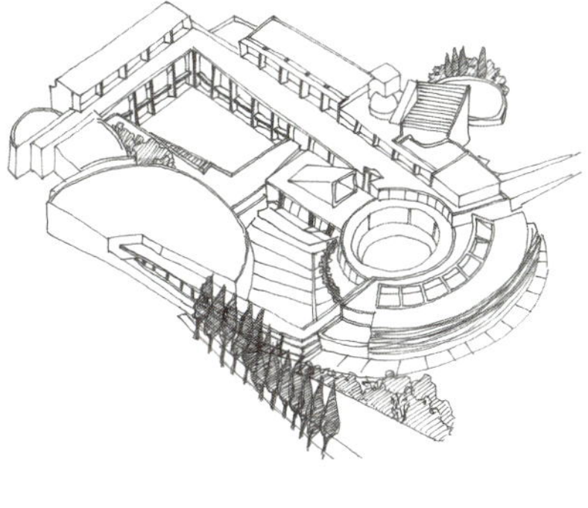

ボゴタのコロンビア国立大学人文科学部キャンパス。ロヘリオ・サルモナ設計（1995-2000）

建物と水路、背後の山々

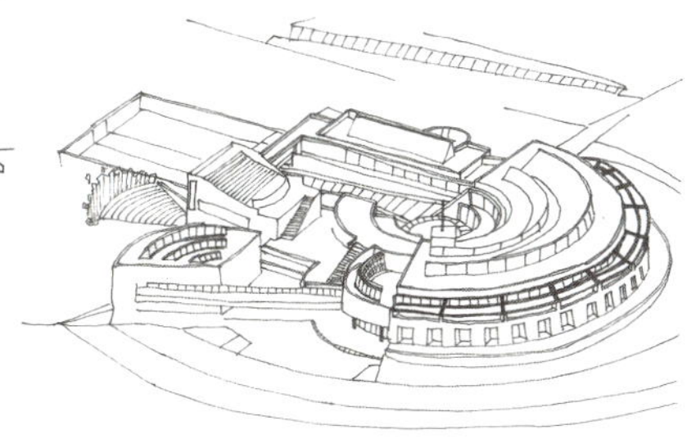

ボゴタのビルヒリオ・バルコ図書館。ロヘリオ・サルモナ設計（1999-2001）

モンセラーテの丘を切り取る眺望

サルモナが手がけたプロジェクトを比べてみると、地元のアイデンティティへのアプローチを明確に示す特徴が徐々に発展してきたことがわかる。彼は早くも1960年代にはすでに、曲線を描くレンガ造りのフォルムを通して、地元の建築がスペインや中東から受けた影響を参照し始めていた。ついたてや表面レリーフに加えて、水路や、幾何学模様の装飾的なレンガの積み方が採用されていることからも、イスラム建築への参照が見て取れる。

彼はその30年後のコロンビア国立大学のプロジェクトまでに、純粋な幾何学的フォルムの中に中庭や通路を散在させるという、現地の気候条件に適した独自の建築表現を洗練させていた。また、レンガという素材ボキャブラリーにも、現地の建築の文化が反映されている。ビルヒリオ・バルコ図書館ではこうした建築表現をさらに精緻化し、国際的なモダニズム建築の計画・構造と、地元の素材・象徴主義・建築慣行との融合を提示している。

幅の広い水路が建物の外縁を囲んでいる。

先コロンブス期の土器に見られる装飾的な模様

屋根に見られるレンガ敷きのパターン。地元の文化の歴史を参照している

43

サザン・クロス駅｜2001-07

グリムシャウ・アーキテクツ、ジャクソン・アーキテクチャー

オーストラリア、メルボルン

オーストラリア

メルボルン

オーストラリアに建つサザン・クロス駅は、公共交通の要所であり、街の目印でもある。雨季があり、ときに蒸し暑くなるメルボルンの気候に応えるために、砂丘のような独特の屋根には、涼しい空気を取り込みながらディーゼル機関車の煙を逃がすしくみや、雨水を集めて利用するしくみがそなわっている。この駅は、メルボルンの西端のエリアを活性化するための再開発計画の一環として建てられた。

サザン・クロス駅舎は、ロンドンを拠点に活動するグリムシャウ・アーキテクツと、メルボルンに事務所を構えるジャクソン・アーキテクチャーが共同で設計を行った。建物全体を使ったアプローチを通して、動線、スケール、都市的な表現と、環境への配慮とが組み合わさった公共スペースが作り出されている。

ガブリエル・アッシュ、セレン・モーコック、アントニー・ラッドフォード

CROSS STATION

43 サザン・クロス駅｜2001-07

グリムシャウ・アーキテクツ、ジャクソン・アーキテクチャー

オーストラリア、メルボルン

サザン・クロス駅は、メルボルンのハブステーションだ。交通の要所であり、州間鉄道・地域鉄道・都市鉄道が乗り入れ、長距離バスやメルボルン空港行きの高速バスが発着するほか、近くの通りには地域のトラムも走る。同駅は、メルボルンの中心部のビジネス街とドックランズの間にある。ドックランズとは、埠頭が再開発され、マンションや商業施設、スポーツスタジアムが建つエリアだ。展示場やサウスバンクの繁華街も程近い。

メルボルンのスカイライン

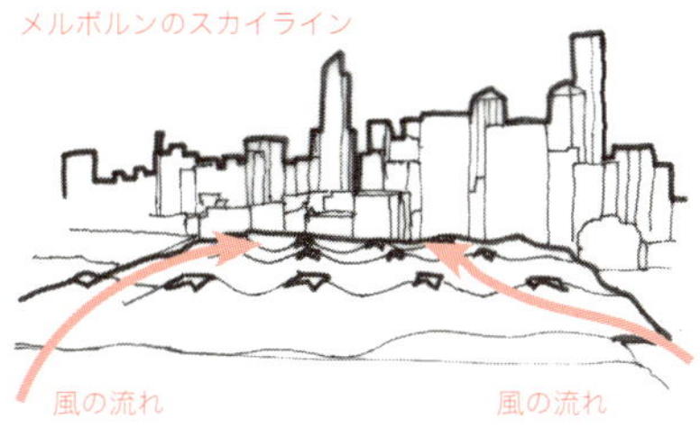

メルボルン繁華街のグリッドは規則正しい一方で、水辺に新しく作られたドックランズ地区は砕けた雰囲気だ。サザン・クロス駅のデザインはこの2つを視覚的・物理的に結び付けることで、コンテクストに対応している。

メルボルン中心部のビジネス街（セントラル・ビジネス・ディストリクト、CBD）

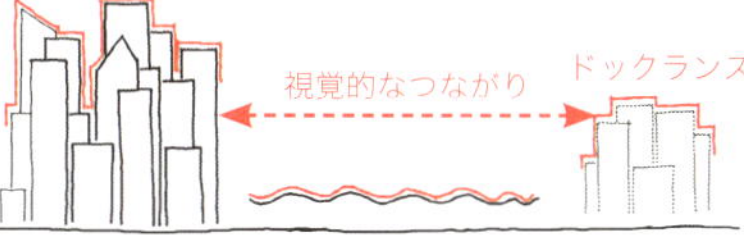

サザン・クロス駅の砂丘のような形の屋根は平たく有機的で、垂直なビルが建て込む、ジグザグのスカイラインを描く中心街の景観とコントラストをなす。周辺の高層ビルからはサザン・クロス駅が見える。経年変化により、亜鉛メッキのアルミ製の屋根がくすんでいる。

サザン・クロス駅には、機能上の目的のほか、19世紀の鉄道のターミナル駅という素晴らしい伝統の、市としての記念碑のような存在になるという目的もあった。この開発によってCBDの西端地域が生まれ変わり、多くの旅行客が訪れている。

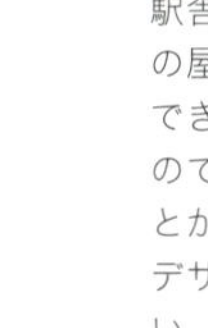

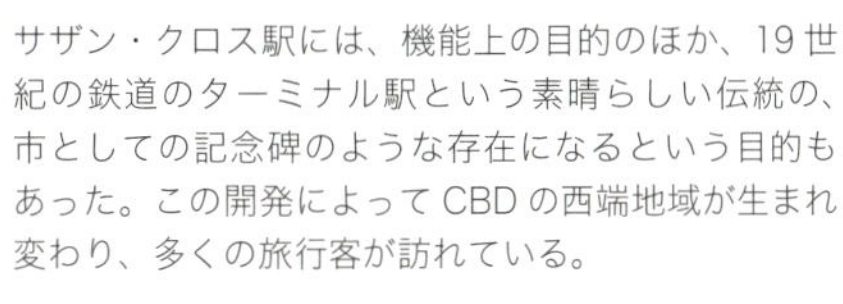

街区まるまる1つ分の大きさの屋根をもつサザン・クロス駅は、屋根のある公共スペースとしてはメルボルン中心部で最大の施設だ。駅舎の構造のグリッドは線路に沿っているので、街の道路のグリッドからはわずかに斜めにずれている。CBDとドックランズをつなぐ歩道橋が線路の上に架かり、そこからプラットフォームへ直接降りることもできる。歩道橋は、公共交通機関の要所であるサザン・クロス駅とスポーツスタジアムを結ぶ近道になっている。

駅舎のデザインの主眼は、3次元形態の屋根だ。この屋根のおかげで雨風をしのぎ、煙を逃がすことができる。また、支持部材の間隔が広くとられているので、屋根の下の大空間の設計計画を柔軟に行うことができる。支持構造の上から網をかぶせたようなデザインで、うねりの形に2つとして同じものはない。コンピューターモデリングと正確な部材製造の賜物だ。

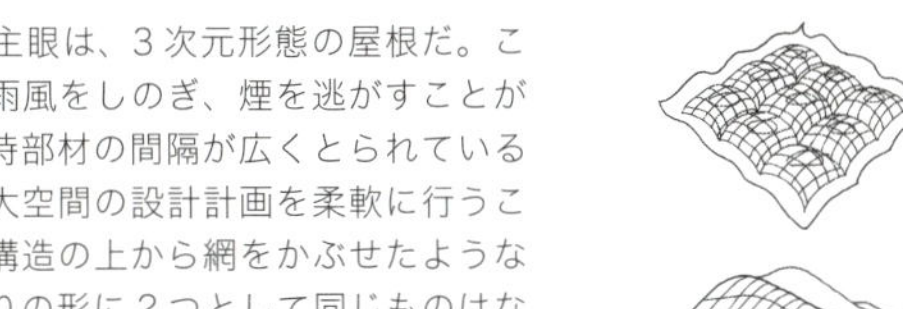

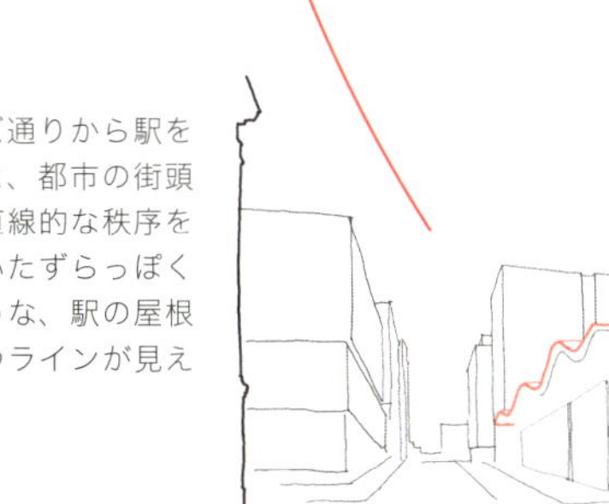

コリンズ通りから駅を眺めると、都市の街頭風景の直線的な秩序をまるでいたずらっぽく壊すような、駅の屋根の波打つラインが見える。

駅のホーム（プラットフォームの大空間）

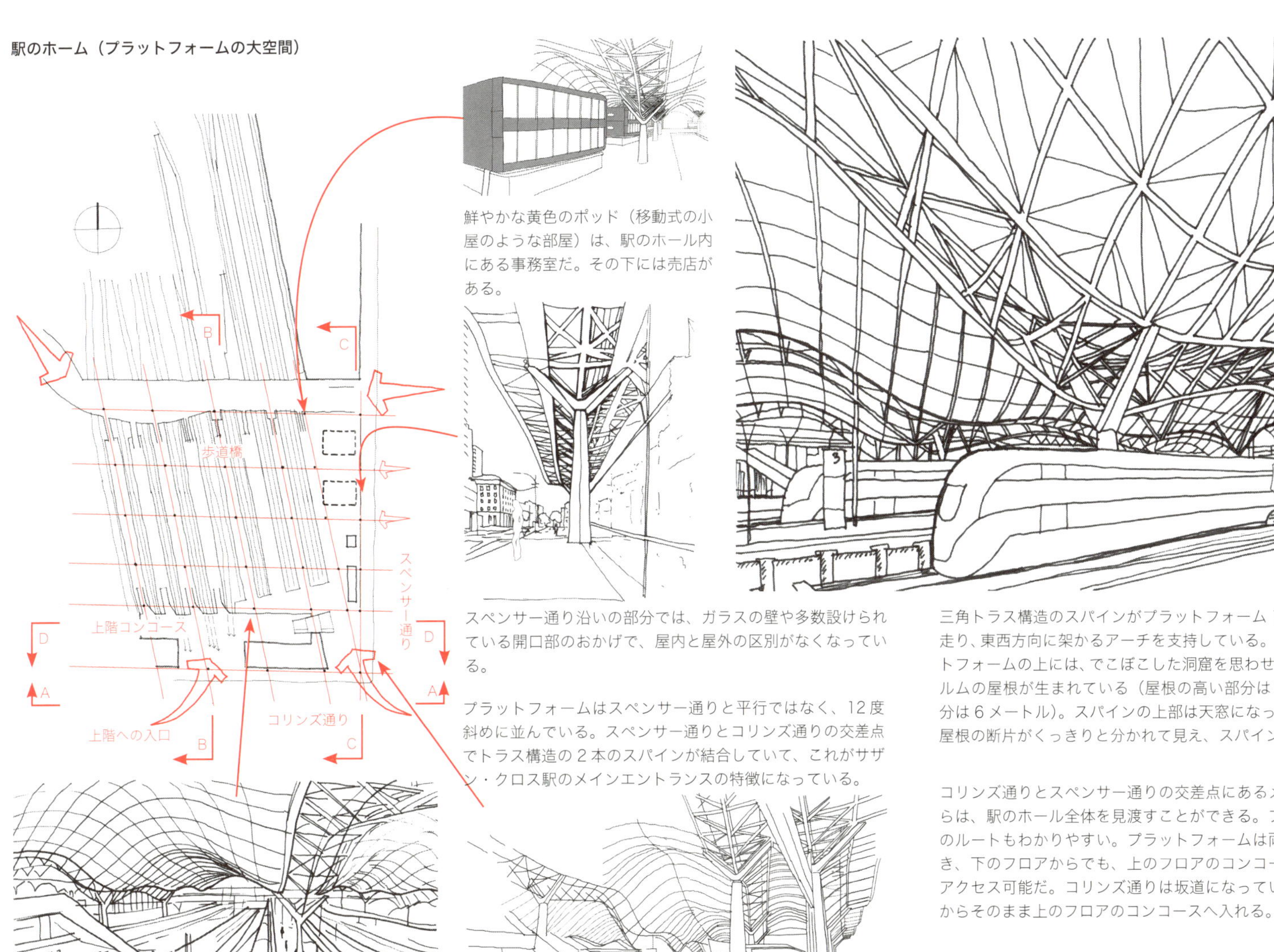

鮮やかな黄色のポッド（移動式の小屋のような部屋）は、駅のホール内にある事務室だ。その下には売店がある。

スペンサー通り沿いの部分では、ガラスの壁や多数設けられている開口部のおかげで、屋内と屋外の区別がなくなっている。

プラットフォームはスペンサー通りと平行ではなく、12 度斜めに並んでいる。スペンサー通りとコリンズ通りの交差点でトラス構造の２本のスパインが結合していて、これがサザン・クロス駅のメインエントランスの特徴になっている。

三角トラス構造のスパインがプラットフォーム１つおきに南北方向に走り、東西方向に架かるアーチを支持している。こうして、駅のプラットフォームの上には、でこぼこした洞窟を思わせる、流れるようなフォルムの屋根が生まれている（屋根の高い部分は 23 メートル、低い部分は６メートル）。スパインの上部は天窓になっていて光が入るため、屋根の断片がくっきりと分かれて見え、スパインが強調されている。

コリンズ通りとスペンサー通りの交差点にあるメインエントランスからは、駅のホール全体を見渡すことができる。プラットフォームまでのルートもわかりやすい。プラットフォームは両端から入ることができ、下のフロアからでも、上のフロアのコンコースや歩道橋からでもアクセス可能だ。コリンズ通りは坂道になっているので、通りの西端からそのまま上のフロアのコンコースへ入れる。

43 サザン・クロス駅 | 2001-07

グリムシャウ・アーキテクツ、ジャクソン・アーキテクチャー
オーストラリア、メルボルン

コリンズ通りを通る断面 AA（P273）を北向きに見る。コリンズ通りは坂道なので、通りからそのまま上のフロアのコンコースへ入れる。西端のコンコースの上には、背の低い商業ビルがある。

コンコースと駅のホールを通る断面 BB を西向きに見る。上のフロアにあたるレベルのコリンズ通りが左手（南側）に、同じく上のフロアにあたる歩道橋が右手（北側）に見える。両側からプラットフォームへ降りられる。

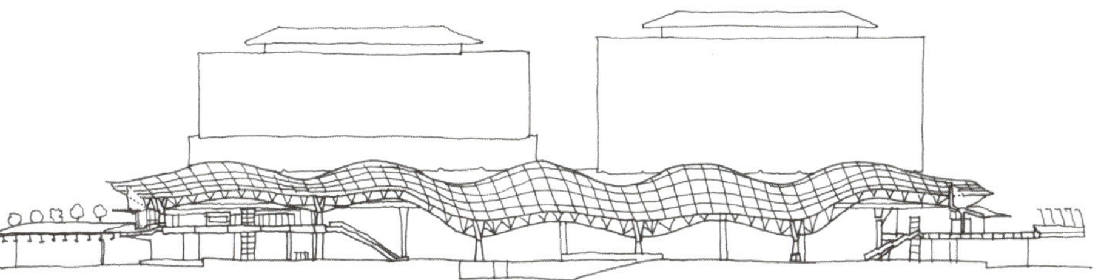

スペンサー通りに面した建物の東端のやや内側の、駅のホールを通る断面 CC。コリンズ通りが左手（南側）に、歩道橋の階段が右手（北側）に見える。スペンサー通りの脇に、黄色いポッドが2つある。

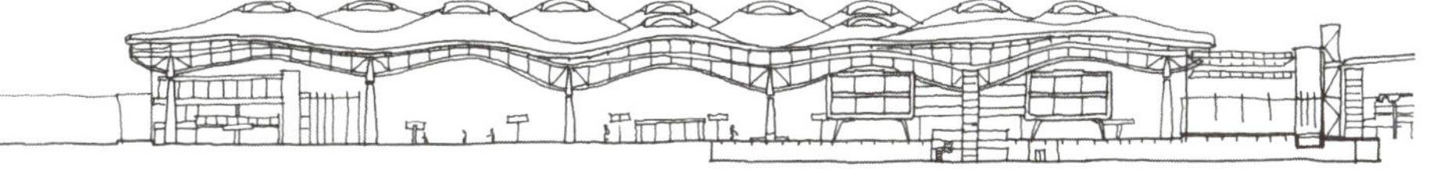

上階のコンコースを通る断面 DD を南に見る。スペンサー通りが左手（東側）に見える。都市鉄道の一部のプラットフォームは、商業ビルの地下に設けられている。

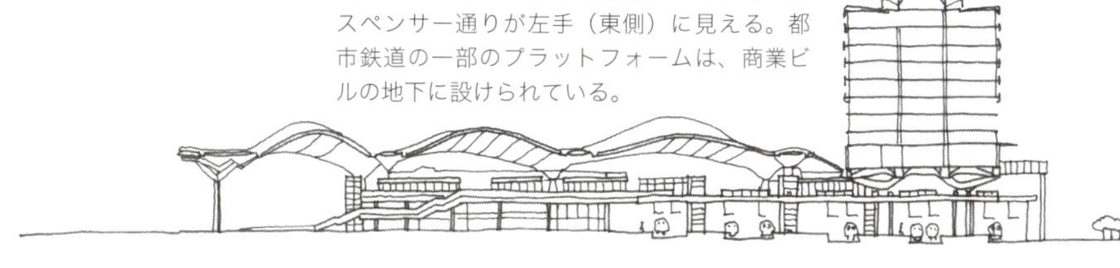

通風

屋根の形状は、送風機がなくても煙や汚染物質、熱気を逃がせるように設計されている。ドームのような隆起のそれぞれのてっぺんにルーバー式の通気口が設けてある。温度勾配のため熱気が上昇するのに加え、屋根の上の気圧によって空気が吸い出されるため、煙は風に乗って屋外へ排出される。これらの風の流れの経路をもとに、屋根全体に走る谷間が決められている。

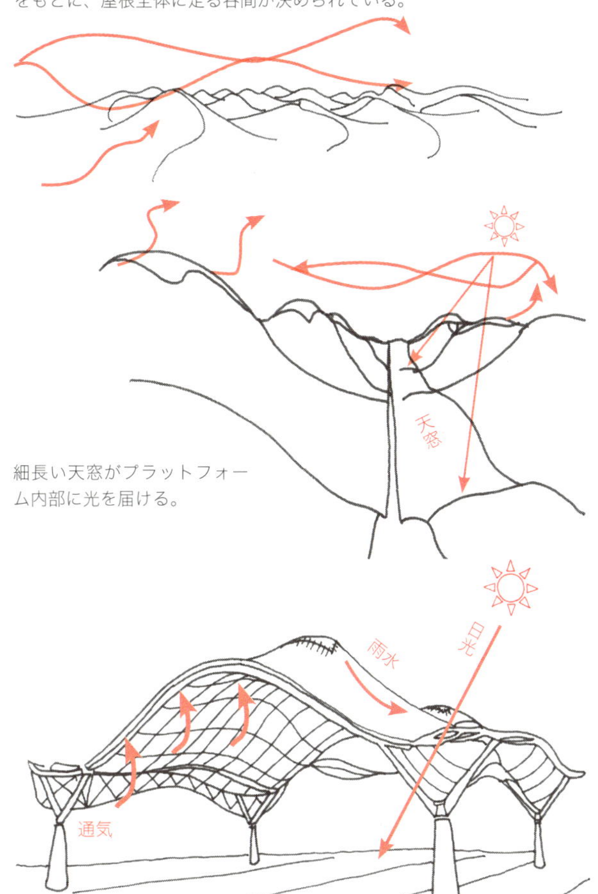

細長い天窓がプラットフォーム内部に光を届ける。

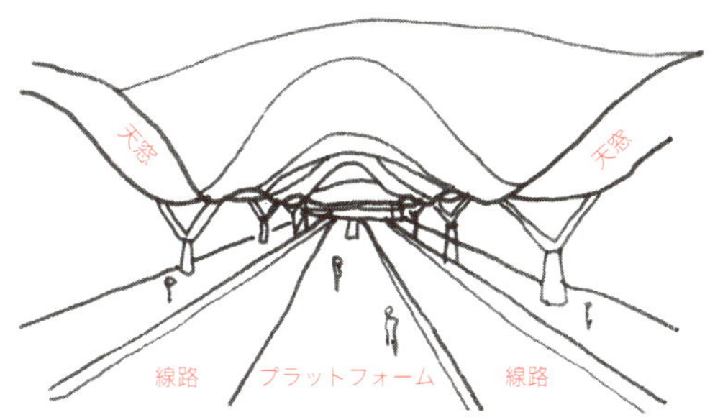

屋根の外層には、先が細くなっている亜鉛メッキのアルミ製の細板が使われていて、凸と凹の２つの方向にカーブし、小さな留め具で固定されている。天井の内層は、厚さ 20 センチメートルの三角形の断熱パネルで作られている。この内層は屋根の構造に支えられていて、屋根を取り付ける際には作業用のプラットフォームとして活用された。天井のパネルの隙間から吸い上げられた空気は、屋根の内層と外層の間のヴォイドへ抜ける。

構造は主に鋼鉄製だ。構造部材はボルト連結とともに、可能な限り前もって製造された。それぞれの構造部材を見れば、建物がどのように作られているかがわかる。

チューブによるシングルブレースが架けられた、径間４メートル・長さ約 40 メートルのアーチが、ドームのような屋根の隆起に沿うようにしてトラス構造のスパインの間を走る。

トラス構造のスパインの上は、透明な天窓になっている。天窓には機械で膨らませた半透明の高密度ポリマープラスチック製のクッションのようなものが使われ、屋根構造の温度ムーブメント（温度変化による部材の伸縮）を吸収できる。ニコラス・グリムシャウは、イギリス・コーンウォールのエデン・プロジェクトでも同様の技術を用いた。

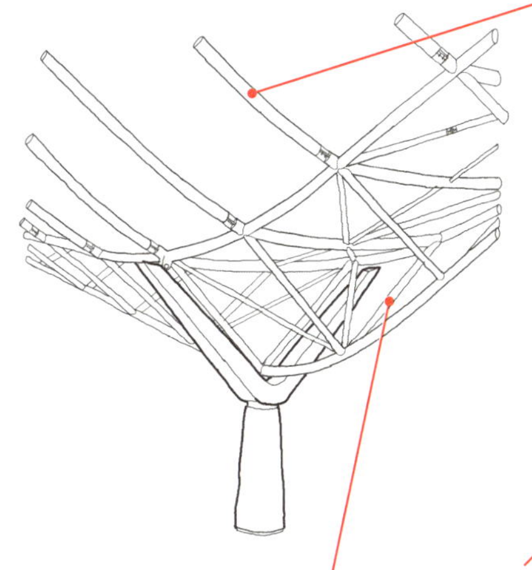

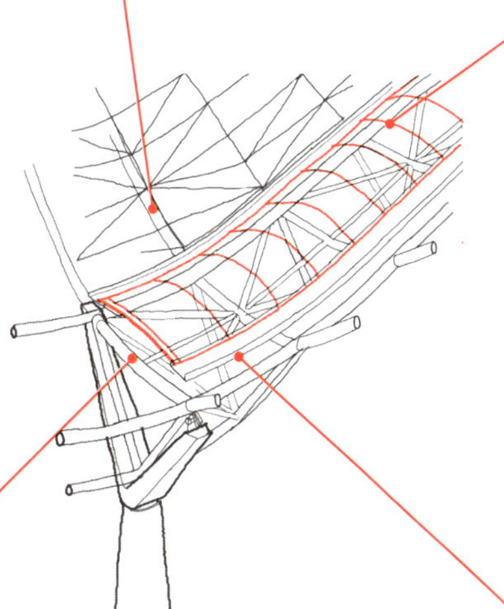

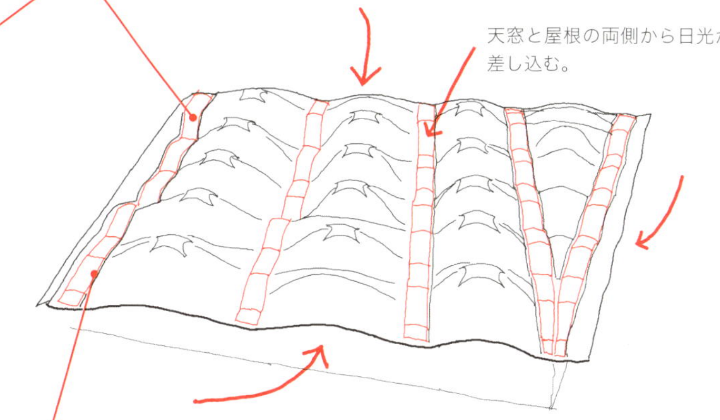

コンクリートを充填した板鋼で作られたＹ字の柱の間に、カーブを描く三角トラス構造のスパインが最長 40 メートルにわたって延びている。

Ｙ字の柱の上向きのアームにトラスが載っているように見える。

天窓の両側にある幅広の雨樋は、メンテナンス作業用の通路も兼ねている。雨水は屋根のくぼみから、柱の中に組み込まれている縦樋へ落ち、床下の雨水タンクへ流れる。

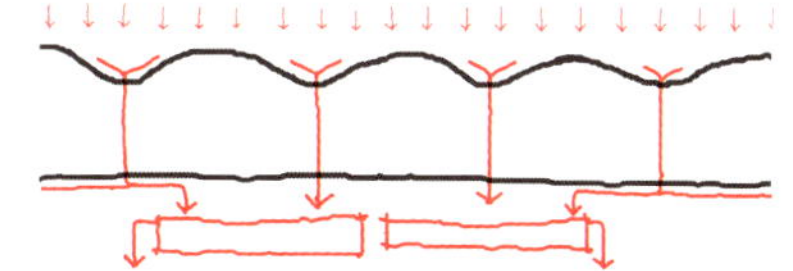

44

瞑想の森 市営斎場 | 2004-06

伊東豊雄建築設計事務所

日本、岐阜、各務ヶ原

日本人建築家の伊東豊雄が設計した瞑想の森 市営斎場は、現代における表現主義（20世紀初頭にヨーロッパで台頭した建築様式。初期のモダニズム建築に見られる材料の革新や社会の大衆化による斬新なデザインが特徴）の代表的な建築といえる。白漆喰塗りの有機的で軽やかな形の屋根と、その下に納められているどっしりとした火葬室の対比が印象的だ。周りの丘の稜線を模した屋根のカーブが、背後の丘と正面の池をつなぐ役割を果たしている。この斎場では、屋外と室内、自然と人工など、対立するさまざまな２つの要素の境目があいまいになっている。

また、室内のパブリックな空間からは、周囲に広がる見事なランドスケープを一望できる。遠くからでも見つけやすい屋根のおかげで、参列者は敷地内で迷わず建物へ辿りつける。

セレン・モーコック、クン・ジャオ、サイモン・フィッシャー、アントニー・ラッドフォード

ランドスケープの基本要素

地形

この斎場は、谷を見下ろす丘の中腹にある。丘の下には高速道路のトンネルが通っている。

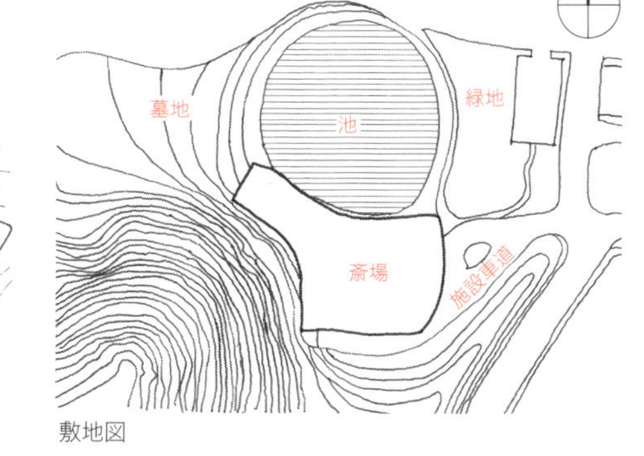

敷地図

この斎場は、丘の中腹に広がる大きな公園墓地の一部だ。南側には、さまざまな木々や植物が生える緑地があり、北側には池がある。公園墓地の周りは、主に住宅だ。斎場の配置やデザインは、この閑静なエリアでの存在感を最小限に抑えている。

斎場は北の池を見下ろすように建つ。後ろに控える丘から延びているような大きな屋根が、丘と池を仲立ちしている。周りに広がる灌木地（低木が生えている緑地）への影響が最小限になるように建物が設計されている。

デザインは自然からヒントを得ていて、一般的な大規模斎場とは趣がことなる。この建物は、屋根と、その下に隠されている火葬室などの機能空間という２つの要素からなり、高さは抑えられている。白く塗られた屋根が落ち着いた雰囲気を醸し出す。

建物の立面は自然と調和し、形やスケールを通してランドスケープになじんでいる。

屋根の形のヒントになったシラサギ

日本では、シラサギは清らかな命の象徴とされる。伊東豊雄は、斎場を死の場所ではなく、魂を浄化するための場所と考えた。シラサギの体のしなりをヒントにした白漆喰塗りの屋根が、清らかさと平穏を表現している。

屋根は丘の稜線からつながっているようなフォルムだが、色や質感は丘とは大きくことなっている。

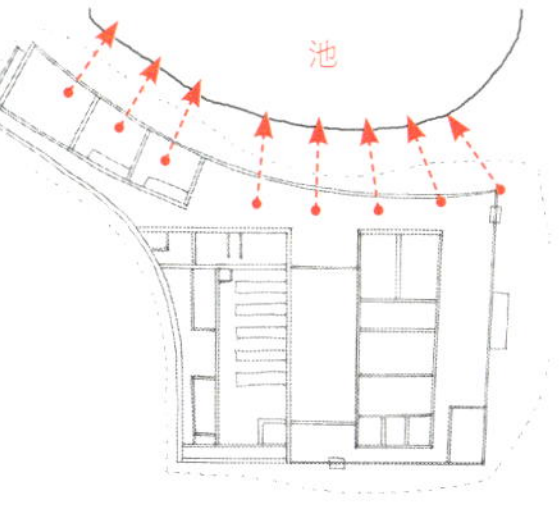

景観　ロビー全体と待合室が近くの池に面していて、故人に思いをはせるための静かな雰囲気を作っている。

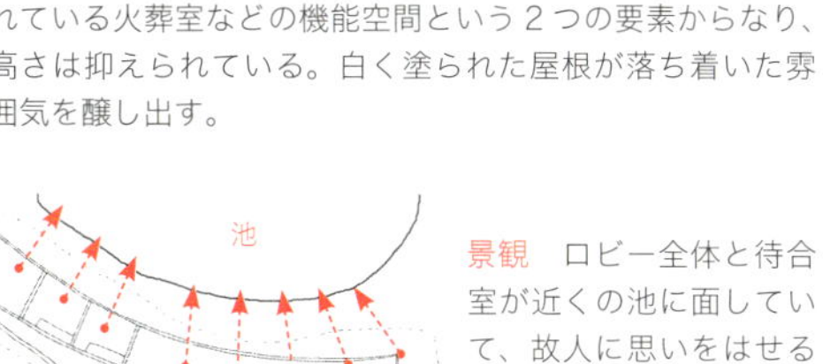

プライベートな空間

パブリックな空間

パブリックな空間は池に、よりプライベートな空間は丘に面している。

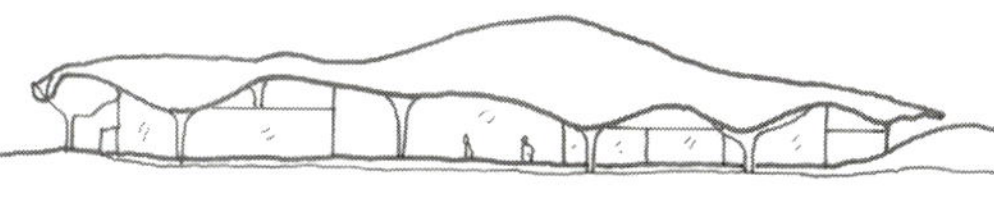

鉄筋コンクリート造りの建物は、ところどころ２階建てになっている。横から見ると、いびつな形の屋根と壁の水平な直線や垂直な直線が、バランスを取りながらも強調し合っているのがわかる。

機能と用途

屋根の下のつくりには、形態が機能に従う様子（ここでは 20 世紀初期にシカゴの建築家ルイス・サリヴァンが「形態は機能に従う」というフレーズを使って提唱した理念を引用）がよく表れている。建物のもっとも高い部分は、大きな火葬炉設備が納まるように設計されている。

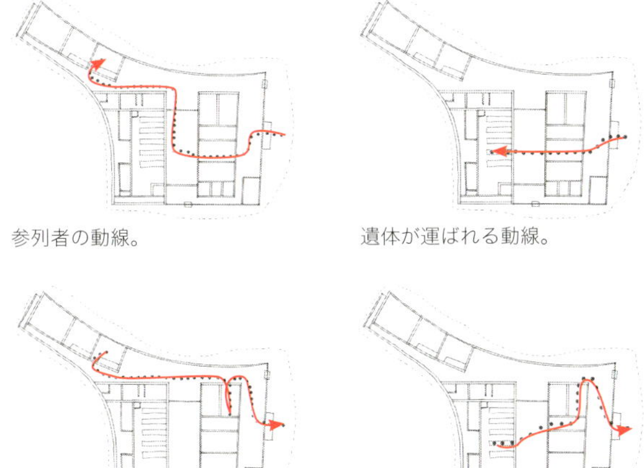

参列者の動線。　遺体が運ばれる動線。

動線　日本の一般的な火葬の手順に沿った動線が作られている。メインの入口から、遺体に続いて遺族が入り、告別式が行われる。そして、遺族は 3 部屋ある待合室のうちの 1 部屋で火葬を待った後、2 部屋ある収骨室のうちの 1 部屋で骨上げをする。

敷地への対応

丘の稜線や池の水面と調和する屋根のカーブが、ランドスケープに溶け込んでいる。室内から屋外が見え、屋外から室内が見えるので、敷地とのつながりが感じられる。

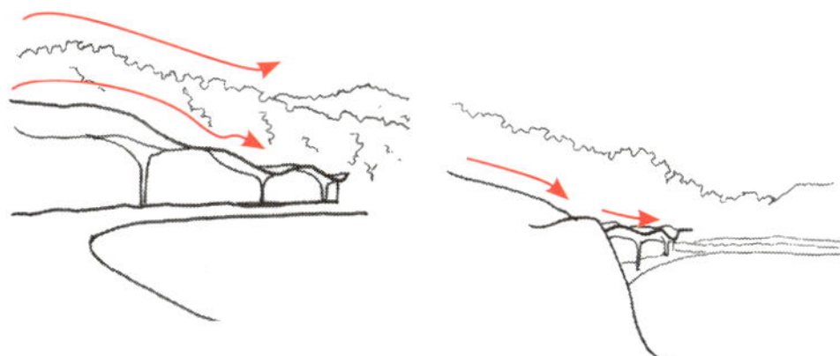

池のほとりからの眺め。　屋根からの眺め。

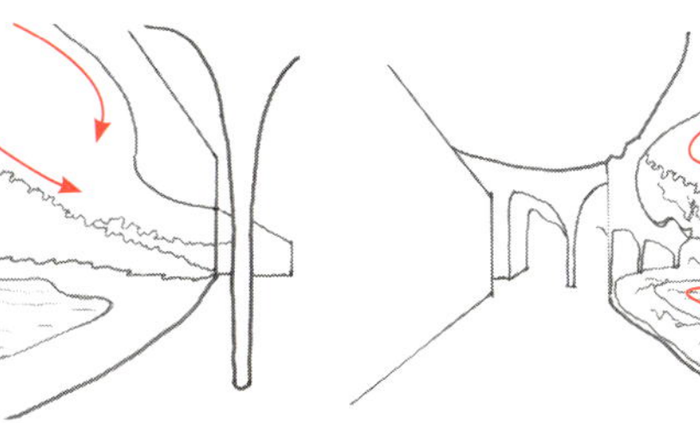

ロビーからの眺め。　池との視覚的なつながり。

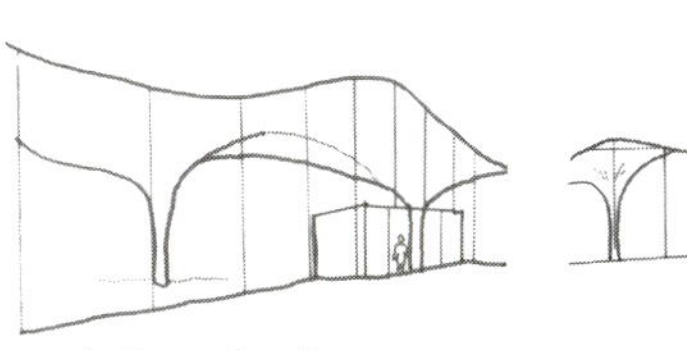

エントランスホール。

とてもシンプルな東側のファサードは、ガラスの壁と 2 か所の入口がある。

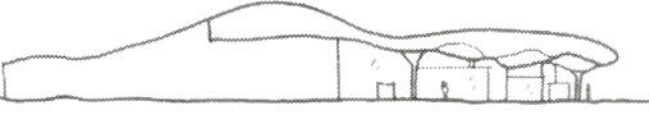

南側のファサードに裏口が設けられている。ファサードの半分はコンクリート造なので、室内の一部にしか光が入らない。コンクリートの硬い質感が、山肌とリンクしている。

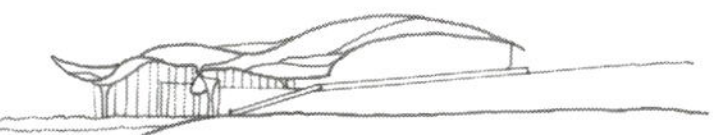

池に面したガラス張りの北側のファサードが、カーブを描きながら西側へ延び、待合室を包んでいる。

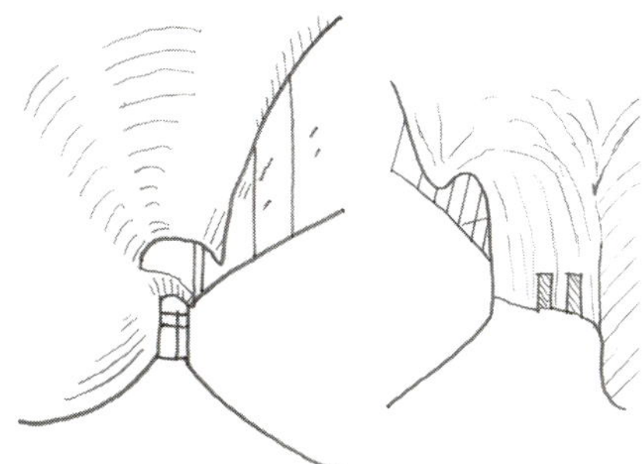

長い廊下の高い位置に、カーブを描く窓が設けられている。複雑な曲面の天井と単純な曲面の壁を隔てる窓ガラスは、空間に視覚的な豊かさを与えている。

光

ロビーなど、室内のパブリックな大空間を自然光が明るく照らす。主な光は、直射日光と、池に反射する光だ。北側のカーテンウォールから差し込む光は、大理石の床や真っ白に塗られた波打つ天井に反射する。反射した光は建物全体に広がり、パブリックな空間の奥にも行きわたるほか、反射を繰り返してよりプライベートな空間にも届く。

告別室には窓がないので、ドアを閉めると、天井のトップライトや天井と壁の境目の隙間に取り付けられている照明の光が、外のホールとはことなる雰囲気を作る。天井から暗い部屋に注ぐ後光を思わせる柔らかな光は、葬儀を行うこの部屋にぴったりだ。

境界

ガラスは視線を遮ることなく必要最小限の境界を作り、ゆるやかなカーブからなる軽やかな印象の室内と、池やランドスケープをつなぐ。告別室を囲む壁には、開口部がほとんどない。

波打つ天井を柔らかく照らす間接光が四方へ拡散し、室内の空間にさりげない一体感を演出している。

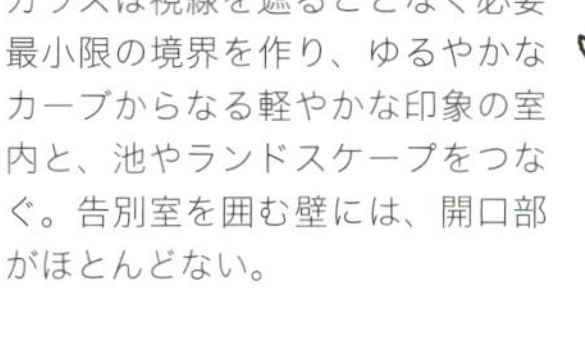

カーブを描くコンクリートの屋根が、室内空間を完全に覆っている

斎場では火葬の煙の排出が重要な検討事項だ。通気口は、カーブを描く真っ白な屋根の景観をそこなわないよう、丘のふもとに面した屋根の角に隠されている。

この催事場には待合室が3部屋ある。多様化する葬儀の習慣に対応するため、待合室のうちの1部屋は和室、2部屋は洋室になっている。池に面する待合室からは、池やその向こうの木々が見え、ランドスケープを室内に取り込みながら安らかな雰囲気を演出している。

　パブリックな空間には、主に大理石とコンクリートが使われている。火葬炉の外の炉前ホールでは、大理石でできた床や壁が、コンクリートがカーブを描いている逆側の壁と対比をなす。ガラスや木材が多用され、存在感のあることなる素材同士をつないでいる。

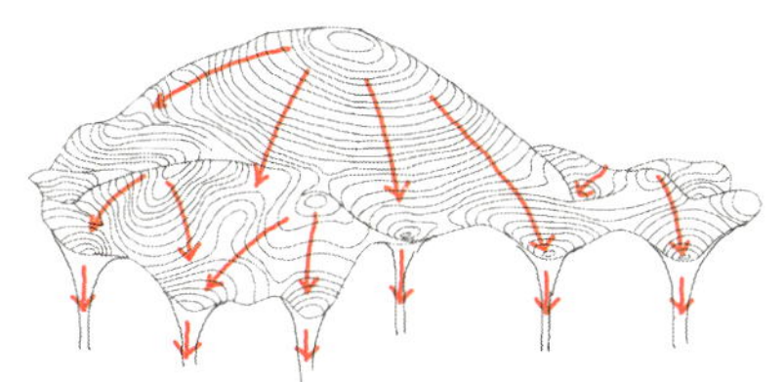

建設

カーブを描く屋根は厚さ 20 センチメートルの鉄筋コンクリート製だ。ガラス張りのファサードから片持ちの屋根が突き出し、根元が細くなっている逆円錐型の柱の上に浮かんでいるように見える。コンクリートは敷地の中で現場打ちされ、漆喰が塗られた。周りの丘を雨水が流れ落ちるように、屋根の形に沿って雨水が流れる。屋根の下には、4 つのサービスコアと、12 本の柱が立つ。逆円錐型の柱は上にいくほど太くなり、白い天井へ溶け込むデザインだ。

そっと隔離された斎場

瞑想の森 市営斎場の建物全体が、葬儀という精神面に関わる機能をもっている。この建物は、自然の要素とのつながりは保ったままで、周囲の日常からそっと離れたいという遺族のニーズに応えている。自然の要素と人工の要素を同等に考慮し対応することで、独特のコンテクストの中で相互反応が生まれている。

比較：市営火葬場　川口市めぐりの森（2011-18）

瞑想の森は、流れるような屋根に火葬炉と告別室が覆われていた。伊東豊雄がその後に設計した斎場「めぐりの森」では、ジッグラト（古代メソポタミアの階層状の建造物）のようなレンガ造りの長方形の中にこれらの部屋を納めた。構造の中心を占めるこのジッグラトは四方を壁に囲まれているが、カーブを描くコンクリート製の屋根はジッグラトよりも低い位置にあるため、屋根には覆われていない。

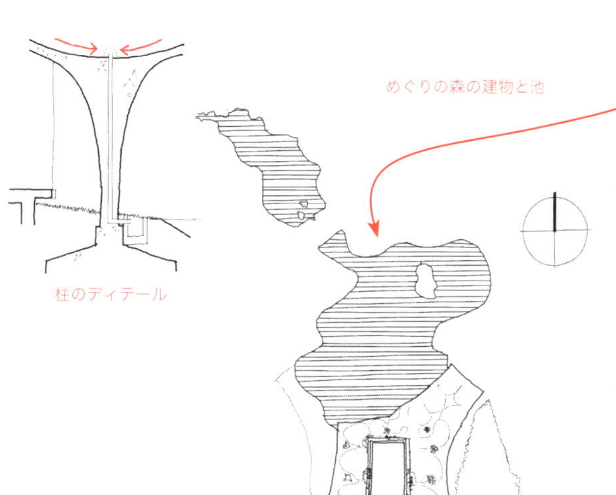

柱のディティール

めぐりの森の建物と池

瞑想の森と同じく、めぐりの森の建物も池のほとりに建つ。ジッグラトのテラスや波打つ屋根のくぼみに植栽が点在していて、自然が建物を包み込んでいるようだ。

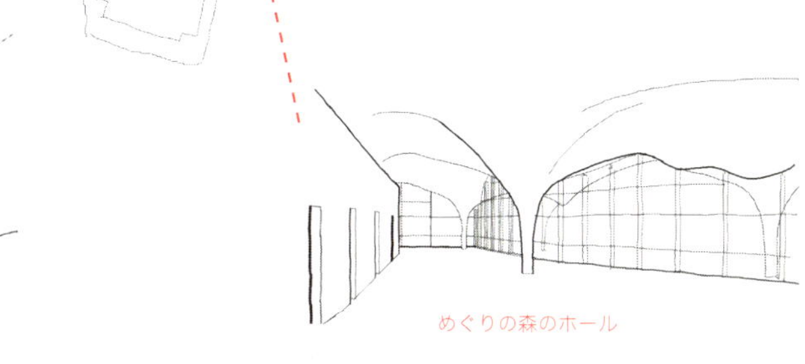

めぐりの森のホール

めぐりの森の内部では、中央のブロックと、外縁のひと続きのガラスの間に空間が続いている。片側に、葬儀用の部屋が整然と並ぶ中央ブロックがあり、もう片側には池や木々ののんびりとした風景が見える。光がたっぷりと入る待合室は池に面している。

45

マンチェスター民事司法センター | 2001-07

デントン・コーカー・マーシャル
イギリス、マンチェスター

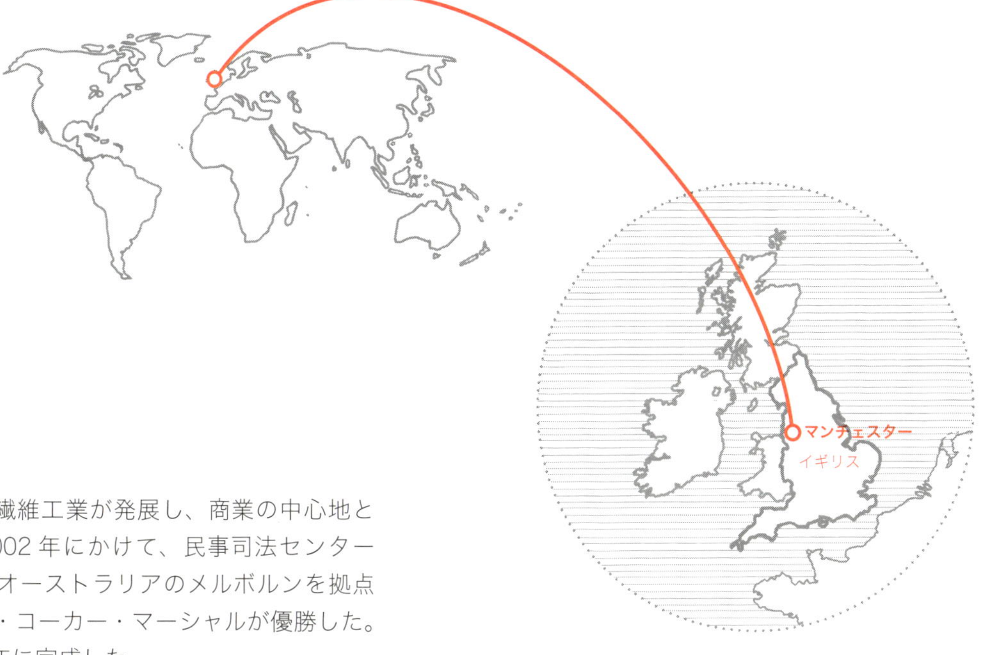

マンチェスターは19世紀に繊維工業が発展し、商業の中心地となった街だ。2001年から2002年にかけて、民事司法センターの国際設計コンペが開かれ、オーストラリアのメルボルンを拠点とする建築事務所、デントン・コーカー・マーシャルが優勝した。そこで提案された案は2007年に完成した。

この建物で際立っているのは、パブリックな空間と司法関係者が使う空間を両側に配置したわかりやすい間取りや、複数ある法廷をつなぐ動線だ。また、2重構造のガラスの壁、目隠し用の壁、ライトシェルフ（ひさしに反射させた柔らかな太陽光を拡散窓など通して室内の奥まで届けるための手法）や自然換気など、自然を活かした特徴が、鮮烈かつ表現力豊かな建築の中で溶け合っている。

サム・ロック、アントニー・ラッドフォード

45 マンチェスター民事司法センター｜2001-07

デントン・コーカー・マーシャル
イギリス、マンチェスター

敷地への対応

敷地のスピニングフィールズは、マンチェスター市のはずれにあり、中心街の西端に位置する。マンチェスター民事司法センターは、立体駐車場の跡地に建ち、隣には既存の裁判所の建物がある。このエリアの大部分が2000年以降に再開発された。センターの表面は、近くの新しいオフィスビルと同じように、ガラスや粉末塗装のアルミニウムで覆われ、高さやマッスも周りと調和している。

センターはアーウェル川に架かる橋の近くにあり、街への玄関口となっている。際立った建物が存在感を放つ。

開け放しになった書類棚の引き出しのように突き出したフロアは、普通のビルと比べると、ファサード正面の分節がとても強調されたデザインだ。建物の壁というよりも、空から見たマンチェスターの街並みの屋根のようでもある。

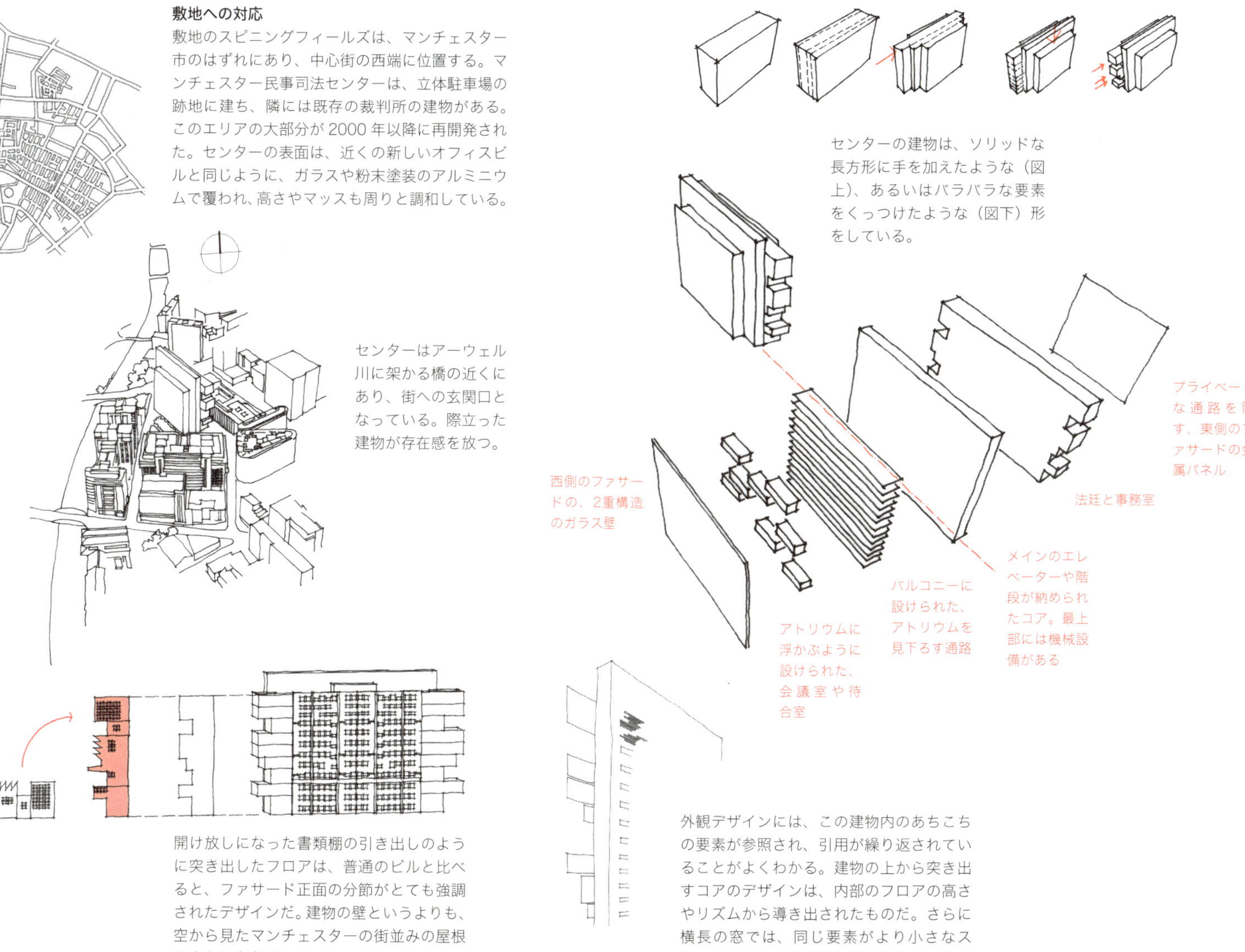

センターの建物は、ソリッドな長方形に手を加えたような（図上）、あるいはバラバラな要素をくっつけたような（図下）形をしている。

外観デザインには、この建物内のあちこちの要素が参照され、引用が繰り返されていることがよくわかる。建物の上から突き出すコアのデザインは、内部のフロアの高さやリズムから導き出されたものだ。さらに横長の窓では、同じ要素がより小さなスケールとなって繰り返し用いられている。

多くの裁判所の建物では、威厳や権威、秩序が表現され、左右対称で大きく入口は堂々としていて近寄りがたい。民事司法センターは秩序や威厳を感じさせるが、威圧感はない。司法制度は市民の味方であるという姿勢がよく表れている建物だ。

アメリカ合衆国最高裁判所（アメリカ、ワシントンD.C、キャス・ギルバート設計、1935）

王立裁判所（イギリス、ロンドン、ジョージ・エドモンド・ストリート設計、1882）

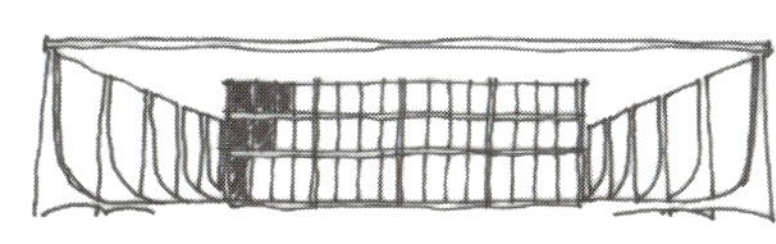

ブラジル最高裁判所（ブラジル、ブラジリア、オスカー・ニーマイヤー設計、1958）

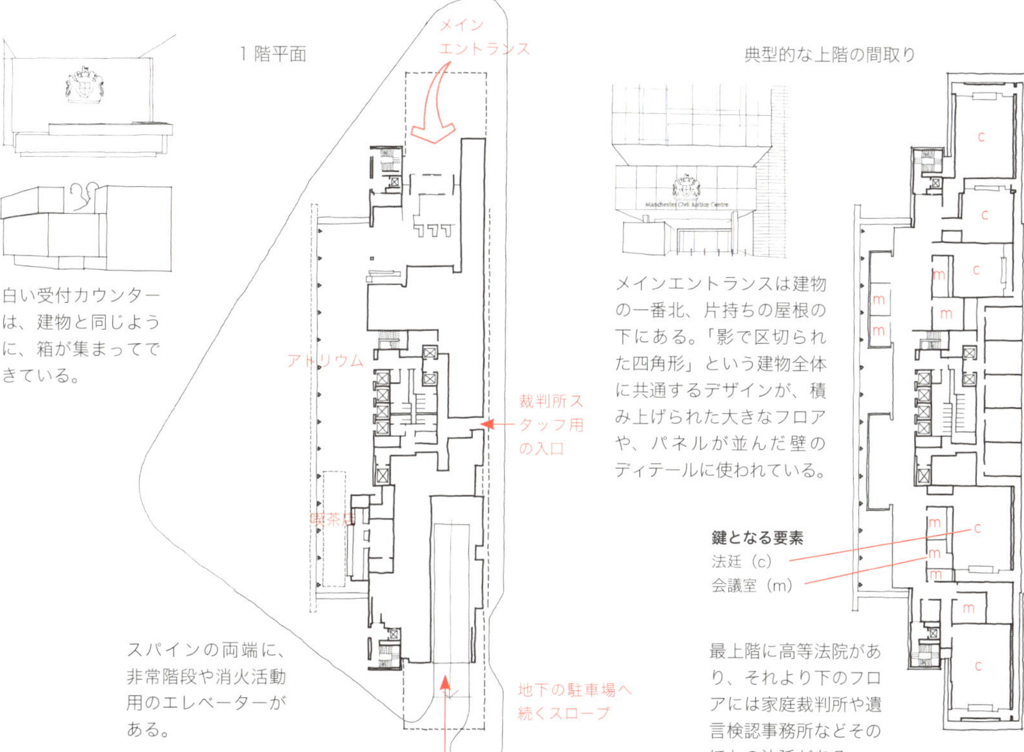

白い受付カウンターは、建物と同じように、箱が集まってできている。

メインエントランスは建物の一番北、片持ちの屋根の下にある。「影で区切られた四角形」という建物全体に共通するデザインが、積み上げられた大きなフロアや、パネルが並んだ壁のディテールに使われている。

スパインの両端に、非常階段や消火活動用のエレベーターがある。

最上階に高等法院があり、それより下のフロアには家庭裁判所や遺言検認事務所などそのほかの法廷がある。

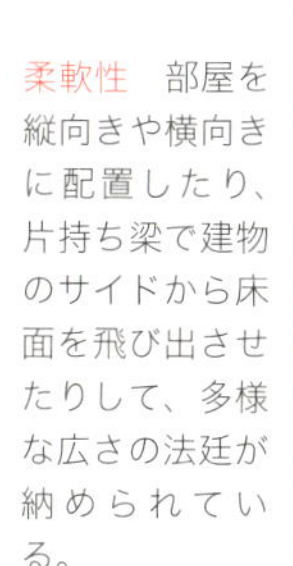

柔軟性　部屋を縦向きや横向きに配置したり、片持ち梁で建物のサイドから床面を飛び出させたりして、多様な広さの法廷が納められている。

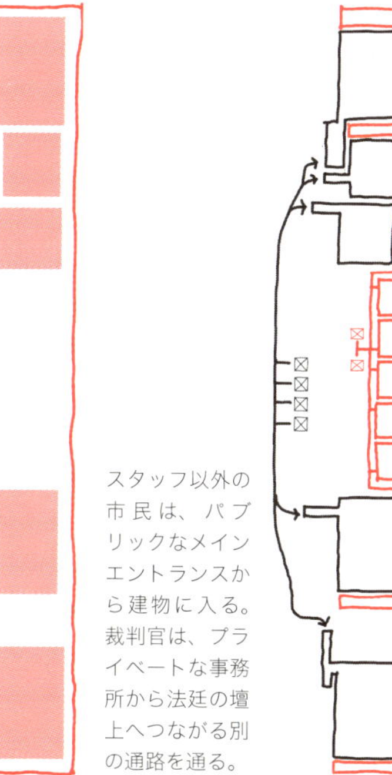

スタッフ以外の市民は、パブリックなメインエントランスから建物に入る。裁判官は、プライベートな事務所から法廷の壇上へつながる別の通路を通る。

45 マンチェスター民事司法センター｜2001-07

デントン・コーカー・マーシャル
イギリス、マンチェスター

環境への対応

パブリックな空間がふんだんに用意された建物の内部は、重苦しくなく広々としている。建物の形状のバランスは気候が考慮され設定された。自然に風が通るよう、細長く、高さのある建物になっている。センターでは1年のうち約8か月間は自然換気され、残りの4か月間は補完的にクーラーが使用される。

　建物の下には、地下75メートルの帯水層（地下水を含んでいる地層）まで届くボーリング孔が掘られている。汲み上げられた摂氏12度の地下水が、アトリウムの床に埋め込まれたパイプを流れ、アトリウム内を冷やす。クーラーの給気をあらかじめ冷やし、効果を高める役割もある。建物内で使われて摂氏14度になった地下水が帯水層に戻される。

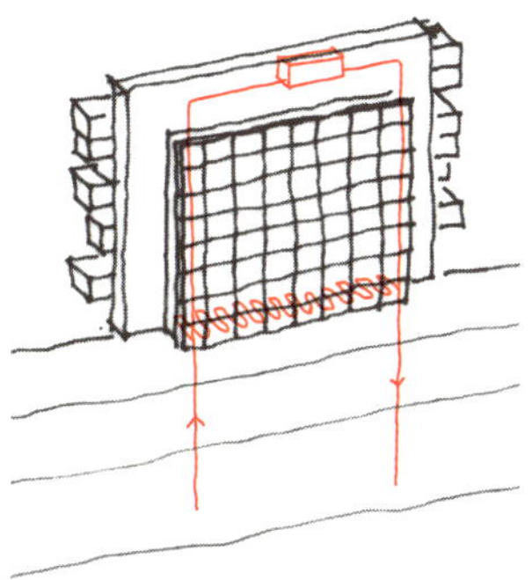

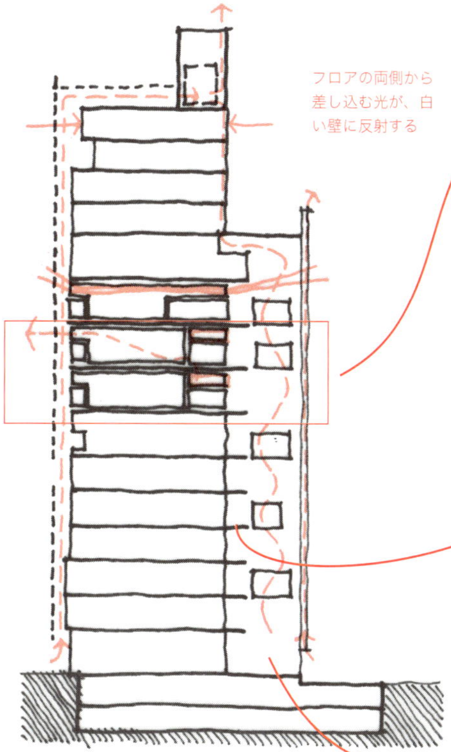

東端と西端の外壁では、内部と外部の温度差によるスタック効果が生じるので、外の空気が室内へ引き込まれる。外壁は、東側では目隠し用の金属パネル、西側は2重構造のガラスで覆われている。同じように、スタック効果のおかげで空気がアトリウム内をのぼっていき、建物の一番上にあるダクトから抜ける。

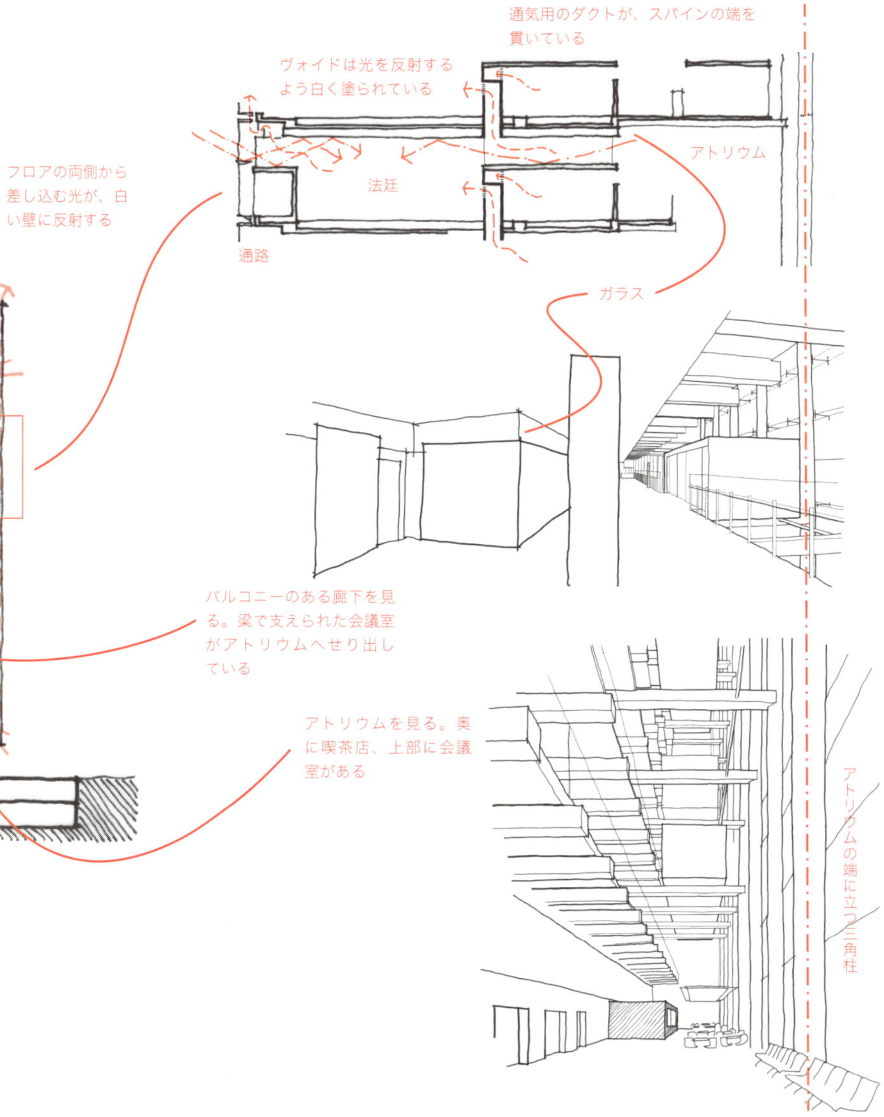

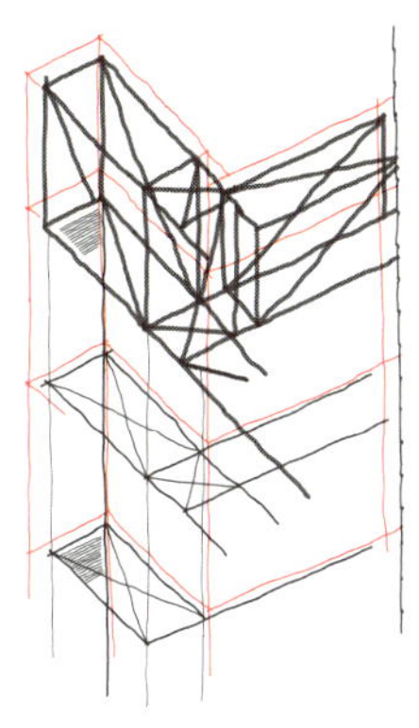

西側のファサード
鉄骨トラスから、2重構造のガラスの外壁と、各フロアの床から天井までの高さのガラスが吊られている。

2フロアごとに、2重構造のガラスの間に通路がわたされている。

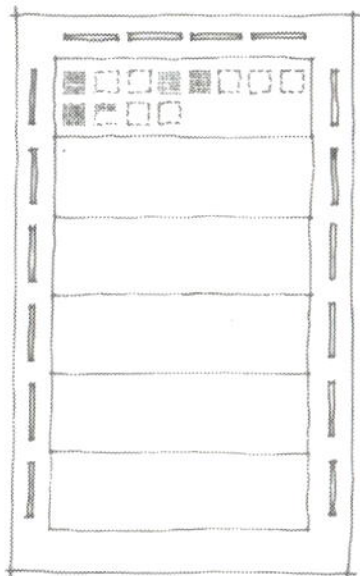

2重構造の壁の下には、空気を入れ換えて熱を逃がせるよう、調節式のガラスのルーバーが取り付けられている。

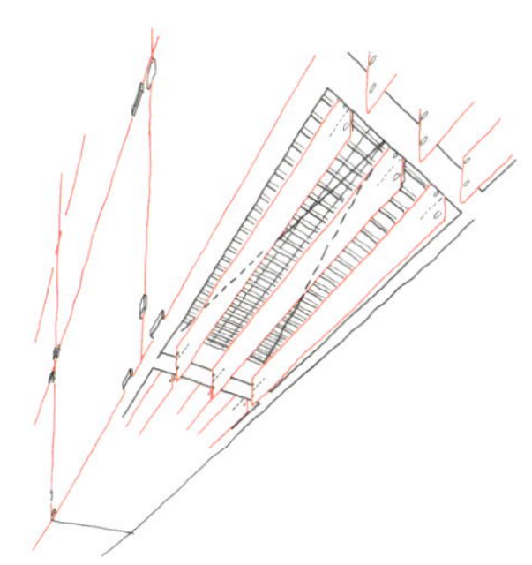

北側と南側のファサード
フロアが建物から突き出ているところでは、床から天井までガラスがすっぽりと覆っている。突き出ている部分を外から見ると、床と天井が非常に薄く、各フロアの天井がより高く見える。

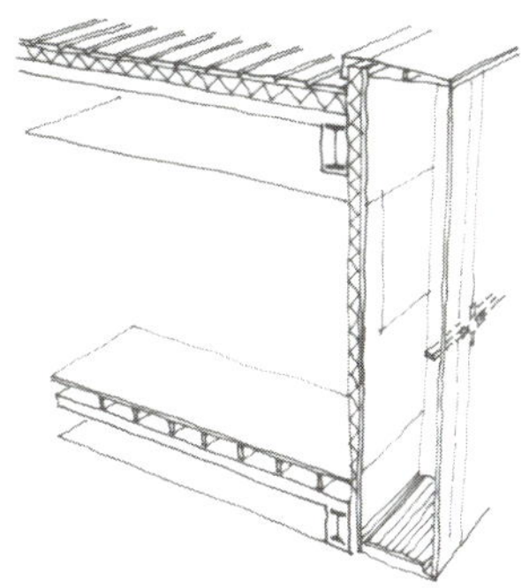

建物の外側に設けられた鉄骨フレームに、さまざまな開口部をもつ粉末塗装のアルミニウムパネルが取り付けられている。部屋や廊下からの眺めを考えて、パネルは一様ではなくややランダムに配置されている。

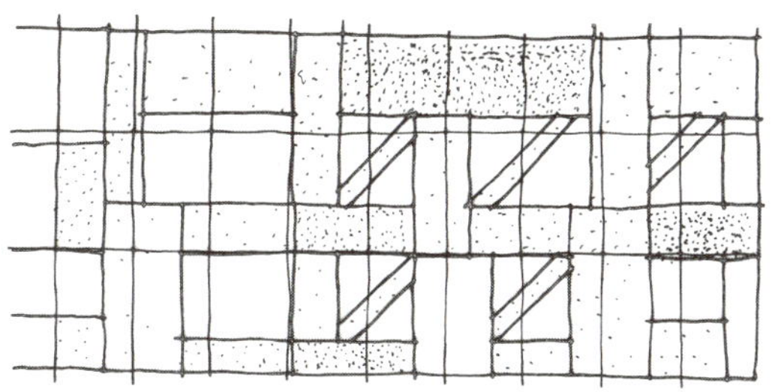

片持ちのフロアが斜材で補強されている様子が、室内からも屋外からも見える。ガラスの内側に設けられている壁は、黄色やグレーの控えめな色合いの粉末塗装のアルミニウムパネルでできている。

室内は、司法の伝統や永続性を象徴する重厚なオーク材で仕上げられている。最上階には、重要な事案を扱う高等法院がある。

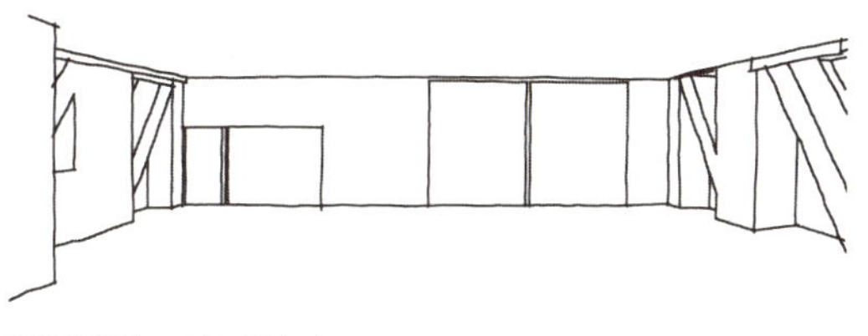

食堂も建物の外に張り出しているので、マンチェスター北部の街並みが見渡せる。

46

グリーン・スクール｜2005-07

PTバンブー

インドネシア、バリ、バドゥン

環境保護主義者でありデザイナーであるジョン・ハーディと、その妻のシンシアは、環境分野における次世代のリーダーの育成につながる教育機関をインドネシアに作った。グリーン・スクールは、彼らの明確なビジョンにもとづいた試みの結果として生まれた建物だ。

利用者の目線に立って設計されたこの建物のデザインは、学校の教育理念と深く結び付いている。竹を材料に選んだり、現地特有の技術を取り入れたりするなど、自然や文化の持続可能性を模索する思想がコンセプトの軸になった。このプロジェクトでは、建物の要素同士が互いに影響し合い、一体感を築くことがいかに大切かを体現している。

素材には、地元で採れる竹が使われ、建築についての昔ながらの知恵が斬新かつクリエイティブに活用されている。未来に引き継がれるべき伝統的な教えを提供する、快適な建物の例といえる。

アミット・スリヴァスタヴァ、マリアム・アルファデル、シティ・サラ・ラムリ

46 グリーン・スクール | 2005-07

PTバンブー
インドネシア、バリ、バドゥン

地元のコンテクストへの対応

グリーン・スクールは、厳密に設計された建物というよりも、構造同士、あるいは構造と周りのコンテクストが関わり合う、要素の集合体だ。土着の文化や自然への敬意にもとづき、それらを高められるような教育機関を作るという理念を共有しながら、さまざまな構造が1つに溶け合っている。

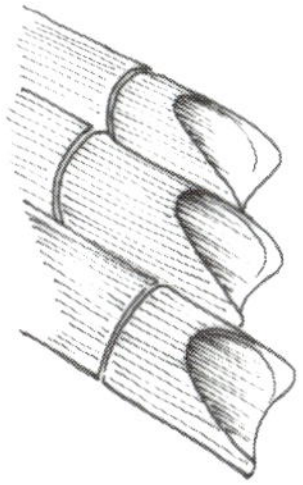

自然素材

人工素材や輸入材料の代わりに、地元バドゥンで採れる竹が使われている。

自然を尊重する
教育機関の理念

グリーン・スクールは、自然を尊重するという理念を組織化し広める助けになる。

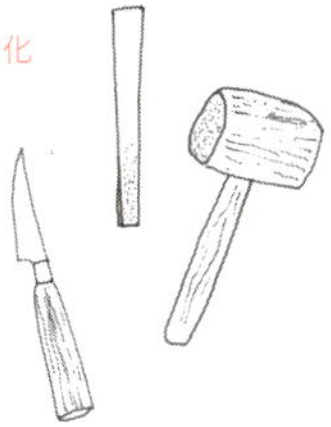

土着の文化

工業材料の代わりに、土着の工芸や道具が使われている。

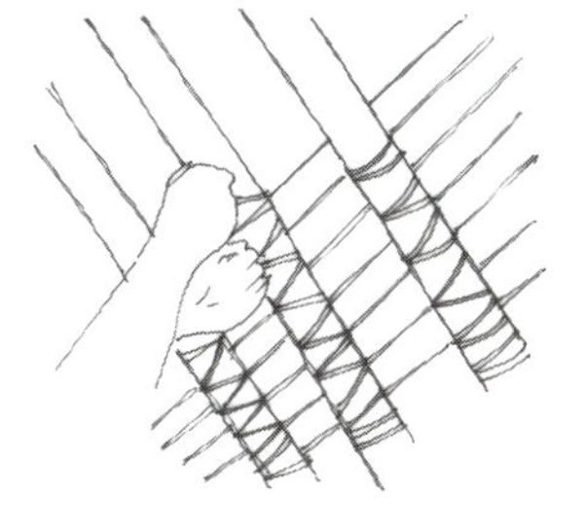

周りの畑は、地元の農産物が作られているほか、生徒の農業体験の場にもなる。

広々とした畑

学校の中心（メインの校舎）

手付かずの
ジャングル

アユン川

この施設の軸になっているのは、地元の文化や自然環境への配慮だ。自然との持続可能な関係を築くために、輸入木材ではなく、竹など地元で採れる素材であらゆる構造が作られている。重機を使わず、シンプルな技術だけで建物を作るという土着の建築文化を取り入れているので、地元の素材がより引き立っている。バリ島の伝統に従って、棟梁を筆頭に、地域の人々の手で建物が作られた。

地元の伝統的な建築文化との関わりは、校舎だけでなく施設の全体の軸となっている。建物が長い時間をかけて増えていくと、「バンジャール」と呼ばれる、村のような地域コミュニティができる。生徒たちは、教育理念にもとづく自然や文化とのふれあいを体験することができる。

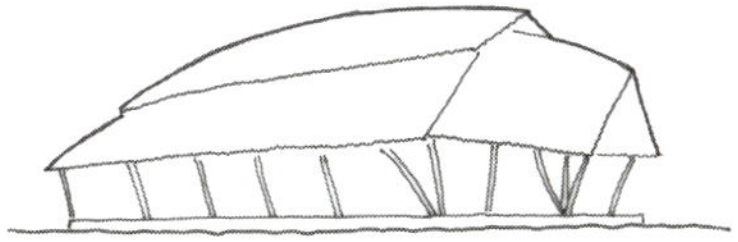

帽子のような形で、バリ島の村の伝統的な建築様式が再現されている。

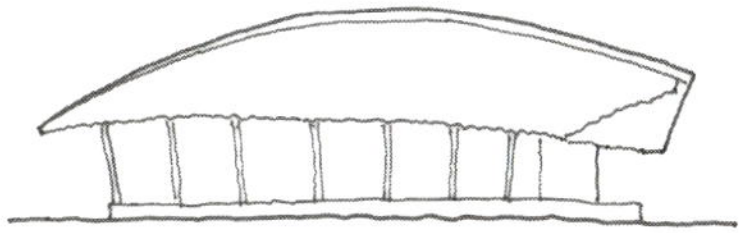

多様な建物が集まり、「バンジャール」と呼ばれる、バリ島の地域コミュニティのような有機的な形を作っている。

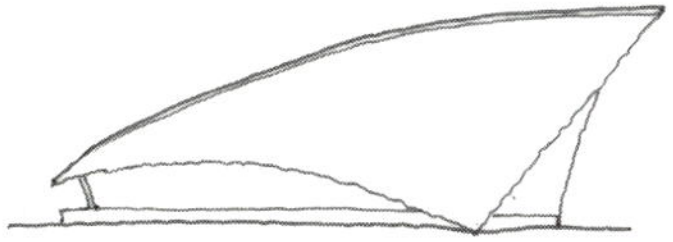

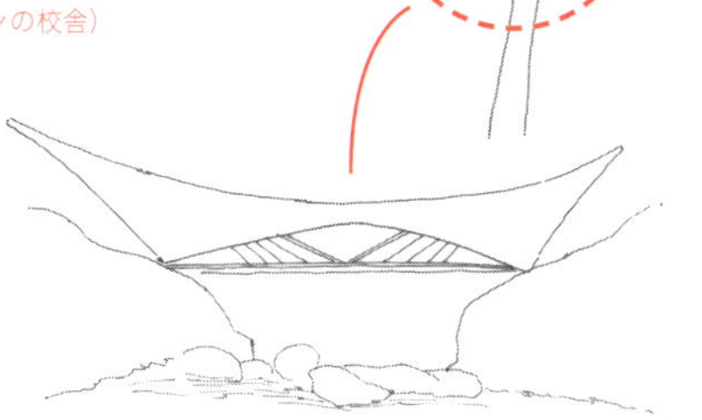

アユン川には橋が架かり、学校とより広い地域コミュニティをつなげている。また、将来、学校の敷地を広げるときにも役立つ。

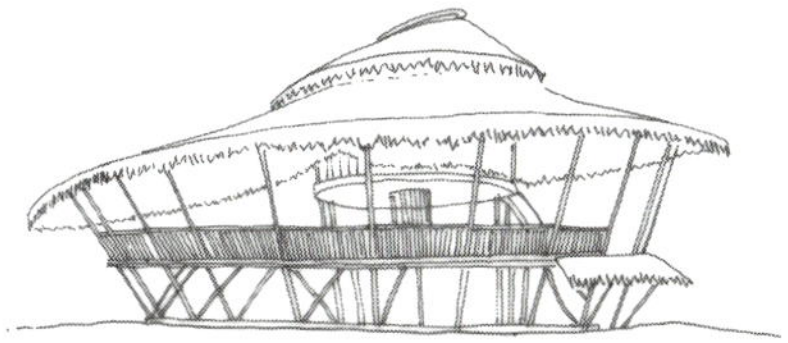

工芸と教育の融合

校舎のデザインは、理想的な持続可能性を謳う教育理念と、地元の文化の保護にもとづく建設のプロセスの関係から生まれている。こうして作られた学校は、竹を使った工芸を試みる実験の場、あるいは工業建材や工法に代わる、持続可能な手段としての竹の用途を広げるための実験の場となっている。

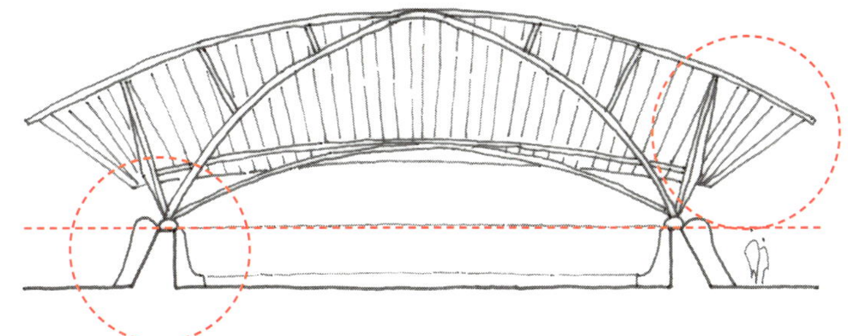

竹のしなやかさや長さが活かされた上部と、石や泥などの素材を使った下部が組み合わされ、全体が構成されている。さらに、強度を高めて風荷重に耐えられるよう、一部に鉄骨やコンクリートの充填材が使われている。

この地域には、主に仮設の建物を建てるときに使われる、伝統的な工夫や技が伝わっている。グリーン・スクールの建設プロセスでは、このような工夫や技を使って、シンプルな素材で長期間使える複雑な建物を作ることに成功した。太い竹のむき出しの構造部材が、細い竹でできた部材に接続され、その上からチガヤが葺かれている。これらすべての部材が手作業で組み立てられる様子は、伝統的な機織り作業を連想させる。

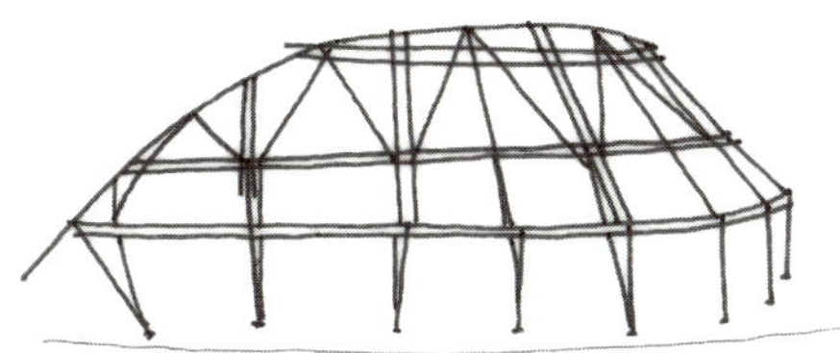

構造骨組から、家具や調度品まで、校舎のほぼすべてのものが竹で作られ、竹の良さを強調するようにむき出しになっている。生徒は校舎や家具を通じて、より広い意味で自然を学ぶと同時に、自分たちも創意工夫をこらして竹を使った工作をする。

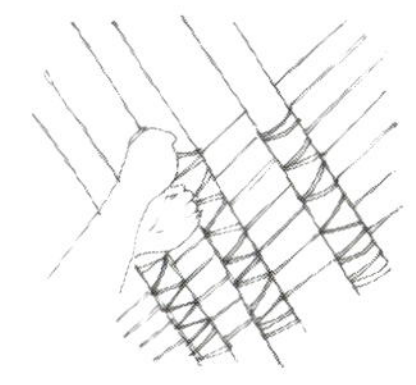

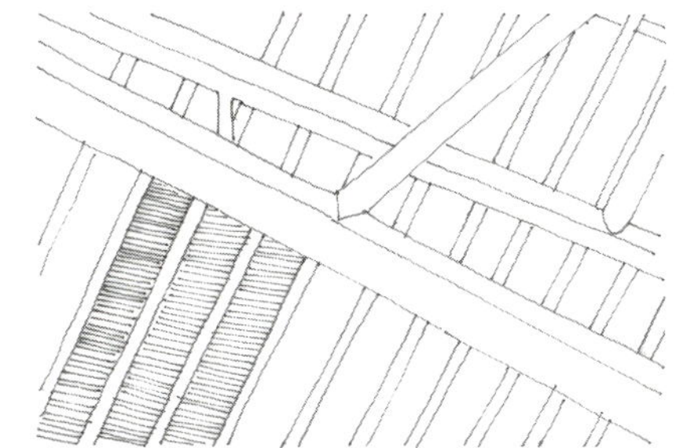

一見複雑そうな屋根は、直線が組み合わさってできている。その上から、チガヤのわらが葺かれている。

校舎には竹本来の特徴が表れ、その自然なしなやかさやカーブが有機的な形を作っている。

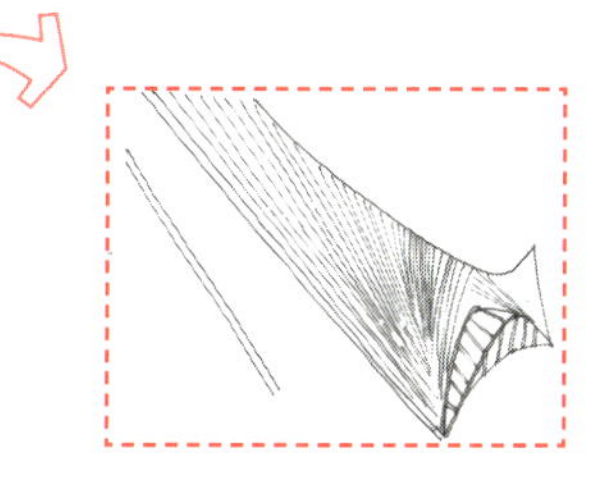

家具も竹で作られている。

屋根のカーブには、竹のしなやかさが表れている。

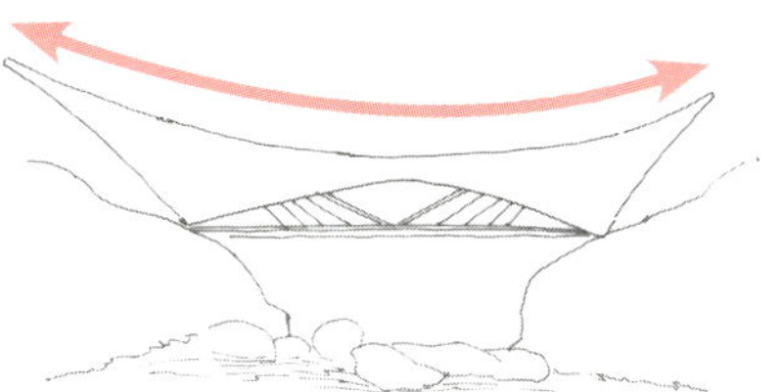

吊り橋が双曲放物面を描く。

熱帯性気候への対応

機械や電気を使った冷房に頼りすぎず、風などを利用して建物を冷やすしくみを使い、熱帯性気候に対応している。校内の建物は、柱はあるが壁がない建物がほとんどなので、風が自由に通り抜ける。1つの屋根に1つずつある天窓へ空気がのぼっていき、さらに通風を促す。

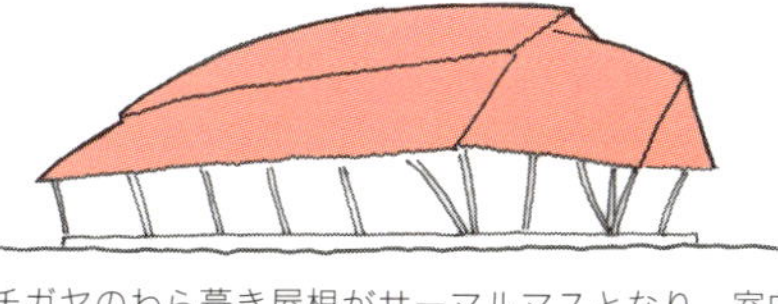

チガヤのわら葺き屋根がサーマルマスとなり、室内を涼しく保つ。

「学校の中心」と呼ばれるメインの校舎は、竹を組み合わせて作った何本もの支持柱を中心に建てられている。中央の支持柱のてっぺんには、1つの屋根に1つずつある天窓が取り付けられている。その周りの支持柱は外側に傾き、日陰を作りながらも開放感のある空間を生んでいる。

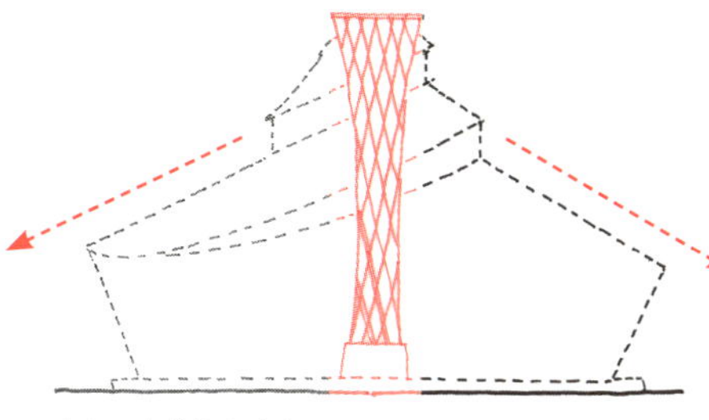

中央の支持柱を中心に、外側へ放射状に広がる構造をもつ。中央の支持柱の上には、1つの屋根に1つずつ天窓がある。

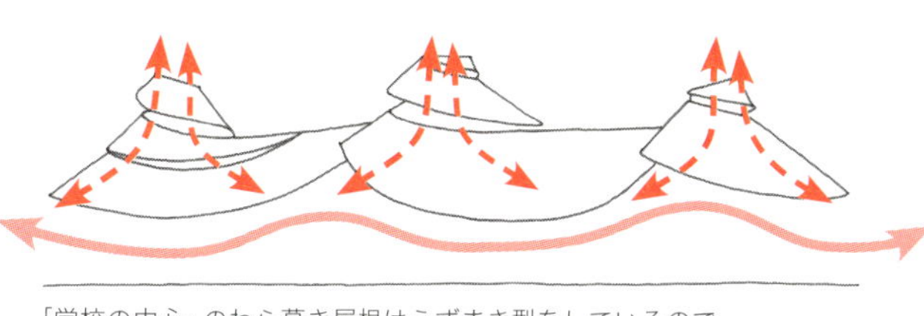

「学校の中心」のわら葺き屋根はうずまき型をしているので、室内の空気が建物の上部へ抜ける。

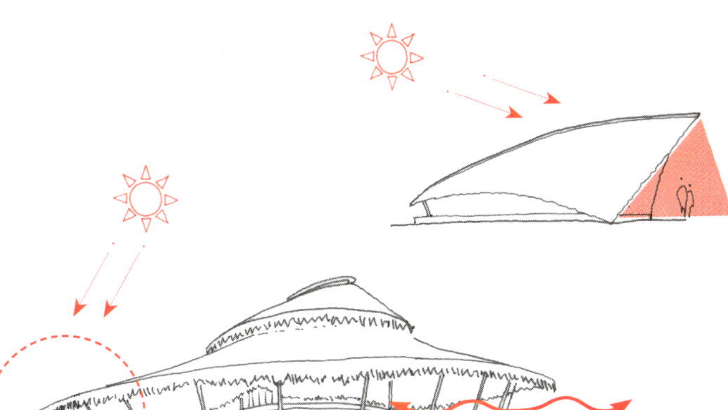

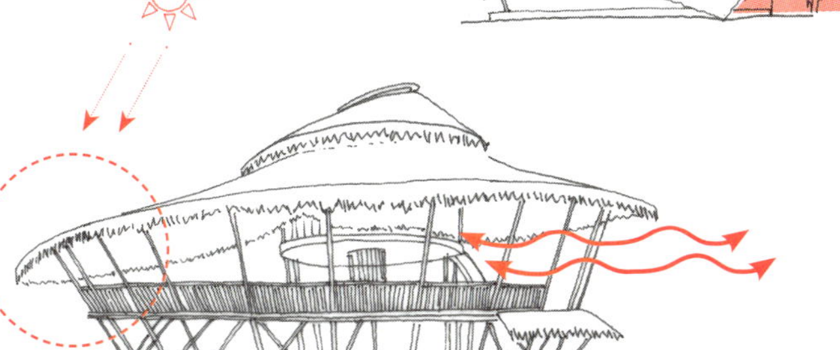

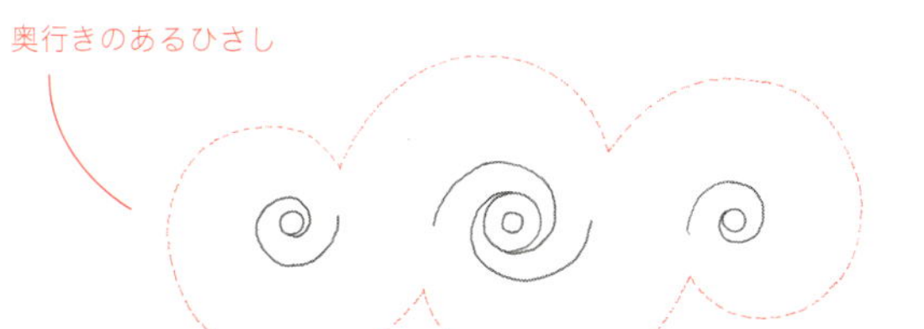

外側へ傾く屋根や、大きなひさしが、熱帯の太陽を遮る十分な日陰を作る。

奥行きのあるひさし

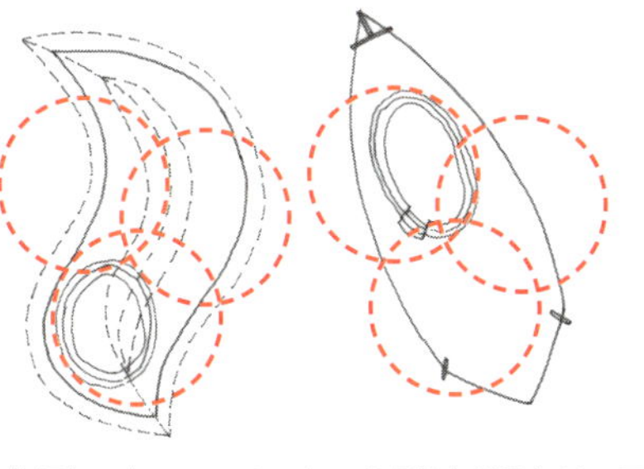

仕切りのないワンルームの多目的な間取りは、正式な教室として、気軽な会議をする部屋として、よりカジュアルな交流の場として使われる。

幼稚園児から高校生までが学ぶというプログラム上のニーズに合わせ、この建物では「開放感」と「柔軟性」が主題となっている。部屋同士を遮る仕切りがないので、多様な状況に合わせて、さまざまな用途で空間を使いわけることができる。

竹製の家具は軽くて持ち運びやすく、空間の配置を柔軟に変えるのにぴったりだ。移動式の収納棚はついたてとしても使える。また、チガヤのわら葺き屋根が、授業中の音響効果を高める。トイレやキッチンなどの設備では、自然燃料の使用や堆肥化など、資源が積極的に再利用され、自然へ配慮した取り組みが行われている。

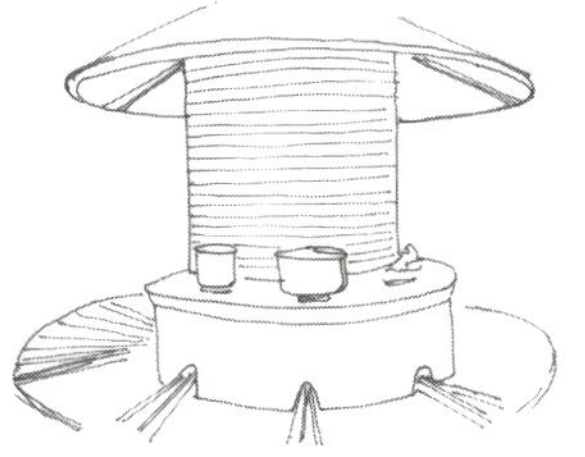

共同キッチンでは、竹のおがくずやもみがらを燃料にして調理をする。

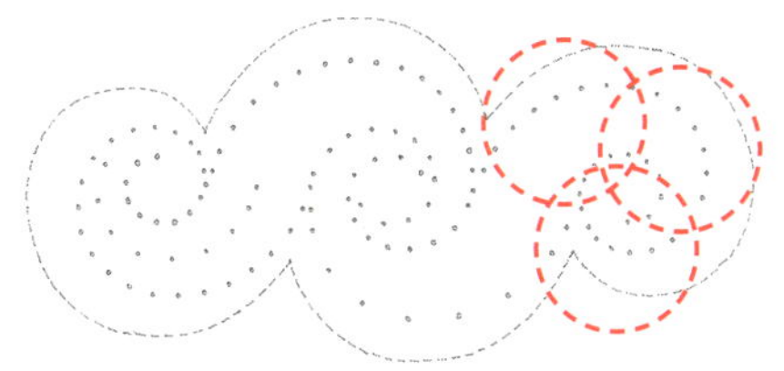

「学校の中心」は、敷地の中でもっとも大きな建物だ。教室、図書室、展示室、事務室など、いろいろなプログラム上の必要機能が納められている。

施設のほとんどは、開放感や柔軟性のある建物だが、そのほかに、メパンティガン場という集会などにも使われる特別な建物もある。バリのマーシャル・アーツの稽古を行うための、大スパンの竹の屋根を使った体育館だ。土壁を背もたれにして座れるようになっていて、劇場のように体育館室内の様子を眺めることができる。

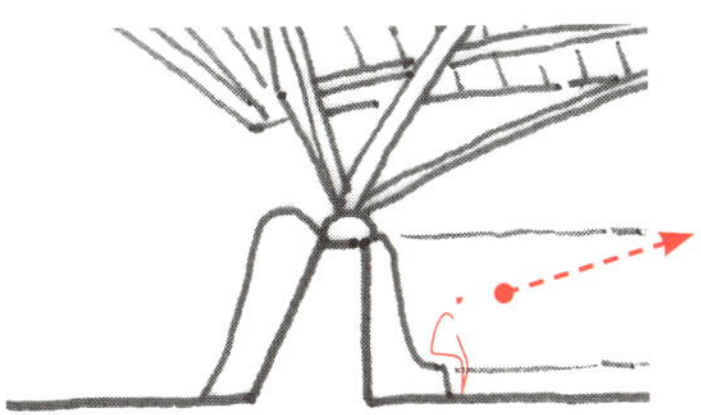

土壁が座席を兼ねる。

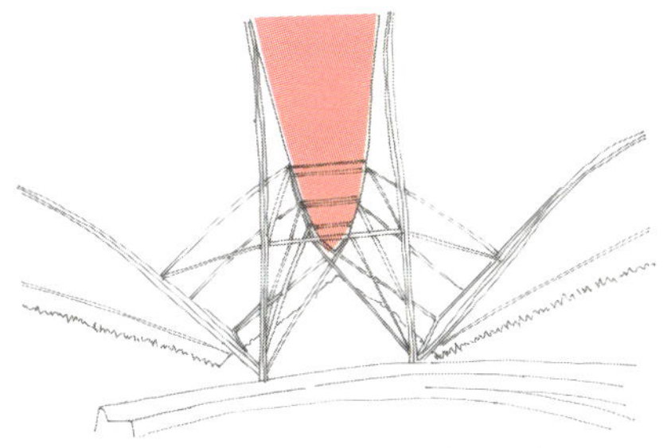

メパンティガン場の屋根。竹が露出した大スパンの屋根が、大きな体育館を覆う。

自然光と眺望への対応

あらゆる建物は、たっぷりと降り注ぐ日光を最大限に利用できるように設計されている。真ん中の大きな天窓からふんだん差し込む日光が、室内の奥まで届くように竹が組まれている。外壁がなく、天窓が設けられているので、日中は照明がいらないほど明るい。

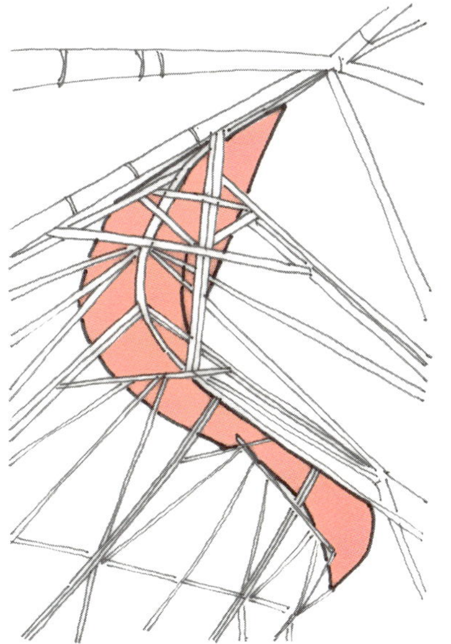

有機的な形をした真ん中の天窓が、自然への畏敬の念を呼び起こす。露出した竹の構造が興味を引く。

外壁がないので、遮るもののない外の眺めが楽しめる。この学校の教育方針は、自然に配慮した持続可能な生活を送る人間を育てることだ。学校の理念にもとづいた自然との視覚的なつながりは、このような教育方針を強めている。また、壁がないので、室内と屋内の境界があいまいになり、建物のマッスと自然のランドスケープに相互関係が生まれている。

天窓の窓枠を作っている複雑なマリオンの模様が、交差する竹の柱の間に組み込まれている。

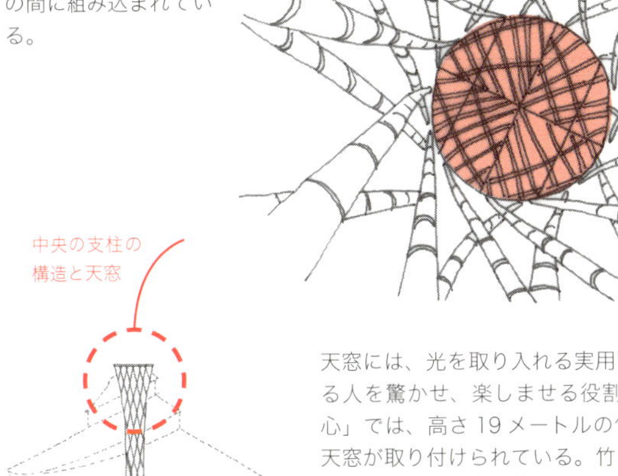

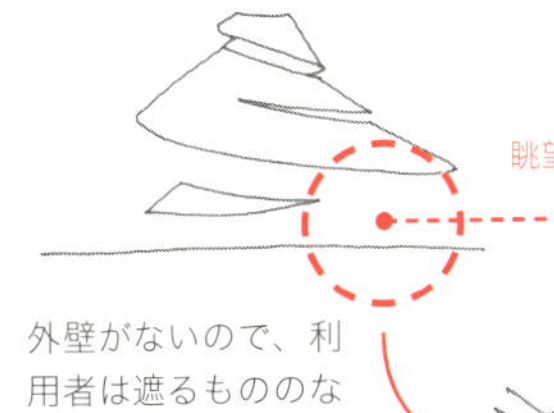

天窓には、光を取り入れる実用面の目的のほか、見る人を驚かせ、楽しませる役割もある。「学校の中心」では、高さ 19 メートルの竹の柱の上に、丸い天窓が取り付けられている。竹の柱が交差しながら複雑で美しい天窓の枠へつながり、美しい網目模様を作っている。太陽が空を移動するにつれて、床に網目模様の影を落とし、竹の神殿へ訪れたような不思議な雰囲気が室内を包み込む。

外壁がないので、利用者は遮るもののない外の眺めを楽しむことができ、ランドスケープと一体化する感覚を得られる。

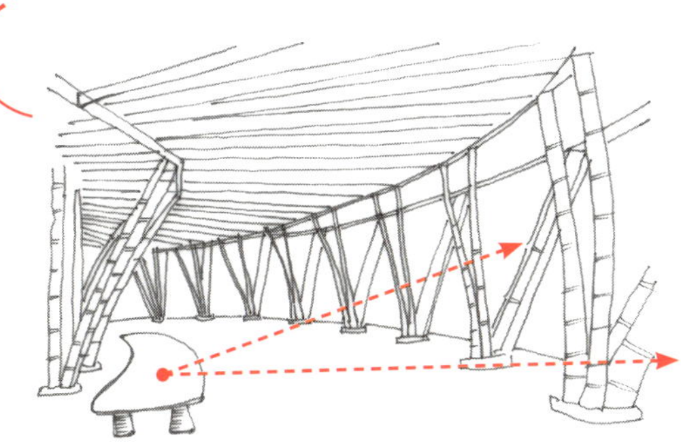

47

ミメシス美術館 | 2007-09

アルヴァロ・シザ、カスタニェイラ&バスタイ、キム・ジュンソン

韓国、パジュ出版団地

ポルトガルの建築家アルヴァロ・シザは、ある美術館と美術収蔵庫を設計するよう依頼を受けた。場所は、韓国のソウルの北30キロにある、パジュ出版団地（出版、企画、印刷、大型図書流通などを扱う約600社が集う地域）だ。彼は同じくポルトガルの建築家であるカルロス・カスタニェイラと韓国の建築家キム・ジュンソンと協働でこのプロジェクトに取り組んだ。

完成したミメシス美術館では、設計者のモダニズムへの熱い思いがコンテクストに合わせて提案されている。直角のフレームの裏には、遊び心に満ちたカーブを描く中庭がある。窓はほとんどなく、光の大部分は天窓から取り入れられ、白い内壁に反射する。

控えめな3階建ての建物ながら、フロア内・フロア間の屋内の眺めの入念なコントロール、柔らかいカーブとシャープな表面の並置、光と影が移ろうパターンなどがすべて相まって、好奇心をかき立てる全体のつながりが生まれている。

イーノック・リュー・カン・ユエン、イッファ・ワン・アフマド・ニザール、セレン・モーコック、アントニー・ラッドフォード

47 ミメシス美術館｜2007-09

アルヴァロ・シザ、カスタニェイラ＆バスタイ、キム・ジュンソン

韓国、パジュ出版団地

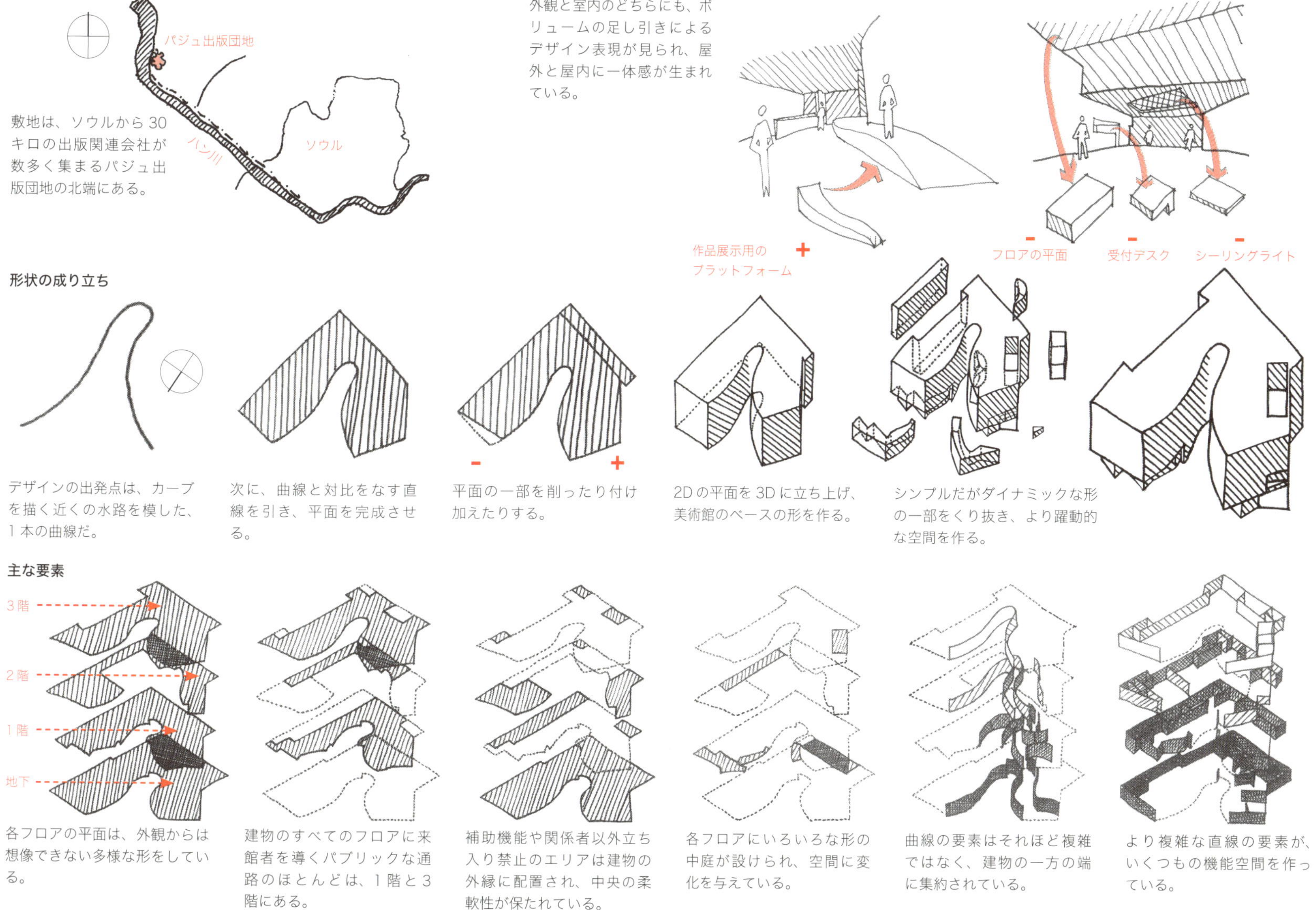

敷地は、ソウルから30キロの出版関連会社が数多く集まるパジュ出版団地の北端にある。

外観と室内のどちらにも、ボリュームの足し引きによるデザイン表現が見られ、屋外と屋内に一体感が生まれている。

形状の成り立ち

デザインの出発点は、カーブを描く近くの水路を模した、1本の曲線だ。

次に、曲線と対比をなす直線を引き、平面を完成させる。

平面の一部を削ったり付け加えたりする。

2Dの平面を3Dに立ち上げ、美術館のベースの形を作る。

シンプルだがダイナミックな形の一部をくり抜き、より躍動的な空間を作る。

主な要素

各フロアの平面は、外観からは想像できない多様な形をしている。

建物のすべてのフロアに来館者を導くパブリックな通路のほとんどは、1階と3階にある。

補助機能や関係者以外立ち入り禁止のエリアは建物の外縁に配置され、中央の柔軟性が保たれている。

各フロアにいろいろな形の中庭が設けられ、空間に変化を与えている。

曲線の要素はそれほど複雑ではなく、建物の一方の端に集約されている。

より複雑な直線の要素が、いくつもの機能空間を作っている。

自然環境への対応

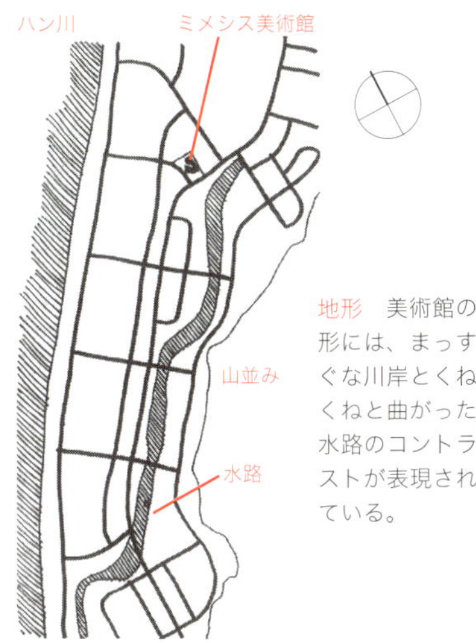

地形　美術館の形には、まっすぐな川岸とくねくねと曲がった水路のコントラストが表現されている。

気候　パジュ市は、1年を通して雨が多い。美術館のメインエントランスの外やカフェには、雨をよける屋根があり、快適な移動空間を作っている。

敷地と美術館の関係　敷地はもともとよく整備された農地だった。そのため、美術館の周辺には人工的につくられた建物や庭園はない。屋外との接触を抑え、敷地内に人工的な空間や環境を作り出している。

メインエントランス

上階の陰になっている部分

カフェ

ランドスケープ　韓国の文化や歴史、風景の中で、桜は大事な要素だ。建物や敷地を囲むように、桜が植えられている。

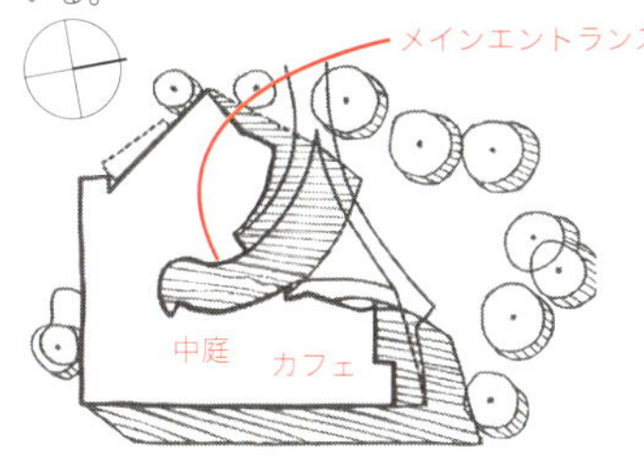

季節ごとに花を咲かせ、葉を茂らせ、紅葉する桜の木々が、グレーで統一されたコンクリート壁の印象をやわらげる。

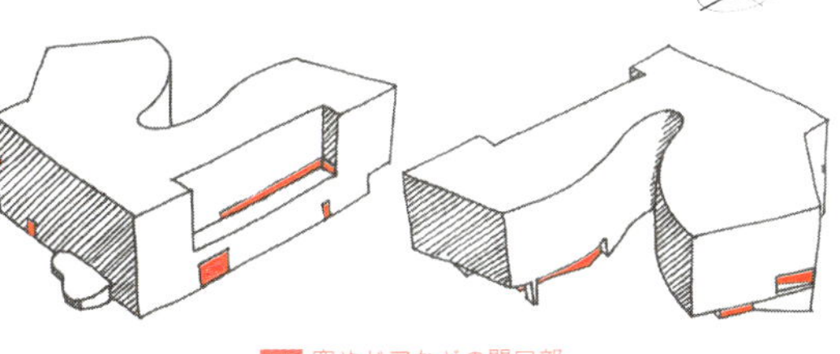

窓やドアなどの開口部

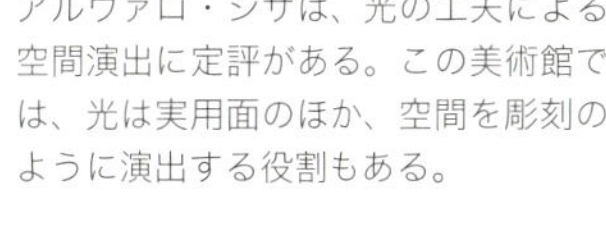

アルヴァロ・シザは、光の工夫による空間演出に定評がある。この美術館では、光は実用面のほか、空間を彫刻のように演出する役割もある。

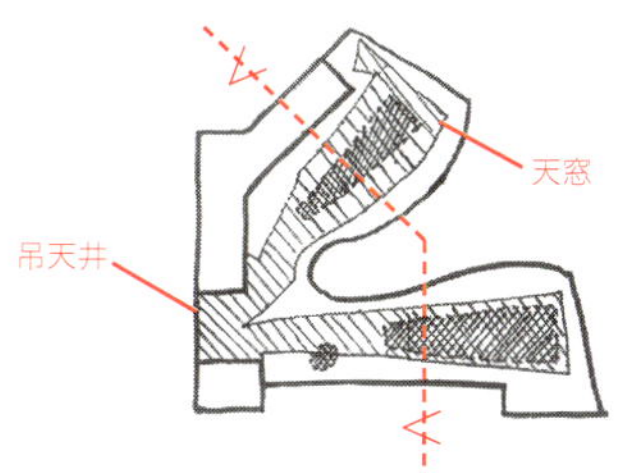

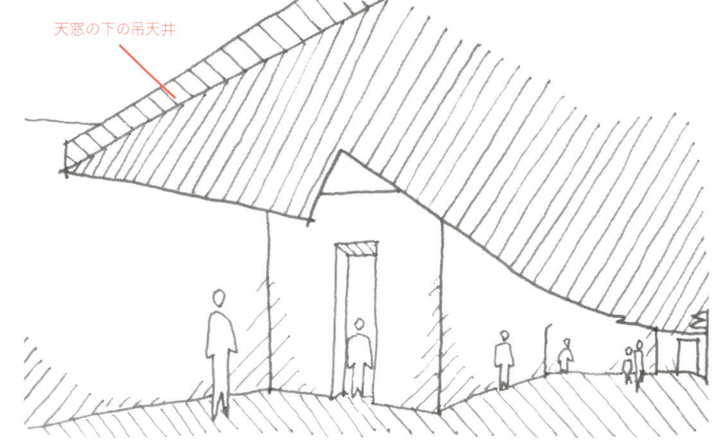

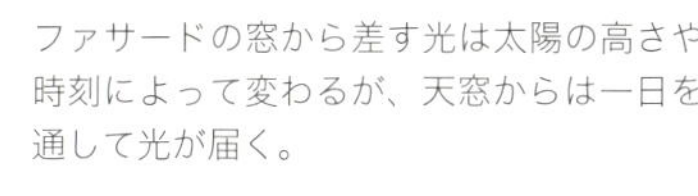

ファサードの窓から差す光は太陽の高さや時刻によって変わるが、天窓からは一日を通して光が届く。

直射日光で展示作品をそこなわないよう、間接光を取り入れている。

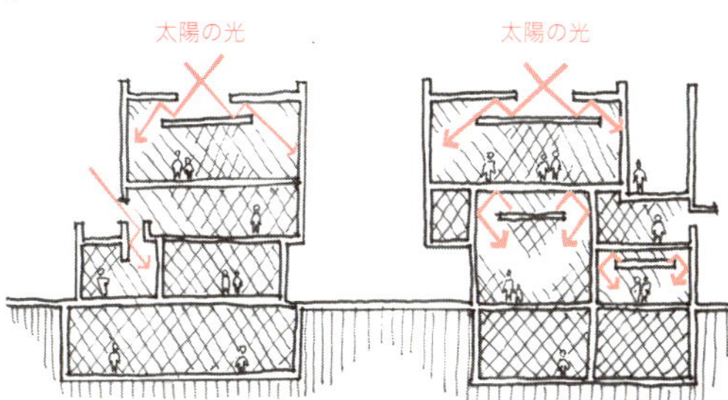

47 ミメシス美術館｜2007-09

アルヴァロ・シザ、カスタニェイラ＆パスタイ、キム・ジュンソン

韓国、パジュ出版団地

近くの建物や高速道路への対応

区画　美術館は出版団地の中に建つ。西側にはジャユ高速道路が通っているが騒音や排気ガスの影響はないので、西側へ開けるように中庭やカフェを設けることができる。

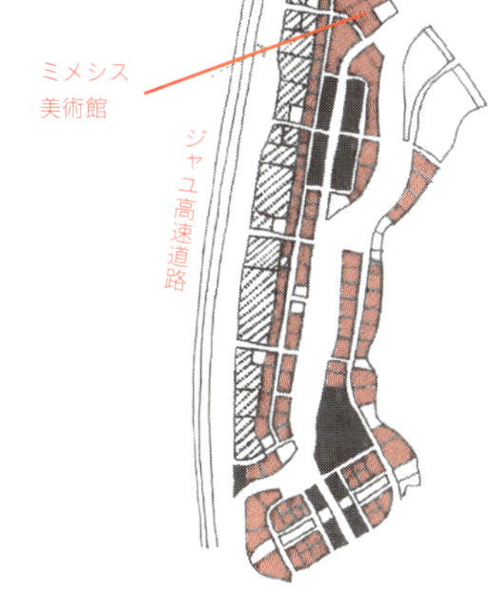

素材　ミメシス美術館には、シザの過去の建築作品と同じように現代的な素材が使われているが、韓国の伝統建築を思わせるものもある。

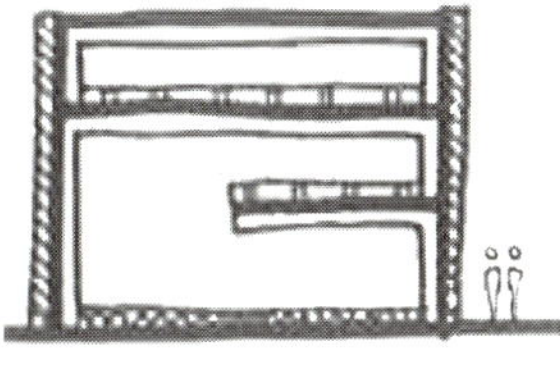
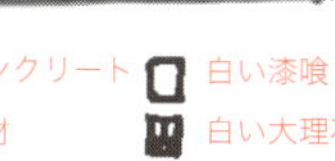
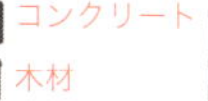

室内を重視した構成　来館者が室内の展示作品をじっくりと鑑賞できるように、屋外と室内ははっきりと分けられている。

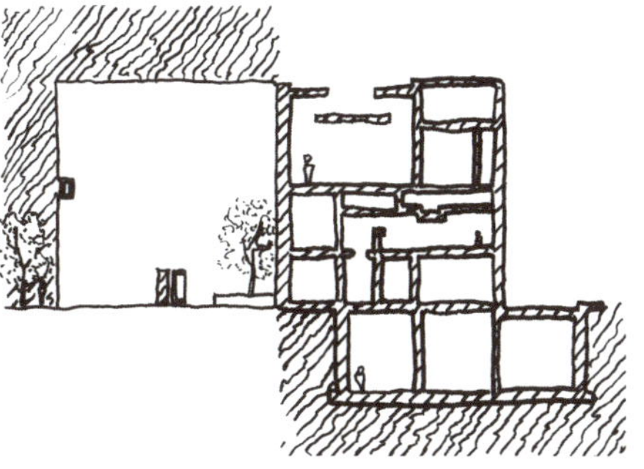

外観は簡素でそれほど特徴はない。一方で、室内は複雑でおもしろい形をしていて、通路の角を曲がるごとに驚きがある。

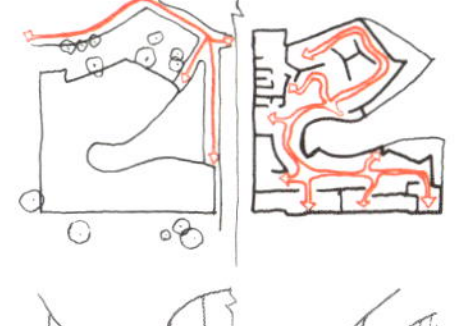

外観はシンプルでわかりやすく、室内は複雑で予想が付かない。

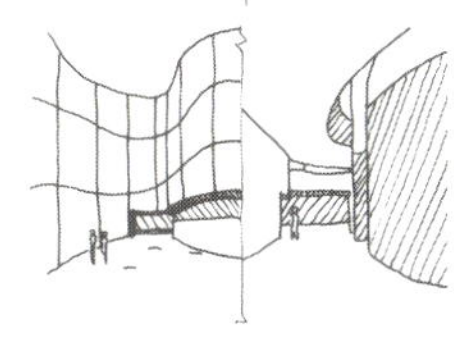

窓は中庭に面し、地面に接している。外からは、何もないファサードに設けられた小さな窓に見えるが、室内から見ると、窓がより大きく感じられる。

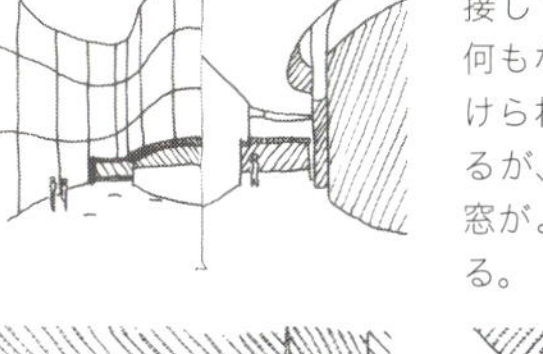
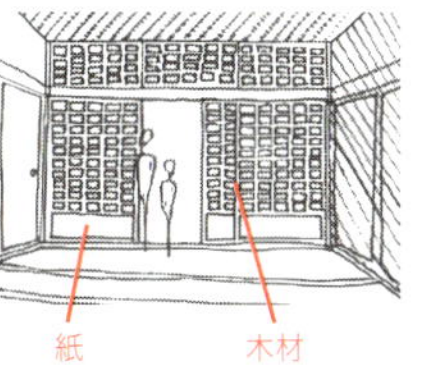

韓国の伝統建築では、木材がよく使われる。漆喰は現代的な印象を生むが、色や質感は紙に似ているので、木材との対比をなす。

天井　要素を足し引きした天井の平面が来館者を導き、目的地の表示にも役立つ。低い天井が、来館者が通路を進むのを促している。壁の上部は光に照らされている一方、低い天井はやや暗めだ。カフェの中の天井は一部が高くなっていて、来館者の注意を引き、立ち止まらせる。高くなっている部分は光に照らされ、一段と明るい。

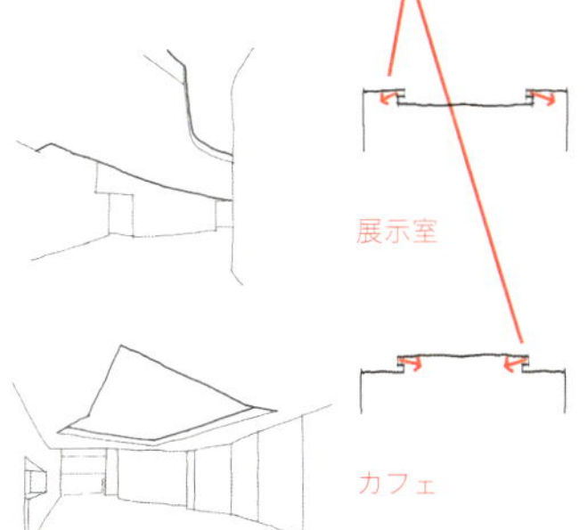
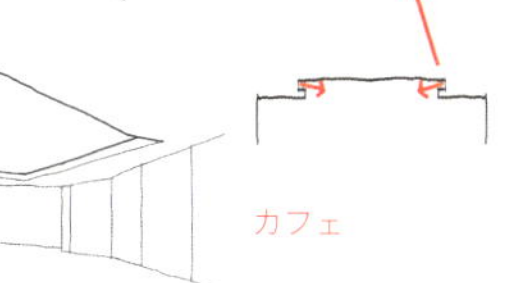

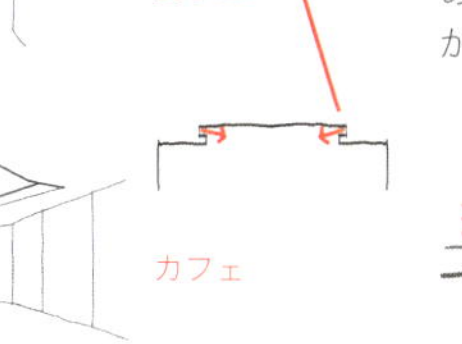
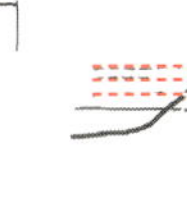

周辺のコンテクスト　周りの建物は、美術館から離れて、隣の区画の縁に建っている。そのため、中庭とカフェは西側へ開けるように設けられているが、周りの建物や道路からの距離は保たれている。

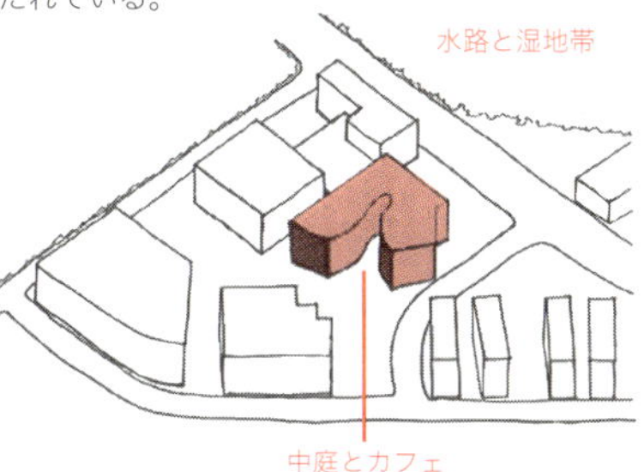

ジャユ高速道路は、洪水を防ぐための堤防でもある。この美術館では景観は重視されなかったが、堤防の見える窓が１つだけ設けられている。

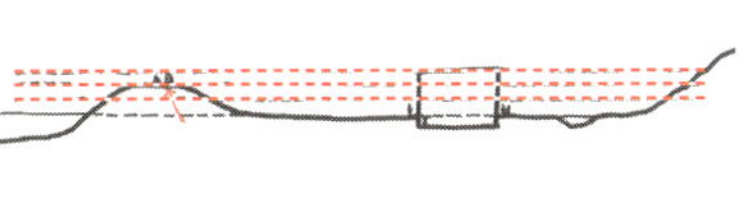

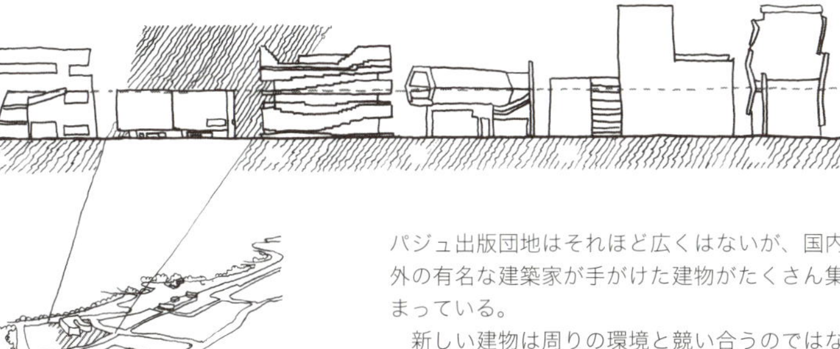

パジュ出版団地はそれほど広くはないが、国内外の有名な建築家が手がけた建物がたくさん集まっている。

新しい建物は周りの環境と競い合うのではなく調和を取り合うべきだ、というのがシザの哲学だ。その哲学通り、ミメシス美術館のシンプルな形やファサードも、周りの建物を引き立たせている。

スケール　パジュ出版団地にある公共施設や商業施設のほとんどは３階建てか４階建てで、中には２階建ての建物もある。大きなコンクリートの壁が壮大さを感じさせるが、美術館のスケールは周りの建物と同じように控えめだ。コンクリートの壁のつなぎ目がマッスを小さく分け、１階にはヒューマンスケールを感じるのに十分な数の窓やドアが設けられている。

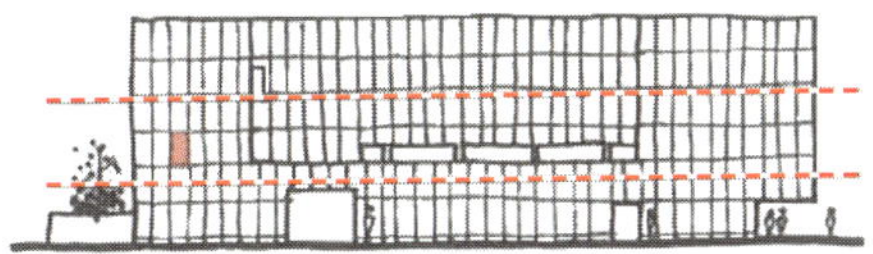

１階の壁をところどころ内側に引き込んでマッスを小さく感じさせ、ヒューマンスケールに落とし込んでいる。

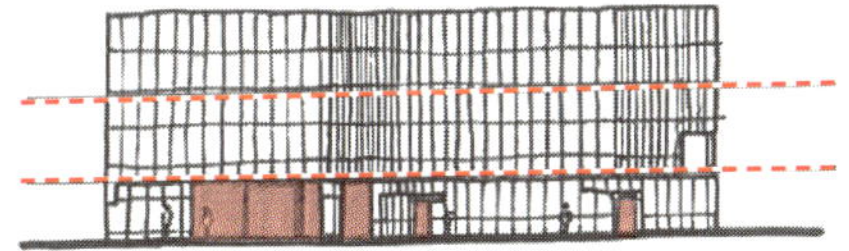

北側立面図

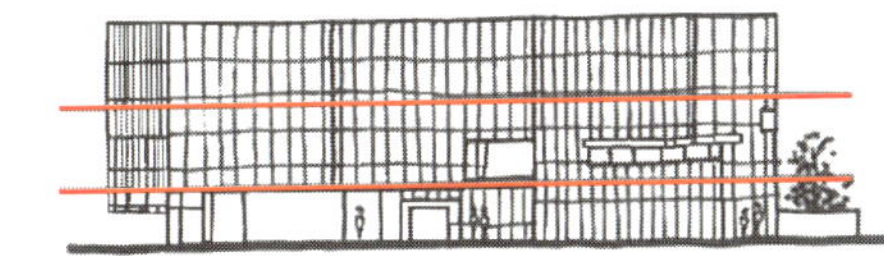

西側立面図

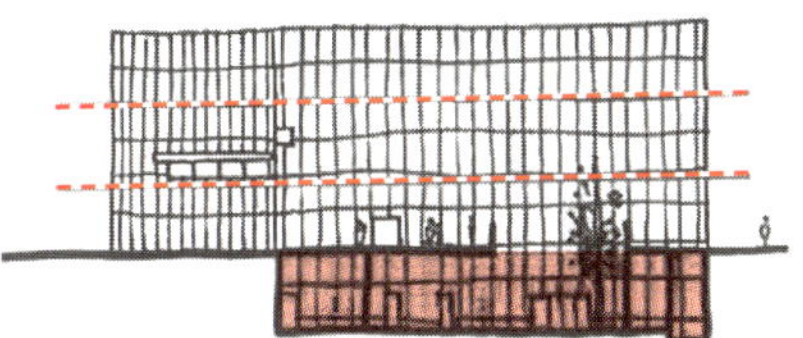

南側立面図

地上に見えるフロアの数を減らすために、収蔵庫は地下に納められている。地下には、南側のファサードから突き出すようにして、屋根のない中庭がある。

プログラムへの対応

来館者がじっくりと作品を鑑賞できるように、美術館は、天井が高く、開口部やパーテーションの少ない大きな箱のような建物になっている。

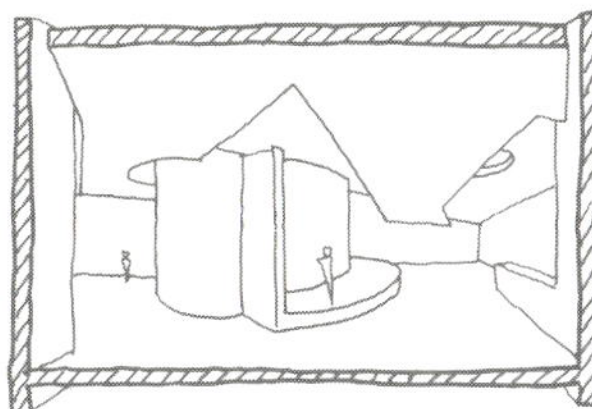

収蔵庫と搬入路　裏道からアクセスしやすいように、収蔵庫と搬入用の階段・エレベーターは、各フロアの一角に集められている。

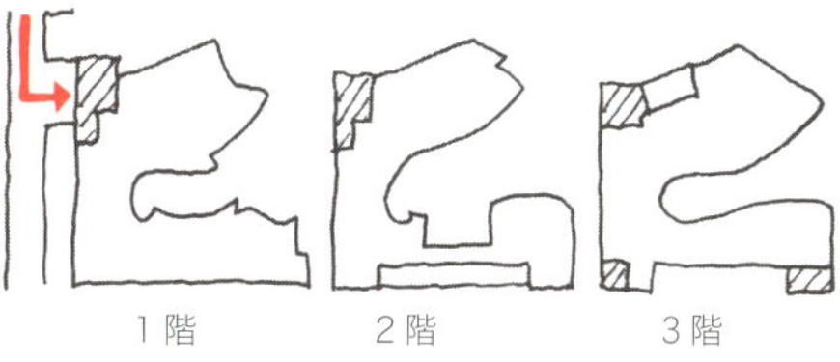

詩的モダニズム　シザの建築は、しばしば「詩的モダニズム」と評される。モダニズムの要素をもちながら、コンテクストも重視し、ルイス・バラガンなどの建築家の影響を受けている。モダニズム的でシンプルな形の平面は、大型の展示室としての機能を十分に果たす。また、パーテーションを使えば、小さな機能空間に簡単に分けることもできる。

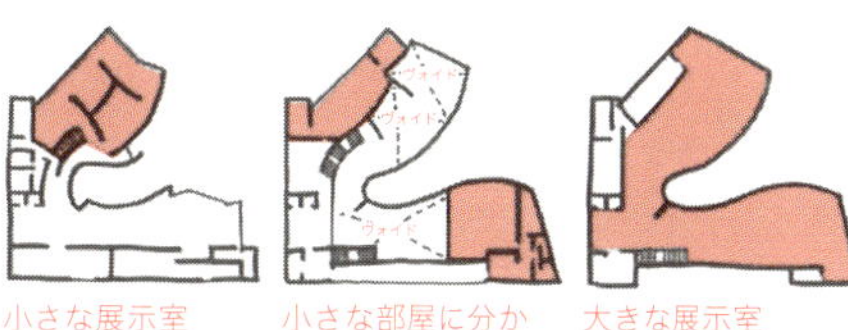

ベトン・ブリュット（フランス語で生のコンクリートを意味する）と呼ばれる、荒々しい仕上げのコンクリートの外壁が、展示作品の背景になる真っ白な漆喰塗りの内壁と対比をなす。

美術館の壁が描く急カーブが境界となって、もっともダイナミックな空間を生んでいる。来館者がメインエントランスを通るときには、この急カーブは見えない。

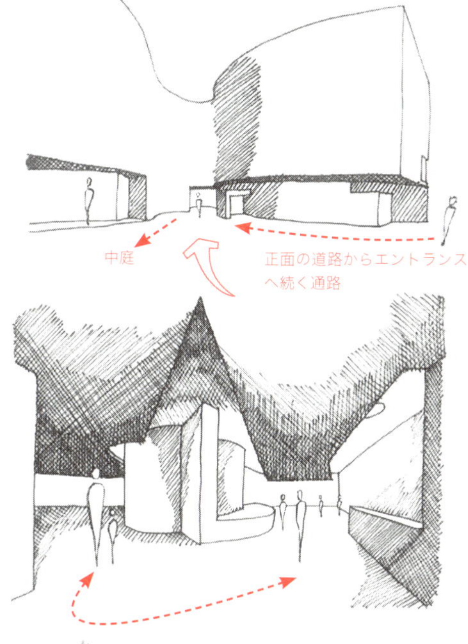

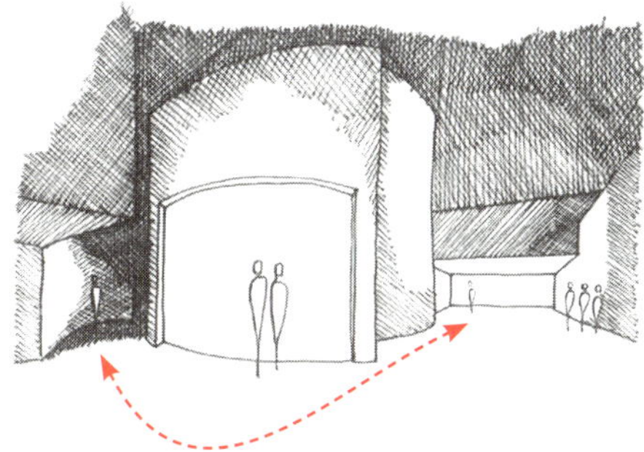

急カーブは、室内からも見ることができる。室内にはほとんど窓がないので、この特徴的なカーブが、来館者が方向を知る助けになる。

47 ミメシス美術館｜2007-09

アルヴァロ・シザ、カスタニェイラ&パスタイ、キム・ジュンソン

韓国、パジュ出版団地

時間の流れを感じられる中庭

各フロアに中庭があり、来館者は窓の少ない室内にいても1日の時間の流れを感じられる。一方で、中庭から周辺の風景はあまり見えないので、かえって美術館の孤立感を強く感じさせる。すべての中庭は、いろいろな形で空が切り取られるように形がデザインされている（開口部は少ない）。そこから差し込む光がキャンバスのような白い壁や床に反射するとともに、時間の移ろいを感じさせる。

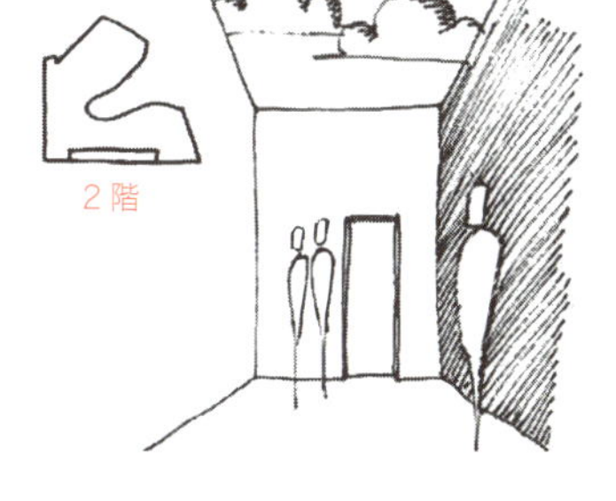

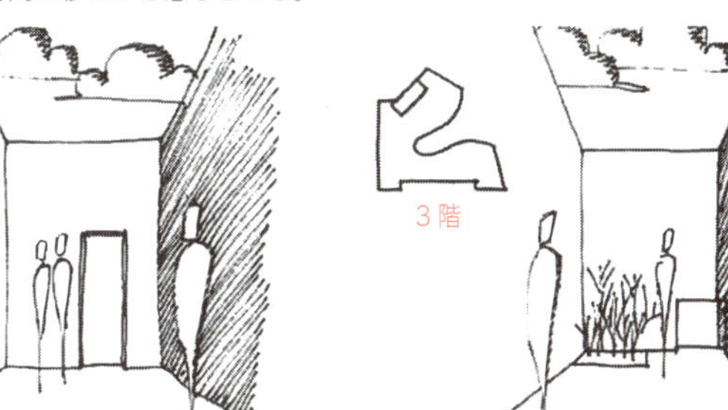

フロアをつなぐ空間

1階と2階をつなぐメインの階段、2階と3階をつなぐメインの階段は離れているので、来館者は2階を横切らなければならない。そのほか、エレベーターや、壁に囲まれた別の階段もある。

2階にある大きなヴォイドが、フロア同士を視覚的につないでいる。3階のガラス窓からは、このヴォイド越しに1階まで見下ろせる。

カーブを描く線とギザギザの線

外観：中庭

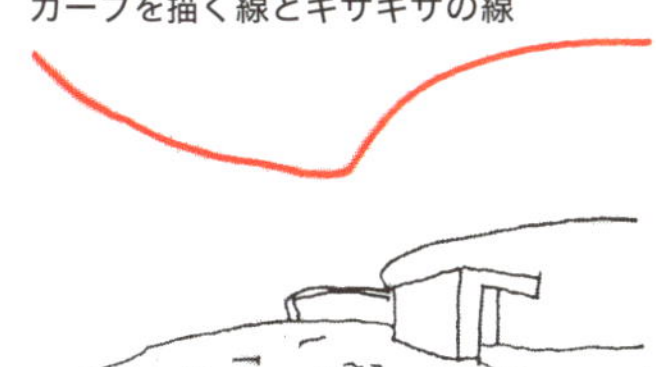
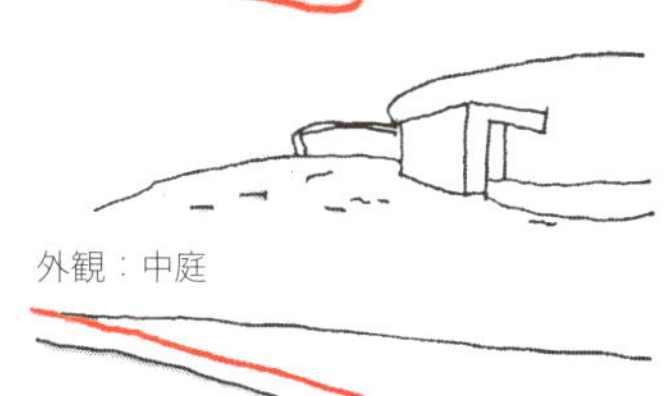

内観：3階

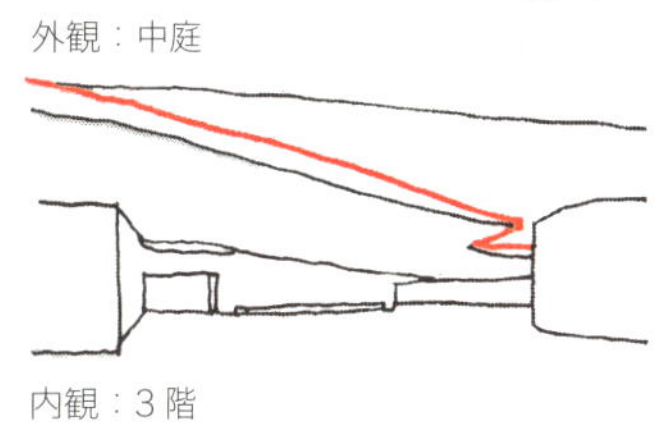

内観：2階

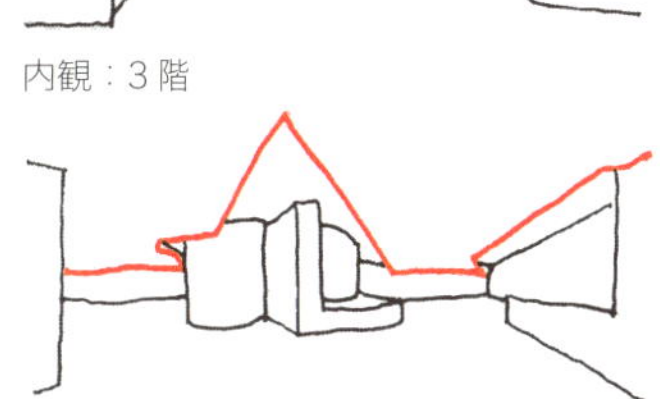

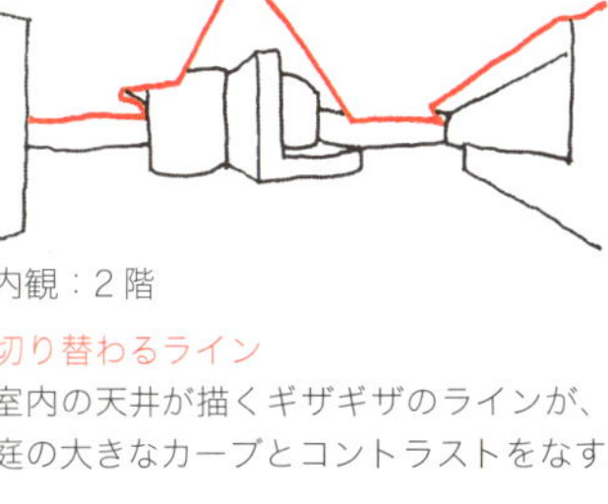

切り替わるライン

室内の天井が描くギザギザのラインが、中庭の大きなカーブとコントラストをなす。

わくわく感と発見

それぞれの展示室は小さいが、計算された壁の配置、カーブを描くフロア平面、フロアをまたぐ空間の配置などのおかげで、来館者はわくわくしながら探訪できる。

1階から2階が見え、2階からは1階が見下ろせる2層吹き抜けの空間も、わくわくさせるしかけの1つだ。

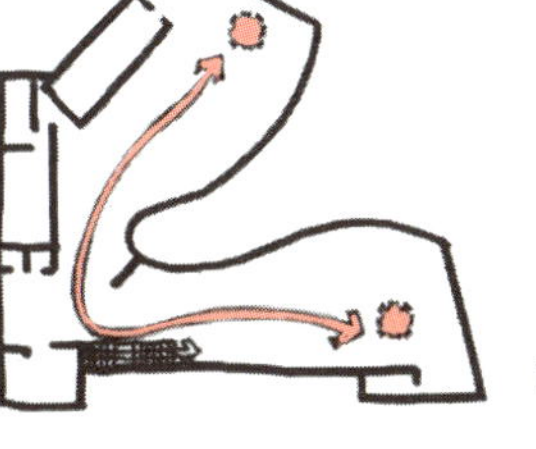
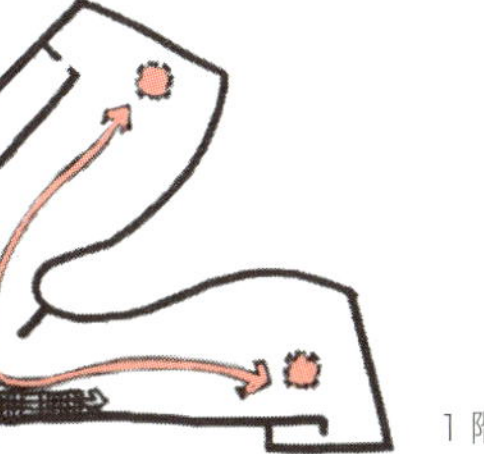

比較：サヤ・パークのアートパビリオンとチャペル（2015-18）

ミメシス美術館は、都会の敷地に建つ、コンパクトに集約された建物だ。アルヴァロ・シザとカルロス・カスタニェイラは韓国の慶尚北道の人里離れた山腹でも共同設計を行ったが、このプロジェクトでは、アートパビリオン、チャペル、展望タワーという３つの構造を分散させた。ミメシス美術館の内壁や天井は、光を反射したり明るさをコントロールしたりするために真っ白に仕上げられている。一方、サヤ・パークの建物群の室内は、型枠の木目模様が付いたざらざらしたコンクリートのグレーが、起伏に富んだランドスケープに調和している。

アートパビリオンは、山腹の敷地に手を加えつつ対応している。南側は、一見手付かずの地面に建物が浮かんでいるように見える。一方、北側では建物が地面に食い込んでいる。長いパビリオンの屋根はわずかに傾斜があり、山間の急斜面を参照したラインになっている。近くに建つタワーは垂直で、パビリオンの直線的なフォルムと対になるような設計だ。パビリオンは、常設展ではなくインスタレーションやイベントに使われる。探訪し経験する場である建物自体が、優れたアート作品となっている。

チャペルでは、小さな新古典様式のチャペルの基本要素が３つのボリュームに集約されている。３つのボリュームとは、柱のない三角柱型のポーチ、鋭い斜面の天井といびつな五角形の立面をもつ会衆席、背の高いボックス型の祭壇だ。室内はパビリオンと同様に型枠の木目模様が付いたざらざらしたグレーのコンクリートのままだが、外壁は白い漆喰で仕上げられている。

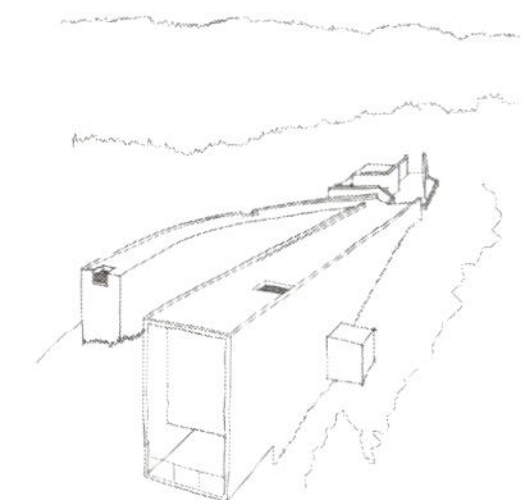

建物脇に設けられたバルコニーでは、メインウイングの終端からのみ南の遠くの山々が見えるように、景色がコントロールされている。

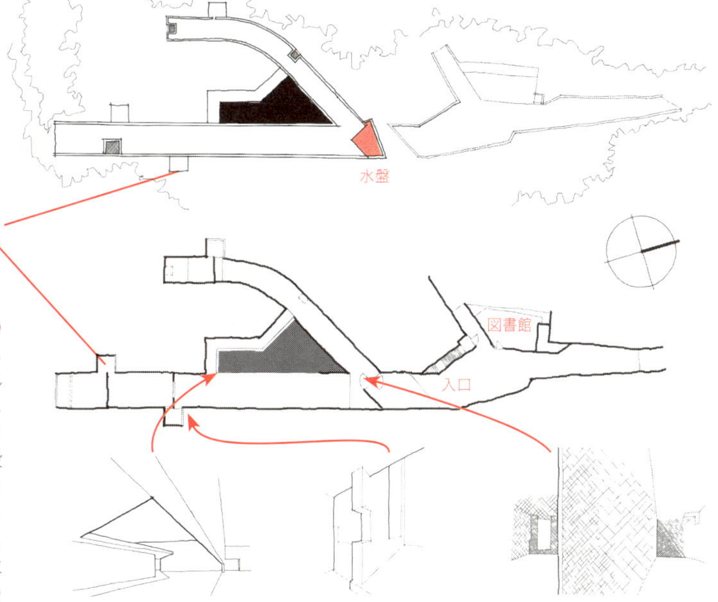

メインウイングから中庭を見る。視界を遮るものや素材の切り替えはなく、屋内と屋外が溶け合っている。

南側バルコニーから中間壁を見る。

入口から眺めると、片方のウイングは見るからに明るく歩みを進めやすいが、もう片方は暗く、ミステリアスな雰囲気だ。

ミメシス美術館でもサヤ·パークのパビリオンでも、「わくわく感と発見」が来館者の経験の中核になっている。パビリオンの入口で、空間が２つのウイングに分かれる。メインのウイングでは、屋根には上りの傾斜、床には下りの傾斜が付いているので、明るく照らされた突きあたりの壁に向かって空間が拡大していく。中間壁に設けられた大きな開口部がその奥の空間を切り取り、突きあたりの壁が見えている。バルコニーを通れば、こうした中間壁などの明らかなバリアを避けることができる。バルコニーは傾斜地の上にあるため、実際よりも高い位置にあるように感じられる。枝分かれしている２つめのウイングは、カーブを越えたところで空間が途切れている。両ウイングの終端には小さな展示室があり、１つは低い位置に横長の開口部を設けた天井の高い部屋、もう１つは壁に囲まれた天井の低い小部屋だ。

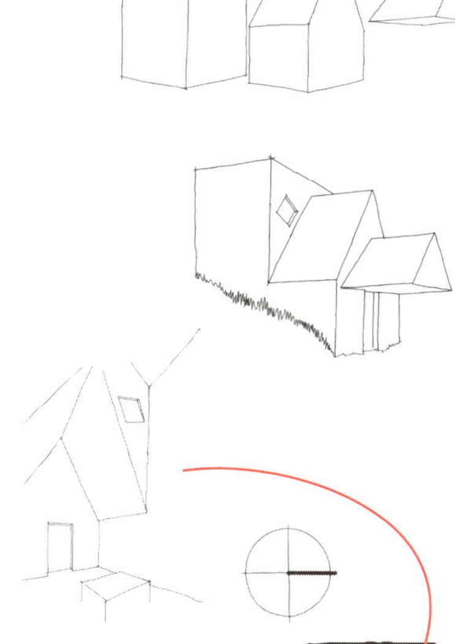

２つの屋内空間のボリュームのつなぎ目では、高い位置にあるスパンドレル（通常アーチ曲線の外側にある三角形状の空間をさすが、ここでは切妻屋根のような天井の斜線の外側をさす）に設けられた開口部から、祭壇の上に日光が差し込む。差し込む光は１日を通して移動していく。

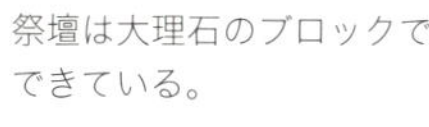

祭壇は大理石のブロックでできている。

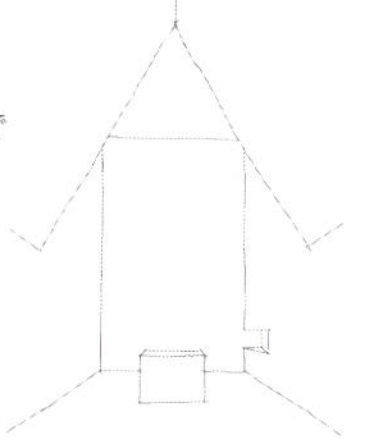

48

ジュリアード音楽院、アリス・タリー・ホール | 2003-09

ディラー・スコフィディオ＋レンフロ／FXFOWLE

アメリカ、ニューヨーク

ニューヨークのリンカーン・センターの一部であるジュリアード音楽院は、もともとピエトロ・ベルスキが設計し1960年代に完成した。その増築計画を行ったのは、建築家ユニットのディラー・スコフィディオ＋レンフロだ。

増築部分には、既存のファサードをはじめ、もとの建物の要素がいくつも取り入れられている。街並みのコンテクストに対する大胆なデザインが全体のフォルムと融合し、公共の空間と既存の音楽学校を仲立ちしながら、都市にしっくりなじむ建物を作り出している。

念入りに考えつくされた眺望や透明感は、ときに音楽院を街中(まちなか)の特別観覧席と変化させる。また、プライベートな空間とパブリックな空間の境界をあいまいにすることで、併設のアリス・タリー・ホールは市民の日常生活へ自然に溶け込んでいる。

ウィリアム・ロジャース、マーク・ジェームズ・バーチ、アミット・スリヴァスタヴァ

COLUMBUS AV
ONE WAY

48 ジュリアード音楽院、アリス・タリー・ホール｜2003-09

ディラー・スコフィディオ＋レンフロ／FXFOWLE
アメリカ、ニューヨーク

都市コンテクストへの対応
リンカーン・センターは、スラム街が撤去された後、1950年代に建てられた芸術施設だ。いくつもの芸術施設が立ち並ぶ新しい区画は、マンハッタンのアッパー・ウエストサイドの文化の中心地になることが期待された。高層オフィスビルに囲まれながら、この区画は何十年にもわたって個性を放ち続けている。

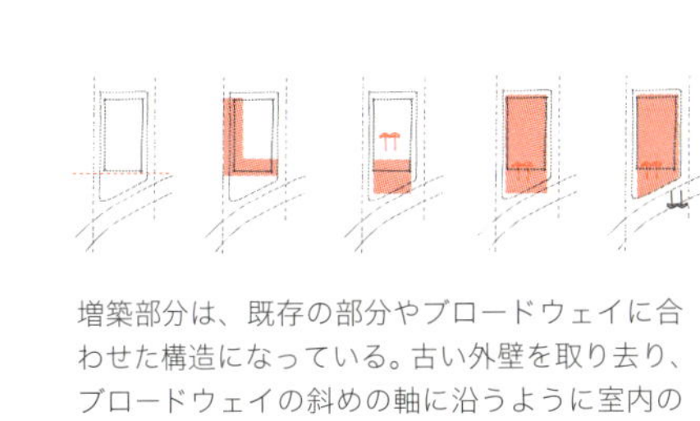

増築部分は、既存の部分やブロードウェイに合わせた構造になっている。古い外壁を取り去り、ブロードウェイの斜めの軸に沿うように室内のボリュームを増やして、最終的な形が作られている。道路のコンテクストに対してダイナミックな表現が取られている。

既存の建物は、外壁以外の部分がそのまま残されている。ブロードウェイ側の、使われていなかった屋外空間も建物の中に取り込まれ、新しい機能が設けられている。

メトロポリタン歌劇場（ウォレス・ハリソン設計、1966）

ビビアン・ボーモント・シアター（エーロ・サーリネン設計、1965）

ジュリアード音楽院（ピエトロ・ベルスキ設計、1969）

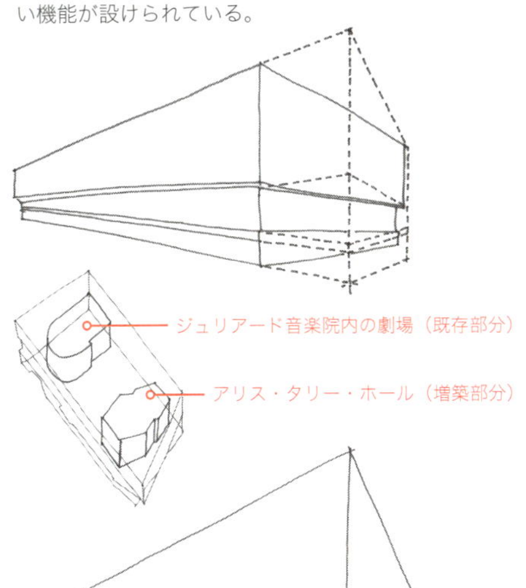

リンカーン・センターの改修
ジュリアード音楽院の増築は、リンカーン・センター全体の改修の一環だった。改修プロジェクトの目的は、(1) センターの拡張、(2) 建物同士を室内でつなぐこと、(3) 西65丁目を公共エリアの主要な動線にすること、(4) 電子掲示板を使って敷地内の動線をわかりやすくすること、にあった。

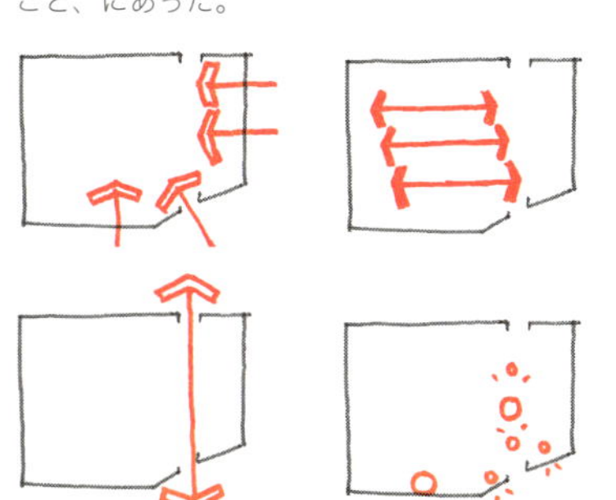

ディヴィッド・H・コーク劇場（フィリップ・ジョンソン設計、1964）

ディヴィッド・ゲフィン・ホール（マックス・アブラモヴィッツ設計、1962）

新旧の一体感
既存の部分に新しい機能が付け加えられ、古い建物と新しい建物が一体となった。ブロードウェイ側へ張り出しているので、新旧の機能とパブリックな領域がより混ざり合う空間が生まれている。

既存の部分との融合

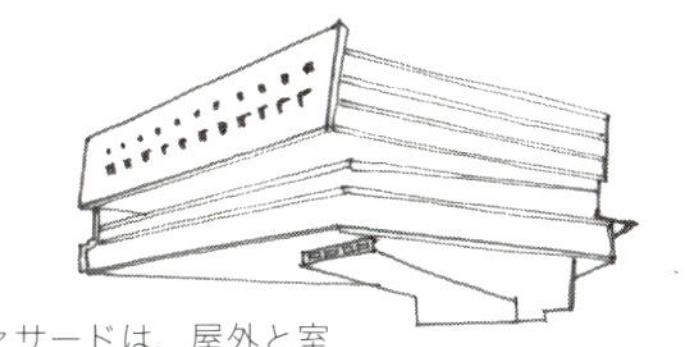

既存のファサードは、屋外と室内をはっきりと分けていた。

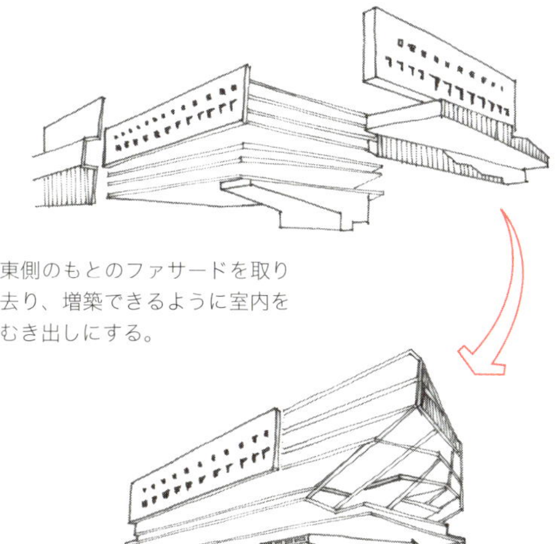

東側のもとのファサードを取り去り、増築できるように室内をむき出しにする。

床面をブロードウェイに接するまで引き伸ばし、公共スペースの通行をさまたげないように片持ち梁で持ち上げる。

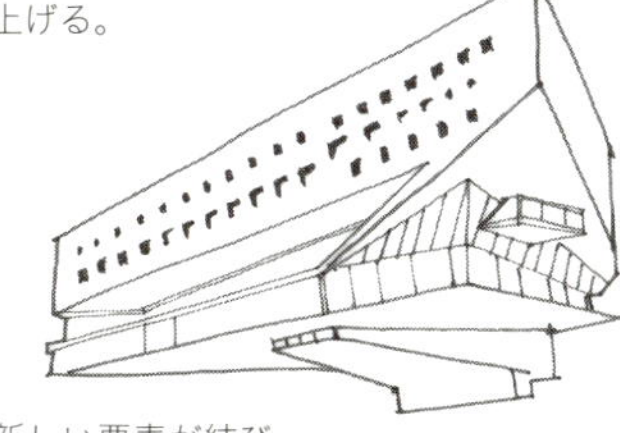

既存の建物に新しい要素が結び付いた、改修後のフォルム。

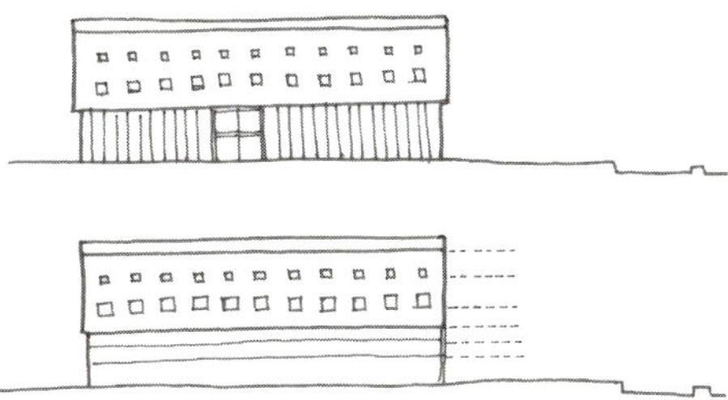

モダニズム様式のファサードをもつ既存の建物では、屋外と室内がはっきりと分かれていた。そこで、周りのコンテクストとの結び付きを強めるために、このファサードが取り去られ、室内空間が広げられた。ブロードウェイに向かって既存の床面を広げると道路沿いの公共スペースにかかってしまうので、片持ち梁で新しいファサードの先端を持ち上げ、周りのコンテクストとのダイナミックな相互関係を築いている。

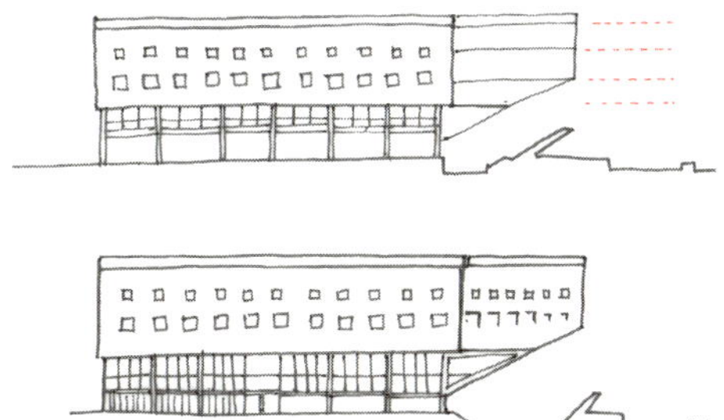

取り去られたファサードは完全に排除されることなく、その外壁の要素は、増築部分の外壁に続く。もとの東側のファサードの窓割りやくぼみは、西65丁目に沿って延びる新しいファサードに引き継がれている。この増築部分は、既存の部分とはことなる素材が使われ、新しく設計された室内のレイアウトに合わせたつくりになっている。新しい要求事項と、もとの建物の建築表現が溶け合い、全体に一体感をもたらしている。

前後のずれのある窓

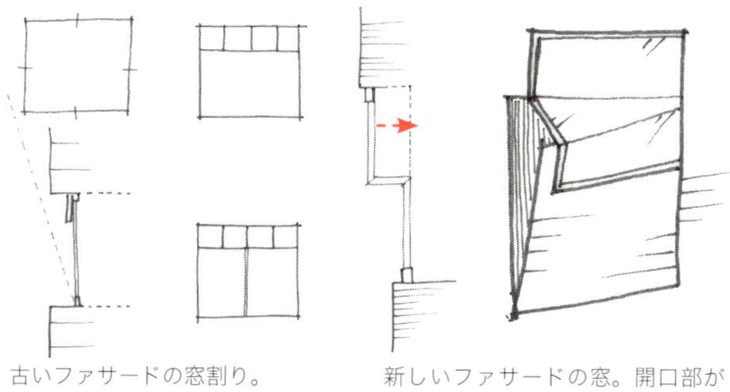

古いファサードの窓割り。

新しいファサードの窓。開口部が前後にずれている。

もとの建物は、第2次世界大戦後にピエトロ・ベルスキが設計した。壁の内側にはめ込まれ、留め具で固定された窓がファサードにずらりと並び、室内の機能に必要な日陰を作っている。増築部分のファサードは、内側にはめ込んで日陰を作る必要はないが、前後のずれという要素が視覚表現の一部に引き継がれ、開口部と窓枠がおもしろい組み合わせを作っている。

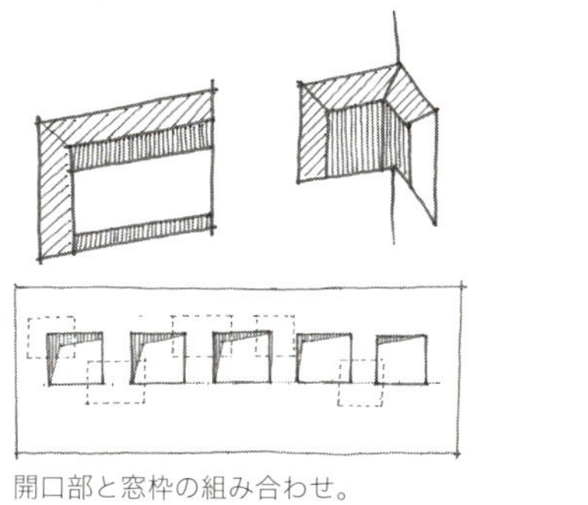

開口部と窓枠の組み合わせ。

もとのファサードの窓は、壁の内側にはめ込まれているので、影の演出によって視覚的な趣が生まれている。明暗のコントラストを使った表現は、内側に引っ込んだ窓枠が並ぶ新しいファサードに引き継がれている。増築部分の開口部は、これらの窓枠の中ではなく、窓枠以外の部分にかかるように自由に開けられていて、屋外と室内のどちらからも豊かな表現を見ることができる。

ジュリアード音楽院、アリス・タリー・ホール | 2003-09

ディラー・スコフィディオ+レンフロ／FXFOWLE

アメリカ、ニューヨーク

舞踏の学校と劇場：2人のダンサーのたとえ

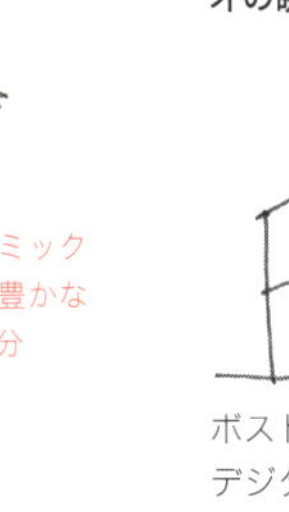

2人のパフォーマーがダイナミックかつ一体感のある息の合った動きをして互いに共鳴し合っているとき、素晴らしいダンスが生まれることがある。同じような関係が、ジュリアード音楽院の増築部分のデザインと既存の建物の間でも実現されている。増築部分の大胆かつ生き生きとした躍動感を、より安定感のある既存の部分が支え、バランスを取っているので、建物全体に美しい一体感が生まれている。

観覧席になる半地下の前庭

前面には、地面より低い位置に作られた半地下の広場がある。ブロードウェイというパブリックな空間から、建物の中のプライベートな空間へ続く移動空間であり、人々が立ち止まってひと息付くための場所だ。観覧席のように段が設けられ、移動空間であることがさらに強調されている。建物に向かってこの段に座ると、まるでパフォーマンスを見ているように、前庭を行き交う人々の様子を眺められる。さらに、階段に座ってこのパフォーマンスを観る人にとっては、増築部分のエントランスが背景になり、建物そのものがパフォーマンスの一部になる。

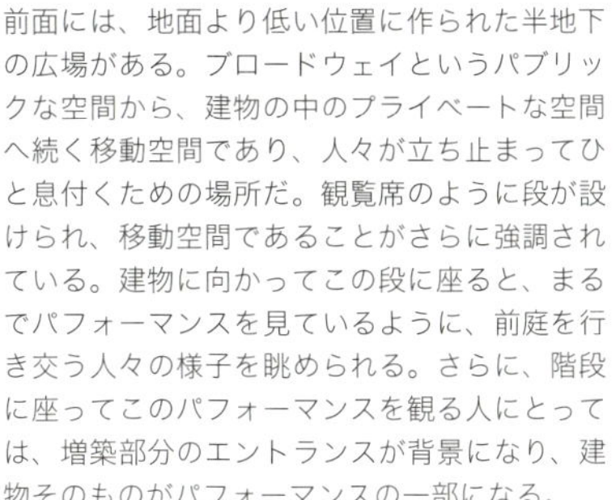

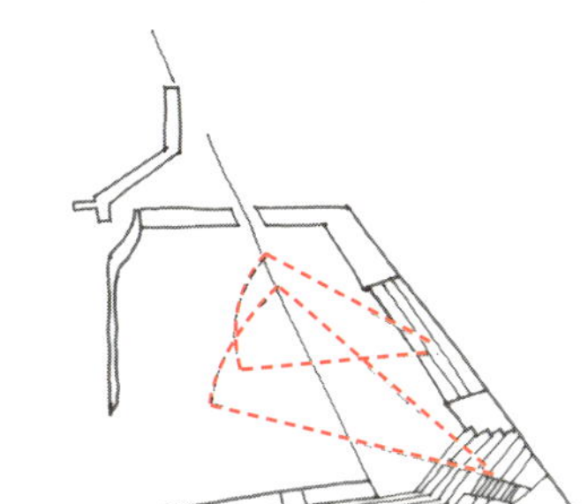

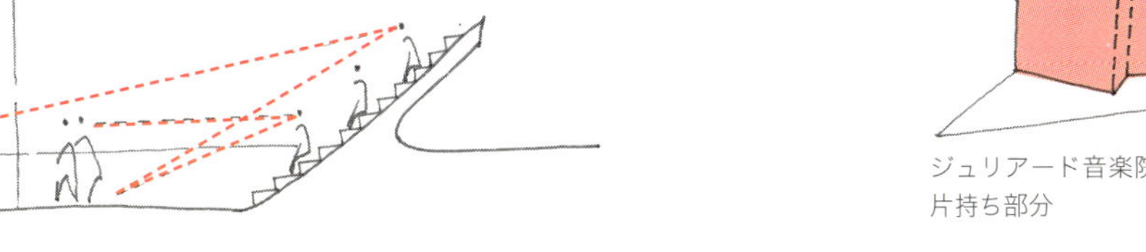

メディア・センターからの眺め、ダンススタジオの眺め

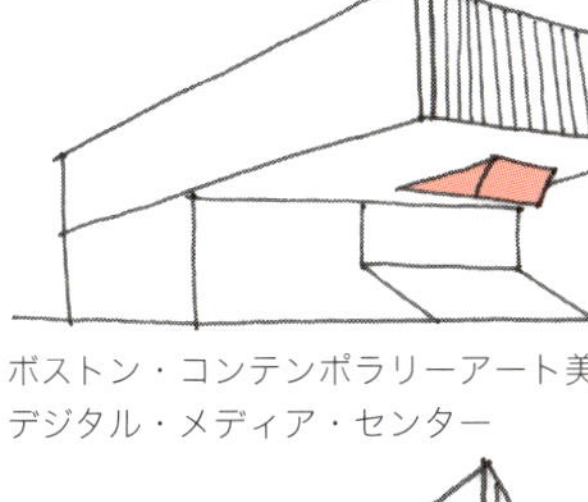

ボストン・コンテンポラリーアート美術館 - デジタル・メディア・センター

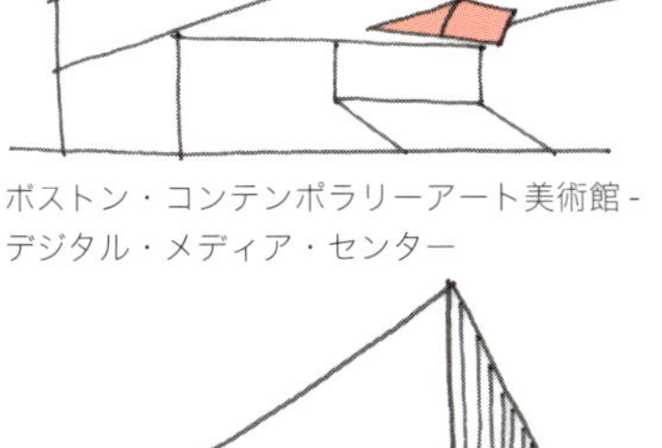

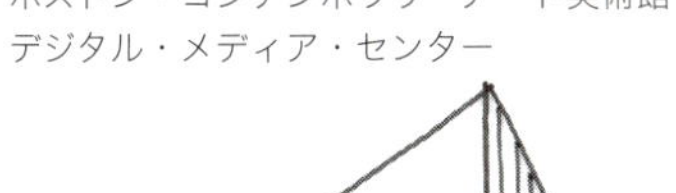

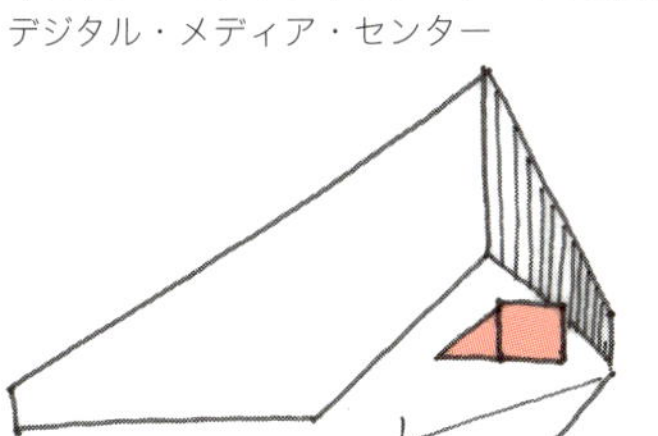

ジュリアード音楽院 - ダンススタジオ

ボストン・コンテンポラリーアート美術館 - デジタル・メディア・センター - 大階段

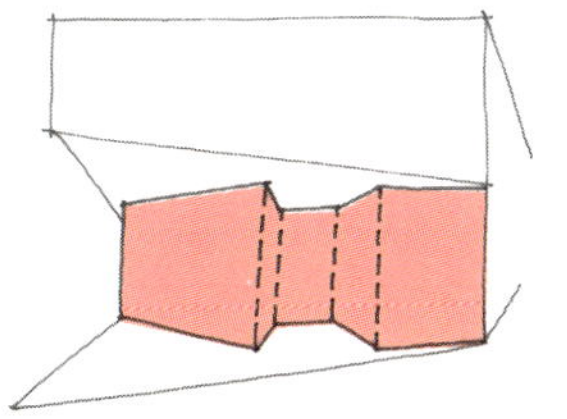

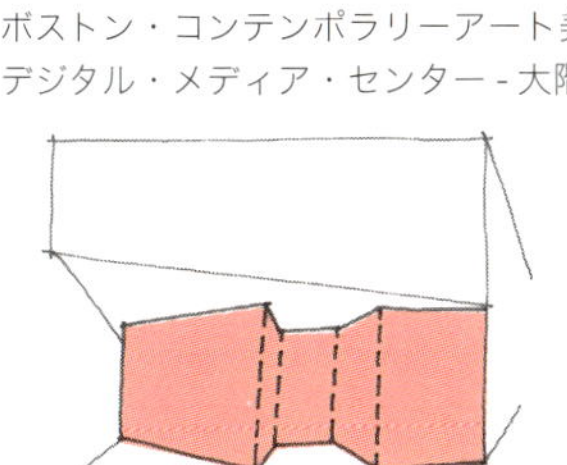

ジュリアード音楽院 - ブロードウェイ側の片持ち部分

ディラー・スコフィディオ+レンフロは、過去に手がけたボストン・コンテンポラリーアート美術館をもとにしてジュリアード音楽院を設計した。美術館の建物は、片持ちの展示室の下からデジタル・メディア・センターが飛び出していて、そこから海辺の風景を眺められる。一方ジュリアード音楽院では、片持ちの部分の下から飛び出すようにダンススタジオが設けられているので、美術館とは逆に、その中にいるダンサーたちが風景のように切り取られ、下の道路の通行人はそれを眺めることができる。

奥行きのある斜めのラインが、古めかしいテレビを思わせる。

ブロードウェイ側、音楽院のエントランスがある傾斜した地面の下に、屏風のような折り目が付いたガラスのファサードが設けられている。片持ちのボリュームとガラスのファサードの形が対比をなし、エントランスを舞台背景に見立てるように視覚効果を演出する。建物が片持ち梁で持ち上げられているので、メインエントランス部分は、遮るもののないパブリックな地下室のようになり、屋外と室内の境界をあいまいにしている。そのほかにも、ダンススタジオの様子を切り取ったり、観覧席のような半地下の前庭を設けたりと、内外の境界をぼかす工夫が多く見られる。

屋外と室内、パブリックとプライベートのあいまいな境界

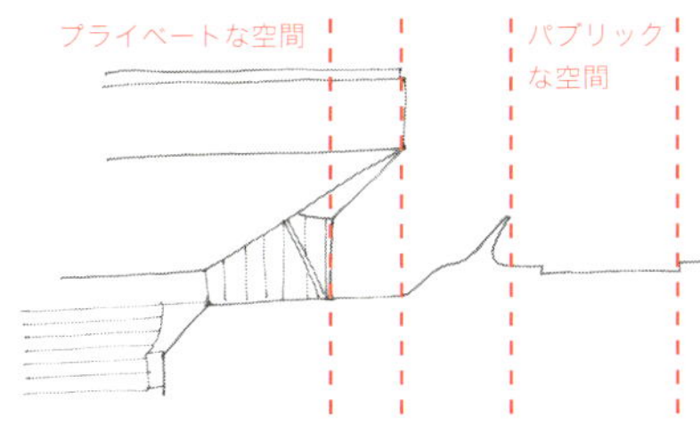

半地下の前庭が、屋外から室内に入るという感覚をあいまいにする。

室内と屋外の境界をぼかす試みは、よりさりげないデザイン表現を通してさらに模索されている。前庭が半地下になっているおかげで、屋外から室内に入るという感覚があいまいになる。前庭は外壁よりも外側にあり、一般的な地上の広場とは違って、半地下へ降りていくという動作がともなう独特の空間になっている。透明なガラスで覆われたロビーは、パブリックでもありプライベートでもあるあいまいな空間だ。プライベートな空間の上に、プライベートなダンススタジオがせり出しているので、その中の様子がちらりと見える。

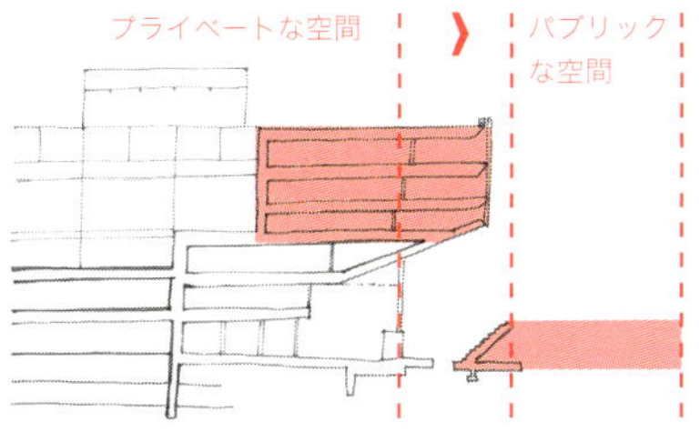

パブリックな空間の上に、プライベートなダンススタジオが浮かんでいる。

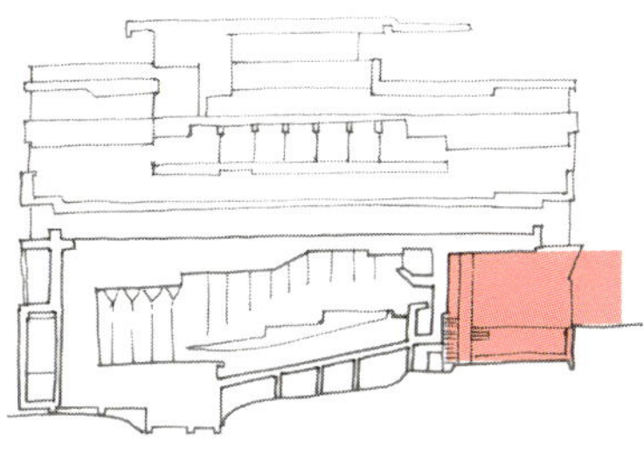

移行空間のもっとも奥に、透明なガラスで覆われたロビーがある。

半地下の前庭にはベンチと階段が設けられているので、来館者は建物に入るよりも先に、建築を体感できる。このおかげで、屋外と室内がさらにあいまいになっている。

同じように、西 65 丁目側のメインの入口も、エントランスから続く階段には、階段以外の役割が組み合わされている。階段には、受付のデスクが造り付けられている。また、段にいくつも設けられた山折りや谷折りのひだがベンチになり、おしゃべりをしたり読書したりできる。1 つのものが複数の機能を兼ねているので、そこで人々のより豊かな交流が生まれる。

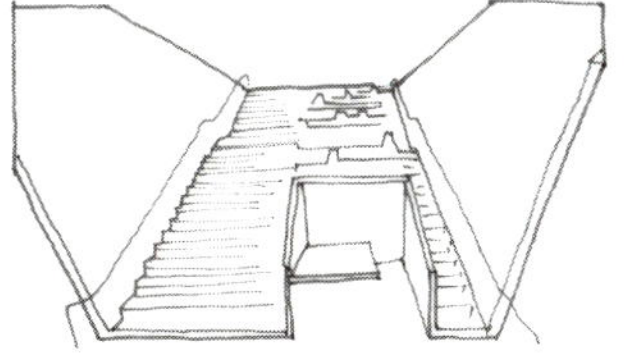

山折りや谷折りになったひとつなぎの表面

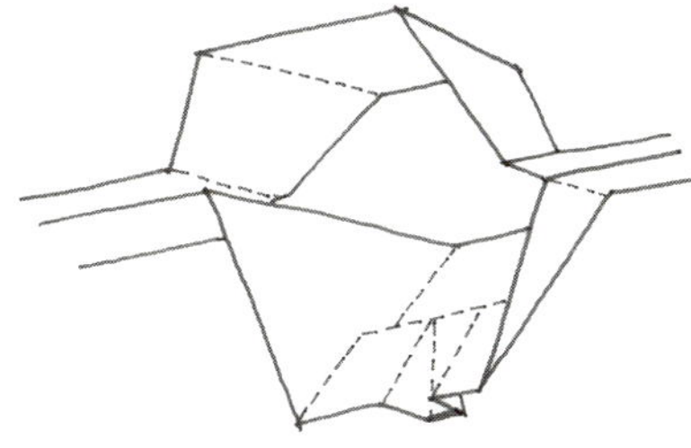

既存部分のひさしと同じようなフォルムの階段が室内に作られ、山折りや谷折りで作られたひだが設けられている。

あらゆる境界をぼかし、いろいろな要素を相互に関連付けようとする建物全体にわたる試みから、独特のデザイン表現が生まれている。それぞれの段の機能をとらえ直すために、表面が山折りや谷折りになり、ひだが設けられているので、いくつもの使い方ができる。

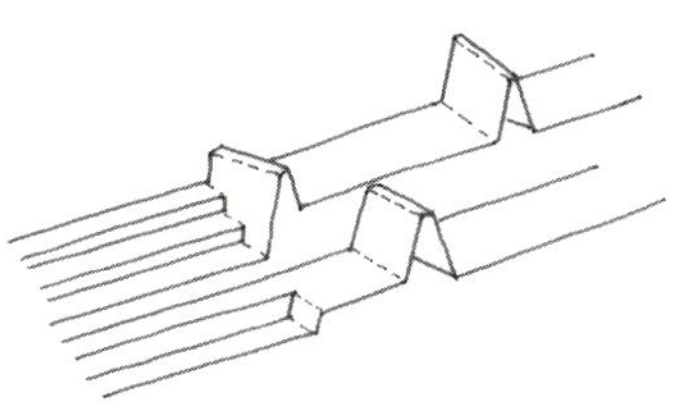

山折りや谷折りのひだが、階段をベンチに変える。

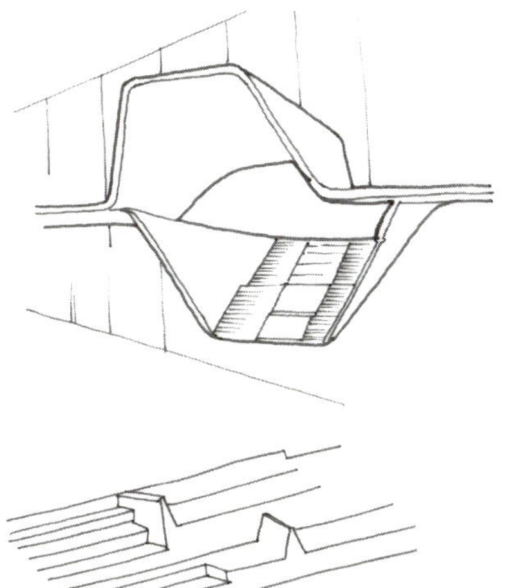

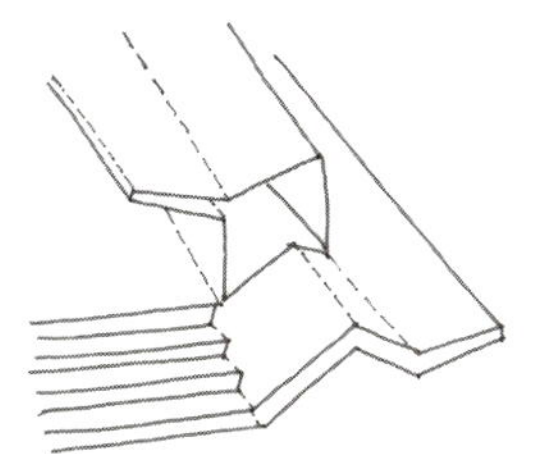

リンカーン・センターの広場では階段とベンチが一体になり、うまく使われている。一番下の段の表面が上に折り曲げられて 1 階のベンチになり、それがさらに上に折り曲げられて、独特のデザインをもつ踊り場のベンチが生まれている。段差や階段という機能をとらえ直すために、表面が山折りや谷折りになりひだが設けられ、いくつも別の使い道が提案されている。

壁、天井、床、階段、ベンチのはっきりした区別はなくなり、ひと続きの表面で、ある機能に設けられた折り目が別の機能をもっている。

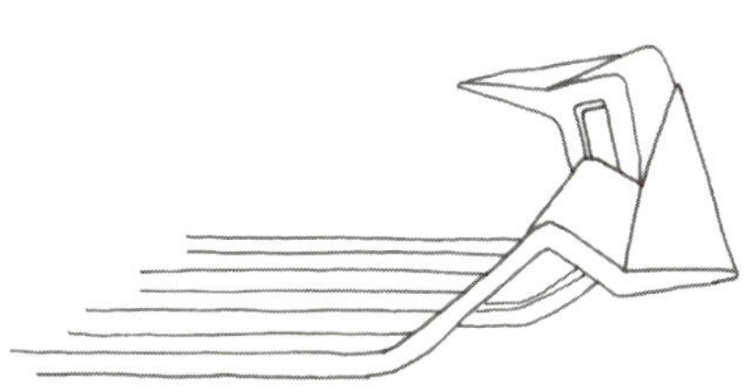

49

ウムクムバネ文化遺産博物館 | 2003-17

コロマンスキー・アーキテクツ

南アフリカ共和国、ダーバン

ウムクムバネ文化遺産博物館は、ダーバン西部の小さな文化地区であるカト・マナー自由公園の一部である。その目的は、ズールー人の文化の伝統および歴史や、カト・マナーの社会政治学的な歴史を記録・展示するとともに、教育・娯楽イベントのための場を提供することだ。ランドマークとなっている建物の円筒形は、太鼓の形に由来する。太鼓は、サハラ以南のアフリカの多くの文化において、富とステータスを表す強力なシンボルであり、コミュニケーションの手段でもある。北側のファサードに施された抽象的な模様は、ズールーなどのアフリカ南部の芸術や建築の特徴として有名な、フラクタルモチーフを反映している。

社会的・経済学的・生態学的な論点や、新時代の南アフリカで建築が担う役割と関わる機会を提供する場として、この博物館のデザインには強い文化的意図が込められている。博物館の施設や展示が、かつて分断されていたコミュニティを、癒しと復興というプロセスを通じて結び付ける。博物館専用の建物が建設されたのは、ダーバンでは100年以上ぶりだった。

マーク・オルウェニー

49 ウムクムバネ文化遺産博物館｜2003-17

コロマンスキー・アーキテクツ
南アフリカ共和国、ダーバン

ダーバン中心部のビジネス街（CBD）
ウェストビル・ショッピングセンター
交通のインターチェンジ
クワズールー大学ネイトル　メインキャンパス
南の海岸方面
ムクムバネ川
イベント用庭園
クイーン・トモズルの記念碑

コンテクストと敷地計画

ウムクムバネ文化遺産博物館は、カト・マナー自由公園の一部だ。2本の幹線道路が交差する、公共交通のインターチェンジに隣接している。低い建物が多い風景の中で、博物館の建物は視覚的なランドマークとなっている。完成時には、彫刻庭園や公園、周辺のコミュニティのためのイベント用の庭園が敷地内に作られる予定だ。敷地計画のねらいは、人々にこのエリアの動植物と関わってもらうこと。敷地へ直接アクセスできる歩道が敷かれていて、来館者のほとんどは徒歩で訪れる（駐車場は敷地の東端にある）。敷地内の低い部分には、修復されたムクムバネ川が流れ、急速に高密度化する都市環境では貴重な、静かなスポットになっている。博物館の隣には、ズールー族のグッドウィル・ズウェリティニ王の母であり、2017年にこの地に埋葬されたクイーン・トモズルに捧げられた記念碑がある。

ウェストビル・ショッピングセンター

構造美

博物館の建物には、鍵となる構造要素が2つある。1つはレンガで覆われたコンクリートフレームのタワーだ。壁と天井に囲まれ、展示室や機械設備室がある。もう1つはスチールとアルミニウム製のオープンなアトリウムだ。タワーの北側を上まですっぽりと覆っている。

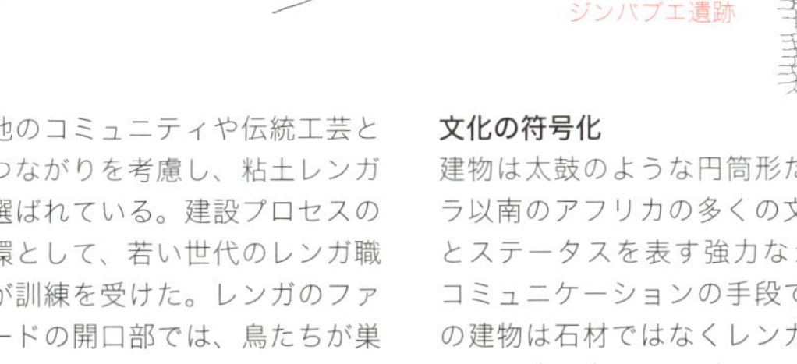

クイーン・トモズルの記念碑には、鉄筋コンクリートの覆いがかけられている。低い天井には小さな天窓がいくつもあいている。片方の端が開いている洞窟のような空間で、屋根を支える鋼管の柱は傾いている。

現地のコミュニティや伝統工芸とのつながりを考慮し、粘土レンガが選ばれている。建設プロセスの一環として、若い世代のレンガ職人が訓練を受けた。レンガのファサードの開口部では、鳥たちが巣を作れるようになっている。現代の建物ではめったにない特徴だ。

文化の符号化

建物は太鼓のような円筒形だ。太鼓は、サハラ以南のアフリカの多くの文化において、富とステータスを表す強力なシンボルであり、コミュニケーションの手段でもある。博物館の建物は石材ではなくレンガ造りだが、フォルム・建て方とも、グレート・ジンバブエ遺跡（1100-1500年頃）の構造にそっくりだ。

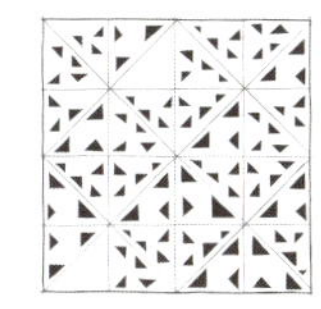

ズールー文化の参照　北向きのアトリウムには、スチールとアルミニウムの日よけが設けられている。日よけには無数の穴があいていて、家屋や民族衣装のビーズ細工に見られる、ズールー族の伝統的な模様から派生したフラクタル状の模様になっている。

空間に映る格子状の影と光　晴れた日には、日よけ越しにアトリウムに差し込む光がまだら模様を描き、枝葉を広げた木の下の、人々が集まる場所を思わせる。タワーの壁には、くっきりとした影が映し出される。アトリウムには屋根はない。

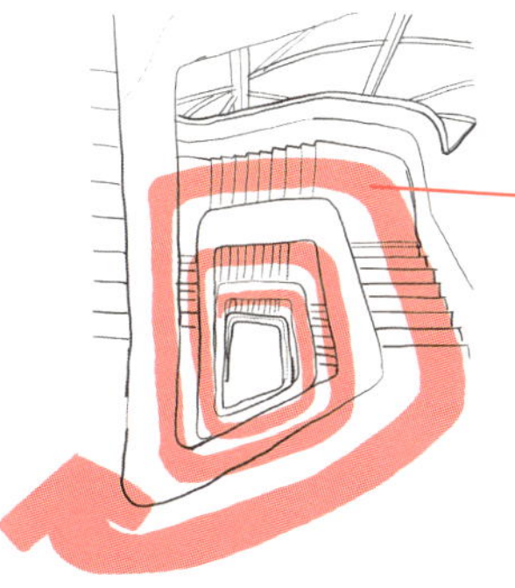

動線

展示室を5階建てのタワーに積み上げることで、建物の専有面積を小さく抑えている。展示室には、開放感のあるアトリウムからアクセスする。建物の垂直性を強調しつつ、オープンなアトリウムと壁に囲まれたタワーとの境目をやわらげるように、らせん階段がアトリウムの片側から上へ続いている。来館者用のエレベーターもある。

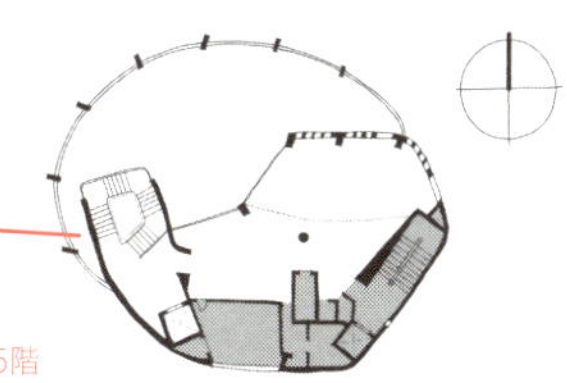

5階

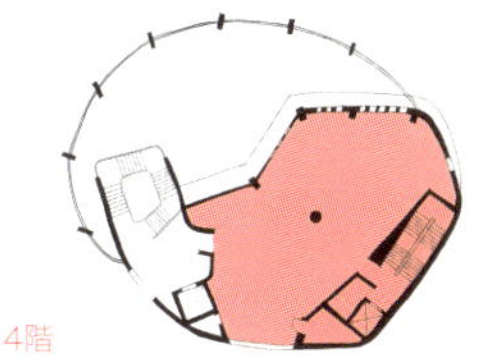

4階

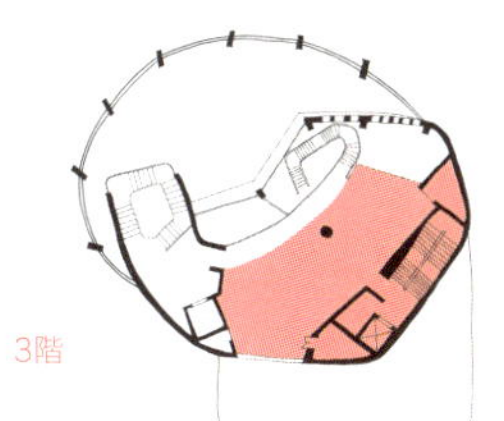

3階

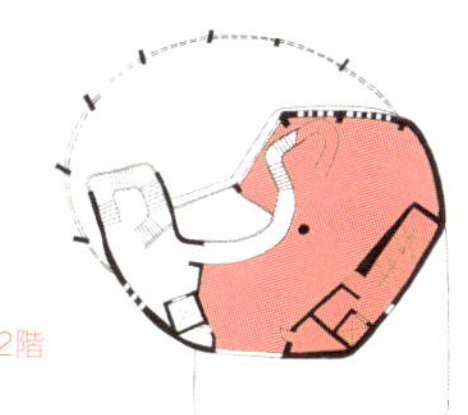

2階

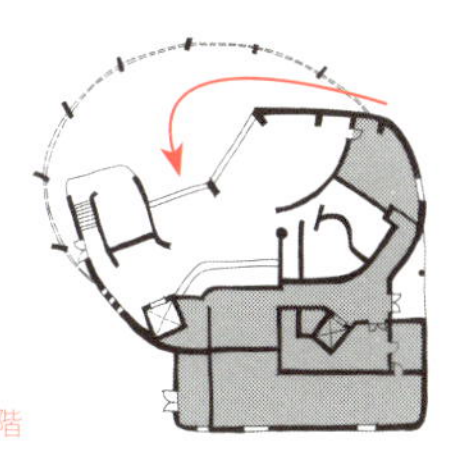

1階

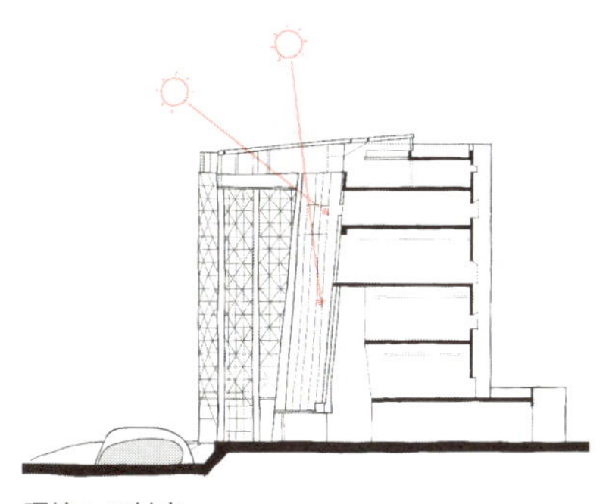

環境への対応

博物館は、現地の気候を理解したうえで立地や向きが決められている。コンクリートとレンガのサーマルマスが屋内の温度環境を調節するので、冷暖房のためのエネルギー消費が削減される。北向きのスチールとアルミニウムの日よけは、ギラギラとした夏の太陽から建物を守りながら、屋内にまだら模様の光を通す。

コミュニティ

コミュニティと環境とを結び付けているのは、現地の住民のムクムバネ川に対する責任意識だ。この博物館の建物は、これらの現地コミュニティにとって灯台のような存在だ。このプロジェクトについての議論や、一部の建設についての議論にもコミュニティが関わった。このタワーに上ると、地元の住民は、地上の遥か上から自分たちが暮らす町を眺め渡すことができる。1～2階建ての建物が多い地域のため、博物館のタワーはそのような体験ができる唯一の場所だ。

50

41クーパー・スクエア | 2004-09

モーフォシス・アーキテクツ
アメリカ、ニューヨーク

41クーパー・スクエアは、建築、工学、芸術の教育機関であるクーパー・ユニオンの新校舎だ。道路を挟んで、既存のクーパー・ユニオン基金ビルとクーパー・スクエアの向かい側に建つ。建築設計事務所モーフォシス・アーキテクツの代表であるトム・メインは、切れ込みを入れたり平面を折り曲げたりする建築表現を取り入れて、より大きな都市コンテクストに応え、施設全体に一貫性あるデザインを施した。

また、この表現は室内にも引き継がれている。学生たちの交流の場である中央のアトリウムは、1つの校舎に納められた3つの学部を結び付ける。こうして生まれた校舎は、ごく普通の四角い空間と不思議な形の空間が共存し、周りの都市構造に合わせて、凹凸のある独特の外壁に覆われている。

ルイス・ケヴィン・ハーディ・グラストンベリー、ブレーク・アレクサンダー、アミット・スリヴァスタヴァ

COOPER UNION

クーパー・スクエアの敷地への対応

新校舎は、クーパー・ユニオンの複合施設の一部だ。そのため、道路の向かいにある1859年に建てられた基金ビルに応える必要があった。建築様式はまったくことなるが、新校舎は基金ビルに合わせたマッスやスケールなので、複合施設全体に統一感が生まれている。一方で、新しい素材や技術を取り入れて、時代にふさわしい現代的な存在感を発揮している。

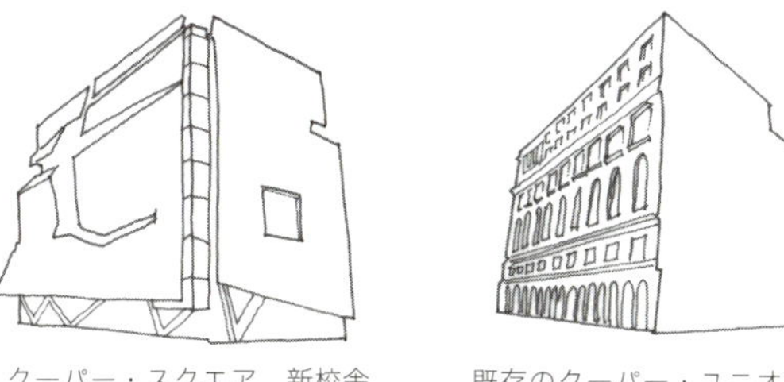

41クーパー・スクエア　新校舎（2009）　　既存のクーパー・ユニオン基金ビル（1859）

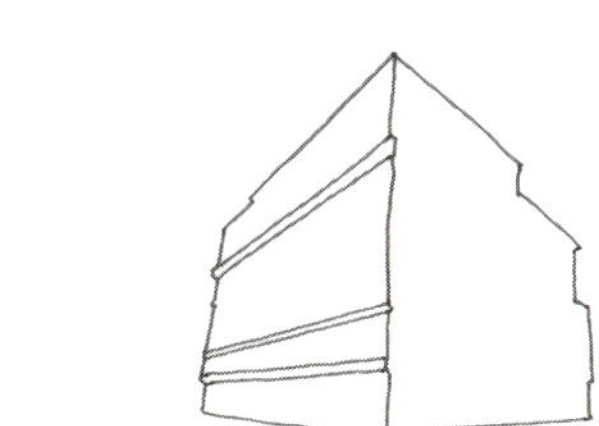

建てられた時代やコンテクストがそれぞれ反映されているので、2つの建物のファサードの表現はことなる。

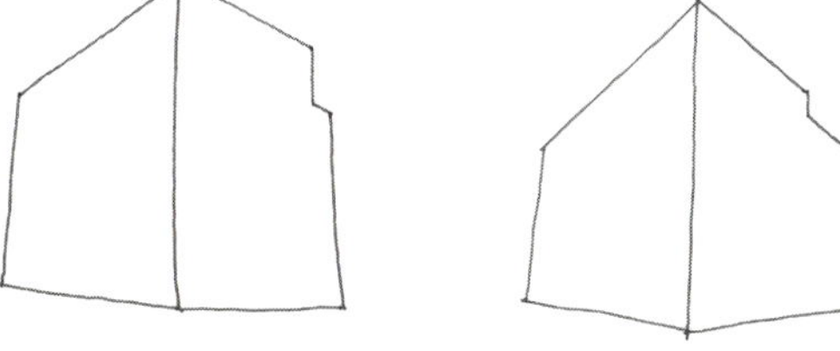

2つの建物を比べると違いはあるが、大きさやスケールは似通っている。

新校舎の敷地はクーパー・トライアングルと呼ばれる小さな公園に面し、新古典主義の古い建物や新しい高層ビルなど多様な建物に囲まれている。

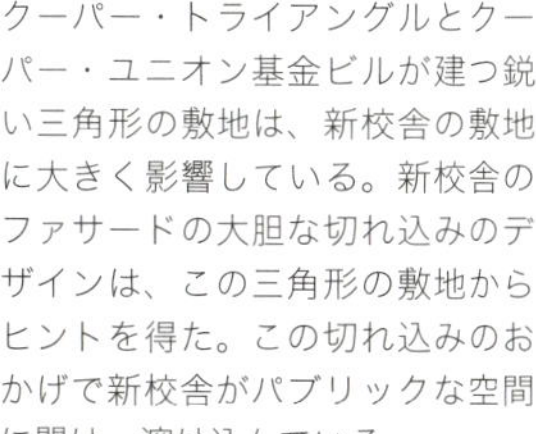
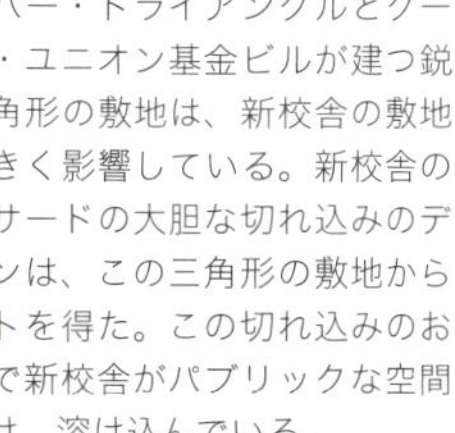

クーパー・トライアングルとクーパー・ユニオン基金ビルが建つ鋭い三角形の敷地は、新校舎の敷地に大きく影響している。新校舎のファサードの大胆な切れ込みのデザインは、この三角形の敷地からヒントを得た。この切れ込みのおかげで新校舎がパブリックな空間に開け、溶け込んでいる。

周りのコンテクストへの対応

敷地はさまざまな高さの建物に囲まれているので、その中に新しい建物をなじませるのは至難の業だ。そこで、ファサードをデコボコにして、低層から高層までの多様な高さの建物の中に校舎を溶け込ませ、エリア全体に一体感をもたらしている。ファサードの切れ込みやひだが街並みを見渡すように視線を導き、近くのあらゆる建物を結び付ける。

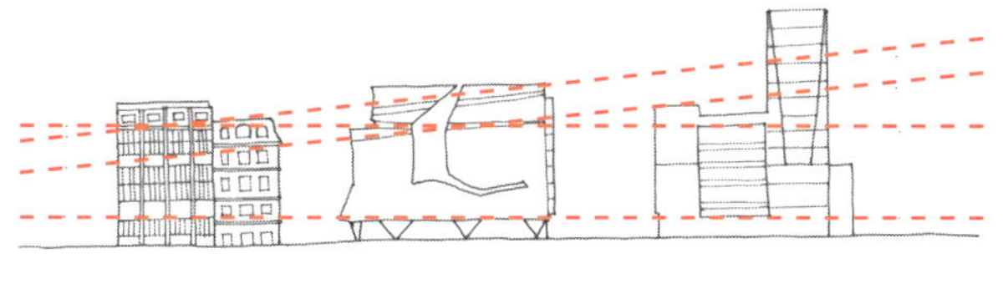

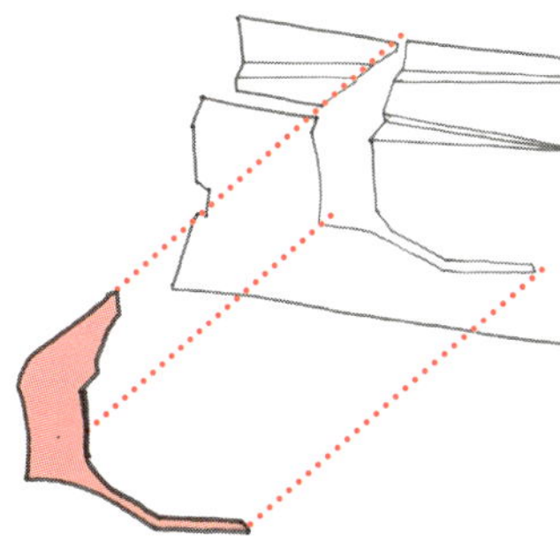

区画の裏を通る狭い道路沿いには大きな教会が建っているので、圧迫感を減らすために裏側のファサードには開口部が設けられている。

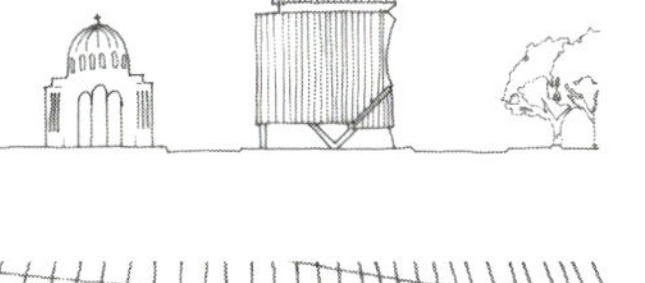
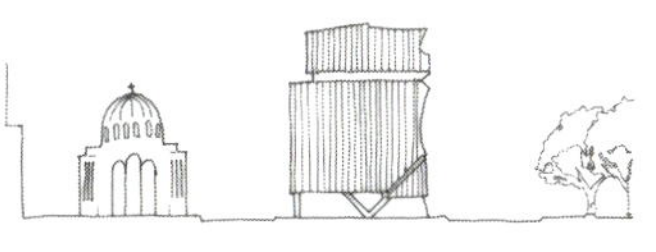

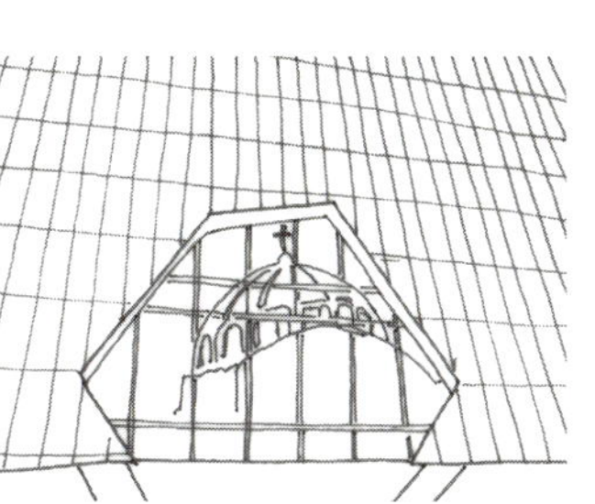

裏の通りを歩いていると、セント・ジョージ・ウクライナ・カトリック教会の壁や開口部のガラスに校舎が写り込んでいるのが見える。

建物と屋外をつなぐ外壁

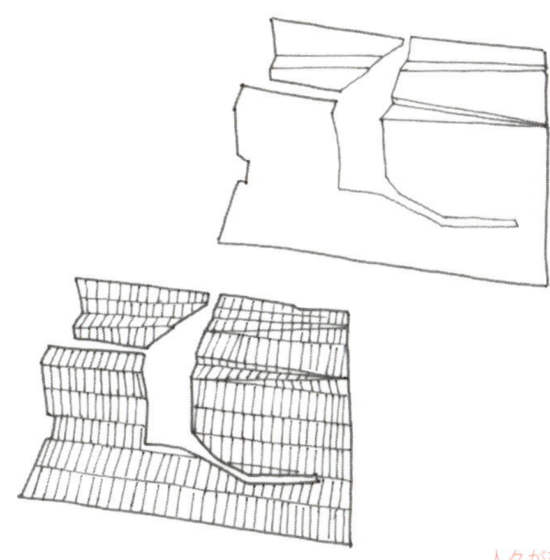

新校舎の１階は、たくさんの人々が交流する空間だ。屋外に向かって開かれ、パブリックとプライベートの境界はあいまいになっている。パブリックな空間とプライベートな空間との関わりは、屋外でも模索されている。傾いた柱やゆがんだガラスの壁が、街中（まちなか）の遊び場のような空間を作り出す。

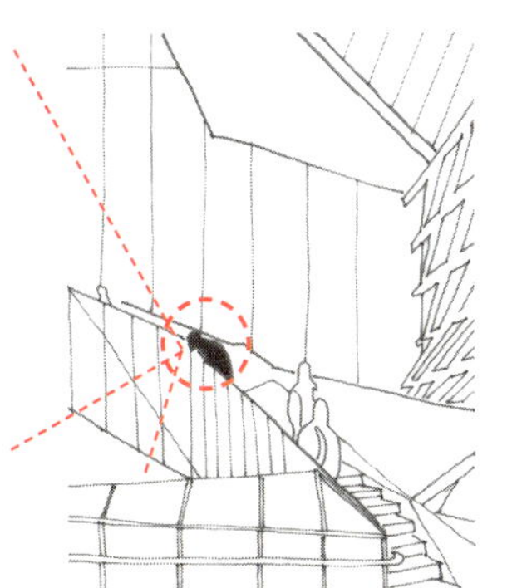

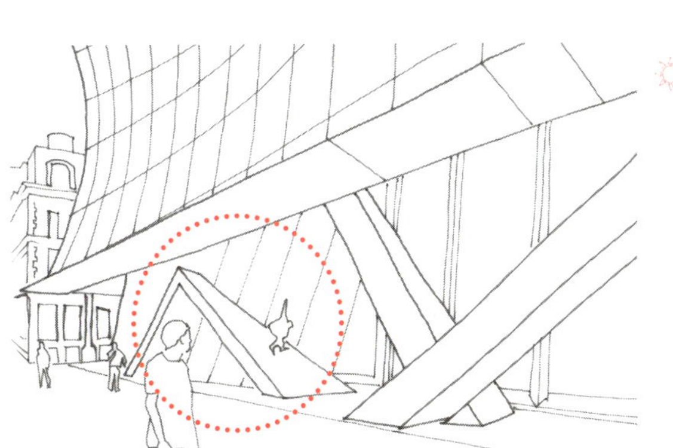

パブリックなエリアとの関わり

クーパー・スクエアのパブリックな空間など周りのにぎやかな環境に合わせて、校舎の外殻は折れ曲がったり切れ込みが入ったりしている。ファサードは、４番街の人や車の流れに沿って描かれるドーナツ型の一部をなすように作られている。ファサードの曲面は内側にへこみ、にぎやかな公共エリアと室内を仲立ちする。グリッド状の切子面がはめられているので、開口部には道路の様子が映り、往来の激しさを強調する。

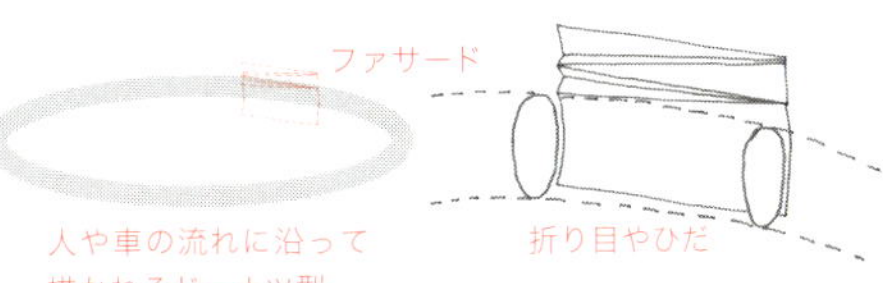
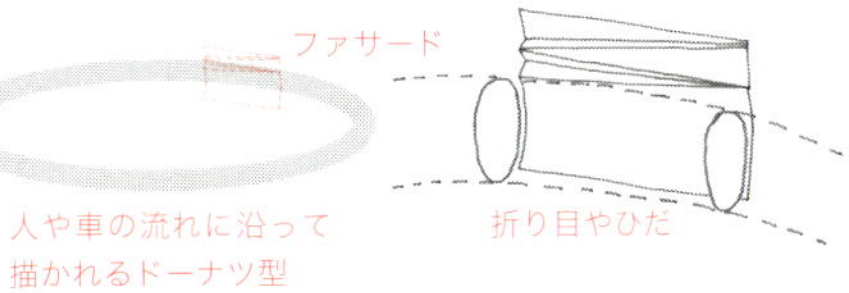

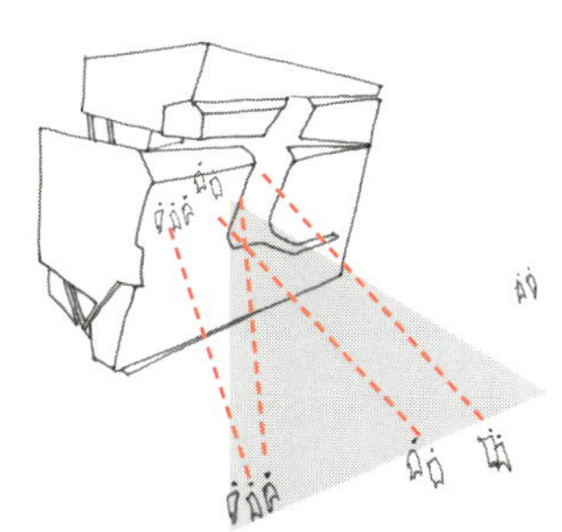

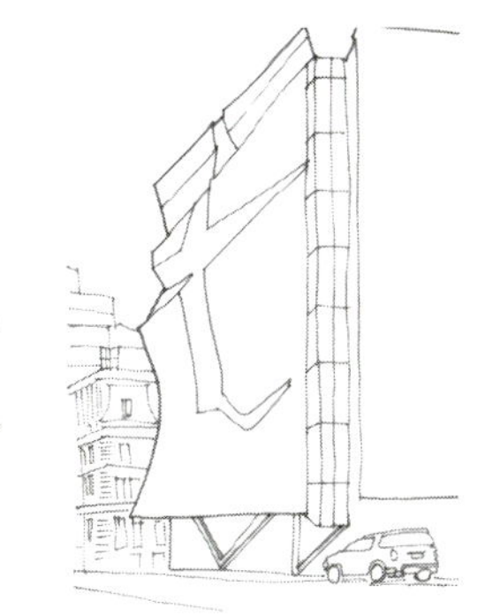

道路との視覚的なつながり

ファサードの切れ込みやガラスなど透明な素材を通して、新校舎は道路との視覚的なつながりを保っている。実の透明性と虚の透明性（建築史家·建築家コーリン·ロウが、論文「透明性　実と虚」で述べた理論。実の透明性とは、ガラスに代表される物質的な素材に表れるものであり、虚の透明性とは現象としての透明性や概念的なものを指す）が組み合わされる。室内にいる学生からは外の様子が見え、屋外の人々は半プライベートな空間へ入ることができる。

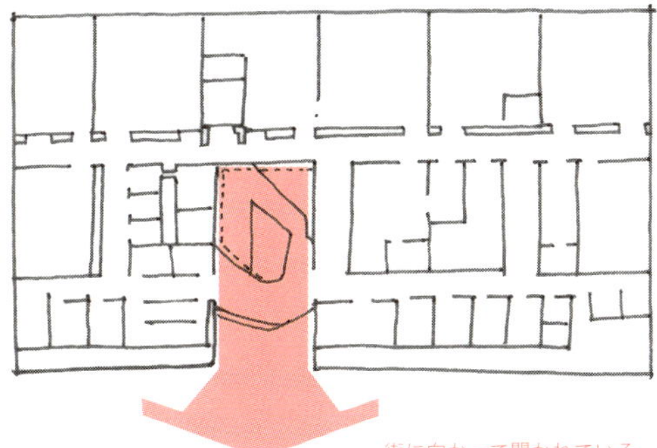

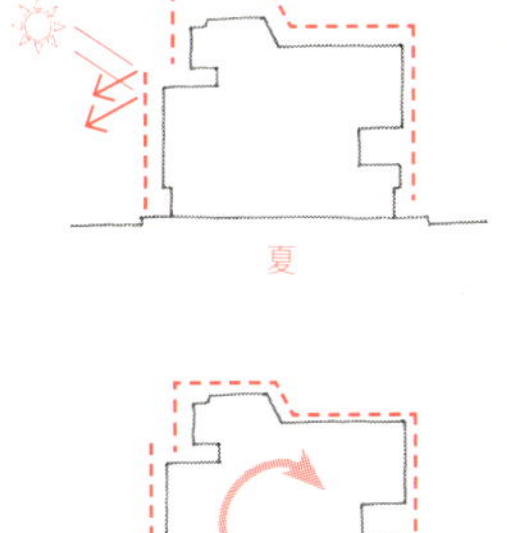

気候への対応

２重構造の外殻が、立地条件から受ける社会的、文化的影響だけでなく、天気の影響もやわらげる。２重構造という建築上の特徴に加えて、工業材料が使われているので、夏には建物が熱を帯びるのを防ぎ、冬には熱をたくわえて建物が冷えるのを抑える。

プログラムへの対応

新校舎では、学部を超えた交流が生まれるように、プログラム計画が再考されている。前の校舎では、芸術、技術、建築の３つの学部がそれぞれ別の校舎に分かれていた。新校舎では１つの建物の中に全学部生を収容し、学部を超えた交流を促すために、中央階段が設けられている。

かつて、建築家のルイス・カーンは、「人間の施設」や「出会い」の希求について論じ、教室だけでなく、廊下やそのほかの空間など、学生同士が偶然出会う場所も学びの場になると述べた。41クーパー・スクエアの中央のアトリウムにある階段も、偶然の出会いを通して学生全員の結び付きを強める、「出会いの場」や「交流の要所」の役割を果たす。

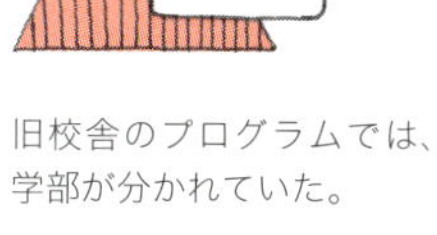
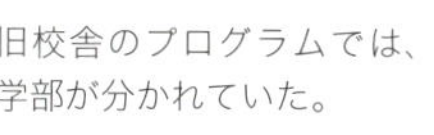

旧校舎のプログラムでは、学部が分かれていた。

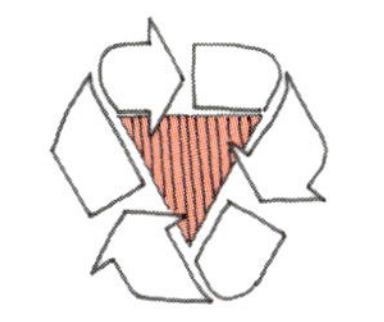

新校舎のプログラムでは、学部を超えた交流が生まれる。

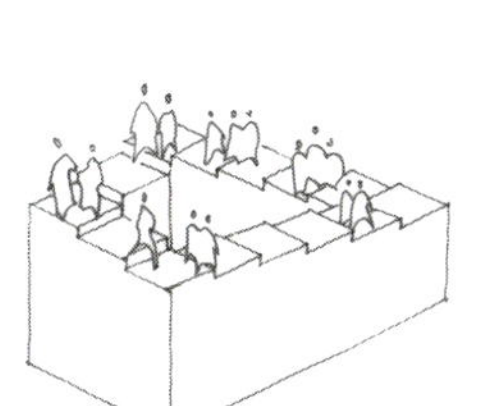
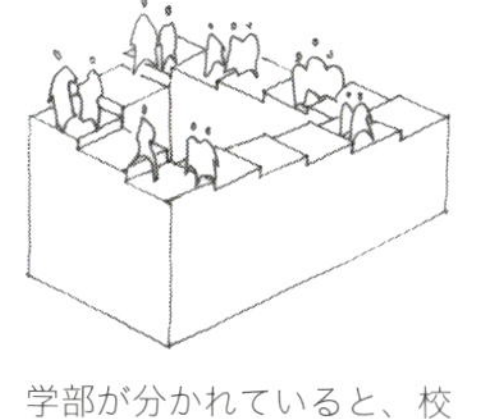
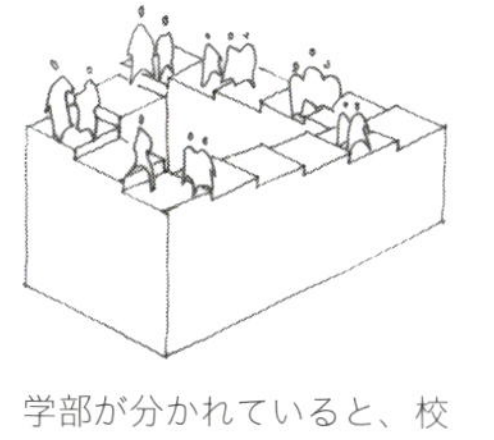
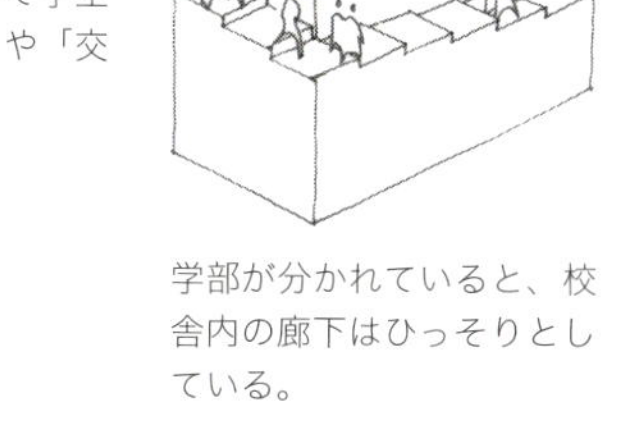

学部が分かれていると、校舎内の廊下はひっそりとしている。

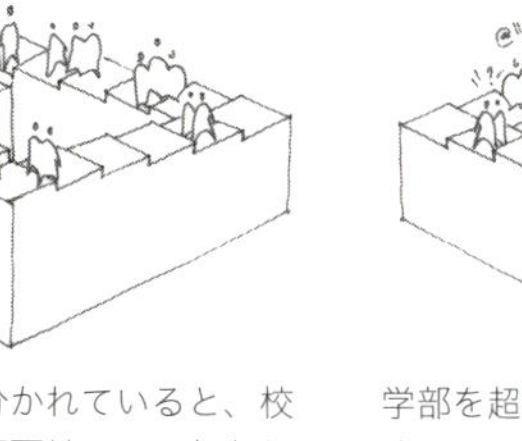
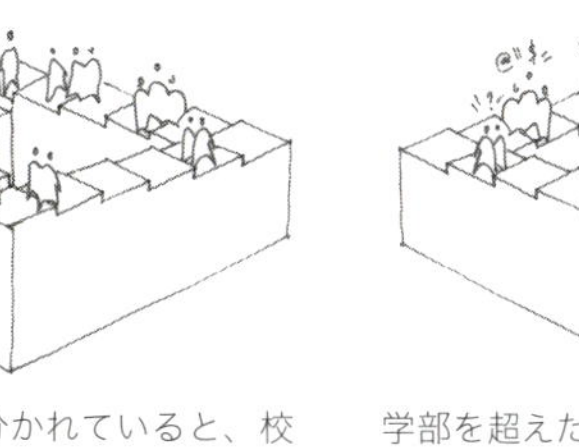
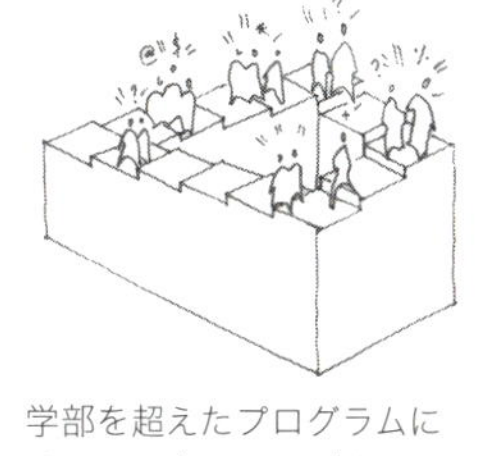
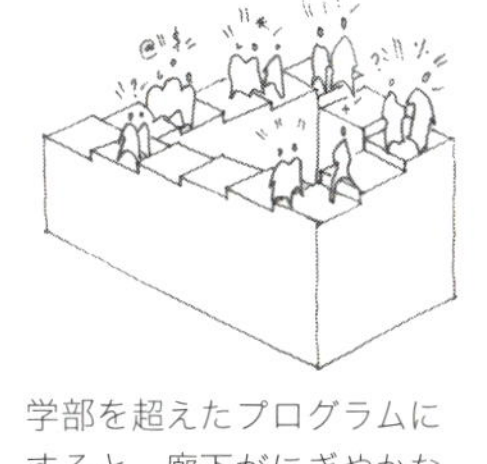
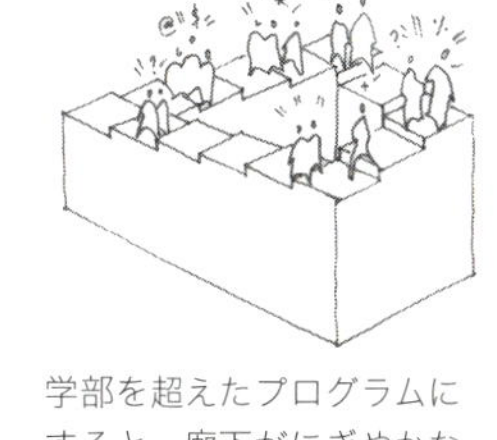
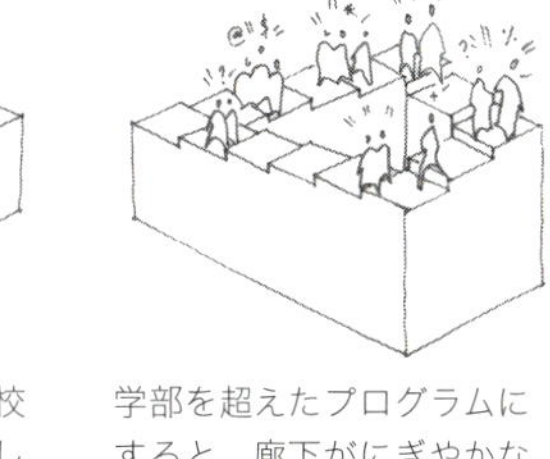

学部を超えたプログラムにすると、廊下がにぎやかな「出会いの場」になる。

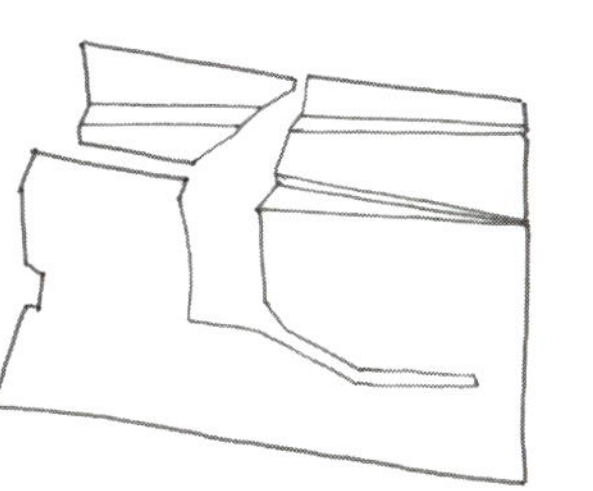

室内のボリュームがいくつも「切り取られ」ているので、外壁のファサードにも「切れ込み」が入っている。

建物と室内を仲立ちする外壁

外壁のデザインには室内空間のつくりが色濃く反映され、特に校舎の「交流の要所」との関係がよく表れている。室内では、プログラムを納めたり天窓を設けたりするためにボリュームが切り取られているが、外壁のファサードにも同じ手法が使われているので、室内のプログラムと外壁のデザインが結び付き、全体に一体感を生む。このような相互関係は、プログラムのほかの側面にも表れている。

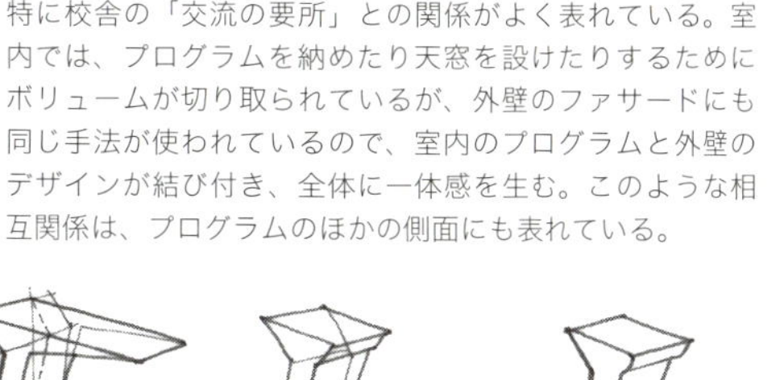

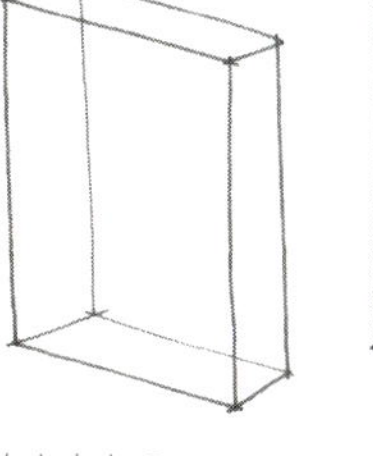

もともとのボリューム。

プログラムを納めるためにボリュームを切り取る。

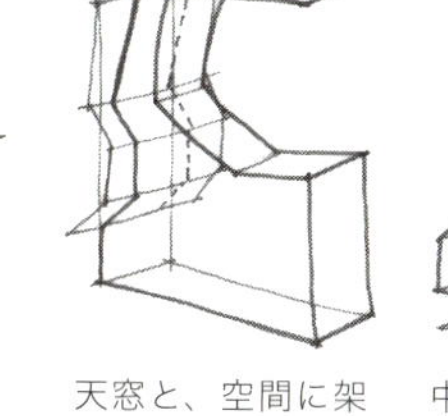

天窓と、空間に架かる通路を設ける。

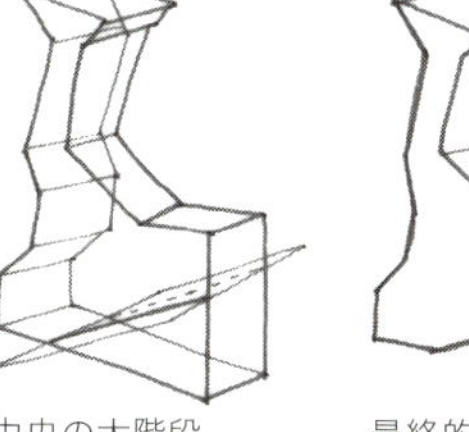

中央の大階段。

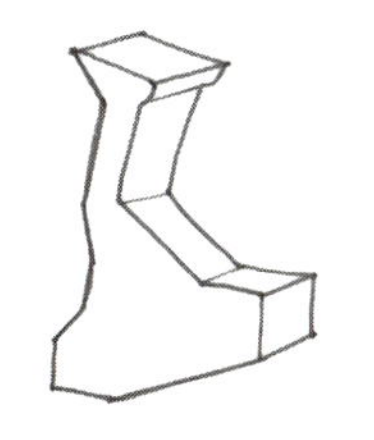

最終的なヴォイドの形。

プログラムと外壁

プログラム上の多様な要求事項は、機能同士が室内で一体感をもつように配置されている。

アトリウムには、エレベーターの代替手段として階段も設けられている。

動線と外壁

校舎内の動線があらゆるプログラムを結び、建物を１つの校舎として機能させている。フロアを縦につなぐエレベーターや階段は、アトリウムの周りに設けられている。階段はエレベーターのすぐそばにあるので、代替手段として使い勝手がよい。中央のアトリウムの階段からつながるように、それぞれのフロアには環状の動線が設けられ、校舎の中で方向感覚がつかみやすくなっている。

各フロアの横の動線は、中央のアトリウムの階段を囲むように設けられている。

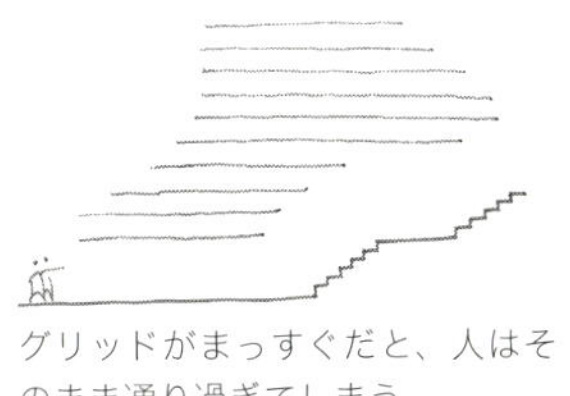

グリッドがまっすぐだと、人はそのまま通り過ぎてしまう。

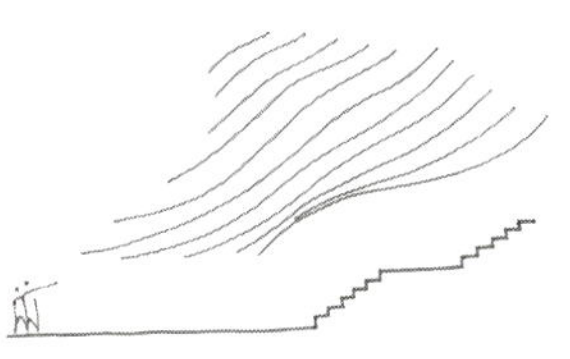

カーブを描くグリッドがアトリウムを見渡すように視線を導く。

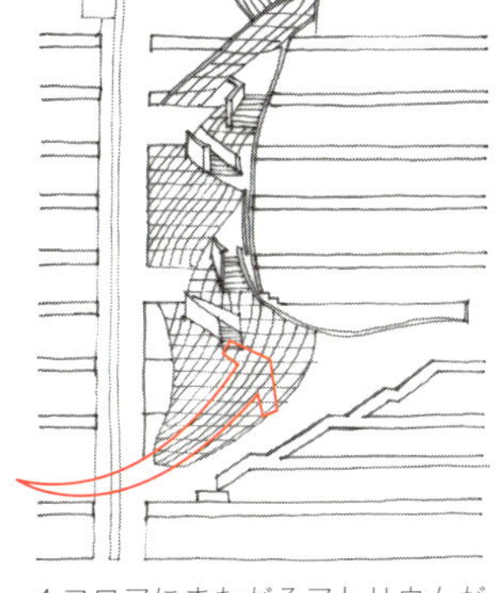

４フロアにまたがるアトリウムが壮大でドラマチックな空間を作る。

学生たちの建築体験

さまざまな要素が絡み合い、建物の中央に新しい公共空間が作られる。交流の場である中央階段のスケールや雰囲気は、ニューヨーク公共図書館やコロンビア大学などにも共通している。空間を包むように、室内にグリッド構造が設けられた。室内のグリッドはゆがんでいてややこしい印象を与えるが、このおかげで学生たちはこの場所をただ通り過ぎるのではなく、わざわざ足を止めてとどまるようになる。この複雑さこそが、空間を学生の交流の場として機能させるために不可欠なものなのだ。

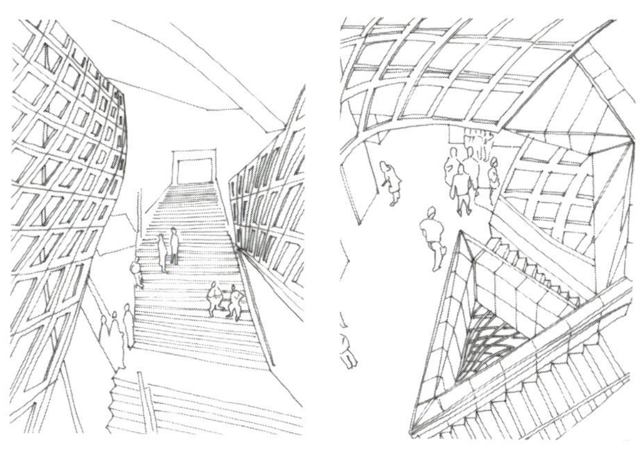

中央のアトリウムと交流の場である階段とのつなぎ方は、ヒューマンスケールの寸法がもとになっている。天井の低いエントランスからすぐに巨大なアトリウムへ出る体験は、訪れる者をドラマチックでわくわくした気持ちにさせる。カーブを描くゆがんだグリッドが中央のアトリウムを囲み、学生の視線を誘導することで、スケールの変化がより強調されている。狭い空間からより広くダイナミックな交流の場へ移るという構成は、間取りにも活かされている。だんだんと広くなる階段が、学生を建物の奥へ引き込むしくみになっている。

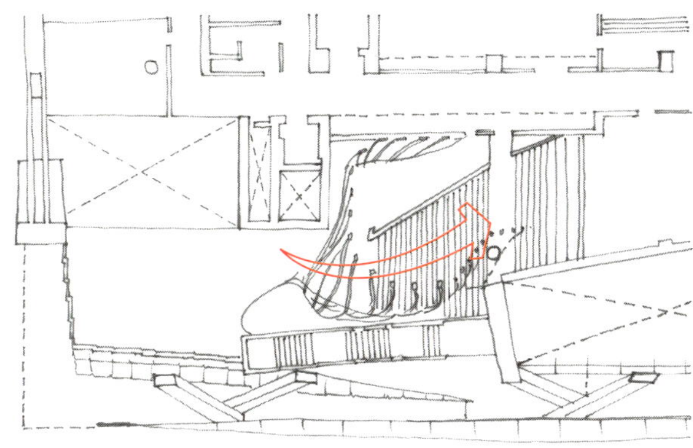

中央のアトリウムの階段はだんだんと幅が広がり、学生を中に引き込む。

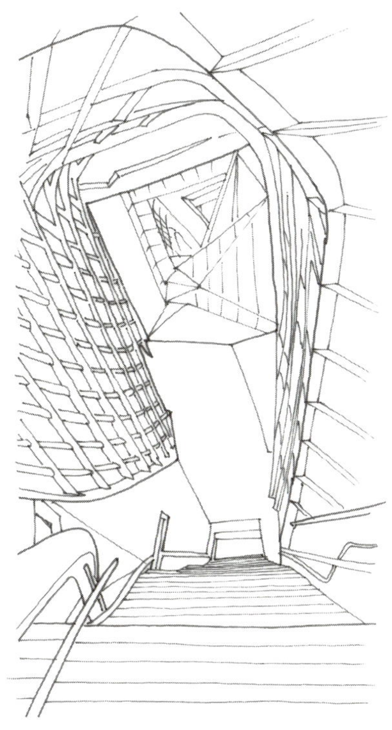

ゆがんだグリッド構造が中央のアトリウムを囲む。

中央に噴水がある、典型的なピアッツァ（屋外広場）。

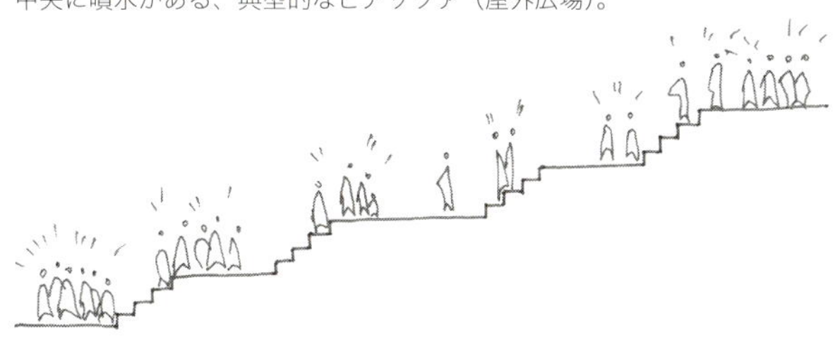

人々の交流の場になる、階段の途中の広場。

中央のアトリウムの階段は、何百年も前から人々の交流の場の基本となっている公共広場を模している。階段は、普通の通路よりも幅が広く、段はベンチになったり、話し合いの場になったりする。あらゆるフロアの様子が視界に入るので、学生同士の偶然の出会いからさらなる交流が生まれ、階段は意見を交わす場になる。後ろにあるゆがんだグリッド構造は、典型的な広場にある噴水のように目印代わりになり、さまざまな学生グループが校舎の中で自分たちの位置を知る助けになる。

51 オスロ・オペラハウス | 2002-08

スノヘッタ

ノルウェー、オスロ

フィヨルド（氷河による浸食作用によって形成された複雑な地形の湾・入り江）に浮かぶ真っ白な氷山のようなオスロ・オペラハウスは、高さの強調や左右対称性などの従来の表現は使われていないが、壮大な存在感を放っている。2002年に開催された国際設計コンペで優勝したスノヘッタは、抒情的な美しさをもつパブリックなエリアと、合理的な機能をもつ舞台裏のエリアが融合する独特のデザインを生み出した。

オペラハウスには、ノルウェー人の理想や、地形、文化がすべて表現されている。訪れた人々は誰でも屋根の上にのぼってフィヨルドの風景をゆっくりと眺められる。また、夏の暖かい日には、白い大理石の敷石が海のさざ波とともにきらきらと光を放つ中、スロープの上でひなたぼっこもできる。スノヘッタが設計したこの建物は、地球の反対側に建つヨーン・ウッツォンのシドニー・オペラハウスの階段やプロムナードと同じように、観光客にとってはずせないスポットとなっている。

アントニー・ラッドフォード、リチャード・ル・メッセラー、ジェシカ・オコナー、イーノック・リュー・カン・ユエン

51 オスロ・オペラハウス | 2002-08

スノヘッタ
ノルウェー、オスロ

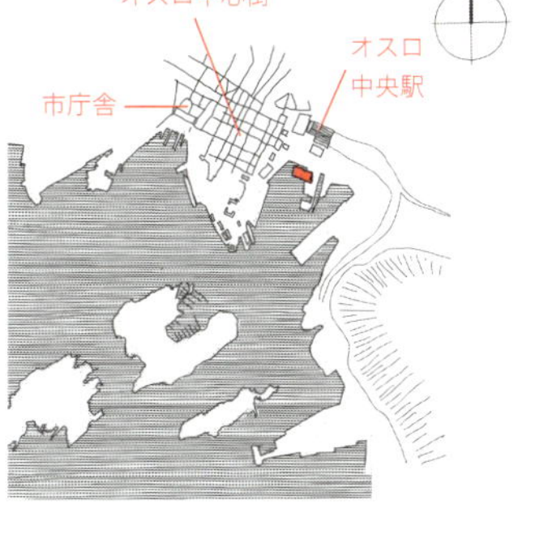

コンテクスト

オスロはノルウェーの南の深く浸食されたフィヨルドの先端に位置し、山に囲まれた湾岸と島々、岬からなる街だ。オスロの中心街の東にあるビョルヴィカ地区には岬をつなぐトンネルが掘られ、荒々しいアスファルトで舗装されていた道は歩行者広場と遊歩道に改修された。オペラハウスはこの新しい文化地区の中心施設だ。

陸側から見ると、独立したマッスやフィヨルドへ延びるスロープが、後ろの丘になじんでいるのがわかる。冬には丘と建物はどちらも雪に覆われ、鋭い角度の建物の正面は、海に浮かぶ氷山を思わせる。

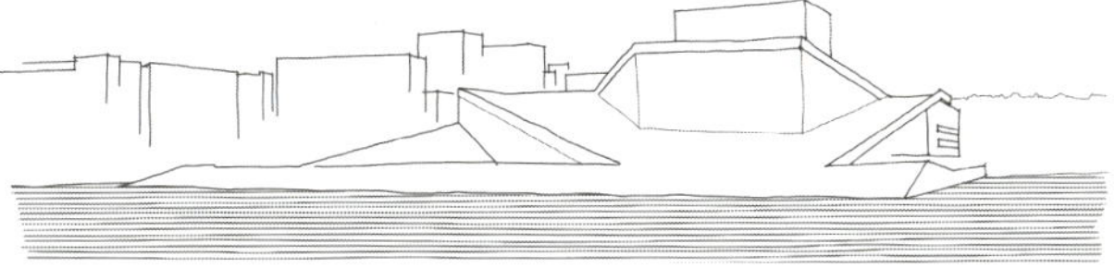

海から、あるいは東西に広がる湾岸から建物を見ると、海面から延びるスロープが、ロビーの上部、ステージタワー、建物の奥のどっしりとしたボリュームを経て、背後の街並みの直線的なマッスへ移ろっていく様子がわかる。

都市コンテクストや自然コンテクストに応えながら、まるで宙に浮いているように見えるこの建物は、近くの海に停泊するコペンハーゲン行きのフェリーを思わせる。

ひと続きの敷地
トンネル道
新しい建物

鍵となる要素

1. ボリュームの引き算：中庭
2. ボリュームの足し算：ステージタワー
3. 中央部：馬蹄形の劇場
4. 角ばった小さな空間
5. 「カーペット」と呼ばれる、石の舗装材が敷かれたエリア
6. 「ウエーブ・ウォール」と呼ばれる、自由曲面の壁
7. 直線的な「ファクトリー」（背景や衣装の制作やヘアメイクを行う、舞台美術のための建物）

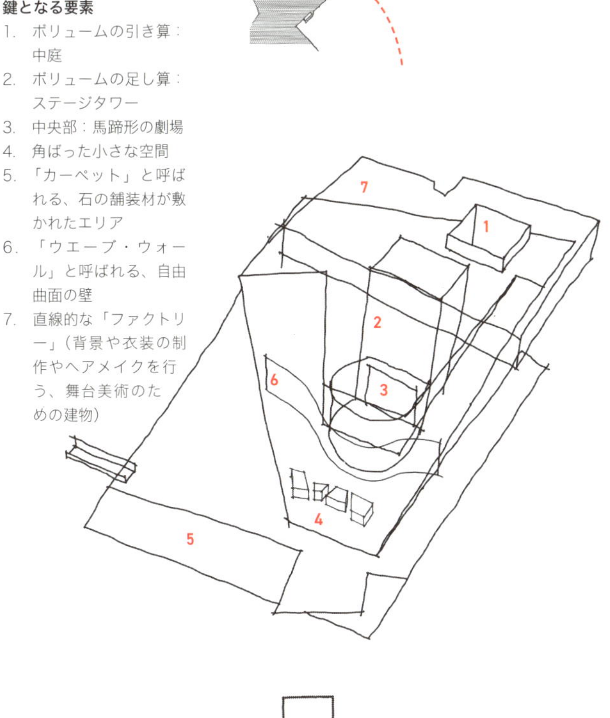

カーペット
角ばった小さな空間
ファクトリー
ウエーブ・ウォールと劇場
ステージタワーとオーケストラ・ピット

構成要素

設計コンペ案と建物の最終形は、どちらも主に３つの要素からなる。設計者のスノヘッタは、これらを「ウエーブ・ウォール」、「ファクトリー」、「カーペット」と呼んでいる。

劇場の観客席とロビーを隔てているウエーブ・ウォールは、誰でも入れるエリアと、オペラハウスの中のチケットが必要なエリアを分けている。また、海と陸、人々と文化との境界を象徴的に表している。壁といっても威圧感はなく、温かみのある色合いのゆるやかな曲面にたくさんの開口部が設けられている。

建物のもっとも奥にあるファクトリーは、作品の制作現場だ。作業場やリハーサル室、事務室が、直線的に効率よく配置されている。

カーペットと呼ばれる石敷きの部分が、海から屋根までひと続きの面となって、室内空間の大部分を覆っている。カーペットは、ガラス張りの壁を超えて続き、公共エリアを作っている。

カーペットが低くなっている部分の下には、小さな４つめの要素、すなわちロビーの前端に設けられた小空間がある。ウエーブ・ウォールの柔らかい印象と対比をなす。

このような要素はそれぞれはっきりと個性を主張しているが、互いに影響を与え合い、相互反応がもたらす一体感を生んでいる。

間取り

建物は「オペラ・ストリート」と呼ばれる南北の通路で2つに分かれている。西側にはパブリックなエリアと劇場エリアがあり、東側には「ファクトリー」と呼ばれる制作現場がある。

ウエーブ・ウォールが西側をさらに2つの部分に分け、ロビーエリアと、客席と舞台があるエリアを作っている。

東側も、東西に延びる大きな搬入路でさらに2つに分かれている。北側は舞台背景を作る「ハード・ワークショップ」だ。完成した舞台背景は搬入路から舞台裏へ運ばれる。南側にはより小さな「ソフト・ワークショップ」がある。衣装作成やヘアメイクが行われるほか、事務所や更衣室がある。このエリアに自然光を届ける中庭を、スノヘッタは建物の奥の緑の肺と呼んでいる。

ファクトリーは地上3階から4階、地下1階建てで、サブステージエリアはフィヨルドの海面のはるか下の地下3階まで続いている。

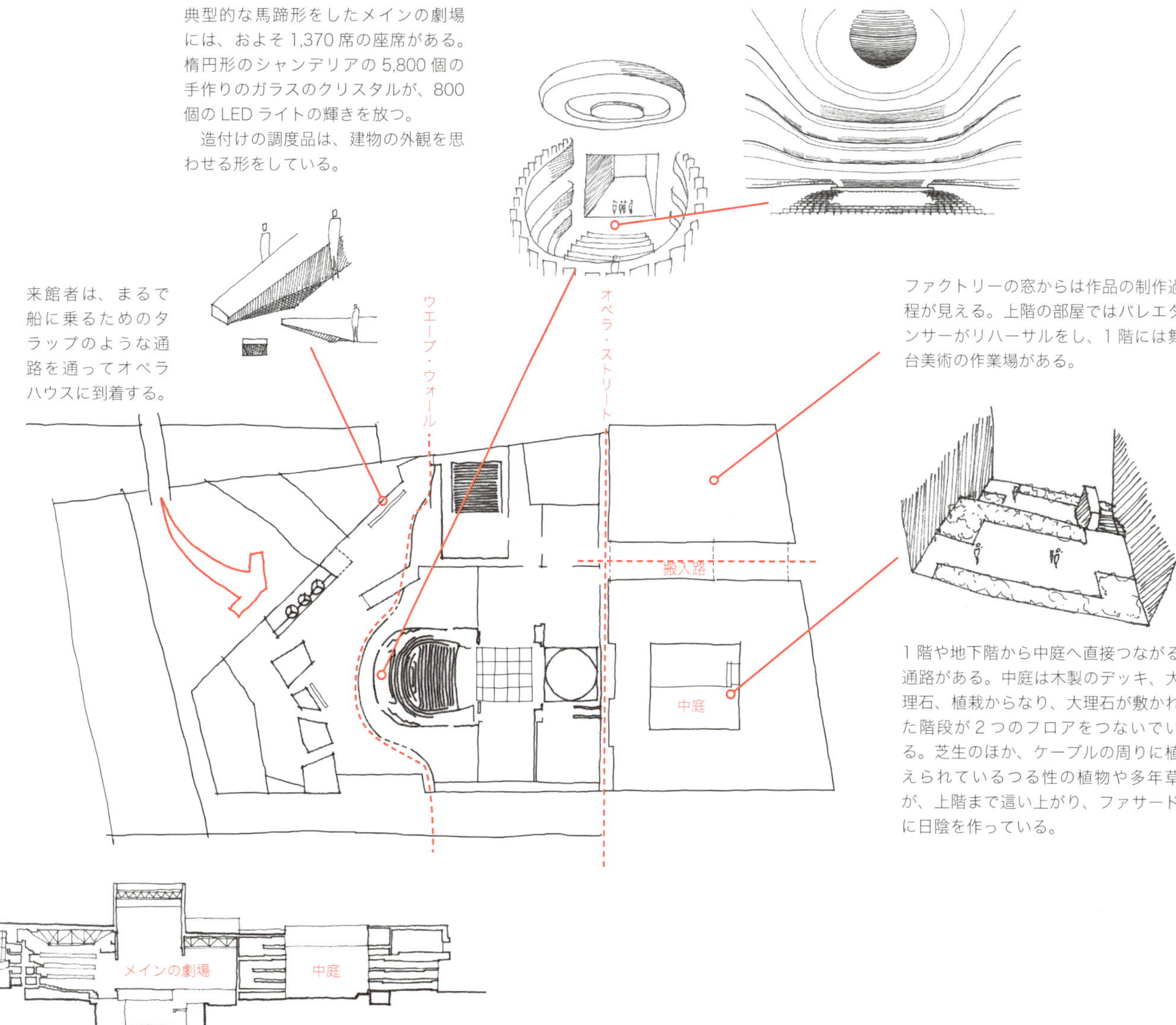

51 オスロ・オペラハウス｜2002-08

スノヘッタ
ノルウェー、オスロ

中央の空間
来館者は、低い天井の入口をくぐって、建物の先端にある天井の低いエリアを通り、観覧席の外縁と建物の外壁の間にある、床から天井までが吹き抜けになった中央の空間へ出る。

このエントランスの左手には、ウエーブ・ウォールの温かみのある木の表面が見える。右手には、ひんやりとした印象を与える斜めの柱や、ガラスの壁、目隠し用のスクリーンが見える。

観覧席へ続くバルコニーの手すりと天井の間には細長い開口部があり、ロビーのガラスの壁越しに海辺の景色を切り取る。

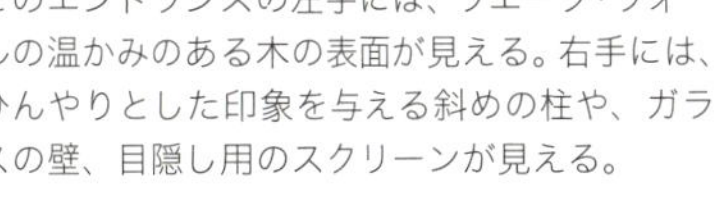

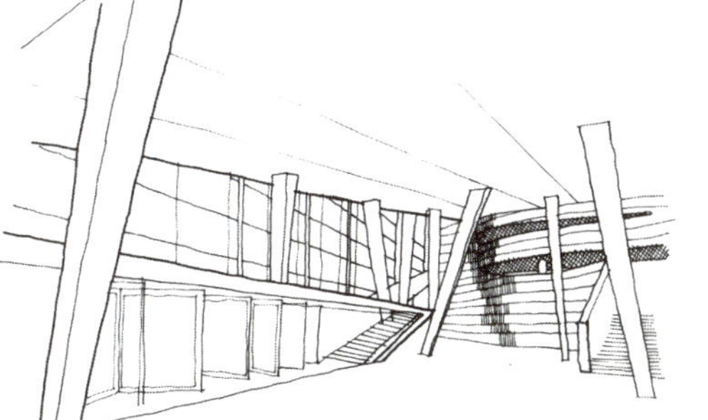

ガラス　ロビーの上部のガラスの壁は最長15メートルに及ぶ。合わせガラス（ガラス層の間に通例ポリビニル・ブラチールの層がある安全ガラスの一種）の板の間に、必要最小限の金属留め具が挟み込まれている。厚いガラスに特有の緑がかった色が出ないように鉄の含有量が少なくなっているので（ガラスの着色は、酸化鉄などを加えて行われる）、透明度が高い。

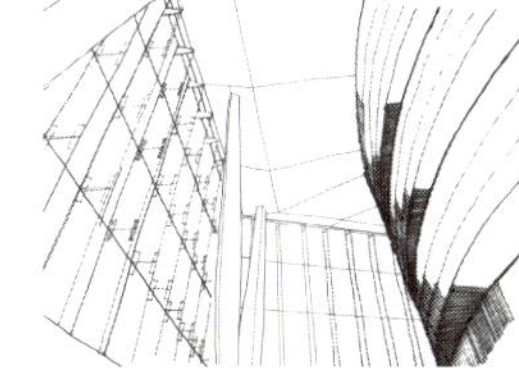

木材　ウエーブ・ウォールは、多様な木目のオーク材が組み合わせることで、デコボコした軽やかな表面が作られる。ロビーのほとんどの要素は、表面が平らで堅いので音が響きやすいが、カーブを描く壁が音を吸収する。劇場のインテリアには、深い色合いにするためにアンモニア処理されたオーク材が使われている。

観客先へ続く階段は、ウエーブ・ウォールと同じ木材が使われ、まるで壁から枝分かれしているように見える。

ウエーブ・ウォールの向こう側は全面が木材に囲まれているので、バイオリンの中にいるようだと例えられる。間接照明を使いつつ、壁や床に反射した光が室内に暖かみを演出している。

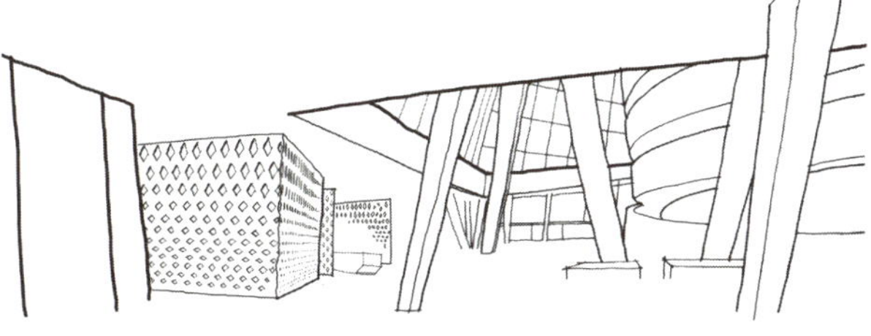

芸術家のオラファー・エリアソンが手がけた網目状の壁が、屋根を支持するコンクリート製の部材とトイレを隠している。この壁は、白や緑色の光で内側から照らされている。光がだんだんと明るくなったり暗くなったりする様子は、溶けていく氷を連想させる。

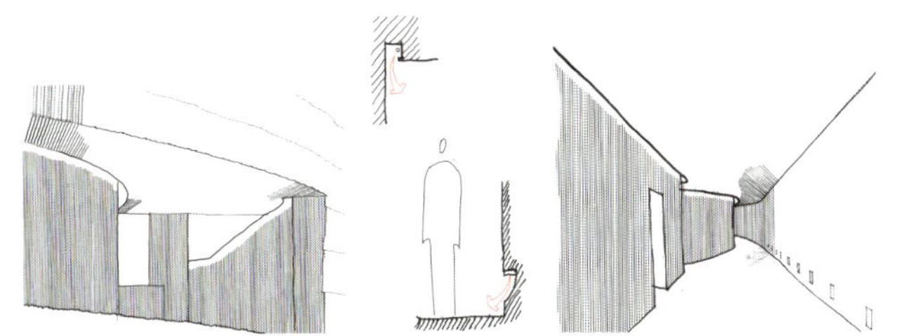

パブリックなランドスケープ
芸術家のクリスチャン・ブリスタッド、カレ・グルード、ジョルン・サンネスが手がけた大理石のスラブが、不規則な筋や段、質感を演出する。

ステージタワーが、カーペットを突き抜けるようにそびえる。敷石はセットバックしているので、建物の周りの、壁とスラブの境目には隙間がある。

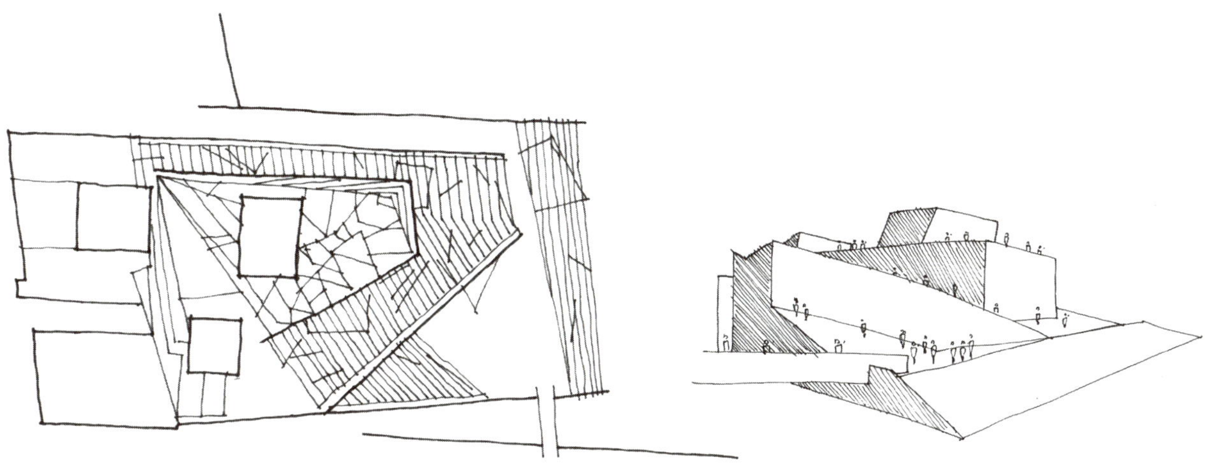

大理石　カーペットには、ラ・ファッシアータ社の、イタリア産の白い大理石が敷かれている。晴れた空の下でもオスロ特有の灰色の空の下でも美しく、雨にぬれても輝きや色合いがそこなわれない。

敷石はほとんどがざらざらした素材が、段の部分はつるつるした素材が使われる。わずかな段差がスラブの表面に影を作る。

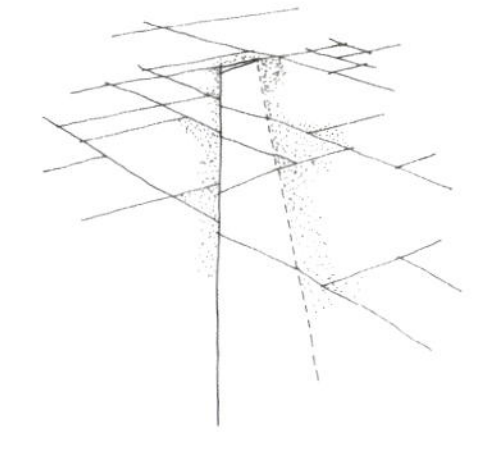

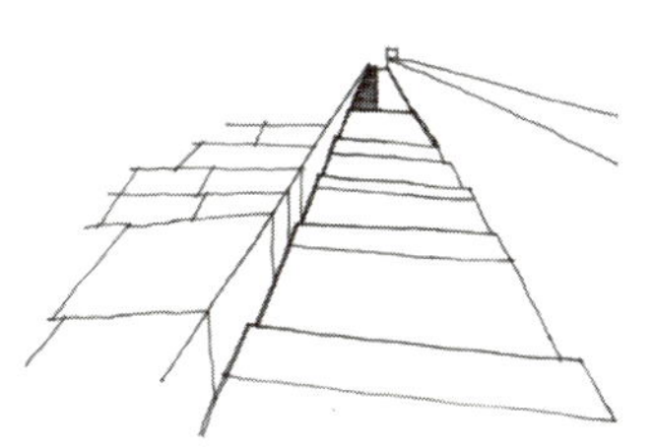

金属　ステージタワー（およびファクトリー）の外壁は、見た目がよくて長持ちするプレス加工のアルミ板パネルで覆われている。芸術家のアストリッド・レヴァースやクリステン・ワグレと協働でデザインしたパネルには、伝統的な機織り技術をヒントに、外側に出っ張った半円と内側に引っ込んだ円錐の模様がつけられている。光の角度や強さ、明るさによって、表面の印象が変わる。

スロープと階段が、屋根の縁に溝のように設けられているので、手すりの高さは基準を満たしながらも、屋根が描く斜めのラインの上に飛び出して景観をそこなうことはない。スラブの表面には、手すりは設けられていない。

真っ白な大理石の背景に人々の姿やカラフルな衣服が映え、彼らの動きが風景を彩る。

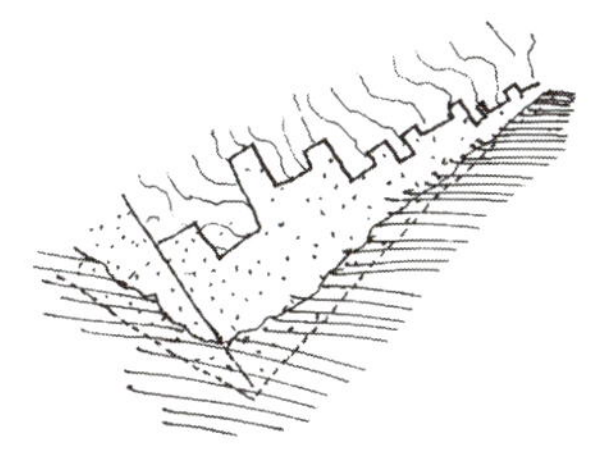

敷石が海面に接するところでは、大理石ではなく、茶色がかったグレーのノルウェー産の花こう岩が使われている。境目は大理石のスラブに花こう岩のスラブが入り込み、ギザギザのラインを描いている。

52

イタリア国立21世紀美術館　MAXXI | 1998-2009

ザハ・ハディド・アーキテクツ
イタリア、ローマ

1998年、ローマ歴史地区にほど近い場所に、21世紀の芸術と建築のための美術館を建てる国際設計コンペが開かれた。勝利したのは、ロンドンで活動した建築家ザハ・ハディドと、ドイツ出身のパトリック・シューマッハだった。そこで生まれたイタリア国立21世紀美術館　MAXXIは、押し出し成形のような細長いボリュームが並び、L字型の敷地に沿って曲がったり枝分かれしたりしている。コンクリートの壁は展示室を隔て、壁と平行に並んだ薄い板が、透明な屋根を細く区切っている。流動的な空間構成は、個別の部屋が集まってできる一般的な建物とは一線を画す。

敷地へ近づくと、MAXXIはだんだんとその姿を現し、北側の塀越しにその一部がちらりと見える。南側では、両側の古い建物の間に身をよじるように建物が入り込んでいる。入口は、片持ちのボリュームの下の奥まった場所にある。室内はひとつながりだが、はっきりとした順路は決まっていないため、空間をあらゆる方向へ進むことができる。展示室への分岐点として、さまざまな奥行きを眺められる広々とした空間なども設けられている。

アントニー・ラッドフォード、ナターシャ・コスボス、ラナ・グリア

52 イタリア国立21世紀美術館　MAXXI｜1998-2009

ザハ・ハディド・アーキテクツ
イタリア、ローマ

敷地への対応

敷地の周りには、以前は兵舎があり、今も近くにその一部が残っている。美術館は、このような低層で均一な都市構造を反映しながらも、近所の通り沿いに並ぶ高層のマンションに合わせて、高さが決められている。区画のグリッドに沿って、南側と西側へ細く延びるL字型の敷地に建っている。敷地の北側の、通りを挟んだ先のグリッドは、美術館の敷地以南のグリッドに対して、51度斜めになっている。この2つのグリッドに重なるように建つ美術館は、カーブを使ってグリッド同士をつないでいる。もっとも高い位置にある展示室は、斜めのグリッドに沿って設けられている。

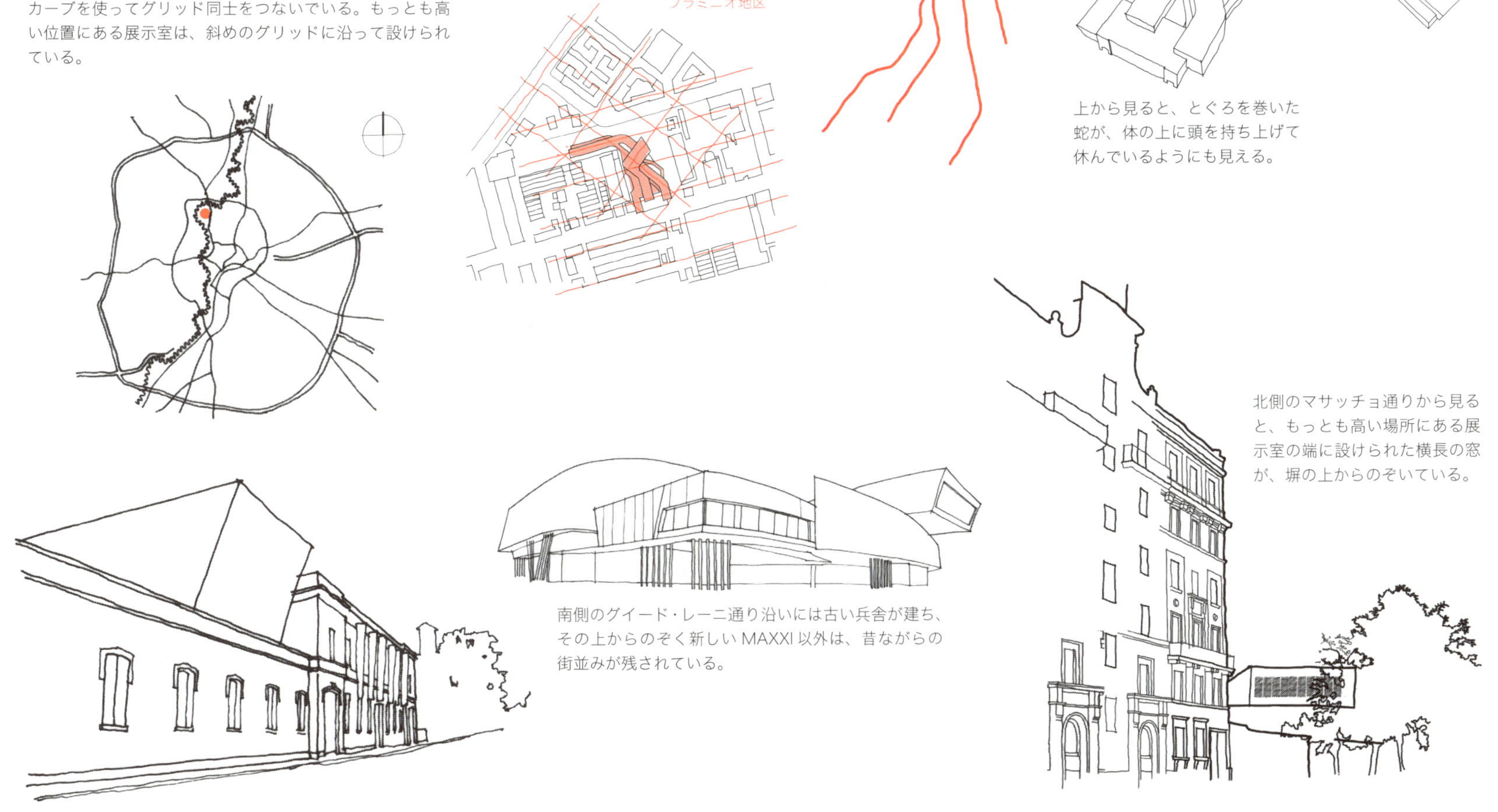

上から見ると、とぐろを巻いた蛇が、体の上に頭を持ち上げて休んでいるようにも見える。

北側のマサッチョ通りから見ると、もっとも高い場所にある展示室の端に設けられた横長の窓が、塀の上からのぞいている。

南側のグイード・レーニ通り沿いには古い兵舎が建ち、その上からのぞく新しいMAXXI以外は、昔ながらの街並みが残されている。

建物の構造

構造要素は壁や天井で隠され、建物の形は整然としている。基本構造は、鉄骨の横梁で支えられた現場打ちの鉄筋コンクリートの壁だ。横梁の間には、コンクリートの壁と平行に細いトラスが架けられ、その周りを GRC（ガラス繊維強化セメント）が覆っている。これらの構造が天井を特徴付け、しなやかな曲線を描く薄板を形作っている。内壁の表面には、白く塗られた石こうボードが使われている。

金属格子の日よけ／メンテナンス用の通路
太陽の光を遮るガラス
細長い蛍光灯
内側のガラス
調節可能なアルミニウム製ルーバー
奥行き2.2メートルの鉄骨トラス

ひと続きの天窓

天窓の外側には、直射日光を遮る金属製の日よけが取り付けられている。この日よけは、メンテナンス用の通路にもなる。外側のガラスは、紫外線などアート作品にダメージを与える太陽光線を遮断する。ガラスの下には、ルーバー、目隠し用のブランド、光を完全に遮るためのブラインドが組み合わされ、明るさによって調節できる。

照明設備は薄板の脇の溝にはめられているので、自然光と人工の光がルーバーの上の同じ方向から注ぐ。スポットライトの薄板の下にある枠に取り付け、特定の作品を照らすことも可能だ。

まるでどこまでも続いていくような細長い展示室は、北西の端で斜めに切断されている。建物と敷地の塀の隙間にある細い通路に、複数の非常階段が設けられている。

入口は張り出したボリュームの下にあり、柱の列の後ろに隠れている。また、斜めに立つ長い柱が上階を支えている。展示室３に続くスロープのサイドや角には、長い窓が設けられているので、館内の人々は中庭を眺め、方向を知ることができる。

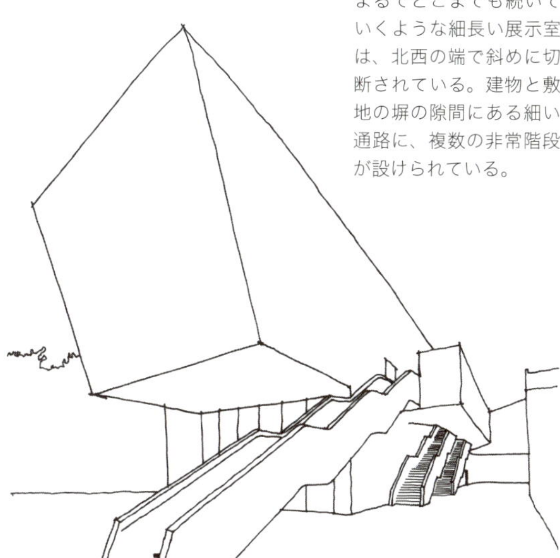

52 イタリア国立21世紀美術館　MAXXI｜1998-2009

ザハ・ハディド・アーキテクツ

イタリア、ローマ

間取り

1 階のエントランスエリアの一方には受付デスクがあり、もう一方にはカフェがある。受付から、ホール、ミュージアムショップ、企画展示用の展示室、ひと続きのメイン展示室へ直接続いている。カフェの隣にある展示室 1 には、建築部門の作品が展示されているほか、記録資料が保管されている。

展示室 1
建築部門の展示室。3 つのサブスペースがあり、その間に狭い通路がある。

展示室 2
160 メートルの長さがあり、途中で 39 度の角度で折れ曲がっている。

展示室 3
3 フロアにまたがり、スロープでつながれている。

展示室 4
途中で枝分かれしている。

展示室 5
最上階に位置する。床がスロープになっている部分が 2 か所ある。

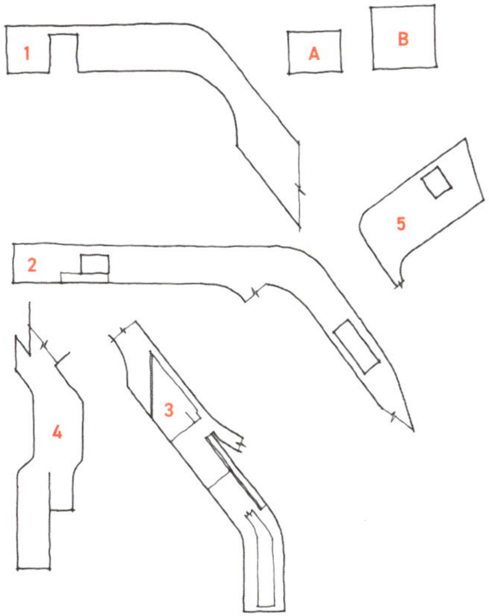

A. 既存の建物の中にある、グラフィックアートのコレクションの展示室。

B. 既存の建物の中にある、企画展示用の展示室。

展示室を空間ごとに抜き出すと、それぞれ抽象的な形をしている。空間同士の境界はあいまいなので、企画担当のキュレーターがあえて空間をはっきりと区切る場合をのぞいて、来館者は空間をひと続きに感じられる。

分厚い外壁を重ねて、その隙間に機械設備を納めている。

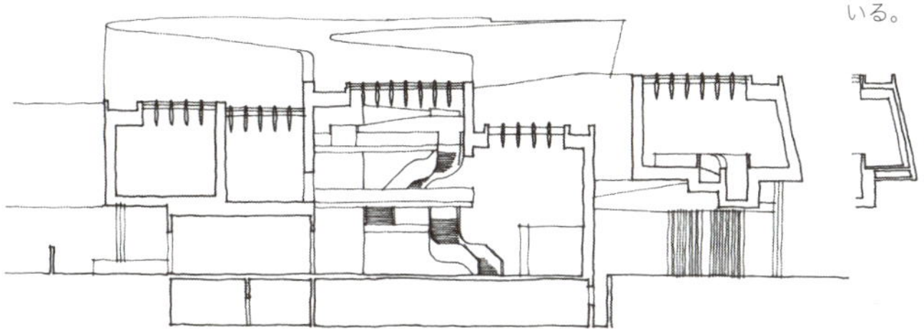

断面図を見ると、平らな 1 階の床の下に地下階があるのがわかる。上階は床レベルが多様で、ところどころにスロープや踊り場が設けられている。

受付デスクは、白色で光沢のあるうずまき型をしていて、デスクの天板だけが平らだ。受付という機能をもつデスクであるとともに、芸術的なオブジェでもある。

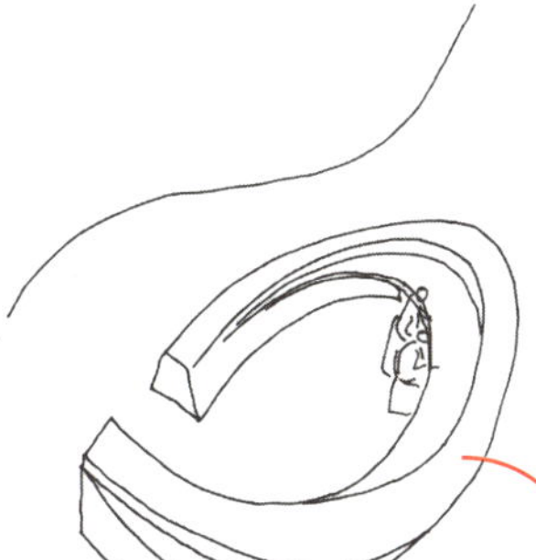

鍵となる要素

1. 展示室 1
2. カフェ
3. レクチャールーム
4. ミュージアムショップ
5. 入口
6. グラフィックアート展示室
7. 企画展示室

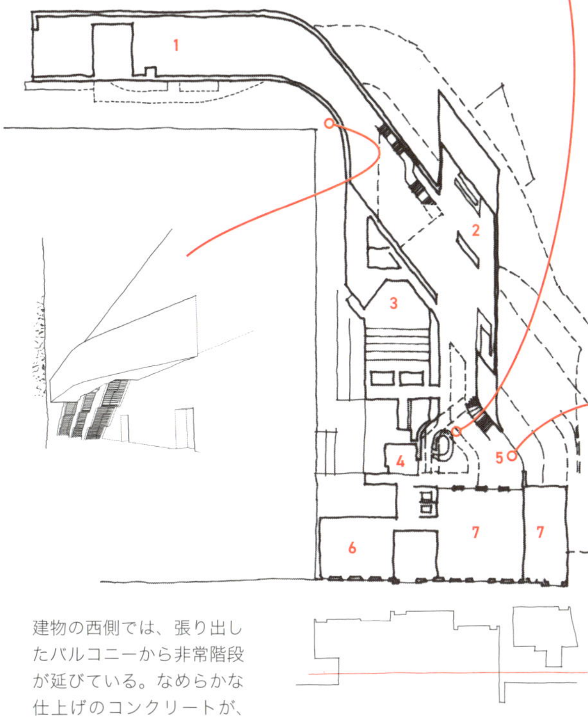

建物の西側では、張り出したバルコニーから非常階段が延びている。なめらかな仕上げのコンクリートが、ざらざらしたセメントの外壁とコントラストを描く。

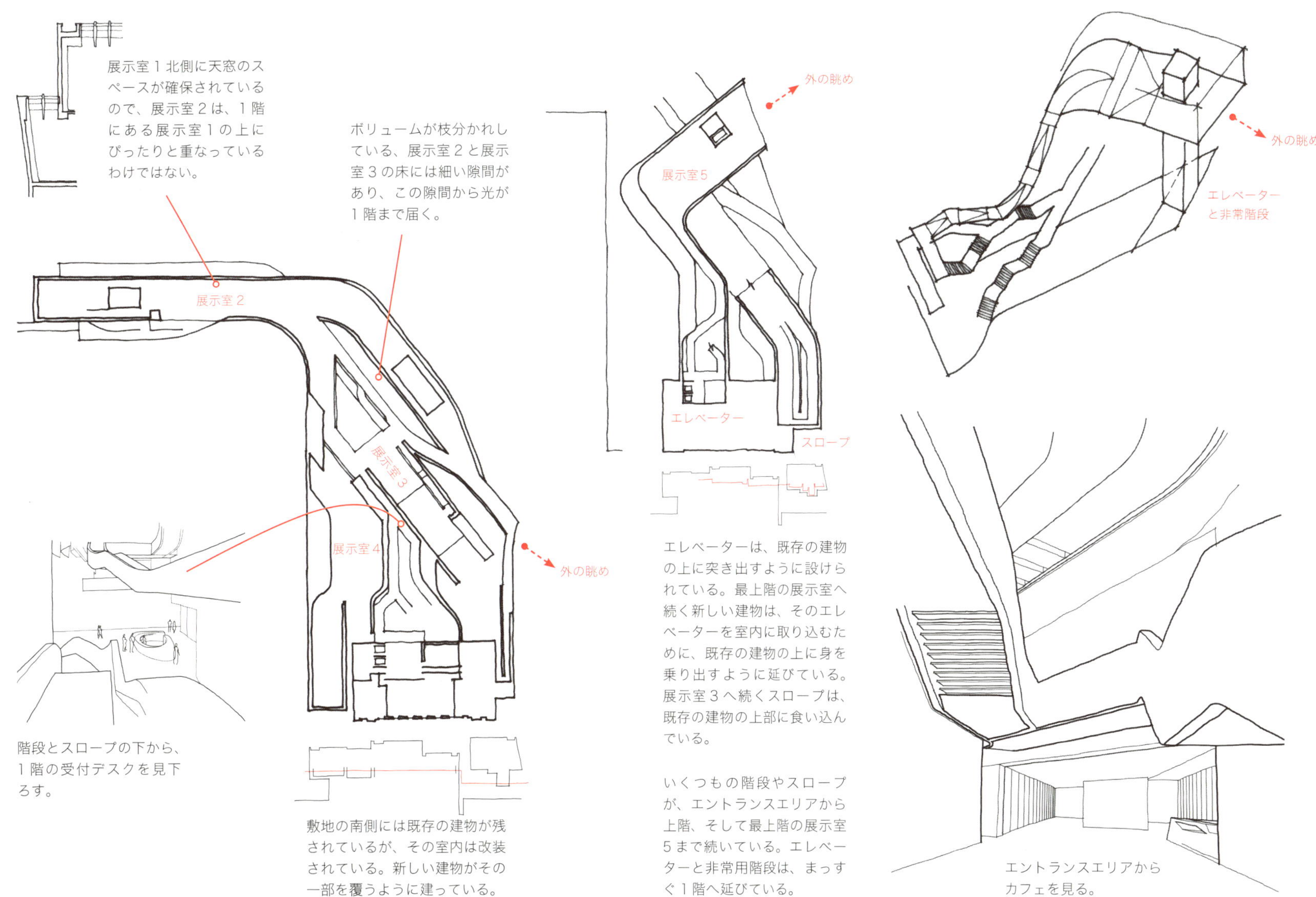

展示室1北側に天窓のスペースが確保されているので、展示室2は、1階にある展示室1の上にぴったりと重なっているわけではない。

ボリュームが枝分かれしている、展示室2と展示室3の床には細い隙間があり、この隙間から光が1階まで届く。

階段とスロープの下から、1階の受付デスクを見下ろす。

敷地の南側には既存の建物が残されているが、その室内は改装されている。新しい建物がその一部を覆うように建っている。

エレベーターは、既存の建物の上に突き出すように設けられている。最上階の展示室へ続く新しい建物は、そのエレベーターを室内に取り込むために、既存の建物の上に身を乗り出すように延びている。展示室3へ続くスロープは、既存の建物の上部に食い込んでいる。

いくつもの階段やスロープが、エントランスエリアから上階、そして最上階の展示室5まで続いている。エレベーターと非常用階段は、まっすぐ1階へ延びている。

エントランスエリアからカフェを見る。

53

サンチャクラー・モスク｜2011-13

エムレ・アロラト・アーキテクチャー

トルコ、イスタンブール

サンチャクラー・モスクは、ブユクチェクメチェの交通量の多い高速道路の近くに建つ。ブユクチェクメチェはイスタンブール郊外の住宅地で、門が設けられた集落に暮らすコミュニティが有名な街だ。

エムレ・アロラト設計のこのモスクには、メインの礼拝堂のほか、図書室と喫茶室がある。これらの室内には、壁に囲まれた中庭からアクセスする。礼拝堂は、地面の傾斜を利用して地中に埋まるように建てられている。また、メインの入口は低いレベルに設けられ、高速道路から守られている。都市コンテクストや土地への独特な対応から、「洞窟のモスク」として知られる。

自然光や多様な素材の質感が活用され、建築とランドスケープデザインの境目はあいまいだ。イデオロギーや文化ではなく、自然や起源に対応することで、この場所ならではの感覚が強調されている。自然から引き出されたデザインでありながら、空間と形態という二重性が分解され、建物全体の構成に一貫性が生まれている。

セレン・モーコック、セマ・セリム

コンテクストへの対応

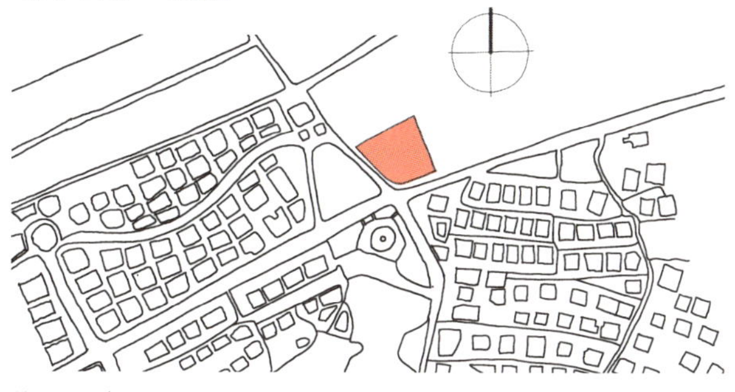

サンチャクラー・モスクは、イスタンブール西方の開発途上の住宅街に建つ。門を設けたコミュニティの中に、低い一戸建ての住宅が立ち並ぶ。礼拝堂、清めの洗い場、イマーム（イスラム教徒の集団の指導者）の住居からなるメインの空間は、地下に納められている。イマームの住居の東端は窓があり、露出している。

高速道路からの眺め　モスクの中庭とメインの空間は、交通量の多い高速道路や住宅街からは見えない。高速道路から見えるモスクの姿はとても控えめだ。水平なスレート壁（波打つ形状で一定間隔の溝が繰り返されている壁）が連なり、細く垂直なタワーとはっきりとしたコントラストを描いている。タワーは、礼拝の時刻を知らせるミナレットの役割がある。空間が地下に納められているので、地平線の眺めを遮るものはない。

洞窟や山のメタファー　建築家のエムレ・アロラトのねらいは、「物と光がほのかに存在する」、洞窟のような「原初的な空間」を設計することだった。彼は、静けさと穏やかさを、内省や高いレベルの宗教的体験に必要な２つの要素と位置づけ、それらを礼拝堂だけでなく敷地全体の中で推し進めようと試みた。プラットフォームは平野とブユクチェクメチェ湖を見下ろしている。そこからの眺めは大きく開けていて、敷地がもつ山のメタファーが強められている。

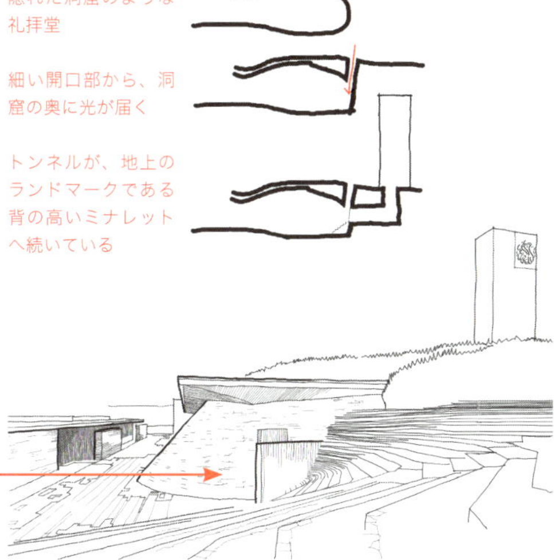

隠れた洞窟のような礼拝堂

細い開口部から、洞窟の奥に光が届く

トンネルが、地上のランドマークである背の高いミナレットへ続いている

地上の構造物の中では唯一隠れていないファサードに、礼拝堂の女性用入口がある。入口は、洞窟と山のメタファーに合わせて、穴のように見える。

ヒラー山　　エミール・スルタン・モスク、ブルサ

文化への対応　サンチャクラー・モスクは昨今トルコで流行しているモスクの形態とはことなり、古典的なオスマン建築を参照せず、形態面の様式の伝統に対してミニマリズムの立場から無言を貫いている。これは、「モスク建築から文化的な重荷を取り除く」ことを試みた建築家アロラトの、伝統に対する意図的な反応だ。彼は、謙虚さ、慎み深さ、物事の本質にもとづいたアプローチを採る。彼が文化の面で参照したものが２つある。１つは、洞窟の中で預言者ムハンマドが最初の啓示を受けたとされる、メッカの近くのヒラー山。もう１つは、ブルサのエミール・スルタン・モスクでの埋葬儀礼にまつわる、アロラト自身の幼少期の記憶だ。サンチャクラー・モスクには２本のオリーブの木が植えられているが、これは敷地内の植栽のうち、この地域の原生ではない唯一の植物だ。オリーブの木は、イスラム教の伝統において特別な重要性をもつ。

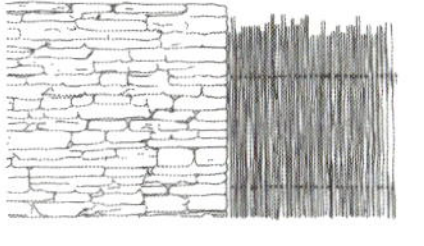

素材とランドスケープ　表面がでこぼこした舗道や壁、水を使った要素、階段のいびつなフォルムが、敷地に育つ土着の植物や草に覆われた傾斜地にすんなりとなじんでいる。それとは対照的なスレート、木材、型枠の木目模様が付いたコンクリートなどの素材が、屋内・屋外両方のディテールに豊かさを添えている。

敷地計画

アプローチと動線　水平なスレート壁があるため、モスクのランドスケープは高速道路や駐車場からは見えない。壁と壁の間にある隙間が、敷地へ通じるメインの入口だ。来訪者は、左手に延びる草に覆われた長い階段を下り、低い位置に設けられた中庭へ至る。中庭から、モスクや付属の施設へアクセスできる。中庭を歩き回ることで、来館者は内省し場所とのつながりを感じるよう促される。

階段状に連なる地形　丘の中腹に連なる階段が、敷地の自然の地形を強調している。来館者が階段を下りていくと、地中に掘られた洞窟のようなモスクがゆっくりと姿を現す。この様子は、ヒラー山の洞窟をはっきりと参照している。

敷地のもっとも低いところに１階建ての図書室・喫茶室があり、ここが建物の北端になっている。

水を使った要素　図書室と喫茶室が、集会のための場、コミュニティのための場という感覚を強め、人々が交流する場所としてのモスクの社会的な役割を示している。水を使った要素が敷地の境界になっているとともに、静けさや穏やかさを演出している。

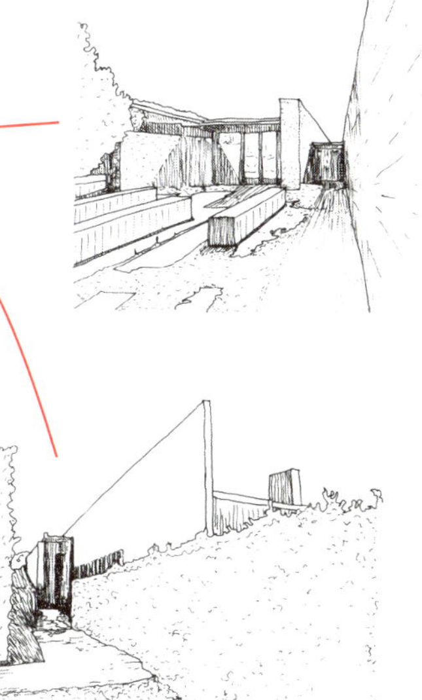

高速道路の方面から近づくと、葬儀用のプラットフォームが通路の右手に見える。１階建ての半屋外の空間だ。

プライバシーを守るため、イマームの住居は公共のスペースからは離れている。

入口　モスクの敷地へつながるメインの入口は、複数の長方形の相互作用によって強調されている。水平の壁の長方形と、垂直なミナレットが著しいコントラストをなしている。壁の高さとミナレットの幅が同じなので、壁はミナレットを横倒しにしたように見える。

53 サンチャクラー・モスク｜2011-13

エムレ・アロラト・アーキテクチャー
トルコ、イスタンブール

屋内

メインの入口から中庭へ向かって「下る」という動きは、モスクの屋内に入っても続く。屋外と屋内の素材やディテールがリンクしている。

礼拝堂

礼拝堂のキブラ（イスラム教徒が礼拝する方角）の壁があるフロアレベルは入口のレベルよりも低い。ステップライトがフロアの段差を強調している。天井も階段状に徐々に高くなっていて、ドームのような効果を生み出している。

モスクでは、イスラム教徒はキブラの壁に向かって礼拝する。キブラの壁に設けられたミフラーブというくぼみは、メッカのカーバ神殿の方角を示している。礼拝者はイスラム教の指導者の指示に従い、列を作りミフラーブに向かって集団礼拝を行う。

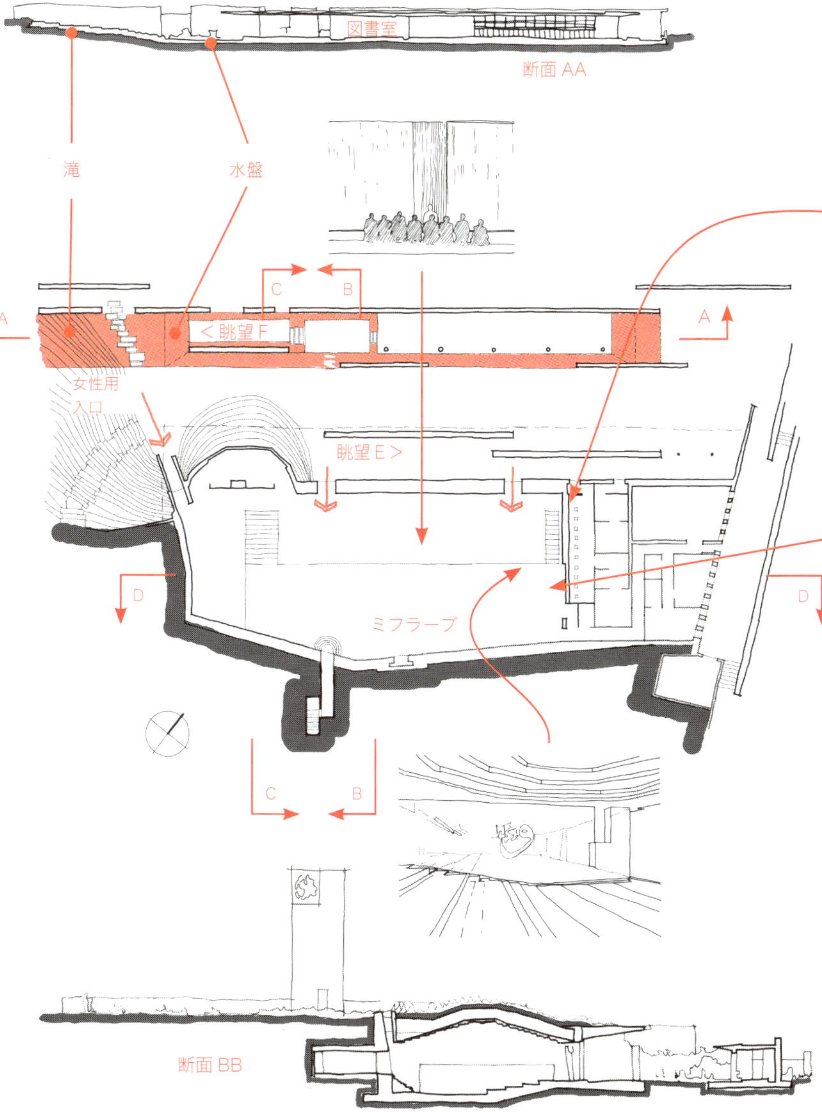

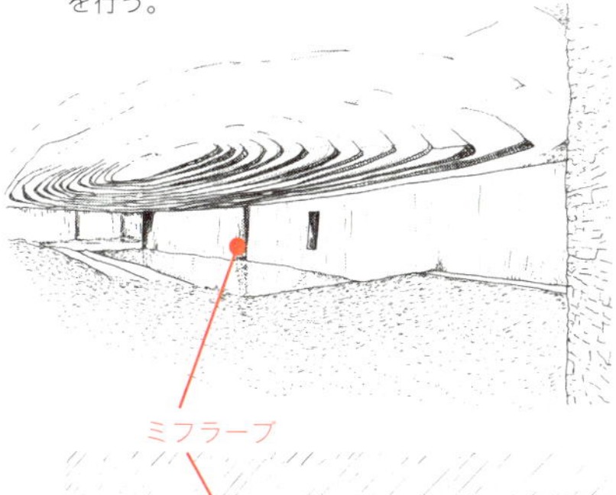

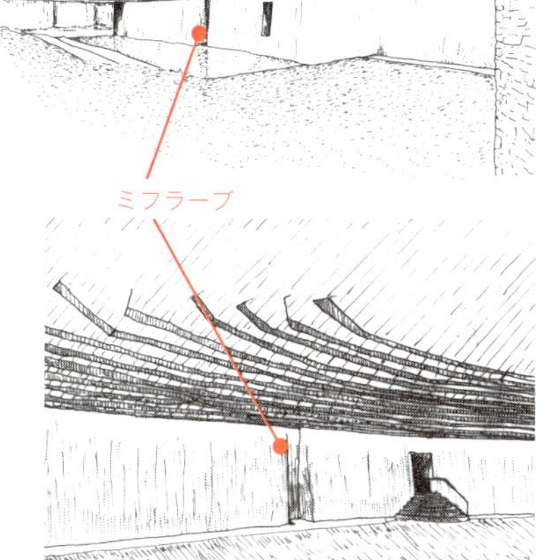

断面AA

図書室

滝

水盤

眺望F

女性用入口

眺望E

ミフラーブ

断面BB

清めの洗い場　儀式の際は、水で身を清める必要がある。通常、トルコの伝統的なモスクでは、建物の中庭に円形の泉を設けてこのニーズに対応している。サンチャクラー・モスクでは、この洗い場という要素を再解釈し、メインのモスクの空間の中に一列に配置した。椅子には木材のブロック、床と壁には石材が使われている。

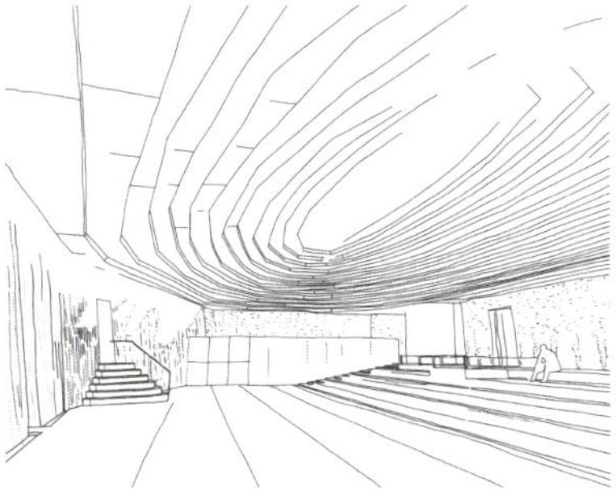

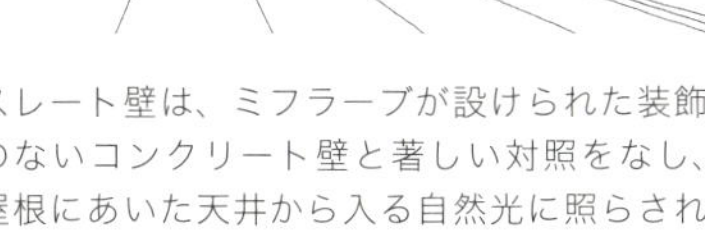

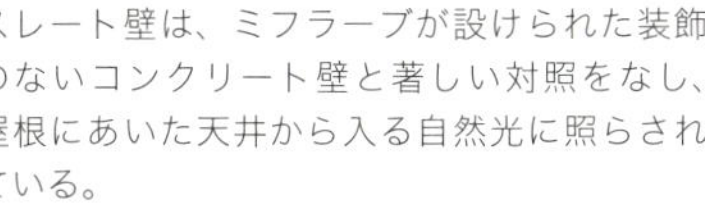

スレート壁は、ミフラーブが設けられた装飾のないコンクリート壁と著しい対照をなし、屋根にあいた天井から入る自然光に照らされている。

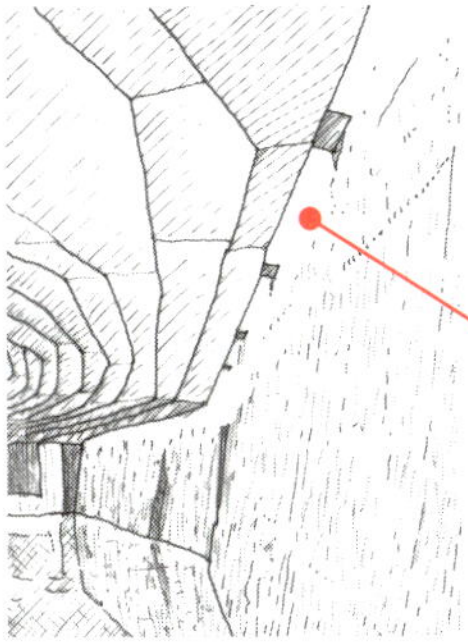

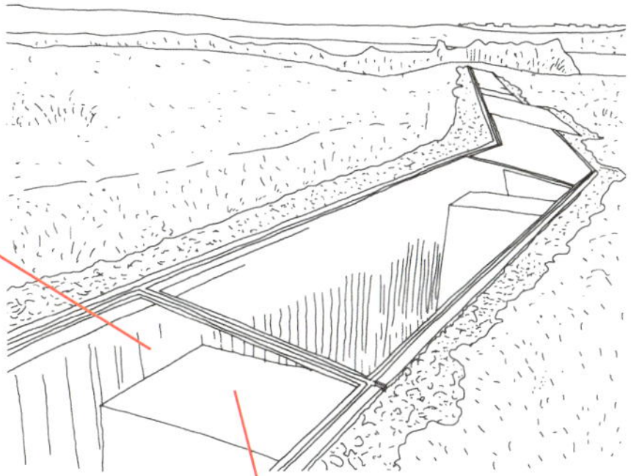

眺望E：礼拝堂の外側の、日陰になった空間

断面CC

眺望F：図書室西側の滝と水盤

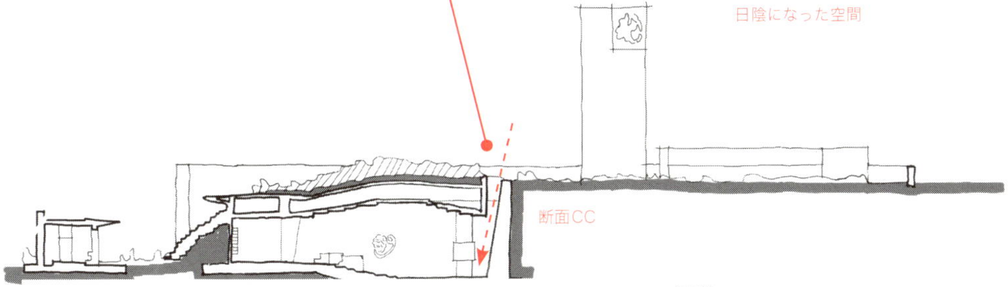

キブラの壁はわずかに傾き、天窓から届く自然光に照らされている。礼拝堂の床には下りの傾斜が付き、天井は階段状になっているので、空間が縦に広がっている。建物の中で唯一自然光に照らされているキブラの壁は、人々が注目するポイントだ。

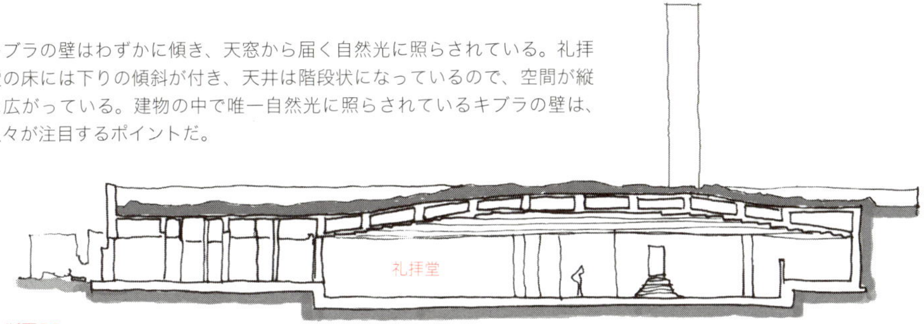

礼拝堂

断面DD

キブラの壁では、礼拝堂のそのほかの部分とはことなり、型枠の木目模様が付いたコンクリートの表面にたっぷりと日光が当たっている。鉄筋コンクリートで作られた、階段状の多角形の天井は、屋外の階段に対応している。ドームやヴォールトを使わずに、伝統的なオスマン様式のモスク建築をさりげなく参照している。

絵画のように美しい特徴　モスクは現代的な様式ながら、スレートの舗道、草地、階段、水盤など、自然の要素が織り込まれ、絵のように美しい特徴をデザインに与えている。張り出し屋根が、地平線の広大な景色を切り取る。こうした特徴が、洞窟や山のメタファーをさらに強めている。

この空間ならではの感覚

物理的な環境への対応や機能への対応から、素材、些細なディテールまで、サンチャクラー・モスクは、エムレ・アロラトが手がけたプロジェクトの多くに見られるデザイン原則に従って、設計の本質にフォーカスした原型的な空間を作り出している。このモスクでは、宗教的な空間がもつ精神面に関わる目的をとらえ直し、イデオロギーや形式に従うべきだという重荷から建物を解放している。そのおかげで、入念に計画された原点回帰のデザイン信念の中で、屋内と屋外、自然と人工、宗教的なものと宗教的でないもの、物質と光など、正反対の要素が融合した建物が生まれた。スレート壁は、エムレ·アロラトのプロジェクトの中で屋内·屋外ともによく使われている。

54

マイクロ・ユエン（微雑院）／マイクロ・フートン（微胡同）｜2013-16

ジャン・ケ（ZAO／スタンダード・アーキテクチャー）

中国、北京

北京の胡同は、何世紀にもわたって発展した、複数家族が住まう1階建ての中庭付き住宅が集まる地域。狭い路地が住宅につながり、トイレは共用が多い。小規模な商店も混在する。胡同の多くは取り壊され、マンションやオフィスに取って代わられたが、わずかな一部は伝統的なファサードのレプリカとともに修復された。マイクロ・ユエン／マイクロ・フートンは、明らかに現代的ながら繊細な建築と、新しいサービスを取り入れることで、こうした状況に適応した胡同の再活用を提唱する試験計画だ。

マイクロ・ユエン（2013-14）は、広さ145平方メートルの、気軽に立ち寄れる子ども向けの図書館兼アートセンター。古い建物の中に、多目的室と図書館がすっぽりと納められている。きれいに整えられた中庭は、長年住み続けている数人の住人と共有され、それらすべてを覆うように、樹齢約100年のエンジュが木陰を作っている。あたたかい印象のすべらかな合板が、ごつごつした質感のグレーのリサイクルレンガやコンクリートと対照をなす。

近くに建つマイクロ・フートン（2013-16）は、広さわずか35平方メートル。来訪者が宿泊できるほか、会議や展示にも使える。大きく開けた正面の「大部屋」はもともとの屋根の下にあり、コミュニティの会議に使われるほか、宿泊時にはプライベートなリビングルームにもなる。その奥の「リビング・ボックス」が屋根のある中庭へ突き出す。コンクリート製で、前面はガラス張りだ。

アントニー・ラッドフォード

北京

中国

54 マイクロ・ユエン（微雑院）／マイクロ・フートン（微胡同）｜2013-16

ジャン・ケ（ZAO／スタンダード・アーキテクチャー）
中国、北京

北京の大柵欄は、紫禁城からわずか数キロメートルの距離にある。細い路地が網の目状に広がるエリアだ。

屋根付きの門が**マイクロ・ユエン**の入口だ。開口部のないひと続きの壁に、両開きの木製扉が設けられている。

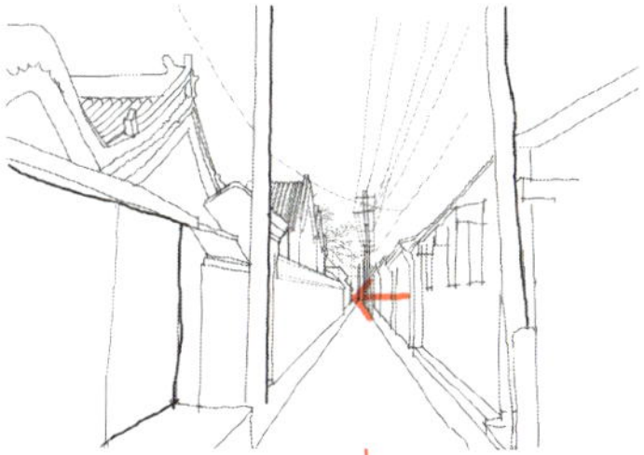

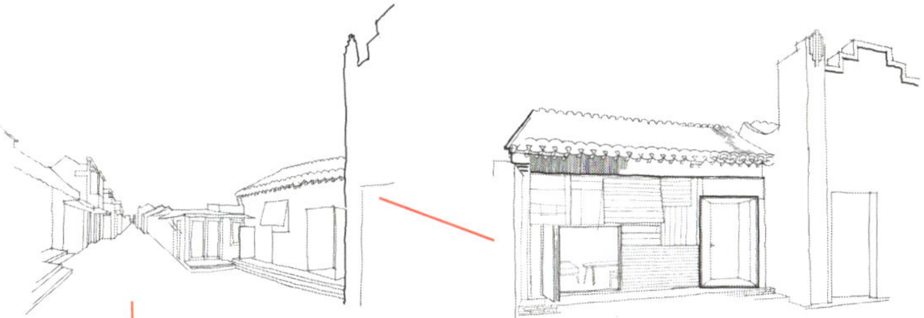

マイクロ・フートンは、通りに面している。通常の胡同よりもやや道幅が広いため、自然な出会いの場になっている。

中庭では、片持ちの「リビング・ボックス」が共有ゾーンに張り出している。共有ゾーンは各ボックスの内側の縁に囲まれた部分で、中央の空間に屋根はない。ボックス同士の間の角には、木が植えられている。

前壁は、平らな鋼板や波型の鋼板、木板などのリサイクル材がコラージュされている。入口のドアは、錆加工を施した彫刻のようなフレームにはめ込まれている。フレームは厚さ1センチメートルの溶接鋼で作られ、外側と内側に突き出していて、真ん中はやや狭まっている。通風のため、壁の蝶番に取り付けられたパネルが開閉できる。低い両開きの扉が通りへ通じている。

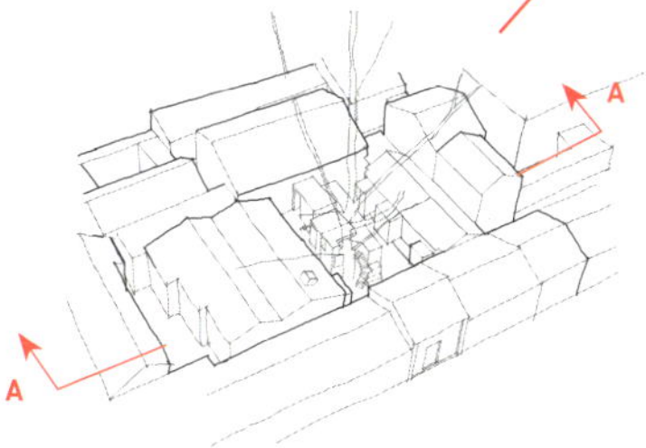

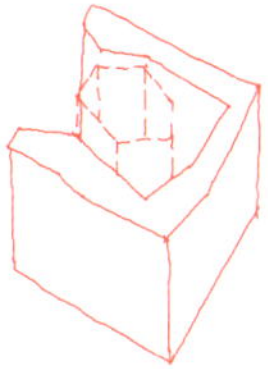

マイクロ・フートンは、常住ではなく短期滞在のための施設だ。薄いコンクリート壁で作られた「リビング・ボックス」には断熱が施されていないが、大きな窓は二重ガラスになっている。中央の逆循環式の空調設備と電気床暖房が、室内の気温を調節する。

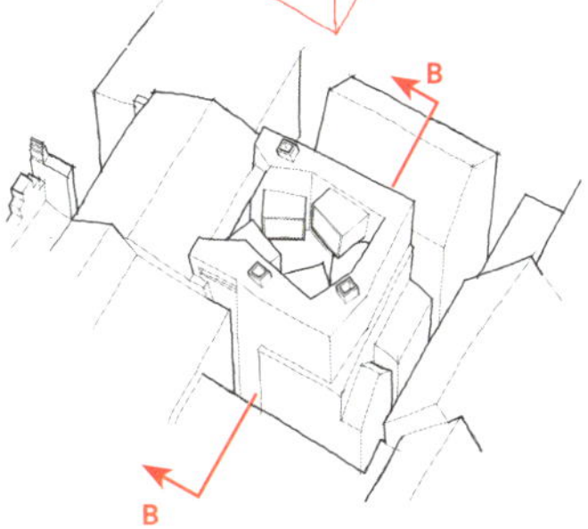

壁はグレーのリサイクルレンガ、コンクリート、合板で作られている。コンクリートに墨汁を混ぜて、もともとのグレーのレンガとの統一感が高まるような色合いにしている。主屋根は瓦ぶきで、伝統的な木製の段付き梁が丸太の母屋を支えている。

落葉樹のエンジュが中庭を見下ろすように立っている。夏には木陰が広がり、寒い冬には葉を落とした枝の間を日光が通り抜ける。

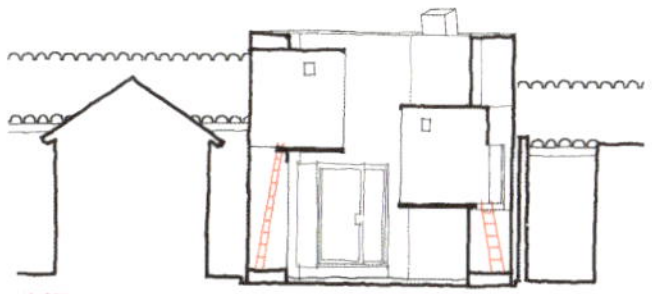

マイクロ・ユエンには、子どもの背丈に合わせたスケールの図書館がある。部屋の中に、入れ子状に部屋があり、合板の書架や階段状の椅子が置かれている。図書館は中庭に突き出していて、より大きな閲覧室から入る。

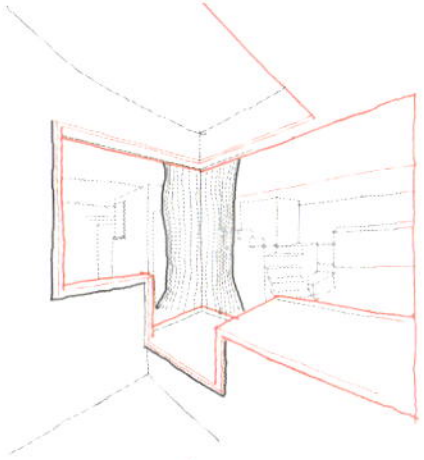

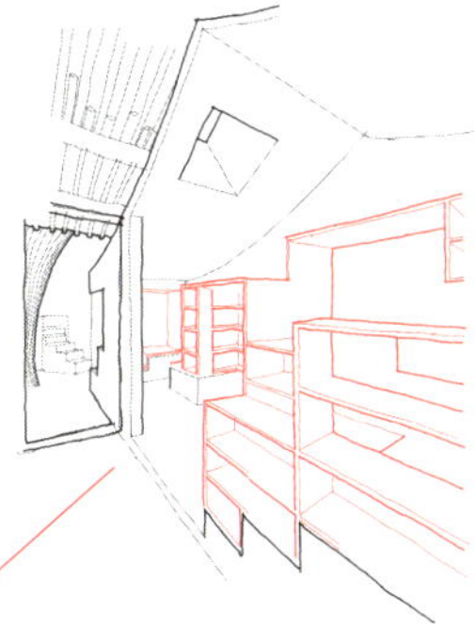

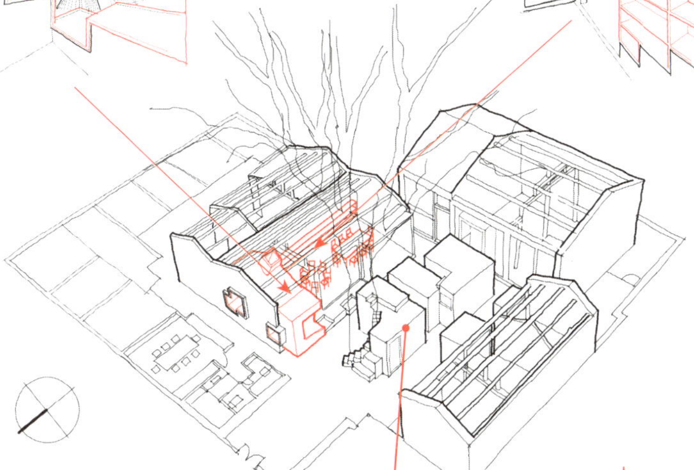

フレキシブルな長方形の部屋は、アート活動などに使用できる。電気暖房が備わっている。

木の幹の周りに、レンガの壁に囲まれ、コンクリート屋根に覆われたプラットフォームがある。さまざまな高さの踊り場が、中庭がもつ遊び場としての特徴を強めている。小ぢんまりとした客室が木の幹の後ろにある。キッチンはプラットフォームの裏側の階段の下に納められている。

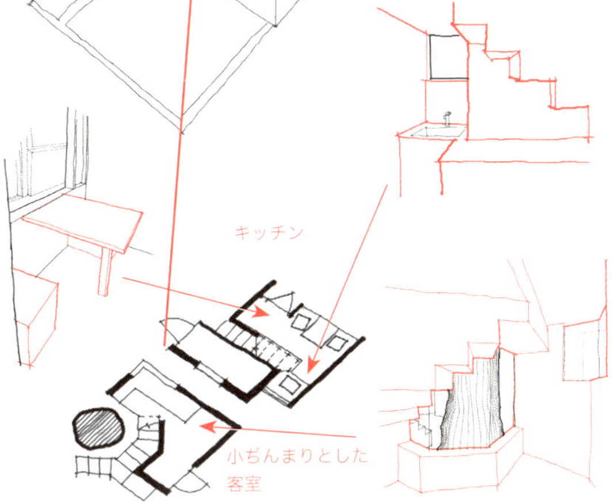

キッチン

小ぢんまりとした
客室

マイクロ・フートンのリビング・ボックスのうち、ベッドを置くのに十分な長さのあるものは1つだけだ。そのほかのボックスは、食堂、仕事部屋、リラックスするための部屋、そしてトイレとシャワーを備えたバスルームだ。すべてのボックスに、中庭を見渡せるフィックスガラスの大窓と、通風のための開閉可能な小窓がある。食事用の部屋とバスルームは地面に近いレベルにあるが、そのほかのボックスへ行くには急な梯子を上らなければならない。壁と天井は、型枠の木目模様が付いた鉄筋コンクリート製だ。マイクロ・ユエンと同じように、墨が混ぜられている。ドア枠と窓枠はヤナギ材、床はオーク材だ。ボックスの1つに、1本の丸太が貫通していて、リノベーション前の屋根の縁を支えている。

「大部屋」は多目的スペースで、コミュニティのためにも個人のためにも使える。側壁は、ざらざらした古壁の表面の手前に白く塗装された石膏ボードが貼られ、ボードの縁の周りでは壁とボードの隙間に深い陰影が生まれている。天井は、修復された瓦ぶき屋根の裏側にあたる。瓦ぶきの屋根の中央には、伝統的な2段の段付き梁が渡されている。この段付き梁の一端を、鋼梁が支える。段付き梁の下に折り扉を設置して、「大部屋」と中庭を隔てることもできる。

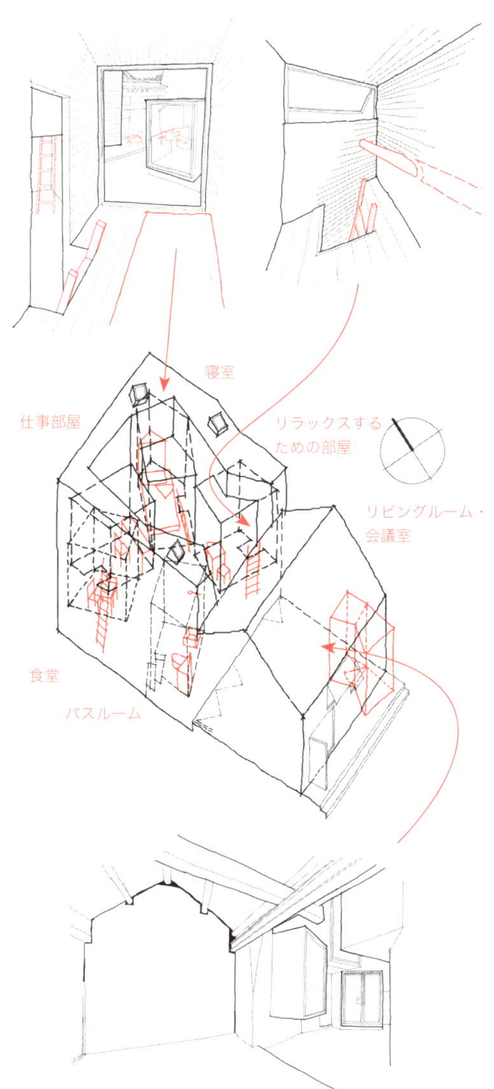

55

ハルビン・オペラハウス | 2010-15

マ・ヤンソン(MADアーキテクツ)
中国、ハルビン

ハルビン・オペラハウスは、現代建築において、流れるような幾何学図形の空間・フォルムがもつ可能性を試み、成功した例だ。高度な3Dコンピューターモデリングを活用して設計され、大勢の熟練工たちが施工を行った。このオペラハウスは、急成長する中国の都市に対してマ・ヤンソンが望む、建物や空間は自然を感じられるものであってほしいという思いを、魅力的な方法で表現したものだ。

このオペラハウスは、中国北部の都市ハルビンを流れる松花江のほとりの、湿地公園の中という意外な場所に建つ。広場を中心に1,600席のオペラ劇場と400席の多目的劇場が配置されている。広場は、アルミニウムとガラスが交互にぎっしりと配された、流れるような屋根に覆われている。外形の輪郭と室内のボリュームでは、曲線的なフォルムの採用が模索され、それによって、開口部、空間への入口、不連続性、ディテール、要素間の空間的関係などを扱うための、革新的かつ機能面で効果的であり、美観の面からも満足できる方法が考案されている。

ジュリアン・ウォラル、ハン・チェン

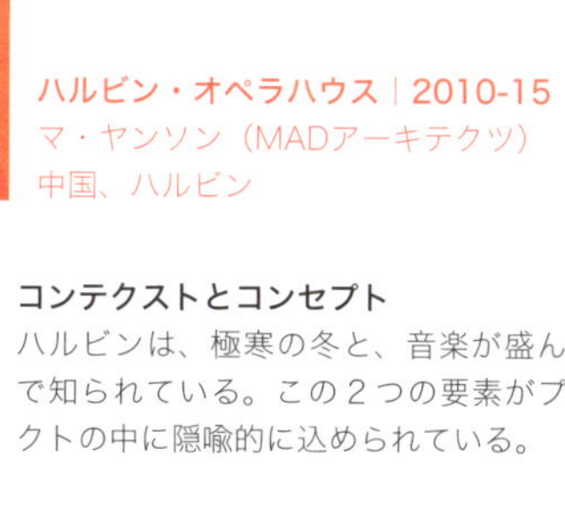

55 ハルビン・オペラハウス | 2010-15

マ・ヤンソン（MADアーキテクツ）
中国、ハルビン

コンテクストとコンセプト
ハルビンは、極寒の冬と、音楽が盛んなことで知られている。この２つの要素がプロジェクトの中に隠喩的に込められている。

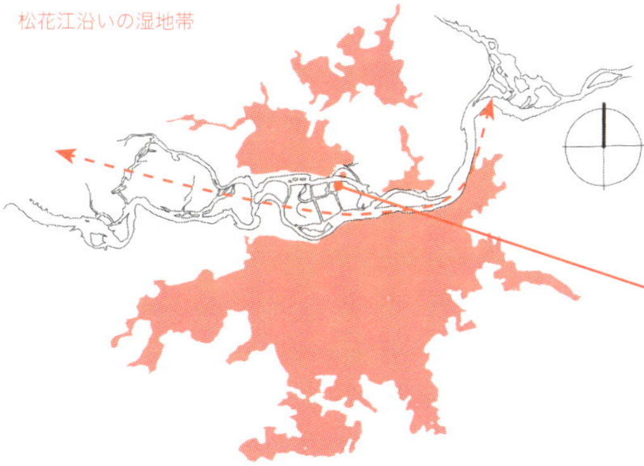

松花江沿いの湿地帯

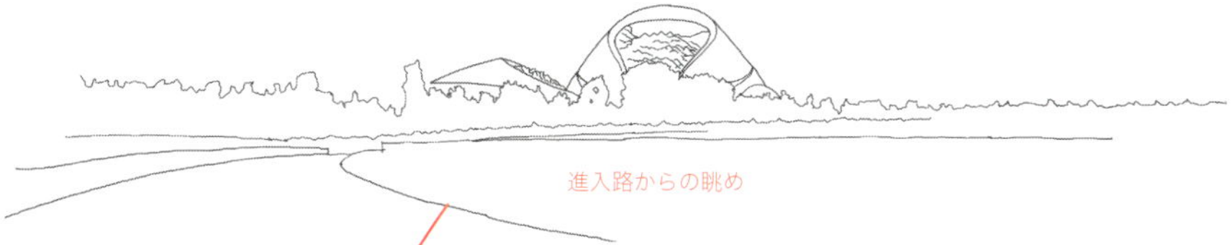

進入路からの眺め

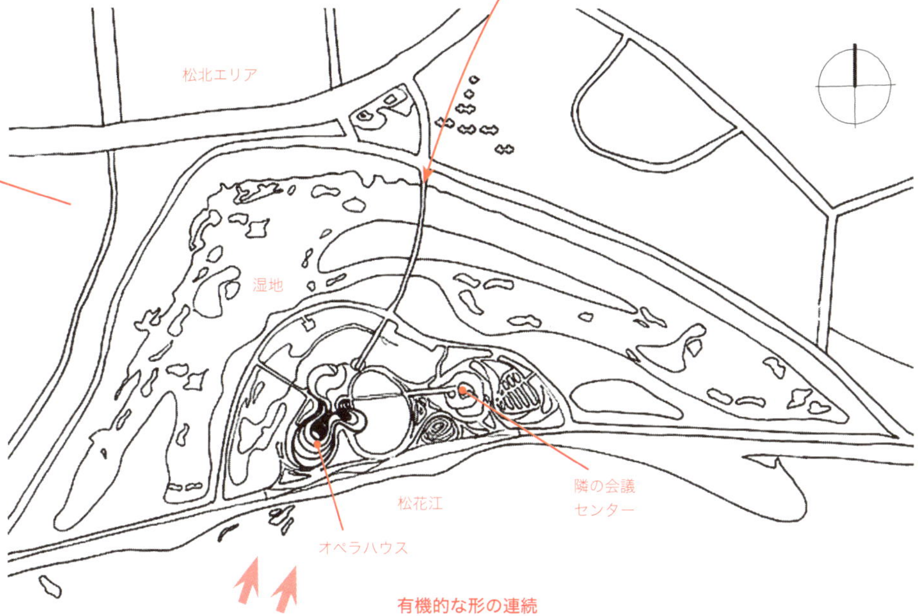

松北エリア

湿地

松花江

隣の会議センター

オペラハウス

これまでハルビンでは、人々が住んだり開発が行われたりするのは松花江の南岸が中心で、北岸は顧みられてこなかった。オペラハウスは、文化と自然を融合させたレクリエーション地域を象徴する中心的な存在として、松花江北岸（松北エリア）の開発における文化の中核となっている。

マ・ヤンソンは著書『山水都市』で、「東洋哲学で述べられている、人間が自然界に対してもっている親しみと内面的な充足の追求」をもとにした未来都市の構想を説明している。ハルビン・オペラハウスの有機的なボリュームや湿地という環境が、これらのアイデアを具現化している。

南南西からの卓越風はきわめて冷たく、冬の平均気温は摂氏マイナス15度まで下がる。オペラハウスはこれを考慮した向きになっていて、風下側のボリュームには起伏がついている。

有機的な形の連続

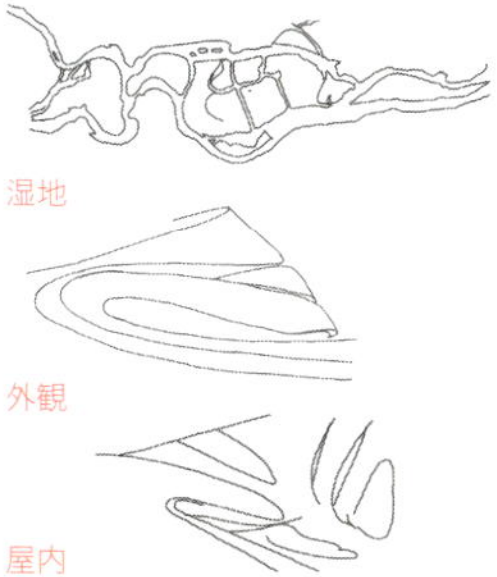

湿地

外観

屋内

自然のランドスケープ——建物に取り入れられた、曲がりくねる松花江
マ・ヤンソンにとって、ランドスケープは重要な着想源だ。アイデアのもととなったのは、ハルビンの一帯を渦巻くように蛇行する松花江と、現地の環境の冬景色として特徴的な、竜巻のような吹雪だった。

形状と動線

プラン上では3つの卵型のゾーンが連続していて、それぞれに大劇場（1）、小劇場（2）、屋外広場（3）が割り当てられている。

大小の卵型を参照するように、池（4）、天窓（5）、階段（6）などの設計要素の形が決められている。

主な動線は、半地下に設けられた車寄せや駐車場から、劇場へ向かう流れだ。このような「上る」という動きから、特に大劇場へ至るうずまき状の階段の周辺など、この建物の中でもっともドラマチックな空間体験が生まれる。

屋内の動線を補うように、建物の周りには屋外スロープがぐるりと配され、小劇場と大劇場があるメインのボリュームをつないでいる。スロープは、屋上へつながるオープンな屋外通路になっている。屋上はパフォーマンススペースがあり、素晴らしい眺望も楽しめる。

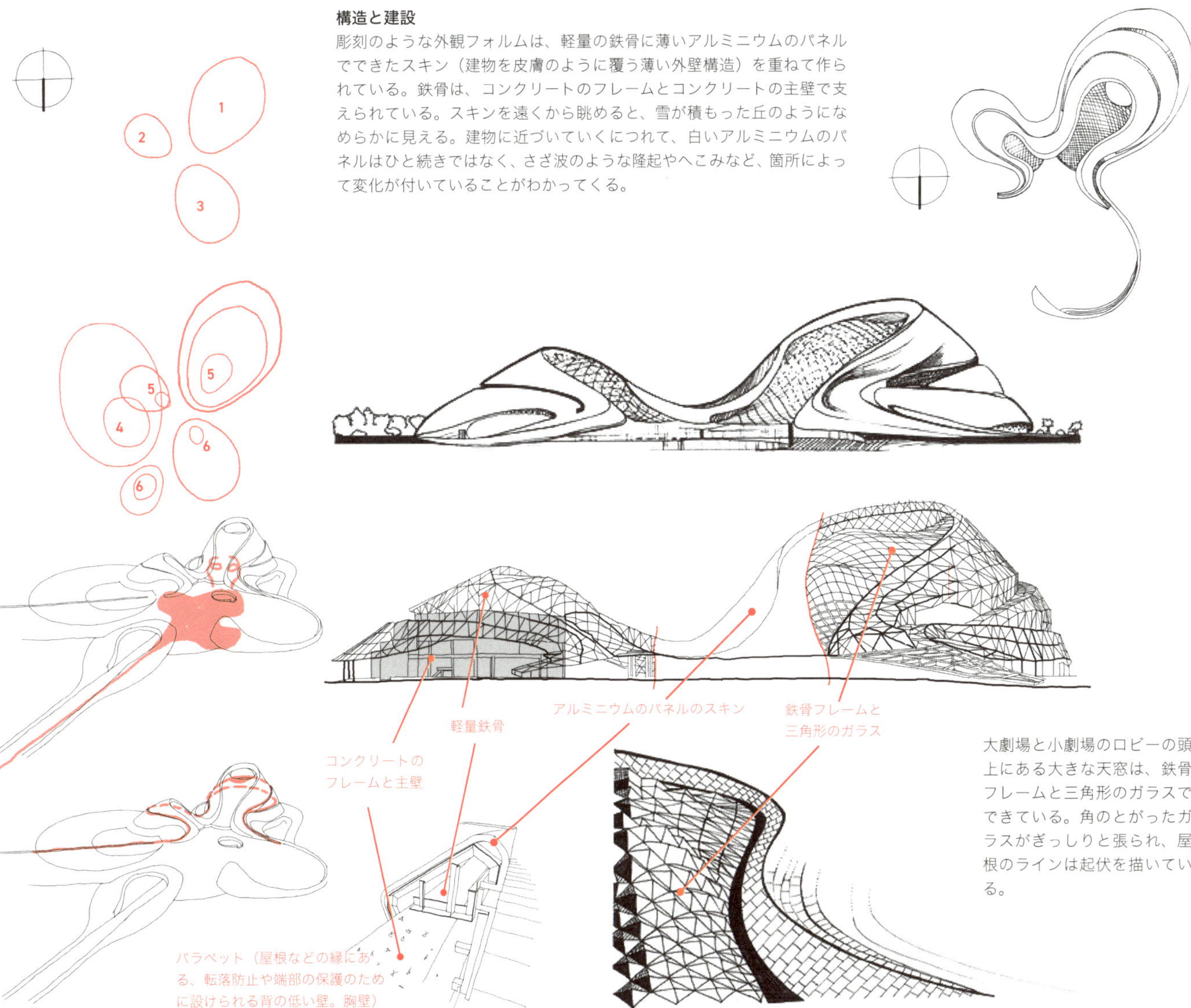

構造と建設

彫刻のような外観フォルムは、軽量の鉄骨に薄いアルミニウムのパネルでできたスキン（建物を皮膚のように覆う薄い外壁構造）を重ねて作られている。鉄骨は、コンクリートのフレームとコンクリートの主壁で支えられている。スキンを遠くから眺めると、雪が積もった丘のようになめらかに見える。建物に近づいていくにつれて、白いアルミニウムのパネルはひと続きではなく、さざ波のような隆起やへこみなど、箇所によって変化が付いていることがわかってくる。

大劇場と小劇場のロビーの頭上にある大きな天窓は、鉄骨フレームと三角形のガラスでできている。角のとがったガラスがぎっしりと張られ、屋根のラインは起伏を描いている。

シアター

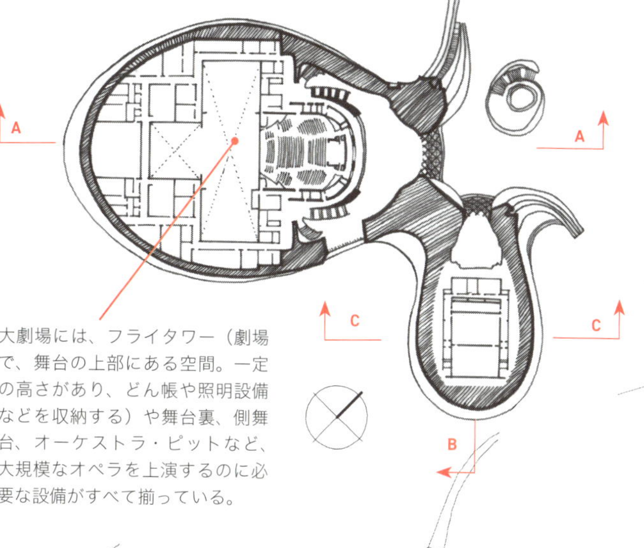

大劇場には、フライタワー（劇場で、舞台の上部にある空間。一定の高さがあり、どん帳や照明設備などを収納する）や舞台裏、側舞台、オーケストラ・ピットなど、大規模なオペラを上演するのに必要な設備がすべて揃っている。

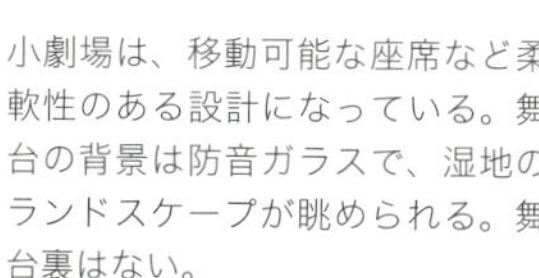

小劇場は、移動可能な座席など柔軟性のある設計になっている。舞台の背景は防音ガラスで、湿地のランドスケープが眺められる。舞台裏はない。

ロビー

大劇場のメインロビーでは、シェル構造の観客席が圧倒的な存在感を放つ。木製の巨大なフォルムが、4フロア分を覆う仮面のようにロビーにそびえる。ガラスファイバー強化石膏のシェル構造の上に、数千枚もの厚さ7ミリメートルの細長いヤチダモ材を化粧板として重ね、この上なく精巧に作られている。シェル構造は劇場の側面を包み込みながら、枝分かれしてうずまき状の階段になっている。階段は外側のシェルと内側のシェルの間を、ループを描きながら上っていく。

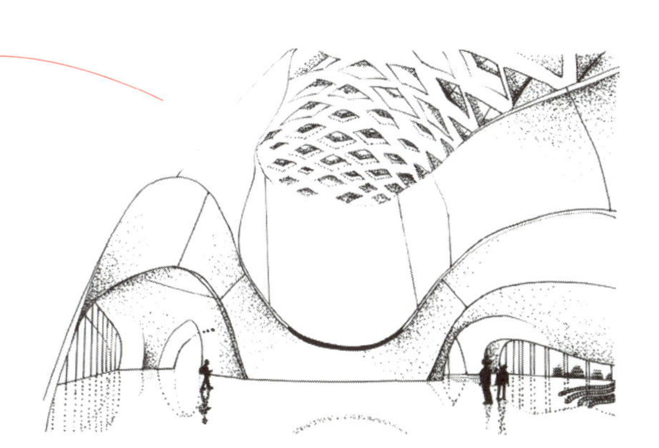

細長い木板は、シェルのカーブに沿うように曲げられている。大部分は隙間なく接合されているが、木板が重なる部分には細い隙間があり、わずかな影ができている。木造の部分は、50人の職人が4か月をかけて施工した。

細長の木板のディテール

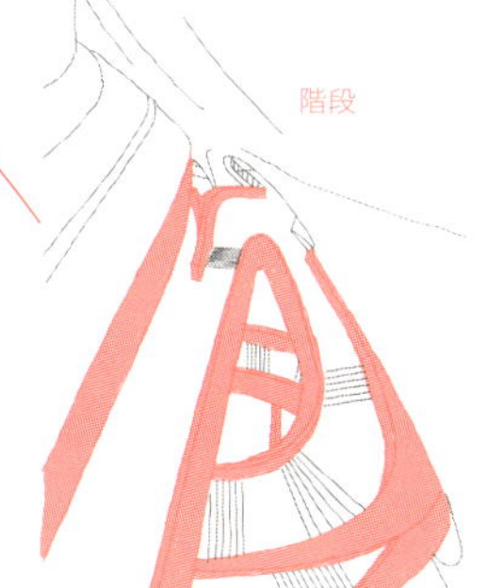

小劇場へ続くロビーのなめらかな白い壁面は、ガラスファイバー強化石膏で作られている。上部から、そしてサイドの窓から光が届き、光と影の繊細な変化が壁面を強調する。小劇場の座席はすべて同じレベルにあるので、大劇場のロビーにあるようなドラマチックな階段を設ける必要はない。

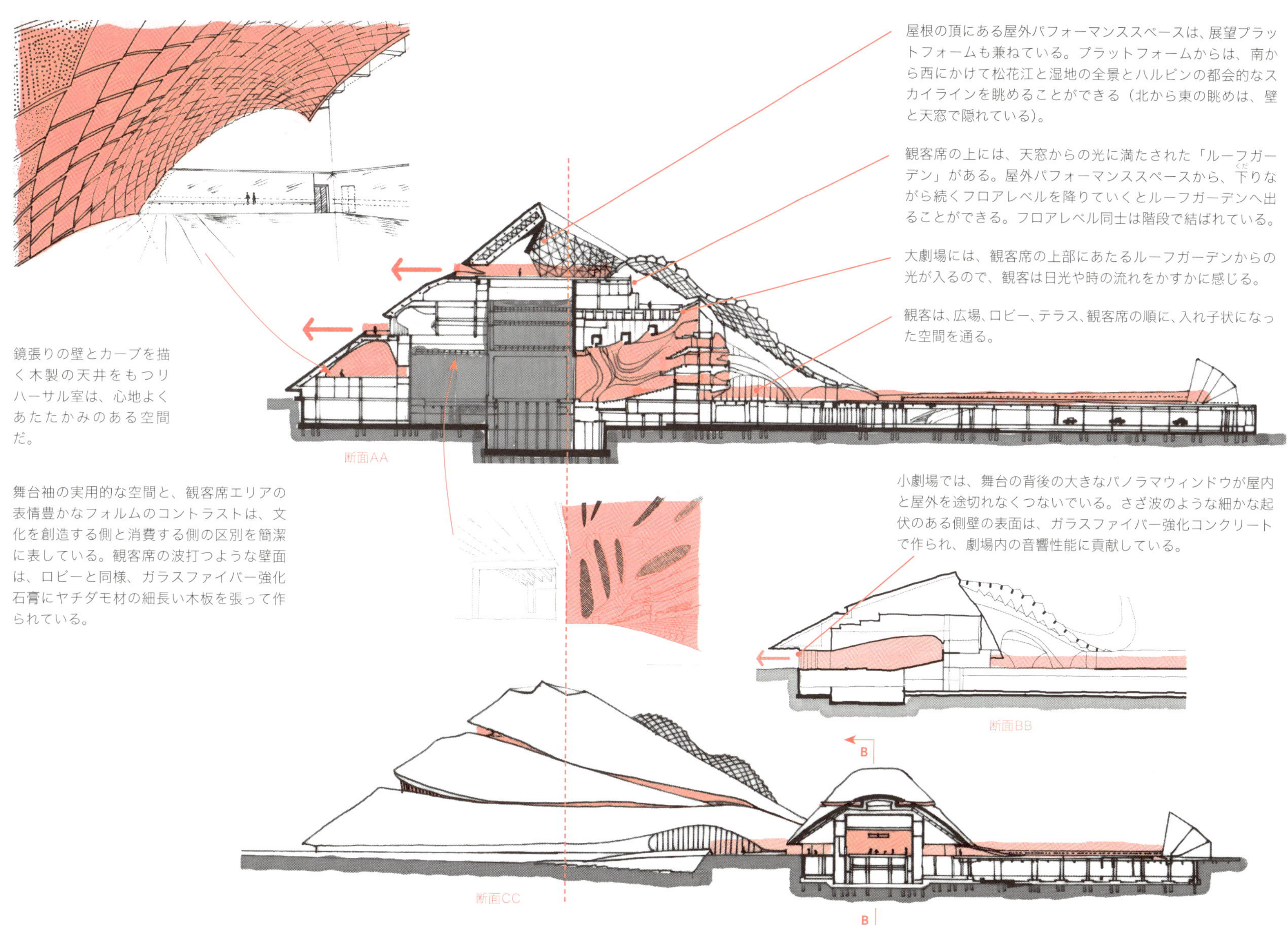

屋根の頂にある屋外パフォーマンススペースは、展望プラットフォームも兼ねている。プラットフォームからは、南から西にかけて松花江と湿地の全景とハルビンの都会的なスカイラインを眺めることができる（北から東の眺めは、壁と天窓で隠れている）。

観客席の上には、天窓からの光に満たされた「ルーフガーデン」がある。屋外パフォーマンススペースから、下りながら続くフロアレベルを降りていくとルーフガーデンへ出ることができる。フロアレベル同士は階段で結ばれている。

大劇場には、観客席の上部にあたるルーフガーデンからの光が入るので、観客は日光や時の流れをかすかに感じる。

観客は、広場、ロビー、テラス、観客席の順に、入れ子状になった空間を通る。

鏡張りの壁とカーブを描く木製の天井をもつリハーサル室は、心地よくあたたかみのある空間だ。

舞台袖の実用的な空間と、観客席エリアの表情豊かなフォルムのコントラストは、文化を創造する側と消費する側の区別を簡潔に表している。観客席の波打つような壁面は、ロビーと同様、ガラスファイバー強化石膏にヤチダモ材の細長い木板を張って作られている。

小劇場では、舞台の背後の大きなパノラマウィンドウが屋内と屋外を途切れなくつないでいる。さざ波のような細かな起伏のある側壁の表面は、ガラスファイバー強化コンクリートで作られ、劇場内の音響性能に貢献している。

解説：すべての建築作品に共通するテーマ

複数の建築作品の分析をもとに、ある建築を別の建築と比較してみると、「共通のテーマは何か」や「作品に固有のテーマは何か」が浮かび上がってくる。この解説では、本編に繰り返し登場する共通のテーマに注目する。建築を学んだことがある読者にとってはおなじみのテーマかもしれないが、本書で紹介したようなそれぞれテーマが特にはっきりと表れている建築にあらためて焦点を当ててみようと思う。このリストは、建築の分析というとても大きなトピックに取り組むための手がかりにすぎないので、ほかにもまだまだ共通のテーマが見つかるかもしれない。

建築の全体とは、部分が集まったもの　1つ1つの建築を詳細に調べてみると、建築の概論ではめったに論じられていない複雑さが見えてくる。本書では、建築の全体を取り上げている。おなじみの慣用句を引用すれば、「全体は部分の総和に勝る」。建築を頭の中で思い浮かべ、ズームインして見たりズームアウトして見たりすると、全体像からはなかなか気付くことができない多面的な要素の集まりがあらわになる。多様な要素が関わり合っている、スノヘッタのオスロ・オペラハウス（51）が実例として挙げられる。

ディテールは全体を表している　本書からランダムに選んだディテールを見て、どの建築作品かを当てるゲームをしたら、おそらくほとんど正解することができるだろう。ディテールには、要素がぎゅっと寄せ集められ、デザイン様式が映し出される。ダニエル・リベスキンドが増築したユダヤ博物館（31）の窓の形と全体像はその一例だ。

ディテールにはいくつもの役割がある　1つのデザイン要素や工夫によって、複数のことなる要求事項やコンテクストに対応できることが多い。例えば、ヨーン・ウッツォンのバグスバード教会（13）のカーブを描く天井は、音を反響させ、明るさを調節し、見る者の気持ちの高まりを演出している。

フォルムのパターンは繰り返される　あらゆる建築の中で、フォルムのパターンは繰り返し登場する。建築家が形のレパートリーをどのように生み出したか、その形を通して機能条件、環境条件などにどのように対応しているかがわかる。アルヴァ・アアルトのセイナヨキ市庁舎（09）では、同じフォルムのパターンが建物の別の部分に、ことなるスケールで繰り返し登場する。

様式はあいまいな分類である　「有機的な建築」「ハイテク建築」などの様式の分類がよく使われるが、本書の建築作品を見ると、このような分類はあいまいで、ときに重複していることがわかる。例えば、ジェームズ・スターリングとジェームス・ゴーワンが設計したレスター大学工学部棟（05）は、機能主義（機能にもとづいて要素のボリュームが、使われている）とポストモダン（そのボリュームが生き生きと美しく配置されている）が折衷されている。極論を言えば、それぞれの建築が独自の様式をもっているのだ。

秩序とそのバリエーション　本書の多くの建築作品で、グリッド、左右対称性、要素の繰り返しなどの工夫を使った秩序と、そこから派生したバリエーションが組み合わされている。ヨーン・ウッツォンが設計したシドニー・オペラハウス(03)の3つのシェルのように、同じグループに属するバリエーションでも、それぞれ独自性をもっている。直線的なフォルムと自由曲面が共存していることもある。例えば、リチャード・マイヤーのバルセロナ現代美術館（21）では、平面的な南側のファサードの前に、曲線を描くボリュームが1つだけ配置されている。

優れた建築は理解しやすい　わかりやすい建物とは、訪れたときに「読み解き」やすく、印象に残る建物をいう。案内板がなくても入口が見つかり、建物の中の順路もわかりやすい。デントン・コーカー・マーシャルのマンチェスター民事司法センター（45）を訪れると、まずわかりやすい入口がある。受付デスクも目に付きやすく、アトリウムから部屋の配置が見てとれる。

威圧感がなくても個性は発揮できる　本書で紹介するすべての建築作品は、個性を発揮し際立っているが、周りを圧倒することはない。周辺地域に溶け込むだけでなく、個性で地域を活性化させる。これを体現しているのが、リチャード・ロジャースのロイズ・オブ・ロンドン　オフィスビル（19）、サンティアゴ・カラトラバのクォッドラッチ・パビリオン（32）、スペースラボ・クック - フルニエのクンストハウス・グラーツ（39）に見られる、近くの建物や都市コンテクストへの対応方法だ。

文化との融合がすばらしい建築を生む　ある国や文化圏の出身の建築家が、ことなる美的感覚をもつ地域で作品を作ると、建設地の影響と建築家のバックグラウンドの相互反応が建物に一体感をもたらし、すばらしい結果を生む。例えば、SANAAがニューヨークのロウアー・マンハッタンのにぎやかな通り沿いに設計したニュー・ミュージアム（35）の外壁には、日本の伝統建築に特有の透明感が取り入れられている。

素材と形はつながっている　ルイス・カーンのインド経営大学（12）で使われているレンガ、フューチャー・システムズのローズ・クリケット・グラウンド　メディア・センター（23）で使われているアルミニウム、ピーター・ズントーのテルメ・ヴァルス（27）で使われている石、フランク・O・ゲーリーのビルバオ・グッゲンハイム美術館(28)で使われているチタン、伊東豊雄の瞑想の森 市営斎場（44）で使われているコンクリートは、それぞれ素材の可能性が模索され、独創的に使われている。多くの建築作品の中で、素材感を活かした表現と、その限界への挑戦が見られる。

新しい建物と古い建物の生き生きとした組み合わせ　新しい建物と古い建物が隣り合うと、その間に関わり合いが生まれる。スヴェレ・フェーンがノルウェーのハマルに設計したヘドマルク博物館（11）では、中世に築かれた石壁の間にコンクリートのプラットフォームが新たに挿入されているが、新しい要素と古い要素は平等な関係の中でどちらも品位を保っている。ヘルツォーク＆ド・ムーロンのカイシャフォルム（34）では、大胆に改修された古い建物が建物の個性の核となり、ヘドマルク博物館とまったくことなる関係が生まれている。

フォルムや空間に命を吹き込む光の演出　外壁に注ぐ日光の演出や、天井の照明や壁の照明などさまざまな方法を使った、室内での生き生きとした光の相互作用などは、平面や空間の性格をがらりと変える。その好例として、カルロ・スカルパが設計したカノーヴァ美術館（02）の天窓、アルヴァロ・シザ、カスタニェイラ＆バスタイ、キム・ジュンソンが韓国のパジュ出版団地に建てたミメシス美術館（47）の、カーブを描く白い壁、エムレ・アロラトがイスタンブールに建てたサンチャクラー・モスク（53）の、ごつごつした石材の壁や天窓からの光に照らされるキブラの壁などが挙げられる。

具体的にイメージすることも建築体験の１つである　ドローイングを見ているだけでは、建築を体感することはできない。ところが、階段やスロープをのぼったり、角を曲がったり、光や影を通り抜けたり、狭い空間から広々とした空間へ出たりといった、体感から得られる喜びや、頭と体と現実世界を相互に関連させて得られる具体的な感覚は想像できる。ジェームズ・スターリングのシュトゥットガルト州立美術館新館（16）や、ザハ・ハディッドが設計したローマのイタリア国立21世紀美術館（52）の建築体験を頭の中で思い描いてみてほしい。

建築は思想を映す　建築には、クライアントや設計者の考え方が必ず反映される。PTバンブーが設計したバリのグリーン・スクール（46）では、ワンルーム形式の間取りや地元産の自然素材が使われていて、そのような現地の気候や文化への対応に、クライアントの思想が表れている。また、近くの建物や校舎内で生活する学生を尊重し、環境や文化の持続可能性を模索する様子にも、価値観がにじみ出ている。

建築とは共同作業である　ノーマン・フォスターが設計した香港の香港上海銀行オフィスビル（15）や、ピアース・パートナーシップが設計した、ジンバブエのハラレに建つイーストゲート（26）からは、構造や環境に対応した表現とそのほかのデザイン要素との相互反応がもたらす一体感を見てとれる。本書で紹介する建築は、建築家、エンジニア、建設業者、クライアント、そして場合によってはランドスケープデザイナーや芸術家、都市プランナーも含めた、効果的なコラボレーションの結果生まれたものだ。このような各関係者の名前は掲載していないので、「参考文献」に載せた資料を参照されたい。

謝辞

本書に掲載した一連の分析は、オーストラリアのアデレード大学の大学院課程の講座で、2008年に始まった。この講座では、建築デザインはあらゆるコンテクストとの関係の集合体であるとし、総合的な視点から研究してきた。研究やドローイングを通して、この分析プロジェクトに貢献してくれた学生やそのほかの関係者に大変お世話になった。それぞれのお名前は、下記に示すとともに、各プロジェクトのページにも記載している。

私たちが本書の執筆に膨大な時間を費やすのを辛抱強く見守ってくれた家族にお礼を言いたい。

最後に、本書で紹介した建築プロジェクトを始動し、設計、建設、維持してくれている人々に深く感謝する。

アントニー・ラッドフォード、アミット・スリヴァスタヴァ、セレン・モーコック
アデレード大学（オーストラリア）

以下の皆様の貢献に深く感謝する。

Manalle Abiad、Blake Alexander、Maryam Alfadhel、Rumaiza Hani Ali、Gabriel Ash、Rowan Barbary、Marguerite Therese Bartolo、Mark James Birch、Hilal al-Busaidi、Zhe Cai、、Brendan Capper、Sze Nga Chan、Ying Sung Chia、Sindy Chung、Alan L. Cooper、Leo Cooper、Gabriella Dias、Alix Dunbar、Philip Eaton、Brent Michael Eddy、Adam Fenton、Simon Fisher、Janine Fong、Douglas Lim Ming Fui、Saiful Azzam Abdul Ghapur、Lewis Kevin Hardy Glastonbury、Leona Greenslade、Lana Greer、Tim Hastwell、Simon Ho、Katherine Holford、Amy Holland、Celia Johnson、Felicity Jones、Rimas Kaminskas、Paul Anson Kassebaum、Sean Kellet、Lachlan Kno、Natasha Kousvos、Victoria Kovalevski、Verdy Kwee、Chun Yin Lau、Wee Jack Lee、Richard Le Messeurier、Megan Leen、Xi Li、Yifan Li、Huo Liu、Sam Lock、Hao Lv、Mohammad Faiz Madlan、Michelle Male、Matthew Bruce McCallum、Doug McCusker、Susan McDougall、Ben McPherson、Allyce McVicar、Mun Su Mei、Peiman Mirzaei、William Morris、Samuel Murphy、Michael Kin Pong Ng、Thuy Nguyen、Wan Iffah Wan Ahmad Nizar、Jessica O'Connor、Daniel O Dea、Kay Tryn Oh、Tarkko Oksala、Sonya Otto、John Pargeter、Michael Pearce、Georgina Penhall、Alison Radford、Siti Sarah Ramli、Nigel Reichenbach、William Rogers、Matthew Rundell、Ellen Hyo-Jin Sim、Katherine Snell、Wei Fen Soh、Sarah Sulaiman、Halina Tam、Daniel Turner、Hui Wang、Charles Whittington、Wen Ya、Lee Ken Ming Yi、Wing Kin Yim、Enoch Liew Kang Yuen、Stavros Zacharia、Xuan Zhang、Kun Zhao.

本増補改訂版に関し、Mark Olweny（リンカーン大学博士）、Sema Serim（エルジェス大学博士）、Julian Worrall（タスマニア大学教授）にケーススタディの指揮を執っていただいたことに感謝の意を表する。また、Han Cheng、Zhang Mingming（マイクロ・ユエンおよびマイクロ・フートンのプロジェクト建築士）、Epp Jerlei、Lana Greer、Ping Xiu Gan、Dhiren Ramlal、Glen Choromanski からいただいた支援・貢献にも感謝する。

継続的な支援と激励をくださった Thames & Hudson 社のチームと Lucas Dietrich にも感謝申し上げる。改訂版の作成にあたって、編集者の Rebecca Pearson、ブックデザイナーの Adam Hay にも大変お世話になった。専門知識を生かしてご協力くださったことに感謝の意を表する。

著者略歴

Dr Antony Radford（アントニー・ラッドフォード博士）
アーバンデザイナー。アデレード大学建築学部名誉教授。イングランド、スコットランド、オーストラリアでの居住・勤務経験をもつ。著書に、『Understanding Sustainable Architecture』や『Digital Design: A Critical Introduction』などがある。

Dr Amit Srivastava（アミット・スリヴァスタヴァ博士）
アデレード大学のアジア中東建築センター（Centre for Asian and Middle Eastern Architecture：CAMEA）ディレクター。インドおよびオーストラリアでの居住・勤務経験をもち、建築や建設における多国籍ネットワークを中心に研究を行っている。著書に、『India: Modern Architectures in History』などがある。

Dr Selen Morkoç（セレン・モーコック博士）
ライター、評論家。トルコおよびオーストラリア・アデレード大学にて、建築および理論の実践・教授経験をもつ。著書に、『A Study of Ottoman Narratives on Architecture: Text, Context and Hermeneutics』がある。

訳者略歴

長田綾佳（おさだ・あやか）
東京外国語大学外国語学部卒業。企業勤務を経て翻訳者。訳書に『藤本壮介 建築作品集』（ナオミ・ポロック著、2018年、エクスナレッジ）、『北京今昔 BEIJING THEN AND NOW』（ブライアン・ページ著、2022年、創元社）がある。

写真・画像提供

参考文献

01 サラバイ邸

Curtis, W.J.R., *Le Corbusier, Ideas and Forms*, New York: Rizzoli, 1986

Frampton, K., *Le Corbusier*, London: Thames & Hudson, 2001

Masud, R., 'Language Spoken Around the World: Lessons from Le Corbusier' (thesis, Georgia Institute of Technology), 2010

Park, S., *Le Corbusier Redrawn*: The Houses, New York: Princeton Architectural Press, 2012

Serenyi, P., 'Timeless but of Its Time: Le Corbusier's Architecture in India', *Perspecta* 20, 1983: 91–118

Starbird, P., 'Corbu in Ahmedabad', *Interior Design*, February 2003: 142–49

Ubbelohde, S.M., 'The Dance of a Summer Day: Le Corbusier's Sarabhai House in Ahmedabad, India', *TDSR* 14, no. 2, 2003: 65–80

02 カノーヴァ美術館

Albertini, B. and Bagnoli, A., *Carlo Scarpa: Architecture in Details*, Cambridge MA: MIT Press, 1988

Beltramini, G. and Zannier, I., Carlo Scarpa: *Architecture and Design*, New York: Rizzoli, 2007

Buzas, Stefan, Four Museums: *Carlo Scarpa, Museo Canoviano, Possagno; Frank O. Gehry, Guggenheim Bilbao Museum; Rafael Moneo, the Audrey Jones Beck Building, MFAH; Heinz Tesar, Sammlung Essl, Klosterneuburg*, Stuttgart and London: Edition Axel Menges, 2004

Carmel-Arthur, J. and Buzas, S.,*Carlo Scarpa, Museo Canoviano, Possagno* (photographs by Richard Bryant), Stuttgart and London: Edition Axel Menges, 2002

Los, Sergio, *Carlo Scarpa: 1906–1978: A Poet of Architecture*, New York: Taschen America, 2009

Schultz, A., *Carlo Scarpa: Layers*, Stuttgart and London: Edition Axel Menges, 2007

03 シドニー・オペラハウス

Drew, Philip, *Sydney Opera House: Jørn Utzon*）, London: Phaidon, 1995

Fromonot, Françoise, *Jørn Utzon: The Sydney Opera House*, trans. Christopher Thompson, Corte Madera CA: Electa/ Gingko, 1998

Moy, Michael, *Sydney Opera House: Idea to Icon*, Ashgrove Qld: Alpha Orion Press, 2008

Norberg-Schulz, Christian and Futagawa, Yukio, *GA: Global Architecture: Jørn Utzon Sydney Opera House, Sydney, Australia, 1957–73*, Tokyo: A.D.A. Edita, 1980（『GA 54　ヨーン・ウツソン / シドニー・オペラハウス』二川幸夫著、A.D.A.EDITA Tokyo、1983 年

Perez, Adelyn, 'AD Classics: *Sydney Opera House / Jørn Utzon*', *ArchDaily*, http://www.archdaily.com/65218

04 ソロモン・R・グッゲンハイム美術館

http://www.guggenheim.org/

Hession, J.K. and Pickrel, D., *Frank Lloyd Wright in New York: The Plaza Years 1954–1959*, Gibbs Smith, 2007

Laseau, P., *Frank Lloyd Wright: Between Principle and Form*, New York: Van Nostrand Reinhold, 1992

Levine, N., *The Architecture of Frank Lloyd Wright*, Princeton NJ: Princeton University Press, 1996

Quinan, J., 'Frank Lloyd Wright's Guggenheim Museum: A Historian's Report', *Journal of the Society of Architectural Historians* 52, 1993: 466–82

05 レスター大学工学部棟

Eisenman, Peter, *Ten Canonical Buildings 1950–2000*, New York: Rizzoli, 2008

Hodgetts, C., 'Inside James Stirling', *Design Quarterly* 100, no. 1, 1976: 6–19

Jacobus, John, 'Engineering Building, Leicester University', *The Architectural Review*, April 1964

McKean, J., *Leicester University Engineering Building*, Architectural Detail Series, London: Phaidon, 1994. Republished in James Russell et al., Pioneering British High-Tech, London: Phaidon, 1999

Walmsley, Dominique, 'Leicester Engineering Building: Its Post-Modern Role', *Journal of Architectural Education* 42, no. 1, 1984: 10–17

06 ソーク生物学研究所

Brownlee, David and De Long, David, *Louis I. Kahn: In the Realm of Architecture*, New York: Rizzoli, 1991（『ルイス・カーン - 建築の世界』デヴィッド・B. ブラウンリー 著、デヴィッド・G. デ・ロング 著、東京大学工学部建築学科香山研究室訳、デルファイ研究所、1992 年）

Crosbie, Michael J., 'Dissecting the Salk', *Progressive Architecture* 74, no. 10, Oct 1993: 40+

Goldhagen, Sarah Williams, *Louis Kahn's Situated Modernism*, New Haven CT and London: Yale University Press, 2001

Leslie, Thomas, *Louis I. Kahn: Building Art, Building Science*, New York: George Braziller, 2005

McCarter, Robert, *Louis I. Kahn*, London and New York: Phaidon, 2005

Steele, James, *Salk Institute: Louis I. Kahn*, London: Phaidon, 2002

Wiseman, C., Louis I. Kahn: *Beyond Time and Style, A Life in Architecture*, London: W.W. Norton, 2007

07 ルイジアナ近代美術館

Brawne, Michael, and Frederiksen, Jens, *Jørgen Bo, Vilhelm Wohlert: Louisiana Museum, Humlebaek*, Berlin: Wasmuth, 1993

Faber, Tobias, *A History of Danish Architecture*, Copenhagen: Danske Selskab, 1963

Pardey, John, *Louisiana and Beyond – The Work of Vilhelm Wohlert*, Hellerup: Bløndal, 2007

08 国立代々木競技場

Altherr, Alfred, *Three Japanese Architects; Mayekawa ,Tange and Sakakura*, New York: Architectural Books, 1968

Boyd, R. *Kenzo Tange*, New York: Braziller, 1962

Kroll, Andrew, 'AD Classics: Yoyogi National Gymnasium / Kenzo Tange', *ArchDaily*, 15 Feb 2011, http://www.archdaily.com/109138

Kultermann, U., *Kenzo Tange*, Barcelona: Gustavo Gili, 1989

Riani, P., *Kenzo Tange*, London: Hamlyn, 1970

Tagsold, Christian, 'Modernity, Space and National Representation at the Tokyo Olympics 1964', *Urban History* 37, 2010: 289–300

Tange, K. and Kultermann, U. (eds), *Kenzo Tange, 1946–1969: Architecture and Urban Design*, London: Pall Mall, 1970

09 セイナヨキ市庁舎

Baird, George, *Library of Contemporary Architects: Alvar Aalto*, New York: Simon and Schuster, 1971
Fleig, Karl, *Alvar Aalto: Volume II 1963–70*, London: Pall Mall, 1971
Radford, Antony, and Oksala, Tarkko, 'Alvar Aalto and the Expression of Discontinuity', *The Journal of Architecture* 12, no. 3, 2007: 257–80
Reed, Peter, *Alvar Aalto: Between Humanism and Materialism*, New York: MoMA, 1998
Schildt, Goran, *Alvar Aalto: The Complete Catalogue of Architecture, Design and Art*, London: Academy Editions, 1994
Weston, Richard, *Alvar Aalto*, London: Phaidon, 1995

10 東京カテドラル聖マリア大聖堂

Boyd, Robin, *Kenzo Tange*, New York: Braziller, 1962
Giannotti, Andrea, 'AD Classics: St. Mary Cathedral / Kenzo Tange', *ArchDaily*, 23 Feb 2011 http://www.archdaily.com/114435
Riani, Paolo, *Kenzo Tange [translated from the Italian]*, London and New York: Hamlyn, 1970
Tange, Kenzo, *Kenzo Tange, 1946–1969: Architecture and Urban Design*, London: Pall Mall, 1970

11 ヘドマルク博物館

Fjeld, Per Olaf, *Sverre Fehn: The Art of Construction*, New York: Rizzoli 1983
Fjeld, Per Olaf, Sverre Fehn: *The Pattern of Thoughts*, New York: Random House, 2009
Mings, Josh, *The Story of Building: Sverre Fehn's Museums*, San Francisco: Blurb, 2011, preview available at http://www.blurb.com/books/2537931-the-story-of-building-sverrefehn-s-museums
Pérez-Gómez, Alberto, 'Luminous and Visceral. A comment on the work of Sverre Fehn', *An Online Review of Architecture*, 2009, http://www.architecturenorway.no/questions/ identity/perez-gomez-on-fehn/

12 インド経営大学

Ashraf, Kazi Khaleed, 'Taking Place: Landscape in the Architecture of Louis Kahn', *Journal of Architectural Education* 61, no. 2, 2007: 48–58
Bhatia, Gautam, 'Silence in Light: Indian Institute of Management (Ahmedabad)' in *Eternal Stone: Great Buildings of India*, ed. Gautam Bhatia, New Delhi: Penguin Books, 2000: 29–39
Brownlee, David and De Long, David, *Louis I. Kahn: In the Realm of Architecture*, New York: Rizzoli, 1991
Buttiker, Urs, *Louis I. Kahn Light and Space*, New York: Watson-Guptill, 1994（『ルイス・カーン - 光と空間』ウルス・ビュッティカー著、富岡義人訳、熊谷逸子訳、鹿島出版会、1996 年）
Doshi, Balkrishna, Chauhan, Muktirajsinhji, and Pandya, Yatin, *Le Corbusier and Louis I. Kahn: The Acrobat and the Yogi of Architecture*, Ahmedabad: Vastu-Shilpa Foundation for Studies and Research in Environmental Design, 2007
Fleming, S., 'Louis Kahn and Platonic Mimesis: Kahn as Artist or Craftsman?' *Architectural Theory Review* 3, no. 1, 1998: 88–103
Ksiazek, S., 'Architectural Culture in the Fifties: Louis Kahn and the National Assembly Complex in Dhaka', *The Journal of the Society of Architectural Historians* 52, no. 4, 1993: 416–35
Srivastava, A., 'Encountering materials in architectural production: The case of Kahn and brick at IIM' (doctoral thesis, University of Adelaide, Adelaide), 2009

13 バグスバード教会

Balters, Sofia, 'AD Classics: Bagsvaerd Community Church', *ArchDaily*, archdaily.com/160390
Norberg-Schulz, Christian, *Jørn Utzon: Church at Bagsvaerd*, Tokyo: Hennessey & Ingalls, 1982
Weston, Richard (ed), *Jørn Utzon Logbook Vol. II: Bagsvaerd Church, Hellerup*, Denmark: Edition Bløndal, 2005

14 ミラン邸

Bradbury, Dominic, 'La Maison Jardin', *AD – Architectural Digest* 98, France, 2011: 133–39
Marcos Acayaba Arquitetos, 'Milan House', *GA Houses* 106, 2008: 128–45
Marcos Acayaba Arquitetos, 'Residência na cidade jardim', http://www.marcosacayaba.arq.br/lista.projeto.chain?id=2

15 香港上海銀行オフィスビル

Jenkins, D. (ed), *Hongkong and Shanghai Bank Headquarters, Norman Foster Works 2*, Munich: Prestel, 2005: 32–149
Lambot, I. (ed), *Norman Foster – Foster Associates: Buildings and Projects Volume 3 1978–1985*, Hong Kong: Watermark, 1989:112–255
Quantrill, M., *Norman Foster Studio: Consistency Through Diversity*, New York: Routledge, 1999

16 シュトゥットガルト州立美術館新館

Arnell, P. and Bickford, T. (eds), *James Stirling: Buildings and Projects: James Stirling, Michael Wilford and Associates*, London: Architectural Press,1984
Baker, Geoffrey, *The Architecture of James* Stirling and His Partners James Gowan and Michael Wilford: A Study of Architectural *Creativity in the Twentieth Century*, Burlington: Ashgate, 2011
Dogan, Fehmi and Nersessian, Nancy, 'Generic Abstraction in Design Creativity: The Case of Staatsgalerie by James Stirling', *Design Studies* 31, 2010: 207–36
Stirling, James, *Writings on Architecture*, Milan: Skira, 1998
Vidler, Anthony, 'Losing Face: Notes on the Modern Museum', *Assemblage* No. 9, June 1989: 40–57
Wilford, Michael, and Muirhead, Thomas, *James Stirling, Michael Wilford and Associates: Buildings & Projects, 1975–1992*, New York: Thames & Hudson, 1994

17 マーサズ・ヴィニヤードの家

Holl, Steven, *Idea and Phenomena*, Baden, Switzerland: Lars Müller, 2002
Holl, Steven, *House: Black Swan Theory*, New York: Princeton Architectural Press, 2007
House at Martha's Vineyard (Berkowitz-Odgis House), *El Croquis 78+93+108: Steven Holl 1986–2003*, 2003: 94–101

18 水の教会

Drew, Philip, *Church on the Water, Church of the Light*, London: Phaidon, 1996

Frampton, Kenneth, *Tadao Ando/Kenneth Frampton*, New York: Museum of Modern Art, 1991: 42-47. Available at https://www.moma.org/documents/moma_catalogue_348_300085246.pdf
Futagawa, Yukio (ed.), *GA Architect: Tadao Ando. Vol. 4, 2001–2007*, Tokyo: A.D.A. Edita, 2012

19 ロイズ・オブ・ロンドン　オフィスビル

Burdett, Richard, *Richard Rogers Partnership*, New York: Monacelli Press, 1996
Powell, Kenneth, *Lloyd's Building*, London: Phaidon, 1994
Rose, Charlie: interview with Richard Rogers, PBS, 1999
Sudjic, Deyan, *Norman Foster, Richard Rogers, James Stirling: New Directions in British Architecture*, London: Thames & Hudson, 1986
Sudjic, Deyan, *The Architecture of Richard Rogers*, New York: Abrams, 1995

20 アラブ世界研究所

Baudrillard, Jean and Nouvel, Jean, *The Singular Objects of Architecture*, Minneapolis:Minnesota Press, 2002 (『les objets singuliers- 建築と哲学』、ジャン・ボードリヤール著、ジャン・ヌーヴェル著、塚原史訳、鹿島出版会、2005 年)
Casamonti, Marco, *Jean Nouvel*, Milan: Motta, 2009
Jodidio, Philip, *Jean Nouvel: Complete Works, 1970–2008*, Cologne and London: Taschen, 2008
Morgan, C.L., *Jean Nouvel: The Elements of Architecture*, London: Thames & Hudson, 1998

21 バルセロナ現代美術館

Blaser, Werner, *Richard Meier: Details*, Basel: Birkhäuser, 1996
Frampton, Kenneth, *Richard Meier*, London: Phaidon, 2003
Frampton, Kenneth and Rykwert, Joseph, *Richard Meier, Architect: 1985–1991*, New York: Rizzoli, 1991
Meier, Richard, *Richard Meier: Barcelona Museum of Contemporary Art*, New York: Monacelli Press, 1997

22 ヴィトラ社消防ステーション

Ackerman, Matthias, 'Vitra; Ando, Gehry, Hadid, Siza: Figures of Artists at the Gates of the Factory', *Lotus International 85*, 1995: 74–99
Monninger, Michael, 'Zaha Hadid: Fire Station, Weil am Rhein', *Domus 752*, 1993: 54–61
Woods, Lebbeus, 'Drawn into Space: Zaha Hadid', *Architectural Design 78/4*, 2008: 28–35

23 ローズ・クリケット・グラウンド　メディア・センター

Buro Happold, 'NatWest Media Centre, Lord's Cricket Ground', *Architects' Journal*, 17 September 1998, architectsjournal.co.uk/home/natwest-media-centre-lords-cricket-ground/780405.article
Field, Marcus, *Future Systems*, London: Phaidon, 1999
Future Systems, *Unique Building (Lord's Media Centre)*, Chichester: Wiley-Academy, 2001
Kaplicky, Jan, *Confessions*, Chichester: Wiley-Academy 2002

24 メナラ UMNO

Gauzin-Müller, D., *Sustainable Architecture & Urbanism: Design, Construction, Examples*, Basel: Birkhäuser, 2002
Richards, I., *Groundscrapers + Subscrapers of Hamzah & Yeang*, Weinheim: Wiley- Academy, 2001
Yeang, K., *Tropical Urban Regionalism: Building in a South-east Asian City*, Singapore: Concept Media, 1987
Yeang, K., *Designing with Nature: The Ecological Basis for Architectural Design*, New York: McGraw-Hill, 1995
Yeang, K., *The Green Skyscraper*, London: Prestel, 2000
Yeang, K., *Ecodesign: A Manual for Ecological Design*, Chichester: Wiley-Academy, 2008

25 ダンシング・ビル

Cohen, Jean-Louis and Ragheb, Fiona, *Frank Gehry, Architect*, New York: Guggenheim Museum and London: Thames & Hudson, 2001
Dal Co, Francesco, *Frank O. Gehry: The Complete Works*, New York: Monacelli Press, 1998
Gehry, Frank, 'Frank Gehry: Nationale Nederlanden Office Building, Prague', *Architectural Design 66/1–2*, 1996: 42–45

26 イーストゲート

Baird, George, 'Eastgate Centre, Harare, Zimbabwe', in George Baird, *The Architectural Expression of Environmental Control Systems*, London and New York: Taylor and Francis, 2001: 164–80
Jones, D.L., *Architecture and the Environment: Bioclimatic Building Design*, Woodstock and New York: Overlook Press, 1998: 200–1

27 テルメ・ヴァルス

Binet, Hélène and Zumthor, Peter, *Peter Zumthor, Works: Buildings and Projects, 1979–1997*, Basel and Boston: Birkhäuser, 1999
Buxton, Pamela, 'Spas in their Eyes', *RIBAJ (magazine of the Royal Institute of British Architects)*, https://www.ribaj.com/buildings/spas-in-their-eyes
Hauser, Sigrid, *Peter Zumthor-Therme Vals / Essays*, Zurich: Scheidegger & Spiess, 2007
Zumthor, Peter, Atmospheres:*Architectural Environments; Surrounding Objects*, Basel and Boston: Birkhäuser, 2006

28 ビルバオ・グッゲンハイム美術館

Buzas, Stefan, *Four Museums: Carlo Scarpa, Museo Canoviano, Possagno; Frank O. Gehry, Guggenheim Bilbao Museum; Rafael Moneo, the Audrey Jones Beck Building, MFAH; Heinz Tesar, Sammlung Essl, Klostemeuburg*, Stuttgart and London: Edition Axel Menges, 2004
Eisenman, Peter, *Ten Canonical Buildings 1950–2000*, New York: Rizzoli, 2008
Hartoonian, Gevork, 'Frank Gehry: Roofing, Wrapping, and Wrapping the roof', *The Journal of Architecture* 7, no. 1, 2002: 1–31
Hourston, Laura, *Museum Builders II*, Chichester: Wiley-Academy, 2004
Mack, Gerhard, *Art Museums into the 21st Century*, Boston: Birkhäuser, 1999
Van Bruggen, Coosje, *Frank O. Gehry: Guggenheim Museum Bilbao*, New York:

Guggenheim Museum Publications, 2003

29 ESO ホテル
Auer+Weber+Assoziierte, 'Eso Hotel Cerro Paranal', https://www.auer-weber.de/en/projects/details/eso-hotel-cerro-paranal.html
Vickers, Graham, *21st Century Hotel*, London: Laurence King, 2005

30 アーサー&イヴォンヌ・ボイド・アートセンター
'Arthur and Yvonne Boyd Education Centre', *El Croquis* 163/164: *Glenn Murcutt 1980–2012*: Feathers of Metal, 2012: 282–313
Beck, Haigh and Cooper, Jackie, *Glenn Murcutt – A Singular Architectural Practice*, Melbourne: Images, 2002
Drew, Philip, *Leaves of Iron: Glen Murcutt: Pioneer of an Australian Architectural Form*, Sydney: Law Book Company, 2005
Fromonot, F., *Glenn Murcutt – Buildings and Projects 1962–2003*, London: Thames & Hudson, 2003
Heneghan, Tom and Gusheh, Maryam, *The Architecture of Glenn Murcutt*, Tokyo: TOTO, 2008（『グレン・マーカットの建築』マリアム・グーシェ著、トム・ヘネガン著、キャサリン・ラッセン著、勢山詔子 著、TOTO 出版、2008 年）
Murcutt, Glenn, *Thinking Drawing, Working Drawing*, Tokyo: TOTO, 2008（『グレン・マーカット：シンキング・ドローイング／ワーキング・ドローイング』マリアム・グーシェ著、トム・ヘネガン著、キャサリン・ラッセン著、勢山詔子 著、TOTO 出版、2008 年

31 ユダヤ博物館
Binet, Hélène, *A Passage Through Silence and Light*, London: Black Dog, 1997
Dogan, Fehmi and Nersessian, Nancy 'Conceptual Diagrams in Creative Architectural Practice: The case of Daniel Libeskind's Jewish Museum', *Architectural Research Quarterly* 16, no.1, 2012: 15–27
Kipnis, Jeffrey, *Daniel Libeskind: The Space of Encounter*, London: Thames & Hudson, 2001
Parka, Evan, 'AD Classics: Jewish Museum, Berlin / Daniel Libeskind', *ArchDaily*, 25 Nov 2010, http://www.archdaily.com/91273
Libeskind, Daniel, *Between the Lines: The Jewish Museum. Jewish Museum Berlin: Concept and Vision*, Berlin: Judisches Museum, 1998
Schneider, Bernhard, *Daniel Libeskind: Jewish Museum Berlin*, New York: Prestel, 1999

32 クォッドラッチ・パビリオン
Jodidio, Philip, *Calatrava: Santiago Calatrava, Complete Works 1979–2007*, Hong Kong and London: Taschen, 2007
Kent, Cheryl, *Santiago Calatrava Milwaukee Art Museum Quadracci Pavilion*, New York: Rizzoli, 2006
Tzonis, Alexander, *Santiago Calatrava: The Complete Works – Expanded Edition*, New York: Rizzoli, 2007
Tzonis, Alexander and Lefaivre, Liane, *Santiago Calatrava's Creative Process: Sketchbooks*, Basel: Birkhäuser, 2001

33 B2 ハウス
Aga Khan Award for Architecture, B2 House, 2004, akdn.org/architecture/project/b2-house
Bradbury, Dominic, *Mediterranean Modern*, London: Thames & Hudson, 2011
Lubell, Sam and Murdoch, James, '2004 Aga Khan Award for Architecture: Promoting Excellence in the Islamic World', *Architectural Record 192/12*, 2004: 94–100
Sarkis, Hashim, *Han Tümertekin – Recent Work*, Cambridge MA: Aga Khan Program, Harvard University Graduate School of Design, 2007

34 カイシャフォルム
Arroya, J.N., Ribas, I.M. and Fermosei, J.A.G., *Caixaforum Madrid*, Madrid: Foundación La Caxia, 2004
'Caixaforum-Madrid', *El Croquis* 129/130: *Herzog & de Meuron 2002–2006*, 2011: 336–47
Cohn, D., 'Herzog & de Meuron Manipulates Materials, Space and Structure to Transform an Abandoned Power Station into Madrid's Caixaforum', *Architectural Record* 196, no. 6, 2008: 108
Mack, Gerhard (ed.) *Herzog & de Meuron 1997–2001. The Complete Works. Volume 4*, Basel, Boston and Berlin: Birkhäuser, 2008
Pagliari, F., 'Caixaforum', *The Plan: Architecture and Technologies in Detail* 26, 2008: 72–88

35 ニュー・ミュージアム
'New Museum of Contemporary Art, New York', *El Croquis 139: SANAA 2004–2008*, 2008: 156–71

36 スコットランド議会会館
Jencks, Charles, *The Iconic Building*, London: Frances Lincoln, 2005
LeCuyer, Annette, *Radical Tectonics*, London: Thames & Hudson, 2001
'Scottish Parliament', *El Croquis 144: EMBT 2000–2009*, 2009: 148–95
Spellman, Catherine, 'Projects and Interpretations: Architectural Strategies of Enric Miralles', in Catherine Spellman (ed.), *Re-Envisioning Landscape/Architecture*, Barcelona: Actar, 2003: 150–63

37 横浜港大桟橋国際客船ターミナル
Fernando Marquez, Cecilia and Levene, Richard, *Foreign Office Architects, 1996–2003: Complexity and Consistency*, Madrid: El Croquis Editorial, 2003
Hensel, Michael, Menges, Achim and Weinstock, Michael, *Emergence: Morphogenetic design strategies*, Chichester: Wiley-Academy, 2004
Ito, Toyo, Kipnis, Jeffrey and Najle, Ciro, *2G N.16 Foreign Office Architects*, Barcelona: Gustavo Gili, 2000
Kubo, Michael and Ferre, Albert in collaboration with Foreign Office Architects, *Phylogenesis: FOA's Ark*, Barcelona: Actar, 2003
Machado, Rodolfo and el-Khoury, Rodolphe, *Monolithic Architecture*, Munich and New York: Prestel-Verlag, 1995
Melvin, Jeremy, *Young British Architects*, Basel and Boston: Birkhäuser, 2000
Scalbert, I., 'Public space – Yokohama International Port Terminal – Ship of State', in Rowan Moore (ed.), *Vertigo: The Strange New World of the Contemporary City*, Corte Madera CA: Gingko Press, 1999

38 フォートワース現代美術館
Brettell, Richard R., 'Ando's Modern: Reflections on Architectural Translation' *Cite: The Architecture and Design Magazine of Houston* 57, Spring 2003: 24-30, http://offcite.rice.edu/2010/03/AndosModern_Brettell_Cite57.pdf
Dillon, David, 'Modern Art Museum of Fort Worth', *Architectural Record*, March 2003: 98–113
Frampton, Kenneth, *Tadao Ando/Kenneth Frampton*, New York: Museum of Modern Art, 1991
Futagawa, Yukio (ed.), *Tadao Ando. V: IV, 2001–2007*, Tokyo: A.D.A. Edita, 2012
'Modern Art Museum of Fort Worth', *El Croquis* 92: *Worlds Three: About the World, the Devil and Architecture*, 1998: 42–47
Morant, Roger, 'Boxing with Light', Domus 857, March 2003: 34–51

39 クンストハウス・グラーツ
Lefaivre, Liane, 'Yikes! Peter Cook's and Colin Fournier's Perkily Animistic Kunsthaus in Graz Recasts the Identity of the Museum and Recalls a Legendary Design Movement', *Architectural Record* 192, no. 1, 2004: 92
Lubczynski, Sebastian and Karopoulos, Dimitri, *Plastic: Kunsthaus Graz, Analysis of the Use of Plastic as a Construction Material at the Kunsthaus Graz*, 2010, http://issuu.com/sebastianlubczynski/docs/kunsthaus_graz
Lubczynski, Sebastian, *Advanced Construction Case Study: Kunsthaus Graz, Further Study of the Kunsthaus Graz and its Construction Materials*, undated, http://issuu.com/sebastianlubczynski/docs/construction_case_study_project_2/10
Nagel, Rina, and Hasler, Dominique, *Kunsthaus Graz*, London: Spacelab, 2006
Richards, B., and Dennis Gilbert, *New Glass Architecture*, London: Laurence King, 2006: 218–21
Slessor, Catherine, 'Mutant Bagpipe invades Graz', *The Architectural review*, 213 (1282), Dec 2003: 24
Sommerhoff, Emilie W., 'Kunsthaus Graz, Austria', *Architectural Lighting* 19, no. 3, 2004: 20

40 リンクト・ハイブリッド
Fernández Per, Aurora, Mozas, Javier and Arpa, Javier, 'This is Hybrid', Vitoria-Gasteiz, Spain: a+t, 2011
Frampton, K., *Steven Holl Architect*, Milan: Electa Architecture, 2003
Futagawa, Y., *Steven Holl*, Tokyo: A.D.A. Edita, 1995
Holl, Steven,*Steven Holl: Architecture Spoken*, New York: Rizzoli, 2007
Holl, S., *Steven Holl*, Zurich: Artemis Verlag, 1993
Holl, S., Pallasmaa, J. and Perez, A., *Questions of Perception: Phenomenology of Architecture*, San Francisco: William Stout Publishers, 2006
Pearson, Clifford A., 'Connected Living', *Architectural Record* 1, 2010: 48–55

41 サンタ・カテリーナ市場
Cohn, David, 'Rehabilitation of Santa Caterina Market, Spain', *Architectural Record* V 194/2, 2006: 99-105
Miralles, Enric and Tagliabue, Benedetta, *Architecture and Urbanism*, Tokyo: A+U Publishing, V 416, 2005: 88–99
'Renovations to Santa Caterina Market', *El Croquis* 144: *EMBT 2000–2009*, 2009: 124–47（「サンタ・カテリーナ市場の再生」、『a + u』、2008 年 7 月号、株式会社エー・アンド・ユー、2008 年）
Velasco Rivas, Jose M., 'Roof of Santa Caterina Market in Barcelona', *Structural Engineering International*, vol. 17, no. 3, 2007: 218–23

42 ビルヒリオ・バルコ図書館
Adell, Josep Maria, 'Rogelio Salmona and Brickwork Architecture in Colombia', *Informes de la Construcción*, vol. 56, no. 495, February 2005: 73–80. doi:10.3989/ic.2005.v57.i495.456
Aschner Rosselli, Juan Pablo, 'Virgilio Barco Public Library: Disappearance of the City, Invocation of the Savanna', *Bitácora Urbano- Territorial*, vol. 1, no. 10, October 2006: 27–38
Castro, Ricardo L., et al., *Rogelio Salmona: A Tribute*, Bogotá: Villegas Editores, 2008
Havik, Klaske, 'Acts of Symbiosis: A Literary Analysis of the Work of Rogelio Salmona and Alvar Aalto', *Montreal Architectural Review*, vol. 4, 2017: 41–60
Laguna, Sergio, 'The Democratic Meaning of the Wall in Rogelio Salmona's Work: The Virgilio Barco Library', *Dearq*, no. 19, December 2016: 52–61. doi:10.18389/dearq19.2016
Rueda Plata, Carlos I., 'Place-Making as Poetic World Re-Creation: An Experiential Tale of Rogelio Salmona's Places of Obliqueness and Desire', PhD diss., McGill University, Montreal, 2008
Webb, Michael, 'A Tribute to Rogelio Salmona, the Greatest of Colombian Modernists and Bogotá's Maestro of Brick', *The Architectural Review*, January 2011: 76–81

43 サザン・クロス駅
Dorrel, Ed, 'Grimshaw set to create waves in Melbourne Rail Station Redesign', *Architects' Journal* 219/1–8, 2004: 7–8
Roke, Rebecca, 'Southern Skies', *The Architectural Review* 221/1319-24, 2007: 28–36
Southern Cross Station Redevelopment Project, Melbourne, Australia, *Railway-Technology* undated, https://www.railway-technology.com/projects/southern-cross-station-redevelopment-australia/

44 瞑想の森 市営斎場
'Meiso no Mori Municipal Funeral Hall', *El Croquis 147: Toyo Ito 2005–2009*, pp. 70-87
Webb, Michael, 'Organic Architecture', *The Architectural Review 222/1326*, 2007: 74–78
Yoshida, Nobuyuki, *Toyo Ito: Architecture and Place: Feature*, Tokyo: A + U Publishing, 2010（「特集：伊東豊雄／建築と場所」『a+u』、2010 年 1 月号、株式会社エー・アンド・ユー、2010 年）

45 マンチェスター民事司法センター
Allied London, *The Manchester Civil Justice Centre*, London: Alma Media International, 2008
Bizley, Graham, 'In Detail: Civil Justice Centre, Manchester', *bdonline*, 14 September 2007, https://www.bdonline.co.uk/buildings/in-detail-civil-justice-centre-manchester/3095199.article
Denton Corker Marshall, *Manchester Civil Justice Centre*, London: Denton Corker Marshall, 2011
Tombesi, Paolo, 'Raising the Bar', *Architecture Australia*, 97:1, Jan 2008, https://architectureau.com/articles/raising-the-bar/

46 グリーン・スクール

The Green School / IBUKU', *ArchDaily*, https://www.archdaily.com/81585/the-green-school-pt-bambu

Hazzard, Marian, Hazzard, Ed and Erickson, Sheryl, 'The Green School Effect: An Exploration of the Influence of Place, Space and Environment on Teaching and Learning at Green School, Bali, Indonesia', Powers of Place Initiative Paper, 2011

James, Caroline, 'The Green School : Deep within the Jungles of Bali, a School Made Entirely of Bamboo Seeks to Train the Next Generations of Leaders in Sustainability', *Domus*, 2012, https://www.domusweb.it/en/architecture/2010/12/12/the-green-school.html

47 ミメシス美術館

El Croquis 140: *Álvaro Siza 2001–2008*, 2008

Figueira, Jorge, *Álvaro Siza: Modern Redux*, Ostfildern: Hatje Cantz, 2008

Gregory, Rob, 'Mimesis Museum by Álvaro Siza, Carlos Castanheira and Jun Saung Kim, Paju Book City, South Korea', *The Architectural Review*, 2010, https://www.architectural-review.com/today/mimesis-museum-by-alvaro-siza-carlos-castanheira-and-jun-saung-kim-paju-book-city-south-korea

Jodidio, Philip, *Álvaro Siza: Complete Works 1952–2013*, Cologne: Taschen, 2013

Leoni, Giovanni, *Álvaro Siza*, Milan: Motta Architettura, 2009

48 ジュリアード音楽院、アリス・タリー・ホール

Guiney, Anne, 'Alice Tully Hall, Lincoln Center, New York', *Architect*, April 2009: 101–9

Incerti G., Ricchi D., Simpson D., *Diller + Scofidio (+ Renfro): The Cilliary Function*, New York: Skira, 2007

Kolb, Jaffer, 'Alice Tully Hall by Diller Scofidio + Renfro, New York, USA', *The Architectural Review* 225, no. 1346, 2009: 54–59

Merkel, Jayne, 'Alice Tully Hall, New York', *Architectural Design* 79, no. 4, 2009: 108–13

Otero-Pailos, Jorge, Diller, Elizabeth and Scofidio, Ricardo, 'Morphing Lincoln Center', *Future Anterior* 6, no. 1, 2009: 84–97

49 ウムクムバネ文化遺産博物館

Choromanski Architects: choromanski.com

'Reshaping colonial cities, African architects reclaim history – and the future': csmonitor.com/World/Africa/2017/0929/Reshaping-colonial-cities-African-architects-reclaim-history-and-the-future

'A Tribute to Rodney Choromanski (1961–2018)', *SAIA-KZN: Journal of the Kwazulu-Natal Region of the South African Institute of Architects*, vol. 44, no. 1, 2019

Brown, Amelia, The Umkhumbane Cultural and Heritage Museum, *VISI*, 20 June 2018, https://uk01.z.antigena.com/l/GztOoPJB22ibHOQTaEZXSfKX~zT5CE9jmZ-UIEDTz2UwEKECLUr7cbKpu_bfhiNLt0IfhPGBirkPUKOpTZAdd3vk88k2Bo1fvAb6V2ejo5~ZIQnuQDpvPDaRuY_wgqPr~SMna5Cp-trT6EH2rGKMj-AS3G9ZK4840owBevKFj9~jC8~9TL_QPbB0gbTWkR~7gk~UdOps~2a0yycsnB3ncdafgnQoXT

Umkhumbane Museum: African Architecture Awards, https://uk01.z.antigena.com/l/ZMLVHkdKsFqavj9-jcpu~nR1DBJMQuvecx173mKUG0THXWTX7UMX1BjdN-_gEX2ZpTwTog9Gj~9j6oFEIhS-gG4I8zIryac_-e8COD~nMk_i0_vPW~BWsf9GCJVCr8BkIrHSE9j4u-NxeqDI53qAFq5CuRUjevCW77IdM~P2jsOFgQWdem8Vjm8htFuhgXEPXLE9gAplyKYEg3nR9NOcZ8VHqaaz_2kZ

50 41クーパー・スクエア

Doscher, Martin, 'New Academic Building for the Cooper Union for the Advancement of Science and Art – Morphosis', *Architectural Design* 79, no. 2, 2009: 28–31

Gonchar Joann, '41 Cooper Square, New York City, Morphosis', *Architectural Record* 197, no. 11, 2009: 97

Mayne, Thom, *Morphosis; Buildings and Projects, 1993–1997*, New York: Rizzoli, 1999

Mayne, Thom, *Fresh Morphosis: 1998–2004*, New York: Rizzoli, 2006

Merkel, Jayne, 'Morphosis Architects' Cooper Union Academic Building, New York', *Architectural Design* 80, no. 2, 2010: 110–13

Millard, Bill, *MetaMorphosis: Thom Mayne's Cooper Union,* https://www.worldconstructionnetwork.com/features/feature75153/?cf-view

51 オスロ・オペラハウス

Craven, Jackie, 'Oslo Opera House in Oslo, Norway', http://architecture.about.com/od/greatbuildings/ss/osloopera.htm

Gronvold, Ulf, 'Oslo's New Opera House – Roofscape and an Element of Urban Renewal', *Detail* (English edn), 3 274, May/June 2009

'Oslo Opera House / Snøhetta', *ArchDaily*, 7 May 2008, http://www.archdaily.com/440

'Snøhetta: New Opera House Oslo', *GA Document* (102), 2008: 8

52 イタリア国立 21 世紀美術館　MAXXI

'The National Centre for the Contemporary Art and Architecture', *MAXXI*, https://www.maxxi.art/en/progetto-architettonico/

Zaha Hadid Architects, https://www.zaha-hadid.com/architecture/maxxi/

Anon,'MAXXI Museum', *Architectuul*, https://architectuul.com/architecture/maxxi-museum

Janssens, M., and Racana G. (eds), *MAXXI: Zaha Hadid Architects*, New York: Rizzoli, 2010

Mara, F. 'Zaha Hadid Architects', *Architect's Journal* 232, no. 12, 2010: 62–68

Schumacher, Patrik, 'The Meaning of MAXXI – Concepts, Ambitions, Achievements' in Janssens and Racana, 2010: 18–39. Also available online at http://www.patrikschumacher.com/Texts/The%20Meaning%20of%20MAXXI.html

53 サンチャクラー・モスク

Mairs, Jessica, 'Terraced landscaping surrounds concrete and stone structure of Emre Arolat's Sancaklar Mosque', *dezeen*, 2015: https://www.dezeen.com/2015/04/06/sancaklar-mosque-emre-arolat-architects-istanbul-concrete-stone-terraced-landscaping/

'Sancaklar Mosque', *ArchDaily*, 2014: https://www.archdaily.com/516205/sancaklar-mosque-emre-arolat-architects

Tanyeli, Ugur, 'Profession of Faith: Mosque in Sancaklar', *The Architectural Review*, July 2014: 32–47: https://www.architectural-review.com/today/profession-of-faith-mosque-in-sancaklarturkey-by-emre-arolat-architects

54 マイクロ・ユエン（微雑院）／マイクロ・フートン（微胡同）

Anon., 'Zhang Ke: The Basics', *World Architecture*, 10, 2018
Frearson, Amy, 'Zhang Ke slots work and play spaces into Beijing's ancient Hutong courtyards', *dezeen*, 2016: https://www.dezeen.com/2016/10/11/zhang-ke-zao-standardarchitecture-micro-hutong-renewal-courtyards-beijing-design-week/
'Micro Hutong / ZAO/standardarchitecture', *ArchDaily*, 2015: https://www.archdaily.com/775045/micro-hutong-standardarchitecture
'Micro Yuan'er / ZAO/standardarchitecture', *ArchDaily*, 2015: https://www.archdaily.com/775172/micro-yuaner-zao-standardarchitecture
standardarchitecture: www.standardarchitecture.cn
Zhu Pei (ed.), 'A Macroscopic/Microscopic View of Architecture', *The Plan*, 110, 2018: 47-50

55 ハルビン・オペラハウス

Garber, Richard, 'Sinuous Workflows: MAD Architects, The Harbin Opera House', *Architectural Design*, vol. 87(3), May 2017:128–35
MAD, 'Harbin Opera House': i-mad.com/work/harbin-cultural-center/?cid=4
Ma Yansong, *MAD Works: MAD Architects*, London: Phaidon, 2016
Ma Yansong, *Shanshui City*, Zurich: Lars Müller Publishers, 2015
Seno, Alexandra A., 'Dangerous Curves', *Architectural Record*, 0003858X, vol. 203 (12),December 2015

索引 （斜体のページ番号は、全面写真のページを示す）

名作モダン建築の解剖図鑑　増補改訂版

2025年6月3日　初版第1刷発行

著　者　アントニー・ラッドフォード、アミット・スリヴァスタヴァ、セレン・モーコック

訳　者　長田綾佳

発行者　三輪浩之

発行所　株式会社エクスナレッジ
〒106-0032 東京都港区六本木7-2-26
https://www.xknowledge.co.jp/

問い合わせ先　編集　tel：03-3403-1381　fax：03-3403-1345
info@xknowledge.co.jp
販売　tel：03-3403-1321　fax：03-3403-1829